WOLFRAM VON ESCHENBACH

SECHSTE AUSGABE

VON

KARL LACHMANN

BERLIN UND LEIPZIG

WALTER DE GRUYTER & CO.

VORMALS G. J. GÖSCHEN'SCHE VERLAGSHANDLUNG — J. GUTTENTAG. VERLAGS-
BUCHHANDLUNG — GEORG REIMER — KARL J. TRÜBNER — VEIT & COMP.

1926

Unveränderter photomechanischer Nachdruck
Walter de Gruyter & Co., Berlin W 30
1 9 6 2

DREI FREUNDEN IN GÖTTINGEN

GE. FRIED. BENECKE

JAC. GRIMM

WILH. GRIMM

ZUM GEDÄCHTNISS TREUES MITFORSCHENS

GEWIDMET

VORREDE.

Weit früher als ich öffentlich davon zu sprechen gewagt hätte, ist meine ausgabe der eschenbachischen werke von freunden in gutem vertrauen ange-kündigt worden. inzwischen ist mir an handschriftlichen hilfsmitteln so ziem-lich zu theil geworden was ich wünschen konnte: nicht gleich sicher bin ich auch mich selbst in der langen zeit hinlänglich auf ein so schweres und bedeutendes werk vorbereitet zu haben. wenigstens dafs mir die arbeit nicht überall sauber und zierlich genug erscheint mufs ich selbst sagen, und dies werden gewifs beurtheiler die von der sache nichts verstehn ebenfalls finden und mit unpassenden beispielen zeigen: die entschuldigung aber, aus wie schwerem wust ich die beiden grofsen gedichte habe herausarbeiten müs-sen, leuchtet nur kennern ein; und dafs ich leichter und glücklicher auf eine grundlage gebaut haben würde, die leider fehlt weil sie die schwachen kräfte der deutschen philologie um das jahr 1780 überstieg, auf einen sorgfältigen abdruck der handschrift zu Sanct Gallen. denn da ich nur allmählig von verschiedenen orten her das überlieferte zusammenbringen und es mir schwer zur anschaulichen übersicht ordnen konnte, da obendrein die masse des un-nützen mich befieng, wie die zahllosen druckfehler der müllerischen ausgabe und die willkürlichkeiten oder fehler der jüngeren handschriften, so bin ich natürlich oft im zusammenhang des beobachtens gestört und in der sicherheit genauer und reinlicher ausführung beschränkt worden; daher ein nachfolger, da ich ihm den boden geebnet und das geräth zur hand gestellt habe, mit geringer anstrengung und in freier behaglichkeit immer noch viel bedeutendes schaffen kann, wenn es ihm gefällt die arbeit in meinem sinne weiter zu füh-ren. und das, hoff ich, wird er thun, er wird diese werke nicht blofs als denkmähler eines früheren zeitalters der sprache schätzen, und allenfalls durch widerholung einer vorzüglichen handschrift, mit reimpunkten und mit cursiv

gedruckten abkürzungen, entweder eines einzelnen abschreibers tugenden und
nachlässigkeit darzustellen sich begnügen, oder patriotischen lesern mit einer
alterthümlichen augenweide das herz erfreuen wollen. denn diese gedichte
werden ihm nicht etwa verzeihliche wohlgemeinte versuche eines unschuldigen
kunstlosen dranges scheinen, sondern die edelste reichste blüte einer bewusten
und zum klassischen ausgebildeten poesie, die eben so wenig nur für ein
schwaches vorspiel der heutigen gelten kann, als etwa das deutsche reich für
einen geringen anfang zum deutschen bunde. mir hat wenigstens immer die-
ses ziel meiner aufgabe vorgeschwebt, dafs einer der grösten dichter in seiner
ganzen herrlichkeit meinen zeitgenossen möglichst bestimmt und anschaulich
dargestellt werden sollte, so dafs sich zugleich erkennen liefse wie der höchste
dichter seiner zeit in derselben und in ihrer poesie gestanden, und wie er ihr
habe gefallen müssen, oder, kann man auch sagen, dafs uns möglich gemacht
werden sollte Eschenbachs gedichte so zu lesen wie sie ein guter vorleser in
der gebildetsten gesellschaft des dreizehnten jahrhunderts aus der besten hand-
schrift vorgetragen hätte. die erforschung des für jene zeit allgemein gültigen,
die beobachtung der eigenthümlichkeiten Eschenbachs, endlich die sorge für die
bequemlichkeit und das bedürfnifs eines heutigen lesers, dies alles muste mir
gleich wichtig und in jedem augenblicke der gegenstand meiner aufmerksam-
keit sein.

Also zuerst war die echte lesart aus den quellen zu holen: es wird nach-
her bei den einzelnen werken gesagt werden, wie viel mir jede handschrift
gegolten hat. das kleine kritische vergnügen, geringfügige fehler sonst guter
abschriften selbst zu berichtigen, durfte ich dem leser nicht gönnen, ob ich
ihm gleich im Parzival, wie sich noch zeigen wird, in einem falle die wahl
freigestellt habe. aber wiewohl alle irgend bedeutenden quellen der überliefe-
rung mir zu gebote standen, und was man vielleicht noch von handschriften
finden wird, die gebrauchten an alter und werth nicht so leicht übertreffen
kann, dennoch wird unmöglich, bei werken von denen es niemahls autographa
gegeben hat, die überlieferung vollkommen genügen: daher ist häufig, was der
sinn oder der versbau oder des dichters art unwidersprechlich forderte, aus
schlechteren handschriften oder nach meiner vermutung gesetzt worden; man-
ches wort das verwerflich schien, aber von allen oder von den besten hand-
schriften geschützt ward, eingeklammert: minder sichere besserungen stehn
unter dem texte, theils mit dem zeichen einer geringeren handschrift, theils,
wenn es meine vermuthung ist, frageweise, theils mit dem namen meines
freundes Wilhelm Wackernagel, dem ich für manche schöne verbesserung und
für viel willkommene erinnerungen verpflichtet bin. aufserdem dafs so die
anmerkungen der ursprünglichen rede des dichters noch näher zu kommen
streben und gelehrte forscher zur weitern berichtigung (denn es bleibt noch
genug nachzuglätten) anreizen sollen, sind sie zugleich bestimmt das verhält-

nifs der überlieferung zu der möglichst hergestellten echten form, oder die ge-
schichte des textes, wenigstens im allgemeinen und den hauptpunkten nach
darzustellen. auch was in ihnen von der schreibweise der handschriften an-
gegeben ist, wird den kundigen zeigen, dafs wenn ich die sprachformen und
die orthographie einer einzelnen handschrift befolgt, oder durch zählereien, wie
viel mahl ein wort so oder so in den besten geschrieben sei, mich hätte leiten
lassen, allzuviel grundlose beschränkungen, manche gemeine und dem hof-
gebrauche der besten zeit widerstreitende formen, noch mehr Wolframs erweis-
licher mundart fremdes und seinen vers verletzendes, endlich unzählige mehr-
deutigkeiten der schrift wo doch die aussprache bestimmt sein mufs, dem leser
nur ein verworrenes bild der sprache dieses dichters gewährt und durch die
beständige pein der unsicherheit sein vergnügen gestört hätten. dies mit aller
kunst zu vermeiden, selbst auf die gefahr dafs bei fortgesetzter beobachtung
einiges anders entschieden würde, schien mir bei weitem wichtiger, als etwa
dem sprachforscher durch die darstellung einer handschrift ein bild einer ein-
zelnen mundart zu geben; zumahl da man, wenn ich recht bemerkt habe, in
poetischen handschriften des dreizehnten jahrhunderts niemahls eine mundart
rein dargestellt findet, weil sich selbst rohe schreiber nicht selten von ihrem
eigenen sprachgebrauch losrissen und ihre der hofsprache getreuere vorschrift
befolgten. übrigens habe ich die freiheit des abwechselns mit verschiednen
formen, wo sie in der edleren sprache gleich gewöhnlich und Eschenbachs
mundart nicht entgegen waren, keinesweges beschränken wollen, und weit lie-
ber der willkür guter schreiber als meiner eigenen die entscheidung überlassen:
was aber von ungewöhnlich genauer bezeichnung der aussprache vorkam (wenn
z. b. durch zusammenschreiben angedeutet ward dafs ein e tonlos werde, wie
in dâhter oder batez), hab ich mit vorliebe für den text gewählt, in der
voraussetzung dafs ein aufmerksamer leser für das verständnifs nichts mehr
wünschen werde als die bestimmteste anweisung zur richtigen aussprache.
doch bin ich ihm zuweilen auch durch das zeichen des apostrophs zu hilfe
gekommen, aber nur wo ich verwechselung fürchtete, und nur wo zwei wör-
ter in eins verschmelzen, niemahls aber, nach einem gewöhnlichen nicht ein-
mahl alten mifsbrauch, zwischen zwei consonanten. diesen nothbehelf abge-
rechnet, den ich zuweilen auch schon in Walthers liedern gebraucht habe,
schien es mir am besten mich ohne mehr künsteleien mit der mittelhochdeut-
schen orthographie zu begnügen, die wir in den letzten jahren fest gestellt
haben, nach dem vorgange der besten handschriften, nur mit etwas mehr
strenge, z. b. in der bezeichnung aller langen vocale, in der festen unter-
scheidung der umlaute, in der sonderung des k vom ch. denn diese ortho-
graphie leistet was man von ihr verlangen kann: sie ist überall der aus-
sprache gemäfs, obwohl sie nicht alle feinheiten derselben gleich gut zu be-
zeichnen weifs. wenn wir aber noch hie und da kleine ungleichheiten zulassen,

wenn manchmahl bei gleicher aussprache z und tz oder k und ck, auch wohl
c und k oder i und y steht, oder wenn in dem trennen und verbinden der
wörter nicht ganz strenge regeln befolgt werden, so will ich mich zwar nicht
auf das schwanken unserer heutigen doch äufserst pedantischen schreibrichtig-
keit berufen, aber ich gebe zu bedenken dafs auch die italiänischen gramma-
tiker des sechzehnten jahrhunderts mit einigem der art nicht völlig ins reine
gekommen sind, selbst der vortreffliche Lionardo Salviati nicht, der mir immer
in vielem als ein vorbild erschienen ist, und dessen arbeiten jeder genau ken-
nen mufs der über meine versuche die mittelhochdeutsche orthographie zu be-
stimmen urtheilen will.

Auf die unterscheidung der rede durch interpunction hab ich den grösten,
und wie ich hoffe, den dankenswerthesten fleifs verwandt: nun aber scheint
es mir fast als ob manche meine bemühung für ein verwegenes und die for-
schung hemmendes bestimmen der erklärung des sinnes halten und vielleicht
gar die reimpunkte am ende der verse vermissen werden, die dagegen, wie
sie in Müllers Parzival stehn, mich und den setzer dieses buches fast zur ver-
zweiflung gebracht haben. wer auch nur als grammatiker verfährt (nachdem
die syntax wird aus ihrer gegenwärtigen verachtung wieder erhoben sein) kann
verständiger weise nicht durch nutzlose sinnstörende zeichen die auffassung des
periodenbaus hindern wollen: ohne interpunction finden wir, durch unser vieles
rasches lesen verwöhnt, in irgend schwerer schreibart die verbindungen nicht
leicht heraus: wie verkehrt also, wenn der herausgeber das studium erschweren
oder gar durch unnütze zeichen zurückhalten wollte, grade bei dem dichter
der vor andern reich ist an beispielen der erscheinungen und vielleicht aller
erscheinungen der mittelhochdeutschen wortfügung! mein nächster zweck war
eben nicht die beförderung des grammatischen studiums, sondern ich wollte
heutigen lesern das verständnifs des dichters so erleichtern wie sie es in ge-
druckten büchern aller sprachen gewohnt sind und daher auch verlangen kön-
nen: ich glaubte mich am ersten befähigt ihnen so zu helfen, weil ich bei
meiner arbeit gezwungen war die meinung des dichters möglichst zu durch-
dringen, so dafs meine auffassung, wenn auch nicht überall richtig, doch mit
sorgfalt erwogen, noch wohl den ersten einfällen eines neuen lesers das gleich-
gewicht halten würde: darum schien mir eine sorgfältige interpunction nicht
verwegen, sondern erstes erfordernifs einer ganz gewöhnlichen ausgabe zu sein,
und ich fürchtete, wenn sie unterbliebe, den gerechten vorwurf der trägheit.
aber ich habe die trennung und die verbindung der sätze und gedanken mehr
in jedem falle wo ein zweifel entstehn könnte, so zweckmäfsig und genau es
mir möglich schien bezeichnet, als nach einer strengen consequenz in der in-
terpunction gestrebt: ja oft hab ich die consequenz, um dem leser im augen-
blick zu helfen, absichtlich verletzt: andres wird man mir, wenn es der mühe
lohnt, ohne schwierigkeit nachbessern. wo ich den dichter unrichtig verstan-

den habe, darf jeder meine interpunction ändern, weil sie nur von mir ist, und auch wenn sie zuweilen auf handschriften beruht, durch ihr zeugnifs wenig an sicherheit gewinnt. eben so sind von mir die kleineren absätze, durch die ich die einzelnen kleinen gemählde, aus denen besonders der Parzival besteht, von einander getrennt habe: denn obgleich im Sangaller Parzival die gröfseren abschnitte von ungefähr dreifsig zeilen meistens noch durch herausgerückte anfangsbuchstaben in zwei oder drei oft sehr ungleiche theile gesondert werden, so konnte ich mich doch nur wenig danach richten. jene gröfseren abschnitte dagegen, die ich beziffert und durch grofse anfangsbuchstaben bezeichnet habe, sind mit geringer nachhilfe aus den besseren handschriften genommen, in denen sie meistens mit gemahlten initialen anfangen. diese abschnitte hat Eschenbach ohne zweifel selbst bezeichnen lassen, und vom fünften buche des Parzivals an (s. zu 125) offenbar gewollt dafs sie jeder dreifsig zeilen enthalten sollten. ich durfte daher die grofsen anfangsbuchstaben, obgleich sie sehr oft · nicht auf abtheilungen des sinnes treffen, nicht übergehn; zumahl da sie auch für die kritik wichtig sind: denn sie entscheiden für und wider die echtheit vieler verse, sie lehren uns dafs vom ersten buche des Wilhelms von Orange zwei zeilen verloren sind (s. zu 57, 27), und dafs das fünfte buch des Parzivals zwei zeilen zu viel enthält, — wahrscheinlich das alberne wortspiel mit 'vilân' und 'vil an' im 257sten abschnitt, welches verschwindet wenn man entweder z. 23. 24 oder z. 25. 26 streicht. auch die eintheilung in bücher, welche die auffassung des zusammenhangs der fabeln ungemein erleichtert, habe ich überliefert gefunden, in der handschrift zu Sanct Gallen mit vergoldeten buchstaben (obgleich sie in der müllerischen ausgabe des Parzivals nicht zu spüren ist), im Titurel zu München, und spurweise in anderen, besonders in den älteren. es sind ihrer im Parzival sechzehn, im Titurel zwei, und im Wilhelm neun, die ein nachfolger hoffentlich nicht verändern wird, obgleich ihrer nach den handschriften allerdings noch einige mehr anzusetzen wären, die ich im Wilhelm auch durch gröfsere anfangsbuchstaben bezeichnet habe (71. 126. 185. 246. 278): im Parzival schien es mir unpassend die abtheilungen bei 138, 9. 249. 256. 446. 523 beizubehalten: die im Wilhelm bei 269 fehlt dagegen den handschriften und ist von mir. dafs im Parz. 504 die sangallische handschrift gleich nach 503 wieder einen grofsen doch etwas kürzeren anfangsbuchstab setzt, deuchte mich keiner beachtung werth: hingegen die beiden absätze 114, 5 — 116, 4, welche nach der Sangaller handschrift noch zum zweiten buche gehören, habe ich abgesondert, weil es mir deutlich zu sein schien dafs sie der dichter erst später hinzugefügt hat, als der anfang des dritten buches und der darin ausgesprochene tadel der weiber anstofs gegeben hatte. eben weil er ein stück einfügte, sagt er (115, 25—30), seine erzählung sei kein buch: er sage nur, lese aber nicht (vergl. P. 224, 12. 13), wie andre die erst das buch vor sich nehmen müssen. ich habe mir trotz

diesem scherz erlaubt die grofsen abschnitte bücher zu nennen, wie die des
Welschen gastes von seinem dichter selbst genannt werden. *distinctiones,*
wie sie auf dem rande des Trojanischen krieges von Herbort von Fritzlar mit
hinzugefügter ziffer heifsen, wird man wohl nicht gern sagen wollen. âven-
tiure steht in dem köpkischen bruchstück des Parzivals (553. 583) und im-
mer in dem Wiener Wilhelm *m:* nur mufs ich bemerken, so alt dieser name
für theile grofser gedichte in handschriften ist (in den Nibelungen haben ihn
schon *C* und *A*), bei den dichtern heifst so nur die ganze sage, und âven-
tiure für theile der erzählung findet man in versen nicht früher als im Otnit
(75. 223. 301. 361. 455. 528). gesänge dürfte man aber niemahls die ab-
theilungen eines gedichtes in kurzen versen nennen: denn obgleich auch das
mære seinen dôn hat (Parz. 475, 18), lesen sagen und in dem dône
singen konnte man nur ein strophisches gedicht wie den Titurel (40, 243).
von einem französischen dichter konnte Wolfram mit gleichem recht sagen, er
sang, er sprach, und er las (Parz. 416, 22. 28. 431, 2. 776, 10. 805, 10),
wie der dichter des Aubri von Burgund alle drei ausdrücke in einem athem
braucht,

> *bien fu Aubris en se vertus remis:*
> *riens ne li faut ne soit à son devis.*
> *mais dusc'à poi ert en autre sens mis:*
> *qu'en autre point sera li jus partis,*
> *com vos orrés se l'estoire vos lis.*
> *de lui lairai, si vos dirai de Fris*
> *et des Danois, qui estoient maris*
> *por le peor que li Borgonnon fist,*
> *et plus de cent qu'il en avoit ocis.*
> *or vient chançon dont li vers sunt esquis,*
> *de grant mellées, de ruites feréis,*
> *et de grant paines, et de morteus estris.*

Ich habe im allgemeinen gesagt was ich zu leisten mir vorgesetzt; das
nothwendigste und wichtigste, was eben zuerst an der zeit ist, worauf weiter
gebaut werden kann; und dies vollständig, genau und bequem, zwar der ver-
besserung bedürftig, aber ohne gefahr dafs die nachkommen etwas bedeuten-
des umstofsen müsten. nun komme mir aber auch keiner mit mäkeleien, die
einrichtung hätte nach seinem sinn anders, dies oder das lustiger und ein-
ladender und nutzbarer sein sollen, ein glossarium müste zum leichtern ver-
ständnifs beigegeben sein, oder ein ausführlicher commentar. mir scheint ein
glossarium ungereimt über ein paar einzelne werke aus einer ganzen zusam-
menhängenden litteratur. dafs wir, was uns freilich noth thäte, noch kein

mittelhochdeutsches wörterbuch haben, über die wichtigsten poetischen werke
und über die rechtsquellen, dafs Beneckens aufserordentliche verdienste um die
genaue bestimmung der wortbedeutungen niemand zur nacheiferung angeregt
haben, ist nicht meine schuld, der ich, gewifs auch in meinem fache nicht un-
thätig, zugleich Beneckens methode nach kräften verbreitet habe: nun aber
wird ja bald, wie ich hoffe, durch ein gelehrtes und ausführliches mittelhoch-
deutsches wörterbuch von W. Wackernagel das bedürfnifs befriedigt werden,
welche arbeit ich mich freue hier zuerst und mit der besten erwartung anzu-
kündigen. erklärende anmerkungen zu Wolframs gedichten werden freilich
auch kenner wünschen: aber ihnen ist wohl bekannt was uns noch alles an
hilfsmitteln und kenntnissen fehlt um das nöthige zu leisten. die vorschnèllen
tadler müssen erst sagen was sie nicht wissen, was ihnen selbst dunkel
scheine, wo sie hilfe brauchen: denn dafs wir das würklich nicht wissen er-
hellt daraus dafs Beneckens vortrefflicher versuch durch erklärung des muster-
stückes der hofpoesie, des Iweins, zur kenntnifs dieser poesie zu reizen und
anzuleiten, bei dem grofsen publicum nur einen mäfsigen beifall gefunden hat.
wollen wir, ohne uns um den unverstand der mitlebenden zu bekümmern,
einer besseren nachwelt das was wir erringen können als vorarbeit übergeben,
so könnten wir wohl einen besondern kleinen band scholien und excurse lie-
fern: aber dann müsten sich freunde zusammenthun und jeder was er hat
beitragen.

LIEDER.

Die wenigen lieder Eschenbachs sind uns in vier handschriften überliefert.
ich hoffe, hier, wie bei meinen früheren ausgaben, wird mir jeder auf mein
ehrliches wort glauben dafs ich die handschriften bei denen ich nicht das ge-
gentheil sage, selbst gesehn und gebraucht habe.

A. die heidelbergische handschrift 357 enthält bl. 30 rückwärts nur vier
strophen Wolframs 7, 41—9, 2.

B. die aus dem kloster Weingarten, jetzt in Stuttgart, s. 178. 179 drei
weisen 5, 16—7, 10, von denen mir Ludwig Uhland eine höchst sorgfältige
abschrift geschenkt hat.

C. von der sogenannten manessischen zu Paris habe ich nicht nur Bod-
mers abdruck benutzt, in welchem Eschenbachs lieder 1, s. 147—149 in will-
kürlich veränderter ordnung stehn, sondern herr von der Hagen hat auch die
güte gehabt mir ein mit der handschrift verglichenes exemplar zu leihen. die
Pariser handschrift enthält noch ein lied mehr als ich aufgenommen habe,
dessen erste strophe sie noch einmahl unter einem andern namen und wieder
unter einem andern auch *A* liefert.

Maneger klaget die schœnen zît
und die liehten tage:
sô klage ich daz mir ein wîp getuot,
diu mir leit ze sorgen gît.
5 ôwê senediu klage,
waz ist mir vŭr dich ze vröiden guot?
aller vogele singen, aller bluomen schîn,
elliu wîp und wîbes kint,
swaz der lebende sint,
10 trœstent mich niht wan sô daz sol sîn.
Mich hât leit in trûren brâht,
und ein sende klage
diu mich niht wan trûren lêren wil.
mir hât lônes ungedâht
15 der ich mîne tage
habe gedienet ûz der mâze zil.
wer sol mir nu dienen, und gelît si tôt?
geschiht des niht und stirbe ab ich,
frowe mîn, nu sprich,
20 ûf wen erbe ich danne dise nôt?
Hilf, hilf, guot wîp, lâ besehen
ob du brechen maht
sorgen bant: mîn fröide hinket dran.
mir mac liep von dir beschehen:
25 dar zuo hâst duz brâht.
dîne güete bite ich unde man.
manlich dienest, wîplîch lôn gelîch ie wac,
wan an dir, vil sælic wîp:
kumber treit mîn lîp
30 die vernanten zît, naht unde tac.

es gehört nur eine geringe kenntnifs der eschenbachischen kunst dazu, um
zu wissen dafs er keinen vers mit ab ich (s. zum Iwein 4098) oder abr
ich schliefsen konnte: und auch du maht hat er meines wissens nicht in
den reim gesetzt; so dafs hier weiter nicht einmahl zu fragen ist, ob in die-
sen strophen sich eschenbachische gedanken zeigen und sein ausdruck. aber

1 = Wolfran 24 C^1, Gedrut 30 A, Rubin von Rúdegêr 3 C^2.　　schone A.
5. senedú A, senendú C^2, dirre C^1.　6 fúr sendes truren guot C^1.　7. vo-
gelin C^2.　8. und wibes C, eller wibe A.　9. daz A.　leben und lebendic
sint C^2.　10. so C^1, diu A, *fehlt* C^2.
11 = Wolfran 25 C.　18. aber C.
21 = Wolfran 26 C.

auch schon das diesem vorhergehende lied 9, 3—10, 22 hätte aus meiner sammlung vielleicht besser wegbleiben können: Wackernagel hat zuerst bemerkt daſs es nichts als ein armseliges gemisch zusammengewürfelter gedanken und worte ꞓines nachahmers ist.

G. die beiden tageweisen 3, 1—5, 15 in dem alten Parzival zu München, wo sie auf der rückseite des 75^n blattes, von einem sehr alten, aber von keinem der schreiber des Parzivals, in 21 überlangen zeilen geschrieben sind, hat Docen (miscellaneen 1, 292) mit richtigem urtheil Wolfram von Eschenbach zugesprochen: aber der abdruck in den miscell. 1, s. 100—102 ist nicht ohne fehler, von denen die bedeutendsten sind 3, 25. 26 swie für sus und frouden für frouen. frouden ist schon gegen die freilich wunderbare orthographie dieses schreibers, der zwar mit o̊ und au abwechselnd, froue taugen ougen urlaup frouen ŏuh urlaub ouch, für eu aber nur au gebraucht, frauden frawet fraude; daher neben wangel 3, 17 sein tægelich 4, 12 um so mehr auffällt.

Es darf eben nicht wundern daſs unter den wenigen liedern Wolframs die mehrzahl tagelieder sind. denn daſs diese so lange im gebrauch gebliebene gattung von ihm erfunden sei, ist ohne zweifel schon aus den neuesten geschichten der deutschen poesie von den herren Rosenkranz und Koberstein bekannt. da sie als historiker wusten daſs unter den liedern des zwölften jahrhunderts keine tagelieder sind, muſs sie meine bemerkung (zu Walther 89, 20), das einzige von Walther sei in Eschenbachs stil gedichtet, wohl auf die entdeckung geführt haben. mag Wolfram nun auch durch die provenzalischen gedichte ähnlicher art auf die erfindung gekommen sein: immer bleibt es (so viel ich wenigstens weiſs) sein eigenthum daſs der liebenden hüter der wächter auf der zinne ist. das morgenliche scheiden ist schon vor Wolfram auch in Deutschland besungen, wie in folgendem zarten liede, das schon nach seiner stelle in der Pariser handschrift (MS. 1, 41 b) die vermutung eines hohen alters für sich hat.

'Slâfest du, mîn friedel?
wan wecket unsich leider schiere.
ein vogellîn sô wol getân
daz ist der linden an daz zwî gegân.'
'Ich was vil sanfte entslâfen:
nu rüefestu, kint, Wâfen wâfen.
liep âne leit mac niht gesîn.
swaz du gebiutst, daz leiste ich, friundin mîn.'
Diu frouwe begunde weinen.
'du rîtest hinne und lâst mich einen.
wenne wilt du wider her zuo mir?
owê du füerest mîne fröide sament dir.'

Die kritische behandlung der lieder Wolframs konnte nur beschränkt sein, war aber eben nicht schwierig, weil selbst wo zwei handschriften sind, ihr text doch nur einer ist, die verderbnisse aber so tief nicht lagen, daſs sie nicht hätten durch sichere oder fast sichere vermutung können gehoben werden. ich erwarte daher daſs herrn von der Hagens ausgabe mit der meinigen, obgleich keiner die des andern benutzen konnte, beinah durchaus gleichlautend wird gefunden werden. denn selbst das willkürliche der orthographie ist theils durch die gleichen quellen bestimmt worden, theils durch den grundsatz, der bei herausgabe mittelhochdeutscher lieder obenan steht, daſs durch die schreibweise der leser gezwungen werde den vers mit so viel hebungen zu lesen als der ton verlangt. daher habe ich hier sogar einmahl d e r s e l l e geschrieben, ob ich gleich in gewöhnlichen kurzen versen, deren maſs bestimmt ist, dem leser überlasse g e s e l l e oder b e g u n d e zweisilbig zu lesen, weil die verkürzten formen in guten handschriften nicht üblich sind. doch habe ich auch in den erzählenden gedichten, mit ausnahme sehr weniger fälle, weit bestimmter als es gewöhnlich geschieht, die betonung und die aussprache bezeichnet, und selbst auffallendere schreibweisen nicht gescheut, die man indessen fast alle auch aus den besten handschriften bemerkt finden wird, nur nicht immer an stellen wo sie dem versbau gemäſs sind. mag es nun sein daſs ich zuweilen gefehlt habe: so wird doch mein versuch Eschenbachs kürzungen und überhaupt seine aussprache genau darzustellen, die übersicht erleichtern und das auffinden des unrichtigen möglich machen. wenn Benecke in seiner sonst trefflichen ausgabe des pfaffen Amis (ihrer trefflichkeit wegen wähle ich sie eben meinem tadel zum beispiel) die freiheit der strickerischen wortkürzungen in der schrift darzustellen versucht hätte, so zeigten sich bald fälle die für diesen dichter zu hart waren, und damit wäre die behauptung (Beiträge s. 497) aufgegeben worden, daſs der Stricker klingende zeilen mit vier hebungen verschmäht habe, dergleichen sich doch vielleicht alle dichter des dreizehnten jahrhunderts, auſser Gottfried und Konrad, erlauben (s. Amîs 436. 650. 745. 808. 944. 1383. 1876), obgleich die abschreiber sehr oft sie hinwegzuschaffen suchen; mit unrecht: denn nur das ist für roheit zu achten, wenn zeilen von drei und von vier hebungen klingend auf einander gereimt werden, oder wenn die klingenden von vier hebungen die überzahl ausmachen. übrigens steht es dem leser auch noch bei meiner bestimmteren darstellung des maſses in kurzen versen frei, was der weise des dichters gemäſs ist öfter zu lesen als er es geschrieben findet; z. b. i w e r, wo es einsilbig ist, i u r auszusprechen: denn daſs diese form eschenbachisch ist lernt man aus den verssenkungen, wo ich sie öfters habe setzen müssen. zuweilen habe ich indeſs nicht gewagt ganz genau nach der aussprache zu schreiben: so muſs P. 693, 2 gelesen werden n o h r - b l i c h e n (vergl. P. 619, 21. W. 307, 29 mit P. 686, 29).

PARZIVAL.

Die zahlreichen handschriften des Parzivals (denn von keinem werke des dreizehnten jahrhunderts haben sich so viel erhalten) zerfallen, wie schon eine oberflächliche vergleichung lehrt, in zwei klassen, die durchgängig einen verschiedenen text haben, nur daſs im achten und den drei folgenden büchern (398—582) der gegensatz fast ganz verschwindet.

D. die alte handschrift zu Sanct Gallen giebt das gedicht auf 284 folioseiten, deren zwei spalten je 54 zeilen haben. sie ist von drei händen geschrieben; die zweite, die am wenigsten gebildete, fängt 16, 4 algeliche an, die dritte 18, 30 dar nach. die erste seite hat gelitten, und einige buchstaben (2, 1. 12. 13. 23. 3, 26. 4, 8) sind gar nicht, viele schwer zu lesen, weil spätere unverständig ergänzt haben. aus diesen ergänzungen hat der abdruck von C. H. Müller (1784) z. b. 2, 5 Doch, 2, 6 Dern (der verbesserer hat eigentlich nicht dies sondern den für ern gesetzt), 3, 1 ir für si, 4, 8 hettu (das v in hettv ist eine sinnreiche erfindung des Züricher abschreibers). eine vergleichung des müllerischen abdruckes mit der handschrift würde wohl fast so viel raum einnehmen als meine gesamten lesarten: wo meine angaben den müllerischen ausdrücklich oder stillschweigend widersprechen, kann man mir glauben, da ich hingegen wohl hie und da eine abweichung des drucks von der handschrift nicht mag beachtet haben.

d. ein bruchstück von derselben gestaltung des textes ist auf zwei verstümmelten doppelblättern erhalten, die Karl Köpke aus Gräters nachlaſs gekauft und mir freundschaftlich mitgetheilt hat. Gräter hat darauf geschrieben '*Fragment. histor. Gawini ex tegumento libri Consil. Hieron. Schuirpf in bibl. August.*' es waren ursprünglich sechsspaltige blätter in groſs quart, die spalte zu 48 zeilen. je die zweite reimzeile ist eingerückt, die schrift aus dem anfange des vierzehnten jahrhunderts. der ursprüngliche umfang der vier blätter war dieser. 525, 19-535, 6. 544, 29-554, 16. 574, 1-583, 16. 593, 7-602, 25. erhalten sind bruchstücke von sechzehn spalten, nämlich 526, 3-527, 6. 21-528, 24. 529, 8-530, 12. 26-531, 30. 532, 15-533, 18. 534, 3-535, 6. 544, 29-546, 5. 553, 1-554, 5. 574, 1-575, 7. 19-576, 25. 577, 7-578, 12. 25-579, 28. 580, 11-581, 17. 29-583, 5. 593, 21-594, 24. 601, 21-602, 25.

d. zwei folioblätter im besitz des herrn oberappellationsgerichtsraths Spangenberg in Celle, mir in abschrift von Benecke mitgetheilt. das erste dieser vierspaltigen blätter enthält 176 zeilen, 282, 17-288, 13, das andre 177 zeilen, 669, 7-675, 8.

d. die heidelbergische papierhandschrift n. 339 in quart, blatt 6-604 vorwärts, in LXV capitel getheilt, mit schlechten bildern, aus dem fünfzehnten

jahrhundert, mit elsässischer orthographie, nach einer richtigen bemerkung von
herrn Mone von derselben hand wie die in herrn de Grootens ausgabe des
Tristans s. LXXII beschriebene handschrift, wo aber in dem facsimile die S
schlecht gerathen sein müssen.

     d. auch der alte druck von 1477 hat zum theil die lesarten der ersten
klasse der handschriften, nämlich in folgenden abschnitten, die indessen nicht
immer bis auf den vers genau zu bestimmen sind.   1, 1-10, 9. 28, 28-41, 9.
206, 1-214, 19. 234, 13-238, 30. 761, 15-805, 30. 807, 25-827, 30. es fehlt
806, 1-807, 24.

     Für die erste form des textes sind, wie man sieht, zwar überall zwei
aber nie mehr als drei zeugen vorhanden.   man hat daher künftig bei neu
aufgefundenen oder von mir nicht gebrauchten handschriften vor allem zu be-
trachten ob sie mit *D* näher verwandt sind: denn nur solche können noch
eine etwas bedeutende ausbeute geben; handschriften der andern klasse sind
wohl ziemlich genug verglichen,

     E. ein altes folioblatt zu München enthielt vier mahl 60 zeilen, 160,
29-169, 2, von denen aber unten immer sechs weggeschnitten sind.   der an-
fang ist in Docens miscell. 2, s. 111 f. nicht sorgfältig genug abgedruckt.

     F. zwei alte doppelblätter in quart, welche mir die brüder Grimm ge-
schenkt haben: ich habe sie jetzt, nachdem sie gebraucht worden sind, in
bessere verwahrung gegeben, übern zaun.   die handschrift muſs in quinternen
oder gar sexternen bestanden haben: denn in der mitte fehlen sechs blätter.
die beiden ersten der übrig gebliebenen enthielten, als sie noch vollständig
waren, 634, 15-645, 4, die beiden andern 677, 9-687, 28, also in jeder der
zwei spalten einer seite 40 zeilen.

     G. die alte foliohandschrift in der bibliothek zu München, wohin sie im
aprill 1578 ein junker Sebald Müllner geschenkt hat, ist von fünf händen.
die erste schrieb vier quaterne, bis auf die letzten zeilen (434, 21-435, 15)
die schon von der zweiten sind.   die zeilenzahl ist bei der ersten hand un-
bestimmt: ich habe in den drei spalten einer seite gezählt 72, 76, 79: andere
haben nur 55.   die zweite bringt in die spalte gewöhnlich 54 oder 55.   die
erste fängt die zeilen mit kleinen buchstaben an, die weiter vorstehen; die
übrigen mit groſsen nicht abstehenden.   von der zweiten hand sind die fol-
genden zwei quaterne (bis 614, 18): dann kommen zwei blätter mit bildern,
auf jeder seite drei unter einander, und noch von der zweiten hand vier blätter,
von denen aber die rückseite des dritten gar nicht und die des vierten nur
zum theil beschrieben ist, offenbar weil auf die schon früher angefangene arbeit
des dritten schreibers gerechnet ward.   diese begreift, in spalten von 52—55
zeilen, einen quatern, und einen zweiten bis zur dritten zeile der zwölften seite
(653, 9-802, 9), von da ab schrieb bis ans ende der fünften spalte des näch-
sten blattes eine vierte (bis 809, 17) und eine fünfte der ersten sehr ähnliche

hand (bis 816, 6). die sechste spalte und noch das letzte blatt des quaterns sind wieder von der dritten hand. der Parzival füllt also in dieser handschrift 70 blätter.

[G^a. ein doppelblatt, klein folio, acht spalten zu 50 zeilen, 533, 23 bis 540, 12 und 580, 13 bis 587, 6, an einigen stellen zerrissen oder nicht lesbar, zu Höningen gefunden, hat mir herr H. F. Maſsmann geschenkt.

G^b. zwei doppelblätter in quart, von herrn Sixt von Armin dem freiherrn K. H. G. von Meusebach geschenkt, enthalten in sechzehn spalten zu je 42 zeilen 683, 26-695, 3 und 717, 22-729, 8.]

g. die zweite foliohandschrift zu München ist unvollendet: auf 107 blättern zu vier spalten, deren jede, wo nicht für bilder platz gelassen ist, 45 oder 46 zeilen, weiter vorn auch zuweilen nur 40 begreift, ist das gedicht nur bis 555, 20 enthalten. vorn ist der name eines besitzers der handschrift im funfzehnten jahrhundert eingeschrieben, Bernhardin puttrich.

g. die dritte zu München ist in quart, 130 blätter stark: der erste quatern fehlt, sie fängt mit 45, 3 an. die seiten haben zwei spalten, die verszeilen sind nicht abgesetzt. sie ist von einem ungebildeten schreiber, mit grobbaierischen formen, in barbarischer orthographie, mit zügen geschrieben, die für ihre zeit (obgleich sie wohl noch aus dem dreizehnten jahrhundert ist) zu alterthümlich aussehen, daher sie Docen für eine klosterhandschrift hielt. da sie mit G (eigentlich noch genauer mit E) in den unbedeutendsten kleinigkeiten übereinstimmt (doch ist sie nicht etwa eine abschrift von ihr) habe ich sie nur bis 452, 30 verglichen, nachdem ich mich erst an einzelnen abschnitten überzeugt hatte daſs die übereinstimmung auch späterhin nicht geringer ist.

g. ein folioblatt zu München hat in jeder seiner vier spalten 48 zeilen, 741, 9-747, 20.

g. die heidelbergische n. 364 enthält den Parzival bl. 1-111 vorwärts. 44, 7-51, 12 hat der schreiber ausgelassen. die drei heidelbergischen handschriften 364. 383. 404 bilden eine vollständige sammlung der erzählenden gedichte Eschenbachs mit den fortsetzungen; Parzival, Lohengrin; Titurel; Wilhelm. sie sind alle in gleichem format, groſs folio, zweispaltig, jede spalte zu 56 zeilen, auch von Einer hand, den Wilhelm abgerechnet von vorn bis in Thürheims antheil hinein bl. 186, z. 11.

g. zwei spangenbergische blätter, abgeschrieben von Benecke, gehörten zwar zu derselben handschrift wie die oben unter d aufgeführten, aber ihr text stimmt nicht mit D, sondern mit G. das eine enthielt ursprünglich 168 zeilen, 753, 25-759, 12: auſser einzelnen buchstaben ist aber nur noch erhalten 755, 9-756, 18 und 756, 20-757, 30. vom andern ist übrig 818, 13-819, 6 und 819, 25-820, 18.

g. ein doppelblatt in quart zu Arnsberg, auf jeder seite zwei spalten zu 34 zeilen, je die zweite eingerückt, enthaltend 720, 11-724, 26 und 761, 7-765, 22, hat Graff in seiner Diutisca 1, s. 23-31 abdrucken lassen.

g. ein mittelstes und ein viertletztes sehr verstümmeltes doppelblatt einer lage in quart, auf jeder seite zwei spalten von 30 oder 31 zeilen, habe ich ebenfalls von den brüdern Grimm. sie enthalten (einige lücken von höchstens zwei versen abgerechnet) 160, 5-164, 6. 172, 7-180, 8. 188, 12-189, 11. 191, 14-192, 12.

g. ein doppelblatt in quart mit cursivschrift aus dem funfzehnten jahrhundert, auf jeder seite 30 zeilen, 759, 13-761, 12 und 775, 1-776, 30, besitzt herr professor von der Hagen und hat es mir zum gebrauch gefällig mitgetheilt.

g. die papierhandschrift zu Hamburg vom jahr 1451 ist in dem litterarischen grundrifs s. 106 ff. ausführlich beschrieben: ich habe sie nicht gesehn, sondern mich der abschrift auf der hiesigen königlichen bibliothek bedient, die zum theil von J. G. Büschings hand ist. es fehlt 312, 7-313, 4. 316, 7-318, 4. im letzten buch ist die erzählung oft abgekürzt und der abschnitt 798 ganz ausgelassen.

g. der gröfsere theil des druckes von 1477 hat den text dieser klasse, nämlich 10, 10-28, 27. 41, 10-159, 12. 161, 1-206, 2. 214, 20-234, 12. 239, 1-761, 14. ausgelassen ist 159, 13-160, 30.

Wenn man die verwandtschaft der einzelnen handschriften noch genauer bestimmen wollte, so würde man in verschiedenen theilen des gedichtes die verhältnisse verschieden finden. aber wozu sollte man die untersuchung bis ins kleinliche führen, da selbst die lesarten welche allen handschriften von jeder der zwei hauptklassen gemein sind, nicht auf eine von dem dichter selbst ausgehende verschiedenheit deuten, sondern nur nachlässigkeit, willkür und verbesserungssucht ohne sonderliches geschick zeigen? echte verse fehlen jeder der zwei klassen, und öfters ist die richtige lesart nur durch verbindung derer von beiden klassen zu gewinnen. es ist daher freilich eine schwäche meines textes, dafs er im ganzen der ersten klasse folgt: ich habe sie vorgezogen, weil ich mich bei ihr selten gezwungen sah zu den lesarten der andern zu greifen, die mehr unbezweifelt falsches oder aus falscher besserung entstandenes darbietet. dennoch, da in den allermeisten fällen die lesart der einen klasse mit der andern von gleichem werth ist, und der vorzug den ich *Ddd* gebe, der wahrheit im ganzen abbruch thut, habe ich es dem leser erleichtern wollen auch die der klasse *Ggg* zu erkennen: darum sind die lesarten der beiden klassen durch das zeichen = von einander getrennt worden. nur darf man nie vergessen, dafs die angabe des gegensatzes zweier familien von handschriften immer nur ungefähr richtig und immer von der menge der gebrauchten zeugen abhängig ist, so dafs wenn ich z. b. den alten druck oder die heidelbergische handschrift 364 nicht gebraucht hätte, als entgegengesetzte lesarten weit mehrere angegeben sein würden; wie ich selbst noch zuletzt, als ich die köpkischen blätter erhielt, einige mahl habe das zeichen = streichen müssen, weil sie einzeln, statt mit ihren verwandten, mit der anderen klasse stimmten. wer die abweichungen mittelhochdeutscher handschriften nur im geringsten kennt (um sie kennen zu lernen und sich zu überzeugen daſs sie nicht etwa auf mündlicher überlieferung beruhen, vergleiche man nur zur probe ein paar seiten der drei ausgaben des Iweins mit einander), der wird einem herausgeber nie zumuten, auſser etwa in liedern, die sämtlichen lesarten aufzuzählen. ich habe mich begnügt die alten handschriften, d. h. die aus der ersten hälfte des dreizehnten jahrhunderts, $DEFG[G^{ab}]$, unter sich zu vergleichen und all ihre fehler und verschiedenheiten anzugeben: nur erst wo sie nicht übereinstimmten, kamen die andern in frage, deren eigenthümliche lesarten ich nur wenn sie merkwürdig schienen angezeigt habe, also zwar willkürlich, aber ohne sonderlichen sçhaden, weil mir dadurch zwar hie und da eine der declamation gemäſsere schreibweise oder die wahrscheinliche conjectur eines schreibers mag entgangen sein, nicht leicht aber etwas das als überlieferung werth haben kann. und ich habe, theils um fehler zu vermeiden, theils unnütze mühe zu ersparen, bei den minder alten handschriften durch zeichen immer nur angegeben ob eine (d, g) oder ob mehr als eine (dd, gg) handschrift von jeder der beiden klassen eine lesart habe, nicht aber genauer wie viel handschriften und welche. da an sich keine mehr glauben in einzelnen lesarten verdient als die andre, da auch alle gebrauchten handschriften durchaus nicht in grader linie mit einander verwandt sind, so konnte aus dieser bequemeren weise kein nachtheil entspringen: selbst für den sprachforscher geht nichts wesentliches verloren, da doch keine handschrift eine mundart rein giebt, und niederdeutsches sich nirgend zeigt auſser auf den spangenbergischen und den Arnsberger blättern. der mangel an spuren des niederdeutschen in den handschriften dieses gedichts ist in der that wunderbar: denn am hofe zu Eisenach, dem wir doch wohl meistens die halbniederdeutschen handschriften älterer weltlichen gedichte verdanken (auch auf eine von den Nibelungen deutet manche schreibart), in Thüringen sollte doch wohl der Parzival vorzugsweise geschrieben sein; wenn man nicht etwa vermuten darf, er sei vor landgraf Hermanns tode (aprill 1215) nicht vollendet worden. das dritte buch (143, 21) ist nach Hartmanns Erec, das fünfte (253, 10) nach dem Iwein gedichtet; das siebente bald nach 1203, das sechste nach dem sommer 1204 (s. zu Walther 20, 4). in den Nibelungen (W. Grimm, deutsche heldensage s. 65) und im Tristan (s. Docen im altd. museum 1, s. 59. 60. v. d. Hagen zu Gottfr. s. v.) wird auf das erste buch angespielt. Wirnt von Gravenberg kennt (Wig. 8244) das zweite, (Wig. 6325) das dritte, nicht das sechste, aus dem ihm in seinem zusammenhange sonst Cundrie hätte einfallen müssen. im Welschen gast (1, 8 nach der mitte des jahrs 1215) wird Parzival edeln jünglingen zur nachahmung vorgestellt, aber die beziehung auf die fabel ist ungenau: nach Eschenbachs sechstem buche, wie nach Christian von Troyes, brach Parzivals tjost Keien nicht eine rippe, sondern den rechten arm entzwei.

B*

Die zahllosen orthographischen verschiedenheiten der handschriften *D* und
G jedes einzelne mahl anzugeben wäre gewifs mehr störend als nützlich ge-
wesen: man kann, wo die anmerkungen schweigen, immer überzeugt sein die
schreibweise einer dieser beiden handschriften vor sich zu haben, wenn man
nur gehörig auf die allgemeineren angaben über die durchgehende schreibart
dieser handschriften zurückgeht. freilich mufs ich dabei bemerken dafs das *im-*
mer 'der anmerkungen zuweilen durch einzeln bemerkte ausnahmen beschränkt
wird, und dafs man es bei der handschrift *G* nicht von einem der fünf schrei-
ber auf den andern übertragen darf. sehr oft ist die lesart des textes in den
anmerkungen mit beigesetzter auctorität widerholt worden, theils um vor zweifel
zu sichern, theils besonders um kurz anzudeuten dafs die aufgenommene form
nicht ohne handschrift gewählt worden sei, die besseren aber die gewöhnlichere
schreibart haben, die dann oft nicht ausdrücklich angegeben ist. wo man aus
den varianten nachrechnen kann dafs drei oder vier handschriften aufser den
alten andere les- oder schreibart haben als der text, da enthält dieser meine
verbesserung, wenn auch nicht gesagt ist *alle* oder *die übrigen.*

Den prosaischen roman von *Perceval le Gallois* (Paris 1530. 8 unbe-
zifferte und 220 blätter folio) durfte ich in dem exemplare des herrn von Nagler
benutzen: von dem gedichte Christians von Troyes hatte ich, aufser dem was
Fauchet, Borel, Roquefort, J. Grimm, Ginguené und Edgar Quinet gegeben ha-
ben, handschriftliche auszüge von Jacob Grimm aus der handschrift des arsenals
(n. 195 A. 261 blätter folio). aber der unmittelbare gebrauch, zur sicherung
der französischen namen, ward durch eine eigenthümlichkeit Christians ungemein
beschränkt: denn er vermeidet die personen der fabel mit namen zu nennen;
wie man dies auch in Hartmanns bearbeitung seines Ritters mit dem löwen
bemerken kann: und Wolfram selbst mag wohl (P. 416, 20) darauf anspielen,
wenn er mit ausführlicher berufung auf seine quelle den fürsten Liddámus
nennt, welcher im prosaischen roman (bl. 33 vw.) nur bezeichnet wird als *ung*
veneur natif d'icelle ville (d'Escavallon), homme de grant sçavoir, et auquel
tous ceulx du pays venoient communement son conseil demander. nicht
sehr lange nach der stelle wo *Gautiers de Denet* (Ms. bl. 148, im druck
bl. 177 vw. *Gauchier de doudain*) das durch Christians tod unterbrochene
werk fortzusetzen anfieng, scheint zwischen dem gedicht und der prosa wenig über-
einstimmung mehr zu sein,[*]) obgleich Ginguené *(histoire littéraire de la France*
15, s. 247) das gegentheil versichert. der druck hat z. b. nichts davon (Ms.
bl. 156) dafs der alte schmid Trebuchés (im druck bl. 206 vw. Tribuet; Ms.
bl. 14 Triboet = druck bl. 21 vw. Tribuer) sterben mufs nachdem er Percevals

---

[*]) was im druck bl. 203 und 204 steht, damit stimmen einige citate in Roqueforts
glossaire de la langue romane noch sehr genau überein (1, 522. 2, 224. 496 und
1, 441?): doch mufs ich bemerken dafs sie aus einer andern als der von Grimm
und Ginguené gebrauchten handschrift genommen sind.

schwert wieder ganz gemacht hat, nichts von der langen episode von Tristrant
(Ms. bl. 166-171). Ginguené hat bei seiner *lecture attentive des romans de
Chrestien de Troyes* (s. 197) nicht einmahl bemerkt, was Grimm beim blättern
gefunden hat, dafs nicht nur jener Gautiers und der vollender des gedichts
Manesiers (Ms. bl. 261 = Menessier im druck bl. 220; aber im druck auch
schon vorn bl. 1 rw., wo Mennessier steht), sondern auch noch ein Gerbers als
fortsetzer genannt wird (Ms. bl. 180 vw.), und dafs Gerbert und Manessier beide
denselben anfangspunkt ihrer arbeit angeben, Percevals zweiten besuch beim
roi pecheor, wo er das zerbrochene schwert wieder zusammen fügt und bescheid
über den graal und das blutende speer erhält (im drucke bl. 180 ff.). Manes-
siers worte sind bekannt,

> *et comencha al saldement*
> *de l'espée sans contredit.*

der andre dichter sagt folgendes, worin noch besonders auffallend ist dafs er
auch das vorhergehende, das ringen Tristrants mit Gauvain (Ms. bl. 171 vw.),
will verbessert haben.

> *si con la matere descœvre*
> *Gerbers qui a reprise l'œvre,*
> *quant chascuns trovere le laisse.*
> *mais or en a faite sa laisse*
> *Gerbers selonc le vraie estoire.*
> *diex l'en otroit force et victoire*
> *de toute vilenie estaindre,*
> *et que il puist la fin ataindre*
> *de Perceval que il emprint,*
> *si con li livres li aprent,*
> *où la metiere en est escripte,*
> *Gerbers qui le nous traite et dite,*
> *puis en encha que Percevax,*
> *qui tant ot paines et travax,*
> *la bone espée rasalsa,*
> *et que du graal demanda,*
> *et de la lame qui saignoit*
> *demanda que senefioit.*
> *puis en encha le nous retrait*
> *Gerbers qui de son sens estrait*
> *la rime qui je vois contant.*
> *néis la luite de Tristrant*
> *amenda il tot à compas.*

Christian von Troyes hat in seinem antheil Percevals geschichte offenbar ab-
gekürzt; aus einer darstellung die der seinigen näher war als der von Wolfram

gebrauchten, hat Heinrich vonem Türlîn in der âventiure krône, in beiläufigen
anspielungen die er aus einer französischen quelle nahm, manches das Christian
fehlt. für Antanor und Kunnewaren (Wolfr. P. 151. 152), welche bei Christian
(Ms. bl. 5^a = druck bl. 7 rw.) nur *un sot* und *une pucelle* heifsen, hat er
andere namen; Key sagt zu Parceval

    vil rehte von iu wîssagt
    dise rede lange vor
    Culîanz der tôr,
    und ouch von vrowen Lêden.
    ir sult des in bêden
    grôzen danc sagen,
    daz si in ir kinttagen
    nie wolte gelachen
    unz irz muoset machen.
    ir veter het si wol gewant,
    daz si iuch dar zuo bekant
    und durch iuch ir swîgen brach
    und zuo iu lachende sprach.
    si kund wol guote rîter spehen.

Parzevals gemahlin nennt er Blancheflour, wie Christian:

    ein vrowe hiez Blancheflûr.
    die minnt ein ritter per amûr:
    daz was mîn her Parzevâl.
    ouch was diu vrowe von Gâl,
    als ich ez vernomen hân.

Key spottet über ihren nächtlichen besuch (P. 192, roman bl. 12),

    dô ir des geruohtet
    daz ir in besuohtet
    des nahtes an dem bette.

Signe heifst auch bei ihm nur 'diu magt': ob sie auf der linde (P. 249, 14)
oder unter einer eiche (Ms. bl. 14 = druck bl. 21 vw.) sitzt, ist nicht zu er-
kennen:

    ditz erwarp her Percevâl
    an dem armen vischære,
    den er in grôzer swære
    durch zuht ungevrâget liez,
    als im diu magt sît gehiez,
    daz in sîn zuht sô gar verriet,
    dô er von dem boume schiet,
    dâ er si sitzende vant,
    und des swertes kraft erkant,

> daz im gap sîn œheim
> dô er wolte rîten heim.

was er von Orilus *(L'orguilleux de la lande)* sagt, kann ich weder aus Eschen-
bach noch aus dem roman erklären,

> sam Orgoloys de la lande
> von Perschevalle geschach,
> dâ er den halsslac gerach,
> den er im mit nîde sluoc,
> umb einen kleinen unfuoc
> den er mit rede begienc
> dô er in minneclîch enphienc.

auch wissen beide (Wolfr. P. 571. 572. roman bl. 41) von Gaweins gebrochener
rippe niehts,

> vil starken kumber er ouch dolt
> ûfem Kastel â lît merveillôs,
> dâ er ein rippe verlôs
> und von dem lewen sînen schilt.

an einer andern stelle spricht Gawein von seiner fahrt nach dem graal, zu dem
Wolfram ihn bekanntlich nicht kommen läſst,

> übern furt dâ ze Katharac
> vuor ich an die wilden habe,
> dâ ich vant die rîchen habe
> die Parzevâl suohte
> dô in diu meit verfluohte,
> daz sper, und daz rîche grâl,
> daz alle tage zeinem mâl
> bluotes drî tropfen warf.

nach dem roman bl. 121 rw. reitet Gauvain einen schmalen gepflasterten weg
ins meer hinein, bis an den glänzenden saal in dem er die wunder des graals
findet: und die heilige lanze blutet, seitdem sie den erlöser verwundet hat,
unaufhörlich. was Christian von dem dichter dem Wolfram folgte (P. 827, 1-3)
mit recht vorgeworfen wird, ist die mährchenhafte erweiterung und das verflachen
der fabel; so daſs in strengerer überlieferung und sinniger darstellung der
situationen das andere werk, vermutlich mehr als in der kunst des stils, sich
vor jenem auszeichnen mochte. Wolfram fand einen Provenzalen *Guiot le
chanteur* angegeben, der das lied gesungen und gesprochen habe; woraus man,
wenn Wolfram nicht irrt, schliefsen muſs dafs es in langen reihen gleich-
reimender zeilen gedichtet war.*) es war aber französisch (P. 416, 28): das

*) s. Uhland in Fouqué's Musen 1, 3, s. 82 f. Roquefort hat würklich einmahl (1, 25)
aus dem *roman de Perceval* zwei Alexandriner: aber ich kann nicht herausbrin-
gen wo er dies citat abgeschrieben hat: alle übrigen sind in kurzen versen.

heifst wahrscheinlicher nordfranzösisch, weil Wolfram das französische welches er selbst sprach (W. 237) mit dem der Champagner vergleicht, und weil von dem was herr professor von Schlegel den Franzosen vorwelscht, *Beaucoup de noms propres dans le texte allemand prouvent effectivement, par leur forme provençale, que notre auteur n'a point puisé dans un livre françois (Observations sur la langue provençale,* s. 80), nur das gegentheil zu erweisen steht; weshalb ich auch diese frischweg ohne kenntnifs gewagte behauptung unerwähnt lassen würde, wenn sie nicht einen wahren kenner der romanischen sprachen (Diez, die poesie der troubadours s. 207) geteuscht hätte, weil ihm, wie man sieht, die armut der universitätsbibliothek zu Bonn kein exemplar der müllerischen Sammlung bot. von Guiot dem Provenzalen auf Guiot von Provins zu rathen, dazu liegt weder in seinem bekannten gedicht (bei Méon 2, s. 307 ff.) ein grund, noch in der namensähnlichkeit der stadt in Brie, welche bei Wolfram (W. 437, 11) Provîs heifst. für die erforschung der sage vom graal ist der verlust des von Wolfram gebrauchten gedichts schwer zu beklagen: aber die abgeschlossenheit des inhalts, das ebenmafs der theile, die wärme wahrheit und tiefe der darstellung haben wir ohne zweifel dem deutschen dichter allein zu danken; wie überhaupt die französische poesie des zwölften jahrhunderts durch den reichthum der erhaltenen und ausgebildeten theils eigenen teils entlehnten sagen weit über die deutsche des dreizehnten hervorragte: aber in einer dürftigen unbefestigten sprache, starr an den epischen formeln haftend, und auf die ausführung zu ungeheuren massen ausgehend, blieb die darstellung hinter dem reichthum der erfindung zurück, während die deutsche poesie, die schwindenden sagen ebenfalls in gröfseren massen festzuhalten und fremde sich anzueignen bestrebt, aus der alten epischen beschreibung des einzelnen erst zu der einfachen farblosen erzählung übergieng, dann aber, je mehr situation und fortschritt der begebenheiten die empfindung traf, in den eigenthümlichen darstellungen sehr verschiedener dichter sich zu mannichfaltigen, freilich nicht lange dauernden blüten entwickelte. den ausgezeichneten werken dieser zeit werden in der darstellung die originale nie gleich kommen: und wenn bei den Franzosen das studium der älteren litteratur nicht noch allzu oft liebhaberei ohne historische betrachtung wäre, so möchte man es für absicht und scheu vor der vergleichung halten, dafs sie den *chevalier au lion,* ein werk des bedeutendsten dichters, das, in mehreren handschriften erhalten, schon den trieb zur kritik wecken sollte, noch immer nicht herausgegeben haben. den inhalt und gang des französischen gedichts unter des Provenzalen Guiot namen können wir noch vollständig genug angeben: denn es leidet keinen zweifel dafs der dichter des Titurels dasselbe werk vor sich hatte und der ordnung desselben streng folgte, wenn er auch den inneren zusammenhang der sage vielleicht noch weniger als der französische dichter fafste. Wolfram, dem das ganze, wie uns, ein gewirr unverständlicher schlecht verbundener fabeln

scheinen mochte, ward von Parzivals sage, die auch schon Christian ausgeschie-
den hatte, besonders angezogen, und ihn bewegte offenbar der epische gedanke,
den er wohl erst durch seine eigenthümliche auffassung wird hineingetragen ha-
ben, wie Parzival in der gedankenlosigkeit der jugend das ihm bestimmte glück
verfehlt, und erst nachdem er die verzweiflung überwunden und in dem un-
verschuldeten kampfe gegen freund und bruder das härteste erfahren hat, in
der treue gegen gott und sein weib der erstrebten höchsten glückseligkeit wür-
dig erfunden wird. um diesen gedanken darzustellen nahm er mit verständiger
wahl die geschichten von Gamuret und von Gawan auf: aber er liefs, aufser
dem was er für den Titurel bestimmte, noch manches aus, was entweder un-
bedeutend oder störend zu sein schien. wie aus dem jüngeren Titurel 36, 64.
65 erhellt, übergieng er nach Parz. 333 Ecubas erzählung von Feirefiz und
Secundillen, auf die sich das verzeichnifs seiner siege, Parz. 770, bezieht. fer-
ner was Wolfram in der einleitung des neunten buches (433, 11-30) nur im
allgemeinen andeutet, war an derselben stelle im original ausgeführt. zuerst
(Tit. 38, 1-46) noch ein besuch Parzivals bei Sigunen, wo sie den geliebten im
sarge bei sich hat, aber noch ohne kapelle: dabei (Tit. 38, 42. 43) die belehr-
rung über das schwert, die Eschenbach (P. 253, 24-254, 15) in eine frühere
rede Sigunens einfügt, wohin sie indessen auch Christian setzt (Ms. bl. 14 =
druck bl. 21 vw.); dann (Tit. 39, 3—282) Parzivals siege über die meisten der
im P. 772 genannten helden, die errettung der Pardiscale, seefahrten, kämpfe
mit christen und heiden: auf Flordiprinze von Flordibale, der P. 772 nicht vor-
kommt, zerbricht das schwert vom graal, und wird durch den brunnen zu Kar-
nant wieder ganz: Parzival schenkt es Ekunat zum kampf wider Orilus. diese
geschichten, die auch meistens an sich wenig werth haben, opferte Wolfram
der ohne zweifel weit gröfsern und edleren ansicht auf, dafs Parzival in seiner
verzweiflung nicht der herr der abenteuer sein dürfte. und dafs seit der erlö-
sung Pardiscalens der held sich entschliefst, wo er hinkommt, nach land und
leuten zu fragen (Tit. 39, 148. 217), ist gewifs dem ursprünglichen sinn der
sage nicht so angemessen, als dafs ihm weit später noch (559, 9-23) das aben-
teuer von Chastel merveille entgeht weil er nicht fragt. endlich die erzählung
von Orilus und Ekunats kampfe (Tit. 40, 26-101) wird etwa vor dem letzten
buche des Parzivals ihren platz gehabt haben: wenigstens verläfst Artus im
Parz. 786, 29 die stadt Joflanze, Ekunat findet im Tit. 40, 77. 78 nach Orilus
tode den könig zu Nantes wohin er von Joflanze kommt, und nachher Parz.
822, 7 geht Artus nach Schamilot (im französischen roman Quamaalot Caamelot
Quamelot). die rache an Orilus gehörte nicht nothwendig zur vollständigkeit
der erzählung, weil er schon längst von Parzival besiegt ist. dafs Parzivals
sohn das von Lehelin ihm entrissene land wieder eroberte, deutet der dichter
selbst an, Parz. 803, 22: und ausdrücklich heifst es im Tit. 40, 115. 116, die
abenteuer d. i. das französische buch erzähle diese begebenheit nicht ausführ-

lich. wenn Wolfram alles angeführte absichtlich und mit gutem urtheil über-
gieng, so hoffe ich nicht daſs man ihm zutrauen werde, er habe später, in
einem gedichte dessen held Schianatulander war (Wolfr. Tit. 39, 4), all diese
geringfügigen erzählungen nachgeholt wie man sie in dem jüngeren Titurel findet.
auch scheinen des dichters zeitgenossen dies alles nicht vermiſst zu haben, son-
dern anderes, was der vollender des Titurels Albrecht zu leisten verspricht
(40, 145 ff.):

> Ich möhte mich hie nieten
> der kunst durch Parzivâlen,
> wie sîniu kint gerieten,
> diu edeln klâren süezen lieht gemâlen.
> vil endelîch ich gerne von in spræche:
> man giht wie dem von Eschenbach
> an sîner hôhen kunst dar an gebræche.
> Und wie diu küniginne
> Kundwîrâmûrs was lebende. —
> und waz der grâl nu wære:
> daz was der welt mit slozzen gar verbouwen.
> Wâ von er heilic wære,
> des het vor niemen hügede.
> sagt ich nu niht diu mære,
> sô hete man den grâl für ein getrügede. —
> Wer was den grâl nu tragende
> nâch Repans de schoyen?
> daz bin ich hie der sagende.

also wohl hauptsächlich Loherangrins tod, und was sich weiter mit dem graal
begab, überhaupt aufklärung über die freilich sehr dunkel gebliebene sage vom
graal, scheint man ungern entbehrt zu haben. aber in Eschenbachs sinne fehlt
an der ganzen erzählung nichts: eher ist Loherangrins geschichte schon über-
flüssig, und Wolfram wollte nur, wie er ausdrücklich sagt (827, 11-14), am
ende der abenteuer nichts weglassen; so daſs ich geneigt bin zu glauben, in
den exemplaren die Wolfram und der verfasser des Titurels brauchten, stand
nichts von dem anhange, den auch der vollender des Titurels als nicht allge-
mein verbreitet zu bezeichnen scheint, wenn er sagt (Tit. 40, 116 ᵇ), er habe
die abenteuer ganz.

T I T U R E L.

Der ältere Titurel ist uns in zwei handschriften erhalten.

G. in der alten des Parzivals zu München, wo er auf vier angebundenen blättern, bl. 71 bis in die dritte spalte der vorderseite des 74 sten mit abgesetzten strophen, aber, wie lieder gewöhnlich, ohne absätze bei den reimpunkten (denn Docens angabe s. 5 seiner ausgabe ist unrichtig), von der ersten hand des Parzivals geschrieben ist. Docen sagt (s. 12. 13), die schrift sei wenig jünger als von 1189 *): aber str. 37 verweist auf die zwei ersten bücher des Parzivals, und von derselben hand ist die alte Münchner handschrift des Tristans mit der fortsetzung Ulrichs von Türheim, der noch kurz vor 1250, freilich schon bejahrt, seinen Wilhelm dichtete: es ist eine cursivschrift wie in dem bruchstück *E* und in dem Berliner Veldeck, weniger rund als die nicht viel jüngere des bruchstücks *F*, und fester als die spätere z. b. in dem Wilhelm von Orange zu Wien (*m*). ich habe von den ersten 13 strophen abschrift genommen, und den abdruck von B. J. Docen (1810) so genau gefunden, dafs nach seinen wenig bedeutenden nachträgen in der Sammlung für altdeutsche litteratur und kunst (1812) s. 234 f. eine neue vergleichung wohl wenig ausbeute geben wird.

H. die Ambraser handschrift des heldenbuchs, jetzt in Wien, 237 pergamentbl. grofs folio, mit der jahrzahl 1517 (s. Primisser in Büschings wöchentl. nachr. 1, s. 390 = Ambraser sammlung s. 279) enthält bl. 234 f. die ersten 68 strophen, welche herr J. M. Schottky in dem Anzeigeblatt zum achten bande der Jahrbücher der litteratur (Wien 1819) s. 30-35 hat abdrucken lassen, wie es scheint genauer als es die handschrift verdient. ich habe die groben schreibfehler nicht angezeigt und die verwilderte schreibweise durchaus verändert.

I. der jüngere Titurel, in den die alten bruchstücke aufgenommen sind, muste durchgehend verglichen werden. oft habe ich auch die lesarten der einzelnen texte angeführt die mir zu gebote standen. es sind die folgenden.

i. die heidelbergische papierhandschrift n. 141, welcher aber zwischen bl. 40 (XLI) und 41 (XLVII) acht blätter fehlen, d. h. die str. 38, 3-108, 2 der alten bruchstücke entsprechenden strophen.

i. die heidelbergische n. 383.

i. der alte druck von 1477, nach welchem ich auf dem rande die capitel- und strophenzahl angemerkt habe. die strophen welche ihm fehlen, in andern

---

*) auf diese zahl kam Docen durch lauter irrthümer, 1) der verbesserer der alten strophen, 50 jahr nach des ersten dichters tode (Tit. 10, 2), sei Wolfram von Eschenbach. 2) landgraf Hermann, nach dessen tode Tit. 7, 61 gedichtet ward, sei 1228 gestorben: 1227 starb landgraf Ludwig. 3) funfzig jahre von 1229 abgezogen geben 1189.

handschriften des jüngeren Titurels aber enthalten sind, habe ich mit b be-
zeichnet.

i. der auszug einzelner strophen in der handschrift zu Dresden n. 41,
nach der für Adelung genommenen abschrift in der hiesigen königlichen biblio-
thek *(Ms. Germ.* 38 *fol.).**)

i. was Docen in seiner ausgabe aus Regensburger bruckstücken anführt.

Diese quellen liefern uns das gedicht so mangelhaft und entstellt, dafs
sich nur ungefähr der sinn der gedanken im ganzen hinreichend darstellen läfst,
nicht die worte oder das versmafs. über die gestalt und den bau der strophe
ins reine zu kommen war natürlich die erste bedingung bei allen kritischen
versuchen. herr professor von Schlegel fand nicht das wahre, weil es ihm Docen
nicht vorgesagt hatte: herr professor Rosenkranz durfte, nachdem das richtige
in meiner Auswahl s. xxvi angedeutet war, nicht mehr (über den Titurel s. 84)
von einer 'wunderbaren metrischen construction der strophe mit seinem dak-
tylisch-rhythmischen gange' reden. je tiefer man in das gedicht hinein liest,
je mehr wird man sich, bei gehörigen metrischen vorkenntnissen, überzeugen
dafs Eschenbach seine strophe aus altüblichen epischen versen ganz eben so
zusammensetzte wie wir sie im jüngeren Titurel mit geringeren freiheiten
finden [,obgleich die 33ste und 34ste mit ihren mittelreimen wohl mit recht
von Haupt verworfen werden, Zeitschrift 4, s. 396]. unter der besondern be-
stimmung dafs die vier langzeilen klingend gereimt werden, enthalten vier von
den sieben theilen der strophe den gewöhnlichen vers von vier hebungen bei
stumpfer oder von drei hebungen und einer klingenden endsilbe: die drei andern
bestehn aus der zeile von fünf hebungen, die besonders mit einer klingenden
schlufssilbe im zwölften jahrhundert sehr häufig gebraucht ward um abschnitte
zu beschliefsen, am häufigsten wohl in Crescentia, dem regelmäfsigsten der in
die sogenannte Kaiserchronik aufgenommenen gedichte. die bei Eschenbach
häufige erhöhung der zweiten und zuweilen (nach art der italiänischen *cesura
Siciliana*) der vierten senkung,

und gewín ímmer mére án den sórgen,

ie der kóst únd der tát únverdrózzen,

ferner zweisilbiger auftact und zwischen zwei hebungen fehlende senkung

und de kúnegín sîn múome Schóétte,

*) Solche auszüge aus dem Titurel, aber nur 68 strophen, enthält auch die heidelb.
hds. 729 auf den ersten fünf blättern. was herr hofrath Mone (in Wilkens gesch.
der heidelb. büchersamml s. 526 und in seinen Quellen und forschungen 1, s.
226) ein minnelied über die kraft der buchstaben *N h w d v* nennt, worunter
sehr wahrscheinlich der name der geliebten versteckt sei, ist nichts anders als
die aufschrift des brackenseils, in der eine ganze reihe von strophen bekannt-
lich in der vorletzten zeile lautet 'Nu hüete wol der verte,' welche worte auch
in der hds. 729 die ersten vier mahle vollständig geschrieben, nachher aber
auch zuweilen blofs durch *N h* oder *N* angedeutet sind.

diese und ähnliche der eigentlichen liederpoesie weniger eigene freiheiten ziemen
einer strophe die wohl gewifs nicht für den gesang bestimmt war. allein ich
gestehe, es ist mir nicht überall gelungen den versbau nach seiner regel wieder
herzustellen, obgleich ich so viel erlaubt schien gethan habe, und in den an-
merkungen noch manche weitere berichtigung vorgeschlagen ist: ein geschickter
leser wird sich durch besserungen aus dem stegreif zuweilen selbst helfen
müssen. denn leider zeigt die vergleichung des jüngeren Titurels, dafs auch
die handschrift welche diesem zum grunde lag, einen nichts weniger als un-
tadelhaften text gewährte. ich habe aus den handschriften des jüngeren Titurels
den nachgebesserten text desselben, in so ursprünglicher form als es nach
meinen quellen angieng, herzustellen versucht: wer künftig sich mehrerer hand-
schriften bedienen kann, wird zumahl auszustreichen finden, weil sie noch öfter
mit dem alten text (*GH*) stimmen werden. denn die nachbesserung der alten
strophen mufs wohl zuerst nur unvollkommen gewesen sein: in der heidel-
bergischen handschrift 141, deren unvollständigkeit mich sehr gehemmt hat,
habe ich sogar eine strophe ohne mittelreim gefunden (10),

> Din tohter tschoysiane in ir hertz beschlîuzzet

> So vil der guoten dinge daz ir dîu welt an sålden wol geniuzzet:

und aus dem schwanken der handschriften, indem eine in der ersten, eine
andre in der zweiten zeile mit *GH* stimmte, ergab sich noch öfter dafs die
versuche den inneren reim zu schaffen jünger waren; in welchem falle ich die
gereimten umarbeitungen nicht angeführt habe.

Wenn Wolfram von diesem werke mehr als zwei bruchstücke gedichtet
hätte, so würde es schwerlich den namen Titurel tragen, den zwar die hand-
schriften *GH* nicht haben, aber er mag leicht aus der ersten zeile diesen bruch-
stücken gegeben und dann von dem dichter des jüngeren Titurels beibehalten
sein: dieser nennt sein gedicht so (15, 32),

> mit lieden Titurelles

> ich Wolfram niht wan et des selben muote.

dafs aber Wolfram noch bedeutend mehr gedichtet habe läfst sich nicht wahr-
scheinlich machen: namentlich kann man ihm nichts von den vielen zusätzen
im fünften und sechsten capitel des Titurels zuschreiben. von da an wo die
handschrift *H* uns verläfst, habe ich alles was der jüngere Titurel mehr hat
in den anmerkungen angegeben. allerdings halte ich einiges davon für echt,
7, 55. 56. 61. 97. 102: es mag aber lieber des lesers eigener entscheidung
überlassen bleiben. nur ist sicher unrichtig die erste nachher von ihm selbst
mit einer eben so falschen vertauschte meinung Docens (s. 4. 5), der dichter
des Parzivals und dieser bruchstücke habe nachher auch den ganzen langweiligen
und albernen Titurel verfafst; obgleich herr professor von Schlegel mit dieser
ansicht bei unwissenden und trägen viel glück gemacht hat, nachdem er sie sich
durch den abenteuerlichen zusatz angeeignet hatte, zwei andre dichter des

dreizehnten jahrhunderts haben dann alle strophen des gedichts erst mit den
inneren reimen versehn; welches doch, wie gesagt, nicht einmahl vollständig
mit diesen 170 strophen geschehen ist. der gegenbeweis wäre für einen
jüngeren eine aufgabe bei der er selbst und wir andern viel lernen könnten:
wer mehr und wichtigeres zu thun hat, darf sich wohl begnügen zu sagen,
wie es schon in der Auswahl s. IV. XXVI gesagt worden ist, Wolfram habe
schwerlich mehr als diese bruchstücke gedichtet; woraus sich von selbst ergiebt
dafs der verfasser des Titurels sein werk nur in Wolframs namen abgefafst
hat. ich glaube beinah, er hat es auch vollendet. cap. 36, 60 wird Wolfram
zum letzten mahl genannt, wo ihn die Abenteuer anredet

       Mîn friunt von Blîenvelden.

aber noch 38, 86 beruft sich der dichter auf das was er früher (27, 289-291)
gesagt habe,

       Hie vor riet ich den frouwen
     ze mantel und ze huote.

auch 40, 68 scheint es, derselbe fahre noch fort der Sigunens klage ge-
dichtet hat,

       Solt ich ir klage sunder,
     sam die Sigûnen, zellen.

dann 40, 114 weist er die vollenduug der geschichte von Parzivals sohn Kardeiz
von sich ab,

       umb rîche soldamente
     wær ich sînr âventiur niht ende gebende.

darauf mochte zum schlusse die strophe folgen, welche da wo sie uns überliefert
ist (nach 41, 69) offenbar den zusammenhang stört,

       Nu prüevet, alle werden,
     die wirde dises buoches.
     von diutscher zunge ûf erden
     nie getihte wart sô werdes ruoches,
     daz lîp und sêl sô hôch gein wirde wîset.
     alle die ez hœren lesen,
     der sêle müeze werden gepardîset.

will man dies niht annehmen, und ist die andre lesart

       wær ich noch diu mære fürbaz gebende

die echte, so verspricht hier der dichter, obgleich nichts wesentliches fehlt und
die erzählung so weit als im Parzival geführt ist, eine fortsetzung die er dann
nicht hat liefern können. denn die zwei folgenden strophen (115. 116) nimmt
man am natürlichsten zusammen, und die zweite gehört, weil in ihr Loherangrins
fernere geschichte versprochen wird, unstreitig dem fortsetzer der sich in der
dritten strophe (116^b) nennt: denn dafs der dichter des ganzen werks, der
sich bisher so oft Wolfram genannt hat, nun auf einmahl ohne veranlassung

vor dem schlufs seinen wahren namen entdecken sollte, scheint mir gradezu
unmöglich.

> Wie Parzivâl nu lebende
> was mit den templeisen,
> und diu lant was gebende
> dem sun, diu er gewinnen muost mit freisen,
> diu er ab Lehelîne muost erstrîten,
> und wie Repans de tschoie
> mit Fêrafîse lebt an allen sîten,
>   Daz wil diu âventiure
> alhie nu fürbaz mâzen.
> ob mich der miete stiure
> alsô ringe wil dar zuo besâzen,
> sô würde ein rede noch hie vil wol gelenget:
> und von Loherangrîne
> ist vil der âventiur mit spæhe gemenget.
>   Die âventiure habende
> bin ich Albreht vil ganze.
> von dem wal al drabende
> bin ich, sît mir zebrach der helfe lanze
> an einem fürsten den ich wol kund nennen:
> in allen rîchen verre,
> in diuschen landen möht man in erkennen.

über diesen Albrecht weifs ich nichts näheres. ich habe zwar gehört, auf einem
vorsetzblatte des heidelbergischen Titurels n. 141 habe ehemahls eine notiz über
Albrecht von Scharfenberg gestanden: aber als ich im herbst 1819 die hand-
schrift abschrieb, war nichts der art darin. hier sagt nun Albrecht, obgleich
er die sage ganz habe, doch wolle er vom schlachtfelde traben, das heifst, wie
es im Tit. 13, 39 etwas deutlicher lautet,

>   ze prüeven ich daz mîde —
> dâ von sô stapf ich prüevens abe ze velde:

nachher entschliefst er sich aber zur fortsetzung, theils um die sage nicht mit
trauer endigen zu lassen, theils weil man am Parzival den mangelhaften schlufs
getadelt habe. (40, 143. 144)

>   Ez jehent die merkerîchen,
> daz mich an vreuden phendet,
> ez sî unendelîchen
> ein buoch ganvenget und daz ander gendet,
> alsô daz sante Wilhalm an dem houbet,
> Parzivâl an dem ende,
> sîn beide an ir werdekeit beroubet.

> Daz uns an disem buoche
> alsam hie niht gelinge,
> daz uns dehein unruoche
> unendelîch von endikeit iht bringe,
> der frône geist uns geb ein sælic ende.
> umb daz vor allen dingen
> sol cristenheit ze gote valden hende.

da Wolframs sanct Wilhelm am ende ebenfalls unvollständig war, wenn gleich gewiſs schon von Ulrich von Türheim vollendet, so muste wohl des dichters tod hier erwähnt werden, wenn ihm der fortsetzer diesen unbeendigten Titurel zuschreiben wollte. ich glaube daher, er wuste wohl wer der verfasser des Titurels war, und vermied nur zu sagen daſs es nicht Eschenbach sei: und ich möchte auch aus der vorletzten strophe des gedichts (41, 86), wo Albrecht sich Wolframs oder Kiots und Wolframs nachfolger nennt, nicht schlieſsen daſs er den jüngeren Titurel für Wolframs werk gehalten habe.

> Kyôte, Flegetânîse,
> den was her Wolfram gebende
> dise âventiur ze prîse:
> die bin ich Albreht hie nâch im (in) ûf hebende,
> dar umb daz drîer dinge minner wære,
> der sünden, und der schanden:
> daz drite, mich drücket armuot diu swære.

aber freilich der dichter welcher die freien verse in den strophen der alten bruchstücke geglättet und die ersten zeilen mit inneren reimen versehen hat, scheint Wolfram für den verfasser des jüngeren Titurels gehalten zu haben; daher ich lieber die meinung (zum Iwein s. 409) zurücknehme, dieser umarbeiter sei der vollender Albrecht. des umarbeiters strophen sind wohl ohne zweifel im alten druck richtiger als in den mir bekannten handschriften gestellt. nämlich 4, 61 unmittelbar vor der ersten strophe der alten bruchstücke, sagt der verbesserer

> Mit rîmen schôn zwigenge
> sint disiu lieder worden
> gemezzen rehter lenge
> dar in ir dôn nâch meistersanges orden.
> ze vil, ze klein, des werdent liet verswachet.
> her Wolfram sî unschuldec:
> ein schrîber dicke reht unrihtic machet.

daſs der druck diese strophe auch am schlusse des ganzen werks (41, 88) widerholt, beruht auf einer ohne zweifel unrichtigen ansicht: und die lesart 'ich Wolfram bin unschuldic' nimmt sich sehr wunderlich aus, da eben vorhergieng 'die bin ich Albreht hie nâch im ûf hebende.' vor dem zweiten der alten bruchstücke hat der druck (10, 2) folgende strophe, die sich bisher noch in keiner handschrift gefunden hat.

> Rîme die zwivalten
> dem brackenseil hie wâren
> vil verre dan gespalten:
> dar nâch, die lenge wol von fünfzic jâren,
> zwivalter rede was diz mære gesûmet.
> ein meister ist ûf nemende,
> swenn ez mit tôde ein ander hie gerûmet.

funfzig jahre nach Wolframs tode, um das jahr 1270, ward also die verbesserung unternommen, und zwar die verbesserung des abschnittes vom brackenseil, den ausdrücklich zu nennen thöricht war, wenn nach herrn prof. von Schlegels meinung der ganze Titurel umgearbeitet ward. in den folgenden vier strophen (10, 3-6), welche auch die handschriften haben (nur in dem übergange (10, 7) weichen sie sehr vom druck wie unter einander ab), vertheidigt der verbesserer seine arbeit, und wünscht dafs er eben so 'die slihte riuhen' und die aufrechtstehende hochfahrt demütigen könne, als er 'die selben wirre an disem mær zer slihte habe gerücket.'

W I L L E H A L M.

Wenn die bruchstücke des Titurels schon in der ersten ausgabe bequem zu lesen waren, und der Parzival in der müllerischen sammlung auf kenner und sorgfältige leser den vom dichter beabsichtigten eindruck nicht ganz verfehlen konnte, so war dagegen Wolframs Wilhelm von Orange, oder wie man ihn auch nennt, der zweite theil des heiligen Wilhelms in der ausgabe von W. J. C. G. Casparson (1784) so furchtbar entstellt durch sinnstörende fehler der Casseler handschrift und durch abscheuliche thüringische sprachformen, dafs es erst jetzt möglich sein wird den kunstwerth des gedichts ungestört zu empfinden und zu erkennen. gleichwohl ist auch mein text bei weitem so gut nicht als der des Parzivals, weil sich nur eine einzige würklich alte handschrift erhalten hat, welche selbst eine nicht durchaus lobenswerthe quelle verräth und sehr häufig höchst verderbte und geradezu sinnlose lesarten giebt. manche genauigkeit der schreibart, die im Parzival fast durchgeführt ist, wird man im Wilhelm kaum einzeln finden.

Indem ich die handschriften dieses gedichts welche ich selbst gebraucht habe, aufzähle, gebe ich zugleich ein fast vollständiges verzeichnifs aller uns übrig gebliebenen. Büsching hatte ein folioblatt, welches nach seinem tode nicht wieder gefunden ist: die im litterarischen grundrifs s. 539 f. davon angeführten verse sind 289, 12. 13. von einem Regensburger bruchstück, von dem ich nichts näheres weifs, führt Docen in Schellings allgemeiner zeitschrift s. 417 einige zeilen an. die papierhandschrift des herrn regierungsraths de Groote (J. G. Büschings wöchentl. naçhrichten 3, s. 123-128) scheint für die kritik werthlos zu sein. die uffenbachische pergamenthandschrift des ersten und zweiten theils in quart (*bibl. Uffenbach* 4, *p.* 178. 179) ist nach Casparson (1, s. III) in Hamburg. nach einer gefälligen mittheilung des herrn doctors Chr. Petersen ist in der gegenwärtigen verwirrung der bibliothek keine handschrift des Wilhelms von Orange zu finden, im katalog aber nur eine papierhandschrift in folio (n. 259 *ex bibliotheca Uffenbachiana*) angegeben, welche bl. 1-72 des Strickers Karl, bl. 73-156 *Wolframi ab Eschenbach historiam Wilhelmi Narbonensis*, bl. 161-268 den Barlaam enthalte: Casparson (1, s. III) und Eschenburg (Museum f. altd. litt. und kunst 1, 598) sagen ausdrücklich, wie der katalog, es sei Eschenbachs antheil. folgende sind die von mir benutzten handschriften und bruchstücke.

J. ein doppelblatt einer alten handschrift in grofs octav zu München. jede der vier seiten hatte ursprünglich 31 zeilen, von denen oben je vier weggeschnitten sind: die verse sind nicht abgesetzt. der jetzige anfang ist 159, 28 'so ergib ich mich', das ende 166, 29 'erlôst.' man wird nicht leicht in einer mittelhochdeutschen handschrift so viel circumflexe finden: doch bedeuten sie nicht immer lange vocale. ich habe diese blätter nicht gesehen, sondern mich einer abschrift von Benecke bedient. der abdruck des anfangs in Docens miscell. II, s. 114 ff. ist nicht ganz genau. [von derselben handschrift, jetzt *Cgm.* 193, sind später in München aufser zahlreicheren, zum theil mit bildern geschmückten fragmenten aus der fortsetzung des Türheimers noch vier doppelblätter, darunter ein vollständiges, unbeschnittenes aufgefunden und mit dem früher bekannten, da auch Beneckens abschrift nicht ganz genau schien, im zweiten theile von Franz Pfeiffers Quellenmaterial zu altdeutschen dichtungen, Wien 1868, s. 71-83 abgedruckt worden. sie enthalten die verse 79, 25-81, 17. 82, 1-83, 23. 103, 19-105, 16. 106, 1-107, 24. 152, 27-154, 5. 154, 20-155, 29; dann nach dem von Lachmann benutzten doppelblatt, dem innersten einer lage, 167, 20-168, 26..169, 17-170, 25. 315, 22-324, 15. 333, 11-341, 21. die nach Pfeiffers abdruck in diese (vierte) ausgabe eingetragenen lesarten der neugefundenen stücke haben durch ein misverständnifs, das sich nicht mehr gut beseitigen liefs als es bemerkt wurde, die bezeichnung *I* statt *J* erhalten.   Müllenhoff.]

K. die tschudische handschrift zu Sanct Gallen enthält am ende auf 66 folioblättern Wolframs Wilhelm. obgleich die vier theile dieser handschrift nur durch den buchbinder vereinigt sind, ist doch auch dieser ganz von der dritten hand des Parzivals, nur bei weitem schöner und gleichmäfsiger geschrieben: auch hier hat jede der zwei spalten einer seite 54 verse. die edle

geschmackvolle pracht der vergoldeten anfangsbuchstaben und gemahlten ersten
zeilen der bücher, die einfache schönheit und das maſs der freien sicheren
züge, der milde glanz der tinte und des pergaments, sichern dieser handschrift
den ersten platz unter allen mittelhochdeutschen die ich gesehn habe. leider
ist das letzte blatt, auf dem die letzten vier zeilen stehn musten, ausgeschnitten:
von einer andern wenig jüngeren hand sind unter die beiden spalten der letzten
seite jene vier zeilen und folgender anfang einer fortsetzung geschrieben, der
auch in der handschrift *m* den echten eschenbachischen versen ohne unter-
scheidung beigefügt ist.

467 vz dem her sin cvndwiern was.

10 ab dem blv̊minem gras.

von manegem riter sere wnt.

nv wart im gemachet chunt.

war er solde cheren. *)

alrest begunde meron.

15 der marcrave di sinen chlage.

nv was ez ame dritten tage.

daz der sturme was erliten.

der marcrave mit iamers siten

alrest vmben wrf do warf.

20 solher site niht bedarf.

sprach der wise Gybert.

den got hers hat gewert.

daz er trosten solte. *)

l. die heidelbergische n. 404, bl. 45 rw. bis 107 rw. sie ist oben beim
Parzival 364 beschrieben. zwei mahl wird die schöne hand, die das übrige
geschrieben hat, durch eine mit breiteren sächsischen zügen und mit sächsischer
orthographie unterbrochen, 147, 23-148, 2 und 317, 18-318, 30.

m. eine handschrift der k. k. hofbibliothek zu Wien n. 2670 (in Graffs
Diutisca 3, s. 345 *histor. ecclesiast. n.* 49) vom jahr 1320, 351 blätter, Wolf-
rams antheil bl. 62 vw. bis 145 vw., auf jeder seite zwei spalten zu je 44
zeilen wo keine bilder sind. es fehlt ein blatt mit 69, 19-74, 9. von dieser
und den beiden anderen handschriften zu Wien (*pz*) hat mir Kopitar mit zuvor-
kommender gefälligkeit abschriften nehmen lassen, von deren genügender genauig-
keit mich die vergleichung mit den verwandten handschriften überzeugt hat.

n. die handschrift zu Cassel von 1334. da eine neue vergleichung schwerlich
viel wichtiges ergeben hätte, habe ich mich mit Casparsons abdruck begnügt.

o. die wolfenbüttelische, *August.* 30. 12. fol. Eschenburg hat sie (Les-
sings beiträge 5, s. 81 ff. = denkmähler s. 66 ff.) zur genüge beschrieben. aus

---

*) die 13. und 23. zeile, welche von *K* der buchbinder abgeschnitten hat, habe
ich aus *m* genommen.

C*

den schlufsversen des dritten theils (Eschenburg s. 85 = 76) ergiebt sich, wenn ich sie recht verstehe, dafs 'Volkmarus von Podenswegen' das buch durch einen 'Hainreich' schreiben liefs, um es markgraf Otten zu senden. Gottscheds vermutung, dies sei markgraf Otto von Brandenburg mit dem pfeile, bestätigt keineswegs 'der augenschein', wie Eschenburg sagt: weit eher könnte man an markgraf Otto den Baier denken, um 1370. [aber denselben schlufs hat *m*: s. Hoffmanns verzeichnifs der altd. hss. in Wien s. 41.]

p. die zweite Wiener handschrift, *Ambras. n.* 75 *E.* 3. 421 grofsfolioblätter, für könig Wenzel im jahr 1387 prachtvoll geschrieben (s. Primissers Ambraser sammlung s. 274 f.). der zweite theil fängt bl. 66 rw. mit der überschrift an 'Hie hebt sich an marcgraf wilhelmes buch das ander. das getichtet hat der von Eschenbach herr wolfram der edle meister. *hic incipit liber secundus marcgravii wilhelmi quem compilavit et composuit magister wolframus de eschenbach.*' er schliefst bl. 161 vorw. auf jeder der zwei spalten einer seite stehn 37 verse.

q. 'ein zusammen genähtes quartblatt, welches 6 columnen einer handschrift des h. Wilhelms aus dem 13. jahrh. enthält, in der *bibliotheca Carolina* zu Zürich, auf dem deckel der hds. *C.* 169. 4°.' diese beschreibung, nach der man ein neues bruchstück derselben handschrift, wenn es sich finden sollte, wohl so leicht nicht erkennen wird, giebt herr hofrath Mone in seinen quellen und forschungen 1, s. 170, wo in verkehrter ordnung abgedruckt ist 92, 3-23. 93, 7-27. 94, 11-95, 7. 15-18. 96, 3-10. 19-97, 14. 23-98, 18. 100, 1-19. je die zweite reimzeile ist eingerückt: in jeder spalte scheinen 34 gewesen zu sein. eine neue vergleichung ist wünschenswerth.

r. ein blatt in klein quart zu München, wohl noch aus dem 13. jahrhundert; vier spalten zu 34 zeilen, 202, 23-207, 8.

s. ein doppelblatt im besitz des herrn oberappellationsgerichtsraths Spangenberg, mir in einer abschrift von Benecke mitgetheilt. jede seite hat zwei spalten, in jeder ursprünglich 40 zeilen, je die zweite eingerückt. unten fehlen je acht zeilen: erhalten ist 395, 25-396, 30. 397, 9-398, 9. 19-399, 22. 30-401, 2. 433, 16-434, 17. 26-435, 27. 436, 7-437, 8. 17-438, 19.

t. was Haltaus im *glossarium Germanicum medii aevi*, aber erst von s. 349 an, aus einer nicht unbedeutenden handschrift anführt. ich habe umsonst zu erfahren gesucht wo sie gewesen sein möge. [sie befindet sich in der Leipziger stadtbibliothek (*Rep.* II, 127), ist in quart, von pergament, in dem vierzehnten jahrhunderte geschrieben. vorgebunden ist ihr der Wilhelm Ulrichs von dem Türlîn, der von anderer hand geschrieben ist (s. unten s. XLI). in Wolframs Wilhelm hält diese handschrift nicht ganz was die von Haltaus angeführten stellen versprechen. sie tritt zwar zuweilen zu *K*, aber meist stimmt sie mit *l*, auch in auslassungen oder sonst auffallenden fehlern, oft gegen *l* mit *op* überein, oder hat eigene willkür oder verderbnifs. ich habe aus ihr eingetragen so viel die weise vertrug in der Lachmann die lesarten der handschriften aufser *J* und *K* behandelt hat. wer an willkür oder schreibfehlern gefallen findet, oder Lachmanns arbeit verderben will, kann vieles nachsammeln. Haupt.]

u. ein doppelblatt das mir herr professor von der Hagen geliehen hat, in jeder der zwei spalten einer seite 41 bis 44 zeilen, 144, 19-155, 28. einige stellen sind unlesbar.

v. ein folioblatt von Gräter, jetzt in Köpkens besitz, mit bildern; die spalte, deren je zwei auf der seite sind, ohne bilder zu 45 zeilen. erhalten, aber nicht durchaus lesbar, ist 52, 5-53, 17. 21-54, 16. 19-56, 1. 3-57, 6. von derselben handschrift haben sich zehn doppelblätter in Bamberg gefunden, von denen sechs, mit stücken des dritten theils, *beschnitten* nach München gesandt worden sind (Docen in der zeitschr. Eos 1818, n. 48. 49. 1819, n. 8): vier sind dem verstorbenen Büsching zugeschickt, und ich weifs nicht wo sie sich jetzt befinden, besitze aber eine abschrift davon. zwei blätter von diesen gehören zum ersten theil, fünf zum dritten, eins enthält W. 461, 19-467, ·8.

w. zwei blätter in quart zu München: die innere schmalere hälfte jeder seite enthielt 30 zeilen text, die äufsere bilder. das erste enthält 388, 21-390, 21, das zweite (aber halb zerschnitten) 403, 13-405, 14.

x. Rudolfs bibel und chronik in folio zu Wolfenbüttel, *August.* 1. 5. 2, die nach verschiedenen andern eingeschalteten stücken zuletzt in auszüge aus den drei theilen des Wilhelms von Orange übergeht. die aus dem zweiten theile fangen bl. 235 rw. an, und endigen bl. 245 rw. da es nur vielfach und sehr roh veränderte auszüge sind, so darf man aus meinem stillschweigen nie auf die lesart der handschrift schliefsen.

y. ein blatt aus dem funfzehnten jahrhundert, von herrn prof. von der Hagen mir mitgetheilt, vier spalten von theils 38 theils 40 zeilen, 32, 2-37, 10.

z. die papierhandschrift in folio zu Wien, *philol. 3 olim Ambras.* 427. sie enthält nicht blofs, wie Graff (Diutisca 3, s. 366) angiebt, den ersten theil, sondern nachdem herr von Eichenfeld die verbundenen blätter mühsam geordnet, hat sich aus dem zweiten theil bl. 53-68 noch 230, 8-338, 6 und bl. 69-72 364, 18-389, 30 gefunden: nur hat der schreiber 303, 27-310, 14 ausgelassen. die handschrift ist trotz ihrem geringen alter nicht unwichtig.

Die lesarten und die orthographie von *J* und *K* habe ich vollständig angeben wollen. mit *K* ist *m* und die bruchstücke *q* und *y* sehr nah verwandt, etwas entfernter *n.* dem text dieser handschriften, der auch im ganzen wohl der echteste ist, einen andern vorzuziehn blieb keine wahl: in den abschnitten 328 bis 343 muste freilich das ansehn der handschrift *K* zurücktreten, die hier auf eine wunderbare weise von allen andern abweicht. zu einer andern familie gehört *l* und das in den ärgsten fehlern mit ihr übereinstimmende aber doch nicht in grader linie verwandte bruchstück *v;* zu einer dritten der stark und nicht sehr glücklich veränderte text von *o* und *p*. ich habe in der regel nur anzeigen wollen wo weder *l* noch *op* mit *Kmn* übereinstimmt, und ich hoffe nicht leicht eine gemeinschaftliche lesart aus *lop* übergangen zu haben. ist es gleichwohl zuweilen geschehen, so werden mir freilich die kleinlichen mäkler nicht verzeihen, die, selbst nur mit einem paar lumpenpapierhandschriften bekannt, wenn ein kritiker alle erbärmlichen orthographischen fehler daraus anzumerken verschmäht, seine sorgfalt und wahrhaftigkeit in verdacht ziehen.

Wolfram hat meines wissens bisher unter den dichtern des dreizehnten jahrhunderts für den ältesten bearbeiter einer kärlingischen sage gegolten, und für den nächsten nach dem pfaffen Konrad. indessen sagt uns der dichter selbst (W. 7, 23 ff.), seinen zuhörern sei der anfang von Wilhelms und Arablen geschichte bekannt: der verfasser des Welschen gastes (1, 8) empfiehlt den jungfrauen zu lesen und zu hören von Galiena (der getauften heidin, der gemahlin Karls des grofsen): und wir haben bruchstücke eines gedichts von der jugendgeschichte Karls, in deren fernerer fortsetzung leicht nicht nur Aimeric von Narbonne vorgekommen sein kann, sondern auch sein sohn und der anfang seiner schicksale, wie auch schon der gedruckte theil der *reali di Francia* 6, 46. 50 [die Nervonesi sind verloren: s. Ranke in den abhandlungen der Berliner akademie 1835, s. 415] auf Wilhelms vater Amerigo oder Amerile meschino (d. i. *Aimeri le mesquin*) hinweist. zwei bruchstücke jenes gedichts sind in Beneckens beiträgen 1, s. 613 ff. und in herrn prof. Mafsmanns denkmählern 1, s. 155 ff. gedruckt: ein drittes von gröfserem umfang, das herr von Meusebach besitzt, enthält einen späteren abschnitt aus der geschichte Morands von Riviere, wie er an Karls hof verlockt und dort bezichtigt wird mit Galîen gebuhlt zu haben. die folgende probe wird kenner überzeugen, dafs in diesem bruchstück, mit den beiden andern verglichen, bei der genauesten übereinstimmung in den niederrheinischen sprachformen, sich ein richtigerer versbau, zumahl aber eine weit gröfsere gewandtheit und angemessenheit der erzählung zeigt, und dafs der stil desselben, wie der freilich gebildetere von Athis und Profilias, für einen unmittelbaren nachklang der einfachen poesie des zwölften jahrhunderts gelten mufs. selbst reime in denen ein auslautendes n für nichts gilt (loven : hove, enboden : gode, irgeven : greve (grâve), sêre : hêren) kommen oft vor, und dreimahl reimt stunden auf binden oder vinden.

> Dise wort inde dise zale
> bevellen Galien wale
> inde machden ir gemůde weich.
> mit ire witzer hant sie streich
> Morans hovet inde har,
> an sine wangen (dat is war)
> van grozer leive sine slůch:
> ane zoren he id virdrůch.

Galie reif du Karle dare,
sie sprag 'herre, nimet ware,
hei is der gude Morant,
den ir lange hat irkant
berve wis inde milde,
die mit swerde inde schilde
wal instride kan geberen,
die oug dicke ane irveren
hat gevůrt uren vane.'
Karl sag Galien ane:
he begunde sere doven,
he sprag 'vrowe, ich hore ug loven
harde sere einen man
(dat ig wal gepruven kan)
zů deme ir dumbe minne
in uren dumben sinne
haet gedragen stille,
inde he oug sinen wille
zů allen stunden hat mit ůg.
des is ůrkunde inde gezug
Hertwich inde Ruart
inde van Birrien Fukart.
des sult ir werden geschant
inde in eime vůre virbrant:
sunder zwivel inde wan
ig*) oug Morande han.'
   Hie hevet sig jamer inde not.
Galie wart bleich inde rot,
du sie den kůning zornig sag,
inde he misse also sprach,**)
dat Morant mit eren live
als ein man mit sinen wive
zu allen stunden hedde gewalt,
des wart sie heiz inde kalt,
inde maniger varwen***) ir schone lif:
want sie was dat reinste wif
die beschine mochte der dag.
ie dog sie wisliche sprag,
we†) groiz were ir rowe

---

*) *l.* heizo ich.   **) *l.* alsô missesprach.   ***) *l.* varwe.   †) *l.* swê.

'herre, ig han ††) trowe
na cristen ewen gegiven:
die sal ig halden die wile ig leven,
so mir mit warheit
van eniger hande dorpricheit
neman insal bezien.
ich wille vůr uren vrien,
die ug leif sin inde holt,
gerne důn min unschůlt
vůr sulche meindat
als ir mig bezigen hat.'

gewifs aber hat Wolfram nicht wegen eines älteren deutschen gedichts die ersten bücher des französischen Wilhelms übergangen, auf die er doch oft genug anspielt, namentlich auf das *charroy de Nismes* 298, 15, sondern weil diese veränderung seiner ansicht von der sage gemäfser war. in welchem sinn er diese sage fafste, können wir seinem unvollendeten gedichte nicht ansehen, und daher wird es, obgleich in der form reicher und feiner ausgebildet als der Parzival, doch nicht so auf die dauer fesseln wenn wir sein französisches original sicher nachweisen könnten, so dürfte man vielleicht hoffen bei näherer kenntnifs desselben die einheit des ganzen noch wieder zu finden, wie sie in Wolframs seele sich gebildet hatte. ohne von seiner quelle etwas zu sagen, aufser dafs ihm landgraf Hermann das buch mitgetheilt habe, tadelt er einmahl (125, 20) eine unrichtige erzählung Christians: es wäre gleich unerwartet, wenn Christian von Troyes etwas in langen versen gedichtet hätte, und wenn ein Wilhelm von Orange in kurzen versen gedichtet wäre. die verse bei Catel (*mémoires de l'histoire du Languedoc* s. 567), in denen mehrere brüder Wilhelms genannt werden, sind mit Eschenbachs gedicht unvereinbar: die stelle im Gerart von Nevers hat mit der deutschen erzählung (W. 176-179) im einzelnen wenig gemein. den namen eines dichters scheint Wolframs buch nicht enthalten zu haben (W. 302, 1). sein fortsetzer Ulrich von Türheim sagt etwas von dem dichter des welschen buches das ihm ein Augsburger Otto der Bogener mitbrachte,

diuht ez iuch niht ein unfuoc,
ich sagte iu waz der künege was,
als mans an dem buoche las,
daz ein meister getihtet hât
in welsch als ez hie tiutsche stât:
er was von sant Djonîsen.

und gleich nach diesen versen beruft er sich auf die übereinstimmung vieler bücher,

––––––––

††) ich hân úch?

seht waz der ritter wære:
ez seit des buoches mære,
der künege wæren tûsent wol.
nieman mich dar umbe sol
heizen liegen, ob ich sprach
daz man (ich) für wâr geschriben sach
an manegen welschen buochen.

daſs der dichter des romans von Saint Denis war, ist aus den bisher gebrauch-
ten exemplaren des *Guillaume au court nez* nicht angeführt worden : bekannt
ist daſs Bertrans, *un gentil clerc*, die romane von Viane und von Aimeri, die
ersten in der reihe zu der auch der Wilhelm gehört, nach einem zu S. Denis
gefundenen buche dichtete (Uhland in Fouqués Musen 1, 3, s. 69). Ulrichs er-
zählung von dem riesen Ysarê ist von dem auszuge bei Catel (s. 569 ff.) sehr
verschieden. der Guillaumes von Bapaume (in der Picardie) der in der hand-
schrift zu Bern vor dem anfange des letzten buches (vom mönchsleben Wil-
helms) sich nennt, hat, wie ich seine worte nehme (*Sinner, catalogus codd.
mss. biblioth. Bern.* 3, s. 339), die ungefügen verse des älteren dichters ver-
bessert. allerdings sind die weiblichen reime bei Catel kaum assonierend *(gaires:
hache : aune : chesne : maaille : Guillaume : place :combatre:bataille* u. s. w.):
nur kann man aus Sinners elenden angaben nicht sehen ob in der berner hand-
schrift die reime besser sind, ja ob sie mit der von Catel gebrauchten auch
nur einen einzigen vers gemein hat. von den beiden handschriften des *roman
de .Roncevaux* ist die eine freier, die andre streng gereimt: sie geben einzelne
theile der erzählung in drei bis vier auch dem inhalte nach abweichenden dar-
stellungen, wie herr H. Monin neulich gezeigt hat*) ohne sich noch dabei auf
das deutsche lied des pfaffen Konrads einzulassen. mit dem französischen Wil-
helm, der ebenfalls auf volkspoesie beruht, wird es vermutlich nicht anders
sein. übrigens dichtete Ulrich von Türheim seine höchst langweilige und fast
nur wegen mancher guten sprichwörter beachtenswerthe fortsetzung, den so-
genannten dritten theil, gegen das jahr 1250.**) er beklagt den tod könig
Heinrichs von Thüringen (1247),

---

*) nach s. 98 der durch ein ernsteres streben sich empfehlenden *dissertation sur
le roman de Roncevaux* (Paris 1832) hat auch Fauriel schon beispiele gegeben.
daſs ich seinen aufsatz nicht gelesen habe, entschuldige man mit dem unbe-
quemen verhältnisse des deutschen und französischen buchhandels. so sollte
L. Uhlands abhandlung in Fouqués Musen billig in Frankreich eben so bekannt
sein als bei uns: gleichwohl sehe ich daſs herr P. Paris (zum *roman de Berte
aus grans piés*, xxv. xxxiij) 1832 als neu bringt was Uhland 1812 gründlich
und geschickt bewiesen hat, daſs die kärlingischen romane für den gesang be-
stimmt waren, und daſs sie nicht auf Turpin beruhen.

**) 'Ottô der Bogenære', von dem Ulrich sagt 'er sitzet ze Ougspurc in der stat',
kommt, wie Wackernagel bemerkt, in einer urkunde von 1246 vor (bei I. Weber
de feudis ludicris s. 57): Gottfried von Hohenlohe beleiht Otto Bogenære mit

des küneges tôt schuof mir die nôt,
daz mir freude kunde entwîchen:
ich meine künec Heinrîchen:
des hân ich immer mêre schaden.

Wilhelm von Holland ist könig,

er sî dicke oder smal,
er sî wîz oder val,
er sî swarz oder brûn,
wærz der künec von Arragûn
od der künec von Hollant,
er (der tod) nimt si alle in sîne hant.

aber kaiser Friedrich II. lebt noch,

von Tamach künic Vavar
zehen tûsnt im (Terramêre) brâhte.
dem keiser niht versmâhte,
kœm im der von Ungern sam,
der im noch nie ze dienste quam,
noch der künec von Engellant:
die solden bêd von sîner hant
ze rehte haben ir krône.

die andere fortsetzung, der erste theil, ward von Ulrich von dem Türlîn noch
später, zwischen 1252 und 1278 gedichtet. sein werk ist unvollendet, sowohl
in der recension die ich aus den bandschriften *lnox* kenne, als in der echteren
die sich in der heidelbergischen n. 395 erhalten hat und die auch in der von
Haltaus gebrauchten handschrift *(t)* war.*) in dieser echteren wird könig
Ottokar von Böhmen gepriesen,

nu wünsch ich den mîn herze grüezet
kiuscher minn von wîbes süezen,
von Bêheimlant, des tugende büezen
kan vil herzen sorgen pfliht.
ich mein den edelen den man giht
künclîcher wirde und milter tât.
heil fröude fride man ouch hât
von dem künige in vier landen
Otakker. ob den namen nanden

einer *area in Augspurg, pro censu annuo, duabus caligis videlicet de sageto, quas
nobis in recognitionem singulis annis solvat.* vergl. Grimms rechtsalterthümer s. 379.
['Otto Boginær' zeuge in einer urkunde des bischofs Sibato von Augsburg vom
jahre 1237, mon. Bo. 6, 523. Haupt.]

*) [vielmehr enthält *t* eine kürzere von beiden vielfach abweichende recension,
die am ende der abschnitte niemahls dreifachen reim hat. Haupt.]

nieman mêr dann werdiu wîp,
benamen sînen edelen lîp
ein sterben müest vermîden.

Zwar nicht vortrefflich, aber viel bescheidener als die fortsetzungen der beiden Ulriche, ist das stück mit welchem ich diese betrachtungen schliessen will, zugleich.ein in seiner art einziger beweis der achtung in der Wolframs heiliger Wilhelm stand. es ist ein versuch aus dem dreizehnten jahrhundert, den anfang dieses gedichtes ins lateinische zu übersetzen, den der verstorbene Docen mir im sommer 1824 in einer handschrift mancherlei inhalts auf der bibliothek zu München zeigte, auf deren letztem blatt diese verse, ohne irgend eine bezeichnung, sicher von der eigenen hand des übersetzers geschrieben standen.

Alme deus munde, sine nevo, trinus et une,
Cuncta creata tua sunt, tu deus omnicreator.
Ens sine principio tua vis constat sine fine.
Quae mala cogito si tua gratia reiicit a me,
5 Tunc mihi tu pater es, iam tunc puer ipse tuus sum.
Vana putem que pretereunt parentque beata,
Da mihi: peniteam quod delectatio suadet.
Nobilis, excelse, super omnem nobilitatem,
Hoc in me dele quod perficit actio prava.
10 O consanguinee mihi, tu predives egeno,
Cum sis ipse deus similis nobis homo factus,
Hinc homini coniuncta deo cognatio surgit.
Quando pater noster recitatur, id insinuatur.
Tu pater es verus, nos dat tibi gratia natos.
15 Iam mihi restat adhuc spes, equivocatio tecum:
Christo Christicola iungar cognomine sancto.
Quantum sis latus quantumve profundus et altus
Tu deus, humana nequit enodare sophya.
Quas firmamento scimus volvendo reniti
20 Planetas palmo, set et ignea sidera, claudis.
Ignis et aer, aqua tellusque tibi famulantur.
Que silvestria queque domestica sunt tibi parent.
Ordinat ecce tua noctemque diemque potestas,
Que sol et luna cum stellis lumina magna
25 Discernunt. per te, verbum cum flamine sancto,
celi firmantur et virtus omnis eorum.
Non fuit equalis nec erit tibi, cuncta gubernans.

2. omi creator die hds.   25. vor verbum ist ó übergeschrieben.   27. desgleichen
ó tu vor gubernans.

    Tu lapidum vires scis herbarumque virores.
    Gressus iustorum, voces adtendis eorum.
30 Ex tenui sensu te fortem magnificumque
    Perpendo: nec enim quid signet litera novi,
    Et prorsus careo librorum cognicione.
    Hinc minor est sensus, quia mens mihi sola magistra.
    Digneris solita me tu pietate docere,
35 Militis egregii quo possim facta fovere
    Laude satis digna. mens eius namque benigna,
    Et si pecavit, timuit te, semper amavit.
    Hic vir semper erat te preveniente paratus
    Commissos delere satis faciendo reatus.
40 Per dubios casus formam mulieris amantem
    Te pietate tua sensit se sepe iuvantem,
    Ne preceps rueret urgente cupidine tractus
    Ad mala que fuerat per multa pericula nactus.
    Fabula nota parum nostris regionibus esset,
45 Huc nisi Francigenis de partibus applicuisset.
    Nobilis Hermannus, lantcravius ille Turinge,
    Attulit huc comitis Gwillelmi fortia gesta.
    Militis illius proprium iuvat edere nomen,
    Quod materna dedit sibi lingua: bonum stet in omen.
50 Comt s Gwillems de Rangîs.
    Splendet in hoc talis virtus tantusque triumphus,
    Quod iam militibus solet et valet auxiliari,
    Rebus in angustis contingit quosque gravari.
    Ad dominum defert a militibus pia vota.
55 Illorum sibi sunt assueta pericula nota.
    Huic color in facie satis apparebat amica,
    Splendida quem galea dedit aut hamata lorica.
    Tu spumantis equi cursus inflectere nosti,
    O comes egregie, tu stabas proximus hosti,
60 Te semper tutum reddebant lancea scutum.

48. illius steht als verbesserung über ignoti.   53. über que steht cunque, mit kleinerer schrift als erklärung.

Berlin den 3. merz 1833.

————————

[Was Lachmann an seinem Wolfram nachgebessert hatte ist in dieser zweiten ausgabe sorgfältig befolgt worden. weiter gieng weder mein beruf noch, dafs ich es ehrlich sage, meine kraft. lange beschäftigung mit diesem werke hat mich belehrt dafs es zwar leicht ist auch hier allerhand einfälle zu haben, dafs sie aber fast niemahls vor Lachmanns kritik aufkommen, die überall auf zusammenhangender forschung beruht und auf der bestimmtesten anschauung von des dichters ganzer art und kunst. auch die lesarten zu vermehren habe ich nicht getrachtet. denn die unbenutzten handschriften und bruchstücke die ich kenne gewähren für die verbesserung des textes nirgend sicheren gewinn von einiger bedeutung. hat doch die ganze Leipziger handschrift des Wilhelms, deren Vergleichung ich nicht gescheut habe weil Lachmann selbst sie sich vorgesetzt hatte, nichts erhebliches eingetragen, ein wort ausgenommen (365, 1), das von Lachmann schon aus vermutung gesetzt war. die abschriften und vergleichungen nach denen er gearbeitet hatte sind von mir nachverglichen worden, aber nur sehr selten war eine kleinigkeit zu berichtigen.

Berlin den 26. juli 1854, den 2. april 1872.   Moriz Haupt.]

[Wie bei der herausgabe der kleinen schriften Lachmanns, bei der fünften ausgabe des Walther, der vierten des Iwein, so hat auch bei dieser vierten des Wolfram herr dr. Emil Henrici einen theil der fürsorge übernommen und namentlich auch die lesarten der erst seit 1868 näher bekannten blätter von *I* oder vielmehr, wie es hätte heifsen sollen (s. XXXIV), von *J* eingetragen. bei der revision des textes stellte sich uns bald heraus dafs nicht nur der dritte abdruck durch den zweiten. sondern dieser auch fortwährend durch die erste ausgabe zu controlieren sei. in den allermeisten fällen, wo die beiden ersten ausgaben von einander abwichen, war die entscheidung wie mir schien durch eine sehr einfache erwägung gegeben. aber ich habe doch sehr bedauert, Lachmanns handexemplar nicht gebrauchen zu können, das aus Haupts nachlasse verkauft in unbekannte hände übergegangen ist. es wäre sehr zu wünschen dafs über den verbleib desselben an einem geeigneten orte, in der Zeitschrift für deutsches alterthum oder sonst irgendwo, nachricht gegeben würde und dafs, wenn es sich nicht schon in einer öffentlichen bibliothek befindet, es an eine solche übergienge, damit es bei jedem künftigen abdruck benutzt werden könnte, wenn auch über das verfahren, das dabei innezuhalten ist, im allgemeinen kein zweifel mehr sein kann. soviel ich bis jetzt bemerkt habe, sind in dieser ausgabe folgende stellen zu berichtigen. 11, 4 ist zu lesen nieman

58, 20. 26 si 143, 28 des lâzen 151, 22. 153, 2 Lâlant s. 81. 154
(statt 145) 159, 20 done 239, 1 sinôpel 627, 28 plûmîten und vielleicht
auch früher phlûmît Wh. 153, 29 wohl mit der ersten ausgabe hin; ferner
in den lesarten 37, 26 spriezel *g?* 45, 11 *Dd* 26 lute 76, 7 *G?* 135,
10 da ez *D* 156, 20 *Ggg* 197, 1 Roys *gg* 328, 16 Si 329, 5 das ist
gar 423, 10 sîe (nicht sîn) Wh. 424, 14 sune den kurtoys?

Berlin den 11. october 1879.   Karl Müllenhoff.]

[Für die fünfte Ausgabe habe ich auf Wunsch des Herrn Verlegers die
Revision des Druckes, der von Herrn Oberlehrer Dr. G. Bötticher corrigirt
worden ist, übernommen, aber auch nichts weiter, am wenigsten die Einfügung
und Karakterisirung der in neuerer Zeit gefundenen Handschriftfragmente, oder
gar die Eintragung der Lesarten der einen oder andern, worüber Haupt oben
S. XXXVII das richtige Wort gesagt hat. Mehr noch als mein nächster Vor-
gänger bei der Besorgung dieser Ausgaben habe ich den Text in zweifelhaften
Fällen auf die erste Ausgabe von 1833 zurückgeführt. Das Lachmannsche
Handexemplar aufzuspüren, ist auch mir nicht geglückt.
Berlin den 14. Juni 1891.   Karl Weinhold.]

Mit einer gewissen resignation bin ich an die revision des textes für die 6. ausgabe
herangetreten: denn trotz aller hochachtung, die Lachmanns text, besonders der des
Parzival, in reichem maße verdient, darf sich heute ein herausgeber der Wolframschen
werke der überzeugung nicht verschließen, daß es an der zeit ist, die positiven über Lach-
mann hinausgehenden ergebnisse der Wolframforschung, die seit der ersten ausgabe (1833)
nicht stillgestanden hat, für die neugestaltung des textes berücksichtigen zu müssen.
dieser berechtigten forderung gegenüber steht Lachmanns arbeit, ein allseitig in sich ge-
rundetes werk; seine ausgabe ist so sehr der ausfluß einer starken, freilich manchmal sogar
recht eigenwilligen persönlichkeit, daß der fortsetzer seiner arbeit, der sich auf ein reicheres
material und auf die fortschritte der neuesten forschung stützen kann, häufig in die lage
kommt, seine ansicht gegen die Lachmanns geltend zu machen, wobei er trotz besserer
erkenntnis das dilemma recht drückend fühlt: entweder Lachmanns text fast bedingungs-
los beizubehalten oder ihn vollständig neu zu gestalten. jedes verfahren, das zwischen

diesen beiden extremen die wage zu halten versuchte, wäre eine halbheit, der gegenüber man immer den Lachmannschen text vorziehen wird, seien auch noch so zahlreiche und gewichtige einwände gegen ihn zu erheben.

Zu diesen einwänden gehört das verlangen nach einer orthographischen und metrischen reinigung des textes, in weit höherem maße jedoch der wunsch nach einer inhaltlichen besserung, die unter berücksichtigung der zahlreichen nach Lachmann erschienenen textkritischen abhandlungen zu einer dringenden notwendigkeit geworden ist. wenn schon geändert werden muß, dann sollen diese änderungen aber auch mit einem mal erfolgen, damit nicht halbe arbeit Lachmanns werk verderbe. nun läßt sich aber das für und wider aller emendationsvorschläge erst dann genauer abwägen, wenn das gesamte handschriftliche material bequem zugänglich ist. die große zahl der nach Lachmann aufgefundenen handschriften und fragmente rechtfertigt zur genüge den aufschub dieser auseinandersetzung: Lachmann verwendete für seine ausgabe nur 8 handschriften (D n p GGk Gm G^x G^o) und 9 bruchstücke des Parzival (f g EF G^l G^s G^t G^η $G\varrho$), während wir heute 17 vollständige handschriften und 57 bisweilen recht umfangreiche fragmente kennen, die zum teil von erheblichem wert für die textkritik sind; vom Willehalm kannte Lachmann nur 6 handschriften und 10 fragmente, doch heute beläuft sich die zahl der zeugen auf 13 handschriften und 43 bruchstücke. zunächst führe ich sämtliche handschriften und fragmente des Parzival (mit den Martinschen siglen)[1]) an, wobei die Lachmann bekannten handschriften in klammern gesetzt sind[2]).

I. handschriften der Klasse D:

a) vollständige handschriften:

[D]. Stiftsbibliothek St. Gallen Nr. 857. perg. fol. 230 seiten. der Parz. beginnt s. 5. von s. 206 springt die zählung auf 261 über, daher bei Lachmann, Piper und Martin die angabe: 284 seiten. 2 sp. zu je 54 z. 3 schreiber. enthält außer dem Parzival D auch den Wh. K und das Nib. L. B. beschrieben von G. Scherrer, Verzeichnis der handschriften der stiftsbibliothek von St. Gallen, Halle 1875, s. 291. facs. bei Könnecke[3]). Qm. II, 1[4]). Ernst Stadler, Ueber das verhältnis der handschriften D und G von Wolframs Parzival. Straßb. diss. 1906. eine vollständige photographie besitzt das Germanistische Institut in Leipzig. vgl. s. XV = D, Lachmann.

m. Wien 2914, ältere sign.: Hist. prof. 538, ferner Hp 538 und Mscr. Ambras 420. pap. kl. fol. XV. 536 bll. 1 sp. zu 20-26 z. 28 überschriften. 25 bilder. elsäss. — vgl. Graff[5]),

---

[1]) Ernst Martin, Wolframs von Eschenbach Parzival und Titurel. I. text, II. kommentar. Halle 1903 [= germanistische Handbibliothek, IX, 1 und 2].

[2]) Über die gesamte Wolframliteratur orientieren: G. Bötticher, Die Wolfram-Literatur seit Lachmann. Berlin 1880, F. Panzer, Bibliographie zu Wolfram von Eschenbach. München 1897; für die zeit nach 1897 s. G. Ehrismann, Wolfram-Probleme, GRM I. 1909. s. 657—674.

[3]) Gustav Könnecke, Bilderatlas zur geschichte der deutschen nationalliteratur. Marburg 1887 (mit G verwechselt).

[4]) Pfeifer, Quellenmaterial zu altdeutschen dichtungen II, Wien 1868 (= Denkschriften der Wiener akademie der wiss., phil.-hist. cl., XVII. 1887).

[5]) E. G. Graff, Diutiska. Denkmäler deutscher sprache und literatur aus alten handschriften zum ersten mal teils herausgegeben, teils nachgewiesen und beschrieben, bd. III. Stuttgart 1829. —

Diutiska III, s. 342. — Hagens Grundriß[1]) s. 106. — Hoffmann[2]), s. 37, Nr. XVIII. — Tab. codd.[3]) II, s. 155. — Qm. II, 2, 11. — Martin I, s. XXf. — Theobald Gebert, Untersuchungen zu den handschriften der gruppe *D* von Wolframs Parzival I. diss. Wien (bisher ungedruckt).

3.   [n]. Heidelberg. cod. palat. germ. 339.[4]) pap. kl. fol. (19, 3×27, 8). XV. bl. 6-604 enthält den Parz. 1 sp. zu 20-25 z. rote überschriften, rote initialen, 64 bilder. lagen von 12 bll. mit kustoden. elsäss. von derselben hand wie die handschrift *R* von Gottfrids Tristan[5]). — vgl. Wilken, Geschichte der bildung, beraubung und vernichtung der alten Heidelberger büchersammlungen. Heidelberg 1817, s. 416f. — Lachmann, s. XV (= *d*). — Qm. II, 2. — K. Bartsch, Die altdeutschen handschriften der universitätsbibliothek in Heidelberg. Heidelberg 1887, s. 81. — Martin I, s. XXI.

4.   ø. Dresden 66. pap. fol. XV. 548 bll. 1 sp. zu 22-24 z. der schluß von 807, 12 ab fehlt. überschriften und bilder. elsäss. mno sind nahe verwandt, doch bestehen auch beziehungen zur klasse *G*. — vgl. Adelung, s. XIII.[6]). — Qm. II, 2., 12. — Martin I, s. XXI.

b) fragmente der klasse *D*.

5.   α. Wien. cod. 13070 [olim Suppl. 756]. 2 bll. (inhalt: 421, 6-429, 5 und 636, 22-644, 26). kl. fol. XIII. verse nicht abgesetzt. 42 z. auf jeder seite (=etwa 60 verse). rote initialen. vom antiquar Kuppitsch 1849 der hofbibliothek verkauft. — vgl. Qm. II, 3. 25, abdruck s. 7ff. — Tab. codd. VII, s. 182. — Martin I, s. XVIII.

6.   b. Eisleben. Aus der bibliothek im turm der Andreaskirche. 1 bl. perg. schmalfol. 17×(37). 2 sp. zu 60 z., am obern rande je 13 z. abgeschnitten. XIII. raum für initialen frei gelassen. inhalt: 768, 14-769, 30. 770, 16-771, 30. 772, 14-773, 30. 774, 14-775, 30. abdruck: zfdph. 5, 192-198 (Bezzenberger). — vgl. Martin I, s. XVIII.

7.   c. Weimar. 1 stark verstümmeltes pergamentblatt und 2 kleinere stücke aus der 2. hälfte des XIII. jhs., spätestens aus dem anfang des XIV. jhs. fol. oben und unten breiter rand. 3 sp. zu 34 z. majuskel am verseingang. rote initialen. inhalt: 237, 5-12. 237, 30-238, 8. 9-16. 239, 5-12. 363, 29-366, 6. 368, 16-370, 23. abdruck von F. Lichtenstein, zfda. 22, 366-374. — vgl. Martin I, s. XIX.

8.   ç. Trier. 1 doppelbl. 8°. XIII. verse nicht abgesetzt. 1 sp. zu 33 z. oben eine z. abgeschnitten. verwandt mit c. inhalt: 361, 15-368, 30. — vgl. Martin I, s. XIX.

9.   b. Zisterzienserstift Rein bei Graz. 2 bll. perg. kl. fol. XIII. 3 sp. zu 60 z. alem. — inhalt: 417, 19-429, 28. 441, 29-453, 30. — vgl. Qm. II. 3. 37. — Martin I, s. XIX. — abdruck von Diemer, Kleine beiträge zur altdeutschen sprache und literatur. nr. VI.

---

[1]) v. d. Hagen und J. G. Büsching, Literarischer grundriß zur geschichte der deutschen poesie von der ältesten zeit bis in das XVI. jahrhundert. Berlin 1812.
[2]) Hoffmann von Fallersleben, Altdeutsche handschriften der kais. hofbibliothek in Wien. Leipzig 1841.
[3]) Tabulae codicum manu scriptorum praeter Graecos et orientales in Bibliotheca Palatina Vindobonensi asservatorum, ed. Academia Caesarea Vindobonensis. II. Vindobonae MDCCCLXVIII.
[4]) F. Adelung, Nachrichten von altdeutschen gedichten, welche aus der Heidelbergischen bibliothek in die Vatikanische gekommen sind. Königsberg 1796, s. 24, nr 339.
[5]) vgl. de Grootes Tristanausgabe von 1821, s. LXXII. K. Marolds Tristanausgabe, Leipzig 1912 (= Teutonia 6).
[6]) F. Adelung, Altdeutsche gedichte in Rom. Königsberg 1799.

Bruchstück von Wolframs Parzival. (Sitzungsberichte der akademie d. wiss. zu Wien, phil.-hist. cl., Bd. VII. (1851), s. 292-314).

).   e. Liverpool, Mayer-Museum $\frac{895}{M}$. 2 bll. gr. 4⁰. 2 sp. zu 34 z., nur bl. 2^v, sp. 2 hat 33 verse, da die erste z. frei gelassen wurde, um eine größere initiale anzubringen; denn mit der nächsten z. beginnt das 16. buch. oben und unten beschnitten, der untere rand, der dem raum von etwa 17 versen entspricht, ist frei gelassen. inhalt: 770, 3-774, 18 und 783, 19-788, 3. — vgl. Martin I, s. XIX. — facs. und beschreibung bei R. Priebsch, Bulletin of the Liverpool Museums I, nos. 1 und 4, okt. 1898, s. 119-121. — frl. M. Langfurth-Hamburg ließ in diesem sommer von London aus für mich photographien von diesem wichtigen bruchstück herstellen.

1.   [f]. Berlin. Ms. Germ. fol. 923 (= Berliner sammelmappe deutscher fragmente), frühere sign. II, 5 (acc. 9349), ehemals Gräter, dann Köpke gehörig, aus Augsburg. 2 doppelblätter. fol. 3 sp. zu 48 z. perg. inhalt: 1. doppelblatt Aa: 526, 3-527, 6, b: 527, 20 (21)-528, 24, c: 529, 8-530, 12. Ba: 530, 26-531, 30, b: 532, 15-533, 18, c: 534, 3-535, 6. 2. doppelblatt, Ca: 544, 29-546, 5. Dc: 553, 1-554, 5. Ea: 574, 1-575, 7, b: 575, 19-576, 25, c: 577, 7-578, 12. Fa: 578, 25-579, 28, b: 580, 11-581, 17, c: 581, 29-583, 4 (5). 1. doppelblatt, Ga: 593, 21-594, 24. Hc: 601, 21-602, 25 (von der nebenspalte sind nur noch einige buchstaben zu erkennen). von seite AB sind je 3 sp. zu 34 z. erhalten, oben etwa 12 verse abgeschnitten, seite CD hat nur noch eine sp. mit 37 versen, unten verstümmelt; EF haben je 3 sp. zu 36 (37) z., GH ist oben beschnitten und enthält noch 1 sp. zu 34 versen. zweifarbige initialen. vor 553, 1 rote überschrift: *Die Auentivre von schastel marvelle.* — Pfeiffer, Qm. II, S. 2 setzt das bruchstück ins 13. jh., Martin (I, s. XIX) an die wende des 13. und 14. jhs., Lachmann (= d) an den anfang des XIV. jhs. (s. XV), und Scheel[1]) ins 15. jh.

2.   [g]. Göttingen, Univ.-Bibliothek, cod. m. philol. I 184a, früher Spangenberg gehörig. 2 bll. fol. 2 sp. zu 44 z. inhalt: 282, 17-288, 13 und 669, 7-675, 8. — Lachmann (s. XV = d) bezeichnete dieses fragment als zu derselben handschrift gehörig wie das dabei liegende bruchstück G^e. — vgl. Qm. II. 2, 17. — Martin I, s. XIX.

3.   h. fragmente aus Gotha und Arnstadt. fol. 2 sp. zu 36 z. XIII/XIV. die ungeraden zeilen herausgerückt. thüring.

1.) Gotha. cod. membr. 1 n. 130. inneres doppelblatt. inhalt: 15, 3-24, 26. es fehlen wie in Dn 17, 1. 2. vor 18, 17 rote überschrift: *hie tût diz mere v̆ kvnt. / Aventivre von patelamvnt.* abdruck: Qm. II, s. 47-50.

2.) Arnstadt. inhalt: 48, 27-50, 2. 52, 21-53, 26. 63, 9-68, 2. beschreibung und kollation von O. Behaghel, Germ. 35, 388-390, der die zusammengehörigkeit dieser beiden fragmente feststellte. der schreiber der bruchstücke ist derselbe, von dem die Segremorsfragmente (Gotha. cod. membr. 1 n. 133) stammen (vgl. K. Regel, zfda 11, 490-500 und R. Köhler, Germ. 5, 461ff). — vgl. Qm. II, 3. 33. — Martin I, s. XX.

4.   i. Graz, Joanneum. 1 doppelblatt, quart. XIV. 2 sp. von urspr. 26-28 z. die ungeraden zeilen herausgerückt, anfangsbuchstaben rubriziert. rote initialen. am versende

---

[1]) Willy Scheel, Die Berliner sammelmappe deutscher fragmente. s. 65f, nr 39. (in der Festgabe für K. Weinhold, Leipzig 1896.)

ein punkt. etwa 5 verse am oberen rand weggeschnitten, in den spalten *b* sind die versenden, in den spalten *c* die anfänge abgeschnitten. bair.-österr. inhalt: 667, 21-668, 11. 668, 17-669, 7. 669, 14-670, 4. 670, 10-671, 1. 678, 8-29. 679, 5-26. 680, 2-24. 680, 30-681, 22. abdruck von F. Pichler, zfdph. 10, 205-210. — vgl. Martin I, s. XX.

15.   j. München. cgm. 5249 nr 3 a, „ein schmaler unterer streifen aus einem zweispaltig beschriebenen pergamentblatt". von jeder spalte, die urspr. 48 zeilen hatte, sind nur je 4 zeilen erhalten. XIV. inhalt: 79, 9-12. 80, 27-30. 82, 15-18. 84, 3-6. — abdruck von Keinz, Sitzungsberichte der kgl. bair. akad. d. wiss. zu München, 1869, II, s. 318f. — vgl. Qm. II, 2. 20. — Martin I, s. XX.

16.   f. München. cgm. 194/I. 2 doppelblätter. kl. fol. perg. 2 sp. zu 38 z. anfangsbuchstaben der verse herausgerückt und rubriziert. abwechselnd rote und blaue initialen. vielfach schadhaft und beschnitten. inhalt: 492, 16-497, 17. 497, 28-502, 19. 523, 4-527, 15. 527, 26-532, 27. — abdruck: Qm. II, s. 69 ff. — vgl. Qm. II, 3. 36. — Petzet[1]), s. 351. — Martin I, s. XX. = Starnberger bruchstücke, frühere sign.:e[16].

17.   I. Berlin. I, 7. 1 bl. kl. 4⁰. 2 sp. zu 36-42 z. XIII. oder XIV. früher im besitz von Hoffmann von Fallersleben. inhalt: 754, 14-755, 24. 756, 20. 758, 1-759, 9. 762, 14-763, 25. 764, 27-766, 2. — vgl. Martin I, s. XX.

18.   II. Marburg. staatsarchiv. 1 bl. perg. 2 sp. zu urspr. 34 z. die anfangsbuchstaben der ungeraden verse haben rubrizierte majuskel. mitte des XIV. jhs. die sprache weist nach dem nördl. Baden oder Rheinhessen. inhalt: 128, 7-20. 129, 6-18. 130, 9-27. 131, 15-29. — kollation von G. Roethe, zfda 41, 249f. — vgl. Martin II, II.

     II. handschriften der klasse *G*.

     a) vollständige handschriften:

19.   [*G*]. München. cod. germ. 19[2]). ältere sign. „Manuscr. Teutsch St. 2. N. 25 Künig Artus Hoffhaltung", dann Nr. 100. Cim. III, 4f., jetzt Cim. 28. es sind 7 hände zu unterscheiden: 1. dieselbe hand wie im cgm. 51[3]) (Tristan). bl. 1ra-32vc. — 2. 32vc-54vc. — 3. 55ra-68va. — 4. 68va-69rb. — 5. 69rb-69vb. — 3. 69vc-70vc. — 1. 71ra-74rc. — 6. 75r. — 7. 75v. „der 7. schreiber schreibt einspaltig mit fortlaufenden zeilen, der 6. schreiber, der nicht zu derselben schreiberschule gehört und später ist, bl. 75r wesentlich größer in 2 sp." je drei bilder übereinander auf bl. 49r, 49v, 50r und 50v. inhalt: 1. bl. 1ra-70vc: Parzifal. — 2. bl 71ra-74vc: Titurel. — 3. bl. 74v: „schreibersprüche und federproben von späterer hand in verschiedenen schriftarten." — 4. bl. 75ra: Der nackte bote (in prosa). — 5. bl. 75ra-76vb: Die ertrunkene seele (in prosa). — 6. bl. 75vb; prosaisches fragment, größtenteils unleserlich. — 7. 75v; Wolfoms tagelieder 3,1-4,7 und 4,8-5,15.

     erste hälfte des XIII. jahrhunderts. elsäss. mit md. einschlag. — vgl. Lachmann, s. XVIf. — Qm: II, 2. 4. — Martin I, XXII. — Petzet-Glauning, Schrifttafeln III, taf.

---

[1]) Catalogus codicum manu scriptorum Bibliothecae Monacensis, Tomi V pars I codices germanicos complectens: Die deutschen pergamenthandschriften nr 1—200 der staatsbibliothek in München. Editio altera. Monachi MCMXX.

[2]) Martin I, XXII gibt der handschrift irrtümlich die bezeichnung cgm. 10; Piper (DNL 5. I. s. 33, nr 6) verwechselt den cgm. 19 mit dem cgm. 18.

[3]) Facs. bei E. Petzet u. O. Glauning, Deutsche schrifttafeln des IX.—XVI. jahrhunderts aus handschriften der k. hof- u. staatsbibliothek in München. III. abt. Proben der höfischen epik aus dem XIII. und XIV. jahrhundert. München 1912, taf. XXXII.

XXXIII (facs. und transcription der stelle 428, 14-435, 16). — Petzet, s. 33-36. — B. J. Docen, Misc.[1]) I, s. 100-102 (abdruck der lieder 3,1-4,7 und 4,8-5,15), s. 109 u. 292. — E. Stadler, Über das verhältnis der handschriften *D* und *G* von Wolframs Parzival. Straßb. diss. 1906.

[*G^k*]. München. cod. germ. 18[2]), Fuggersche sign.: „Stat. 5 No 22 *B*" mit der aufschrift „Reimen", erste Münchener sign.: „Man. scr. Stat. 2 N 19", dann no 86, Cim. III, 4e, jetzt Cim. 345. perg. fol. XIII. 107 bll. 2 sp. zu 40-46 z. nur 1 bild auf bl. 1v. reicht nur bis 555, 20. — vgl. Lachmann, s. XVII. — Qm. II, 2. 5. — Martin I, XXV. — Petzet-Glauning, Schrifttafeln III, taf. XXXV (facs. und transcription der verse 440, 15-444, 6). — Petzet, s. 33[3]).

[*G^m*]. München. cod. germ. 61 (Cim. 346a), ältere sign. Manuscr. Teutsch St. 5 N. 4. perg. 4°. 130 bll. der 1. quatern (1, 1-45, 2) fehlt. 2 sp. zu 33-34 z. verse nicht abgesetzt. rote überschriften. XIII. bair. mit E verwandt. von Lachmann (s. XVII) nur bis 452, 30 verglichen. — vgl. Qm. II, 2, 6. — Martin I, s. XXV. — Petzet-Glauning, Schrifttafeln III, taf. XXXIV (facs. und transcription der verse 434, 14-440, 14). — Petzet, s. 102.

G^n. cod. Palat. Vind. 2708 [Philol. φ 217 und Ambras 423]. perg. 4°. 113 bll. 2 sp. zu 38 z. rote initialen. reicht nur bis 572, 30. größe: 16 × 22, 5. 2 schreiber, von dem zweiten stammt nur bl. 100vcd und 101rab (504, 27-509, 28), alles andere von dem ersten. beide schreiber sind alemannen; während der erste nur selten seinen dialekt verrät, ist bei dem zweiten, dessen schriftzüge denen des ersten sehr ähnlich sind, seine alem. heimat auf den ersten blick festzustellen. kleine, zierliche schrift, sauberer und schöner als die von *D*. mitte des XIII. jhs. — vgl. Gentilottis handschriftl. katalog unter nr CCXVII. — Lambeck[4]), s. 120 und 743. — Museum[5]) I, s. 565 und 607. — Hagens Grundriß. — Graff, Diutiska III, s. 357, nr 217. — Hoffmann, s. 36, nr XVI. — Tab. codd. II, s. 120. — Qm. II, 2. 9. — Martin I, s. XXV.

G^δ. Donaueschingen. fürstlich Fürstenbergische hofbibliothek. nr 97. perg. gr. fol. 320 bll. 2 sp. zu ca. 50 z. inhalt: bl. 1-115rb enthält Wolframs Parzival (1, 1-733, 30 = schluß des XIV. buches), bl. 115v ankündigung des *nuwen parzefal*. sodann ein minnelied[6]), bl. 116r-301v *der nuwe parzefal*[7]), bei dessen redaktion fünf leute tätig waren, Claus Wisse und Philipp Colin als dichter, Onheim und Henselin als schreiber, und der jude

[1]) Bern. Jos. Docen, Miscellaneen zur geschichte der teutschen literatur, neu-aufgefundene denkmäler der sprache, poesie und philosophie unsrer vorfahren enthaltend. München I. II. 1807.

[2]) Bei Piper, DNL 5. I, s. 32, nr 7 und Martin I, XXV irrtümlich als cod. germ. 18 bezeichnet.

[3]) Setzt die handschrift ins XIV. jh.

[4]) Petri Lambecii Commentarii de Augustissima Bibliotheca Caesarea Vindobonensi. Wien 1766—1796, bd. II.

[5]) Museum für altdeutsche literatur und kunst, hrsg. von F. H. von der Hagen, B. J. Docen und J. G. Büsching. Berlin 1809.

[6]) Mitgeteilt von L. Uhland in Schreibers Taschenbuch für geschichte und alterthum in süddeutschland II, s. 261—263.

[7]) K. Schorbach, Parzifal von Claus Wisse und Philipp Colin (1331—1336). eine ergänzung der dichtung Wolframs von Eschenbach, zum ersten male herausgegeben. Straßburg 1888 (= Elsässische litteraturdenkmäler aus dem XIV.—XVII. jahrhundert, hrsg. von E. Martin und E. Schmidt, bd. V.) — rec. J. Stosch, afda 19, s. 300—307.

Samson Pine als dolmetsch. geschrieben 1331-1336. bl. 302ra-317vc Wolframs bücher
XV-XVI, bl. 317vc-320vc epilog der redaktoren. elsäss.

       vgl. K. A. Barack, Die handschriften der fürstlich Fürstenbergischen hofbibliothek
zu Donaueschingen. Tübingen 1865, s. 88-93. — Qm. II, s. 2 nr 14. — Martin I, s. XXVII,
eine abschrift dieses codex ist

24.   *G*δδ. Rom. Casanatische bibliothek *A* I 19. der erste band mit Wolframs büchern
I-XIV ist verloren, erhalten ist nur der Wisse-Colinsche Parzival. diese hs., von Keller
mit *R* bezeichnet, wird wohl auch das XV. und XVI. buch des Wolframschen Parzival ent-
halten. — vgl. F. H. von der Hagen, Briefe in die heimat II, Breslau 1818, s. 304 ff. — H. A.
von Keller, Romvart. Mannheim 1844, s. 647 ff. — Schorbach, s. XVI. — Martin I, s. XXVII.

25.   [*G*ᵡ]. Heidelberg. cod. Palat. germ. 364. gr. fol. perg., dazwischen einige papier-
blätter. 153 bll. der Parz. steht auf bl. 1-111, dann folgt der Lohengrin. lagen von 8 bll.
rote überschriften, rote und blaue initialen. anfangsbuchstaben der verse rubriziert.
2 sp. zu 56 z. es fehlen 44, 7-51, 12. von derselben hand wie der cod. Palat. germ. 383
und 404. — vgl. Adelung, s. 28, nr 364. — Lachmann, s. XVII. — Qm. II, 2. 7. — Wilken,
s. 444 f. — Bartsch, s. 108. — Martin I, s. XXVIII.

26.   *G*ᵘ. Wien. cod. Palat. Vind. 2775 [Philol. 12] aus Ambras. fol. 108 bll. das 21. bl.
(in der handschrift mit 22 bezeichnet) ist nach bl. 22 (in der handschrift = 21) gebunden.
bis dahin 3 sp. zu 38 z., dann 2 sp. zu 40-44 z. perg. XIV. ripuar. — vgl. Graff, Diutiska III,
s. 347 (abdruck: 1, 1-8). — Hoffmann, s. 36 f. nr XVII. — Tab. codd. II, s. 130. — Qm.
II,2.10. — Martin I, s. XXVIII. — Th. Gottlieb, Die Ambraser handschriften. beitrag zur
geschichte der Wiener hofbibliothek I. büchersammlung kaiser Maximilians I. Leipzig 1900.

27.   [*G*ᵒ]. Hamburg. Staats- und universitätsbibliothek. cod. germ. 6. pap. fol. 612 seiten.
2 sp. zu 30-40 z. von dem Straßburger Jordan 1451 geschrieben. 25 lagen, die ersten
14 sind sexternen, doch die 1. lage hat 13 bll., weil nach bl. 2 ein bl. eingeklebt wurde;
die lagen XVI-XXII und XXIV gleichfalls sexternen, XV, XXIII und XXV zählen
7 bogen. wasserzeichen: ochsenkopf. die handschrift stammt wahrscheinlich aus der
Uffenbachischen bibliothek[1]), im 16. jh. C. V. v. Ende gehörig. inhalt: s. 2-4a Das wunder-
bare horn[2]), s. 4a-6b Der wunderbare mantel[3]), s. 7 vacat, s. 8-365a Parzival, s. 365b-366
vacant, s. 367-560a Wigalois, 560a-567a Brief des sultans Abul Nasr von Ägypten, s.
567a-569a Brief des sultans Salmanser, s. 569a-575a Strickers könig im bade[4]), s. 576a
bis 587a Ordnung des einzuges kaiser Friedrichs III. in Ròm, s. 587b und 588 vacant,
s. 589a-610b Geschichte der jungfrau von Orleans, s. 611a-612b Friedensartikel zwischen
bischof Johan von Lüttich und der stadt Lüttich 1408, s. 612b Notabile (bericht von einer
Straßburger frau, die fünf igel und ein „offenreff" geboren hatte). — inhaltsverzeichnis
von der hand des schreibers auf dem pergamentblatt des vorderen deckels; die rückseite
dieses blattes läßt spuren hebräischer (?) lettern erkennen. — rote initialen und über-

---

[1]) Chr. Petersen, Geschichte der Hamburg. stadtbibliothek, s. 70. — Eschenburg in
   Bruns Beiträgen zur kritischen bearbeitung unbenutzter alter handschriften, drucke
   und urkunden. Braunschweig 1802, s. 103. —
[2]) Inhaltsangabe und abdruck von Eschenburg in Bruns Beitr. s. 133—143.
[3]) Eschenburg, ebd. s. 143—147.
[4]) ebda s. 123—133.

schriften, rubrizierte buchstaben am verseingang. der elsäss. dialekt Jordans tritt mehr in den kleinen stücken hervor als im Parzival. holzdeckel mit ledereinband, am rücken stand früher *Historica Varia Rhythm. German. M S. Antiqu.* nach der reparatur des einbandes wurde am rücken *Rhythmi Germanici* aufgedruckt. — vgl. von der Hagens Grundriß s. 106 f. — Qm. II, 2. 8. — Walther [1]), s. 1—15. — Lachmann, s. XVIII. — Martin I, s. XXIX.

3. *G*$^\tau$. Donaueschingen. Fürstenbergische hofbibliothek. nr 70 [L(aßberg) 186]. pap. fol. XV. 334 s. 2 sp. zu 32-34 z. grüner halblederband. — vgl. Qm. II, 2. 13. — Barack, s. 43 f. — Martin I, s. XXX.

9. *G*^{v}. Schwerin. großherzogliche regierungsbibliothek. pap. fol. 206 bll. XV. rote initialen und überschriften, anfangsbuchstaben der verse rot durchstrichen. inhalt: bl. 1-68 Wigalois, bl. 69-138 Parzival. 2 sp. zu über 30 z. im Wigalois, zu über 40 im Parz. wasserzeichen: ochsenkopf. — vgl. Lisch[2]), s. 167. — Qm. II,2.15. — Martin I, s. XXX.

0. [*G*$^\varphi$]. Druck von 1477 bei Joh. Mentelin[3]) in Straßburg. Wien 15 *D* 14, Münchener inkunabel 612, Nürnberger stadtbibliothek „Solger 1866", Göttingen, Heidelberg etc. fol. 159 bll. 2 sp. zu 40 z. Lachmann (s. XVI) gibt an, daß die abschnitte 1, 1-10, 9. 28, 28-41, 9. 206, 1-214, 19. 234, 13-238, 30. 761, 15-805, 30 und 807, 25-827, 30, deren lesarten er mit *d* bezeichnete, zur rezension *D* stimmen. diese angabe ist nur für die ersten beiden stellen in gewisser hinsicht berechtigt. *G*$^\varphi$ ist nahe mit *G*$^\delta$ verwandt, und diese wieder mit *G*^{u} und *G*^{n}, in einem etwas losen zusammenhang zu diesen vier handschriften steht *G*^{o}. — vgl. Hain, Repertorium bibliographicum, 4 bände, Stuttgart 1826-38, dazu das register von K. Burger, Leipzig 1891. — G. W. Panzer, Annalen der älteren deutschen literatur. Nürnberg 1788-1805, s. 101 ff. (zusätze Leipzig 1802). — Qm. II, 3. — facs. der verse 1, 1-24 und 827, 11-30 bei Könnecke[1], s. 36. — Lachmann, s. XVI und XVIII. — Martin I, s. XXII.

1. *G*$^\chi$. Bern *A A* 91. pap. fol. 174 bll. 2 sp. zu 30-40 z. XIV. federzeichnungen und bilder. die ersten bll. nicht in richtiger reihenfolge gebunden. von Johann Stemheim von Konstanz geschrieben. — vgl. von der Hagen, Briefe in die heimat I, s. 205. — Hagen, Catalogus codicum Bernensium. Bibliotheca Bongarsiana. Berna 1875, I, s. 125. — K. Benziger, Parzival in der deutschen handschriften-illustration des mittelalters. Straßburg 1914, s. 7 ff. — W. Kupferschmid, Ueber den wortschatz der Berner Parzivalhandschrift. Bern 1923 (= Sprache und dichtung, forschungen zur sprach- und literaturwissenschaft, hrsg. von H. Maync und S. Singer, heft 27)[4]).

---

[1]) C. H. F. Walther, Zwei Straßburger handschriften der Hamburger stadtbibliothek (in dem Verzeichnis der vorlesungen, welche am Hamburgischen akademischen und real-gymnasium von ostern 1880 bis ostern 1881 gehalten werden sollen, hrsg. von H. G. Reichenbach), Hamburg 1880.

[2]) Jahrbücher des vereins für mecklenb. geschichte und altertumskunde 6 (1841).

[3]) C. Borchling, Der j. Titurel und sein verhältnis zu Wolfram von Eschenbach. Göttingen 1897, s. 1 anm.

[4]) Adelung gibt s. 30, nr 383 an: „Historia Parcefalis antiquissima lingua. fol. 183 bll. perg." ist die angabe nur ungenau oder die handschrift verloren oder verschollen?

b) fragmente der klasse *G*.

32. [E]. München. cod. germ. 194/III. 1 bl. perg. fol. 2 sp. zu urspr. 60 z., davon unten 6 abgeschnitten. anfangsbuchstaben der verse herausgerückt. rote initialen. XIII. inhalt: 160, 29-169, 2. — vgl. Docen in Aretins Beitr. VII (1806), s. 1279. — ders., Misc. II, s. 111 f. (abdruck von 160, 29-162, 7). — Qm. II, 2. 18. — Keinz, zfdph. 5, s. 198 (vgl. das fragment b). — Lachmann, s. XVI. — Martin I, s. XXII. — Petzet, s. 352 f.

33. [F]. Berlin. I, 2. ehemals Grimm, später Frhrn. v. Meusebach gehörig. XIII., 2. hälfte. 4 bll. 2 sp. zu 40 z. perg. 4⁰. inhalt: 634, 15-645, 4. 677, 9-687, 28. — vgl. Qm. II, 2. 19. — Lachmann, s. XVI. — Martin I, s. XXII.

34. *Gᵃ*. Berlin. I, 1. perg. 1 doppelblatt. kl. fol. XIII. gefunden in Höningen. „pfälzer bruchstück" (Pfeiffer), Piper nr 35 und 46. quart. 2 sp. zu 50 z. inhalt: 533, 23-540, 12. 580, 13-587, 6. — vgl. J. G. Lehmann, Geschichtliche gemälde aus dem rheinkreise Bayerns I. Heidelberg 1832, s. 115. — Qm. II, 3. 30. — Lachmann kannte dieses und das folgende bruchstück nicht, vgl. s. XVII. — teilweiser abdruck: Qm. II, s. 38 ff. (533, 23 bis 538, 2. 580, 13-587, 6). — Martin I, s. XXII.

35. *Gᵇ*. Berlin. I, 4. zwei doppelblätter. 4⁰. zwei sp. zu 42 z. inhalt: 683, 26-695, 3. 717, 22-729, 8. — vgl. Lachmann, s. XVII. — Martin I, s. XXII.

36. *Gᶜ*. Wien. cod. Pal. Vind. 12780 [olim Suppl. 268]. perg. fol. XIII., anfang. kleine, zierliche schrift. initialen rot, grün und blau. 2 sp. zu 49-50 v. inhalt: 34, 9-47, 17, abgedruckt Qm. II, 12 ff. (= 2 bll.). — 54, 9-60, 27, abgedruckt von J. Zupitza, zfda. 17, 393 bis 395 (= 1 bl.). — 67, 18-74, 7 und 87, 18-94, 7, abgedruckt von V. Dollmayr, zfda. 58, 222-224 (= 1 doppelblatt). — 100, 30-107, 20 Zupitza, s. 395-397 (= 1 bl.). — 168, 10 bis 174, 28, Qm. (= 3 doppelblätter). — 201, 16-208, 5, Qm. (= 1 bl.) — 214, 30, cod. Pal. Vind. 8538/3 [Rec. 1941]. XVIII. s. 153ᵃ (abschrift von Josephus Benedictus Heyrenbach). — 215, 3-228, 11, Qm. (= 2 bll.). — 228, 12-235, 1, Zupitza, s. 397-399 (= 1 bl.). — 248, 12-254,29. Zupitza, s. 399 f. (= 1 bl.). — 254, 30-268, 9, Qm. (= 2 bll.). — 328, 23-335,14. 364, 7-370, 26. 377, 19-384, 9. 424, 8-430, 27, Zupitza, s. 400-406 (= 4 bll.). — vgl. Diemer, kl. bruchstücke zur altdeutschen sprache und literatur. nr VI. bruchstück von Wolframs Parzival (Sitzungsberichte der akad. d. wiss. zu Wien, phil.-hist. cl., VII. s. 293). — Qm. II, 3. 26. 12. 16. — Tab. codd. VII, s. 146. V. s. 263. — Martin I, s. XXII.

37. *Gᵈ*. Bibliothek des Erfurter doms. perg. 2 doppelblätter. XIII., anfang. 2 sp. zu urspr. 48 z., vom 1. doppelbl. nur 29-31, vom 2. nur 19-20 z. erhalten. anfangsbuchstaben der z. herausgerückt. rote initialen. md. beschreibung, lautstand, textkritik und abdruck von E. Bernhardt, zfdph. 30, s. 72-93. inhalt: 318, 24-319, 23. 320, 12-321, 10. 321, 30 bis 322, 29. 323, 20-324, 19. 340, 5-341, 5. 341, 23-342, 23. 343, 11-344, 11. 344, 29 bis 345, 29. 461, 17-462, 6. 463, 5-24. 464, 23-465, 11. 466, 11-30. 506, 8-26. 507, 26-508, 14. 509, 14-510, 2. 511, 1-20. — vgl. Martin I, s. XXIII.

38. *Gᵉ*. Görlitz. Milichsche bibliothek. 4⁰. 2 sp. zu 40 z. 4 bll. das 1. bl. enthielt urspr. 516, 11-521, 20, das zweite 553, 28-559, 7, das dritte 569, 29-575, 10, das vierte 586, 12 bis 591, 24. bl. 1 und 2, bl. 3 und 4 ergeben je 1 doppelblatt. herausgerückte majuskeln am versanfang. rote initialen. inhalt: 516, 11-517, 17. 517, 21-518, 27 (nur anfänge). 519, 10. 11. 22. 24 (nur die letzten buchstaben). 520, 11-521, 17. 553, 28-555, 4. 555, 8-556, 14.

556, 18-557, 24. 557, 28-559, 4. 570, 5-571, 8. 571, 15-572, 18. 572, 26-573, 29. 574, 7 bis
575, 10. 586, 17-587, 21. 587, 27-589, 2. 589, 9-590, 18 (nur die letzten buchstaben).
590, 21-591, 24. — abdruck von R. Joachim, zfdph. 11, 1-11. — vgl. Neues Lausitzer
magazin XIX (1841), s. 402-413. — Martin I, s. XXIII.

39.   *Gf* und *Gw*. Berlin I, 8 (acc. 3442) und II, 3 (9497, das sog. Frankfurter bruchstück,
jetzt Ms. Germ. fol. 923), ferner bruchstücke aus Amberg und Aspersdorf. 4⁰. 2 sp. zu
37 z. XIII. perg.

    1. Berlin I, 8 (acc. 3442) aus Hoffmanns besitz, enthält 369, 6-374, 3 (= 1 bl.).

    2. Aspersdorf I: 676, 8-681, 4, jetzt im fürsterzbischöflichen seminar in Oberholla-
       brunn. verkleinerte facsimila von P. F. Mayer, Zwei in Oesterreich aufgefundene
       bruchstücke von ritterepen (s.-a. aus Alt-Wien, 1896, 1. 2.)

    3. Amberg I. provinzialbibliothek: 715, 28-720, 26 (1 bl.).

    4. Berlin II, 3 (9497 = Ms. Germ. fol. 923): 725, 23-735, 18. 1 doppelblatt. — vgl.
       Scheel, s. 66. nr. 40, der eine nachkollation gibt. abdruck Qm. II, 42 ff.

    5. Amberg II: 735, 19-740, 20 (1 bl.).

    6. Aspersdorf II: 740, 21-741, 10. 741, 17-742, 17. 742, 25-743, 24. 744, 2-745. 1.
       8-18. — vgl. Martin I, s. XXIII und XXVI, II. s. II. — A. Beck, Die Amberger
       Parcifalfragmente und ihre Berliner und Aspersdorfer ergänzungen. Amberg 1902,
       verlegt von H. Böes. rec. Steinmeyer, afda. 29, s. 149-151.

40.   *Gg*. Berlin. I, 9 (acc. 1894, 60). 3 bll. 4⁰. 2 sp. zu 36 z. XIII. aus Frankfurt a. M.
inhalt: 436, 21-441, 12 und 558, 2-567, 20. — vgl. Martin I, s. XXIII.

41.   *Gh*. München. cod. Germ. 5249/3ᶜ. perg. 3 streifen. verse nicht abgesetzt. 2 sp.
zu urspr. 40 z. XIII., 1. hälfte. inhalt: 251, 21-252, 3. 252, 25-253, 3. 253, 16-27. 254,
5-13. 27-255, 8. 28-256, 10. aus dem kloster Schönau bei Heidelberg. eine der ältesten
handschriften. — vgl. K. Roth, Beiträge zur deutschen sprach-, geschichts- und orts-
forschung I. München 1854, s. 2ff, 85 ff. — Martin I, s. XXIIIf.

42.   *Gi*. München. cod. Germ. 5249/3ᵈ. perg. 6 blattreste, die ersten 4 zu éinem bl.
gehörig, die letzten 2 zu dem nächsten. XIII., 1. hälfte. zierliche schrift, hohes alter.
inhalt: 328, 5-329, 3. 9-330, 5. 10-331, 8. 13-332, 11. 28-333, 10. 334, 1-13. 335, 4-15. md.
2 sp. zu urspr. 32-33 z. — abdruck von K. Hofmann, Sitz.-ber. d. bayr. ak. d. wiss.,
philos.-philol. cl. I. München 1871, s. 449-456. — nachkollation von Martin I, s. XXIV.

43.   *Gj*. Kassel. ständische landesbibliothek. Mss. Poet. et Roman. 8⁰. 11. zwei stücke.
verse meist nicht abgesetzt. etwa 33 z. auf der seite. XIII. md. inhalt: 524, 11-525, 13.
526, 24-527, 30 (mit lücken). — vgl. Martin I, s. XXIV.

44.   *Gl*. Karlsruhe, ehemals im besitz von F. J. Mone. 2 doppelblätter. kl. fol. 2 sp. zu
40 z. XIII. rote initialen. inhalt: 704, 3-736, 2 und 768, 7-775, 2. — vgl. Qm. II, 3. 29
(abdruck ebd. s. 31ff.). — Martin I, s. XXV.

45.   *Go*. Nürnberg. Germ. museum. nr 24137. „Regensburger bruchstück". perg.
mehrere streifen, die zusammen 4 bll. bilden. kl. 4⁰. 2 sp. zu urspr. 46 z. XIII., 1. hälfte.
prachtschrift. inhalt: 1. 7, 5-8, 20. 10, 19-13, 8. abdruck Qm. II, s. 29-31. — 2. 16,
24-17, 26. 21, 2-22, 14. 22, 18-23, 30. abdruck: Bartsch, Germ. 16, 167-170. — 3. 25, 17-27,

LVI VORREDE.

16. 28, 19-29, 1. 30, 4-16. Qm. — 4. 30, 18-31, 20, sowie eine kollation der schwer zu ent-
zifferndenstücke zwischen 13, 9-30, 3. Bartsch. — vgl. Qm. II, 3. 28 f. — Martin I, s. XXV.
46.　　G^p. Salzburg, „dr Zillner gehörig". 1 bl. fol. 2 sp. zu 44 z. perg. XIII. inhalt:
277, 9-283, 4, doch nicht erhalten 278, 21. 22. 280, 5. 6. 281, 19. 20. 283, 4. abdruck
Qm. II, 45-47. — vgl. Qm. II, 3. 32. — Martin I, s. XXV.
47.　　G^q. Colmar. stadtbibliothek. 2 halbe bll. 4⁰. perg. 2 sp. zu 68 z. XIII. schöne
schrift. inhalt: 478, 11-482, 28. 492, 1-496, 15. abdruck von K. A. Barack, Germ. 30,
84-88. — vgl. Martin I, s. XXV.
48.　　G^r. Zürich. 1 doppelblatt. 2 sp. zu 40 z. fol. XIII. dieselbe handschrift ent-
hielt auch den Tristan. zierliche schrift. abdruck von J. Baechtold, Germ. 30, 317-323
(beschreibung ebd. 29, 71). inhalt: 10, 8-28, 24. — vgl. Martin I, s. XXV.
49.　　G^s. Berleburg. fürstl. Sayn-Wittgensteinsches Archiv. 1 doppelblatt. perg. fol.
2 sp. zu 59 z. XIII. md. rot-blaue initialen, die ersten reimzeilen herausgerückt, ihr
anfangsbuchstabe rot verziert. es fehlen 73, 12-75, 3. 113. 2. 3. eine sehr gute rezension.
abdruck von G. Frhrn. Schenk zu Schweinsburg, zfda 28, 241-246. inhalt: 66, 2-73, 19.
107, 19-111, 16. — vgl. Martin I, s. XXV.
50.　　G^t. München. univ.-bibliothek. cod. ms. 154. fol. 7 streifen. perg. 2 sp. zu urspr.
36 z. bair. XIII. inhalt: 609, 14-613, 12 (mit lücken). abdruck von W. Golther, zfda.
37, 280 f. — vgl. Martin I, s. XXVI.
51.　　G^u. Wolfenbüttel, aus Ehlers nachlaß. 1 bl. mit der paginierung XXVII. 2 sp. zu
urspr. 36 z. XIII. die ersten buchstaben jedes verspaares herausgerückt und durch
vertikallinien eingeschlossen. inhalt: 128, 17-129, 14. 23-130, 20. 28-131, 26. 132, 5-133, 1.
abdruck von P. Zimmermann in K. Vollmöllers Rom. forschungen 5 (1890), s. 267-274. —
vgl. Martin I, s. XXVI.
52.　　G^v. Stuttgart. cod. poet. et phil. Q 89. zwei doppelblätter. 4⁰. 2 sp. zu 40 z. inhalt:
465, 1-480, 30. abdruck von K. Roth, Dichtungen des deutschen mittelalters. Stadt-
amhof 1845, s. XXXf., XXXIV, XXXVIII. — vgl. Qm. II, 3. 38. — Martin I, s. XXVI.
53.　　G^x. Göttingen. Seminar für deutsche philologie I 2. 1 doppelblatt. 4⁰. 2 sp. zu 41 z.
XIII. bair. inhalt: 54, 23-65, 18. — vgl. Martin I, s. XXVI.
54.　　G^y. Zürich. stadtbibliothek. 1 doppelblatt, das erste und das letzte bl. eines quatern.
perg. 3 sp. zu 46-47 z. XIII. inhalt: 1,1-10, 7 und 28, 25-37, 30. kollation von M. Haupt,
zfda 7, 169-174. — vgl. Diemer, Sitz.-ber. d. ak. d. wiss. zu Wien, phil.-hist. cl., 7. s. 293.
— Martin I, s. XXVI.
55　　G^z Nürnberg. Germ. museum. die beiden inneren doppelblätter eines quaternio
und ein äußeres. bl. 1 und 2: 314, 5-324, 30, bl. 3 und 4: 330, 13-343, 2, bl. 5 und 6:
348, 13-359,2. perg. 2 sp. zu 40 z. XIII/XIV. auf bl. 2 (319, 24-324, 30) setzt eine andere,
doch ähnliche hand ein. die erste zeile jedes reimpaars beginnt mit einem rot durch-
strichenen kapitelbuchstaben. alem.-elsäss. — abdruck von J. Zacher, zfdph 9, 395-410
(bruchstücke aus der sammlung des Frhrn. v. Hardenberg). — vgl. Martin I, s. XXVI.
56.　　G^a. Franziskanerkloster Schwaz. 2 sp. zu 42 z. der erste buchstabe jedes verspaars
herausgerückt und mit senkrechten linien begrenzt. initialen abwechselnd blau und rot.
bair.-österr. zahlreiche rasuren eines späteren correctors. XIV.

1. 1 doppelblatt: 177, 11-182, 24. 216, 13-221, 30. abdruck von G. Bickel, zfda 26, 157-164.

2. 1 bl.: 523, 5-528, 22. abdruck von Bickel, zfda 28, 129-132.

3. hälften von je 2 verschiedenen blättern. jedes stück enthält die sp. *b* und *c*. inhalt: 485, 14-488, 7 und 636, 4-638, 29. — abdruck von M. Straganz, zfda 31, 287-291. — vgl. Martin I, s. XXVI. nach Martin ist G^α mit $G\beta$ nahe verwandt, wenn nicht beide bruchstücke reste derselben handschrift sind.

57. $G\beta$. 1. Berlin II 1 (acc. 9497, jetzt Ms. Germ. fol. 923). „Pfeiffers bruchstücke". perg. gr. fol. 10 bll. 2 sp. zu 42 z. (wie G^α). der anfangsbuchstabe jeder ersten reimzeile herausgerückt und zwischen vertikallinien. initialen abwechselnd rot und blau. bair. XIV. ein späterer corrector verwandelte die älteren sprachformen in jüngere. — abdruck: Qm. II. 51-58. 60-66. inhalt: 233, 5-234, 16. 237, 11-238, 22. 249, 25-255, 12. 316, 25-322, 16. 322, 23-323, 26. 324, 1-325, 10. 17-326, 22. 29-328, 24. 339, 12-340, 18. 343, 19-346, 6. 349, 1-350, 12. (hierher gehört das Münchener bruchstück, das mit unterbrechungen von 489, 20-534, 10 reicht). ferner: 539, 27-545, 14. 556, 17-562, 5. 634, 22-636, 3. 638, 30 bis 640, 11. 651, 16-657, 7.

2. München. cod. germ. 194/II [früher Fragm. Mss. e 20]. 2 doppelblätter. inhalt: 489, 20-495, 7. 506, 14-513, 13. 516, 8-517, 9. 528, 23-530, 4. 532, 29-534, 10. — abdruck: Qm. II, s. 59. 60. — vgl. zu 1. Scheel s. 63f. nr 37 und Qm. II, 3. 34, zu 2. Petzet, s. 351. — Martin I, s. XXVII.

58. G^γ. München. cod. Germ. 5249 (3b). aus demselben Schönauer cod. wie G^h. 1 doppelblatt. 2 sp. zu 42 z. XIII/XIV. rote initialen. schrift ähnlich der von G^n, doch im einzelnen verschieden. inhalt: 468, 25-470, 25. 471, 19-474, 9. — vgl. K. F. Böhmer, Mones Anz. VI (1837), sp. 50, auch bd. V, sp. 392. — K. Roth, Beitr. II, s. 85. 199. — Zs. f. geschichte des Oberrheins, NF. 16, 451. — Diemer, Wiener sitz.-ber. 7, s. 293. — Martin I, s. XXVII.

59. [G^δ]. Göttingen. Univ.-bibl. cod. philol. 184 Ib, früher in Spangenbergs besitz. 2 bll. 4º. 2 sp. zu 42 z. Lachmann (s. XVII) meinte irrtümlich, diese bll. gehörten mit den anderen Spangenbergischen (= *d*) derselben handschrift an. inhalt: 755, 8-756, 18. 20-757, 30. 818, 13-819, 6. 25-820, 18. — vgl. Qm. II, 3. 21. — Lachmann, s. XV. XVII. — Martin I, s. XIXf., XXVIII.

60. $G^{\epsilon\epsilon}$. Tübingen, Wilhelmsstift Gb 676. ein doppelblatt. perg. 2 sp. zu 40 z. XIV. die herausgerückten anfangsbuchstaben der verse sind durch vertikallinien eingeschlossen. rote initialen. inhalt: 57, 5-67, 24. — abdruck von K. Bohnenberger und J. Benz, zfda 49, 123-135. — vgl. Martin II, s. II.

61. [G^η_7]. Arnsberg. archiv. 1 bl. perg. 4º. 2 sp. zu 34 z. jeder (herausgerückte) anfangsbuchstabe je des ersten reimverses hat eine rot gestrichelte majuskel. XIV. md. abdruck von Graff, Diutiska I, s. 23-31. inhalt: 720, 11-724, 26. 761, 7-765, 22. — vgl. Lachmann, s. XVII. — Qm. II, 3. 22. — Martin I, s. XXVIII.

62. $G^{\eta\eta}$. London. aus einem sammelband der um 1902 in London versteigerten Barroishandschriften. 4º. XIV. etwa 39-40 z. auf der sp. (nach einer mitteilung von R. Priebsch an Martin). inhalt: 768, 22-773, 29. — vgl. Martin II, s. II.

63. [*Gη*]. Berlin I 5 [cod. germ. fol. 734]. 2 doppelblätter. perg. 4⁰. 2 sp. zu 30-31 z.
XIV. aus Ansbach. inhalt: 160, 5-164, 6. 172, 7-180, 8. 188, 12-189, 11. 191, 14-192, 12.
— vgl. Qm. II, 3. 23. — Lachmann, s. XVIII. — Th. Preger, Mitteilungen aus der Ans-
bacher schloßbibliothek. zwei spuren einer Parzivalhandschrift (54. jahresbericht des
hist. vereins für Mittelfranken, s. 124f.). — Martin I, s. XXVIII.

64. *Gϑ*. fragmente aus Nürnberg und München, deren zusammengehörigkeit, wie ich
glaube, Petzet zuerst erkannt hat. 4⁰. 1 sp. zu 30 z. rote initialen, anfangsbuchstaben
durch eine rote vertikallinie durchstrichen. XIV. perg.

    1. Nürnberg, German. museum. nr 17439. drei bll. enthaltend 639, 5-641, 4.
    651, 5-653, 4. 657, 5-659, 4. kollation von Bartsch, Germ. 16, 171. — vgl. Martin I,
    s. XXVIII.

    2. München. cod. germ. 5249/3 *e*. 1. ein streifen, r. 90, 7-15, v. 91, 7-15. — 2. ein
    bl. 100, 7-102, 6. — 3. ein doppelblatt: 745, 13-747, 12. — 4. ein doppelblatt: *Ar* 797,
    5-798, 4, v. 798, 5-799, 4; *Br*. 803, 9-804, 8, v. 804, 9-805, 8. aus Regensburg.

65. *Gι*. Berlin. Ms. Germ. fol. 923 [II 2 (9497)]. das sog. II. Pfeiffersche bruchstück.
1 doppelblatt. kl. fol. perg. 2 sp. zu 42 z. aus Salzburg. XIV., 2. hälfte. inhalt: 473,
19-474, 21. 30-476, 2. 11-477, 13. 22-478, 24. 490, 1-491, 4. 13-492, 15. 24-493, 26. 494,
5-495, 7. — abdruck Qm. II, 66-68, nachkollation von Scheel, s. 64f. (nr 38). — vgl. Qm. II,
3. 35. 66. — Martin I, s. XXVIII.

66. [*Gλ*]. München. cod. germ. 194/IV. fol. 1 bl. 2 sp. zu 48 z. XIV. frühere sign.
Fragm. e²³. rote initialen, die anfangsbuchstaben je der ersten zeile eines reimpaars
herausgerückt. inhalt: 741, 9-747, 20. — vgl. Lachmann, s. XVII. — Martin I, s. XXVIII.
— Petzet, s. 353.

67. *Gν*. Berlin. I 6. 2 bll. 4⁰. 2 sp. zu 44 z. früher Hoffmann gehörig. inhalt: 601,
19-607, 14. 631, 1-636, 26. — vgl. Martin I, s. XXVIII.

68. *Gξ*. Berlin. I 3. 2 streifen, fragmente eines doppelblattes. 2 sp. zu ca. 42 z. XIV.
inhalt: 678, 15-29. 679, 16-680, 11. 681, 1-25. 682, 15-683, 9. 28-684, 23. 685, 12-22.
688, 21-689, 1. 24-690, 4. — vgl. Martin I, s. XXIX.

69. *Gπ*. Darmstadt. nr 3252. 8 bll. perg. 28,5 × 20, 5. 2 sp. zu 40 z. der anfangs-
buchstabe je der zweiten reimzeile gewöhnlich rot durchstrichen. initialen rot und blau.
XIV. md. inhalt: 498, 4-508, 18. 551, 21-572, 30. 615, 23-626, 12. kollation von Kittel-
mann¹), s. 80-85. — vgl. Martin I, s. XXIX.

70. [*Gϱ*]. Berlin. II 4, jetzt Ms. germ. fol. 923. 4⁰. 1 doppelblatt. 1 sp. zu 30 z. perg.
die anfangsbuchstaben rot gestrichelt. bair. XV. kursiv. inhalt: 759, 13-761, 12. 775, 1
bis 776, 30. — vgl. Lachmann, s. XVIII. — Qm. II, 3. 24. — Scheel, s. 67, nr 41. —
Martin I, s. XXIX.

    Die folgenden drei fragmente wurden nach Martin gefunden und haben bis jetzt noch
kein sigel, das ihnen erst nach untersuchung ihrer stellung innerhalb der sonstigen
überlieferung gegeben werden soll.

---

¹) Feodor Kittelmann, Einige mischhandschriften von Wolframs Parzival. Straßburg
   1910 (= Q F. 109).

71. Freiburg i. B. Hs. Ms. 362. rest eines doppelblattes. verse nicht abgesetzt. inhalt: 227, 23-228, 11. 229, 4-22. 242, 28-243, 21. abdruck von F. Wilhelm, Ein Parzivalbruch-stück aus Freiburg im Breisgau. (Münchener museum für philologie des mittelalters und der renaissance, hrsg. v. F. Wilhelm, I, s. 367 f.).

72. Dorsten i. W., franziskanerkloster. 2 doppelblätter. perg. 20 × 16. 2 sp. zu 40 z. anfangsbuchstaben rot gestrichelt. rote und blaue initialen. XIV., anfang. md. inhalt: 232, 25-28. 233, 1-238, 6. 249, 19-252, 7. 9-253, 17. 19-254, 28. 607, 15-608, 26. 30-610, 10. 13-611, 24. 27-613, 8. 625, 5-626, 16. 19-627, 30. 628, 3-629, 15. 17-630, 29. abdruck von M. Schneiderwirth, zfda 53, 359-368.

73. Otto Basler druckt in der festschrift für E. Mogk, Halle 1924, s. 146-149 ein ver-stümmeltes bruchstück ab, das die verse enthält: 381, 15-385, 16, von denen teilweise nur der anfang, bzw. das ende erhalten ist.

Diese fülle von handschriften, von denen die meisten bis jetzt noch nicht durch-gearbeitet sind, verspricht eine reiche ausbeute. wenn auch nach wie vor die Sankt Galler handschrift als eine der besten redaktionen gelten muß, so ist sie dennoch nicht fehlerfrei, und dort, wo sie verderbtes bietet, muß das gewicht der besten unter den übrigen hand-schriften entscheiden; und tatsächlich gibt es innerhalb der so gering geschätzten klasse G eine nicht kleine zahl von handschriften, deren textkritischer wert durchaus nicht hinter dem von D zurücksteht. selbst wenn, — was aber keineswegs der fall ist, — aus all diesen handschriften keine direkte besserung des textes geholt werden könnte, wie dies Lach-manns ansicht[1]) und die seiner nachfolger war, so sind sie doch als beweismittel für oder gegen den wert einer lesart unentbehrlich.

Eine kritische verwertung der nachlachmannischen handschriften ist um so not-wendiger, als Lachmanns varianten nicht die bedingungen erfüllen, die man an einen solchen apparat mit recht stellen muß: seine lesarten stellen nur eine auswahl dar, die bei D am engsten, bei G schon etwas weiter ist und bei dd und gg, zumal wenn wir die heutige buntheit der lesarten dagegen halten, fast willkürlich erscheinen muß; nur schwer kann der benutzer dieser varianten der gefahr entgehen, durch diese gewisse willkür Lachmanns in der angabe der lesarten die tatsächlichen verhältnisse völlig verschoben zu sehen. zunächst ist D wirklich nicht die allerbeste handschrift, andrerseits ist G, die so oft selbständige wege wandelt, durchaus nicht die geeignete repräsentantin ihrer klasse; erst der zusammen-klang mit den anderen handschriften läßt diese usurpatorstelle von G deutlicher hervor-treten: sehr häufig wird eine bestimmte gruppe von lesarten der gg-handschriften von allen oder doch der überwiegenden mehrzahl der klasse gegen die handschrift G gestützt, so daß diese durch eine menge nicht verwandter handschriften repräsentierten lesarten

---

[1]) Lachmanns wegwerfende bemerkung über die „lumpenpapierhandschriften" mag z. t. mit recht für die handschriften des Wh. gelten, die im allgemeinen viel schlechter sind als die des Parzival; sie mag auch zu seiner zeit für die des Parzival teilweise nicht ganz unberechtigt gewesen sein, aber heute erkennt man, daß manche der später gefundenen handschriften den Lachmann bekannten G-handschriften an güte des textes weitaus überlegen sind, zumal sie häufig bewahrung des echten an stellen zeigen, an denen die übrigen handschriften, darunter bisweilen sogar auch D, schlechtes bieten.

den eigentlichen G-typus reiner ausgeprägt zeigen als die handschrift G selbst und daher mehr anspruch darauf hätten, unter den varianten angeführt zu werden, als die nicht gerade hervorragende Münchener handschrift, der man bisher viel zu viel wichtigkeit beigelegt hat[1]). mit dieser konsequenten vernachlässigung der gg-handschriften seitens Lachmann hängt es zusammen, wenn seine variantenangaben „D" oder „G" in der mehrzahl der fälle jeweils in „Dd", „Ddd", „Ddg", „Dddg", „Ddgg", „Dddgg", „Gd", „Gdd", „Gdg", „Gddg", „Gddgg" oder „Ggg" zu verwandeln sind, wodurch allein schon eine mischung der gruppen, wie sie tatsächlich zu konstatieren ist, ersichtlich wird.

Diese durch Lachmann suggerierte verschiebung der verhältnisse innerhalb der klasse G findet sich auch in seiner recht oft irrtümlich angewandten bezeichnung „= Ggg", wobei das gleichheitszeichen besagen soll, daß sämtliche von Lachmann benutzten handschriften im gegensatz zur klasse D die verzeichnete lesart bieten; jedoch in vielen fällen stehen eine oder mehrere der lachmannischen handschriften abseits, mögen sie nun gegen die klasse G mit der klasse D übereinstimmen oder individuelle änderungen aufweisen, so daß schon, was Lachmanns handschriften betrifft, der klassenunterschied als geringer anzunehmen ist; berücksichtigt man aber hierbei die nachlachmannischen handschriften, so müßte das gleichheitszeichen noch weit häufiger gestrichen werden. dadurch, daß es also viele G-handschriften gibt, die im gegensatz zu den anderen rezensionen derselben klasse das echte bieten, wird erkennbar, daß die handschriften der klasse G durchaus keinen einheitlichen komplex darstellen, sondern daß es innerhalb dieser klasse verschiedene auch zeitlich auseinanderliegende, an wert ungleiche schichtungen und stufen gibt, deren älteste vertreter noch der klasse D nahestehen, während ihre letzten ausläufer den G-typus[2]) stark ausgeprägt zeigen, der nicht nur durch die verwandtschaft der einzelnen handschriften, sondern durch eine auch den nichtverwandten handschriften gemeinsame änderungstendenz zustande gekommen ist.

Mit Lachmanns voreingenommenheit gegen die vorhandenen gg-handschriften, wie auch gegen die, die etwa noch gefunden werden sollten, hängt es zusammen, wenn seine lakonischen bezeichnungen „die übrigen" oder „alle" in vielen fällen in „die meisten" oder „fast alle" zu bessern sind; das habe ich hier an wichtigen stellen getan, wobei ich aber diese korrekturen in Lachmanns sinne, d. h. nur nach den ihm bekannten handschriften, vornehmen konnte.

Dieses aus der unterschätzung der gg-handschriften entsprungene summarische verfahren ist auch der grund für die ungenauigkeiten in der angabe der lesarten von Ddd und Ggg: oft unterläßt es Lachmann, selbst wichtige abweichungen einer oder zweier handschriften von der angegebenen variante zu verzeichnen, da es sich für ihn nur darum handelte, die lesarten seiner haupthandschriften D und G zu vermerken mit dem hinweis, daß dd oder gg annähernd ähnliches bieten. nachdem Lachmann sich so aus D und G stark kontrastierende klassen konstruiert hatte, mußte er in konsequenter weise jeder lesart einer handschrift, die an der betreffenden stelle nicht ihre klasse stützte, die aufnahme in seinen variantenapparat verweigern. aus demselben grunde verzichtet er auch

[1]) Paul, Beitr. 2, 66. —
[2]) s. E. Stadler.

oft auf die angabe, ob in einer oder mehreren handschriften verse ausgelassen oder um-
gestellt sind, außer wenn diese auslassungen oder umstellungen von der haupthandschrift
der klasse geteilt werden[1]).

Ein solches einseitiges betonen der beiden handschriften muß den benutzer der
varianten häufig zu falschen schlüssen verleiten: wenn Lachmann von den von seinem
text abweichenden lesarten nur die von D und G angibt, erhält man davon, ex absentia
schließend, unwillkürlich den eindruck, als ob die dd-, bzw. gg-handschriften mit dem
oben stehenden text übereinstimmten, was aber verhältnismäßig selten der fall ist.

Das mißlichste aber bei der benutzung des variantenapparates ist der umstand, daß
man die bezeichnung „Ggg" als „G" mit 2-5 handschriften, bzw. noch dazu mit einigen
fragmenten, verstehen kann und nur dort, wo Lachmann die varianten jeder handschrift
einzeln angibt, in der lage ist, irgendeine der gg-handschriften mit $G^k G^m G^\varkappa\ G^\sigma G^\varphi$ (und
stellenweise mit den fragmenten $G^\epsilon G^\zeta G^\eta G^\lambda G^\varrho$) identifizieren zu können; diese stellen
sind aber so selten, daß sie, da diese geringe zahl nicht genügt, nicht die mühe des auf-
suchens lohnen.

All diese wünsche zur vervollkommnung der Lachmannschen ausgabe lassen er-
kennen, wie notwendig eine nach dem heutigen stand der forschung kritisch zu nennende
ausgabe ist: bei dem jetzigen reichtum an handschriften ist ein ausführlicher sämtliche
74 zeugen umfassender variantenapparat ein immer dringender werdendes erfordernis,
und ebenso dringend verlangt diese fülle der überlieferung eingehende untersuchungen
über das verwandtschaftsverhältnis der einzelnen handschriften und handschriften-
gruppen.

Einen teil dieser wünsche glaube ich schon erfüllt zu haben: ich habe fast das ganze
handschriftliche material gesammelt und durchgearbeitet und so den anfang zu einer
textgeschichte des Wolframschen Parzival gemacht, deren erster teil gleich nach weih-
nachten in druck gehen soll. dennoch kam mir der auftrag des verlags um einige jahre
zu früh, denn vorerst ist nur ein teil der ergebnisse gesichtet. so reichhaltig auch meine
variantensammlung ist, so fehlen in ihr noch einzelne teile aus einigen handschriften.
daher konnte ich diesmal den so oft geäußerten wunsch nicht erfüllen, die siglen
dd in $f\,g\,n\,p$ und gg in $G^k G^m G^\epsilon G^\zeta G^\eta G^\varkappa G^\lambda\,G^\varrho G^\sigma G^\varphi$ aufzulösen, weil ich dann bis-
weilen noch das zeichen g neben den Martinschen benennungen hätte verwenden
müssen. da es mir in der mir vom verlag gesetzten kurzen zeit nicht möglich gewesen
wäre, die fehlenden handschriften zu kollationieren, so mußte möglichst der alte rahmen
der 5. ausgabe beibehalten werden, und dieser gestattete es nicht, einschneidende ände-
rungen vorzunehmen.

So beschränkte ich mich, was die varianten anlangt, zunächst auf eine genaue nach-
prüfung der von Lachmann ausgewählten lesarten; nachdem ich so die ersten drei bücher
des Parzival durchkorrigiert hatte, mußte ich einsehen, daß eine solche unmasse von
korrekturen unter beibehaltung des alten gefüges nicht durchzuführen wäre; daher begann
ich von neuem, wählte aus den schon eingetragenen korrekturen die wichtigsten aus und be-

---

[1]) leider verbot es mir der mangel an raum, diese notwendigen ergänzungen vorzu-
nehmen.

schränkte fortan meine korrigierende tätigkeit nur auf eine eingehende vergleichung der handschriften D und G, was durchaus im sinne Lachmanns ist; ganz ausnahmsweise zog ich dort, wo es dringend geboten schien, auch G^a nnd G^φ zum vergleich heran. aber auch bei D und G gab es noch eine menge nachzufeilen: wer sich die mühe nimmt, die vorliegende 6. ausgabe mit ihrer vorgängerin zu vergleichen, wird erkennen, wie zahlreich die besserungen sind: oft waren in den varianten die siglen D und G miteinander vertauscht, was in den meisten fällen auf kosten der herausgeber der späteren auflagen zu setzen war, während die erste (die einzige von Lachmann selbst besorgte) ausgabe sehr häufig schon das richtige bot. aber auch die erste ausgabe ist, — was sich bei einer so gewaltigen arbeit durchaus begreifen läßt, — keineswegs fehlerfrei: oft werden in dieser wie in den späteren ausgaben lesarten von D oder G angegeben, die weder in diesen beiden handschriften noch in dd oder gg zu finden waren, fehler, die, worauf mich v. Kraus freundlichst aufmerksam machte, auf den Myllerschen druck zurückgehen dürften; namentlich im 6. buch häufen sich diese irrigen angaben.

Schon in der ersten ausgabe waren wohl die meisten varianten von D verzeichnet, aber doch noch nicht alle; raummangel verbot mir die eintragung der noch fehlenden, aber nicht immer gerade wesentlichen lesarten.

Mit dem gebotenen raum mußte ich rechnen, denn jede seite erlaubte nur eine bestimmte zahl von korrekturen. aus diesem grund sowohl als auch deshalb, weil ich erst dann, wenn die gesamten ergebnisse meiner textgeschichte vorliegen, mich mit dem text selbst richtig auseinandersetzen zu können glaube, habe ich mich in dieser ausgabe prinzipiell aller solcher änderungen enthalten, wenn ich auch manchmal etwas stehen lassen mußte, wozu die neuere forschung einleuchtende besserungsvorschläge beigetragen hat, bzw. die nachlachmannischen handschriften willkommene fingerzeige zur emendation boten. daher beschränkte ich mich im text nur auf die berichtigung der seit der ersten ausgabe immer zahlreicher gewordenen druckfehler.

———

Wenn ich schon jetzt imstande bin, die textgeschichte des Parzival ziemlich genau zu übersehen, so fehlen mir für den Titurel, besonders aber für den Willehalm größere vorarbeiten. was den Titurel anlangt, habe ich das wichtige Münchener bruchstück M (univ.-bibl. cod. ms. 154, 8°) zu den varianten hinzugefügt. das fragment besteht aus 8 pergamentstreifen, die zu zwei verschiedenen blättern gehören, und einem vollständigen blatt. fol. kl. 8°. verse nicht abgesetzt, 30 z. auf der seite. am anfang der strophen absätze und rote initialen. die streifen enthalten str. 31-45 (str. 36 steht wie im j. Tit. zwischen 33 und 34) und 76-85 (nach 78 reihenfolge: 56, 57, 59, 59b, 81, 79-82, 61, 83-85). das blatt enthält str. 100, 2-114, 2 (nach str. 103 steht 96). die rückseite des blattes, die an die innenseite des deckels einer lateinischen handschrift geklebt war, ist sehr schwer, stellenweise gar nicht zu entziffern. da die streifen so durchschnitten sind, daß sich die zahl der fehlenden buchstaben nicht ermitteln läßt, habe ich das erhaltene immer vollständig angeführt und jede lücke, ob groß oder klein, durch drei punkte angedeutet.

W. Golther gibt zfda 37, 280-288 eine beschreibung des fragments und einen abdruck, der an folgenden stellen zu berichtigen ist: 107, 2 *sorgenbant*. — 3. *Sygvnen. rovbet.*

vñ an frolichem. — 109, 2 *gedanche.* — 110, 2 *ir antluzze (dáz,* wie Golther liest, verbietet der raum, auf dem nur 2 buchstaben stehen können; *dc* kann es auch nicht sein, da der buchstabe vor *antluzze* ein *r* ist). — 111, 1. *chvneginne.* — 2. *zevil.* — 4. *wachset;* statt *dorn* ist wohl *pin* oder ähnlich zu lesen. — 113, 3 *ich gelebe.* — 4. *beuinde.* — 114, 1 *So mvz.* — 2. am anfang noch lesbar: *st.v.*

Die Parzivalhandschriften habe ich mit ausnahme einiger fragmente alle selbst eingesehen und kollationiert, bzw. diese kollationen nach photographien oder abdrucken genommen. diese notwendigen vorarbeiten fehlen mir leider für den Willehalm, von dem ich nur wenige handschriften an ort und stelle vergleichen konnte. daher dabe ich im Willehalm wie im Titurel an dem text und an den varianten nichts geändert, sondern nur die an zahl nicht geringen druckfehler beseitigt.

Im folgenden gebe ich eine zusammenstellnng der Willehalmhandschriften und beginne der besseren orientierung wegen mit den von Lachmann benutzten handschriften. nicht immer erfolgreich war das sammeln der nach Lachmann gefundenen handschriften, da ich nur von Pipers[1]) verzeichnis, dem einzigen, das wir haben, ausgehen konnte, und seine aufstellung so ungenau ist, daß man häufig gefahr läuft, eine handschrift nach diesen angaben nicht wieder zu erkennen und sie zweimal zu buchen, wie es Piper selbst mit der Leipzig-Hamburger handschrift und anderen ergangen ist. autopsie ist unerläßlich und, da diese hier fehlt, will dieses verzeichnis nur eine verbesserung des Piperschen sein, das in der nächsten auflage die erforderliche vervollständigung erfahren wird. sollten mir irrtümer unterlaufen sein, so werde ich jede berichtigung dankbar begrüßen.

I. die lachmannischen handschriften:

K. St. Gallen. perg. fol. 857 seiten, der Wh. steht auf s. 561-691. 2 sp. zu 54 z. XIII. — vgl. von der Hagen-Büsching, Liter. grundriß, s. 179. — Lachmann, s. XXXIVf. — Scherrer, Verzeichnis der handschriften der stiftsbibliothek von St. Gallen. Halle 1875, s. 293. — Piper, s. 192.

l. Heidelberg. nr 404. perg. fol. 2 sp. zu 56 z. XIV. der Wh. steht auf bl. 45ᵛ-107ᵛ. — vgl. Adelung[2]), s. 33, nr 404. — Lachmann, s. XXXV. — Piper, s. 192, nr 3.

m. Wien. 2670 [ält. sign. hist. ecclesiast. 49]. 351 bll. perg. fol. 2 sp. zu 44 z. vom jahr 1320. enthält alle 3 teile: bl. 1ʳ-60ᵛ den Wh. Ulrichs von dem Türlin, bl. 62ʳ-145ᵛ Wolframs Willehalm, bl. 145ᵛ-351ᵛ den Wh. Ulrichs von Türheim. miniaturen. 1 bl. (= 69, 19-74, 9) fehlt. — vgl. Gräff, Diutiska III, s. 345, nr 49. — Lachmann, s. XXXV. — Hoffmann, s. 41. — H. Suchier, Germ. 17, 178, der gegen K. Roth (Rennewart s. 60. 115) direkte verwandtschaftliche beziehungen zwischen *m* und *o* in abrede stellt. — Piper, s. 192, nr 4.

---

[1]) Wolfram von Eschenbach. I. teil. einleitung: leben und werke, bearbeitet von P. Piper. (Kürschners deutsche nationallitteratur, 5. band, 1. abteilung: Wolfram von Eschenbach). Stuttgart 1890, s. 162-196.

[2]) F. Adelung, Nachrichten von altdeutschen gedichten, welche aus der Heidelbergischen bibliothek in die Vatikanische gekommen sind. Königsberg 1796 („Wolframi de Eschenbach et Uhrici Turckeim historia Henrici comitis de Narbona").

4.   *n*. Cassel. 394 bll. perg. fol. vom jahr 1334. bilder. enthält alle 3 teile. — vgl.
W. C. G. Casparson, Wilhelm der heilige von Oranse. I. Teil. Turlin oder Ulrich Turheim.
Cassel 1781, s. IV ff. — von der Hagen-Büsching, Lit. grundriß, s. 177. — W. Grimm,
Neuer litterar. anzeiger 1807, sp. 336. — Lachmann, s. XXXV. — Piper, s. 192, nr 5.

5.   *o*. Wolfenbüttel. August. 30. 12. fol. perg. vom jahr 1370. wahrscheinlich ehemals
in Püterichs besitz. — vgl. Eschenburg in Lessings Beiträgen zur geschichte und literatur.
aus den schätzen der herzogl. bibliothek zu Wolfenbüttel, V. beitrag, s. 81 ff. — Lach-
mann, s. XXXV f. — H. Suchier, Germ. 17, 177 f. — Piper, s. 193, nr 6.

6.   *p*. Wien. Ambras 75 E 3. großfolio. 421 bll. perg. 2 sp. zu 37 z. vom jahr 1387.
der Willehalm steht auf bl. 66*v*-161*r*. — vgl. Lachmann, s. XXXVI. — Piper, s. 193, nr 7.

7.   *t*. Leipzig. Ratsbibliothek. cg. 109. perg. fol. XIV. der Willehalm steht auf
bl. 21*r*-116*v*, vorher der erste teil (von Ulrich von dem Türlin), von anderer hand. — schon
R. Naumann[1]) identifizierte diesen codex mit jenem angeblichen Hamburger exemplar,
s. auch H. Suchier, Germ. 17, 178 f. — vgl. ferner Lachmann, s. XXXVI und XXXIV
(= Haupt). — Bibliothecae Uffenbachianae universalis t. 3, Francofurti 1730, p. 112,
CXIV, mit Schwalms randbemerkung: L 109[2]). — Eschenburg im Museum f. altd. lit.
und kunst I, s. 598. — Piper, s. 194, nr 22 + nr 34 (s. 195).

     II. die von Lachmann benutzten fragmente:

8.   J[3]). München. cod. germ. 193/I. [ält. sign. e[11]]. perg. groß-oktav. 5 doppelblätter.
(Lachmann kannte nur das die verse 159, 28-166, 29 umfassende doppelblatt). XIII.
verse nicht abgesetzt. schadhaft und beschnitten. inhalt: 79, 25-81, 17. 82, 1-83, 23.
103, 19-105, 16. 106, 1-107, 24. 152, 27-154, 5. 154, 20-155, 29. 159, 28-161, 18. 26 bis
163, 12. 20-165, 7. 15-166, 29. 167, 20-168, 26. 169, 17-170, 25. 315, 22-324, 15. 333, 11
bis 341, 21. drei hände: 1.) bl. 1-2, 2.) bl. 3-6, 3.) bl. 7-10. — vgl. Docen in Aretins Beitr. VII
(1806), s. 130-132. — Docen, Misc. II (1807), s. 114 ff. — Lachmann, s. XXXIV. — ab-
druck: Qm. II (1868), s. 71-83. — Piper, s. 192, nr 1. — Petzet, s. 346.

9.   *q*. Zürich. Bibliotheca Carolina. C 169. 4⁰. perg. 1 bl. 3 sp. zu urspr. 34 z. XIII.
inhalt: 92, 2-23. 93, 7-27. 94, 11-95, 7. 95, 15-18. 96, 3-10. 19-97, 14. 23-98, 18. 100, 1-19.
— abdruck: Mone[4]) I, s. 170-176. — vgl. Lachmann, s. XXXVI. — Piper, s. 193, nr 8.

10.   *r*. München. cod. germ. 193/II [ält. sign. e[12]]. perg. 4⁰. 1 bl. 2 sp. zu 34 z. XIII.
rote initialen. inhalt: 202, 23-207, 8. — vgl. Lachmann, s. XXXVI. — Piper, s. 193,
nr 9. — Petzet, s. 347.

11.   *s*. Göttingen, ehemals in Spangenbergs besitz. perg. fol. 1 doppelblatt. 2 sp. zu
urspr. 40 z. je die erste reimzeile herausgerückt. inhalt: 395, 25-396, 30. 397, 9-398,
9. 19-399, 22. 30-401, 2. 433, 16-434, 26. 29-435, 17. 436, 7-437, 8. 17-438, 19. — vgl.
Lachmann, s. XXXVI. — Piper, s. 193, nr 10.

---

[1]) Catalogus librorum manuscriptorum qui in bibliotheca senatoria civ. Lips. asservantur.
Grimma 1838, s. 33.
[2]) vgl. s. LXX nr 47.
[3]) in den varianten ist auch in dieser ausgabe I statt J stehen geblieben.
[4]) F.J.Mone, Quellen und forschungen zur geschichte der teutschen literatur und sprache.
Aachen 1830.

u. Berlin. Ms. Germ. fol. 923. aus von der Hagens besitz. 1 doppelblatt. perg.
2 sp. zu 42-44 z. initialen rot, anfangsbuchstaben der verse rot gestrichelt. inhalt: 144, 19
bis 155, 28 (151, 23. 24 vor 21. 22). die 2. sp. des 1. bl. stark beschädigt, nur z. t. lesbar.
XIII/XIV. — vgl. Lachmann, s. XXXVII. — Piper, s. 193, nr 12. — Scheel, s. 70, nr. 45.
v. Berlin. Ms. Germ. fol. 923 und Ms. Germ. fol. 746. perg. fol. 2 sp. zu 45 z.
XIII/XIV. initialen rot, anfangsbuchstaben der verse rot gestrichelt und zwischen vertikal-
linien eingeschlossen.

1. ein blatt, ehemals in Gräters, dann in Köpkes besitz, jetzt Berlin, Ms. Germ.
   fol. 923. auf der 2. sp. der 1. seite stehen 2 bilder mit den überschriften: *Hie*
   stridet der Markys mit dem kvnige Pauemeiz und *Hie verloys der Markys sine*
   v . tehene man. erhalten, aber nicht immer lesbar: Aa 52, 5-53, 17, Ab 53, 21-54,16,
   Ba 54, 19-56, 1. Bb 56, 3-57, 6.

2. Berlin. Ms. Germ. fol. 746. ehemals 10 doppelblätter einer Bamberger hand-
   schrift. 6 von diesen blättern kamen nach München, und die 4 anderen wurden
   Büsching zugesandt, nach dessen tod die blätter nicht mehr gefunden wurden;
   nach der abschrift, die Lachmann vorher genommen hatte, gehörten diese bll.
   teils zum ersten, teils zum dritten teil des Willehalm, und nur ein bl. enthielt die
   Wolframschen verse 461, 19-467, 8. diese ehedem an Büsching geschickten 4 bll.
   sind jetzt in Berlin. — vgl. Docen, Eos 1818. nr 48. 49, 1819, nr 8. — Lachmann,
   s. XXXVII. — Piper, s. 193, nr 13. — Scheel, s. 68, nr 43.

w. München. cod. Germ. 193/III. 8 bll., teilweise sehr schadhaft und stark be-
schnitten. 1 sp. zu 30 z. verse abgesetzt, manchmal auch 2 verse auf 1 z. rote und blaue
initialen. die bilder, je drei auf der seite übereinander, füllen den äußeren teil jeder seite,
der fast doppelt so breit ist wie die innen stehende textspalte.

1. bl. 1, 2, 3, 8. im jahre 1913 vom Hennebergischen geschichtsverein in Meiningen,
   wo sie die nummer 548-551 getragen hatten, der HStB. überlassen. 1838 hatte sie
   Karl Roth in händen gehabt, dann waren sie verschollen, bis sie K. v. Amira nach
   den bilderproben in den Bau- und kunstdenkmälern Thüringens, heft 34 (1909),
   G. Voß, Herzogtum Sachsen-Meiningen I, 1 (kreis Meiningen), s. 256-259 wieder-
   erkannte.

2. bl. 4/5 = 1 doppelblatt. 1913 von der UB. Heidelberg (wo sie als cod. Heid.
   362*a*, 86 aufgestellt war) an die HStB. abgetreten.

3. bl. 6/7. am schlechtesten erhalten, scheint nach Amira zum notizbuch eines
   humanisten gehört zu haben. von dem Meininger bibliothekar Reinwald an
   Docen geschenkt und aus dessen nachlaß erworben. frühere sign. fragm. e[13].

4. zwei weitere bll., von denen aber nur bilder erhalten sind, während der text weg-
   geschnitten ist, befinden sich als Hz 1104 und 1105 im germ. nationalmuseum in
   Nürnberg; s. A. Essenwein, Anz. f. kunde der deutschen vorzeit III (1882), sp.
   117-120.

Inhalt: bl. 1.: 161, 20-163, 26, bl. 2.: 210, 9-212, 14, bl. 3. bilder ohne den text 212,
17-213, 30, bl. 4.: 220, 24-222, 27, bl. 5.: 235, 15-237, 15, bl. 6.: 388, 21-390, 21, bl. 7.:
403, 13-405, 14, bl. 8.: ein kaum halber bilderstreifen, von dem der text abgeschnitten
und nicht zu bestimmen ist (nach Petzet, s. 347 f.). — vgl. Docen, Obd. allg. lit. ztg. 1810,

nr 127, sp. 1021. — Mones Anzeiger für kunde der teutschen vorzeit V. Karlsruhe 1836, sp. 177-181. — K. Roth, Deutsche predigten des 12. und 13. jahrhunderts (= Quedlinburger bibliothek, bd. XI, 1. teil, 1839), s. XXI. — K. Roth, Denkmäh!er der deütschen sprache. München 1840, s. XIV und s. 73-76. — F. Kugler, Kl. schriften zur kunstgeschichte I (1853), s. 4. 6. 7. — Qm. II, s. 6. 83-84. — Lachmann, s. XXXVII. — K. Bartsch, Germ. 17, 443 f. — ders., Die altd. handschriften der UB. in Heidelberg (1887), s. 212, nr 443. — Piper, nr 14 + 47 (s. 193). — G. Leidinger, Katalog der Wittelsbacher ausstellung im fürstensaal der k HStB. 1911. — K. v. Amira, Die große bilderhandschrift von Wolframs Willehalm (SB. der phil.-hist. cl. d. bayer. ak. d. wiss. 1903, s. 213-240 und 1917, 6. abh., s. 1-31). — ders., Die bruchstücke der großen bilderhandschrift von Wolframs Willehalm. München 1921.

15.   *x.* Wolfenbüttel. August. 1. 5. 2. perg. fol. enthält neben anderen stücken auszüge aus den drei teilen des Willehalm, die Wolframschen textstücke stehen auf bl. 235v bis 245v. — vgl. Lachmann, s. XXXVII. — Piper, s. 193, nr 15. — nach Scheel, s. 70, nr 46 gehören vielleicht zu diesem bruchstück „zwei pergamentblättchen des 14. jahrhunderts, die mit den längsseiten aneinanderzulegen sind, um 1. die versschlüsse von 357, 29-360, 11, 2. die versanfänge von 360, 20-362, 23 zu erhalten. ermittelt von G. Leue, der noch bemerkt, daß der text zu einer kürzenden bearbeitung des Willehalm zu gehören scheine, wie sie in die Weltchronik Rudolfs von Ems aufgenommen worden wäre". (in Berlin, Ms. Germ. fol. 923).

16.   *y.* Berlin. Ms. Germ. fol. 923. fol. 1 bl. perg. 2 sp. zu 38-40 z. XV. aus von der Hagens besitz. schmucklose initialen, anfangsbuchstaben der verse rot durchstrichen. inhalt: 32, 2-37, 10 (doch die letzte spalte, 36, 1-37, 10) nicht lesbar. — vgl. Lachmann, s. XXXVII. — Piper, s. 193, nr 16. — Scheel, s. 68, nr 42.

17.   *z.* Wien. 3035 [frühere sign. phil. 3 und Ambras 427]. pap. fol. 101 bll. — inhalt: bl. 1r-17v enthalten den Willehalm Ulrichs von dem Türlin, bl. 18 und 19 leer, bl. 20r-39v den Wolframschen Willehalm, bl. 40r-99r den Willehalm Ulrichs von Türheim, bl. 99v-101v leer. — der zweite (Wolframsche) teil umfaßt 230, 8-338, 6 (wobei aber 303, 27-310, 14 ausgelassen sind) und 364, 18-384, 30. — vgl. von der Hagen, Lit. grundriß, s. 179. — Graff, Diutiska III, s. 366, wo aber Wolframs anteil nicht erwähnt wird. — Lachmann, s. XXXVII. — Hoffmann, nr XX. — Suchier, Germ. 17, 177-181. — Tab. codd. II, s. 184. — Piper, s. 193, nr 17.

III. Die Piperschen handschriften und **fragmente:**

18.   = Piper, s. 193, nr 18. — München. cod. Germ. 193/IV [ält. sign. Fragm. e^{14}]. 3 streifen, demselben blatt angehörend, jetzt zusammengenäht. perg. fol. oben 6 z. weggeschnitten, jetzt 36, früher 42 z. in jeder der beiden spalten. rote initialen. XIII/XIV. inhalt: 435, 10-436, 15. 22-437, 26. 438, 2-439, 7. 13-440, 18. — vgl. Qm. II, s. 84f. — Petzet, s. 349.

19.   = 1. Piper, s. 194, nr 19. — Wien. 12850 [Suppl. 270]. 2 doppelblätter. perg. 4°. 2 sp. zu 31 z. XIII, XIV. inhalt: 264, 6-272, 15. — vgl. Qm. II, s. 85-87, Denkschriften, s. 117ff. — Tab. codd. VII, s. 155. — J. Zupitza, zfda 17, 407-409.

2. = Piper, s. 193, nr 11. — Melk. 6 bll. perg. 4⁰. 2 sp. zu 31-33 z. nach J. Haupt ein teil derselben handschrift. inhalt: 231, 8-239, 15. 251, 28-255, 29. 280, 30-285, 11. 455, 28-464, 10. — vgl. Diemer, Wiener SB. 11. (1854), s. 653-672 (lautstand und abdruck). — Qm. II, 6. — J. Zupitza, zfda 17, 407-409.

0. = Piper, s. 195, nr 20. — Berlin. Ms. Germ. fol. 923. perg. 1 bl. vom größten folio. 2 sp. zu urspr. 62 z. (jetzt 11 z. unten weggeschnitten). XIII/XIV. die rot gestrichelten anfangsbuchstaben der verse sehr weit herausgerückt. initialen rot. ehemals in Pfeiffers besitz. inhalt: 92, 27-94, 17. 28-96, 18. 29-98, 19. 30-100, 20. — vgl. Qm. II, s. 88-90 (abdruck), nachkollation bei Scheel, s. 69, nr 44.

1. = Piper, s. 194, nr 21. — Berlin, früher in der fürstlich Starhemberg. bibl. zu Efferding (I, 38). perg. fol. 3 sp. zu 65 z. XIII/XIV. enthält alle drei teile des Willehalm. vollständige handschrift. — vgl. Pfeiffer, Germ. 12, 66. — Qm. II, 5.

2. = Piper, s. 194, nr 23. -- Würzburg. 1 doppelblatt, verstümmelt. kleinquart. 2 sp. zu 28 z. XIII. die geraden zeilen beginnen mit minuskeln und sind eingerückt, die ungeraden haben rot durchstrichene majuskeln. rote initialen. inhalt: 95, 5-98, 26. 114, 7-118, 2. — beschreibung bei K. Roth, Denkmähler der deütschen sprache vom VIII. bis zum XIV. jahrhundert. München 1840, s. XIV; abdruck ebd. s. 68-73.

3. = Piper, s. 194, nr 24. — Leipzig. universitätsbibliothek. 1 doppelblatt. 4⁰. perg. 2 sp. zu 40 z. XIV. inhalt: 207, 7-209, 24. 301, 19-306, 23. stimmt meist zu *lop.* — vgl. Haupt und Hoffmann, Altdeutsche blätter II. Leipzig 1840, s. 287-293. — H. Suchier, Germ. 17, 177-181.

4. = Piper, s. 194, nr 25. — Wien. 1 doppelblatt. perg. kl. 4⁰. 2 sp. zu 38 z. XIV. rote initialen. in den geraden zeilen rot durchstrichene anfangsbuchstaben. bair.-österr. stimmt häufig zu *lnopt*, mitunter auch zu *K.* — vgl. T. M. Wagner[1]), sp. 118f. — Qm. II, s. 6, nr 10. — K. Bartsch, Germ. 16, 171-173 (kollation).

5. = Piper, s. 194, nr 26. — Gräfl. archiv zu Erbach im Odenwald. 1 bl. perg. fol. 2 sp. zu 52 z. XIII. inhalt: 250, 15-257, 12, doch davon ein teil weggeschnitten, bzw. abgerieben. lesbar ist 251, 18-253, 3. 10-254, 25 (doch von 254, 6 an nur teilweise zu entziffern). 255, 2-4. 256, 24-30 (die versschlüsse unlesbar). abdruck von Weigand, zfda 9, 186-191.

6. = Piper, s. 194, nr 27. — Gräfl. Ortenburgische bibliothek zu Tambach in Oberfranken. 1 doppelblatt. 2 sp. zu 45 z. inhalt: 452, 5-17. 453, 20-463, 12. — vgl. von der Hagen, Grundriß, s. 104. 176. — F. Schmidt im Serapeum[2]) III, s. 342f. inhalt: bl. 1: 452, 5-458, 4, bl. 2: 458, 5-463, 12 (459, 1. 2 fehlen).

7. = Piper, s. 194, nr 28. — Tübingen. ein äußeres doppelblatt einer lage. perg. fol. 2 sp. zu 40-41 z. unten 2-3 z. weggeschnitten. die ungeraden zeilen herausgerückt. inhalt: 349, 17-354, 25 (350, 22-26 vor 351, 1 verworfen) und 389, 25-395, 22 (das folgende ist abgeschnitten). kollation von Keller in Naumanns Serapeum VIII, s. 45-48.

---

[1]) Anzeiger zur kunde der deutschen vorzeit VII. Nürnberg 1860.
[2]) Serapeum. zeitschrift für bibliothekswissenschaft, handschriftenkunde und ältere literatur, hrsg. v. R. Naumann, III. Leipzig 1842.

E*

28.   = Piper, s. 194, nr 29. — 2 bll. von Öhler (s. Naumanns Serapeum X, s. 298-304)
auf dem deckel eines ehemals wahrscheinlich dem kloster Bergen gehörigen buchs. — perg.
4⁰. 2 sp. zu 37-38 z. inhalt: 254, 28-259, 29. 289, 4-294, 1. — abdruck von Öhler a. a. o.

29.   = Piper, s. 194, nr 30. — Stargardt. 2 bll. und 2 streifen. perg. 4⁰. 2 sp. zu 34 z.
XIII. inhalt: 55, 15-60, 2. 78, 7-82, 22. 92, 30-93, 3. 94, 4-7. 110, 27-111, 2. 112, 1-6.
113, 5-10. 114, 9-14. — vgl. Qm. II, 90.

30.   = Piper, s. 194, nr 31. — 1 bl. fol. von Büsching gefunden, seit seinem tod vermißt.
s. Lachmann, s. XXXIII. der Lit. grundriß (s. 539 f.) gibt daraus die beiden verse 289, 12.
13 an (*Daz mit grozun iamme clagete | Sine gran der ivnge Rennewart*).

31.   = Piper, s. 194, nr 32. — Docen führt in Schellings allgemeiner zeitschrift s. 417
einige verse von einem Regensburger bruchstück an, s. Lachmann, s. XXXIV.

32.   = Piper, s. 195, nr 33. — „Köln, de Groote". pap. ehemals in Eberhard de Grootes
besitz. keine abschrift von *n.* — vgl. J. B. Büsching, wöchentl. nachrichten III, 123-128.
— H. Suchier, Germ. 17, 178. — Roth, Rennewart, s. 105.

33.   Marburg. — perg. gr. fol. 2 sp. zu urspr. 52 z. anfangsbuchstaben der verse rot
durchstrichen, herausgerückt. initialen abwechselnd rot und blau. XIV/1. bair. steht
op oder *mnop,* bes. *p,* näher als *lt.*

    1. 1 bl. inhalt: 98, 1-104, 28. kollation von G. Roethe, zfda 41, 251-253. — vgl.
    Könnecke², s. 61. 66.

    2. zwei fragmente eines blattes aus Vilmars nachlaß = „Hardenbergs bruchstücke"
    (Piper, s. 195, nr 35). inhalt: 313, 15-314, 14. 315, 7-316, 5. 316, 29-317, 26.
    318, 21-319, 20. — vgl. J. Zacher, zfdph 9, 413-416. — das bei Piper, s. 196 unter
    „Marburg, saec. XIV. facs. in Könneckes bilderatlas¹, s. 37" angeführte bruch-
    stück ist wohl mit dem Roetheschen fragment identisch, da Könnecke die verse
    101, 27-102, 10 anführt; Roethes beschreibung paßt gut auf das bei Könnecke
    abgedruckte bruchstück, das gleichfalls bair. ist und dem XIV. jahrhundert an-
    gehört.

34.   = Piper, s. 195, nr 36. — aus dem trinitarierkloster in Krotoschin (provinz Posen).
von gymnasiallehrer Jankowski in Krotoschin gefunden und Rückert übersandt. gr. fol.
perg. 4 sp. zu urspr. 50-60 z. XIII/XIV. rote initialen. ostmd. etwas verwandt mit *w.*
inhalt: 371, 6-25. 372, 24-373, 10. 378, 7-28. 388, 22-389, 25. 391, 17-392, 6. 404, 1-30.
405, 30-406, 12. 407, 12-25. 408, 7-16. 23-409, 6. — vgl. H. Rückert, Germ. 14, 271-275.

35.   = Piper, s. 195, nr 37. — Bibliothek des waisenhauses zu Halle. 2 bll. perg. kl. fol.
2 sp. zu 36 z. XIV. alem. inhalt: 254, 28-259, 27. 239, 4-243, 29. es fehlen 255, 9. 10.
256, 23-28. 290, 27-30. 292, 17. 18. — vgl. Öhler in Naumanns Serapeum X, 298 ff. (ab-
druck). — Qm. II, 2. 6. — J. Schmidt, Programm der lat. hauptschule. Halle 1876,
s. 17 f. — zfdph 8, 227-238. — K. Zwierzina, afda 13, 188 f.

36.   = Piper, s. 195, nr 38. — Erzbischöfliche diöcesanbibl. in Erlau. C I, 1. pap. rote
initialen, anfangsbuchstaben der verse rot gestrichelt. XV. die handschrift ist vollständig
und enthält alle drei teile des Willehalm. — vgl. Singer, Germ. 32, 481.

37.   = Piper, s. 195, nr 39. — prämonstratenserstift Strahov bei Prag. 1 doppelblatt.
perg. 2 sp. zu urspr. 42 z. von der 2. sp. des 2. bl. ist ein stück der länge nach abge-

schnitten, so daß sp. b nur die versanfänge, sp. c die schlüsse zeigt. von jeder sp. unten 3 z. weggeschnitten. die ungeraden verse beginnen mit rubrizierten majuskeln und sind herausgerückt. abwechselnd rote und blaue initialen. XIV. bair.-österr. 1. bl.: 348, 5 bis 353, 19, 2. bl.: 375, 29-381, 14. stimmt zu *op.* abdruck von W. Toischer, zfda 22, 237-242.

8. = Piper, s. 195, nr 40. — stadtarchiv Retz in Niederösterreich. perg. 2 streifen eines doppelblattes. 2 sp. zu urspr. 40 z. rote initialen. XIII., mitte. md. inhalt: 96, 8 bis 17. 27-97, 5. 19-28. 98, 8-16. 30-99, 9. 19-25. 100, 11-20. 101, 1-9. 112, 11-20. 30-113, 8. 22-114, 1. 11-19. 115, 3-11. 22-30. 116, 14-23. 117, 3-11.
abdruck von A. Schönbach, zfda 24, 84-87.

9. = Piper, s. 195, nr 41. —Wolfenbüttel. perg. fol. XIV. eine blatthälfte. 2 sp. rote initialen. *loptz* nahestehend. inhalt: 283, 2-285, 18. 21-286, 5. — abdruck von O. v. Heinemann, zfda 32, 91-93. — vielleicht gehört zu dieser handschrift das von Th. Gartner, zfda 48, 409-415 beschriebene und abgedruckte fragment, das der schulleiter Th. Bukounig zu Enns erworben hatte. dies ist ein doppelblatt, perg., mit 2 sp. zu 45 z. und enthält 306, 1-312, 4 und 324, 5-330, 6. — facs. der verse 324, 5-27. 325, 20-326, 12 im 3. jahresbericht des Musealvereins Laureacum. Enns 1904, s. 32.

0. = Piper, s. 195, nr 42. — archiv des frhrn. Langwerth v. Simmern zu Eltville a. Rh. perg. fol. 3 sp. zu 52 z. XIV. mittelrhein. stimmt zu *l.* inhalt: 92, 17-99, 6. 101, 27-112, 10. 321, 21-332, 8. 333, 26-343, 2. von 97, 17-93, 24 abdruck, von dem übrigen kollation von G. Zülch, Germ. 31, 211-215.

1. = Piper, s. 195, nr 43. — Heidelberg. 362ᵃ, 85. ein bl. perg. 3 sp. zu 45 z. von der 3. sp. fehlt ein streifen. rückseite unbeschrieben. anfangs- und endbuchstaben herausgerückt, stehen untereinander. XIII. inhalt: 1, 1-5, 14. — vgl. S. Singer, Germ. 31, 490-492. — K. Bartsch, s. 211f, nr 442.

2. = Piper, s. 195, nr 44. — Köln. stadtbibliothek XIII, 12. 94 bll. perg. 4⁰. 2 sp. zu 35-41 z. vom jahr 1437. vollständig. — vgl. H. Suchier, zfdph 13, 257-262.

3. = Piper, s. 195, nr 45. — München, universitätsbibliothek. B 6, 5. ein doppelblatt. perg. 4⁰. 2 sp. zu urspr. 34 z. rote initialen. XIV. geht mit *r* auf eine gemeinsame quelle zurück. inhalt: 204, 3-208, 18. 217, 17-222, 2. — vgl. H. Suchier, zfdph 13, 262-270.

4. = Piper, s. 195, nr 46. — München. 1 bl. perg. fol. 2 sp. zu 61 z. XIV. aus K. Roths besitz. verwandt mit *t.* die handschrift enthielt auch den Willehalm Ulrichs von Türheim, s. K. Roth, Beitr. III, s. 255. — inhalt: 7, 10-15, 14.

5. = Piper, s. 196, nr 48. — Straßburg. 2 bll. perg. 4⁰. 2 sp. zu 45 z. rote initialen. kleine schrift. XIII. stimmt zu *t*, mitunter auch zu *K.* inhalt: 73, 9-79, 8 und 91, 9-97, 8.

6. = Piper, s. 196, nr 50. — Brieg. gymnasialbibliothek. 4 zu einem bl. gehörende streifen, abgelöst aus zwei verschiedenen bänden des XV., bzw. XVI. jahrhunderts. 4⁰. 2 sp. zu 36 z. anfangsbuchstaben der 1. und 3. sp. herausgerückt und rot gestrichelt, die der 2. sp. sind weggeschnitten. in sp. 1 schluß unleserlich, in sp. 4 fehlen die zeilenanfänge, das übrige schwer lesbar. inhalt: 82, 26-87, 23 (es fehlen 83, 20. 21 und 84, 11. 12). kollation von Guttmann, einige kleine funde aus der bibliothek des gymnasiums zu Brieg (programm des kgl. gymnasiums zu Hirschberg). Hirschberg 1875.

was das bei Piper unter nr 49 angeführte Dronkesche fragment anlangt, so beruht seine angabe auf einem irrtum. dieses angebliche Willehalmbruchstück ist von Dronke unter dem titel „Aus dem Wilhelm von Dourlens" in J. Mones Anzeiger für kunde der teutschen vorzeit VI (Karlsruhe 1837), sp. 50-54 abgedruckt und enthält nicht Wolframs Willehalm, sondern den Wilhelm von Orlens von Rudolf von Ems, v. 11564-11715, s. V. Junk, Rudolfs von Ems Willehalm von Orlens, hrsg. aus dem Wasserburger codex. Berlin 1905 (= Deutsche Texte des Mittelalters, bd. II).

        IV. sonstige handschriften, bzw. neue funde:

47.   Hamburg. cod. germ. 19 ist der von Lachmann vergeblich gesuchte Hamburger codex. ich hatte die handschrift vor mehreren jahren eingesehen, und schon damals fiel mir die ähnlichkeit des inhalts auf, der sich mit Lachmanns angaben (s. XXXIV) über nr 259 ex bibliotheca Uffenbachiana ziemlich deckt. nun aber sehe ich, daß ich nichts neues vermutet hatte; prof. G. Wahl, der direktor der Hamburger staats- und universitätsbibliothek, hatte die freundlichkeit, mir auf meine anfrage folgendes mitzuteilen: „P. 540 LXIII hat hier jetzt die signatur cod. germ. nr 19; bis 1837 war er cod. hist. nr 32 und konnte wahrscheinlich deshalb für Lachmann nicht aufgefunden werden. Fr. Wilhelm hat die handschrift 1906 benutzt; als er sein buch 'Die geschichte der handschriftlichen überlieferung von Strickers Karl dem großen' 1904 schrieb, war sie ihm anscheinend noch nicht bekannt. vgl. Beitr. 32, 85.

      21 × 30 cm, 271 bll. papier, mit ausnahme der beiden miniaturen (pergament): bl. 1 (auf dem deckel aufgeklebt) sitzender könig; bl. 80^v schlachtszene. bl. 8-79^v enthält Strickers Karl d. gr. (2-7 enthalten keinen text), bl. 81-166^v Wolframs Willehalm. 167 leer. 168-269^v, 1. spalte Rudolfs von Ems Barlaam und Josaphat: der text stammt nach prof. Burg direkt von der Donaueschinger handschrift 73 (Pfeiffers A) ab. — 2. spalte und 269^v medizinisches. 271 mit dem aufgeklebten exlibris Uffenbachs. hinten ist eine deutsche pergamenturkunde von 1407 über eine meßstiftung; vorkommende ortsnamen (Pfaffenhofen, Inzing) weisen in die nähe von Telfs, südlich von Innsbruck. bair.-österr. mindestens 4 schreiber. mitte des XV. jahrhunderts. eine sehr ausführliche beschreibung hat prof. Burg für die Deutsche kommission geliefert."

      die verwechslung des Leipziger codex (*t*) mit dem Hamburger wurde dadurch begünstigt, daß in dem handexemplar der Bibliothecae Uffenbachianae universalis *t*. 3, Francofurtı 1730, p. 112 CXIV die Leipziger handschrift angeführt war, die aber nie in Hamburg gewesen ist.

48.   über die Schweriner handschrift konnte ich nicht mehr erfahren, als was G. C. F. Lisch an Lachmann brieflich berichtet hatte (s. Abhandlungen der preuß. akad. d. wiss. Berlin 1915, s. 62): perg. 8°. mit überschriften. inhalt: 5, 25-218, 1, darnach 3 lose blätter.

49.   Lemberg. dominikanerkloster. 2 streifchen eines blattes. 2 sp. anfangsbuchstaben herausgerückt und rot durchstrichen. rote initialen. ohne linien, daher die zeilenzahl auf den beiden seiten verschieden. verwandt mit *lt*. inhalt: 340, 27-345, 24. abdruck von R. M. Werner, zfda 35, 343-348.

50.   Seitenstetten. stift. rest eines doppelblattes. perg. ungewöhnlich großes format, urspr. etwa 50 × 20 cm, sehr breite ränder. 42 z. auf der seite. anfangsbuchstaben rot durchstrichen. initialen abwechselnd rot und blau. XIV/1. wahrscheinlich alem. eng verwandt mit *l*. inhalt: 435, 4-20. 430, 28-431, 14. 432, 10-26. 433, 22-434, 8 (in dieser reihenfolge). abdruck von A. Schönbach, zfda 47, 183 f.

Arolser bruchstück. aus aktenumschlägen des klosters Berich bei Waldeck. aufgefunden von Könnecke 1 streifen. perg. 2 sp. zu urspr. 32 (jetzt 21) zeilen. XIV. die ungeraden zeilen beginnen mit herausgerückten majuskeln. mit *p* verwandt. inhalt: 89, 19-91, 11. abdruck von E. Schröder, zfda 49, 466 f.

Ockstädter bruchstück, jetzt in Gießen nr 97 e. 1 bl. obere hälfte. fol. 2 sp. zu urspr. 34 z. XV. sehr schönes perg. mit großer raumverschwendung geschrieben. stimmt zu *lmop*. beschreibung und kollation von E. Schröder, zfda 50, 132-136.

Schafstädter bruchstück. von dem bürgermeister Schrader in Schafstädt bei dem Determannschen antiquariat in Heilbronn gekauft. auf einem buchdecke¹ aufgeklebter rest eines pergamentstreifens. 2 sp. zu urspr. 40 z. XIV/1. 4⁰. anfangsbuchstaben rot durchstrichen, majuskel. rote (einmal violett) initialen. gehört zu *lopt*, bes. zu *lt*. inhalt: 243, 27-249, 6. 270, 21-276, 6. beschreibung und kollation von Ph. Strauch, zfda 52, 351-354.

Ampezzaner bruchstück, 1911 im besitz des kooperators Isidoro Alvera in Enneberg bei S. Virgil. 2 pergamentstreifen, reste der 1. und 4. sp. eines blattes. 2 sp. zu urspr. 36 z. vom 1. und 2. streifen fehlen verso die anfänge, vom 1. recte die schlüsse. anfangsbuchstaben herausgerückt. abwechselnd rote und blaue initialen. md. zu *op*. XIV/1. inhalt: 82, 19-86, 12 (mit durch die verstümmelung entstandenen lücken). — vgl. Karl Polheim und K. Zwierzina, Neue bruchstücke altdeutscher texte aus österr. bibliotheken. Graz 1920, nr 3. — abdruck von K. Zwierzina, Beitr. 45, 443-452.

St. Lamprechter bruchstück. 2 bll. und 2 streifchen, deren 6 verse nicht zu entziffern sind. 2 sp. zu 36 z. rot durchstrichene majuskeln am verseingang. rote initialen. wahrscheinlich österr. inhalt: 358, 15-25. 28-30 (15. 16 umgestellt). 360, 1-5. 9-30. 361, 1-30. 362, 1-4. 7-30. 363, 1-30. 364, 1-14. 374, 4-30. 375, 1-378, 27. abdruck von O. Wonisch, Das St. Lamprechter Willehalm-bruchstück (Der wächter IV. München 1921, s. 167-170).

Freiburg i. B. universitätsbibliothek. Fr. Pfaff berichtet in der Alemannia, zeitschrift für alemannische und fränkische geschichte, volkskunde, kunst und sprache NF. 3, Freiburg 1903, s. 192, daß er ein 300 verse umfassendes bruchstück des Willehalm gefunden habe und es zu besprechen gedenke.

Man erwarte von dieser ausgabe nicht mehr, als sie zu erfüllen imstande ist; dem bedauern darüber, daß Lachmanns werk heute noch immer da steht, wo es vor 92 jahren gestanden hat, darf ich wohl die hoffnung gegenüberstellen, daß noch einige jahre des sammelns und sichtens mich für eine völlig neue bearbeitung gerüstet machen.

Zum schluß erfülle ich die angenehme pflicht, allen zu danken, die mich in meiner arbeit an dieser ausgabe, wie an der der textgeschichte bereitwillig unterstützt haben: in entgegenkommender weise stellte mir das Germanistische institut in Leipzig photographien der Parzival-handschrift D zur verfügung, wofür ich hrn. prof. Neumann meinen freund-

lichsten dank sage; was die Parzival-handschrift G anlangt, so konnte ich ein exemplar
der Lachmannschen ausgabe vergleichen, in das Vollmer — nicht immer ganz zuverlässig,
wie meine nachprüfung ergab — die lesarten von G eingetragen hatte; neben diesen
kollationen stehen berichtigungen von K. Bartsch, in dessen besitz das buch dann über-
gegangen war; heute gehört dieses exemplar hrn. geheimrat Sievers, dem ich für seine
freundliche leihgabe meinen verbindlichsten dank ausspreche. ferner trage ich an dieser
stelle gern meine dankesschuld gegenüber hrn. prof. G. Wahl, dem direktor der Hamburger
staats- und universitätsbibliothek, ab, der mir sowohl über die Leipziger wie über die
Hamburger handschrift des Willehalm brieflich genaue auskunft erteilte. zu dank ver-
bunden bin ich der universitäts- und der staatsbibliothek in München, besonders hrn. dir.
G. Leidinger, der die ultraviolett-photographien der Münchener Titurelbruchstücke M
für mich anfertigen ließ. vor allem aber gebührt wie immer mein dank hrn. geheimrat
von Kraus, der seit jahren meine textkritischen untersuchungen über den Parzival mit
seinem freundlichen rat unterstützt hat.

München, im november 1925.

Eduard Hartl.

L I E D E R

HER WOLFRAM VON ESCHENBACH.

———

Den morgenblic bî wahters sange erkôs
ein froue, dâ si tougen
an ir werden friundes arme lac;
dâ von si . . . . freuden vil verlôs.
5 des muosen liehtin ougen
aver nazzen. si sprach 'ôwê tac,
wilde und zam daz frewet sich dîn
und siht dich gerne,
wan ich ein. wie sol iz mir ergên!
10 nu enmac niht langer hie bî mir bestên
mîn vriunt: den jaget von mir dîn schîn.
Der tac mit kraft al durh diu venster dranc.
vil slôze si besluzzen:
daz half niht: des wart in sorge kunt.
15 diu friundîn den vriunt vast an sich dwanc:
ir ougen diu beguzzen
ir beider wangel. sus sprach zim ir munt.
'zwei herze und einen lîp hân wir
gar ungescheiden:
20   unser triwe mit ein ander vert.
der grôzen liebe der bin ich vil gar verhert,
wan sô du kumest und ich zuo dir.'
Der trûric man nam urloup balde alsus.
ir liehten vel diu slehten
25 kômen nâher. sus der tac erschein
weindiu ougen, süezer frouen kus.

Ueberschrift Wolfram von Eschebach *A*, Her Wolfran von Eschilbach *C*, *fehlt BG.*
1 := 1 *G*.   wahtæres *G*.   3. arm *G*.   4. *die lücke ist in G durch einen*
strich bezeichnet.   6. ówe *G*.   8. gern *G*.   9. eine *G*.   10. bisten *G*.
12 = 2 *G*.   18. z . . . (*unlesbar*) hertze und ein lip. han wir *G*.   19. un
gischeiden *G*.   21. liebe ich bin vil? virhert *G*.
23 = 3 *G*.   25. beschein?   26. ougin suozzir *G*.

1*

sus kunden si dô vlehten
ir munde, ir brüste, ir arm, ir blankiu bein:
swelh schiltær entwurfe daz
geselleclîche
5   als si lâgn, des wære ouch dem genuoc.
ir beider liebe doch vil sorgen truoc.
si phlâgen minne ân allen haz.

'Sîne klâwen
durh die wolken sint geslagen,
10 er stîget ûf mit grôzer kraft,
ich sih in grâwen
tägelîch als er wil tagen,
den tac, der im geselleschaft
erwenden wil, dem werden man,
15 den ich mit sorgen în verliez.
ich bringe in hinnen, ob ich kan.
sîn vil manegiu tugent michz leisten hiez.'
'Wahtær, du singest
daz mir manege freude nimt
20 unde mêret mîne klage.
mær du bringest,
der mich leider niht gezimt,
immer morgens gegen dem tage.
diu solt du mir verswîgen gar.
25 daz biut ich den triwen dîn:
des lôn ich dir als ich getar.
sô belîbet hie der selle mîn.'
'Er muoz et hinnen
balde und âne sûmen sich:
30 nu gib im urloup, süezez wîp.
lâze in minnen
her nâch sô verholne dich,
daz er behalte êr und den lîp.
er gab sich mîner triwe alsô,
35 daz ih in bræhte ouch wider dan.
ez ist nu tac: naht was ez dô
mit druck an brust dîn kus mirn an gewan.'
'Swaz dir gevalle,
wahtær, sinc, und lâ den hie,
40 der minne brâht und minne enphienc.
von dînem schalle
ist er und ich erschrocken ie:

---

5. alsi lagen *G.*
   8 = 4 *G.*   *dies lied ist in G vom vorhergehenden durch gröſseren zwischen-*
                                                            wen
raum für den anfangsbuchstaben gesondert.   . . *in chla durh die wolchen G.*
12. tægelich *G.*   13. gesellaft *G.*   15. in bi naht virliez *G.*   17. mich daz *G.*
   18 = 5 *G.*   20. und mert min klage *G.*   25. gebiut ih *G.*   27. der ge-
selle *G.*
   28 = 6 *G.*   29. und an *G.*   32. verholn dich *G.*   33. ere *G.*   34. tri-
wen *G.*   37. mit truchen an di brust din kus mir in an gewan *G.*
   38 = 7 *G.*   givalle *G.*   40. brach *G.*   42. hie *G.*

sô ninder morgenstern ûf gienc
ûf in, der her nâch minne ist komen,
noch ninder lûhte tages lieht,
du hâst in dicke mir benomen
5 von blanken armen, und ûz herzen nieht.'
   Von den blicken,
die der tac tet durh diu glas,
und dô der wahtær warnen sanc,
si muose erschricken
10 durch den der dâ bî ir was.
ir brüstelîn an brust si dwanc.
der rîter ellens niht vergaz
(des wold in wenden wahters dôn):
urloup nâh und nâher baz
15 mit kusse und anders gab in minne lôn.

Ein wîp mac wol erlouben mir
daz ich ir neme mit triuwen war.
ich ger (mir wart ouch nie diu gir
verhabet) mîn ougen swingen dar.
20 wie bin ich sus iuwelnslaht?
si siht mîn herze in vinster naht.
   Si treit den helfelîchen gruoz,
der mich an vröiden rîchen mac,
dar ûf ich iemer dienen muoz.
25 vil lîhte erschînet noch der tac
daz man mir muoz vröiden jehen.
noch grœzer wunder ist geschehen.
   Seht waz ein storch den sæten schade:
noch minre schaden hânt mîn diu wîp.
30 ir haz ich ungern ûf mich lade.
diu nu den schuldehaften lîp
gegen mir treit, daz lâze ich sîn:
ich wil nu pflegen der zühte mîn.

Der helden minne ir klage
35 du sunge ie gegen dem tage,
daz sûre nâch dem süezen.
swer minne und wîplich grüezen
alsô enpfienc
daz si sich muosen scheiden,
40 swaz du dô riete in beiden,
dô ûf gienc
der morgensterne, wahtær, swîc, dâ von niht gerne sienc.

---

1. ninder der *G.*
  6 = 8 *G.*
        3. luhtet *G.*   5. niht *G.*
        8. und do wahtære *G.*   9. erschrischen *G.*   11. brustlin *G.*
13. wahtærs *G.*   15. in] im?
  16 = 1 *BC.*   17. trúwe *B.*   19. ouge *C.*   20. úwelen slaht *B,* ̊wulen slaht *C.*
  22 = 2 *BC.*
  28 = 3 *BC.*   Nu seht *BC.*   storche *B.*   den *fehlt BC.*   29. habent *BC.*
30. ungerne *BC.*
  34 = 4 *BC.* in *B auf dem rande von neuerer hand* Tagwisz.   35. gen *B.*
39. muessent *B,* muozent *C.*   41. gie *BC.*   42. wahtære *BC.*   gerne *fehlt B,*
steht in C nach sing.

Swer pfliget odr ie gepflac
daz er bî liebe lac
den merkern unverborgen,
der darf niht durch den morgen
5 dannen streben,
er mac des tages erbeiten:
man darf in niht ûz leiten
ûf sîn leben.
ein offen süeze wirtes wîp kan sölhe minne geben.

10 'Von der zinnen
wil ich gên, in tagewîse
sanc verbern.
die sich minnen
tougenlîche, und obe si prîse
15 ir minne wern,
so gedenken sêre
an sîne lêre,
dem lîp und êre
ergeben sîn.
20 der mich des bæte,
dêswâr ich tæte
im guote ræte
und helfe schîn.
ritter, wache, hüete dîn.
25 Niht verkrenken
wil ich aller wahtær triuwe
an werden man.
niht gedenken
solt du, vrowe, an scheidens riuwe
30 ûf künfte wân.
ez wære unwæge,
swer minne pflæge,
daz ûf im læge
meldes last.
35 ein sumer bringet
daz mîn munt singet:
durch wolken dringet
ein tagender glast.
hüet dîn, wache, süezer gast.'
40 Er muos et dannen,
der si klagen ungerne hôrte.
dô sprach sîn munt
'allen mannen
trûren nie sô gar zerstôrte

---

1 = 5 *BC.*   2. bi lieben wibe (wiben *B*) *BC.*   3. merkæren *B.*   4. dur *C.*
9. offenú *BC.*   suezú *C.*
10 = 6 *BC.*   16. gedenke *BC.*
25 = 7 *BC.*   26. wahtære *B.*   28. 29. dú ensolt denken an schaidens rúwe *B.*
31. es was ie wege *C.*   34. melden *B.*   36. swas *B.*   38. ein *fehlt C.*
39. wache und huete dich lieber gast *B.*   huete *C.*
40 = 8 *BC.*   eht *B,* von *C.*   41. klagende *C.*   44. trûren *fehlt C.*

ir vröiden funt.'
swie balde ez tagte,
der unverzagte
an ir bejagte
5 daz sorge in flôch:
unvrömedez rucken,
gar heinlîch smucken,
ir brüstel drucken
und mêr dannoch
10 urloup gap, des prîs was hôch.

Ursprinc bluomen, loup ûz dringen,
und der luft des meigen urbort vogel ir alten dôn:
etswenn ich kan niuwez singen,
sô der rîfe ligt, guot wîp, noch allez ân dîn lôn.
15 die waltsinger und ir sanc
nâch halben sumers teile in niemens ôre enklanc.
Der bliclîchen bluomen glesten
sol des touwes anehanc erliutern, swâ si sint:
vogel die hellen und die besten,
20 al des meigen zît si wegent mit gesange ir kint.
dô slief niht diu nahtegal:
nu wache abr ich und singe ûf berge und in dem tal.
Mîn sanc wil genâde suochen
an dich, güetlich wîp: nu hilf, sît helfe ist worden nôt.
25 dîn lôn dienstes sol geruochen,
daz ich iemer biute und biute unz an mînen tôt.
lâz mich von dir nemen den trôst
daz ich ûz mînen langen klagen werde erlôst.
Guot wîp, mac mîn dienst ervinden,
30 ob dîn helfelîch gebot mich fröiden welle wern,
daz mîn trûren müeze swinden
und ein liebez ende an dir bejagen mîn langez gern?
dîn güetlîch gelâz mich twanc
daz ich dir beide singe al kurz od wiltu lanc.
35 Werdez wîp, dîn süeziu güete
und dîn minneclîcher zorn hât mir vil fröide erwert.
maht du trœsten mîn gemüete?
wan ein helfelîchez wort von dir mich sanfte ernert.
mache wendic mir mîn klagen,
40 sô daz ich werde grôz gemuot bî mînen tagen.

Ez ist nu tac,   daz ich wol mac   mit wârheit jehen.
ich wil niht langer sîn.
diu vinster naht   hât uns nu brâht   ze leide mir
den morgenlîchen schîn.'

1. ir *fehlt* C.   6. unvermeldes C.   9. me *BC*.
11 = 9 C.   16. in niemannes ore ein klanc C.
17 = 10 C.   18. so C.   erlüternt C.   19. helle C.   20. weget C.
23 = 11 C.   25. min lon C.   26. bitte und büte C.   27. laze C.
29 = 12 C.   30. helflich C.   34. beide guot singe al kurch oder C.
35 = 13 C.   33. helfliches C.   39. mach ein wendig C.
41 = 1 *A*, 14 C.   44. dem *A*.   morgen schin C.

'sol er von mir scheiden nuo,
mîn friunt, diu sorge ist mir ze vruo:
ich weiz vil wol, daz ist ouch ime,
den ich in mînen ougen gerne burge,
5 möhte ich in alsô behalten.
mîn kumber wil sich breiten.
ôwê des, wie kumt ers hin?
der hôhste fride müez in noch wider an mînen arm geleiten.'

Daz guote wîp   ir vriundes lîp   vast umbevienc:
10 der was entslâfen dô.
dô daz geschach   daz er ersach   den grâwen tac,
dô muose er sîn unfrô.
an sîne brüste dructe er sie,
und sprach 'jâne erkande ich nie
15 kein trûric scheiden alsô snel.
uns ist diu naht von hinnen alze balde:
wer hât si sô kurz gemezzen?
der tac wil niht erwinden.
hât diu minne an sælden teil,
20 diu helfe mir daz ich dich noch mit vröiden müeze vinden.'

Sie beide luste   daz er kuste   sie genuoc:
gevluochet wart dem tage.
urlop er nam,   daz dô wol zam;   nu merket wie:
da ergienc ein schimpf bî klage.
25 sie heten beide sich bewegen,
ezn wart sô nâhe nie gelegen,
des noch diu minne hât den prîs:
obe der sunnen drî mit blicke wæren,
sin möhten zwischen si geliuhten.
30 er sprach 'nu wil ich rîten.
dîn wîplich güete neme mîn war,
und sî mîn schilt hiut hin und her, und her nâch zallen zîten.'

Ir ougen naz   dô wurden baz: och twanc in klage:
er muose dan von ir.
35 si sprach hin zime   'urlop ich nime   zen vröiden mîn:
diu wil nu gar von mir,
sît daz ich vermîden muoz
dînen munt, der mangen gruoz
mir bôt und och dîn süezen kus,
40 als in dîn ûz erweltiu güete lêrte,
und diu geselle dîn, diu triuwe.'

3. daz ich uch ime *A*.   6. bereiten *AC*.   8. wider *fehlt C*.   arn *AC*.
9 = 2 *A*, 15 *C*.   vaste umbevie *C*.   10. der waz ein slafen do *A*.
12. muoze *A*, muost *C*.   13. 14. an sine bruste (brust *A*) er si druhte und sprah
io erkande ich nie (nie *fehlt A*) *AC*.   16. uns] unde *AC*.   19. diu *fehlt AC*.
21 = 3 *A*, 16 *C*.   23. do *C*, da *A*.   merkent *C*.   24. da *C*, de *A*.   er-
gie *AC*.   25. hetten *A*, haten *C*.   26. nahen nien *C*.   28. waren *A*.   29. sine
möhte zwischen *C*, si mohten entzwischen *A*.   31. din wiplichú guote nim min
war *A*.   32. hiut] húte *C*, hueta *A*.   und her nâch] unde *A*, noh *C*.
33 = 4 *A*, 17 *C*.   do *C*, diu *A*.   34. muoze *A*, muoste *C*.   dan *fehlt AC*.
35. er sprach hin zir *A*.   zeden *AC*.   36. nu *fehlt C*.   37. daz *fehlt AC*.
muoz vermiden *AC*.   39. süezen *fehlt AC*.   41. und din geselle din truwe *AC*.

weme wilt du mich lâzen?
nu kum schier wider ûf rehten trôst.
ôwê dur daz enmac ich strenge sorge niht gemâzen.'

[Guot wîp, ich bite dich minne,
5 ein teil dur daz,
sît ich dir niht gebieten mac.
du gib mir die gewinne,
daz ich baz
an dir gelebe noch lieben tac.
10 snel für mich, wilder danne ein tier,
mac mir dîn helfe entwenken.
wilt an triuwe gedenken,
sælic wîp,
        sô gîst ein liebez ende mier.
15   Du treist sô vestez herze
ûf mîne vlust:
wie sol der site an dir zergên?
ein mûzervalke, ein terze,
dem mac brust
20 niht baz dan dir diu dîne stên.
dîn munt ist ûf den kus gestalt,
dîn lachelîchez grüezen
mac mir wol gesüezen
sûre nôt:
25   sus hât dîn minne mîn gewalt.
        Möht ich die sælde reichen,
diu sô hôch
ob mîner fröide stêt gezilt!
got müez ir herze erweichen,
30 sît ez noch
der mîner swære niht bevilt.
man siht mich alze selten geil.
ein vlins von donrestrâlen
möht ich zallen mâlen
35 hân erbeten,
        daz im der herte entwiche ein teil.
        Ir wengel wol gestellet
sint gevar
alsam ein towic rôse rôt.
40 diu schœn mir wol gevellet,
sist valsches bar.
ir ougen bringent mich in nôt.
si dringent in mîns herzen grunt:
so enzündet mich ir minne,
45 daz ich von ir brinne:
an der stat
        bin ich von der süezenwunt.

1. si sprach weme *AC.*   2. kume *A.*   schiere *AC.*   3. en *fehlt AC.*   gelazen *AC.*
    4 = 19 *C.*   14. mir *C.*
    15 = 20 *C.*   16. min verlust *C.*   17. zergan *C.*   18. eim müzer valke *C.*
eim terzen *C.*   20. danne *C.*   die dîne?   stan *C.*
    26 = 21 *C.*   29. muos *C.*   33. donrē stralen *C.*
    37 = 22 *C.*   40. schœne *C.*   45. das ich von ir liebe enbrinne *C.*

Ir schœne fröide machet.
durliuhtic rôt
ist ir munt als ein rubbîn.
swem si von herzen lachet,
5 des sorge ist tôt.
sist mîn spilnder ougen schîn.
ir frömde krenketz herze mîn:
ich stirb, mir werde ir minne.
Vênus diu gotinne,
10 lebt si noch,
     si müest bî ir verblichen sîn.
Ich wil des mînen ougen
sagen danc,
daz si si vunden alsô guot.
15 die ich dâ minne tougen
sunder wanc,
diu hât gehœhet mir den muot.
daz schaffet mir ir rôter munt:
ir minneclîchez lachen
20 kan mir wol gemachen
hôhen muot.
     dâ von mir wirt ein fröide kunt.]

1 = 22 *C*.   3. rubin *C*.   7. krenket das *C*.   8. stirbe *C*.   9. göttinne *C*.
12 = 23 *C*.

PARZIVAL.

I.

Ist zwîvel herzen nâchgebûr,
daz muoz der sêle werden sûr.
gesmæhet unde gezieret
ist, swâ sich parrieret
5 unverzaget mannes muot,
als agelstern varwe tuot.
der mac dennoch wesen geil:
wand an im sint beidiu teil,
des himels und der helle.
10 der unstæte geselle
hât die swarzen varwe gar,
und wirt och nâch der vinster var:
sô habet sich an die blanken
der mit stæten gedanken.
15 diz vliegende bîspel
ist tumben liuten gar ze snel,
sine mugens niht erdenken:
wand ez kan vor in wenken
rehte alsam ein schellec hase.
20 zin anderhalp ame glase
geleichet, und des blinden troum.
die gebent antlützes roum,

doch mac mit stæte niht gesîn
dirre trüebe lîhte schîn:
25 er machet kurze fröude alwâr.
wer roufet mich dâ nie kein hâr
gewuohs, inne an mîner hant?
der hât vil nâhe griffe erkant.
sprich ich gein den vorhten och,
daz glîchet mîner witze doch.
2 wil ich triwe vinden
aldâ si kan verswinden,
als viur in dem brunnen
unt daz tou von der sunnen?
5 ouch erkante ich nie sô wîsen man,
ern möhte gerne künde hân,
welher stiure disiu mære gernt
und waz si guoter lêre wernt.
dar an si nimmer des verzagent,
10 beidiu si vliehent unde jagent,
si entwîchent unde kêrent,
si lasternt unde êrent,
swer mit disen schanzen allen kan,
an dem hât witze wol getân,

1, 1. zwifel *G.*   herzen nahgebur *D.*   3. Ja ist *Ggg.*   gesmahet *G (sehr oft a für æ),* gesmehet *D (die erste hand setzt oft e für æ).*   4. = ist *fehlt Ggg.*
6. agelstern *D,* agelsteren *G,* agelster *gg,* agelaster *dg,* aglester *d.*   7. danoch
G immer.   8. Wan *G immer.*   an dem *G.*   9. himeles *G.*   10. un-
stête *D.*   11. = Der hat *Ggg.*   12. och *G,* ouch *D meistens.*   13. habt
D.   15. fligende *D.*   17. mugens in niht *Gg.*   18. iz *D.*   19. schelbich
D.   20. anderhalb an dem *D.*   21. gelichent *D.* Gelichet *die übrigen.*
22. di *D.*   23. 24. *fehlen G.*   23. doh *D* = Ouch *gg.*   25. Der *g,* Unde
G.   machent *G.*   kuorze *D.*   froude *DG.*   26. nie dehein *D,* niene
hein *G.*   27. gewuochs *D.*   innen an *DG.*   28. = nahen *gg,* næhen *G.*
grif *Ggg.*   29. spriche ih *D.*   30. gelichet *G.*   = minen witzen *Ggg.*
idoch *D.*

2, 3. = Sam *gg,* Sam daz *G.*   fiwer in den *D.*   4. und *D.*   von] an *D.*
6. en en *G.*   9. nimer *G meistens.*   10. beide si vliehent *D.*   11. chernt *G.*
12. lasterent *G, in D nicht lesbar.*   13. disen] = den *Ggg.*   tschanzen *G,*
schanden *(korrigiert) D.*

15 der sich niht versitzet noch vergêt
und sich anders wol verstêt.
valsch geselleclîcher muot
ist zem hellefiure guot,
und ist hôher werdekeit ein hagel.
20 sîn triwe hât sô kurzen zagel,
daz si den dritten biz niht galt,
fuor si mit bremen in den walt.
Dise manger slahte underbint
iedoch niht gar von manne sint.
25 für diu wîp stôze ich disiu zil.
swelhiu mîn râten merken wil,
diu sol wizzen war si kêre
ir prîs und ir êre,
und wem si dâ nâch sî bereit
minne und ir werdekeit,
3 sô daz si niht geriuwe
ir kiusche und ir triuwe.
vor gote ich guoten wîben bite,
daz in rehtiu mâze volge mite.
5 scham ist ein slôz ob allen siten:
ich endarf in niht mêr heiles biten.
diu valsche erwirbet valschen prîs.
wie stæte ist ein dünnez îs,
daz ougestheize sunnen hât?
10 ir lop vil balde alsus zergât.
  manec wîbes schœne an lobe ist breit:
ist dâ daz herze conterfeit,
die lob ich als ich solde
daz safer ime golde.
15 ich enhân daz niht für lîhtiu dinc,
swer in den kranken messinc
verwurket edeln rubîn
und al die âventiure sîn

(dem glîche ich rehten wîbes muot).
20 diu ir wîpheit rehte tuot,
dane sol ich varwe prüeven niht,
noch ir herzen dach, daz man siht.
ist si inrehalp der brust bewart,
so ist werder prîs dâ niht verschart.
25 Solt ich nu wîp unde man
ze rehte prüeven als ich kan,
dâ füere ein langez mære mite.
nu hœrt dirre âventiure site.
diu lât iuch wizzen beide
von liebe und von leide:
4 fröud und angest vert tâ bî.
nu lât mîn eines wesen drî,
der ieslîcher sunder phlege
daz mîner künste widerwege:
5 dar zuo gehôrte wilder funt,
op si iu gerne tæten kunt
daz ich iu eine künden wil.
si heten arbeite vil.
  ein mære wil i'ú niuwen,
10 daz seit von grôzen triuwen,
wîplîchez wîbes reht,
und mannes manheit alsô sleht,
diu sich gein herte nie gebouc.
sîn herze in dar an niht betrouc,
15 er stahel, swa er ze strîte quam,
sîn hant dâ sigelîchen nam
vil manegen lobelîchen prîs.
er küene, træclîche wîs,
(den helt ich alsus grüeze)
20 er wîbes ougen süeze,
unt dâ bî wîbes herzen suht,
vor missewende ein wâriu fluht.

16. sih *D,* sich doch *Gg.*   17. geseIlchlicher *G.*   18. ist dem *D.*
19. werdcheit *G immer.*   21. driten *G meistens.*   22. Fuore *Gdg.*   mit]
bi *D.*   24. idoch *D.*   27. wîzen *D.*   28. bris *G meistens.*

3, 1. = iht *Ggg.*   gerîwe-trîwe *DG.*   6. me *G oft.*   7. wirbet *Gg.*
8. dünnez *D,* dunz *G.*   9. ouwest heize *Gg.*   11. manech *D,* Wann *dd*
= Manges *Ggg.*   wibes lop an schone *G.*   12. contrefeit *G.*   14. safer *D,*
sapher *G,* saffir *ddg,* saphir *g,* sapheir *g.*   im *D.* in *dg,* in dem *Gdgg.*
15. Och han ich niht vur *Gg.*   = ringiu *Gg,* wehe *g.*   18. Unde alle die
nature sin *G.*   19. rehte *D.*   21. pruoven *D,* bruoven *G.*   22. ir *fehlt*
D.   man] = man da *Ggg, aber* da *in G von der ersten hand übergeschrie-*
ben. sihet *G.*   23. inerhalp *G.*   prust *D, fehlt G.*   24. niht (ver *über-*
geschrieben) schart *G.*   25—4, 8 *fehlen dd.*   25. ih *DG.*   nu *Ggg, fehlt*
D.   27. fûre *D.*   28. nû *D.*   hœret *D und (wie immer, mit o für œ) G,*
oft gegen den vers.   30. libe *D.*   unde och *G.*

4, 1. ta *hat immer nur G.*   5. fuont *D.*   6. ob *D,* op *hat meist nur*
. *G.*   kuont *D.*   7. kuonden *D.*   8. heten *in D nicht lesbar.*   9. wil
i'u] wil ih iu *Ggg* = ih iu wil *D,* ich hie wil *dd.*   10. sagt *g.*   ganzen
G.   11. wiplichez *DGg.*   12. als *G.*   15. cham *G.*   18. trachlichen
Gg.   19. alsuos *D.*   21. 22. suoht-fluoht *D.*

den ich hie zuo hân erkorn,
er ist mæreshalp noch ungeborn,
23 dem man dirre âventiure giht,
und wunders vil des dran geschiht.
　Sie pflegents noch als mans dô pflac,
swâ lît und welhsch gerihte lac.
des pfliget ouch tiuscher erde ein ort:
daz habt ir âne mich gehôrt.
5 swer ie dâ pflac der lande,
der gebôt wol âne schande
(daz ist ein wârheit sunder wân)
daz der altest bruoder solde hân
5 sîns vater ganzen erbeteil.
daz was der jungern unheil,
daz in der tôt die pflihte brach
als in ir vater leben verjach.
dâ vor was ez gemeine:
10 sus hâtz der alter eine.
daz schuof iedoch ein wîse man,
daz alter guot solde hân.
jugent hât vil werdekeit,
daz alter siuften unde leit.
15 ez enwart nie niht als unfruot,
sô alter unde armuot.
künge, grâven, herzogen,
(daz sag ich iu für ungelogen)
daz die dâ huobe enterbet sint
20 unz an daz elteste kint,
daz ist ein fremdiu zeche.
der kiusche und der vreche
Gahmuret der wîgant
verlôs sus bürge unde lant,
25 dâ sîn vater schône

truoc zepter unde krône
mit grôzer küneclîcher kraft,
unz er lac tôt an rîterschaft.
Dô klagte man in sêre.
die ganzen triwe und êre
6 brâht er unz an sînen tôt.
sîn elter sun für sich gebôt
den fürsten ûzem rîche.
die kômen ritterlîche,
5 wan si ze rehte solden hân
von im grôz lêhen sunder wân.
dô si ze hove wâren komen
und ir reht was vernomen,
daz se ir lêhen alle enpfiengen,
10 nu hœret wie siz ane viengen.
si gerten, als ir triwe riet,
rîch und arme, gar diu diet,
einer kranken ernstlîcher bete,
daz der künec an Gahmurete
15 bruoderlîche triwe mêrte,
und sich selben êrte,
daz er in niht gar verstieze,
und im sînes landes lieze
hantgemælde, daz man möhte sehen,
20 dâ von der hêrre müese jehen
sîns namen und sîner vrîheit.
daz was dem künege niht ze leit:
er sprach 'ir kunnet mâze gern:
ich wil iuch des und fürbaz wern.
25 wan nennet ir den bruoder mîn
Gahmuret Anschevîn?
Anschouwe ist mîn lant:
dâ wesen beide von genant.'
l. pl.

danach wollen wir
beide benannt sein

---

24. Der *Gg.*　　mærshalp *G*, mershalp *gg* und (*wie es scheint, mit ausgekratz-
tem* s) *D*.　**27.** pflegent es *dd*, pflegetns *D*, phlegent *Ggg*.　mans *Dd*, man *Gdgg*.
28. welich *D*, walhesch *G*, welhchs *g*.
29. noch *Gg*.　　tuscher *G*: überall u *wo* iu *wie umlaut von* û *lauten mufs,
nicht nur* aventure (*doch auch* — *iure*) chusche suften duhte fusten chruze
ruten truten, *sondern auch* lute (*leute*) luhten durluhtch getrulich tiosture
(*jousteur, doch* 38,19. 496,14 tiostiure).
5, 1. Der *Gg*.　　3. Diz *Ggg*.　　4. altest *d*, aldeste *D*, eltest *d* = elter *Gg*.
4. 12. *und meistens* solte *G*.　　5. sines *DG, oft wo es für den vers unbequem
oder unrichtig ist.*　　6. iungeren *G*.　　unehaîl *g*.　　8. als] Der *Ggg*.　　ir
fehlt D.　　10. hatz *g*, hat iz *D*, hat ez *G*.　　alter *DG*, elter *die übrigen*.
11. Ez *Gg*.　　17. Chunge *G*, kuonige *D*.　　20. Unze *G immer*.　　elter *D*.
21. frômdiu *g*.　　23. Gagmuret *D*, Gamuret *dg*.　　26. sceptrum und die *D*.
27. chunchlicher *g*.　　30. grozer *G*.
6, 1. Behielt *G*.　　2. alter *Gddg*.　suon *D*.　　3. uz dem *G*, uz sinem *die übri-
gen*.　　4. quamen *D*.　al geliche *G*.　　8. wart *G*.　　9. = Dazse alle ir
lehen enphiengen *Ggg*.　　enpfingen *D*.　　10. geviengen *g*, gevingen *D*.
13. chargen *G*.　　erntslicher *D*, ernstlichen *G*.　　11. gahmuret *G*.　　17. iht
G.　gar *fehlt g*.　　19. hant gemèlde *Ddg*, Hant gemahele *Gg*, Hant gemæ-
hel *g*.　　moht *G*.　　20. muose *DG*.　　25. Wan nnet *G*.　　26. Anscivin *D*,
antschevin *G*.　　27. Anscowe *D*, Antschouwe *G*.　　28. bede *G*.

Sus sprach der künec hêr.
'min bruoder der mac sich mêr
7 der stæten hilfe an mich versehen,
denne ich sô gâhes welle jehen.
er sol mîn ingesinde sîn.
deiswâr ich tuon in allen schîn
5 daz uns beide ein muoter truoc.
er hât wênc, und ich genuoc:
daz sol im teilen sô mîn hant,
dês mîn sælde niht sî pfant
vor dem der gît unde nimt:
10 ûf reht in bêder der gezimt.'
dô die fürsten rîche
vernâmen al gelîche
daz ir hêrre triuwen phlac,
daz was in ein lieber tac.
15 ieslîcher im sunder neic.
Gahmuret niht langer sweic
der volge, als im sîn herze jach:
zem künge er güetlîchen sprach
'hêrre unde bruoder mîn,
20 wolt ich ingesinde sîn
iwer oder decheines man,
sô het ich mîn gemach getân.
nu prüevet dar nâch mînen prîs
(ir sît getriuwe unde wîs),
25 und rât als ez geziehe nuo:
dâ grîfet helflîche zuo.
niht wan harnasch ich hân:
het ich dar inne mêr getân,
daz virrec lop mir bræhte,
etswâ man mîn gedæhte.'
8   Gahmuret sprach ave sân
'sehzehen knappen ich hân,
der sehse von îser sint.
dar zuo gebt mir vier kint,

5 mit guoter zuht, von hôher art.
vor den wirt nimmer niht gespart,
des ie bejagen mac mîn hant.
ich wil kêren in diu lant.
ich hân ouch ê ein teil gevarn.
10 ob mich gelücke wil bewarn,
so erwirbe ich guotes wîbes gruoz.
ob ich ir dar nâch dienen muoz,
und ob ich des wirdec bin,
sô rætet mir mîn bester sin
15 daz ichs mit rehten triwen phlege.
got wîse mich der sælden wege.
wir fuoren geselleclîche
(dennoch het iwer rîche
unser vater Gandîn),
20 manegen kumberlîchen pîn
wir bêde dolten umbe liep.
ir wâret ritter unde diep,
ir kundet dienen unde heln:
wan kunde ouch ich nu minne stein
25 ôwê wan het ich iwer kunst
und anderhalp die wâren gunst!'
der künec siufte unde sprach
'ôwê daz ich dich ie gesach,
sît du mit schimphlîchen siten
mîn ganzez herze hâst versniten,
9 unt tuost op wir uns scheiden.
mîn vater hât uns beiden
Gelâzen guotes harte vil:
des stôze ich dir gelîchiu zil.
5 ich bin dir herzenlîchen holt.
lieht gesteine, rôtez golt,
liute, wâpen, ors, gewant,
des nim sô vil von mîner hant,
daz du nâch dînem willen varst
10 unt dîne mildekeit bewarst.

---

29. Sus] = .. o (*vom mahler* Do) D, Ouch *dd.*   hêre-mêre *alle.*   30. ohne der *d* = Sich sol min bruoder mere *Ggg.*

7, 1. helfe *Gdgg.*   2. Dane *G immer.*   4. ... swar *G.*   5. bede *G.*   6. wench *G*, wenik *D.*   8. des *d,* das *d,* daz es *G.* daz des *Dgg.*   sele *dgg.*   = iht *Ggg.*   9. gibt (*aber radiert*) *D.*   10. uof *D.*   beiden das *dd,* beider (*ohne der*) *G.*   14. diz *D.*   ein vil *Ggg.*   15. Iegelicher *Ggg.*   18. guotliche *D,* gŏtlichen (ŏ *immer, für* ou *uo* üe) *G.*   21. deheines *G, nie mit* ch.   22. hete *G.*   23. nu *D,* So *dd* = *fehlt Ggg.*   = Dar nach pruovet *G.*   24. getriw *G.*   25. und *Ddd.* = Nu *Ggg.*   ratet *DG.*   iz *D.*   nu *G immer.*   26. helfechliche *G.*

8, 1. Gahmuoreth *D.*   ave *D,* aber *die übrigen.*   2. Sehtzehen *G.*   3. = Sehse der *Gg,* Sehse die *gg.*   yser *G.*   5. = An *Ggg.* von] an *D.*   8. chern *G.* 12. ir *DG, fehlt den übrigen.*   14. rêtet *D,* ratet *G.*   15. ihes *G.*   17. gesellchliche *G so meistens.*   20. = Vil mangen *Ggg.*   21. 22. lîp-dîp. *D.* 22. riter *G. immer.*   23. dinen *D.*   27. sufte *G,* suofzete *D.*   29. duo *D.* schimflichen *D.*

9, 3. Gelazen *D,* Gegeben *dd* = Verlazen *Ggg.*   6. lîht *D.*   10. miltecheit *G.*

dîn manheit ist ûz erkorn:
wærstu von Gylstram geborn
oder komen her von Ranculat,
ich hete dich immer an der stat
15 als ich dich sus vil gerne hân.
du bist mîn bruoder sunder wân.'
'hêrre, ir lobt mich umbe nôt,
sît ez iwer zuht gebôt.
dar nâch tuot iwer helfe schîn.
20 welt ir und diu muoter mîn
mir teilen iwer varnde habe,
sô stîge ich ûf und ninder abe.
mîn herze iedoch nâch hœhe strebet:
ine weiz war umbez alsus lebet,
25 daz mir swillet sus mîn winster brust.
ôwê war jaget mich mîn gelust?
ich solz versuochen, ob ich mac.
nu nâhet mîn urloubes tac.'
　Der künec in·alles werte,
mêr denne er selbe gerte;
10 fünf ors erwelt und erkant,
de besten über al sîn lant,
küene, starc, niht ze laz;
manec tiwer goltvaz,
5 und mangen guldînen klôz.
den künec wênec des verdrôz,
er enfultes im vier soumschrîn:
gesteines muose ouch vil dar în.
dô si gefüllet lâgen,
10 knappen, die des pflâgen,
wârn wol gekleidet und geriten.
dane wart jâmer niht vermiten,
do er für sîne muoter gienc
und si in sô vaste zuo ir vienc.
15 'fil li roy Gandîn,
wilt du niht langer bî mir sîn?'
sprach daz wîplîche wîp.

'ôwê nu truoc dich doch mîn lîp:
du bist och Gandînes kint.
20 ist got an sîner helfe blint,
oder ist er dran betoubet,
daz er mir niht geloubet?
sol ich nu niwen kumber haben?
ich hân mîns herzen kraft begraben,
25 die süeze mîner ougen:
wil er mich fürbaz rouben,
und ist doch ein rihtære,
sô liuget mir daz mære
als man von sîner helfe saget,
sît er an mir ist sus verzaget.'
11　Dô sprach der junge Anschevîn
'got trœste iuch, frowe, des vater mîn:
den suln wir beidiu gerne klagen.
iu enmac nieman von mir gesagen
5 deheiniu klagelîchiu leit.
ich var durch mîne werdekeit
nâh ritterschaft in fremdiu lant.
frouwe, ez ist mir sus gewant.'
　dô sprach diu küneginne
10 'sît du nâch hôher minne
wendest dienest unde muot,
lieber sun, lâ dir mîn guot
ûf die vart niht versmâhen.
heiz von mir enpfâhen
15 dîne kamerære
vier soumschrîn swære:
dâ ligent inne phelle breit,
ganze, die man nie versneit,
und manec tiwer samît.
20 süezer man, lâ mich die zît
hœren, wenn du wider kumest:
an mînen fröuden du mir frumest.'
　'frouwe, des enweiz ich niht,
in welhem lande man mich siht:

11. ist *Dgg*, diu ist *G*, dir ist *dd*. *oder* Gilstram *Dgg*, glistram *Gddg*. 12. Warstu *G*, werestu *D*.　　Gylstram dich imer *G*. 13. Oder her chomen *Gg*. 14. het umbe not *Ddd* = ungenot *Gg*, sunder not *gg*. 17. lobt] kriegent *dd*. 18. iz *D*. 27. Ich sol ez verschuochen obe ih mach *G*. 29. alles] do *G*.

10, 1. fiunf *D*, Vunf *G*. 2. Diu *G*. 4. manch tiure *G meistens*. 5. und fehlt *G*, vil *gg*. 6. wênec] = lutzel *Ggg*. 7. es *fehlt allen aufser DG*. 8. ouch *fehlt G*. 9. Do die gefollet *G*. 10. des] der *G*. 11. waren *DG meistens*.　　gechleit *G*. 12. da ne *D*, Da *dg*, Al da *Ggg*. 14. = Vil nahen sin zuo zir *Ggg*.　　viench *Ddg*, geviench *Ggg*. 15. Fil li roys *g*, Filliroys *G*, Fili roys *gg*, Filluroy *D*, Frue min *d*. 16. wil du *G*. 19. gandins *D*. 21. drane *G*. 24. = Mines herzen chraft han ich begraben *Ggg*. 25. di *D*, das *d* = Unt die *Ggg*.　　suoze *DG*. 29. = Daz *Ggg*.

11, 1. Ansoïuïn *D*. 2. trôste *D*. 4. 5. Iu nemach niemen niht gesagen. Von mir dehein chlægelich leit *G*. 4. niman *D*. 6. dur *G*. 7. Dur *G*. fromdiu *G immer*. 8. frowe ez ist sus bewant *D*. 11. 29. dinest *D*, dienst *G*. 15. dinen *dgg*. 17. Dar inne ligent *Ggg*. 18. Ganz *Ggg*. 21. wenne *D*, wene *G meistens*. 23. neweiz *G*.

25 wan swar ich von iu kêre,
ir habt nâch ritters êre
iwer werdekeit an mir getân.
och hât mich der künic lân
als im mîn dienest danken sol.
12 ich getrûwe iu des vil wol,
daz ir in deste werder hât,
swie halt mir mîn dinc ergât.'
    Als uns diu âventiure saget,
dô het der helt unverzaget
5 enpfangen durch liebe kraft
unt durch wîplîch geselleschaft
kleinœtes tûsent marke wert.
swâ noch ein jude pfandes gert,
er möhtz derfür enphâhen:
10 ez endorft im niht versmâhen.
daz sande im ein sîn friundin.
an sînem dienste lac gewin,
der wîbe minne und ir gruoz:
doch wart im selten kumbers buoz.
15 urloup nam der wîgant.
muoter, bruoder, noch des lant
sîn ouge nimmer mêr erkôs;
dar an doch maneger vil verlôs.
der sich hete an im erkant,
20 ê daz er wære dan gewant,
mit deheiner slahte günste zil,
den wart von im gedanket vil.
es dûhte in mêre denne genuoc:
durch sîne zuht er nie gewuoc
25 daz siz tæten umbe reht.
sîn muot was ebener denne sleht.
swer selbe sagt wie wert er sî,
da ist lîhte ein ungeloube bî:
es solten de umbesæzen jehen,
und ouch die hêten gesehen

13 sîniu werc da er fremde wære:
sô geloupte man dez mære.
    Gahmuret der site phlac,
den rehtiu mâze widerwac,
5 und ander schanze enkeine.
sîn rüemen daz was kleine,
grôz êre er lîdenlîchen leit,
der lôse wille in gar vermeit.
doch wânde der gefüege,
10 daz niemen krône trüege,
künec, keiser, keiserîn,
des messenîe er wolde sîn,
wan eines der die hœhsten hant
trüege ûf erde übr elliu lant.
15 der wille in sînem herzen lac.
im wart gesagt, ze Baldac
wære ein sô gewaltic man,
daz im der erde untertân
diu zwei teil wæren oder mêr.
20 sîn name heidensch was sô hêr
daz man in hiez den bâruc.
er hete an krefte alsolhen zuc,
vil künege wâren sîne man,
mit krôntem lîbe undertân.
25 dez bâruc-ambet hiute stêt.
seht wie man kristen ê begêt
ze Rôme, als uns der touf vergiht.
heidensch orden man dort siht:
ze Baldac nement se ir bâbestreht
(daz dunket se âne krümbe sleht),
14 der bâruc in für sünde
gît wandels urkünde.
    Zwên bruoder von Babilôn,
Pompeius und Ipomidôn,
5 den nam der bâruc Ninivê
(daz was al ir vordern ê):

---

27. began *G.*   30. Och wil ich iu getruwen wol *G.*   getruowe *D.*
12, 2. swi ioch mir *D.*   5. dur *G.*   6. dur *D.*   7. chleinôtes *D.* Chleinodes *G.*
9. mohtez *DG.*   10. Ez dorfte *G.*   11. friudin *D.*   14. des *G.*   20. ware
dane *G.*   21. gunstes *G,* gundes *g.*   22. Dem *Ggg.*   gedancht *G.*
23. duohte *D.*   me dane *G.*   gnuoc *D.*   24. Dur *G.*   niht *G.*   26. ébe-
ner *D.*   27. wi werd *D.*   29. ez *D.*   die *DG.*   umbesezen *D.*
13, 1. fromde *auch D, aber von der ersten hand* e *aus* o *gemacht.*   2. geloubte
G.   man des *d,* manz *D,* man daz *die übrigen.*   3. Gahmuoret *D.*
5. tschanze deheine *G.*   6. rûmen *D.*   7. groze *D.*   lidenliche *D,* lide-
lichen *d,* lidenlichen *g,* lidechlichen *Ggg.*   10. niman *D,* iemen *Gg.*
11. Chunge *Ggg.*   12. = Der *Ggg.*   13. niwan *D.*   eines der *Ddg,* er
(der *G*) bénamen *Ggg.*   hohesten *G immer.*   14. uber *DG.*   20. namen
heidinsch *D.*   21. den] der *D.*   barruch *G,* Baruoch *D, so auch* 14, 1. 5. 9.
22. al *Dg, fehlt den übrigen.*   zuoch *DG.*   23. sin *G.*   24. gechrontem
Gdgg.   25. Daz *alle aufser D.*   Baruoch *D,* parruch *G.*   30. Ez *Ga.*
si *DG.*   krumben *D.*
14, 2. wandeles *G.*   3. Zwene *DG immer.*   4. Ponpeirus *G.*   5. ninivé *D,*
ninve *G.*   6. vorderen *G,* voderen *g.*

si tâten wer mit kreften schîn.
dar kom der junge Anschevîn:
dem wart der bâruc vil holt.
10 jâ nam nâch dienste aldâ den solt
Gahmuret der werde man.
nu erloubt im daz er müeze hân
ander wâpen denne im Gandîn
dâ vor gap, der vater sîn.
15 der hêrre pflac mit gernden siten
ûf sîne kovertiure gesniten
anker lieht hermîn:
dâ nâch muos ouch daz ander sîn,
ûfme schilt und an der wât.
20 noch grüener denne ein smârât
was geprüevet sîn gereite gar,
und nâch dem achmardî var.
daz ist ein sîdîn lachen:
dar ûz hiez er im machen
25 wâpenroc und kursît:
ez ist bezzer denne der samît.
hermîn anker drûf genæt,
guldîniu seil dran gedræt.

sîn anker heten niht bekort
ganzes lands noch landes ort,
15 dane wârn si ninder în geslagen:
der hêrre muose fürbaz tragen
disen wâpenlîchen last
in manegiu lant, der werde gast,
5 Nâch dem anker disiu mâl,
wand er deheiner slahte twâl
hete ninder noch gebite.
wie vil er lande durchrite
und in schiffen umbefüere?
10 ob ich iu dâ nâch swüere,
sô saget iu ûf mînen eit

mîn ritterlîchiu sicherheit
als mir diu âventiure giht:
ine hân nu mêr geziuges niht.
15 diu seit, sîn manlîchiu kraft
behielt den prîs in heidenschaft,
ze Marroch unt ze Persîâ.
sîn hant bezalt ouch anderswâ,
ze Dâmasc und ze Hâlap,
20 und swâ man ritterschaft dâ gap,
ze Arâbîe und vor Arâbî,
daz er was gegenstrîtes vrî
vor ieslîchem einem man.
disen ruoft er dâ gewan.
25 sîns herzen gir nâch prîse greif:
ir aller tât vor im zesleif
und was vil nâch entnihtet.
sus was ie der berihtet,
der gein im tjostierens phlac.
man jach im des ze Baldac:
16 sîn ellen strebte sunder wanc:
von dan fuor er gein Zazamanc
in daz künecrîche.
die klageten al gelîche
5 Isenharten, der den lîp
in dienste vlôs umbe ein wîp.
des twang in Belacâne,
diu süeze valsches âne.
daz si im ir minne nie gebôt,
10 des lager nâch ir minne tôt.
Den râchen sîne mâge
offenlîche und an der lâge,
die frouwen twungen si mit her.
diu was mit ellenthafter wer,
15 dô Gahmuret kom in ir lant,
daz von Schotten Vridebrant

---

7. tæten *G.* chrefte *D.* 8. Anscivin *D.* 9. Ime *Ggg.* 10. ia *D,* Der
d = Er *Ggg.* dinste *D,* dienstæ *G.* 11. Gahmuoreth *D.* 12. nuo *D,*
fehlt G. erloubt *gg,* erloubet *DG.* 13. Gaudîn *Ddgg.* 16. choferture *G.*
17. æncher liht *D.* 18. Dar nach *G.* muose *DG.* 19. uffme *d,* uf dem
Ggg, auf den *g,* uf *g,* uof sime *D.* schilte *Dgg.* 20. smarât *D.* 22. und
fehlt G. gevar *Ggg.* 24. dar zuo *D.* im *fehlt Gg.* 25. kürsit *mit* ü
gg. 26. ez ist *Ddg,* Deist *G,* Daz ist *gg.* der *fehlt Gg.* 27. Harmin *G.*
druof *D.* 28. druf *G.* 29. Sine anchere *D.* 30. landes *die meisten.*

15, 4. fromdiu *G.* 8. dur rite *G.* 9. Oder *Ggg.* scheffen *G.* 10. dar
nach *G.* 11. 15. sait *D.* 13. iehet *G.* 14. Ich *G.* 17. maroch *G.*
persya *D.* 19. Ze tomasch *G.* 21. unt ze *Ggg.* 22. gein strite *Gg.*
23. Von *Gg.* iegeslichem *G,* iegelichem *dg,* ieslich *D.* einen *G.* 28. süs
D. = war *G,* wart *gg.* 29. tiustirens *D,* tiostierns *G.*

16, 1. strebte] wære *G.* 2. von *fehlt G.* Danen *G.* er] ein *D.* 3. chu-
necheriche *D* (*aber* 15, 18 *und* 16, 3. 4 indaz-clageten *ist mit blässerer tinte
nachgetragen: mit algeliche fängt die zweite hand an*). 5. Ysenh. *G.*
6. dineste *D.* flosz *d,* verlos *die übrigen.* 7. dez *D.* 9. im niht ir minne
bot *G.* 10. ir Minnen *G.* 12. Offlich *g.* 13. twngen *D, oft so.*
15. quam *D.* 16. = Daz ir *Ggg.* schoten *G,* chsotten *D.*

2*

mit schiffes her verbrande,
ê daz er dannen wande.
nu hœrt wie unser rîter var.
20 daz mer warf in mit sturme dar,
sô daz er kûme iedoch genas.
gein der küngîn palas
kom er gesigelt in die habe:
dâ wart er vil geschouwet abe.
25 dô saher ûz an dez velt.
dâ was geslagen manec gezelt
al umb die stat wan gein dem mer:
dâ lâgn zwei kreftigiu her.
dô hiez er vrâgn der mære,
wes diu burc wære;
17 wan err künde nie gewan,
noch dehein sîn schifman.
si tæten sînen boten kunt,
ez wære Pâtelamunt.
5 daz wart im minneclîche enboten.
si manten in bî ir goten
daz er in hulfe: es wære in nôt,
si rungen niht wan umben tôt.
dô der junge Anschevîn
10 vernam ir kumberlîchen pîn,
er bôt sîn dienest umbe guot,
als noch vil dicke ein rîter tuot,
oder daz sim sageten umbe waz
er solte doln der vînde haz.
15 Dô sprach ûz einem munde
der sieche unt der gesunde,
daz im wær al gemeine
ir golt und ir gesteine;
des solter alles hêrre wesen,
20 und er möhte wol bî in genesen.
doch bedorfter wênec soldes:

von Arâbîe des goldes
heter manegen knollen brâht.
liute vinster sô diu naht
25 wârn alle die von Zazamanc:
bî den dûht in diu wîle lanc.
doch hiez er herberge nemen:
des moht och si vil wol gezemen,
daz se im die besten gâben.
die frouwen dennoch lâgen
18 zen venstern unde sâhen dar:
si næmen des vil rehte war,
sîne knappen und sîn harnas,
wie daz gefeitieret was.
5 dô truoc der helt milte
ûf einem hermîn schilte
ine weiz wie manegen zobelbalc:
der küneginne marschalc
hetez für einen anker grôz.
10 ze sehen in wênic dar verdrôz.
dô muosen sîniu ouge jehen
daz er hêt ê gesehen
disen ritter oder sînen schîn.
daz muost ze Alexandrîe sîn,
15 dô der bâruc dervor lac:
sînen prîs dâ niemen widerwac.
Sus fuor der muotes rîche
in die stat behagenlîche.
zehen soumær hiez er vazzen:
20 die zogeten hin die gazzen.
dâ riten zweinzec knappen nâch.
sîn bovel man dort vor ersach:
garzûne, koche unde ir knaben
heten sich hin für erhaben.
25 stolz was sîn gesinde:
zwelf wol geborner kinde

1ꜱ. danen *G meistens.*   22. kuneginne *die meisten.*   23. geseglt *g,* gesegelt *dgg.*
24. da wart her vil bescouwet abe *D.*   25. anz *D,* an daz *die übrigen.*
26. zelt *D.*   27. alumbe *DG.*   wan (*fehlt d*) gein dem *Dd =* unze an daz
Ggg.   28. do *D.*   = lach ein chreftigez her *Ggg.*   lagen *Dd.*   29. heiz
D.   fragen *G,* wragen *D.*

17,   1. 2 = *fehlen Dd.*   1. err] er *g,* ir *Gg,* er ir *gg.*   2. Noch *gg,* Er noch *yg,*
Weder er noch *G.*   schefman *G.*   3. taten *alle aufser DG.*   4. = Si
hieze *Ggg.*   5. inneclichen *D,* minnchlihe *G.*   6. Und *Gg.*   7. es *G,* des
die übrigen.   9. antschevin *G,* Anscivin *D.*   12. Als och noch ein *G.*
13. seiten *G.*   14. dulten *Gg.*   vıende *D immer.*   17. wære *G,* ware *D.*
20. und *fehlt Ggg.*   21. = lutzel *Ggg.*   22. arabi *g.*

18,   1. zen *Dgg,* In den *Ggg,* An den *d.*   2. nemen *D,* namen *die übrigen.*
och des *Ggg.*   vil *fehlt Gg.*   3. harnasc *D,* harnasch *die meisten.*   4. ge-
fettirt waz *D.*   6. herminen *g,* herminem *die meisten.*   7. Ichne *G.*   zobe-
les palc *Gg.*   10. Zesehene *G.*   = lutzel *Ggg.*   dar *Dgg,* des *Gdgg.*
v̊rdroz *D.*   11. Im *Ggg.*   ogen *G.*   12. het e *G,* hete *Dgg,* do vor
hette *d.*   14. muose *G,* muse *D.*   15. Da der barruch vor lach *Gg.*   18. be-
hanliche *G.*   19. soumere *D,* soumære *G.*   20. zogetin hin *D.*   21. Den
Gg.   zweinzch *G,* zwenzich *D.*   22. Sinen *g,* Sinenen *G.*   24. hetin sih *D.*

dâ hinden nâch den knappen riten,
an guoter zuht, mit süezen siten.
etslîcher was ein Sarrazîn.
dar nâch muos ouch getrecket sîn
19 aht ors mit zindâle
verdecket al zemâle.
daz niunde sînen satel truoc:
ein schilt, des ich ê gewuoc,
5 den fuorte ein knappe vil gemeit
derbî. nâch den selben reit
pusûner, der man och bedarf.
ein tambûrr sluog unde warf
vil hôhe sîne tambûr.
10 den hêrren nam vil untûr
dane riten floitierre bî,
und guoter videlære drî.
den was allen niht ze gâch.
selbe reit er hinden nâch,
15 unt sîn marnære
der wîse unt der mære.
  Swaz dâ was volkes inne,
Mœre und Mœrinne
was beidiu wîp unde man.
20 der hêrre schouwen began
manegen schilt zebrochen,
mit spern gar durchstochen:
der was dâ vil gehangen für,
an die wende und an die tür.
25 si heten jâmer unde guft.
in diu venster gein dem luft
was gebettet mangem wunden man,
swenn er den arzât gewan,
daz er doch mohte niht genesen.
der was bî vînden gewesen.
20 sus warb ie der ungerne vlôch.

vil orse man im widerzôch,
durchstochen und verhouwen.
manege tunkele frouwen
5 sach er bêdenthalben sîn:
nâch rabens varwe was ir schîn.
sîn wirt in minneclîche enpfienc;
daz im nâch frœuden sît ergienc.
daz was ein ellens rîcher man:
10 mit sîner hant het er getân
manegen stich unde slac,
wand er einer porten phlac.
bî dem er manegen rîter vant,
die ir hende hiengen in diu bant,
15 unt den ir houbet schrunden.
die heten sölhe wunden,
daz si doch tâten rîterschaft:
si heten lâzen niht ir kraft.
  Der burcgrâve von der stat
20 sînen gast dô minneclîchen bat
daz er niht verbære
al daz sîn wille wære
über sîn guot und über den lîp.
er fuorte in dâ er vant sîn wîp,
25 diu Gahmureten kuste,
des in doch wênc geluste.
dar nâch fuor er enbîzen sân.
dô diz alsus was getân,
der marschalc fuor von im zehant
alda er die küneginne vant,
21 und iesch vil grôziu botenbrôt.
er sprach 'frouwe, unser nôt
ist mit frouden zergangen,
den wir hie haben enphangen,
5 daz ist ein rîter sô getân,
daz wir ze vlêhen immer hân

27. do *D*, Die *g*. 28. An ganzer *G*. 29. Etelicher *G*. waz *D*.
30. muose *DG*. ouch] er *G*. getrechet *D*, gestrecket *d*, gedechet *gg*,
gepruovet *G*, bereitet *gg*.
19, 1. von *G*. zendale *Ggg*. 4. Einen *Ggg*. ich *fehlt D*. 5. den *fehlt G*.
chnape *G oft*. 6. der *D*, Dar *dg*, Da *Ggg*. bi nach *Dgg*, nach bi *dg*, hin-
den nach *G*. = dem selben *Ggg*. 7. busuner *d*, busunære *Gg*, bosuner *g*,
pusonr *D*. noch *D*. 8. tamburr *D*, tamburre *g*, tambuorer *g*. tambur *Gd*.
9. vil *fehlt D*. sinen *Ggg*. 11. Da *Ggg*. ritten *D*. floitirre *D*, floi-
tierære *Gg*, floytere *g*. 12. guoter *Ddg*, walscher *G*, welhscher *gg*. 18. mœre
Dg, Moure *g*, Moren *g*, Mœren *d*, Mor *Gg*. Morinne *Gg*. 19. wib *G*.
21. zerbrochen *G*. 22. dur stochen *G*. 27. gebetet *G*. manegen *D*.
28. Swener *G*.
20, 3. Durh stochen *G*. 6. rabenes *G*, raben *gg*. 7. 8. enphie-ergie *G*.
8. zefrouden *Ggg*. 9. = Der *gg*, Er *G*. 12. borte *G*. 13. Bi der er *G*.
14. Die die arme *Ggg*. 15. den ir] diu *G*, den die *g*. schrunden] waren
verbunden *alle*. 18. heten *Ddgg*, hete *Ggg*. 19. burgrave *G*. 24. er
fuorten da *D*. 26. wench *G*, wenech *Ddgg*, lutzel *gg*. = luste *Ggg*.
28. alsus was *Dd*, was alsus *gg*, allez was *Ggg*. 29. = reit *Ggg*. 30. al
Dgg, *fehlt Gdgg*.
21, 1. Er *Ggg*. 2. 3. Frouwe nu ist unser not. Mit frouden zergangen *Ggg*.
6. = zedanchene *Ggg*.

unsern goten, die in uns brâhten,
daz si des ie gedâhten.'
'nu sage mir ûf die triwe dîn,
10 wer der ritter müge sîn.'
'frouwe, ez ist ein degen fier,
des bâruckes soldier,
ein Anschevîn von hôher art.
âvoy wie wênic wirt gespart
15 sîn lîp, swâ man in læzet an!
wie rehter dar unde dan
entwîchet unde kêret!
die vînde er schaden lêret.
Ich sach in strîten schône,
20 dâ die Babylône
Alexandrîe lœsen solten,
unde dô si dannen wolten
den bâruc trîben mit gewalt.
waz ir dâ nider wart gevalt
25 an der schumphentiure!
da begienc der gehiure
mit sîme lîbe sölhe tât,
sine heten vliehens keinen rât.
dar zuo hôrt i'n nennen,
man solt in wol erkennen,
22 daz er den prîs übr mänegiu lant
hete al ein zuo sîner hant.'
'nu sih et wenne oder we,
und füeg daz er mich spreche hie.
5 wir hân doch fride al disen tac;
dâ von der helt wol rîten mac
her ûf ze mir: od sol ich dar?
er ist anders denne wir gevar:
ôwî wan tæte im daz niht wê!
10 daz het ich gerne erfunden ê:

op mirz die mîne rieten,
ich solt im êre bieten.
geruochet er mir nâhen,
wie sol ich in enphâhen?
15 ist er mir dar zuo wol geborn,
daz mîn kus niht sî verlorn?'
'frowe, erst für küneges künne erkant:
des sî mîn lîp genennet phant.
Frowe, ich wil iwern fürsten sagn,
20 daz si rîchiu kleider tragn,
und daz si vor iu bîten
unz daz wir zuo ziu rîten.
daz saget ir iweren frouwen gar.
wan swenne ich nu hin nider var,
25 sô bring ich iu den werden gast,
dem süezer tugende nie gebrast.'
harte wênic des verdarp:
vil behendeclîchen warp
der marschalc sîner frouwen bete.
balde wart dô Gahmurete
23 rîchiu kleider dar getragen:
diu leiter an. sus hôrt ich sagen,
daz diu tiwer wæren
anker die swæren
5 von arâbischem golde
wârn drûfe alser wolde.
dô saz der minnen geltes lôn
ûf ein ors, daz ein Babylôn
gein im durh tjostieren reit:
10 den stach er drabe, daz was dem leit.
op sîn wirt iht mit im var?
er' und sîne rîter gar.
jâ deiswâr, si sint es frô.
si riten mit ein ander dô

7. 8. Unseren goten dies gedahten. Daz sin uns her brahten *G.*   11. er ist *Dg.*
degenfier *D.*   phier *G.*   12. parruches *G.*   13. antschevin *G,* Anscivin *D.*
14. = lutzel *Ggg.*   15. læzet *Dg,* lazet *Gdgg.*   20. Al da *Gg.*   die] bi *D.*
22. Unt *G.*   23. barruch *G.*   25: tschunfenture *G.*   26. begie *G.*   27. sinem
G immer.   28. ne *fehlt D.*   decheinen *D,* deheinen *G.*   29. i'n] ich *g,* ih
in *G,* ich in *die übrigen.*   neven *G.*   30. solt in *dgg,* solte *D,* moht in *Ggg.*

22, 1. uber *alle.* den pris zesiner hant. Hat al eine uber mangiu lant *G.*   2. al
eine *D.*   3. oder] unde *G.*   4. und *fehlt Gg.*   fuog *g,* fuege *die übrigen.*
spreche *Ggg,* sprach *d,* gespreche *Dg,* bespreche *g.*   5. haben doch frid *D.*
al *Dg,* allen *dgg, fehlt Gg.*   disen *fehlt d.*   7. odr *D,* oder *die übrigen.*
8. andrs *D* (*die dritte hand setzt sehr oft* dr tr br dn tn bn mn gn hn *und der-*
gleichen, welches ich behalte wo es das lesen erleichtert und nicht gegen den
vers ist).   9. Owe *Ggg.*   12. im er bîeten *D.*   13. geruchet *D,* Gerucket *g.*
16. iht *Ggg.*   17. Frouwe er ist *D.*   21. = Unde hie vor *Ggg.*   22. Biz
daz *Ggg.*   ziu *fehlt Gg.*   23. ir *D, fehlt d* = och *Ggg.*   24. nidr *D.*
26. ganzer *G.*   27. Dar an och (doch *g*) lutzel des verdarp *Gg,* Der rede
lützel [do] verdarp *gg.*

23, 2. an alsus *D.*   4. acher *D.*   5. arabenschem *G.*   6. Lagen *Ggg.*
9. dur *G.*   tivstiren *D.*   10. drab *G.*   dem *DG,* im *die übrigen.*   11. iht
mit im *Dg,* mit im iht *die übrigen.*   12. Ia er *G.*   13. Die warens alge-
liche fro *G.*   14. ritten *D zuweilen.*   andr *D.*

15 und erbeizten vor dem palas,
dâ manec rîter ûffe was:
die muosen wol gekleidet sîn.
sîniu kinder liefen vor im în,
Ie zwei ein ander an der hant.
20 ir hêrre manege frouwen vant,
gekleidet wünneclîche.
der küneginne rîche
ir ougen fuogten hôhen pîn,
dô si gesach den Anschevîn.
25 der was sô minneclîche gevar,
daz er entslôz ir herze gar,
ez wære ir liep oder leit:
daz beslôz dâ vor ir wîpheit.
　ein wênc si gein im dô trat,
　ir gast si sich küssen bat.
24 si nam in selbe mit der hant:
gein den vînden an die want
sâzen se in diu venster wît
ûf ein kultr gesteppet samît,
5 dar undr ein weichez pette lac.
ist iht liehters denne der tac,
dem glîchet niht diu künegin.
si hete wîplîchen sin,
und was abr anders rîterlîch,
10 der touwegen rôsen ungelîch.
nâch swarzer varwe was ir schîn,
ir krône ein liehter rubîn:
ir houbet man derdurch wol sach.
diu wirtîn zir gaste sprach,
15 daz ir liep wær sîn komn.
'hêrre, ich hân von iu vernomn
vil rîterlîcher werdekeit.
durch iwer zuht lât iu niht leit,

ob i'u mînen kumber klage,
20 den ich nâhe im herzen trage.'
'Mîn helfe iuch, frowe, niht irret.
swaz iu war od wirret,
swâ daz wenden sol mîn hant,
diu sî ze dienste dar benant.
25 ich pin niht wan einec man:
swer iu tuot od hât getân,
dâ biut ich gegen mînen schilt:
die vînde wênec des bevilt.'
　mit zühten sprach ein fürste sân:
'heten wir einen houbetman,
25 wir solden vînde wênic sparn,
sît Vridebrant ist hin gevarn.
der lœset dort sîn eigen lant.
ein künec, heizet Hernant,
3 den er durh Herlinde sluoc,
des mâge tuont im leit genuoc:
sine wellent si's niht mâzen.
er hât hie helde lâzen;
den herzogen Hiutegêr,
10 des rîtertât uns manegiu sêr
frumt, und sîn geselleschaft:
ir strît hât kunst unde kraft.
sô hât hie mangen soldier
von Normandîe Gaschier,
15 der wîse degen hêre.
noch hât hie rîter mêre
Kaylet von Hoskurast,
manegen zornigen gast.
die bræhten alle in diz lant
20 der Schotten künec Vridebrant
und sînre genôze viere
mit mangem soldiere.

---

16. ûf *D.*　　21. wunchliche *G.*　　23. fuogeten *G.* = grozen *Ggg.*　　24. Anscivin *D.*　　25. sô *fehlt D.*　　minnchlich *G.*　　27. odr *D,* ode *g.*　　29. wenech *D.* = sim engegene trat *Ggg,* sie do gegen im trat *gg.*
24, 1. Unde *Ggg.*　　selbe *fehlt G.*　　bi *Ggg.*　　4. einen *alle.*　　kulter *Ddgg,* gulter *Gg.*　　gesteppet *D,* gesteppfet mit *d* = von *Ggg.*　　sæmit *g.*　　5. bete *G immer.*　　6. liehter dane *G.*　　7. gelichet *D,* gelichte *G.*　　8. hete *D,* het *g,* het doch *d,* hete aber *Ggg,* het aver *g.*　　9. abr *Dd,* ouch *dgg, fehlt G.*　　10. touwigen *D.*　　12. liehtr *D.*　　13. dr durch *D,* da durch *Gg,* dar durch *dgg]* wol *fehlt D.*　　15. wære liep *G.*　　wer *gg,* wære *D.*　　18. lat iu niht] *so dg (aber* 19. Vor abe ich *d,* Sein. das ich *g),* sî iu niht *Ggg,* lat iu niht wesen (sin *g) Dg.*　　19. i'u] ich *d,* ich iu *die übrigen.*　　20. nahen *Ggg, fehlt gg.*　　im] in minem *Dgg,* an minem *d,* minem *Gg.*　　21. iwch *D.* frouwe *Ddg,* des *Ggg.*　　22. 26. odr *D,* oder *die übrigen.*　　24. bewant *G.*　　25. bin *G.*　　einech *D,* zenich *g,* ein einch *Gdgg.*　　27. Da engegene biut ich *Gg.*　　gein *D.*　　30. Hiet *g.*
25, 4. der hiez *Gg.*　　7. welent *G.*　　sihes *D.*　　9. Hûteger *D,* hittiger *d,* huteger *G,* Huotger *g,* hutteger *g,* hutiger *g,* hüttiger *g.*　　10. riter tat *D,* ritter det *d,* riters tat *Ggg,* ritter tuont *gg.*　　manch *G.*　　11. Frumet *G.*　　14. Gascier *D,* cascier *d* = gatschier *Ggg.*　　16. Och *Ggg.*　　17. Kailet *G.*　　hoscurast *Gd,* hoschurast *gg.*　　18. = Vil mangen *Ggg.*　　19. bræhten *D,* brochtent *d* = braht *Ggg.*　　dizze *D.*　　20. der Scoten *D,* Der schoten *(so immer) G.*　　21. sine *g,* siner *die übrigen.*　　gnoze *D.*

Westerhalp dort an dem mer
dâ lît Isenhartes her
25 mit fliezenden ougen.
offenlîch noch tougen
gesach si nimmer mêr kein man,
sine müesen jâmers wunder hân
(ir herzen regen die güsse warp),
sît an der tjost ir hêrre starp.
26 der gast zer wirtinne
sprach mit ritters sinne
'saget mir, ob irs ruochet,
durh waz man iuch sô suochet
5 zornlîche mit gewalt.
ir habet sô manegen degen balt:
mich müet daz si sint verladen
mit vînde hazze nâch ir schaden.'
'daz sage i'u, hêrre, sît irs gert.
10 mir diende ein ritter, der was wert.
sîn lîp was tugende ein bernde rîs.
der helt was küene unde wîs,
der triwe ein reht beklibeniu fruht:
sîn zuht wac für alle zuht.
15 er was noch kiuscher denne ein wîp:
vrecheit und ellen truoc sin lîp,
sone gewuohs an ritter milter hant
vor im nie über elliu lant
(ine weiz waz nâch uns süle geschehen:
20 des lâzen ander liute jehen):
er was gein valscher fuore ein tôr,
in swarzer varwe als ich ein Môr.
sîn vater hiez Tankanîs,
ein künec: der het och hôhen prîs.
25 Mîn friunt der hiez Isenhart.
mîn wîpheit was unbewart,

dô ich sîn dienst nâch minne enphienc,
deiz im nâch fröuden niht ergienc.
des muoz ich immer jâmer tragen.
si wænent daz i'n schüef erslagen:
27 verrâtens ich doch wênic kan,
swie mich des zîhen sîne man.
er was mir lieber danne in.
âne geziuge ich des niht bin,
5 mit den ichz sol bewæren noch:
die rehten wârheit wizzen doch
mîne gote und ouch die sîne.
er gap mir manege pîne.
nu hât mîn schamndiu wîpheit
10 sîn lôn erlenget und mîn leit.
dem helde erwarp mîn magetuom
an rîterschefte manegen ruom.
do versuocht i'n, ober kunde sîn
ein friunt. daz wart vil balde schîn.
15 er gap durh mich sîn harnas
enwec, daz als ein palas
dort stêt (daz ist ein hôch gezelt:
daz brâhten Schotten ûf diz velt).
dô daz der helt âne wart,
20 sîn lîp dô wênic wart gespart.
des lebens in dâ nâch verdrôz,
mange âventiure suohter blôz.
dô ditz alsô was,
ein fürste (Prôthizilas
25 Der hiez) mîn massenîe,
vor zageheit der vrîe,
ûz durch âventiure reit,
dâ grôz schade in niht vermeit.
zem fôrest in Azagouc
ein tjost im sterben niht erlouc,

---

23. Westerhalp dort (dor *D*) *Dd* = Dort westert halp *Ggg.*   27. sî *D.*   dehein *DG.*   28. muosen *DG.*   29. hercen regen die *D* = herzen regen in *Ggg,* herze in regen *g.*
26, 3. ruochet *Gg,* geruochet *die übrigen.*   4. dur *G.*   iwch *D.*   5. Zornchlichen *G.*   6. so *Dd* = vil *Ggg.*   9. Ich sagez iu herre *G.*   i'u] ich iu *Dg,* ich *dgg.*   10. diente *G.*   13. reht *fehlt Gg.*   bechlibendiu *G.*   15. der *D.*   noch *fehlt G.*   17. So *G,* Es *d.*   ritter] man nie *G.*   18. nie *fehlt G.*   19. Ich ne *G.*   20. andr *D.*   21. gein] vor *G,* an *g.*   22. Nach *Ggg.*   ich *Dg,* ih *G, fehlt dgg.*   23. der hiez *Gdg.*   Tanchanis *DGg, mit* k *die übrigen.*   24. der] er *G.*   25. friwnt *D.*   26. was vil *G.*   umb. *D.*   27. deiz.   28. enphie-ergie *G öfters.*   28. deiz *D,* Daz *Ggg,* Da ez *g,* Daz es *dg.*   30. i'n] ih in *DG,* ich in *die übrigen.*   schuoffe *Gg,* schuof *D und die übrigen.*
27, 1. = lutzel *Ggg.*   2. swî *D.*   miches *G.*   4. = geziuch *Ggg.*   5. ihez *G.*   6. reht *G.*   7. ouch *fehlt Ggg.*   8. gam mir *G.*   9. schamn diu *D,* schamediu *G.*   10. gelenget *g.*   unde *Ggg* = mir *d, fehlt D.*   11. magtuom *G.*   12. An riterschaft vil *G.*   13. do versuocht ich in *D und ohne* in *d* = Ih versuoht in *Ggg und ohne* in *gg.*   15. harnasc *G,* harnasch *die übrigen.*   18. scotten ûf dizze*D.*   19. des *dg.*   20. Sin manheit was vil ungespart *G.*   21. dar nach *G.*   24. = protizalas *gg,* portizalas *gg,* prozitaias *G.*   25. = Der *fehlt Ggg.*   28. da groz *D,* Der grosse *d,* Da grozzer *g,* Ein groz *g,* Ein grozer *Ggg.*   29. fôrest *mit* ô *D,* voreis *G.*   30. in *Gg.*

28 die er tet ûf einen küenen man,
der ouch sîn ende aldâ gewan.
daz was mîn friunt Isenhart.
ir ieweder innen wart
5 eins spers durh schilt und durh den lîp.
daz klag ich noch, vil armez wîp:
ir bêder tôt mich immer müet.
ûf mîner triwe jâmer blüet.
ih enwart nie wîp decheines man.'
10 Gahmureten dûhte sân,
swie si wære ein heidenin,
mit triwen wîplîcher sin
in wîbes herze nie geslouf.
ir kiusche was ein reiner touf,
15 und ouch der regen der sie begôz,
der wâc der von ir ougen flôz
ûf ir zobel und an ir brust.
riwen phlege was ir gelust,
und rehtiu jâmers lêre.
20 si seit im fürbaz mêre
'dô suohte mich von über mer
der Schotten künec mit sînem her:
der was sîns œheimes suon.
sine mohten mir niht mêr getuon
25 schaden dan mir was geschehen
an Isenharte, ich muoz es jehen.'
Diu frouwe ersiufte dicke.
durch die zäher manege blicke
si schamende gastlîchen sach
an Gahmureten: dô verjach
29 ir ougen dem herzen sân
daz er wære wol getân.
si kunde ouch liehte varwe spehen:
wan sie het och ê gesehen
5 manegen liehten heiden.

aldâ wart undr in beiden
ein vil getriulîcniu ger:
si sach dar, und er sach her.
dar nâch hiez si schenken sân:
10 getorste si, daz wære verlân.
ez müete si deiz niht beleip,
wand ez die ritter ie vertreip,
die gerne sprâchen widr diu wîp.
doch was ir lîp sîn selbes lîp:
15 ouch het er ir den muot gegebn,
sîn leben was der frouwen lebn.
dô stuont er ûf unde sprach
'frouwe, ich tuon iu ungemach.
ich kan ze lange sitzen:
20 daz tuon ich niht mit witzen.
mir ist vil dienestlîchen leit
daz iwer kumber ist sô breit.
frouwe, gebietet über mich:
swar ir welt, darst mîn gerich.
25 ich dien iu allez daz ich sol.'
si sprach 'hêr, des trûwe i'u wol.'
Der burcgrâve sîn wirt
nu vil wênic des verbirt,
ern kürze im sîne stunde.
ze vrâgen er begunde,
30 ober wolde baneken rîten:
'und schouwet wâ wir strîten,
wie unser porten sîn behuot.'
Gahmuret der degen guot
5 sprach, er wolde gerne sehen
wâ rîterschaft dâ wære geschehen.
her ab mit dem helde reit
manec rîter vil gemeit,
hie der wîse, dort der tumbe.
10 si fuorten in alumbe

28, 1. ûf einn D. 2. Sinen ende er da gewan G. 4. Ir ietwedere G. 5. eines DG meist. dur-dur lip G. 7. beider G. 8. Uf minen triwen G. 9. Ichne G. deheins G. 15. Unt der Ggg. 15. 16. regen und wach vertauscht G. 17. an] an an D, uf G. 24. Er môhte Ggg. 25. dane G, denne D. 26. des muoz ih iehen G. 27. ersufte DG. 28. Dur die zahere G. = manger Ggg.

29, 1. Iriu G. 3. ouch fehlt Ggg. 4. = wan fehlt Ggg. het och] hete D. e d, me d, fehlt D. = da vor Ggg. 5. = Vil mangen Ggg. 6. under alle, nur G von. 7. getreulichiu gg, getriulich Ddd, getriwu G. 8. Si-er Ddd = Er-si Ggg. und fehlt Gdgg. 9. schench D. 10. torste D. 11. = Si muote daz ez niht beleip Ggg. 13. sprechent d. spræchen? 'diu fehlt D. 14. ir liep Ddg. 20. daz entuon Dg. von witzzen Ggg. 23. gebiet G. 24. darst G, da ist g, das d, dar ist Ddgg. gerrich G. 25. iu gerne swaz G. 26. Si sprach Dddg, fehlt Ggg. herre DG immer in der anrede. Herre ich getrwes iu harte wol G. trwe D, getrûwe die übrigen. i'u] ich iu gg = ich Ddd. 27. burcrave G. 28. enbirt D. 29. sine Ddd = die Ggg. 30. ze fehlt G.

30, 1. panchen G. 2. und fehlt G. 3. portn D, borte G. 4. degen Ddd = helt Ggg. 8. vil fehlt G, so dd.

für sehzehen porten,
und beschieden im mit worten,
daz der decheiniu wære bespart,
sît wurde gerochen Isenhart
15 'an uns mit zorn. naht unde tac
unser strît vil nâch gelîche wac:
man beslôz ir keine sît.
uns gît vor ähte porten strît
des getriwen Isenhartes man:
20 die hânt uns schaden vil getân.
si ringent mit zorne,
die fürsten wol geborne,
des küneges man von Azagouc.'
vor ieslîcher porte flouc
25 ob küener schar ein liehter van;
ein durchstochen rîter dran,
als Isenhart den lîp verlôs:
sîn volc diu wâpen dâ nâch kôs.
'Dâ gein hân wir einen site:
dâ stille wir ir jâmer mite.
31 unser vanen sint erkant,
daz zwêne vinger ûz der hant
biutet gein dem eide,
irn geschæhe nie sô leide
5 wan sît daz Isenhart lac tôt
(mîner frouwen frumt er herzenôt),
sus stêt diu künegîn gemâl,
frou Belakâne, sunder twâl
in einen blanken samît
10 gesniten von swarzer varwe sît
daz wir diu wâpen kuren an in
(ir triwe an jâmer hât gewin):
die steckent ob den porten hôch.
vür die andern ähte uns suochet noch

15 des stolzen Fridebrandes her,
die getouften von über mer.
ieslîcher porte ein fürste phliget,
der sich strîtes ûz bewiget
mit sîner baniere.
20 wir haben Gaschiere
gevangen einen grâven abe:
der biutet uns vil grôze habe.
der ist Kayletes swester suon:
swaz uns der nu mac getuon,
25 daz muoz ie dirre gelten.
sölch gelücke kumt uns selten.
Grüenes angers lützel, sandes
wol drîzec poinder landes
ist zir gezelten vome grabn:
dâ wirt vil manec tjost erhabn.'
32 disiu mære sagt im gar sîn wirt.
'ein ritter nimmer daz verbirt,
ern kom durch tjostieren für.
op der sîn dienest dort verlür
5 an ir diu in sante her,
waz hulfe in dan sîn vrechiu ger?
daz ist der stolze Hiutegêr,
von dem mag ich wol sprechen mêr,
sît wir hie sîn besezzen,
10 daz der helt vermezzen
ie smorgens vil bereite was
vor der porte gein dem palas.
ouch ist von dem küenen man
kleinœtes vil gefüeret dan,
15 daz er durch unser schilte stach,
des man für grôze koste jach
so ez die krîgierre brâchen drabe.
er valt uns manegen rîter abe.

---

11. sehtzehen borten *G.*   12. Si besch. *D.*   13. bespart *D*, gespart *dd* = verspart *Ggg.*   14. wart *Ggg*   15. Mit zorne an uns *G.*   zorne *D.*   unde] noch *D.*   17. Man verloz *G.*   decheine *D*, deheine *G.*   18. ahte *D.* 19. Des chuonen *G.*   20. Die uns den schaden hant getan *G.*   habent *D.* 21. 22. *fehlen G.*   23. man *fehlt G.*   24. von *D (allein?)*, Obe *G.* iegeslicher *G.*   26. durstochen *G.*   27. der den *G.*   28. dar nach *G.* 29. Da engegene haben *G.*   30. stillen *Ggg.*
31, 1. = bechant *Ggg.*   2. daz] dazs?   3. Bietent *Gg.*   4. irne geschehe *D.* 6. fuoget er (*aus ez gemacht*) *G.*   herzen not *Dg.*   7. = So *Ggg.*   8. belachane *G.*   9. einen *D*, einem *die übrigen.*   11. daz] Sit *G.*   14. for *Dd.* anderen ahte *G.*   suochent *gg.*   15. = Des chuonen *Ggg.*   17. borte *G.* 20. Gasciêre *D*, katschiere *G*, gatschiere *ddqg.*   21. 22. ab-hab *D.*   22. biut *G*, biuten *D.*   23. sun *G.* sûn *D.*   24. getûn *D.*   27. lucel *Ddd* = wench *Ggg.*   28. drizch *G.*   Poindr *D*, ponder *G, so meistens.*
32, 1. seit *G.*   3. Eren chom hie dur tioste vur *G.*   tiostîren *D.*   6. dane *G*, denne *D.*   7. Huteger *D*, hûteger *G*, hueteger *g.*   10. Daz ie der *Gg.* 11. ie *fehlt Ggg.*   morgens *d* = des morgens *Ggg.*   bereit *alle aufser D.* 12. Gein der *G.*   vor dem *d*, für dem *d*, fúr den *d.*   13. wart *Ggg.* 14. cleinotes *D*, chleinodes *G*, chlaynœdes *g.*   gefuert *D.*   17. Swene ez *G.* chrigîrre *D*, kroyere *d*, schiere *d*, kirre *g*, grogiere *g*, chroierære *G*, kaphare *g.*   drab-ab *D.*

er læt sich gerne schouwen,
20 in lobent ouch unser frouwen.
swen wîp lobent, der wirt erkant,
er hât den prîs ze sîner hant,
unt sînes herzen wunne.'
dô hete diu müede sunne
25 ir liehten blic hinz ir gelesn.
des bankens muose ein ende wesn.
der gast mit sîme wirte reit,
er vant sîn ezzen al bereit.
Ich muoz iu von ir spîse sagen.
diu wart mit zühten für getragen:
33 man diende in rîterlîche.
diu küneginne rîche
kom stolzlîch für sînen tisch.
hie stuont der reiger, dort der visch.
5 si was durch daz hinz im gevarn,
si wolde selbe daz bewarn
daz man sîn pflæge wol ze frumen:
si was mit juncfrouwen kumen.
si kniete nider (daz was im leit),
10 mit ir selber hant si sneit
dem rîter sîner spîse ein teil.
diu frouwe was ir gastes geil.
dô bôt si im sîn trinken dar
und phlac sîn wol: och nam er war,
15 wie was gebærde unde ir wort.
zende an sînes tisches ort
sâzen sîne spilman,
und anderhalp sîn kappelân.
al schemende er an die frouwen sach,
20 harte blûclîcher sprach
'ichn hân mi's niht genietet,
als ir mirz, frouwe, bietet,
mîns lebens mit sölhen êren.

ob ich iuch solde lêren,
25 sô wær hînt sân an iuch gegert
eins phlegens des ich wære wert,
sone wært ir niht her ab geritn.
getar ich iuch des, frouwe, bitn,
sô lât mich in der mâze lebn.
ir habt mir êr ze vil gegebn.'
34 sine wolt och des niht lâzen,
dâ sîniu kinder sâzen,
diu bat si ezzen vaste.
diz bôt si zêrn ir gaste.
5 gar disiu junchêrrelîn
wâren holt der künegîn.
dar nâch diu frouwe niht vergaz,
si gieng och dâ der wirt saz
und des wîp diu burcrâvin.
10 den becher huop diu künegin,
si sprach 'lâ dir bevolhen sîn
unseren gast: diu êre ist dîn.
dar umbe ich iuch beidiu man.'
si nam urloup, dô gienc si dan
15 aber hin wider für ir gast.
des herze truoc ir minnen last.
daz selbe ouch ir von im geschach;
des ir herze unde ir ouge jach:
diu muosens mit ir phlihte hân.
20 mit zühten sprach diu frouwe sân
'gebietet, hêrre: swes ir gert,
daz schaf ich: wand ir sît es wert.
und lât mich iwer urloup hân.
wirt iu die guot gemach getân,
25 des vröwen wir uns über al.'
guldîn wârn ir kerzstal:
vier lieht man vor ir drûfe truoc.
si reit ouch dâ si vant genuoc.

---

19. læt *Dg*, lat *die übrigen.*　　21. bechant *Ggg.*　　22. Der *G.*　　24. Nu *Ggg.*
25. hinze ir *G immer.*　　26. banchens *D*, bankenes *G*, banechens *g*, banichen *g*,
banchen *g*, banicken *dd.*　　29. .. oh muoz iu *D.*

33, 1. im *Ggg.*　　3. stolzliche *DG.*　　5. dur daz hin abe gevaren *G.*　　6. wolt
ouch *Gy.*　　daz *fehlt G.*　　7. phlege *D.*　　wol *fehlt G.*　　8. chomen *DG.*
9. = Unde *Ggg.*　　13. do bot (huop *D*) si im *Ddd* = Si bot (boten *g*) im
(im och *G*) *Ggg.*　　16. sînes] des *G.*　　17. chapelan *G.*　　18. und *fehlt G.*
sine *Gdg.*　　spileman *G.*　　19. schæmende *D.*　　20. bluochliche er *D.*
21. ich ne *D*, Ich *G.*　　mis *D*, mich es *d*, mich sin *d* = mich *Ggg.*　　geniet
G.　　22. mir *D.*　　23. Mines *G.*　　libes *D.*　　25. wære *D*, ware *G.*
hint *dgg*, hinte *D.* hiut *Gg.*　　san *dg*, sa *Ggg*, *fehlt D.*　　26. Des *Ggg.*
27. wæret *D*, waret *G, oft gegen den vers.*　　28. Getar ich frouwe iuch des gebiten *G.*
30. er *d*, ere *Dd* = eren *Ggg.*

34, 3. = Si *gg*, Sine *G.*　　bat] = babte *G*, bæte *gg*, hiez *g.*　　siu *g.*　　4. ditze *D.*
zeren *DG.*　　7. nith *D.*　　8. gîe *D.*　　9. des] sin *G.*　　burchravin *G*, purcravin
D.　　10. Ir *Ggg.*　　pecher *D.*　　13. beide *D.*　　mane *G.*　　14. do gie si *Dg*,
Do fuor si *gg*, und gieng *dd*, unde vuor *G.*　　von dan *Gd.*　　15. hin *fehlt Ggg*,
18. Als *Ggg.*　　ougen *D.*　　19. die *D*, sú *dd.*　　21. Gebiet *G.*　　22. schaffe *G.*
gewert *ddgg.*　　23. und *fehlt G*, nu *g.*　　24. hie *fehlt Dg.*　　25. froun *G.*
26. waren *D*, wæren *G.*　　cherzestal *G.*　　27. Vil *G.*　　drûfe] uf *G.*

Sine âzen och niht langer dô.
der helt was trûric unde frô.
35 er fröute sich daz man im bôt
grôz êre: in twanc doch ander nôt.
daz was diu strenge minne:
diu neiget hôhe sinne.
5　diu wirtin fuor an ir gemach:
harte schiere daz geschach.
man bette dem helde sân:
daz wart mit vlîze getân.
der wirt sprach zem gaste
10 'nu sult ir slâfen vaste,
und ruowet hînt: des wirt iu nôt.'
der wirt den sînen daz gebôt,
si solten dannen kêren.
des gastes junchêrren,
15 der bette alumbe dez sîne lac,
ir houbet dran, wand er des pflac.
dâ stuonden kerzen harte grôz
und brunnen lieht. den helt verdrôz
daz sô lanc was diu naht.
20 in brâhte dicke in unmaht
diu swarze Mœrinne,
des landes küneginne.
er want sich dicke alsam ein wit,
daz im krachten diu lit.
25 strît und minne was sîn ger:
nu wünschet daz mans in gewer.
sîn herze gap von stôzen schal,
wand ez nâch rîterschefte swal.
Daz begunde dem recken
sîne brust bêde erstrecken,
36 sô die senwen tuot daz armbrust.
dâ was ze dræte sîn gelust.

der hêrre ân allez slâfen lac,
unz errkôs den grâwen tac:
5 der gap dennoch niht liehten schîn.
dô solt och dâ bereite sîn
zer messe ein sîn kappelân:
der sanc si got und im sân.
sîn harnasch truoc man dar ze hant:
10 er reit da er tjostieren vant.
dô saz er an der stunde
ûf ein ors, daz beidiu kunde
hurtlîchen dringen
und snelleclîchen springen.
15 bekêric swâ manz wider zôch.
sînen anker ûf dem helme hôch
man gein der porte füeren sach:
aldâ wîp unde man verjach,
sine gesæhn nie helt sô wünneclîch:
20 ir gote im solten sîn gelîch.
man fuort ouch starkiu sper dâ bî.
wie er gezimieret sî?
sîn ors von îser truoc ein dach:
daz was für slege des gemach.
25 dar ûf ein ander decke lac,
ringe, diu niht swære wac:
daz was ein grüener samît.
sîn wâpenroc, sîn kursît
was ouch ein grüenez achmardî:
daz was geworht dâ zArâbî.
37 Dar an ich liuge niemen:
sîne schiltriemen,
swaz der dar zuo gehôrte,
was ein unverblichen borte
5 mit gesteine harte tiure:
geliutert in dem fiure

29. Si *G.*　　lenger *G.*　　30. Der helt *Ggg,* der herre *Dg,* Gamiret *dd.*
wart trurech *G.*

35, 2. grôz *fehlt Ggg.*　　doch *D,* ouch *dd,* ouch ein *g,* ein *Ggg.*　　3. Daz ist *G.*
6. Dar nach vil schier daz geschach *Ggg.*　　7. betete *G.*　　9. Do sprach der
wirt *Ggg.*　　11. hinte des wir iu *D.*　　12. Den sinen er zehant gebot *G.*
13. danne *g,* von im *G.*　　15. Ir *Gg.*　　daz *alle.*　　17. stuonten *D.*
18. = Die *Ggg.*　　19. alsus *G.*　　20. ditche *G fast immer.*　　en ungemacht
D.　　21. = morinne *Ggg.*　　23—36, 2 *fehlen G.*　　23. ein *fehlt D.*
24. chracheten *D.*　　diu *D,* gar diu *gg,* alle sin *dd,* sine *g.*　　29. rechken *D.*
30. brust *Ddg,* bruste *gg.*

36, 1. Sam diu *g.*　　senwe *fast alle aufser D.*　　Arembrust *D.*　　2. zedræt *D.*
3. = sunder slaffen *Ggg.*　　4. unz errechos *D,* unzer erchos *G,* biz er kos *g.*
6. Nu *G.*　　wolt *Ggg.*　　bereite *DG.*　　8. sî *D.*　　gote *Gg.*　　9. = Man
truoch sin harnasch *Ggg.*　　dar] sa *D.*　　10. da man tiustieren *D.*　　13. hurtch-
liche *G.*　　14. snelliche *G.*　　15. Cherch *G,* Kerich *g.*　　= so *Ggg.*　　mans
widr *D.*　　17. mann?　　borte *G.*　　18. man unde wip *G.*　　19. gesæhen *D,*
gesahen *Gq,* gesehen *die übrigen.*　　20. solten im *Ggg.*　　22. Wier *G.*
23. isen *fast alle ausser DG.*　　25. Ein ander detche druffe lach *G.*　　26. swære]
ringe *G.*　　28. kúrsit *mit* ú *d.*　　29. ouch *fehlt G.*　　gruonz *G,* gruener *dd*
und (30. Der) *g.*　　30. da *Dgg, fehlt Gddg.*　　wart *Dg.*　　ze arabi *G.*

37, 3. da zuo *D.*　　6. gelutert *DG.*

was sîn bukel rôt golt.
sîn dienest nam der minnen solt:
ein scharpher strît in ringe wac.
10 diu küngîn in dem venster lac:
bî ir sâzen frouwen mêr.
nu seht, dort hielt och Hiutegêr,
aldâ im ê der prîs geschach.
do er disen rîter komen sach
15 zuo zim kalopieren hie,
dô dâhter 'wenne oder wie
kom dirre Franzois in diz lant?
wer hât den stolzen her gesant?
het ich den für einen Môr,
20 sô wær mîn bester sin ein tôr.'
    diu doch von sprungen nicht belibn,
ir ors mit sporen si bêde tribn
ûzem walap in die rabbîn.
si tâten rîters ellen schîn,
25 der tjost ein ander si niht lugen.
die sprîzen gein den lüften flugen
von des küenen Hiutegêres sper:
ouch valt in sînes strîtes wer
hinderz ors ûf dez gras.
vil ungewent er des was.
38 Er reit ûf in und trat in nider.
des erholt er sich dicke wider,
er tet werlîchen willen schîn:
doch stecket in dem arme sîn
5 diu Gahmuretes lanze.
der iesch die fîanze.
sînen meister heter funden.
'wer hât mich überwunden?'
alsô sprach der küene man.
10 der sigehafte jach dô sân
'ich pin Gahmuret Anschevîn.'
er sprach 'mîn sicherheit sî dîn.'

die enphienger unde sande in în.
des muoser vil geprîset sîn
15 von den frouwén die daz sâhen.
dort her begunde gâhen
von Normandîe Gaschier,
der ellens rîche degen fier,
der starke tjostiure.
20 hie hielt och der gehiure
Gahmuret zer anderen tjost bereit.
sîm sper was daz îser breit
unt der schaft veste.
aldâ werten die geste
25 ein ander: ungelîchez wac.
Gaschier dernider lac
mit orse mit alle
von der tjoste valle,
und wart betwungen sicherheit,
ez wære im liep oder leit.
39 Gahmuret der wîgant
sprach 'mir sichert iwer hant:
diu was bî manlîcher wer.
nu rîtet gein der Schotten her,
5 und bitet si daz si uns verbern
mit strîte, op si des wellen gern:
und wart nâch mir in die stat.'
swaz er gebôt oder bat,
endehaft ez wart getân:
10 die Schotten muosen strîten lân.
    dô kom gevaren Kaylet.
von dem kêrte Gahmuret:
wand er was sîner muomen suon:
waz solter im dô leides tuon?
15 der Spânôl rief im nâch genuoc.
ein strûz er ûf dem helme truoc:
gezimieret was der man,
als ich dâ von ze sagenne hân,

---

7. buchel *D*.   8. minne *D*.   9. scharfer *G*.   10. den vensteren *G*.
12. Huteger *DG*.   15. Zuo im gewalopiert hie *G*.   16. Nu *Gg*.   17. fran-
zoise *G*.   inz lant *D*.   21. Iedoch *Ggg*.   23. = Uz dem *Ggg*.   rabin *alle*
aufser D.   26. spriezen *Gddg*, sprizel *g*.   luftet *D*.   27. = stolzen *Ggg*.
Hutegers *DG*.   28. Doch *G*.   29. hinders ors ûfz graz *D*.
38,   2. des erholte sih *D*,   4. Do staht im in *g*.   5. Gahmurets *DG*.   6. Er *G*.
die *fehlt Dgg*.   phianze *G*.   9. Sprach der sigelose man *Ggg*.   10. sprach
alle aufser D.   11. bin *D*.   antschevin *G*, Anscivin *D*.   13. Die nam er *G*.
sande in în *G*, sanden in *D*.   17. Gascier *D*, catschier *G*.   18. Ein ellens
richer *Ggg*.   phier *G*.   19. tiostiure *D*.   20. hie heilet *D*.   och *DG*.
21. anderen *fehlt Ggg*.   22. sime *D*, Sin *dd*, Sinem *die übrigen*.   isen *alle*
aufser D.   24. Hie werten *Ggg*.   25. Ein ander. ungelich iz wach *gg*.
26. Gaschir *D*, Chatschier *G*.   der nidere gelach *G*.   28. vol der tiost *D*.
29. Wart er *Ggg*.
39,   2. sicheret *G*.   3. = mit *Ggg*.   ellenthafter *gg*, ellenthafer *G*.   4. 10. Scoten
D.   5. bittet *D*.   sî daz *Dd* = daz *Ggg*.   7. Unde chert *G*.   8. odr *D*,
unde *G*.   9. Das wart an der stat getan *dd*.   ez wart *D*, wart es *g*, ez was *gg*,
daz wart *G*.   14. mohter *G*.   15. Spânôl *Dg*, spangol *G*, spaniol *dgg*.
16. Ein *dg*, einen *DG*.   17. Gezimiert *G*.   18. Daz *Ggg*.   der von zesagene *G*.

mit phelle wît unde lanc.
20 daz gevilde nâch dem helde klanc:
sîne schellen gâbn gedœne.
er bluome an mannes schœne!
sîn varwe an schœne hielt den strît,
unz an zwên die nâch im wuohsen sît,
25 Bêâcurs Lôtes kint
und Parzivâl, die dâ niht sint:
die wâren dennoch ungeborn,
und wurden sît für schœne erkorn.
　　Gaschier in mit dem zoume nam,
'iwer wilde wirt vil zam
40 (daz sag i'u ûf die triwe mîn),
bestêt ir den Anschevîn,
Der mîne sicherheit dort hât.
ir sult merken mînen rât,
5 und dar zuo, hêrre, mîne bete.
ich hân geheizen Gahmurete
daz ich iuch alle wende:
daz lobt ich sîner hende.
durch mich lât iwer streben sîn:
10 er tuot iu kraft an strîte schîn.'
dô sprach der künec Kaylet
'ist daz mîn neve Gahmuret
fil li roy Gandîn,
mit dem lâz ich mîn strîten sîn.
15 lât mirn zoum.' 'in lâz ius niht,
ê daz mîn ouge alrêrst ersiht
iwer blôzez houbet.
daz mîne ist mir betoubet.'
den helm er im her ab dô bant.
20 Gahmuret mêr strîtes vant.
ez was wol mitter morgen dô.
die von der stat des wâren vrô,
die dise tjost ersâhen.

si begunden alle gâhen
25 an ir werlîchen letze.
er was vor in ein netze:
swaz drunder kom, daz was beslagen.
ein ander ors, sus hœre ich sagen,
dar ûf saz der werde:
daz flouc und ruorte d'erde,
41 gereht ze bêden sîten,
küen dâ man solt strîten,
Verhalden unde dræte.
waz er dar ûfe tæte?
5 des muoz ich im für ellen jehn.
er rejt da in Môren mohten sehn,
aldâ die lâgen mit ir her,
westerhalp dort an dem mer.
ein fürste Razalîc dâ hiez.
10 deheinen tac daz nimmer liez
der rîcheste von Azagouc
(sîn geslehte im des niht louc,
von küneges frühte was sîn art),
der huop sich immer dannewart
15 durh tjostieren für die stat.
aldâ tet sîner krefte mat
der helt von Anschouwe.
daz klagte ein swarziu frouwe,
diu in hete dar gesant,
20 daz in dâ iemen überwant.
ein knappe bôt al sunder bete
sîme hêrren Gahmurete
ein sper, dem was der schaft ein rôr:
dâ mite stach er den Môr
25 hinderz ors ûfen griez:
(niht langer er in ligen liez)
dâ twanc in sicherheit sîn hant.
dô was daz urliuge gelant,

---

19. In *Ggg.*　21. gaben *Dg.*　24. Ane zwene *G.*　wohsen *G*, wͦchsen *D.*
25. Beachurs *D.*　26. Parzifal *D.*　29. Gaschier *DG.*　bi *Ggg.*
40, 1. Daz nim *G.*　i'u] ich *Gd*, ich iu *die übrigen.*　vs *G.*　2. Ascevin *D.*
4. nu sult ir *Ggg.*　5. Dar zuo horet mine bete *G.*
6. Gahmuret *G.* 9. Dur *G.*　stereben *G.*　12. ist ez *D.*　13. Fil li Roys *g,*
Fillirois *G*, Fili roys *ddg*, Fillurois *g*, Filuroy *D.*　candin *G.*　15. mirn *D,*
uweren *dd* = mir den *Ggg.*　ine *Dg.*　lazes iu *G*, laz ez *ddg*, lazs *D*, lazs
uch *g*, laz iu sin *g.*　16. daz *fehlt Ggg.*　alreste *D.*　gesiht *Gg.*
19. im abe bant *G.*　20. mer *Dg*, nime *G*, niht mer *ddgg*　21. miter *G*
meistens.　24. = Die *Ggg.*　25. werlich *g*, gewarliche *G.*　28. hœre *Dg,*
horte *Gddgg.*　30. die *alle.*
41, 1. beiden *G.*　2. chuene *DG.*　solte *G*, solde *D.*　5. ich] man *G.*
6. mœre *d.*　muosen *Ggg.*　8. westerhalp dor *D*, Westerthalben *G*, Dort
westerhalp *g.*　bi *G.*　9. razalich *G*, Rasalik *D.*　10. Neheinen morgen *G.*
daz nimmer *Dg*, er nimmer *gg*, nie daz *Gg*, der nie *g.*　11. rihste *g*, rich
ist *g.*　12. geslahte *G.*　in dar an niht betrouch *Ggg.*　14. Der ьherte imer
dane wart *Ggg.*　15. Dur *G.*　gein der *D.*　16. Da *Ggg.*　maht *D.*
17. furste uz *G.*　Anscouwe *D.*　21. Ein knape der bot sunder beͭ *Gg.*
22. Gahmuret *G.*　24. Da mit stacher *G.*　25. orz *D.*　ûfen *D*, uff ein
d = uf den *Ggg*, uff daz *gg.*　27. In dwunge sich. *Ggg.* 28. lant *Dg*, verant *d.*

und im ein grôzer prîs geschehen.
　Gahmuret begunde sehen
42 aht vanen sweimen gein der stat.
　die er balde wenden bat
　Den küenen sigelôsen man.
　dar nâch gebôt er im dô sân
5 daz er kêrte nâch im în.
　daz tet er: wan ez solt et sîn.
　Gaschier sîn kumn ouch niht verbirt;
　an dem innen wart der wirt
　daz sîn gast was komen ûz.
10 daz er niht îsen als ein strûz
　und starke vlinse verslant,
　daz machte daz err niht envant.
　sîn zorn begunde limmen
　und als ein lewe brimmen.
15 dô brach er ûz sîn eigen hâr,
　er sprach 'nu sint mir mîniu jâr
　nâch grôzer tumpheit bewant.
　die gote heten mir gesant
　einen küenen werden gast:
20 ist er verladen mit strîtes last,
　sone mag ich nimmer werden wert.
　waz touc mir schilt unde swert?
　er sol mich schelten, swer mich s mane.'
　dô kêrter von den sînen dane,
25 gein der porte er vaste ruorte.
　ein knappe im widerfuorte
　ein schilt, ûzen und innen dran
　gemâlt als ein durchstochen man,
　geworht in Isenhartes lant.
　ein helm er fuorte ouch in der hant,
43 unde ein swert daz Razalîc
　durch ellen brâht in den wîc.

Dâ was er von gescheiden,
　der küene swarze heiden.
5 des lop was virrec unde wît:
　starb er âne toufen sît,
　so erkenn sich über den degen balt,
　der aller wunder hât gewalt.
　dô der burcrâve daz ersach,
10 sô rehte liebe im nie geschach.
　diu wâppen errkande,
　hin ûz der porte er rande.
　sînen gast sach er dort halden,
　den jungen, niht den alden,
15 al gernde strîteclîcher tjost.
　dô nam in Lachfilirost,
　sîn wirt, und zôch in vaste widr.
　ern stach tâ mêr decheinen nidr.
　Lachfilirost schahtelakunt
20 sprach 'hêrre, ir sult mir machen kunt,
　hât betwungen iwer hant
　Razalîgen? unser lant
　ist kamphes sicher immer mêr.
　der ist ob al den Môren hêr,
25 des getriwen Isenhartes man,
　die uns den schaden hânt getân.
　sich hât verendet unser nôt.
　ein zornic got in daz gebôt,
　dazs uns hie suohten mit ir her:
　nu ist enschumphiert ir wer.'
44 Er fuort in în: daz was im leit.
　diu küneginne im widerreit.
　sînen zoum nam si mit ir hant,
　si entstricte der fintâlen bant.
5 der wirt in muose lâzen,
　sîne knappen niht vergâzen,

42, 1. Ahte *G.* 　　2. Dier *G.* 　　= vil balde *Ggg.* 　　3. sigolosen *D.* 　　4. dô
fehlt Ggg. 　　6. solt et *D*, solte *d* = muoste echt *g*, muose *Ggg.* 　　7. cho-
men *G.* 　　ouch *fehlt Ggg.* 　　11. groze *G.* 　　12. machete *D.* 　　err] er *Dg*,
er ir *Gdgg.* 　　nine vant *G.* 　　13. Sin munt *Ggg.* 　　limen *G.* 　　14. leu *G.*
brimen *G*, primmen *D.* 　　15. Er brach uz *G.* 　　17. Mit *G.* 　　21. wil *Ggg.*
22. taugt *g.* 　　23. mach *Gg.* 　　mih *DG.* 　　mihs *G.* 　　24. vor *D.*
25. Hin uz der borter ruorte *G.* 　　27. einen *DG.* 　　28. Gemal *Gg*, Mal *g.*
durstochen *G.* 　　30. Einen *alle aufser D.* 　　er fuorte ouch *Dd* = fuorter *Ggg.*

43, 1. Razalik *D*, razalich *G.* 　　2. brahte *G.* 　　3. er *fehlt G.* 　　5. = Sin *Ggg.*
6. Starp *G.* 　　ante *D.* 　　touffe *Gg.* 　　7. erchenne *DG.* 　　sih *D.* 　　degen
Dd = helt *Ggg.* 　　8. manger *Ggg.* 　　9. burgrave *G.* 　　gesach *D.* 　　11. wa-
pen *G.* 　　errechande *G*, er rechande *D.* 　　12. borter rande *G.* 　　15. stritch-
lier *G.* 　　16. 19. Lachfilirost *D*, lahsilleroste (Lafillerost) *d*, lafilirost *G*, la fili
rost ·*g*, Lafilarost *g*, Lafillirost *g*, lac filly ryost (tyost) *g.* 　　17. und] der *D.*
waste *D*, *fehlt G.* 　　19. schachtelakunt *D*, schahtelkint *d* = tschahtelakunt *g*,
tschatelacunt *G.* 　　23. strites *G.* 　　24. Er *Ggg.* 　　mœren *d.* 　　25. Des
chuonen ys. *G.* 　　29. das *d*, daz si *die übrigen.* 　　= hie *fehlt Ggg.* 　　mit]
mir *G.*

44, 1. fuorten in *Dg*, fuorte in *d.* 　　2. chungin *Gg.* 　　3. Unde nam in selbe mit
ir hant *G.* 　　4. entstrict im *Gdg.* 　　fantalen *d* = phinteilen *oder* finteilen
Ggg. 　　6. Die chnapen *G.*

sine kêrten vaste ir hêrren nâch.
durch die stat man füeren sach
ir gast die küneginne wîs,
10 der dâ behalden het den prîs.
si erbeizt aldâ sis dûhte zît.
'wê wie getriwe ir knappen sît!
ir wænt verliesen disen man:
dem wirt ân iuch gemach getân.
15 nemt sîn ors unt füert ez hin:
sîn geselle ich hie bin.'
vil frouwen er dort ûfe vant.
entwâpent mit swarzer hant
wart er von der künegîn.
20 ein declachen zobelîn
und ein bette wol gehêret,
dar an im wart gemêret
ein heinlîchiu êre.
aldâ was niemen mêre:
25 die juncfrouwen giengen für
und sluzzen nâch in zuo die tür.
dô phlac diu küneginne
einer werden süezer minne,
und Gahmuret ir herzen trût.
ungelîch was doch ir zweier hût.
45 Si brâhten opfers vil ir goten,
die von der stat. waz wart geboten
dem küenen Razalîge,
dô er schiet von dem wîge?
5 daz leister durh triuwe:
doch wart sîn jâmer niuwe
nâch sîme hêrren Isenhart.
der burcrâve des innen wart,
daz er kom. dô wart ein schal:
10 dar kômn die fürsten über al

ûz der küngîn lant von Zazamanc:
die sageten im des prîses danc,
den er het aldâ bezalt.
ze rehter tjost het er gevalt
15 vier unt zweinzec rîter nidr,
und zôch ir ors almeistic widr.
dâ wârn gevangen fürsten drî:
den reit manec rîter bî,
ze hove ûf den palas.
20 entslâfen unde enbizzen was,
unt wünneclîche gefeitet
mit kleidern wol bereitet
was des hôhsten wirtes lîp.
diu ê hiez magt, diu was nu wîp:
25 diu in her ûz fuorte an ir hant.
si sprach 'mîn lîp und mîn lant
ist disem rîter undertân,
obez im vînde wellent lân.'
dô wart gevolget Gahmurete
einer höfschlîchen bete.
46 'gêt nâher, mîn hêr Razalîc:
ir sult küssen mîn wîp.
Als tuot ouch ir, hêr Gaschier.'
Hutegêrn den Schotten fier
5 bat er si küssen an ir munt:
der was von sîner tjoste wunt.
er bat si alle sitzen,
al stênder sprach mit witzen
'ich sæhe och gerne den neven mîn,
10 möht ez mit sînen hulden sîn,
der in hie gevangen hât.
ine hâns von sippe decheinen rât,
ine müez in ledec machen.'
diu küngîn begunde lachen,

7. Si *Gg.*   8. Dur *G.*   9. chungine *G.*   10. behalten *G.*   11. erbeîste
D.   sihs *D.*   12. getriwu *G.*   13. wænet *D,* wanet *G.*   14. = Im *Ggg.*
15. fueret *DG.*   ez] daz *D.*   16. ih *G.*   22. Dar *Ggg* = gar *Dd.*   wart
im *Gg.*   24. Da was och wunne mere *G.*   25. = die *fehlt Ggg.*   giengen
von in vur *G.*   28. werdn suezer *D,* werden núwer *g,* werden suozen *dg,*
stolzen werden *G.*   30. ungelich *DG.*   ir beider *Gg.*

45, 2. Als ez von der stat was geboten *G.*   3. chuenem *D.*   5. dur *G.*   6. = was
Ggg.   8. = Do der *G.*   burgrave *G.*   des *fehlt Gg.*   9. kom] was
chomen *Ggg.*   10. chomn] so *D.*   11. = ûz *und* lande (so *Dd) fehlt Ggg.*
der kuneginne *Dgg,* dem *d.*   von *fehlt d.*   12. = Unde *Ggg.*   seiten
G.   14. heter *G.*   15. In vier *G.*   17. gevangener *G.*   18. manec]
och mer *Gg.*   20. Erwachet *G.*   21. wunchlichen *G.*   gefeît *Dgg,* gepheit
Gg.   22. harte wol *Gg.*   bereît *DGgg.*   23. obersten *Gg.*   24. hiez *Dg,*
was *Gdgg.*   26. mîn lîp] lute *G,* min lut *g.*   unde ouch *D.*   mîn *fehlt G.*
27. Si disme *G.*   28. Ob imz die *dgg,* Op mirz die *G.*   30. hoffe-
lichen *Dd.*

46, 1. nâher] her *Gg.*   3. Also *Dd* = Sam *Ggg.*   = ouch *fehlt Ggg.*   ir
fehlt d.   min her *Gdg.*   = Gatschier *Ggg,* chatschier *g.*   4. Hutegern *D,*
Hutegeren *G.*   phier *G.*   6. tiost *D.*   8. al (*fehlt g) *stende sprach er *Dgg.*
12. Ichnehans *G.*   vor *Ggg.*   neheinen *G.*   13. Ichene *G.*   muoz *D,*
muoze *G.*   ledch *G.*

15 sie hiez balde nâch im springen.
dort her begunde dringen
der minneclîche bêâ kunt.
der was von rîterschefte wunt,
und hetz ouch dâ vil guot getân.
20 Gaschier der Oriman
in dar brâhte: er was kurtoys,
sîn vater was ein Franzoys,
er was Kayletes swester barn:
in wîbes dienster was gevarn:
25 er hiez Killirjacac,
aller manne schœne er widerwac.
　　Dô in Gahmuret gesach
(ir antlütze sippe jach:
diu wârn ein ander vil gelîch),
er bat die küneginne rîch
47 in küssen unde vâhen zir.
er sprach 'nu ging ouch her ze mir.'
der wirt in kuste selbe dô:
si wârn ze sehen ein ander vrô.
5 Gahmuret sprach aber sân
'ôwê junc süezer man,
waz solte her dîn kranker lîp?
sag an, gebôt dir daz ein wîp?'
'die gebietent wênic, hêrre, mier.
10 mich hât mîn veter Gaschier
her brâht, er weiz wol selbe wie.
ich hân im tûsent rîter hie,
unt stên im dienestlîche bî.
ze Rôems im Normandî
15 kom ich zer samnunge:
ich brâht im helde junge,
ich fuor von Schampân durch in.
nu wil kunst unde sin
der schade an in kêren,
20 irn welt iuch selben êren.

gebietet ir, sô lât in mîn
geniezen, senftet sînen pîn.'
'den rât nim du vil gar zuo dier.
var du und mîn hêr Gaschier,
25 und bringet mir Kayleten her.'
dô wurben si des heldes ger,
si brâhten in durch sîne bete.
dô wart och er von Gahmurete
minneclîche enphangen,
und dicke umbevangen
48 von der küneginne rîch.
si kuste den degen minneclîch.
sie mohtez wol mit êren tuon:
er was ir mannes muomen suon
5 Und was von arde ein künic hêr.
der wirt sprach lachende mêr
'got weiz, hêr Kaylet,
ob ich iu næme Dôlet
und iwer lant ze Spâne,
10 durch den künec von Gascâne,
der iu dicke tuot mit zornes gir,
daz wære ein untriwe an mir:
wan ir sît mîner muomen kint.
die besten gar mit iu hie sint,
15 der rîterschefte herte:
wer twang iuch dirre verte?'
dô sprach der stolze degen junc
'mir gebôt mîn veter Schiltunc,
des tohter Vridebrant dâ hât,
20 daz ich im diende, ez wær sîn rât.
der hât von sîme wîbe
hie von mîn eines lîbe
sehs tûsent rîter wol bekant:
die tragent werlîche hant.
25 ich brâht ouch rîter mêr durch in:
der ist ein teil gescheiden hin.

15. Si hiez in balde bringen *Gg.*　　17. Beachunt *D*, beachcunt *G.*　　18. von
einer tioste *Gg.*　　20. = der norman *Ggg.*　　21. = Brahtin er was *Ggg.*
23. Unde was *Ggg.*　　25. killirriakach *G.*　　27. Als *Gg.*　　= ersach *Ggg.*
47, 2. ging *D*, ginch *g*, geng *G*, genc *g*, gang *dgg.*　　4. zesehene *G.*　　6. = iunge
G, iunger *gg.*　　9. = herre *vor* wench *Ggg*, *vor* die *gg.*　　mir *alle.*
13. dienstlichen *G.*　　14. Rôms *D*, rômes *G*, ruom *g*, Roymes *g*, romes *d.*
15. zir *G.*　　17. Scampane *D*, schamppony *d*, schampanie *Gg*, tscampanie *g*,
shanpange *g.*　　durh *D.*　　19. Den (Ir *G*) schaden *Ggg.*　　20. iren *D.*
21. Gebiet *G.*　　22. semften *D.*　　23. den rat nim du vil *D und ohne* vil *d*
= Er sprach den rat nim *Ggg.*　　ze *G.*　　dîr *g*, dir *die übrigen.*　　24. mîn]
nim *D.*　　25. bring *dg.*　　mir *fehlt Gg.*　　26. wrden *D.*　　27. dur *G.*
29. 30. Ditch (Vil dich *g*) umbe vangen. Unde minnchliche enphangen *Gg.*
48, 2. = Diu *Ggg.*　　degen *fehlt G.*　　3. = *nach* 4 *Dd.*　　3. mahtz *G.*
7. Gotweiz *D.*　　8. neme *D.*　　9. ze *fehlt Ggg.*　　spaninge *G*, spânie *g.*
10. gasconinge *G*, Gatsânie *g.*　　11. zorns *DG.*　　13. = wan *fehlt Ggg.*
sit doch *Ggg.*　　16. Waz *Gg.*　　17. So *D.*　　18. Sciltunch *D.*　　21. Er
Ggg.　　23. Sehes *G.*　　25. 26. *fehlen Gg.*　　25. = Hie was ouch *gg.*
durh *D.*

hie wâren durch die Schotten
die werlîche rotten.
im kom von Gruonlanden
helde zen handen,
49 zwên künge mit grôzer kraft:
die vluot von der rîterschaft
si brâhten, unde manegen kiel:
ir rotte mir vil wol geviel.
5 hie was och Môrholt durch in:
des strît hât kraft unde sin.
Die sint nu hin gekêret:
swie mich mîn frouwe lêret,
als tuon ich mit den mînen.
10 mîn dienst sol ir erschînen:
dune darft mir dienstes danken nint,
wand es diu sippe sus vergiht.
die vrävelen helde sint nu dîn:
wærn sie getoufet sô die mîn,
15 und an der hiut nâch in getân,
sô wart gekrœnet nie kein man,
ern hete strîts von in genuoc.
mich wundert waz dich her vertruoc:
daz sag mir rehte, unde wie.'
20 'ich kom gestern, hiute bin ich hie
worden hêrre überz lant.
mich vienc diu künegîn mit ir hant:
dô wert ich mich mit minne.
sus rieten mir die sinne.'
25 'ich wæn dir hât dîn süeziu wer
betwungen beidenthalb diu her.'
'du meinst durch daz ich dir entran.
vaste riefe du mich an:
waz woltste an mir ertwingen?
lâ mich sus mit dir dingen.'

50 'da erkant ich niht des ankers dîn:
mîner muomen man Gandîn
hât in gefüeret selten ûz.'
'do rekante abr ich wol dînen strûz,
5 ame schilde ein sarapandratest:
dîn strûz stuont hôch sunder nest.
Ich sach an dînre gelegenheit,
dir was diu sicherheit vil leit,
die mir tâten zwêne man:
10 die hetenz dâ vil guot getân.'
'mir wære ouch lîhte alsam geschehen.
ich muoz des eime tiuvel jehen,
des fuor ich nimmer wirde vrô:
het er den prîs behalten sô
15 an vrävelen helden sô dîn lîp,
für zucker gæzen in diu wîp.'
'dîn munt mir lobs ze vil vergiht.'
'nein, in kan gesmeichen niht:
nim anderr mîner helfe war.'
20 si riefen Razalîge dar.
mit zühten sprach dô Kaylet
'iuch hât mîn neve Gahmuret
mit sîner hant gevangen.'
'hêr, daz ist ergangen.
25 ich hân den helt dâ für rekant,
daz im Azagouc daz lant
mit dienste nimmer wirt verspart,
sît unser hêrre Isenhart
aldâ niht krône solde tragen.
er wart in ir-dienste erslagen,
51 diu nu ist iwers neven wîp:
umbe ir minne er gap den lîp:
daz hât mîn kus an si verkorn.
ich hân hêrren und den mâg verlorn.

---

27. dur *G.*   die *DG,* in die *g,* den *dgg.*   28. welichen *G* . . . . . ische?
roten *G.*   29. Im kome *d* = Hie was *Ggg.*   30. zir *Ggg.*
49, 1. Zwene chunge mit ir chraft *Gg.*   3. = Si vuorten *Ggg.*   4. rote *G
immer.*   5. morolt *Gd.*   durh *G.*   9. also *Dgg.*   10. Ir sol min dienst
schinen *Gg.*   dienest *D.*   11. solt *Gg.*   dienest *D.* diens?   12. wandez
D.   13. = Die frechen *Ggg.*   14. getouft *D.*   15. hüt *g,* hiute *D,* hute
G.   nâch in] so *G.*   16. Sone *G.*   dechein *D,* dehein *G.*   17. Dune
hetet strites im genuoch *Gg.*   strites *D.*   20. gester *Gg.*   22. vie *G.*
24. mir die *Dd* = mine *Ggg.*   25. wæne *DG.*   dîn] diu *D.*   manlich
wer *Gg.*   27. dur *G.*   28. ruoftestu *Ggg.*   29. woltestu *G,* woldest *g,*
woldest du *D.*
50, 1. Dane *DG.*   2. Minen *G.*   4. So erchande *Gg.*   5. Anme schilte *G.*
serpandratest *Gg.*   6. struoz *D.*   der stuont *Gg.*   hôch *fehlt Gg,* hohe *gg.*
7. dinr *g,* diner *die übrigen.*   9. tæten *G.*   10. hetens *D.*   ouch da *Gg.*
11. ouch *fehlt Ggg.*   12. = Ich wil *Ggg.*   tiufel *G.*   13. fruore *G.*
15. = An frechen *Ggg.*   18. ine *D,* ich *G.*   cha smeichen *G.*   19. Nin
G.   anders mines dienstes *Gg.*   21. Do sprach der chunch kailet *Gg.*
22. = Hat iuch *Ggg.*   25. helt *fehlt D.*   erchant *G.*   30. = In ir dienste
er wart erslagen *Ggg.*
51, 3. chuss an sî *D.*   verchoren-verloren *G, meistens* e *nach* r *und* l.   4. den
hat nur *D.*   mâch *G.*

5 wil nu iwer muomen suon
rîterlîche fuore tuon,
daz er uns wil ergetzen sîn,
sô valt ich im die hende mîn.
Sô hât er rîcheit unde prîs,
10 und al dâ mite Tankanîs
Isenharten gerbet hât,
der gebalsemt ime her dort stât.
alle tage ich sîne wunden sach,
sît im diz sper sîn herze brach.'
15 daz zôch er ûzem buosem sîn
an einer snüere sîdîn:
hin wider hiengz der degen snel
für sîne brust an blôzez fel.
'ez ist noch vil hôher tac.
20 wil mîn hêr Kyllirjacac
inz her werben als i'n bite,
sô rîtent im die fürsten mite.'
ein vingerlîn er sande dar.
die nâch der helle wârn gevar,
25 die kômen, swaz dâ fürsten was,
dnrch die stat ûf den palas.
dô lêch mit vanen hin sîn hant
von Azagouc der fürsten lant.
ieslîcher was sîns ortes geil:
doch beleip der bezzer teil
52 Gahmurete ir hêrren.
die selben wârn die êrren:
nâher drungen die von Zazamanc,
mit grôzer fuore, niht ze kranc.
5 si enphiengen, als ir frouwe hiez,
von im ir lant und des geniez,
als ieslîchen an gezôch.
diu armuot ir hêrren flôch.

dô hete Prôtyzilas,
10 der von arde ein fürste was,
lâzen ein herzentuom:
daz lêch er dem der manegen ruom
mit sîner hant bejagete
(gein strîter nie verzagete):
15 Lahfilirost schahtelacunt
nam ez mit vanen sâ zestunt.
Von Azagouc die fürsten hêr
nâmen den Schotten Hiutegêr
und Gaschiern den Orman,
20 si giengen für ir hêrren sân:
der liez si ledic umb ir bete.
des dancten si dô Gahmurete.
Hiutegêr den Schotten
si bâten sunder spotten
25 'lât mîme hêrren daz gezelt
hie umb âventiure gelt.
ez zuct uns Isenhartes lebn,
daz Fridebrande wart gegebn
diu zierde unsers landes:
sîn freude diu stuont phandes,
53 er stêt hie selbe ouch ame rê.
unvergolten dienst im tet ze wê.'
ûf erde niht sô guotes was,
der helm, von arde ein adamas
5 dicke unde herte,
ame strîte ein guot geverte.
dô lobte Hiutegêres hant,
swenner kœme in sînes hêrren lant,
daz erz wolde erwerben gar
10 und senden wider wol gevar.
daz teter unbetwungen
nâch urloube drungen

5. iwere G.　8. valt ioh D, valde ich G.　9. rîcheit] ere Gg.　10. da mit
G.　Tanch. DGg, tank. dgg.　12. gebalsemet in dem G.　13. Als (Al G)
ich sine Ggg.　15. uz dem G.　17. Hiench ez hin wider der Gg.　hien-
gez D, hiez g.　helt Ggg.　19. noch] nu Gg.　vil hôher] = wol miter
Ggg.　20. kiliriarkach G.　21. als] des Gg.　i'n] ih in G, ich in die mei-
sten.　22. riten Gg.　helde Gg.　24. var Gg.　25. die fehlt Gg.
26. Ze hofe fur den palas Gg.　dem D.　28. atzag. g (aber G, die zwischen
vocalen z und tz genau unterscheidet, hat immer Azagouch und Zazamanch).
herren Gg.　29. islicher G.　30. Iedoch Ggg.
52, 3-8. hier Ggg, nach 53, 14 g = fehlen Dd.　3. Dar naher G, In aber g.
5. Unde enph. Gg.　ir herre Gg.　7. iegelichen ane G.　9. = protizalas
gg, portizalas gg, prozitalas G.　12. leh er D.　14. = An Ggg.　15. Lah-
fillarost d = Lafil li rost gg, Lafiz rios (roy g) Gg, Lac filli roys g.　schahtela-
kunt d, schachtelacunt D, tschahtelakunt g, tschatelacunt G, scatelacunt gg.
18. Hiuteger mit iu D.　19. Gaschieren D, Gatschieren G.　= den norman
Ggg.　20. Unde G.　= stan Ggg.　21. lie si ledch G.　dur Gg.
sine G.　22. dancheten D.　23. Huteger Dg, Hutegeren Gg, -gern dgg.
der D.　schoten-spoten G.　25. = diz Gg.　27. zuchet D.　29. Diu
gezierde Ggg.　30. Sin froude stuont do phandes Gg.
53, 1. stat D　ouch Dd = noch gg, fehlt Gg.　an dem G.　2. ze fehlt
Ggg.　5. Ditch G.　6. An Ggg.　7. Hûtegers DG.　8. swenne er
choeme D.　9. erweben G.　10. wider senden Ggg.　11. umb. D.

3*

zem künege swaz dâ fürsten was:
dô rûmten si den palas.
15 swie verwüestet wær sîn lant,
doch kunde Gahmuretes hant
swenken sölher gâbe solt
als al die boume trüegen golt.
Er teilte grôze gâbe.
20 sîne man, sîne mâge
nâmen von im des heldes guot:
daz was der küneginne muot.
der brûtloufte hôhgezît
hete dâ vor manegen grôzen strît:
25 die wurden sus ze suone brâht.
ine hân mirs selbe niht erdâht:
man sagete mir daz Isenhart
küneclîche bestatet wart.
daz tâten dien erkanden.
den zins von sînen landen,
54 swaz der gelten moht ein jâr,
den selben liezen si dâ gar:
daz tâten se umb ir selber muot.
Gahmuret daz grôze guot
5 sîn volc hiez behalden:
die muosens sunder walden.
smorgens vor der veste
rûmdenz gar die geste.
sich schieden die dâ wâren,
10 und fuorten manege bâren.
daz velt herberge stuont al blôz,
wan ein gezelt, daz was vil grôz.
daz hiez der künec ze schiffe tragn:
dô begunderm volke sagn,
15 er woldez füern in Azagouc:
mit der rede er si betrouc.
dâ was der stolze küene man,
unz er sich vaste senen began.
daz er niht rîterschefte vant,
20 des was sîn freude sorgen phant.

Doch was im daz swarze wîp
lieber dan sîn selbes lîp.
ez enwart nie wîp geschicket baz:
der frouwen herze nie vergaz,
25 im enfüere ein werdiu volge mite,
an rehter kiusche wîplich site.
von Sibilje ûzer stat
was geborn den er dâ bat
dan kêrens zeiner wîle.
der het in manege mîle
55 dâ vor gefuort: er brâht in dar.
er was niht als ein Môr gevar.
der marnære wîse
sprach 'ir sultz helen lîse
5 vor den die tragent daz swarze vel.
mîne kocken sint sô snel,
sine mugen uns niht genâhen.
wir sulen von hinnen gâhen.'
sîn golt hiez er ze schiffe tragn.
10 nu muoz ich iu von scheiden sagn.
die naht fuor dan der werde man:
daz wart verholne getân.
dô er entran dem wîbe,
dô hete si in ir lîbe
15 zwelf wochen lebendic ein kint.
vaste ment in dan der wint.
diu frouwe in ir biutel vant
einen brief, den schreib ir mannes hant.
en franzoys, daz si kunde,
20 diu schrift ir sagen begunde
'Hie enbiutet liep ein ander liep.
ich pin dirre verte ein diep:
die muose ich dir durch jâmer steln.
frouwe, in mac dich niht verheln,
25 wær dîn ordn in mîner ê,
sô wær mir immer nâch dir wê:
und hân doch immer nâch dir pîn.
werde unser zweier kindelîn

14. rv̆mten G. 15. verwuost G. daz Gg. 18. truogent D. 21. von
im] da Gdg. chunges Gg, herren gg. 23-26. fehlen Gg. 23. bruotloufte
D. 27. saget Ggg. uns Gg. 28. bestatt D. 29. die in DG.
54, 1. = vergelten Ggg. 2. liezense im da gar Ggg. 7. des morgens alle aufser
D. 8. Do Gg. rumendens D. gar Dd, da gar g, da Ggg, fehlt gg.
11. wart Gg. 13. der] de D. 14. do begundr dem volche sagn Dd = Dem
(Sinem G, Sim g) volker do (fehlt gg) begunde sagen Ggg. 15. fueren alle.
ze Gg. 17. Do was al da der chuone man Gg. 18. Unzer G. vaste] sere
Gg. 22. noch lieber D. dane G, denne D: so öfters wo dan (als) gesetzt ist.
23. en fehlt G. 24. niht Gg. 25. Ir Ggg. ein fehlt G. rehtiu Ggg.
maze G. 26. An reiner zuhte Gg. wiblich G. 27. Ze Ggg. sybilie
D. uozer D, uz der die meisten. 28. do D. 29. Dan gg, Dane G,
dannen D. cherenes eine G. 30. = Er Ggg.
55, 1. gefueret D. er] unde Ggg. 4. Sprach nu helt ez lise Gg. sult heln D.
7. Den mach niht genahen Gg. 9. zescheffe G. 14. hetse G. 17. butel G.
ine D, ichne G. diches G. 27. doch] sus Ggg. dir] din G. 28. zweiger G.

anme antlütze einem man gelîch,
deiswâr der wirt ellens rîch.
56 erst erborn von Anschouwe.
diu minne wirt sîn frouwe:
sô wirt ab er an strîte ein schûr,
den vînden herter nâchgebûr.
5 wizzen sol der sun mîn,
sîn an der hiez Gandîn:
der lac an rîterschefte tôt.
des vater leit die selben nôt:
der was geheizen Addanz:
10 sîn schilt beleip vil selten ganz.
der was von arde ein Bertûn:
er und Utepandragûn
wâren zweier bruoder kint,
die bêde alhie geschriben sint.
15 daz was einer, Lazaliez:
Brickus der ander hiez.
der zweier vatr hiez Mazadân.
den fuort ein feie in Feimurgân:
diu hiez Terdelaschoye:
20 er was ir herzen boye.
von in zwein kom geslehte mîn,
daz immer mêr gît liehten schîn.
ieslîcher sider krône truoc,
und heten werdekeit genuoc.
23 frouwe, wiltu toufen dich,
du maht ouch noch erwerben mich.'
Des engerte se keinen wandel niht.
'ôwê wie balde daz geschiht!
wil er wider wenden,
schiere sol ichz enden.
57 wem hât sîn manlîchiu zuht

hie lâzen sîner minne fruht?
ôwê lieplîch geselleschaft,
sol mir nu riwe mit ir kraft
5 immer twingen mînen lîp!
sîme gote ze êren,' sprach daz wîp,
'ich mich gerne toufen solte
unde leben swie er wolte.'
der jâmer gap ir herzen wîc.
10 ir freude vant den dürren zwîc,
als noch diu turteltûbe tuot.
diu het ie den selben muot:
swenne ir an trûtscheft gebrast,
ir triwe kôs den dürren ast.
15 diu frouwe an rehter zît genas
eins suns, der zweier varwe was,
an dem got wunders wart enein:
wîz und swarzer varwe er schein.
diu küngîn kust in sunder twâl
20 vil dicke an sîniu blanken mâl.
diu muoter hiez ir kindelîn
Feirefîz Anschevîn.
der wart ein waltswende:
die tjoste sîner hende
25 manec sper zebrâchen,
die schilde dürkel stâchen.
Als ein agelster wart gevar
sîn hâr und och sîn vel vil gar.
nu wasez ouch über des jâres zil,
daz Gahmuret geprîset vil
58 was worden dâ ze Zazamanc:
sîn hant dâ sigenunft erranc.
dennoch swebter ûf dem sê:
die snellen winde im tâten wê.

29. an dem *fast alle aufser G.* libe *Gg.*   30. Des war *G.*

56, 1. erst] Und ist *g, fehlt G,* Er ist *die übrigen.*   geboren *alle aufser D.*
3. aber er *DG,* aber *g.*   4. ein herter *Ggg.*   6. ene *g,* èn *g.*   8. watr *D.*
9. = adanz *Ggg,* âdanz *g.*   11. Unde was *Ggg.*   britûn *G,* bertûn *hat
immer D allein.*   12. utepandragûn *D,* utp. *gg,* urp. *g,* uterp. *gg,* upandragun
G.   13. wæren zwaier gebruodr kint *D.*   16. Brickus *Ddg,* Bricurs *gg,* pri-
curs *G.*   17. Der vater hiez ouch mazadan *G.*   18. ein feie in *D,* ein feyo
hiesz *d* = ein *Ggg,* **frauwe** *g.*   vaimurgan *gg,* femurgan *gg,* fein murgan *g,*
phimurgan *G* = Morgan *Dd.*   19. diu hiez] In *d.*   terdilatschoi *G,* terde-
lastoye *d,* Terre de lascôye *D,* derdelashoie *g,* der da latschoy *g,* diu Dalahsoy *g.*
20. bôye *D,* boige *G.*   21. in] den *Ggg.*   geslaht *G,* daz geslehte *die übri-
gen aufser D.*   23. sider *Dg,* sit *gg,* sunder *Gg,* sin *g,* ein *d.*   25. wil du
DG.   26. ouch noch] noch wol *G.*   27. gerte *G.*   sie keinen *g,* si dehei-
nen *gg,* si chein *D,* sú do kein *d,* si do *Ggg,* sie *g.*   waldel *D.*   28. ouwe *D.*
wie schiere *Gdg.*   30. Vil balde *Ggg,* Vil schier *gg.*

57, 1. manlchiu *G·*   2. miner minnen *G.*   5. Imer dwingen *G.*   6. Sinem got
zeren *G.*   8. swi er *D,* swier *G.*   13. friuntschaft *Gg.*   16. Eins *gg.*
sunes der zweiger farwe *G.*   17. anders *D.*   21. Die tiost (tost *G*) ze siner
Ggg.   25. zerbr. *G.*   26. Unde schilte *G.*   27. aglster *g,* agelaster *g.*
29. Do *D.*   was ez *getrennt, alle.*   ouch *fehlt Gdgg.*   iars *G.*

58, 1. Was von den *g,* Wart *Gg.*   datze *G.*   2. dâ *fehlt Dg.*   signuft *g,*
die gunst *D.*   4. snelen *G.*

5 einn sîdîn segel saher roten:
den truoc ein kocke, und ouch die boten,
die von Schotten Vridebrant
vroun Belakânen hete gesant.
er bat si daz se ûf in verkür,
10 swer den mâg durch si verlür,
daz si von im gesuochet was.
dô fuorten si den adamas,
ein swert, einn halsperc und zwuo hosen.
hie mugt ir grôz wunder losen,
15 daz im der kocke widerfuor,

als mir diu âventiure swuor.
si gâbenz im: dô lobt ouch er,
sîn munt der botschefte ein wer
wurde, swenner kœme zir.
20 si schieden sich. man sagte mir,
daz mer in truoc in eine habe:
ze Sibilje kêrter drabe.
mit golde galt der küene man
sînem marnære sân
25 harte wol sîn arbeit.
si schieden sich: daz was dem leit.

---

5. Do sach er einen (ein *g*) segel roten *Gg.* einen sidinen *D.* 6. Den truo-
gen chochen *Gg.* ouch *Dgg, fehlt Gdgg.* 10. swer *D,* Swier *G,* Swie *g,*
Swie er *dgg,* sît er *Wackernagel.* mach dur *G.* 13. Ein *fehlt g,* unde ein
D. einen *Ddgg,* den *G, fehlt gg.* und *fehlt gg.* zwo *DG.* 14. muge
ir grozes wunders *G.* 16. mir *Gdgg,* im *Dgg.* 18. Sin mer der b. eine wer
G. 19. wrde swenner *D,* Wenne wurde er *d =* Ware swenner *Gg,* were so
er *gg.* Wer er wider komen zu ir *g.* chœme *DGdg,* wider chom *gg,* kem
wider *g.* 21. in truoch *D,* in truge *dgg,* truege in *g,* warf in *G,* wurf in *g.*
22. abe *Ggg.* 26. im *g.*

II.

Dâ ze Spâne im lande
er den künec erkande.
daz was sîn neve Kaylet:
nâch dem kêrt er ze Dôlet.
59 der was nâh rîterschefte gevarn,
dâ man niht schilde dorfte sparn.
dô hiez ouch er bereiten sich
(sus wert diu âventiure mich)
5 mit speren wol gemâlen
mit grüenen zindâlen:
ieslîchez hete ein banier,
drî härmîn anker dran sô fier
daz man ir jach für rîcheit.
10 si wâren lang unde breit,
und reichten vaste unz ûf die hant,
sô mans zem spers îser bant
dâ niderhalp ein spanne.
der wart dem küenen manne
15 hundert dâ bereitet
und wol hin nâch geleitet
von sînes neven liuten.
êren unde triuten
kunden sin mit werdekeit.
20 daz was ir hêrren niht ze leit.
er streich, in weiz wie lange, nâch,
unzer geste herberge ersach
ime lande ze Wâleis.
dâ was geslagen für Kanvoleis
25 manc poulûn ûf die plâne.
ine sagez iu niht nâch wâne:

Gebiet ir, sô ist ez wâr.
sîn volc hiez er ûf halden gar:
der hêrre sande vor hin în
den kluogen meisterknappen sîn.
60 der wolde, als in sîn hêrre bat,
herberge nemen in der stat.
dô was im snellîchen gâch:
man zôch im soumære nâch.
5 sîn ouge ninder hûs dâ sach,
schilde wærn sîn ander dach,
und die wende gar behangen
mit spern al umbevangen.
diu künegîn von Wâleis
10 gesprochen hete ze Kanvoleis
einen turney alsô gezilt,
dês manegen zagen noch bevilt
swa er dem gelîche werben siht:
von sîner hant es niht geschiht.
15 si was ein maget, niht ein wîp,
und bôt zwei lant unde ir lîp
swer dâ den prîs bezalte.
diz mære manegen valte
hinderz ors ûf den sâmen.
20 die solch gevelle nâmen,
ir schanze wart gein flust gesagt.
des phlâgen helde unverzagt,
si tâten rîters ellen schîn.
mit hurteclîcher rabbîn
25 wart dâ manc ors ersprenget
und swerte vil erklenget.

27. = Dâ *fehlt* Ggg.   Zespange G.   ime D, in dem *die übrigen.*
28. = Den chunch er Ggg.

59, 1. durch riterschaft gefaren Gg.   3. ouch er Ggg, er ouch dgg, ouch D.
6. mit Dd = Von Ggg.   zendalen Ggg.   7. Ieslicher het dgg, An ieslichez
G, An iegeshlichem g.   8. harmin G.   æncher D.   11. reihten G.
unz *fehlt* Gdg.   12. So gg, do Dd, Da Gg.   mans Dgg, man si *die meisten.*
zuome D, zuo dem G.   spers gg, sper Dd, *fehlt* Gg.   isen *alle aufser* D.
13. dâ *fehlt* Gg.   niderhalpt D.   eine Dd, einer G.   15. Wol hundert Gg.
dar bereit G.   18. Geren unde getruten G.   19. si im D.   21. ine DG.
23. In dem G.   24. = vor Ggg.   kanpholeiz G.   25. poulun *immer nur*
D, pavelun G.   uf den plan Ggg.   26. Ichen G.   fur wan Gg, von wan g.
27. Gbiet G.   ir] er D.   29. Unde sande Gg.   hin Dgg, im hin G, ime
d, in g.   30. chnapen meistr Ggg.
                                                e
60, 1. = solt Ggg.   2. nimen D.   3. snelichen G.   6. wæren G, entweren d,
warn g, waren Dgg, was g.   7. gar] alsam Ggg.   8. al] = gar gg, *fehlt*
Gg.   9. Valeis D.   10. vor Ggg.   kanvoleiz G.   15. magt unde niht Dg.
16. Si Ggg, Diu gg.   17. Der Gg.   21. Der Ggg.   tschanze G.   ze Ggg.
23. tæten G.   24. rabin *alle aufser* D.   26. Mit swerten vil gechlenget G.

Ein schifprücke ûf einem plân
gieng übr einen wazzers trân,
mit einem tor beslozzen.
der knappe unverdrozzen
61 tetez ûf, als im ze muote was.
dar ob stuont der palas:
ouch saz diu küneginne
zen venstern dar inne
5 mit maneger werden frouwen.
die begunden schouwen,
waz dise knappen tâten.
die heten sich berâten
und sluogen ûf ein gezelt.
10 umb unvergolten minnen gelt
wart ez ein künec âne:
des twang in Belacâne.
mit arbeit wart ûf geslagn
daz drîzec soumær muosen tragn,
15 ein gezelt: daz zeigte rîcheit.
ouch was der plân wol sô breit,
daz sich die snüere stracten dran.
Gahmuret der werde man
die selben zît dort ûze enbeiz.
20 dar nâch er sich mit vlîze vleiz,
wier höfslîche kœme geritn.
des enwart niht langer dô gebitn,
sîne knappen an den stunden
sîniu sper ze samne bunden,.
25 ieslîcher fünviu an ein bant:
daz sehste fuorter an der hant
Mit einer baniere.
sus kom gevarn der fiere.
vor der küngîn wart vernomn
daz ein gast dâ solte komn
62 ûz verrem lande,
den niemen dâ rekande.

'sîn volc daz ist kurtoys,
beidiu heidensch und franzoys:
5 etslîcher mag ein Anschevîn
mit sîner sprâche iedoch wol sîn.
ir muot ist stolz, ir wât ist clâr,
wol gesniten al für wâr.
ich was sînen knappen bî:
10 die sint vor missewende frî:
sie jehent, swer habe geruoche,
op der ir hêrren suoche,
den scheid er von swære.
von im vrâgt ich der mære:
15 dô sageten si mir sunder wanc,
ez wære der künec von Zazamanc.'
disiu mær sagt ir ein garzûn.
'âvoy welch ein poulûn!
iwer krône und iwer lant
20 wærn derfür niht halbez phant.'
'dune darft mirz sô loben niht.
mîn munt hin wider dir des giht,
ez mac wol sîn eins werden man,
der niht mit armüete kan.'
25 alsus sprach diu künegîn.
'wê wan kumt er et selbe drîn?'
Den garzûn si des vrâgen bat.
höfslîchen durch die stat
der helt begunde trecken,
die slâfenden wecken.
63 vil schilde sach er schînen.
die hellen pusînen
mit krache vor im gâben dôz.
von würfen und mit slegen grôz
5 zwên tambûre gâben schal:
der galm übr al die stat erhal.
der dôn iedoch gemischet wart
mit floytieren an der vart:

27. schifbrucke D.   = an *Ggg.*   einen *Ggg.*   2⁹. uber *alle.*   tram *G,*
stram *g.*   30. Ein' knappe *D.*

61, 2. Dar obe *G.*   3. Da *Ggg.*   was *G.*   5. Mit manger iunchfrouwen *Gg.*
6. da schouwen *D,* alle schouwen *G.*   9. Si *Gg.*   11. es *D,*
sin *g.*   14. soumære *D,* soumare *G.*   15. sîn?   zeigete *D.*   16. = Do *Ggg.*
der anger *Gg.*   19. Al die wile dort *Gg.*   21. stolzliche *G,* stolzechlichen *g.*
22. en *fehlt G.*   niht langer do *D und ohne* do *d* = do langer niht *Ggg.*
24. zesamene *G.*   25. Iegelicher vunfiu *G.*   26. in der *Gg.*   29. von *Dgg.*
30. = Wie *Ggg.*   ein gast da *Dg,* ein gast dar *gg,* ein gast *d,* da (dar *g*)
ein riter *Gg,* ein ritter *g.*

62, 2. erchande *G.*   5. Ascevin *D.*   6. iedoch *fehlt gg,* vil *G.*   11. = Unde *Ggg.*
13. scheider *G.*   14. vraget *D,* fragete *G.*   15. So *d,* nu *D.*   seiten *G,* sagtn *g.*
mirs *D.*   17. mêr *g,* mære *DG immer.*   sagt *gg,* seit *G,* sagete *D.*   = ir
fehlt Ggg.   18. welh ein pavelun *G.*   21. darf mirz also *G.*   22. dir [des *g*]
vergiht *Ggg.*   24. armuote *fast alle.*   25. = Also *gg,* Als *G.*   26. Owe *G.*   wan]
wanne *D,* wenne *die übrigen.*   er et *D,* der *g,* er *die übrigen.*   27. = Ir *Ggg.*

63, 3. = Vor im mit chrache *Ggg.*   4. von-mit *DGdg,* mit-von *g,* mit-mit *gg,*
von-von *g.*   wurfen (wrfn *D*) -slegen *Ddgg,* slegen-wurfen *Ggg.*   8. floy-
tierene *G.*   = uf *Ggg.*   die *Gg.*

ein reisenote si bliesen.
10 nu sulen wir niht verliesen,
wie ir hêrre komen sî:
dem riten videlære bî.
dô leite der degen wert
ein bein für sich ûfez phert,
15 zwên stivâl über blôziu bein.
sîn munt als ein rubîn schein
von rœte als ober brünne:
der was dicke und niht ze dünne.
sîn lîp was allenthalben clâr.
20 lieht reideloht was im sîn hâr,
swâ manz vor dem huote sach:
der was ein tiwer houbetdach.
grüene samît was der mandel sîn:
cin zobel dâ vor gap swarzen schîn,
25 ob einem hemde daz was planc.
von schouwen wart dâ grôz gedranc.
　Vil dicke aldâ gevrâget wart,
wer wære der ritter âne bart,
der fuorte alsölhe rîcheit.
vil schiere wart daz mære breit:
64 si sagetenz in für unbetrogn.
do begundens an die brüke zogn,
ander volc und ouch die sîne.
von dem liehten schîne,
5 der von der künegîn erschein,
derzuct im neben sich sîn bein:
ûf rihte sich der degen wert,
als ein vederspil, daz gert.
diu herberge dûht in guot.
10 alsô stuont des heldes muot:
si dolt ouch wol, diu wirtîn,

von Wâleis diu künegîn.
　dô vriesch der künec von Spâne,
daz ûf der Leôplâne
15 stüend ein gezelt, daz Gahmurete
durch des küenen Razalîges bete
beleip vor Pâtelamunt.
daz tet im ein rîter kunt.
dô fuor er springende als ein tier,
20 er was der freuden soldier.
der selbe rîter aber sprach
'iwer muomen sun ich sach
kumende als er ie was fier.
ez sint hundert banier
25 zuo eime schilde ûf grüene velt
gestôzen für sîn hôch gezelt:
die sint ouch alle grüene.
ouch hât der helt küene
Drî härmîn anker lieht gemâl
ûf ieslîchen zindâl.'
65 'ist er gezimieret hie?
âvoy sô sol man schouwen wie
sîn lîp den poinder irret.
wie erz mit hurte wirret!
5 der stolze künec Hardîz
hât mit zorne sînen vlîz
nu lange vaste an mich gewant:
den sol hie Gahmuretes hant
mit sîner tjoste neigen.
10 mîn sælde ist niht der veigen.'
　sîne boten santer sân
dâ Gaschier der Oriman
mit grôzer mässenîe lac,
unt der liehte Killirjakac:

9. eine *D.*　reise nôte *G.*　10. verchiesen *G.*　14. uf daz pheret *G.*
15. stival *gg,* stifal *g,* stivale *D,* stifol *G,* stivel *g,* stiffeln *d.*　blozez *Gg.*
16. si munt *D.*　17. Vor *Ggg.*　der rœte *Dg.*　18. Er *Ggg.*　und *fehlt*
Ggg.　19. alenthalben *G.*　20. was im *fehlt Ggg.*　21. swa man daz *D.*
22. tiwere *G.*　25. blanch *D.*　26. Da wart von souwene groz gedranch *Gg.*
27. Vil *fehlt Gg.*　= al *fehlt Ggg.*　do *Ggg.*　28. rittr *D oft,* iunge *Gg.*
29. al *fehlt Ggg.*　30. vil *fehlt Gg.*
64, 1. seitenz *G.*　= fur ungelogen *Ggg.*　2. begundens *gg,* begunden si *Ddg,*
begunden *Gg,* begund *g.*　= uber *Ggg.*　3. andr *D.*　ouch *fehlt Ggg.*
5. chunginne schein *Gd.*　6. derzucte *g,* der zuchte *G,* do zucht *d,* du zuht *g,*
er züchte *g,* zucht *Dgg.*　im] er *dg,* en *g,* er im *g.*　neben im sin bein *g,*
ein bein uf daz bein *g.*　7. ûf regte sich *D.*　8. Reht als *Ggg.*　13. Nu
Ggg.　spange *G.*　14. leoplâne *D,* louwe plane *d,* lewe planie *gg,* lewen
plange *Ggg,* planie *g.*　15. stuonde *DGg,* Stunt *dgg.*　16. razalies *G.*
17. Patêlamunt *D.*　18. im ein sin *G.*　ritr *D.*　21. rîter *D.*　22. Iwere
muomensun *G.*　23. Chomen *Gdgg.*　ie] ê *D.*　24. wol hundert *Gdgg.*
25 nach 26 *Gg.*　26. Gestôzen *G.*　28. Ez *Gg.*　29. harmin *G.*　wol
gemal *Gg.*　30. iesl. *Dgg,* iegel. *Gdgg.* -lichem *fast alle aufser DG.* zendal *Ggg.*
65, 1. gezimiert *G.*　4. Wierz *G.*　hurten *Ggg.*　5. chuone *Gd.*　hardîz *D.*
7. uf mich *G.*　8. hie] die *Dg.*　11. er do sande san *G.*　12. = norman
gg, noreman *G.*　13. Mit siner mass. *Gg.*　14. kiliriakach *G.*

15 die wâren dâ durch sîne bete.
zem poulûn si mit Kailete
fuoren mit geselleschaft.
do enphiengen si durh liebe kraft
den werden künec von Zazamanc.
20 si dûht ein beiten gar ze lanc
daz sin niht ê gesâhen;
des si mit triwen jâhen.
dô frâgter si der mære,
wer dâ ritter wære.
25   dô sprach sîner muomen kint
'ûz verrem lande hie sint
ritter die diu minne jagt,
vil küener helde unverzagt.
Hie hât mangen Bertûn
roys Utrepandragûn.
66 ein mære in stichet als ein dorn,
daz er sîn wîp hât verlorn,
diu Artûses muoter was.
ein phaffe der wol zouber las,
5 mit dem diu frouwe ist hin gewant:
dem ist Artûs nâch gerant.
ez ist nu ime dritten jâr,
daz er sun und sîner wîp verlôs für wâr.
hie ist och sîner tohter man,
10 der wol mit rîterschefte kan,
Lôt von Norwæge,
gein valscheit der træge
und der snelle gein dem prîse,
der küene degen wîse.
15 hie ist och Gâwân, des suon,
sô kranc daz er niht mac getuon
rîterschaft enkeine.
er was bî mir, der kleine:
er sprichet, möhter einen schaft

20 zebrechen, trôst in des sîn kraft,
er tæte gerne rîters tât.
wie fruos sîn ger begunnen hât!
hie hât der künec von Patrigalt
von speren einen ganzen walt.
23 des fuore ist da engein gar ein wint,
wan die von Portegâl hie sint.
die heizen wir die vrechen:
si wellnt durch schilde stechen.
Hie hânt die Provenzâle
schilde wol gemâle.
67 hie sint die Wâleise,
daz si behabent iȓ reise
durch den poinder swâ sis gernt.
von der kraft ir landes si des wernt.
5 hie ist manc ritter durch diu wîp,
des niht erkennen mac mîn lîp.
al die ich hie benennet hân,
wir lign mit wârheit sunder wân
mit grôzer fuore in der stat,
10 als uns diu küneginne bat.
   ich sage dir wer ze velde ligt,
die unser wer vil ringe wigt.
der werde künec von Ascalûn,
unt der stolze künec von Arragûn,
15 Cidegast von Lôgroys,
unt der künec von Punturtoys:
der heizet Brandelidelîn.
da ist ouch der küene Lehelîn.
da ist Môrholt von Yrlant:
20 der brichet ab uns gæbiu phant.
dâ ligent ûf dem plâne
die stolzen Alemâne:
der herzoge von Brâbant
ist gestrichen in diz lant

---

16. bavelune *G.*   17. durh *Gdgg.*   18. mit *Ggg.*   23. vragetr *D.*   26. ver-
ren landen *Ggg.*   28. helde nu unv. *D.*   2⁹. vil mangen *Gg.*   bertuon
D, brituon *G.*   30. der kunech *D.*   utrep. *D,* uterp. *gg,* vetter p. *d,* utp.
Ggg.   -guon *DGdg.*
66, 3. artus muotr *D.*   4. phaphe *G.*   zûber *D.*   7. nu daz drite *Gg.*   10. ze
G.   11. Loht *D.*   norwege - trege *D.*   13. und *fehlt G.*   14. Der stolze
Gg.   17. deheine *G.*   19. er *Dg,* Unde *Gdgg.*   = giht *Ggg.*   20. Zerbr.
G, gebrechen *D.*   21. worhte *Ggg.*   22. wie *fehlt G,* Vil *g.*   fruos] fruo
D, fruo es *die übrigen.*   23. Hie habent die von *Gg.*   25. Der *Gg.*   da
engein *D,* da gein *g,* do wider *d,* wider die *Gg,* wider den *gg,* gegen den *g.*
gar *fehlt Ggg.*   26. wan *fehlt Ggg.*   portigál *Gdgg.*   28. Die *Ggg.*
welnt *g,* wellent *die übrigen.*   29. habent *Ggg,* habnt *g.*
67, 2. ir] die *Gg.*   7. hie] = dir hie *gg,* dir *Ggg.*   bennet *G.*   12. wer]
strit *Gg.*   14. freche *Gg.*   15. = Da (Daz *G*) ist *Ggg.*   Cydegast *g,*
Cidigast *d,* Sidgast *D,* zitegast *Ggg.*   orileis *gg,* oruleis *G.*   16. ponturteis
Gg.   17. prand. *G.*   18. 21. Hie *Ggg.*   18. ouch *fehlt Gg.*   19. Hie
Gg.   Moroll *G.*   20. beidiu *D.*   21. uf der *Ggg.*   planige *G.*   22. ala-
mane *g,* almanige *G,* almanîe *g.*   24. Der ist *Ggg.*   ditze *Dgg.*

25 durch den künec Hardîzen.
sîne swester Alîzen
gap im der künec von Gascôn:
sîn dienst hât vor enphangen lôn.
Die sint mit zorne hie gein mir.
nu sol ich wol getrûwen dir.
68 gedenke an die sippe dîn.
durch rehte liebe warte mîn.’
dô sprach der künec von Zazamanc
‘dune darft mir wizzen keinen danc,
5 swaz dir mîn dienst hie zêren tuot.
wir sulen haben einen muot.
stêt dîn strûz noch sunder nest?
du solt dîn sarapandratest
gein sînem halben grîfen tragn.
10 mîn anker vaste wirt geslagn
durch lenden in sîns poinders hurt:
er muoz selbe suochen furt
hinderm ors ûfme grieze.
der uns zein ander lieze,
13 ich valt in, odr er valte mich:
des wer ich an den triwen dich.’
Kaylet ze herbergen reit
mit grôzen freuden sunder leit.
sich huob ein krîieren
20 vor zwein helden fieren:
von Poytouwe Schyolarz
und Gurnemanz de Grâharz
die tjostierten ûf dem plân.
sich huop diu vesperîe sân.
25 hie riten sehse, dort wol drî:
den fuor vil lîhte ein tropel bî.
si begunden rehte rîters tât:
des enwas et dô dechein rât.

Ez was dennoch wol mitter tac:
der hêrre in sîme gezelte lac.
69 dô vriesch der künec von Zazamanc
daz die poynder wît unde lanc
wârn ze velde worden
al nâch rîters orden.
5 er huob och sich des endes dar
mit maneger banier lieht gevar.
ern kêrt sich niht an gâhez schehen:
müezeclîche er wolde ersehen
wiez ze bêder sît dâ wær getân.
10 sînen tepich leit man ûf den plân,
dâ sich die pônder wurren
unt diu ors von stichen kurren.
von knappen was umb in ein rinc,
dâ bî von swerten klingâ klinc.
15 wie si nâch prîse rungen,
der klingen alsus klungen!
von spern was grôz krachen dâ.
ern dorfte niemen vrâgen wâ.
poynder wârn sîn wende:
20 die worhten rîters hende.
diu rîterschaft sô nâhe was,
daz die frouwen ab dem palas
wol sâhn der helde arbeit.
doch was der küneginne leit
25 daz sich der künec von Zazamanc
dâ mit den andern niht endranc.
si sprach ‘wê war ist er komn,
von dem ich wunder hân vernomn?’
Nu was ouch rois de Franze tôt,
des wîp in dicke in grôze nôt
70 brâhte mit ir minne:
diu werde küneginne

25. Hardysen D. 27. in D. caschon G. 30. getrwen D.
68, 1. triwe G. 2. rete D. 4. Du solt Gd. mirs dg. deheinen G.
5. hie fehlt Gdgg. 8. serapandr. G, sherp. g. 10. beslagen Ggg. 11. Dur
G. 12. muz gg, muose DGg, müze g, in d. vûrt G. 13. orse G, orsse
D. ûfme D, uf dem die meisten. griez-liez Dg. 14. = zesamene Ggg.
19. chryeren D, kriegieren d = croyieren Ggg. 20. vor D, Mit d = Von
Ggg. degenen phieren G. 21. potytouwe G. scyolarz D, sciolars d,
Tschielars g, tschierlarz g, tschierarz G, scrinarz g. 22. gurnamanz gg, Gur-
nomanz Gg. de dgg, der Dgg, von Gg. 23. tiustierten D oft. 26. liehte
D. troppel gg. 28. en fehlt Gdg. dô fehlt D. dechein D, dehein g,
kein g, dehein (kein dg) ander Gdgg. 30. in] undr D.
69, 1. Da D. 2. uñ DG. 3. = Ze velde waren Ggg. wordn-ordn D.
7. Er G. cherte DG. gehez gg. 8. = Er wolte muozchliche Ggg.
9. wie ez DG. ze bedr sit D, zebeider site G. wær G. 10. tepech G.
11. Wie G. pondr D hier. 12. unt fehlt Gg. 13. wart Ggg. 18. ern
Dg, Er d, Ezn gg, Donæ G, Ia en gg. sprechen G. 19. waren sine DG
21. nahen G. 22. uf Ggg. 23. = wol fehlt Ggg. sahen. DG. riter
G. 24. = Do Ggg. 26. anderen niene dranc G. 27. = owe Ggg.
der Gg. 69, 29-70, 6. diese acht verse setzen alle, statt vor, hinter den fol-
genden abschnitt 70, 7-71, 6. 29. roy Gg, der kunech D. von vranch-
rihe D.

hete aldar nâch im gesant,
ob er noch wider in daz lant
5 wær komen von der heidenschaft.
des twanc si grôzer liebe kraft.
Ez wart dâ harte guot getân
von manegem küenem armman,
die doch der hœhe gerten niht,
10 des der küngîn zil vergiht,
ir lîbes unde ir lande:
si gerten anderr phande.
nu was och Gahmuretes lîp
in harnasche, dâ sîn wîp
15 wart einer suone bî gemant;
daz ir von Schotten Vridebrant
ze gebe sande für ir schaden:
mit strîte heter si verladen.
ûf erde niht sô guotes was.
20 dô schouwet er den adamas:
daz was ein helm. dar ûf man bant
einen anker, dâ man inne vant
verwieret edel gesteine,
grôz, niht ze kleine:
25 daz was iedoch ein swærer last.
gezimieret wart der gast.
wie sîn schilt gehêret sî?
mit golde von Arâbî
ein tiweriu bukel drûf geslagn,
swære, die er muose tragn.
71 diu gap von rœte alsolhez prehen,
daz man sich drinne mohte ersehen.
ein zobelîn anker drunde.
mir selben ich wol gunde
5 des er het an den lîp gegert:
wand ez was maneger marke wert.
Sîn wâpenroc was harte wît:

ich wæne kein sô guoten sît
ie man ze strîte fuorte;
10 des lenge den teppech ruorte.
ob i'n geprüeven künne,
er schein als ob hie brünne
bî der naht ein queckez fiwer.
verblichen varwe was im tiwer:
15 sîn glast die blicke niht vermeit:
ein bœsez oug sich dran versneit.
mit golde er gebildet was,
daz zer muntâne an Kaukasas
ab einem velse zarten
20 grîfen klâ, diez dâ bewarten
und ez noch hiute aldâ bewarent.
von Arâbî liute varent:
die erwerbent ez mit listen dâ
(sô tiwerz ist ninder anderswâ)
25 und bringentz wider zArâbî,
dâ man diu grüenen achmardî
wurket und die phellel rîch.
ander wât ist der vil ungelîch.
den schilt nam er ze halse sân.
hie stuont ein ors vil wol getân.
72 gewâpent vaste unz ûf den huof,
hie garzûne ruofâ ruof.
sîn lîp spranc drûf, wand erz dâ vant.
vil starker sper des heldes hant
5 mit hurte verswande:
die poynder er zetrande,
immer durch, anderthalben ûz.
dem anker volgete nâch der strûz.
Gahmuret stach hinderz ors
10 Poytwîn de Prienlascors
und anders manegen werden man,
an den er sicherheit gewan.

70, 3. = Het nach im dar gesant *Ggg.*   4. noch *fehlt Ggg.*   inz lant *D.*
8. chuenem *Dg,* chuonen *die übrigen.*   arem man *D,* armen man *Ggg.*
10. des *Dgg,* Der *g,* Alse *Gg, fehlt d.*   kuneginne *D.*   11. noch *Ggg.*
12. anderre *D,* andere *G.*   14. harnasce *D,* harnasch *G.*   17. = Zegelte
Ggg.   18. het erse *G.*   uber laden *Gdgg.*   27. geheret *g,* gehert *Ggg,*
gebert *D,* gehœret *d,* gezieret *gg.*   28. Uz *G.*   29. = richiu *Ggg.*
71, 1. brehen *G.*   2. het *Ggg.*   3. zôbelin *D.*   4. selbn *D,* selbem *G.*
7. waproch *G.*   8. cheinen *D,* niht daz *Gg.*   9. iemen *DG.*   10. = Sin
Ggg.   den *fehlt G.*   tepch *G.*   11. i'n] ih in *Ddg,* ich den *g,* ihez *Ggg.*
gebruoven *G.*   chunde *Ggg.*   12. obe da *G.*   13. chochez fiur *G.*   14. tiur
G.   15. 16. *fehlen Gg.*   16. ouge *D.*   18. daz *fehlt G,* da *D.*   muntanie *G.*
an *D,* in *Ggg, fehlt dg.* ah? *vergl.* 261, 28.   koukasas *D,* Gaugelshash *g,*
kaussacas *G.*   20. diez] ez *G.*   da *fehlt gg.*   22. arabie *Gg.*   2 . tiurz *G.*
25. bringent ez *Dd* = fuorent ez *Ggg.*   26. die *alle aufser G.*   27. phelle *G.*
28. andrr *D,* anderr *g.*   = wæte *D,* gewere *d.*   der *Gg,* er *Ddgg.*   vil *fehlt dgg.*
72, 1. Gewappent *G.*   2. garzun *G.*   3. sprach *G.*   4. stacher *D.*   helds
D.   7. Hie durch *g,* Iennet durch *g,* Ein halb in *g,* Imer *G.*   andertalben
D.   10. poitewinen *Gdgg.*   von *Gg.*   prienlascors *d,* prienlascors *D,*
prienlashors *g,* prinlahiors *g,* brinlascors *g,* prinlacors *G,* pryelaiors *g.*   12. dem
Gdgg.   ir *D.*

swaz dâ gekriuzter ritter reit,
die genuzzen sheldes arbeit:
15 diu gewunnen ors diu gaber in:
an im lag ir grôz gewin.
  gelîcher baniere
man gein im fuorte viere
(küene rotten riten drunde:
20 ir hêrre strîten kunde),
an ieslîcher eins grîfen zagel.
daz hinder teil was ouch ein hagel
an rîterschaft: des wâren die.
daz vorder teil des grîfen hie
25 der künec von Gascône truoc
ûfme schilt, ein rîter kluoc.
gezimieret was sîn lîp
sô wol geprüeven kunnen wîp.
er nam sich vor den andern ûz,
do'r ûfem helme ersach den strûz.
73 der anker kom doch vor an in.
dô stach in hinderz ors dort hin
der werde künec von Zazamanc,
und vieng in. dâ was grôz gedranc,
5 hôhe fürhe sleht getennet,
mit swerten vil gekemmet.
Dâ wart verswendet der walt
und manec ritter ab gevalt.
si wunden sich (sus hôrt ich sagn)
10 hindenort, dâ hielden zagn.
  der strît was wol sô nâhen,
daz gar die frouwen sâhen
wer dâ bî prîse solde sîn.
der minnen gernde Rîwalîn,
15 von des sper snîte ein niwe leis:

daz was der künec von Lohneis:
sîne hurte gâben kraches schal.
Môrholt in einen rîter stal,
ûzem satel ern für sich huop
20 (daz was ein ungefüeger uop)·
der hiez Killirjacac.
von dem het der künec Lac
dâ vor enphangen solhen solt,
den aer vallende an der erde holt:
25 er hetez dâ vil guot getân.
dô luste disen starken man
daz er in twunge sunder swert:
alsus vienc er den degen wert.
  hinderz ors stach Kayletes hant
den herzogn von Brâbant:
74 der fürste hiez Lambekîn.
 waz dô tæten die sîn?
die beschutten in mit swerten:
die helde strîtes gerten.
5   Dô stach der künec von Arragûn
den alten Utepandragûn
hinderz ors ûf die plâne,
den künec von Bertâne.
ez stuont dâ bluomen vil umb in.
10 wê wie gefüege ich doch pin,
daz ich den werden Berteneis
sô schône lege für Kanvoleis,
dâ nie getrat vilânes fuoz
(ob ichz iu rehte sagen muoz)
15 noch lîhte nimmer dâ geschiht.
ern dorfte sîn besezzen niht
ûfem ors aldâ er saz.
niht langer man sîn dô vergaz,

---

13. gekruter *G*, krütziter *g*, getruwer *d*, armer *g*.   14. des heldes *DG*.
15. gap er *G*.   16. lach *G*.   17. Glîcher *D*.   18. = Man fuorte gein im
Ggg, Fürte man gen im *gg*, Gein im furte man *g*.   19. roten *G*.   ritten *D*.
drunden *und* 20. herren-chunden *Gg*.   21. iegel. *G*.   ein *Ggg*.   22. Daz
ander *Gg*.   ouch was *Gdg*.   23. Gein *Ggg*.   25. asconie *G*.   26. = An
Ggg.   me] dem *Ggg*, sim *g*, sime *Dd*, sinem *gg*.   einen *Gg*.   28. = Sam *gg*,
Als *Ggg*.   29. = Der *Ggg*.   30. Dor *G*, do er *D*.   uf dem *G*.
73, 3. zazamah *G*.   4. viengen. *Dg*.   = wart *Ggg*.   5. getemmet *g*.   6. ge-
chemmet *Ddgg*, geclemmet *g*, gechlenbet *G*, bechlenget *g*, gechempfet *g*.
9. suss hœre *D*. .   10. hindenort] hin den ort *D*, Hin an den ort *Gdgg*.
Hinden am orte hieltent zagen *g*.   da *Dd* = dort *Ggg*.   13. = mit *Ggg*.
14. minne *Gdgg*.   15. = speren *G*, spern *gg*.   niwiu leis *Gg*, niulaiz *g*,
new waleisz *g*.   18. Morolt *G*.   19. Uz dem *G*.   er in *alle*.   für sich *fehlt*
Gg.   21. kilir. *G*.   24. Den der *dgg*, den er *DGg*.   valende *G*.   erdn *D*.
25. Unde *Ggg*.   hetz *G*.   28. al suss vienger *D*.   29. hindrs *D*. *so auch* 74, 7.
74, 1. fürste *fehlt G*.   lambikine *G*, Lamechin *g*, lemmekin *g*, lammekin *g*.
2. do *hinter* taten *Gg*, *fehlt D*.   taten *alle aufser Dg*.   die sine *G*.
3. Si *Gdgg*.   beschuten *G*.   5. araguon *D*.   6. Uotep. *D*, utrep. *dg*, uterp.
g, utp. *Ggg*.   -guon *D*.   7. planege *G*.   8. brit. *immer alle aufser D*,
britanige *G*.   9. = Do *Ggg*.   umbe in *G*.   11. britaneis *gg*, pritaneis *G*,
brituneis *g*.   12. f r *D*, vor *Ggg*.   kanvoleiz *G*, *auch* 22.   14. Obe ihez *G*.
16. Er *G*.   = gesezen *Ggg*.   17. em] einem *g*, daz *g*, dem *die übrigen*.
orse *DG*.   al *fehlt Ggg*.   er *DGd*, er ê *gg*, er ê da *g*.   18. lange *g*. da *Ggg*.

in beschutten die ob im dâ striten.
20 dâ wart grôz hurten niht vermiten.
dô kom der künec von Punturteis.
der wart alhie vor Kanvoleis
gevellet ûf sîns orses slâ,
daz er derhinder lac aldâ.
25 daz tet der stolze Gahmuret.
wetâ hêrre, wetâ wet!
mit strîte funden si geweten.
sîner muomen sun Kayleten
den viengen Punturteise.
dâ wart vil rûch diu reise.
75 do der künec Brandelidelîn
wart gezucket von den sîn,
Einen andern künec si viengen.
dâ liefen unde giengen
5 manc werder man in îsenwât:
den wart dâ gâlûnt ir brât
mit treten und mit kiulen.
ir vel truoc swarze biulen:
die helde gehiure
10 derwurben quaschiure.
ine sagez iu niht für wæhe:
dâ waz diu ruowe smæhe.
die werden twanc diu minne dar,
manegen schilt wol gevar,
15 und manegen gezimierten helm:
des dach was worden dâ der melm.
daz velt etswâ geblüemet was,

dâ stuont al kurz grüene gras:
dâ vielen ûf die werden man,
20 den diu êre en teil was getân.
mîn gir kan sölher wünsche doln,
daz et ich besæze ûf dem voln.
dô reit der künec von Zazamanc
hin dan dâ in niemen dranc,
25 nâch eim orse daz geruowet was.
man bant von im den adamas,
niwan durch des windes luft,
und anders durch decheinen guft.
man stroufte im ab sîn härsenier:
sîn munt was rôt unde fier.
76 Ein wîp diech ê genennet hân,
hie kom ein ir kappelân
und kleiner junchêrren drî:
den riten starke knappen bî,
5 zwên soumær giengen an ir hant.
die boten hete dar gesant
diu küneginne Ampflîse.
ir kappelân was wîse,
vil schiere bekanter disen man,
10 en franzois er in gruozte sân.
'bien sei venûz, bêâs sir,
mîner frouwen unde mir.
daz ist rêgîn de Franze:
die rüeret dîner minnen lanze.'
15 einen brief gaber im in die hant,
dar an der hêrre grüezen vant,

19. In beschuten die umbe in da riten *Gg.*   stritten *D.*   **20.** Dane
G.   hurt *D.*   **21. 29.** pont. *Gg.*   **22.** al da *Ggg.*   **23.** Gevalt *Gg.*
orss *D.*   **24.** dr hindert lag *D.*   **26.** wetta *Dgg.*   **27.** = wurden *Ggg.*
sî *D.*   **29.** den *fehlt Gg.*   **30.** ruoch *D,* riuch *g.*

75, 1. da *D.*   3. Jenen?   4. Hie *Ggg.*   5. vil manech *Ddg.*   wert *g,* werdr
D.   6. dâ *fehlt Ggg.*   galunt *gg,* galount *g,* galuonet *D,* gealunet *G.*
7. tretene *G,* tretten *D.*   chulen-bulen *G,* chuolen-buolen *D.*   10. derwur-
ben] erwurben *Gg,* die (da *g*) erwurben *dgg,* da wrden *D.*   quasciure *D,*
coasciure *d* = quatschiure *Ggg.*   11. Ichen *G.*   sagz *gg.*   12. wart *Ggg.*
ruowe *Gg,* riwe *D.*   15. wol gezierten *G,* gezierten *g.*   16. was wrden *D.*
dâ *fehlt G.*   17. gebluomet *DG.*   18. dâ stuont *fehlt Ggg.*   al *D,* aldo
d = *fehlt Ggg.*   churzzes *D.*   gruene *D,* gruenez *d* = chleine gruone *Ggg.*
20. diu *fehlt D.*   enteil *Dg,* enteile *G,* ein teil *dgg,* ein teile *g.*   21. Doch
chan min gir die wunsche dolen *Gg.*   gir] sin *D.*   hat solcher wunsche
doln *g.*   sôlher *Dd,* solche *g,* solh *g.*   22. et *vor* ich *D,* nach ich *d* = vor
uf *Ggg, fehlt gg.*   besæze *D,* besitze *d* = gesaze *G,* gesezze *gg,* gesaz *gg.*
24. Her dan *Ggg.*   25. eim *g,* einemn *D,* einem *d, die. übrigen.*   orze *D.*
da gerwet *D.*   28. und *fehlt Ggg.*   do keine *d.*   29. streiffte *d,* strichte
Gg.   harsnier *G.*

76, 1. diech *G.*   gennet *G.*   2. Alhie *gg,* Dort her *Gg.*   5. soumære *D,* sou-
mare *G.*   gingen *D,* zugens *Gg.*   ir] der *Gg.*   7. chungin anphlise *D.*
9. = erchander *Ggg,* erchande *g.*   10. Enfranzois gruozter in san *Gg.*
11. Ben *Ggg.*   seivenuz *D,* sevenuz *g,* sefenu *G.*   beassir *D,* bea sir *gg,*
bia súr *d,* misir *G.*   13. = roin *g,* roine *gg,* la Racine *g,* roy *G.*   der *Dg.*
14. = din *Ggg.*   minne *Ggg.*   15. 16. = Dem helde gap er in die hant.
Einen brief dar an er gruozen (geschriben *g*) vant *Ggg.*

unde ein kleine vingerlîn:
daz solt ein wârgeleite sîn,
wan daz enphienc sîn frouwe
20 von dem von Anschouwe.
er neic, dô er die schrift ersach.
welt ir nu hœren wie diu sprach?
'dir enbiutet minne unde gruoz
mîn lîp, dem nie wart kumbers buoz
25 sît ich dîner minne enphant.
dîn minne ist slôz unde bant
mîns herzen unt des frôude.
dîn minne tuot mich tœude.
sol mir dîn minne verren,
sô muoz mir minne werren.
77 Kum wider, und nim von mîner hant
krône, zepter unde ein lant.
daz ist mich an erstorben:
daz hât dîn minne erworben.
5 hab dir ouch ze soldiment
dise rîchen prîsent
in den vier soumschrîn.
du solt ouch mîn ritter sîn
ime lande ze Wâleis
10 vor der houbtstat ze Kanvoleis.
ine ruoche obez diu küngin siht:
ez mac mir vil geschaden niht.
ich bin schœner unde rîcher,
unde kan och minneclîcher
15 minne enphâhn und minne gebn.
wiltu nâch werder minne lebn,
sô hab dir mîne krône
nâch minne ze lône.'
an disem brieve er niht mêr vant.
20 sîn härsnier eins knappen hant
wider ûf sîn houbet zôch.

Gahmureten trûren flôch.
man bant im ûf den adamas,
der dicke unde herte was:
25 er wolt sich arbeiten.
die boten hiez er leiten
durch ruowen underz poulûn.
swa gedrenge was, dâ machter rûn.
Dirre flôs, jener gewan.
dâ moht erholen sich ein man,
78 het er versûmet sîne tât:
alhie was genuoger rât.
si solden tjostieren,
dort mit rotten punieren.
5 si geloubten sich der sliche,
die man heizet friwendes stiche:
heinlîch gevaterschaft
wart dâ zefuort mit zornes kraft.
dâ wirt diu krümbe selten sleht.
10 man sprach dâ wênic rîters reht:
swer iht gewan, der habt im daz:
ern ruochte, hetes der ander haz.
si wârn von manegen landen,
die dâ mit ir handen
15 schildes ambet worhten
und schaden wênic vorhten.
aldâ wart von Gahmurete
geleistet Ampflîsen bete,
daz er ir ritter wære:
20 ein brief sagt im daz mære.
âvoy nu wart er lâzen an.
op minne und ellen in des man?
grôz liebe und starkiu triuwe
sîne kraft im frumt al niuwe.
25 nu saher wâ der künic Lôt
sînen schilt gein der herte bôt.

---

18. warr *D*, gewores *d*.   19. = Wan ez *Ggg*.   enphie *G*.   22. Nu horet
rehte *G*, Nu hort *g*, Nu mugt ir horen *gg*.   23. enbiut *G*.   28. tounde *G*,
touwende *D*.

77, 1. und *fehlt Ggg*.   2. sceptrum *D*.   ein *fehlt dg*, daz *Gg*.   5. ouch
fehlt Ggg.   = zesoldemente *Ggg*.   6. riche *Gg*.   = presente *Ggg*.
7. In disen *G*, Disiu *g*, Nim diu *g*.   9. in dem *Ggg*.   10. Von *Dg*.   haup-
stat *gg*, stat *G*.   chanv. *D*, kanvoleiz *G*.   11. Ichen *G*.   kuneginne *D*.
12. vil *fehlt D*.   15. enphahen *DG*.   16. Wil du *G*.   19. An dem briefer
Ggg,   niht mer *mer dg*, niht me *dg*, niht mere *DGg*.   20. harsenier *G*.
21. zouch *D*.   22. vrouch *D*.   25. wolde *D*.   27. ruowe *Ggg*.
28. macheter *D*.   rum. *Ggg*.   29. verlos *D*.   einer *g*, unde der *G*.
30. maht *Gg*.

78, 2. Al da *Gg*.   gnuoger *D*.   4. dort *fehlt Gg*.   rote *gg*, hurte *G*, hur-
ten *g*.   pungieren *g*.   5. gelouben *D*.   6. vriundes *G*.   8. zefuoret mit
zorns *G*.   9. wart *Ggg*.   10. lutzel *D*, selten *g*.   11. het im *Gdgg*.
12. Eren ruohte het es *G*.   13. = uz *Ggg*.   verren *Gg*.   15. ambt *D*.
16. wench *Gdgg*, lutzel *Dg*.   17. = Do wart och dâ (*fehlt G*) von Gahmuret
Ggg.   18. anphlisen bet *G*.   20. seit *Ggg*.   21. do *Ggg*, da *gg*.   23. groze
Ddg.   25. sacher *G*.   Loth *D*.   26. herten *D*.

der was umbe nâch gewant:
daz werte Gahmuretes hant.
mit hurte er den poinder brach,
den künec von Arragûn er stach
79 hinderz ors mit eime rôr.
der künec hiez Schafillôr.
Daz sper was sunder banier,
dâ mit er valte den degen fier:
5 er hetz brâht von der heidenschaft.
die sîne werten in mit kraft:
doch vienger den werden man.
die inren tâten de ûzern sân
vaste rîten ûfez velt.
10 ir vesperî gap strîtes gelt,
ez mohte sîn ein turnei:
wan dâ lac manc sper enzwei.
do begunde zürnen Lähelîn,
'sul wir sus entêret sîn?
15 daz machet der den anker treit.
unser entwedr den andern leit
noch hiute da er unsamfte ligt.
si hânt uns vil nâch an gesigt.'
ir hurte gab in rûmes vil:
20 dô giengez ûz der kinde spil.
sie worhten mit ir henden
daz den walt begunde swenden.
diz was gelîche ir beider ger,
sperâ hêrre, sperâ sper.
25 doch muose et dulden Lähelîn
einen smæhlîchen pîn.
in stach der künec von Zazamanc
hinderz ors, wol spers lanc,

daz in ein rôr geschiftet was.
sîne sicherheit er an sich las.
80 doch læse ich samfter süeze birn,
swie die ritter vor im nider rirn.
Der krîe dô vil maneger wielt,
swer vor sîner tjoste hielt,
5 'hie kumt der anker, fîâ fî.'
zegegen kom im gehurtet bî
ein fürste ûz Anschouwe
(diu riwe was sîn frouwe)
mit ûf kêrter spitze:
10 daz lêrt in jâmers witze.
diu wâpen er rekande.
war umber von im wande?
welt ir, ich bescheide iuch des.
si gap der stolze Gâlôes
15 fil li roi Gandîn,
der vil getriwe bruoder sîn,
dâ vor unz im diu minne erwarp
daz er an einer tjost erstarp.
dô bant er abe sînen helm.
20 wederz gras noch den melm
sîn strît dâ niht mêr bante:
grôz jâmer in des mante.
mit sîme sinner bâgte,
daz er niht dicker frâgte
25 Kayleten sîner muomen suon,
waz sîn bruoder wolde tuon,
daz er niht turnierte hie.
daz enwesser leider, wie
er starp vor Muntôrî.
dâ vor was im ein kumber bî:

27. Er *G.*   umb nach *D*, vil nach al umbe *Gg.*   30. aragun *G.*
79, 1. einem *Gg*, dem *gg.*   rore *G.*   2. Scafillor *D*, schaffillor *d*, tschafillor *g*, tschaffilor *gg*, tschiffilore *G*, shivilor *g.*   5. = Er brahtez *Ggg.*   uz *D.*
7. = Iedoch *Ggg.*   8. inneren *G.*   die *alle.*   uzeren *G.*   9. ritten *D*, ritende *Gg*, ritent *g.*   ûfz *D*, uff daz *d* = uber *Ggg.*   10. vesperie *D*, vesprie *G.*   11. moht wol sin *Gg.*   12. wan *fehlt Gg.*   13. lehelin *G immer.* 14. Sulen wir alsus *Gg.*   16. eintwedere *G*, einer *g.*   17. unsanfte *G.* 19. Groz hurten gap *Gg.*   20. da *D.*   uzzer kindes *g*, uz dem chindes *G.* 22. bunde *G.*   23. Daz *Ggg.*   gelich *G.*   24. Sper a herre *g.*   sper a sper *Gg.*   25. et *hat nur D.*   dulten *G.*   26. schemlichen *alle aufser Dg.* 29. ein *Ddg*, den *Ggg.*   geschift *DG.*
80, 1. lêr ich *g.*   sanfter *s.* biren *G.*   2. Swie da die *G.*   nider *fehlt Ggg.* 3. cūrîe *D*, crige *G.*   da *G.*   4. vor *Ddg*, ie gein *Ggg*, hie gein *g.* 5. phia phi *G*, pfia pfi *g.*   6. zegegen chom im *Dd*, Engegen chom [hie] im *gg*, Gein im chom *Ggg.*   gehurt *G*   7. von *Dg.*   9. gecherter *Gdgg.* schildes spizze *Dgg.*   11. erchande *G.*   15. Filliroi *g*, Filiiroy *D*, Filyrois *Gdg*, Fil lo Roys *g.*   16. vil liebe *Gg.*   17. unz] = e *Ggg*, *fehlt gg.* 18. tioste starp *Ggg.*   19. = Man bant im *Ggg.*   ab *D.*   20. Weder daz ors *Gg.*   21. dâ *fehlt G.*   niht mere *Dd* = nimer *Gg*, nimmer *g*, ninder *g*, niht *g.*   pante *D.*   23. bâchte *g*, bagete *D.*   24. War umber *Ggg.*   nine *G.*   dicher *gg*, diche *D*, me *d*, *fehlt Ggg.*   envragete *D und* (*ohne* dicker) *g*, gefragete *d.*   28. daz en *D*, Des d = Done *Ggg.*   leider *Dgg*, leider reht *oder* rehte *Gdgg.*   29. von munthôri *D.*

81 des twanc in werdiu minne
   einer rîchen küneginne.
   diu kom och sît nâch im in nôt,
   si lag an klagenden triwen tôt.
5   Swie Gahmuret wær ouch mit klage,
   doch heter an dem halben tage
   gefrumt sô vil der sper enzwei;
   wære worden der turnei,
   sô wære verswendet der walt.
10 gevärwet hundert im gezalt
   wârn, diu gar vertet der fiere.
   sîne liehten baniere
   wârn den krîgierren worden.
   daz was wol in ir orden.
15   dô reit er gein dem poulûn.
   der Wâleisinne garzûn
   huop sich nâch im ûf die vart.
   der tiwer wâpenroc im wart
   durchstochen unde verhouwen :
20 den truoger für die frouwen.
   er was von golde dennoch guot,
   er gleste als ein glüendic gluot.
   dar an kôs man rîcheit.
   dô sprach diu künegîn gemeit
25 'dich hât ein werdez wîp gesant
   bî disem ritter in diz lant.
   nu manet mich diu fuoge mîn,
   daz die andern niht verkrenket sîn,
   die âventiure brâhte dar.
   ieslîcher nem mîns wunsches war:
82 wan si sint mir alle sippe
   von dem Adâmes rippe.

   doch wæne et Gahmuretes tât
   den hœsten prîs derworben hât.'
5   Die andern tæten rîterschaft
   mit sô bewander zornes kraft,
   daz siz wielken vaste unz an die naht.
   die inren heten die ûzern brâht
   mit strîte unz an ir poulûn.
10 niwan der künec von Ascalûn
   und Môrholt von Yrlant,
   durch die snüere in wære gerant.
   dâ was gewunnen und verlorn :
   genuoge heten schaden erkorn,
15 die andern prîs und êre.
   nu ist zît daz man si kêre
   von ein ander. niemen hie gesiht:
   sine wert der phander liehtes niht:
   wer solt ouch vinsterlingen spiln?
20 es mac die müeden doch beviln.
   der vinster man vil gar vergaz,
   dâ mîn hêr Gahmuret dort saz
   als ez wær tac. des was ez nieht:
25 dâ wârn ave ungefüegiu lieht,
   von kleinen kerzen manec schoup
   geleit ûf ölboume loup;
   manec kulter rîche
   gestrecket vlîzeclîche,
   derfür manec teppech breit.
   diu küngîn an die snüere reit
83 mit manger werden frouwen :
   si wolte gerne schouwen
   den werden künec von Zazamanc.
   vil müeder ritter nâch ir dranc.

81, 1. Den riet ein werdiu (diu werde *g*) minne *Ggg*.   4. An chlagenden riwen
lach si tot *Gg*.   5. Swie *fehlt, und dann was, Ggg*.   6. selben *Gg*.
9. von im der *G*.   10. geverbet *g, fehlt Gg*.   im hundert *gg*, hundert sper
im *Gg*.   10. 11. waren (wart *g*) *setzen alle vor* gezalt.   11 Die *Dg*.
12. lieht *Gg*.   13. Den croieren waren worden *Gg*.   chrigîren *D*, kriegern *d*,
kroierern *g*, grogiereren *g*.   14. wol *fehlt D*.   15. = Do kerter *Ggg*.
bavelun *G*.   16. = Der chunginne *Ggg*.   18. tiwere *G*.   21. Der *Ggg*.
danoch von golde *Gg*.   22. Unde glaste *Ggg*.   gluendich *D*, glugendiger *g*,
gluegender *d*, gluonde *Gyg*, gluendiu *g*.   23. an *fehlt Gg*.   25. werdes *D*.
26. rittr in dizze *D*.   28. iht *Ggg*.   29. Die diu *Ggg*.

82, 1. wan *fehlt Ggg*.   2. dem *fehlt gg*.   3. wæne et *D*, wenet *g*, wane (*oder*
wene) ich *Gdgg*.   stat *D*.   4. hohesten *G*.   derworben] da erworben *Dg*,
erworben *dgg*, behalten *G*.   5. taten *alle aufser D*.   6. bewandr *Dd*, ge-
wanter *gg*, getaner *Ggg*.   7. wælchen *D*.   8. inneren *und* uzeren *G*.
9. Mit zorne under diu pavelun *Gg*.   10. = Wan *Ggg*.   aragun *Gg*.
11. Unde morolt *G*.   yr lant *D*.   13. = wart *Ggg*.
17. andr niemn *D*.   da *Ggg*.   18. werte *D*.   phandr *D*, phandare *G*.
liehts *G*.   20. = moht *Ggg*.   21. vinstr *D*.   22. do *D*.   dort *fehlt g*,
da *Gg*.   az *dgg*.   23. desen was *G*.   es *D*.   niht *alle*.   24. aver *D*,
sus *g*, aber *die übrigen*.   26. chleboumin *G*, olbaumes *gg*, oleyboumes *d*.
27. = Unde manch *Ggg*.   kultr *D*, gulter *G*.   29. dr *D*, Da *G*.   tepech *G*.

83, 1. werden *Dd* == iunch *Ggg*.   4. muedr rîttr *D*.

5 [Diu] tischlachen wâren abgenomn
ê si inz poulûn wære komn.
ûf spranc der wirt vil schiere,
und gevangener künege viere:
den fuor och etslîch fürste mite.
10 do enphienger si nâch zühte site.
er geviel ir wol, dô sin ersach.
diu Wâleisîn mit freuden sprach
'ir sît hie wirt dâ ih iuch vant:
sô bin ich wirtîn überz lant.
15 ruocht irs daz i'uch küssen sol,
daz ist mit mînem willen wol.'
er sprach 'iur kus sol wesen mîn,
suln dise hêrrn geküsset sîn.
sol künec od fürste des enbern,
20 sone getar och ichs von iu niht gern.'
'deiswâr daz sol och geschehn.
ine hân ir keinen ê gesehn.'
si kuste dies tâ wâren wert:
des hete Gahmuret gegert.
23 er bat sitzen die künegîn.
mîn hêr Brandelidelîn
mit zühten zuo der frouwen saz.
grüene binz, von touwe naz,
dünne ûf die tepch gestrout,
dâ saz ûf des sich hie fröut
84 diu werde Wâleisinne:
si twanc iedoch sîn minne.
er saz für si sô nâhe nidr,
daz sin begreif und zôch in widr
5 Anderhalp vast an ir lîp.
si was ein magt und niht ein wîp,
diu in sô nâhen sitzen liez.

welt ir nu hœeren wie si hiez?
diu küngîn Herzeloyde;
10 unde ir base Rischoyde:
die hete der künec Kaylet,
des muomen sun was Gahmuret.
vrou Herzeloyde gap den schîn,
wærn erloschen gar die kerzen sîn,
15 dâ wær doch lieht von ir genuoc.
wan daz grôz jâmer under sluoc
die hœhe an sîner freude breit,
sîn minne wære ir vil bereit.
si sprâchen gruoz nâch zühte kür.
20 bi einer wîle giengen schenken für
mit gezierd von Azagouc,
dar an grôz rîcheit niemen trouc:
die truogen junchêrren în.
daz muosen tiure näphe sîn
25 von edelem gesteine,
wît, niht ze kleine.
si wâren alle sunder golt:
ez was des landes zinses solt,
den Isenhart vil dicke bôt
frôn Belakân für grôze nôt.
85 dô bôt man in daz trinken dar
in manegem steine wol gevar,
smârâde unde sardîn:
etslîcher was ein rubîn.
5 Für daz poulûn dô reit
zwên ritter ûf ir sicherheit.
die wârn hin ûz gevangen,
und kômn her în gegangen,
10 der sach den künec Gahmuret

5. *vergl. W.* 277, 5.   6. inz *Dd,* in die *g,* underz *Ggg,* widerz *g,* under die *g.*
pavelun *G.*   7. = Der wirt spranch uf *Ggg.*   10. enphinger *D.*   mit *Gg.*
11. ersach *Dg,* gesach *Gdg,* sach *gg.*   12. waleisinne *D,* wolsame *d* = chun-
gin *Ggg.*   zuhten *G.*   13. 15. ih iuch *G,* ich iuch *die übrigen.*   15. ruochet
Dd, Geruocht *gg,* Geruochet *gg,* Gebiet *G.*   irs *Ddg,* ir *Ggg, fehlt g.*   16. Ez
Ggg.   17. = Er sprach *fehlt Ggg.*   iwer *DG.*   18. sulen *D,* Mugen *Ggg.*
herren *alle.*   19. odr *D,* oder *die übrigen.*   20. So *gg.*   ihes *G.*
gegeren *Ggg.*   21. Si sprach daz sol *Ggg.*   22. Ich *G.*
deheinen *G.*   23. die es *Dd* = al dies *Ggg.*   28. pimz *gg,* semden *g.*
29. Dune *G, fehlt g.*   uf den *Gg.*   tepech *g,* tepich *gg,* teppich *d,* teppeche
D. was gestrout *fast alle.*   30. = Dar uf saz des *Ggg.*   frouet *G.*

84, 3. vor ir *Ggg.*   nahen *G.*   5. vaste *Dd* = hin *gg, fehlt Ggg.*   6. unde
Ddgg, fehlt Ggg.   8. *wie* 76, 22; *aber G* reht.   si] diu *Ggg.*   9. kune-
ginne *D.*   Herzelôyde *D,* herzeloide *G,* herzelaude *gg.*   10. Unde *G.*
bâs *g.*   rischoide *g,* Riscôyde *D,* ritschoide *Gd,* Richaûde *g,* ritschoude *gg.*
11. 12. *fehlen Gg.*   13. Fro *G.*   hertzeloide *d,* herzenlaude *g.*   19. zuhte
Ddgg, zuhten *Ggg.*   chûr-fûr *D.*   20. wil *g.*   gie *g.*   21. gezierde *fast alle.*
22. groziu *D.*   24. Ez *Ggg.*   naphe *G.*   28. Daz *Ggg.*   lantzinses *dgg.*
29. Den *Ggg* = Daz *Dd.*   ditch *G.*   30. belacan *g,* belakanen *die meisten.*

85, 1. = Man bot in *Ggg.*   daz] ir *D.*   trichen *G.*   2. wol] lieht *D.*
3. Smareide *Dg,* Smaragede *G,* Smaragde *die übrigen.*   5. furz *D,* Für die
dg.   8. chomen *alle.*   her *Dd* = dar *gg,* hin *Gg.*   10. Er *gg,* Ünde *G.*

sitzen als er wære unfrô.
er sprach 'wie gebârstu sô?
dîn prîs ist doch dâ für rekant,
frôn Herzeloyden unde ir lant
15 hât dîn lîp errungen.
des jehent hie gar die zungen:
er sî Bertûn od Yrschman,
od swer hie wälhisch sprâche kan,
Franzois od Brâbant,
20 die jehent und volgent dîner hant,
dir enkünne an sô bewantem spiln
glîche niemen hie gezilu.
des lis ich hie den wâren brief:
dîn kraft mit ellen dô niht slief,
25 dô dise hêrren kômn in nôt,
der hant nie sicherheit gebôt;
mîn hêr Brandelidelîn,
unt der küene Lähelîn,
Hardîz und Schaffillôr.
ôwê Razalîc der Môr,
86 dem du vor Pâtelamunt
tæte ouch fîanze kunt!
des gert dîn prîs an strîte
der hœhe und och der wîte.'
5 'Mîn frowe mac wænen daz du tobst,
sît du mich alsô verlobst.
dune maht mîn doch verkoufen niht,
wan etswer wandel an mir siht.
dîn munt ist lobs ze vil vernomn.
10 sag et, wie bistu wider komn?'
'diu werde diet von Punturteys
hât mich und disen Schampôneys

ledic lâzen über al.
Môrholt, der mînen neven stal,
15 von dem sol er ledic sîn,
mac mîn hêr Brandelidelîn
ledic sîn von dîner hant.
wir sîn noch anders beide phant,
ich unt mîner swester suon:
20 du solt an uns genâde tuon.
ein vesperîe ist hie erliten,
daz turnieren wirt vermiten
an dirre zît vor Kanvoleiz:
die rehten wârheit ich des weiz.
25 wan d'ûzer herte sitzet hie:
nu sprich et, wâ von oder wie
möhtens uns vor gehalden?
du muost vil prîses walden.'
diu küngîn sprach ze Gahmurete
von herzen eine süeze bete.
87 'swaz mînes rehtes an iu sî,
dâ sult ir mich lâzen bî:
dar zuo mîn dienst genâden gert.
wird ich der beider hie gewert,
5 sol iu daz prîs verkrenken,
sô lât mich fürder wenken.'
Der küneğîn Ampflîsen,
der kiuschen unt der wîsen,
ûf spranc balde ir kappelân.
10 er sprach 'niht. in sol ze rehte hân
mîn frouwe, diu mich in diz lant
nâch sîner minne hât gesant.
diu lebt nâch im ins lîbes zer:
ir minne hât an im gewer.

---

15. Din lip hat *Gg*. 16. gehent *G*. hie] = dir *Ggg*. 17. er *Dg*, Ez
die übrigen. odr *D*, oder *die übrigen*, *so auch* 18. 19. 18. welisch *gg*,
welsche *dgg*, wahsche *G*. 20. volgen *D*. 21. = Daz tir an *Ggg*. be-
wantem *D*, berantem *d* = gewanten *Ggg*, gewantem *g*. 22. Gelich *G*.
hie] = muge *Ggg*. 25. helde *Ggg*. 27. = Der stolze br. *Ggg*. 29. Har-
diez *Dg*. Scaffillor *Dd*, scaphilor *g*, tschafillor *Gg*, tschaffilor *g*, tschaffillor *g*.
30. Owi *gg*, Owir *d*.

86, 1. = Pantelamunt *D*, panthalamunt *d*. 5. 6. Er sprach sit du mich also lobest
Min frouwe mag wenen das du tobest *d*. 5. = Er sprach *D*. frouwe *DG*.
daz *fehlt gg*. 6. also *Ddg*, also (*so g*, alsus *G*, sus *g*) vor ir *Ggg*, vor ir so *g*.
lobest *alle aufser D*. 8. wande *D*. 10. et *Ddg*, an *Gg*, *fehlt gg*.
11. ponturteis *Gg*. 12. Hant *Ggg*. Scamp. *D*, tschanponeis *G*. 13. = La-
zen ledch *Ggg*. 14. Morolt *G*. 15. von den *D*. 17. = Werden ledch
Ggg. 18. bede *D*. 21. = Hie ist ein vesperie *Ggg*. 23. von *D*.
25. wan *Ddg*, Gar *Ggg*. Harduz (Hardis) der herre *gg*. d'ûzer] duz der *G*,
diu uzer *Ddgg*. herte *fehlt D*. 26. sage *G*. von *fehlt Gdg*. odr *D*,
od *g*. 27. mohten si (möchtens *d*) uns vor *Dd* = Si uns mohten vor *Ggg*,
Si uns vor mohten *g*, Si an uns mohten *g*. gehalten-walten *D*.

87, 4. beider *Ggg*, beder *g*, bete *Ddg*. 5. = Sol (Sul *g*) mir daz *Ggg*, Sul wir
daz *g*. verchenchen *G*. 6. fúrder *g*, forter *d*, fuder *gg*, wider *g*, sunder *Gg*,
furbaz *D*. 7. anphl. *G*. 10. er sprach *fehlt g*. = niht *fehlt Ggg*.
in *Ggg* = en *D*, *fehlt d*. 11. dizze *D*. 13. 15. = Si *Ggg*. 13. in
libes *Gg*

4*

15 diu sol behalden sînen lîp:
wan sist im holt für elliu wîp.
hie sint ir boten fürsten drî,
kint vor missewende vrî.
der heizet einer Lanzidant,
20 von hôher art ûz Gruonlant:
der ist ze Kärlingen komn
und hât die sprâche an sich genomn.
der ander heizet Lîedarz,
fil li cunt Schîolarz.'
25 wer nu der dritte wære?
des hœret ouch ein mære.
des muoter hiez Bêâflûrs,
unt sîn vater Pansâmûrs:
die wâren von der feien art:
daz kint hiez Lîahturteltart.
88 diu liefen älliu driu für in.
si sprâchen 'hêrre, hâstu sin
(dir zelt regîn de Franze
der werden minne schanze),
5 sô mahtu spilen sunder phant:
dîn freude ist kumbers ledec zehant.'
Dô diu botschaft was vernomn,
Kaylet, der ê was komn,
saz ter küngîn undr ir mandels ort:
10 hinz im sprach si disiu wort.
'sag an, ist dir iht mêr geschehen?
ich hân slege an dir gesehen.'
dô begreif im diu gehiure
sîne quaschiure
15 mit ir linden handen wîz:

an den lac der gotes flîz.
dô was im gamesieret
und sêre zequaschieret
hiufel, kinne, und an der nasen.
20 er hete der küneginne basen,
diu dise êre an im begienc
daz sin mit handen zir gevienc.
si sprach nâch zühte lêre
hinz Gahmurete mêre
25 'iu biutet vaste ir minne
diu werde Franzoysinne.
nu êret an mir elliu wîp,
und lât ze rehte mînen lîp.
sît hie unz ich mîn reht genem:
ir lâzet anders mich in schem.'
89 daz lobte ir der werde man.
si nam urloup, dô fuor si ·dan.
si huop Kaylet, der degen wert,
sunder schamel ûf ir pfert,
5 und gienc von ir hin wider în,
aldâ er sach die friunde sîn.
Er sprach ze Hardîze
'iwer swester Alîze
mir minne bôt: die nam ich dâ.
10 diu ist bestatet anderswâ,
und werdeclîcher dan ze mir.
durch iwer zuht lât zornes gir.
si hât der fürste Lämbekîn.
al sül si niht gekrœnet sîn,
15 si hât doch werdekeit bekant:
Hânouwe und Brâbant

16. wan *fehlt G.*　　17. botten *Gg.*　　18. Driu chint *Gg.*　　19. lazidant *G.*
20. ·gruonelant *Ggg.*　　21. ze] = her ze *Ggg.*　　charlingen *Gdg.*　　23. lie-
darsz *d,* Leidarz *D* = liadarz *oder* lyad. *Ggg.*　　24. Filii cûns Sciolarz *D* Fili
cons syolars *d,* Filluchuns tschielarz *g,* Fili lu kunt Tschielarz *g,* Filicunt de-
tschaialarz *G,* Fily chunt de schialarz *g,* Fil lo chumt der Tschihelarz *g.*　　25. = nu
fehlt Ggg.　　26. hœret *Dd* = seiter *Ggg.*　　27-30 *fehlen G.*　　29. feien *g,*
veigen *g,* Fâin *D,* phain *g,* phien *g,* fryen *g,* selben (*statt* elben?) *d.*
88, 2. si] und *D.*　　3. Regîn *D,* regine *d* = rein *g,* royn *gg,* roy *Ggg.*　　4. tschanze
G, so ganze *D.*　　7. = Diu botschaft was och vernomen *Ggg.*　　9. undr
ir *Ddg,* unders *Ggg,* under des *eg.*　　mandeles *G.*　　10. = Si sprach hinze
im *Ggg.*　　12. ersehen *Gdg.*　　14. quatschiure *Ggg.*　　16. dar an lach *D.*
gots *G.*　　17. gæmsieret *D,* geamisieret *Gg,* gemisieret *g,* gemasciert *g,* geami
siert *g,* gamazieret *d,* gegasieret *g.*　　18. sêre *fehlt D.*　　zerquatschieret *G.*
19. hûfel *D,* hüffel *d,* huffel *Ggg.*　　chine *G.*　　23. mit *Ggg.*　　24. Ze *Ggg.*
25. = nach 26 *Ggg.*　　25. biut *G.*　　29. unz] biz *G.*　　geneme-scheme *G.*
30. lat *Ggg.*
89, 1. Ditze *G.*　　lobt *Gg,* lopt *gg.*　　ir do *g.*　　ir dirre man *G.*　　2. dô fuor
si] unde fuor *Gdg.*　　von dan *Gg,* san (*corrigiert*) *D.*　　4. schemel *g.*
pfært *D.*　　5. = Unde cherte von ir wider in *Ggg.*　　6. al *fehlt Ggg.*
= vant *Ggg.*　　friunde *G,* freude *dgg,* vrowe *g,* frouwen *Dg.*　　7. Hardyse *D,*
hardieze *G.*　　8. Alise *D,* alieze *G.*　　10. ist nu *dgg.*　　bestatet *dgg,* bestatt
D, bestat *g,* bestæt *G,* bestetet *gg.*　　11. und *fehlt Gg.*　　dane *G,* denne *D.*
13. sî *D.*　　lambechin *Gdg,* lammekin *g,* lamechin *gg,* Læmbekin *D,* Lemmekein
g.　　14. al *Dd,* also *g,* en *G,* unde *g,* *fehlt gg.*　　16. Hanquwe *Dd* =
Henouwe *g,* Henawe *g,* Hengouwe *G,* Henegowe *g,* Henegeu *g.*

ir dienet, und manc ritter guot.
kêrt mir ze grüezen iweren muot,
lât mich in iwern hulden sîn,
20 und nemt hin widr den dienest mîn.'
　der künec von Gascône sprach
als im sîn manlîch ellen jach
'iwer rede was ie süeze:
swer iuch dar umbe grüeze,
25 dem ir vil lasters hât getân,
der woltez doch durch vorhte lân.
mich vienc iwer muomen suon:
der kan an niemen missetuon.'
'ir wert wol ledec von Gahmurete.
daz sol sîn mîn êrstiu bete.
90 swenne ir dan unbetwungen sît,
mîn dienst gelebet noch die zît
daz ir mich zeinem friwende nemt.
ir möht iuch nu wol hân verschemt.
5 swaz halt mir von iu geschiht,
mich enslüege doch iur swester niht.'
　Der rede si lachten über al.
dô wart getrüebet in der schal.
den wirt sîn triwe mente
10 daz er sich wider sente:
wan jâmer ist ein schärpher gart.
ir ieslîcher innen wart
daz sîn lîp mit kumber ranc
und al sîn freude was ze kranc.
15 dô zurnde sîner muomen suon,
er sprach 'du kanst unfuoge tuon.'
'nein, ich muoz bî riwen sîn:
ich sen mich nâch der künegîn.
ich liez ze Pâtelamunt
20 dâ von mir ist mîn herze wunt,
in reiner art ein süeze wîp.

ir werdiu kiusche mir den lîp
nâch ir minne jâmers mant.
si gap mir liute unde lant.
25 mich tuot frô Belakâne
manlîcher freuden âne:
ez ist doch vil manlich,
swer minnen wankes schamet sich.
der frouwen huote mich ûf pant,
daz ich niht rîterschefte vant:
91 dô wânde ich daz mich rîterschaft
næm von ungemüetes kraft.
der hân ich hie ein teil getân.
nu wænt manc ungewisser man
5 daz mich ir swerze jagte dane:
die sah ich für die sunnen ane.
ir wîplich prîs mir füeget leit:
si ist [ein] bukel ob der werdekeit.
　Einz undz ander muoz ich klagen:
10 ich sach mîns bruoder wâpen tragen
mit ûf kêrtem orte.'
ôwê mir dirre worte!
daz mære wart dô jæmerlîch.
von wazzer wurden d'ougen rîch
15 dem werden Spânôle.
'ôwî küngîn Fôle,
durch dîne minne gap den lîp
Gâlôes, den elliu wîp
von herzen klagen solten
20 mit triwen, op si wolten
daz ir site bræhte
lop swâ mans gedæhte.
küngîn von Averre,
swie lützel ez dir werre,
25 den mâg ich doch durch dich verlôs,
der rîterlîchen ende kôs

---

18. gruozen D, gruoze Gdg. 20. und *fehlt* Gg. den *fehlt* D. 21. ascone G, Gascon do D. 24. Der Gg. 25. vil lasters Dd = groz laster Ggg, laster g, laide g. habet G. 26. woltz D. iedoch Ggg. 29. wert g, werdet *die meisten*. ledch G, ledich D.

90, 1. ir denne Dd = aber (ob g) ir Ggg. 2. = So gelebet min dienst Gyg. noch Ddg, wol Ggg. 3. = ze friunde Ggg. 4. nu wol Dg, wol d, ê wol g, vorne Gg. 6. sluoge G, sluoch g. doch *fehlt* g. iwer *alle.* 8. Doch Ggg. 10. wider] sere Gg. 11. wan *fehlt* Ggg. scharfer Ggg. 12. iege-licher G. 15. zurende D. 19. = Die ich Ggg. 20. = Von der ist min Ggg. 22. mir den] minen Gg. 24. lip gg. 27. doc D, iedoch Ggg. 28. minen G. schamt D. 29. huot dg.

91, 1. 2 fehlen Gg. mich *setzt* D *vor* neme. 2. Nem g, neme Ddgg, Name g. 4. wænet DG. ungewisser Ddg, unwise G, unwiser gg, unverwissen g. 5. 6. dan-an DG. 9. Einez undz andr muoz ich Dd = Ich muoz einz unt dez (daz gg, *fehlt* gg) ander Ggg. 11. gechertem Gdgg. 13. mare-iamerlich G. 14. diu *fehlt* g. 15. spangole G. 16. owi D, Er sprach ouwe d = Ei Gg, Ein gg, Haia g. kuneginne D. Fôle Dd = anphole Gg, anf. g, amph. g, amf. g. 17. Dur G. 24. = Swie wench Ggg. ez dir] es doch d, dir daz D. 25. mach G. doch] dorh D.

von einer tjoste, diu in sluoc
do'r dîn kleinœte truoc.
fürsten, die gesellen sîn,
tuont herzenlîche ir klagen schîn.
92 si hânt ir schildes breite
nâch jâmers geleite
zer erden gekêret:
grôz trûren si daz lêret.
5 alsus tuont si rîterschaft.
si sint verladen mit jâmers kraft,
sît Gâlôes mînr muomen suon
nâch minnen dienst niht solde tuon.'
Dô er vernam des bruoder tôt,
10 daz was sîn ander herzenôt.
mit jâmer sprach er disiu wort.
'wie hât nu mîns ankers ort
in riwe ergriffen landes habe!'
der wâppen teter sich dô abe.
15 sîn riwe im hertes kumbers jach.
der helt mit wâren triwen sprach
'von Anschouwe Gâlôes!
fürbaz darf niemen vrâgen des:
ez enwart nie manlîcher zuht
20 geborn: der wâren milte fruht
ûz dîme herzen blüete.
nu erbarmet mich dîn güete.'
er sprach ze Kaylette
'wie gehabt sich Schôette,
25 mîn muoter freuden arme?'
'sô daz ez got erbarme.
dô ir erstarp Gandîn
und Gâlôes der bruoder dîn,

unt dô si dîn bî ir niht sach,
der tôt och ir daz herze brach.'
93 dô sprach der künec Hardîz
'nu kêrt an manheit iwern vlîz.
ob ir manheit kunnet tragn,
sô sult ir leit ze mâzen klagn.'
5 sîn kumber leider was ze grôz:
ein güsse im von den ougen vlôz.
er schuof den rittern ir gemach,
und gienc da er sîne kamern sach,
ein kleine gezelt von samît.
10 die naht er dolte jâmers zît.
Als der ander tac erschein,
si wurden alle des enein,
die innern und daz ûzer her,
swer dâ mit strîteclîcher wer
15 wære, junc oder alt,
oder blœde oder balt,
dien solden tjostieren nieht.
dô schein der mitte morgen lieht.
si wârn mit strîte sô verribn
20 unt d'ors mit sporn alsô vertribn,
daz die vrechen ritterschaft
ie dennoch twanc der müede kraft.
diu küngîn reit dô selbe
nâch den werden hin ze velde,
25 und brâht si mit ir in die stat.
die besten si dort inne bat
daz si zer Lêôplâne riten.
done wart ir bete niht vermiten:
si kômen dâ man messe sanc
dem trûregen künec von Zazamanc.

27. An *Ggg*.　　28. do'r] der *Dd* = Da er *Ggg*, Daz er *gg*.　　chleinot *D*, chleinode *G*.　　30. herzenliche ir chlagen *D*, herzechlich chlagen *g*, hertec- lich ir clage *d*, herzenlicher chlage *gg*, herzenliche chlage *Gg*.

92, 1. habnt *D*.　4. Groz iamer *G*.　　sì *D*.　5. Also *Gg*.　　reterschaft *D*. 6. Unt sint *Ggg*.　　7. mîn?　8. sol *Ggg*.　9. = gefriesch *Ggg*, erfuor *g*. 11. er *fehlt Dg*.　12. nu] sus *Ggg*.　　mins *g*.　13. lands *D*.　14. doch *Dg*.　15. = Groz *Ggg*.　　grozes *gg*.　16. herre *Gg*.　 = uz *gggg*. grozen *Gg*.　20. der rehten *G*, rehter *g*.　21. sinem *g*, einem *g*.　23. kai- let *G*.　24. Scoette *D*, tuschet *G*, tschuet *g*, ieskutte *g*, thschuet *g*, Joet *g*, schoyet *d*, deschawete *g*.　29. dô *fehlt Gg*.　30. ir ouch *Gg*.　　daz *Dd* = *fehlt gg*, ir *G*.

93, 4. zemaze *Ggg*, mit zmaze *g*.　5. = Do was sin chumber al ze groz *Ggg*. 7. riteren *G*.　8. chamer *G*.　9. = Ein wench *Ggg*, Ein wenigz *g*. 11. = Des morgens do der tach *Ggg*.　12. = algeliche enein *Ggg*. 14. = Daz da (ta *G*) was (*in G von der ersten hand übergeschrieben*) mit *Ggg*. stritlicher *dgg*, strites *g*.　15. = Sie weren (waren *G*) iunch *Ggg*.　16. bluege *g*.　17. dine *D* = Sine *Ggg*, Si *gg*.　　soltn tiustieren nîeht *D*.　18. mitter *G*.　19. also *Ggg*.　20. d'] *fehlt D*, diu *die übrigen*.　　alsô *fehlt gg*, so *G*. 21. = Daz al die *Ggg*.　22. Dannoch twanc *g*, Twanch iedoch *Gg*.　24. dem *G*.　　hin *fehlt Gg*.　25. = fuorte *Ggg*.　　die *D*.　27. zer Leoplane *Dg*, zer lewe planie *Ggg*, zuo ir lewen plangen *g*, zuo der (auff die) planie *dg*. 28. Da *Ggg*.　29. = fuoren *Ggg*.　30. trurigen chunge (kunege *D*) *DG*.

94 als der benditz wart getân,
dô kom frou Herzeloyde sân.
an Gahmuretes lîp si sprach:
si gerte als ir diu volge jach.
5 dô sprach er 'frouwe, ich hân ein wîp:
diu ist mir lieber danne der lîp.
ob ich der âne wære,
dennoch wess ich ein mære,
dâ mit ich iu enbræste gar,
10 næm iemen mînes rehtes war.'
'Ir sult die Mœrinne
lân durch mîne minne.
des toufes segen hât bezzer kraft.
nu ânet iuch der heidenschaft,
15 und minnet mich nâch unser ê:
wan mirst nâch iwerr minne wê.
oder sol mir gein iu schade sîn
der Franzoyser künegîn?
der boten sprâchen süeziu wort,
20 si spiltn ir mære unz an den ort.'
'jâ diu ist mîn wâriu frouwe.
ich brâht in Anschouwe
ir rât und mîner zühte site:
mir wont noch hiute ir helfe mite,
25 dâ von daz mich mîn frouwe zôch,
die wîbes missewende ie flôch.
wir wâren kinder beidiu dô,
unt doch ze sehen ein ander vrô.
diu küneginne Amphlîse
wont an wîplîchem prîse.
95 mir gap diu gehiure
vom lande de besten stiure:
(ich was dô ermer denne nuo)
dâ greif ich willeclîchen zuo.
5 zelt mich noch für die armen.

ich solt iuch, frouwe, erbarmen:
mir ist mîn werder bruoder tôt.
durch iwer zuht lât mich ân nôt.
kêrt minne dâ diu freude sî:
10 wan mir wont niht wan jâmer bî.'
'Lât mich den lîp niht langer zern:
sagt an, wâ mite welt ir iuch wern?'
'ich sage nâch iwerre frâge ger.
ez wart ein turney dâ her
15 gesprochen: des enwart hie niht.
manec geziuc mir des giht.'
'den hât ein vesperîe erlemt.
die vrechen sint sô hie gezemt,
daz der turney dervon verdarp.'
20 'iwerr stete wer ich warp
mit den diez guot hie hânt getân.
ir sult mich nôtrede erlân:
ez tet hie manec ritter baz.
iwer reht ist gein mir laz;
25 niwan iwer gemeiner gruoz,
ob ich den von iu haben muoz.'
als mir diu âventiure sagt,
dô nam der ritter und diu magt
einen rihtære übr der frouwen klage.
dô nâhet ez dem mitten tage.
96 man sprach ein urteil zehant,
'swelch ritter helm hie ûf gebant,
der her nâch rîterschaft ist komn,
hât er den prîs hie genomn,
5 den sol diu küneginne hân.'
dar nâch diu volge wart getân.
dô sprach si 'hêr, nu sît ir mîn.
ich tuon iu dienst nâch hulden schîn,
und füege iu sölher fröuden teil,
10 daz ir nâch jâmer werdet geil.'

94, 1. Und als *d* = Do *Ggg*.   benditz *G*, bendiz *D*, benediz do *g*, beneditz das *d*,
benedicite *gg*.   2. = Fro herzeloide chom da (do *g*, du *g*) san *Ggg*.   3. gah-
murets *G*.   4. = Unde *Ggg*.   5. ich *fehlt G*.   6. Diu mir ist *Gg*.
9. enbrêste *D*.   10. Nem *g*, næme *D*, Name *G*.   11. = Si sprach *Dd*.
13. grozer *G*, groze *g*.   14. nu *fehlt G*.   15. und *fehlt G*.   unserr *D*.
16. wan *fehlt Gg*.   mir ist *alle*.   iweren minnen *G*.   20. = Unde *Ggg*.
spilten *Ddgg*, spielden *Gg*.   21. Er sprach diu ist min frouwe *Gg*.
23. und] an *Gg*, mit *g*.   26. ie *fehlt Ggg*.   28. zesehne *G*.   29. chungin
G.   amphîse *D*, anflise *G*.   30. Wonet in wibes prise *Gg*.
95, 2. Vom *g*, Von *g*, Von dem *die übrigen*.   die *alle*.   bestn *D*.   4. = *vor* 3
Ggg.   4. Do *Gg*.   5. noch *fehlt Gg*, nu *g*, doch *g*.   8. an *Ggg*, en *g*, ane
die übrigen.   10. = wan *fehlt Ggg*.   wont] ist *G*.   niwan *D*.   chum-
ber *Gg*.   12. wâ mite] wie, *und dann* erwern, *Gg*.   welt ir iuch *Dd*, woltet
ir euch *g*, welt irs iuch *G*, ir iuch welt (wolt *g*) *gg*.   13. iwer *G*.   15. ne-
wart *D*.   17. vesprie *G*.   18. = Hie sint die frechen so gezemet *Ggg*.
sin *D*.   20. Iwere *G*.   24. mir vil laz *Gg*.   27. = Als uns *Ggg*.
29. uber ir beider chlage *Gg*.   30. mitten *D*, miten *G*, mittem *dg*, mitem *g*.
96, 1. urteile *D*.   = da (al *G*) zehant *Ggg*.   3. hernâch *Dd* = her dur
Ggg.   was *Ggg*.   4. Hat der *Gg*.   6. Des wart ein urteil (urtaild *g*) ge-
tan *Gg*.   7. Si sprach *Gg*.   herre *DG*.   10. iamere *G*.

Er het iedoch von jâmer pîn.
dô was des abrillen schîn
zergangen, dar nâch komen was
kurz kleine grüene gras.
15 daz velt was gar vergrüenet;
daz plœdiu herzen küenet
und in gît hôchgemüete.
vil boume stuont in blüete
von dem süezen luft des meien.
20 sîn art von der feien
muose minnen oder minne gern.
des wolt in friundîn dâ gewern.
an [frôn] Herzeloyden er dô sach:
sîn süezer munt mit zühten sprach
25 'frowe, sol ich mit iu genesen,
sô lât mich âne huote wesen.
wan verlæt mich immer jâmers kraft,
sô tæt ich gerne rîterschaft.
lât ir niht turnieren mich,
sô kan ich noch den alten slich,
97 als dô ich mînem wîbe entran,
die ich ouch mit rîterschaft gewan.
dô si mich ûf von strîte bant,
ich liez ir liute unde lant.'
5 si sprach 'hêr, nemt iu selbe ein zil:
ich lâz iu iwers willen vil.'
'ich wil frumen noch vil der sper enzwei:
aller mânedglîch ein turnei,
des sult ir frouwe ruochen,
10 daz ich den müeze suochen.'
diz lobte si. wart mir gesagt:
er enphienc diu lant unt och die magt.
Disiu driu juncherrelîn
Ampflîsen der künegîn
15 hie stuonden, unde ir kappelân,
dâ volge und urteil wart getân,
aldâ erz hôrte unde sach.
heinlîche er Gahmureten sprach.

'man tet mîner frouwen kunt
20 daz ir vor Pâtelamunt
den hœhsten prîs behieltet
unt dâ zweir krône wieltet.
si hât ouch lant unde muot,
und gît iu lîp unde guot.'
25 'dô si mir gap die rîterschaft,
dô muos ich nâch der ordens kraft,
als mir des schildes ambet sagt,
derbî belîben unverzagt.
wan daz ich schilt von ir gewan,
ez wær noch anders ungetân.
98 ich werdes trûric oder geil,
mich behabt hie rîters urteil.
vart wider, sagt ir dienest mîn;
ich sül iedoch ir ritter sîn.
5 ob mir alle krône wærn bereit,
ich hân nâch ir mîn hœhste leit.'
er bôt in sîne grôze habe:
sîner gebe tâten si sich abe.
die boten fuorn ze lande
10 gar ân ir frouwen schande.
sine gerten urloubes niht,
als lîhte in zorne noch geschiht.
ir knappen fürsten, disiu kint
wârn von weinen vil nâch blint.
15 Die den schilt verkêrt dâ hânt getragn
den begunde ir friwent ze velde sagn
'frou Herzeloyd diu künegîn
hât behabt den Anschevîn.'
'wer was von Anschouwe dâ?
20 unser hêrre ist leider anderswâ,
durch rîters prîs zen Sarrazîn.
daz ist nu unser hôhster pîn.'
'der hie den prîs hât bezalt
unt sô mangen ritter ab gevalt,
25 unt der sô stach unde sluoc,
unt der den tiwern anker truoc

12. Nu *Ggg*, Ez *gg*.   Abrillen *Dg*, apprillen *d*, aberellen *G*, abrellen *gg*, abrullen *g*.   16. herze *Ggg*.   17. 18 *fehlen Gg*.   19. lufte des *D*, luftes *g*.
meigen *G*.   20. pheigen *G*, phain *g*, pheien *g*.   23. An die chungin er
sach *G*.   dô *fehlt Gg*, er ersach *g*.   25. Frouwe *DG*.   sul *Gg*.   27. wan
fehlt G.   verlæt *Dg*, verlat *die übrigen*.
97, 1. dô *fehlt Gg*.   4. ir *fehlt D*.   lip *Ggg*.   5. Si sprach *fehlt Gg*.   herre
nu nemt *D*.   ein *fehlt Gdgg*.   8. aller *fehlt g*.   manedglich *D*, manodt
glich *g*, man und glich *d*, manodliche *g*, mangelich *G*, mænlich *gg*.   einen *G*.
10. die *Gg*.   12. daz lant *G*.   14. Anphl. *G*.   16. urtel *D*.   17. Do das der
Cappelan gesach *d* = Der phafe ez horte unde sach *Ggg*.   20. Pautelamunt
D.   21. behielt *G*.   22. dâ *fehlt Ggg*.   zweir *g*, zweier *D*, zweiger *G*.
lande *Gg*.   26. ordenes *G*, orden *dg*.   27. schilds ambt *D*.
98, 1. = ich wære des *Dd*.   4. sol *Ggg*.   6. hohest *G*, hohsten *g*, hohstez *dgg*.
8. gabe *Dgg*.   9. fuoren *DG*.   10. ân *g*, an *D*, ane *G*.   12. ditche *Gg*.
15. dâ *fehlt Gdgg*.   17. Fro *G*.   Herzeloyde *D*, herzeloide *G*, *immer*.
18. diu hat *D*.   21. Dur *G*.   zesarazin *Ggg*.   23. hie] = da *Ggg*.
24. = sô *fehlt Ggg*.   25. unt *fehlt Gg*.   unde] unde der *g*, unt der so
Gg, unde so *g*.   26. tiwren *G*.

ûf dem helme lieht gesteinet,
daz ist den ir dâ meinet.
mir sagt der künec Kaylet,
der Anschevîn wær Gahmuret.
99 dem ist hie wol gelungen.'
nâch den orsen si dô sprungen.
ir wât wart von den ougen naz,
dô si kômen dâ ir hêrre saz.
5 si enphiengen in, ernphienc ouch sie.
freude und jâmer daz was hie.
    dô kuster die getriuwen,
er sprach 'iuch sol niht riuwen
zunmâzer wîs der bruoder mîn:
10 ich mag iuch wol ergetzen sîn.
kêrt ûf den schilt nâch sîner art,
gehabt iuch an der freuden vart.
ich sol mîns vater wâpen tragn:
sîn lant mîn anker hât beslagn.
15 der anker ist ein recken zil:
den trage und nem nu swer der wil.
Ich muoz nu lebelîche
gebâren: ich bin rîche.
wan solt ich volkes hêrre sîn?
20 den tæte wê der jâmer mîn.
frou Herzeloyde, helfet mir,
daz wir biten, ich unt ir,
künge und fürsten die hie sîn,
daz si durch den dienest mîn
25 belîben, unz ir mich gewert
des minnen werc zer minnen gert.'
die bete warb ir beider munt:
die werden lobtenz sâ ze stunt.
    ieslîcher fuor an sîn gemach:
diu künegîn zir friunde sprach
100 'nu habt iuch an mîne phlege.'
si wîst in heinlîche wege.

sîner geste phlac man wol ze frumn,
swar halt ir wirt wære kumn.
5 daz gesinde wart gemeine:
doch fuor er dan al eine,
wan zwei junchêrrelîn.
juncfrouwen unt diu künegîn
in fuorten dâ er freude vant
10 und al sîn trûren gar verswant.
entschumphiert wart sîn riwe
und sîn hôchgemüete al niwe:
daz muose iedoch bî liebe sîn.
frou Herzeloyd diu künegîn
15 ir magettuom dâ âne wart.
die munde wâren ungespart:
die begunden si mit küssen zern
und dem jâmer von den freuden wern.
    Dar nâch er eine zuht begienc:
20 si wurden ledic, dier dâ vienc.
Hardîzen und Kaylet,
seht, da versuonde Gahmuret.
da ergienc ein sölhiu hôhgezît,
swer der hât gelîchet sît,
25 des hant iedoch gewaldes phlac.
Gahmuret sich des bewac,
sîn habe was vil ungespart.
aræbesch golt geteilet wart
armen rîtern al gemeine,
unt den küngen edel gesteine
101 teilte Gahmuretes hant,
und ouch swaz er dâ fürsten vant.
dâ wart daz varnde volc vil geil:
die enphiengen rîcher gâbe teil.
5 lât si rîten, swer dâ geste sîn:
den gap urloup der Anschevîn.
dez pantel, daz sîn vater truoc,
von zoble ûf sînen schilt man sluoc.

29. = Uns *Ggg.*

99, 1. = Dem si da wol *Ggg.*   2. = Ze den *gg*, Ze *Ggg.*   5. ernphienc *g*, er enphiench *D*, er enphie *G.*   sie *D*, si *G.*   6. iamer was ta bi *Gg.*   8. iuch en sol *D.*   9. Zeumazer *G*, ze unmaze *oder* zunmazzen *(ohne* wîs) *gg.* wise *Gdg.*   12. = Habet *G*, Und habt *gg.*   13. = wil *Ggg.*   16. neme unde trage *Gg.*   dr *D*, da *dgg.*   19. sol *Gg.*   20. Dem *Ggg.* chumber *Gg.*   21. Frouwe chungin helfet mir *G.*   22. bitten *D.*   un *DG.* 24. dur *G.*   25. biz *G.*   26. ze *Ggg.*   minne *gg.*   28. lobten ez zestunt *Gg.* 29. Iegelicher *G.*

100, 1. halt *Ggg.*   4. chomen *G.*   11. Entschunphiert *G.*   12. und *fehlt Gg.* 13. bi *D*, in *d (in d sind* bi *und* in *oft schwer zu unterscheiden)* = von *Gg*, vor *gg.*   14. Fro *G.*   15. magetuoms *Dgg.*   16. dî *D.*   münde *dg.* 17. 22. di *D.*   18. Dem amer *G.*   20. ledich di er *D*, ledch die er *G.* 21. Hardiezen *D* = Hardiz *Ggg.*   22. seht *fehlt Gdgg.*   23. ein solch hochzit *G.*   26. des *fehlt D.*   27. was (wart *d)* vil *Dd* = diu was *Ggg.* 28. Aræbsc *D*, Arabesch *d*, Arabisch *gg*, Arabischez *gg*, arabensch *G.*   30. und *fehlt Ggg.*   chungen *Ggg*, kunegin *Ddgg.*   edele *D.*

101, 2. ouch *fehlt Ggg.*   3. 4 = *fehlen Dd.*   3. vil *fehlt gg.*   4. Si *gg.* 5. si *fehlt Gdg*, nu *g.*   swer da *Dd* = die da *Ggg*, da di *g*, die *gg.* 7. Daz *alle aufser D.*   8. manz *G.*

al kleine wîz sîdîn
10 ein hemde der künegîn,
als ez ruorte ir blôzen lîp,
diu nu worden was sîn wîp,
daz was sîns halsperges dach.
ahzehniu manr durchstochen sach
15 und mit swerten gar zerhouwen,
ê er schiede von der frouwen.
daz leit ouch si an blôze hût,
sô kom von rîterschaft ir trût,
der manegen schilt vil dürkel stach.
20 ir zweier minne triwen jach.
Er hete werdekeit genuoc,
dô in sîn manlîch ellen truoc
hin über gein der herte.
mich jâmert sîner verte.
25 im kom diu wâre botschaft,
sîn hêrre der bâruc wær mit kraft
überriten von Babylôn.
einer hiez Ipomidôn,
der ander Pompeius.
den nennet d'âventiure alsus.
102 daz was ein stolz werder man
(niht der von Rôme entran
Julîus dâ bevor):
der künec Nabchodonosor
5 sîner muoter bruoder was,
der an trügelîchen buochen las
er solte selbe sîn ein got.
daz wære nu der liute spot.
10 die gebruoder wârn von hôher art,
von Nînus, der gewaldes pflac
ê wurde gestiftet Baldac.
der selbe stift ouch Ninnivê.
in tet schade und laster wê:
15 der jach der bâruc zurborn.
des wart gewunnen unt verlorn

genuoc ze bêden sîten:
man sach tâ helde strîten.
dô schift er sich über mer,
20 und vant den bâruc mit wer.
mit freuden er enphangen wart,
swie mich jâmer sîner vart.
Waz tâ geschehe, wiez dort ergê,
gewin und flust, wie daz gestê,
25 desn weiz frou Herzeloyde nieht.
diu was als diu sunne lieht
und hete minneclîchen lîp.
rîcheit bî jugent phlac daz wîp,
und freuden mêre dan ze vil:
si was gar ob dem wunsches zil.
103 si kêrte ir herze an guote kunst:
des bejagte si der werlde gunst.
frou Herzeloyd diu künegin,
ir site an lobe vant gewin,
5 ir kiusche was für prîs erkant.
küngîn über driu lant,
Wâleys und Anschouwe,
dar über was si frouwe,
si truog ouch krôn ze Norgâls
10 in der houbetstat ze Kingrivâls.
ir was ouch wol sô liep ir man,
ob ie kein frouwe mêr gewan
sô werden friunt, waz war ir daz?
si möhtez lâzen âne haz.
15 do er ûze beleip ein halbez jâr,
sîns komens warte si für wâr:
daz was ir lîpgedinge.
dô brast ir freuden klinge
mitten ime hefte enzwei.
20 ôwê unde heiâ hei,
daz güete alsölhen kumber tregt
und immer triwe jâmer regt!
alsus vert diu mennischeit,
hiute freude, morgen leit.

11. ruote *G.*   blozer *D.*   14. maner *Gg*, man ir *g*, man *Ddgg.*   dur
stochen *G.*   16. schied *D*, schiet (*ohne* ê) *gg.*   17. Daz leite si an ir bloze
hut *Ggg.*   18. chom *setzen Dgg vor* ir.   20. minne man *D.*   22. mænlich
Dg.   25. ein wariu *Gg.*   26. barruch *G.*   27. von *Gg*, von den *dg*, von
dem *D.*   29. ponpeirus *G.*   30. nenet *G.*   diu *alle.*   sus *Ggg.*
102, 3. Iulúse *d.*   4. de kunech nabuchodonozor *D.*   6. truglichen *D.*   7. wolt
Ggg.   8. = Ez *Ggg.*   10. gebrûdr *D.*   11. linus *Ggg.*   12. E gestiftet
wurde *Ggg.*   13. ninve *G.*   17. beiden *G.*   23. geschæhe *D*, geschahe *G.*
wî ez *D.*   24. wî *D.*   25. Des *G*, den en *D.*   fro *G.*   26. also *D.*
27. het *G.*   28. tugende *Dg.*   29. mer denne *D.*   ze *fehlt Gg.*
103, 2. werelde *D*, werlte *G.*   3. 4. = *fehlen Dd.*   3. Diu vil reine chungin *G.*
5. Ir site *G.*   6. Der ch. *Gg*, Diu ch. *gg.*   kuneginne ubr *D.*   9. chrone
DG.   nurgals *G*, Nuorgals *g.*   10. kinrivals *G*, Gingrivals *g.*   12. Obe ie
dehein *G.*   13. lieben *Gg.*   warr ir *g.*   14. möhtez *G*, mohtez *D.*
16. wart *G.*   17. wart *D.*   19. Enmiten in dem *G.*   21. guot *Ggg.*
treit *G.*   22. amer weiget *G.*   23. menscheit *G.*   24. vro *gg*, liep *Gdg.*

25　Diu frouwe umb einen mitten tac
eins angestlîchen slâfes pflac.
ir kom ein forhtlîcher schric.
si dûhte wie ein sternen blic
si gein den lüften fuorte,
dâ si mit kreften ruorte
104　manc fiurîn donerstrâle.
die flugen al zemâle
gein ir: dô sungelt unde sanc
von gänstern ir zöphe lanc.
5　mit krache gap der doner duz:
brinnde zäher was sîn guz.
ir lîp si dâ nâch wider vant,
dô zuct ein grif ir zeswen hant:
daz wart ir verkêrt hie mite.
10　si dûhte wunderlîcher site,
wie sie wære eins wurmes amme,
der sît zerfuorte ir wamme,
und wie ein trache ir brüste süge,
und daz der gâhes von ir flüge,
15　sô daz sin nimmer mêr gesach.
daz herze err ûzem lîbe brach:
die vorhte muose ir ougen sehen.
ez ist selten wîbe mêr geschehen
in slâfe kumber dem gelîch.
20　dâ vor was si ritterlîch:
ach wênc, daz wirt verkêret gar,
si wirt nâch jâmer nu gevar.
ir schade wirt lanc unde breit:
ir nâhent komendiu herzenleit.
25　　Diu frouwe dô begunde,

daz si dâ vor niht kunde,
beidiu zabeln und wuofen,
in slâfe lûte ruofen.
vil juncfrouwen sâzen hie:
die sprungen dar und wacten sie.
105　dô kom geriten Tampanîs,
ir mannes meisterknappe wîs,
und kleiner junchêrren vil.
dâ giengez ûz der freuden zil.
5　die sagten klagende ir hêrren tôt:
des kom frou Herzeloyde in nôt,
si viel hin unversunnen.
die ritter sprâchen 'wiest gewunnen
mîn hêrre in sîme harnas,
10　sô wol gewâpent sô er was?'
swie den knappen jâmer jagte,
den helden er doch sagte
'mînen hêrren lebens lenge vlôch.
sîn härsenier von im er zôch:
15　des twanc in starkiu hitze.
gunêrtiu heidensch witze
hât uns verstoln den helt guot.
ein ritter hete bockes bluot
genomen in ein langez glas:
20　daz sluoger ûf den adamas:
dô wart er weicher danne ein swamp.
den man noch mâlet für daz lamp,
und ouchz kriuze in sîne klân,
den erbarme daz tâ wart getân.
25　dô si mit scharn zein ander ritn,
âvoy wie dâ wart gestritn!

---

26. angeslichen *G*, ængestlichen *Dg.*　28. sternen *Gdg*, stern *D*, sterne *gg*, sternes *gg.*　29. sî *D.*　lufeten *G.*

104,　1. donrstrâle *D*, doner stral *G.*　2. dî *D*, *fehlt Ggg.*　alzemal *G.* 3. sungelt *D*, sunkelt *g*, funckelt *d*, suncte *gg*, sust *G.*　stanc *g*, sangte *g.* 4. gænstern *D*, ganstern *gg*, ganeistern *g*, gnaneiste *G*, gneistern *d.*.　5. donr *D.*　6. Brinnde *G*, Brynnede *g*, Brinnende *gg*, brinnendige *D*, Brömen *g.* zahere *G.*　7. dar nach *G*, dannoch *g.*　8. Ir *Ggg.*　zuht *D.*　grif *gg.* Grife *Dg*, griffe *Gdgg.*　zeswe *Ggg.*　9. ir *fehlt Ggg.*　= 11. tiers *und* 12. Daz *Ggg.*　12. zerfuote *D.*　wambe *G.*　13. und *fehlt G.*　14. Unde wie der *Gg.*　16. err] erre *G*, ir *g*, er ir *die übrigen.*　17. muosen *Dg*, ir ougen muesten *d.*　21. Ach wenc *g*, ahwench *D*, Ach went *d*, Ach wenche *g*, Ach wenke *g*, Ach *g*, Ach laider *g*, Owe *G.*　22. Ich wurde *d* = Si wart *Ggg.* 24. chuomendiu *D.*　herzeleit *G.*　27. zabeln *gg*, zabelen *DG*, zaplen *g.* 30. dar] uf *Ggg.*

105,　2. meistr knappe *D*, meister [in] knappen *gg*, maister ein chnappe *gg*, chnappen meister *Gd*, knappe ein maister *g.*　3. iuncheren *G*, iunchfrouwen *D.*　4. gie ez *D*, giez *g.*　5. = Si *Ggg.*　6. Des chom diu kungin in not *G.*　8. wî ist *D*, wie ist *die übrigen.*　9. harnasc *D*, harnasch *G.*　10. So wol also er gewoppen was *d.*　so er *D* = er *Ggg*, als er *g.*　14. harsenier *G*, hærserin *D.*　= er von im *Ggg.*　16. heidens *gg*, heldes *G.*　17. benomen
daz
G.　20. an *D.*　21. warder *G.*　22. fur daz *Ggg*, furz *D*, fur ein *g*, fur ein *g*, also *d.*　23. ouchz *D*, ouch das *d* = daz *Ggg.*　in sinen *dgg*, hat under sinen *G.*　24. Dem *Ggg.*　= si getan *Ggg.*　26. Aphoy *G.*

Des bâruckes ritterschaft
sich werte wol mit ellens kraft.
vor Baldac ûfme gevilde
durchstochen wart vil schilde,
106 dâ si zein ander gâhten.
die poynder sich tâ flâhten,
sich wurren die banier:
dâ viel manec degen fier.
5 aldâ worht mîns hêrren hant
dâ von ir aller prîs verswant.
dô kom gevarn Ipomidôn:
mit tôde er mîme hêrren lôn
gap, daz er in nider stach
10 da'z manec tûsent ritter sach.
von Alexandrîe
mîn hêrre valsches vrîe
gein dem künege kêrte,
des tjost in sterben lêrte.
15 sîneu helm versneit des spers ort
durch sîn houbet wart gebort,
daz man den trunzûn drinne vant.
iedoch gesaz der wîgant,
al töunde er ûz dem strîte reit
20 ûf einen plân, die was breit.
übr in kom sîn kappelân.
er sprach mit kurzen worten sân
sîne bîhte und sande her
diz hemde unt daz selbe sper
25 daz in von uns gescheiden hât.
er starp ân alle missetât.
junchêrren und die knappen sîn
bevalch er der künegîn.
Er wart geleit ze Baldac.
diu kost den bâruc ringe wac.
107 mit golde wart gehêret,

grôz rîcheit dran gekêret
mit edelem gesteine,
dâ inne lît der reine.
5 gebalsemt wart sîn junger rê.
vor jâmer wart vil liuten wê.
ein tiwer rubîn ist der stein
ob sîme grabe, dâ durch er schein.
uns wart gevolget hie mite:
10 ein kriuze nâch der marter site,
als uns Kristes tôt lôste,
liez man stôzen im ze trôste,
ze scherm der sêle, überz grap.
der bâruc die koste gap:
15 ez was ein tiwer smârât.
wir tâtenz âne der heiden rât:
ir orden kan niht kriuzes phlegn,
als Kristes tôt uns liez den segn.
ez betent heiden sunder spot
20 an in als an ir werden got,
niht durch des kriuzes êre
noch durch des toufes lêre,
der zem urteillîchen ende
uns loesen sol gebende.
25 diu manlîche triwe sîn
gît im ze himel liehten schîn,
und ouch sîn riwic pîhte.
der valsch was an im sîhte.
In sînen helm, den adamas,
ein epitafum ergraben was,
108 versigelt ûfz kriuze obeme grabe.
sus sagent die buochstabe.
'durch disen helm ein tjoste sluoc
den werden der ellen truoc.
5 Gahmuret was er genant,
gewaldec künec übr driu lant.

---

27. Des parruches riterschat *G.*   29. von *D.*   ûf dem *alle.*   30. Dur
stochen *G.*

106, 1. gæhten *D.*   2. wæhten *D.*   4. vie vil *G.*   5. al da worhte *Dd* = Da
worchte ouch *g*, Do worht al da *Ggg.*   7. Sus *Ggg.*   11. vor
alle aufser Dg.   12. vrige *G.*   16. Dur *G.*   17. daz drunzel *g.*   drine *G.*
19. tôwende *D.*   20. eine *Dd.*   planie *d.*   die] diu *Dd*, der *die übrigen.*
21. = Do chom uber in (ubrin *g*) sin *Ggg.*   22. wort. *D.*   25. Daz uns von
im *Ggg.*   27. chnaben *g*, kappellane *D.*   28. bevalh *D.*   30. choste *D.*
barruch *G.*

107, 1. wart sin grap (si sarc *g*) gehert *Gg.*   2. gechert *G.*   3. = Von *Ggg.*
4. = Dar *Ggg.*   5. gebalsamt *Ddgg.*   6. Sin tot tet [den *g*] sarazinen we
Gg.   Von *dgg.*   luten *dgg*, lüte *gg*, l⁰ute *D.*   11. christ des todes *G*,
crist *g.*   loste *DG*, erloste *die übrigen.*   13. scherme *G.*   14. barruch *G.*
18. lie *G.*   19. betent *Gg*, bettent *dgg*, betten *D.*   21. 22. dur *G.*   23. der
ze Murteillicheni ende *D.*   · 24. sol der *Ggg.*   25. manlich *D.*   27. riwch
bihte *G.*   30. ein *fehlt Gg.*   Epvtafum *g*, appitasum *d*, Epitaphium *DG*,
epitafium *gg.*

108, 1. ûfez *DG.*   uf dem grabe *G.*   2. sageten *Gg.*   3. Dur *G.*   4. der ie
g, helt der *g.* die?   5. er was *Gg.*   6. Gewaltch *G.*   künec *fehlt Ggg.*

ieglîchez im der krône jach:
dâ giengen rîche fürsten nâch.
er was von Anschouwe erborn,
10 und hât vor Baldac verlorn
den lîp durch den bâruc.
sîn prîs gap sô hôhen ruc,
niemen reichet an sîn zil,
swâ man noch ritter prüeven wil.
15 er ist von muoter ungeborn,
zuo dem sîn ellen habe gesworn:
ich mein der schildes ambet hât.
helfe und manlîchen rât
gap er mit stæte'n friunden sîn:
20 er leit durch wîp vil schärpfen pîn.
er truoc den touf und kristen ê:
sîn tôt tet Sarrazînen wê
sunder liegen, daz ist wâr.
sîner zît versunnenlîchiu jâr
25 sîn ellen sô nâch prîse warp,
mit ritterlîchem prîse er starp.
er hete der valscheit an gesigt.
nu wünscht im heiles, der hie ligt.'
diz was alsô der knappe jach.
Wâleise man vil weinen sach.
109 Die muosen wol von schulden klagn.
diu frouwe hête getragn
ein kint, daz in ir lîbe stiez,
die man ân helfe ligen liez.
5 ahzehen wochen hete gelebt
des muoter mit dem tôde strebt,
frou Herzeloyd diu künegin.
die andern heten kranken sin,
daz si hulfen niht dem wîbe:
10 wan si truoc in ir lîbe
der aller ritter bluome wirt,
ob in sterben hie verbirt.
dô kom ein altwîser man

durch klage über die frouwen sân,
15 dâ si mit dem tôde ranc.
die zene err von ein ander twanc:
man gôz ir wazzer in den munt.
aldâ wart ir versinnen kunt.
si sprach 'ôwê war kom mîn trût?'
20 diu frouwe in klagete über lût.
'mînes herzen freude breit
was Gahmuretes werdekeit.
den nam mir sîn vrechiu ger.
ich was vil junger danne er,
25 und bin sîn muoter und sîn wîp.
ich trage albie doch sînen lîp
und sînes verhes sâmen.
den gâben unde nâmen
unser zweier minne.
hât got getriwe sinne,
110 sô lâzer mirn ze frühte komn.
ich hân doch schaden ze vil genomn
An mînem stolzen werden man.
wie hât der tôt ze mir getân!
5 er enphienc nie wîbes minnen teil,
ern wære al ir vröuden· geil:
in müete wîbes riuwe.
daz riet sîn manlîch triuwe.'
wand er was valsches lære.'
10 nu hœrt ein ander mære,
waz diu frouwe dô begienc.
kint und bûch si zir gevienc
mit armen und mit henden.
si sprach 'mir sol got senden
15 die werden fruht von Gahmurete.
daz ist mînes herzen bete.
got wende mich sô tumber nôt:
daz wær Gahmurets ander tôt,
ob ich mich selben slüege;
20 die wîle ich bî mir trüege

---

7. Ieslichez *Gg.*   9. geboren *alle aufser D.*   11. dur den barruch *G.*
12. rŏch *G.*   13. Daz niemen *Gd.*   14. nu *Ggg.*   16. zuo den *D.*
17. meine *DG.*   18. mænlichen *Dg,* manlich *G.*   19. steten *g,* stæte (state
Gg) den *Ggg* = stæte *Dd.*   20. scharfen *G.*   22. Zarrazinen *D,* sarazinen
G.   23. Ane *Ggg.*   24. versunnchlichiu *G.*   27. E hete *G.*   = der
fehlt Ggg.   28. nu *fehlt G.*   wunschet *G,* wnschet *D.*   der] da er *G.*
29. als der knape *G.*   30. Vil waleise *G.*   man vil *Dgg,* vil man *dg,* man
da *G,* man da vil *gg·*

109, 1. = Si *Ggg.*   7. Fro *G.*   9. hulfen niht *Ggg,* nicht hulfen
Ddgg.   10. diu *D.*   12. = Obe in ein *Ggg.*   13. = altwise *Ggg.*
14. Dur *G.*   gan *G.*   15. = Alda *Ggg.*   diu *D.*   16. err] er ir *alle.*
von ander *G.*   18. al *fehlt Ggg.*   Do *Ggg.*   20. chlagte in *Ggg.*
21. mins *D.*   23. den] daz *D.*   24. dann *D,* dane *G.*   30. Habe *Ggg.*

110, 1. laz erz mir *D.*   zefruht *G.*   3. lieben werden *G.*   5. Der *Ggg.*
enphinch *D,* gewan *Gg.*   9. = Er was gar *Ggg.*   12. buch *Ddg,* lip *Ggg.*
16. mins *D.*   bet *G.*   18. gahmuretes *D.*   20. ich bî mir] daz ich *Ggg,*
so ich *gg.*

daz ich von sîner minne enphienc,
der mannes triwe an mir begienc.'
diu frouwe enruochte wer daz sach,
daz hemde von der brust si brach.
23 ir brüstel linde unde wîz,
dar an kêrte si ir vlîz,
si dructes an ir rôten munt.
si tet wîplîche fuore kunt.
alsus sprach diu wîse.
'du bist kaste eins kindes spîse:
111 die hât ez vor im her gesant,
sît ichz lebende im lîbe vant.'
Diu frouwe ir willen dar an sach,
daz diu spîse was ir herzen dach,
5 diu milch in ir tüttelîn:
die dructe drûz diu künegîn.
si sprach 'du bist von triwen komn.
het ich des toufes niht genomn,
du wærest wol mîns toufes zil.
10 ich sol mich begiezen vil
mit dir und mit den ougen,
offenlîch und tougen:
wande ich wil Gahmureten klagn.'
diu frouwe hiez dar nâher tragn
15 ein hemde nâch bluote var,
dar inne ans bâruckes schar
Gahmuret den lîp verlôs,
der werlîchen ende kôs
mit rehter manlîcher ger.
20 diu frouwe vrâgte ouch nâch dem sper,
daz Gahmurete gab den rê.
Ipomidôn von Ninnivê
gap alsus werlîchen lôn,
der stolze werde Babylôn:
25 daz hemde ein hader was von slegn.

diu frouwe woldez an sich legn,
als si dâ vor hete getân,
sô kom von ritterschaft ir man:
dô nâmen siz ir ûzer hant.
die besten über al daz lant
112 bestatten sper und ouch daz bluot
ze münster, sô man tôten tuot.
in Gahmuretes lande
man jâmer dô bekande.
5 Dann übr den vierzehenden tac
diu frouwe eins kindelîns gelac,
eins suns, der sölher lide was
daz si vil kûme dran genas.
hiest der âventiure wurf gespilt,
10 und ir begin ist gezilt:
wand er ist alrêrst geborn,
dem diz mære wart erkorn.
sîns vater freude und des nôt,
beidiu sîn leben und sîn tôt,
15 des habt ir wol ein teil vernomn.
nu wizzet wâ von iu sî komn
diss mæres sachewalte,
und wie man den behalte.
man barg in vor ritterschaft,
20 ê er kœme an sîner witze kraft.
dô diu küngîn sich versan
und ir kindel wider zir gewan,
si und ander frouwen
begunde betalle schouwen
25 zwischen beinn sîn viselîn.
er muose vil getriutet sîn,
do er hete manlîchiu lit.
er wart mit swerten sît ein smit,
vil fiwers er von helmen sluoc:
sîn herze manlîch ellen truoc.

21. 22. enphie-begie *G oft.* 23. enruoht *G.* 24. = si von der bruste *Ggg.* 25. brustel *Dd*, brústelin *g*, bruste *Ggg*, brust *g.* 29. = Also *Ggg.*
111, 2. lebendich *Ddgg.* ime *D*, in me *g*, in minem *g*, in dem *Gdgg.* vant] han *D.* 5. diu *D*, Die *Gg.* tútt. *gg*, tutt. *Dg*, tett. *d*, tutelin *Ggg.* 6. di *Dd* = *fehlt Ggg.* 16. ans *D*, ons *d*, eins *g*, in des *gg*, des *Ggg.* parruches *G.* 18. werdchlichen *G.* 20. vragete *D*, fragete *G.* 22. ninve *G.* 24. werde stolze *G.* 25. hemede *DG.* hadr *D.* 26. woldz *D*, woltz *G.* 27. Alsi dafor *G.* 28. Swene *Ggg.* chom *Gdgg, vor ir Dg.* 29. brachen *Ggg.*
112, 1. Bestaten *G.* ouch *fehlt Ggg.* daz *fehlt G.* 2. man *Gdgg*, man die *Dgg*, man den *g.* 5. Dannen *Dd* = Dar nach *Ggg.* 6. kindes *Ggg.* 9. Explizit Gahmūret Incipit parcifal *die Hamburger hds.* Hie ist *alle.* 10. begin ist *Dd*, beginnen ist *g*, begenist *g*, beginnens *Ggg*, beginnes *g.* 11. alrest *Dgg.* 14. bede *D.* unde sinen *G.* 15. wol *Dd* = e *Ggg*, hie *g, fehlt gg.* 17. Dises mars sachwalte *G.* 19. von *Gdg.* 22. chint *g*, kindelin *die übrigen.* wider *fehlt Gdg.* zuo ir *G.* 24. Alenthalben sin begunden schouwen *G.* begunden *alle.* betalle] in allenthalben *alle, g ohne* in. 25. Zwischen *gg*, zwischen den *DGd.* bainn *g*, beinen *die übrigen.* viselin *alle aufser D, fehlt g.* 26. Daz muose *gg*, Do muoser *G.* gebriset *G.* 29. v¹urs *G* helme *Ggg.* 30. mænlich *Dgg.*

113 die küngîn des geluste
    daz sin vil dicke kuste.
    si sprach hinz im in allen flîz
    'bon fîz, scher fîz, bêâ fîz.'
5   Diu küngîn nam dô sunder twâl
    diu rôten välwelohten mâl:
    ich meine ir tüttels gränsel:
    daz schoup sim in sîn vlänsel.
    selbe was sîn amme
10 diu in truoc in ir wamme:
    an ir brüste si in zôch,
    die wîbes missewende vlôch.
    si dûht, si hete Gahmureten
    wider an ir arm erbeten.
15 si kêrt sich niht an lôsheit:
    diemuot was ir bereit.
    [frou] Herzeloyde sprach mit sinne

    'diu hœhste küneginne
    Jêsus ir brüste bôt,
20 der sît durch uns vil scharpfen tôt
    ame kriuze mennischlîche enphienc
    und sîne triwe an uns begienc.
    swes lîp sîn zürnen ringet,
    des sêle unsamfte dinget,
25 swie kiuscher sî und wære.
    des weiz ich wâriu mære.'
    sich begôz des landes frouwe
    mit ir herzen jâmers touwe:
    ir ougen regenden ûf den knabn.
    si kunde wîbes triwe habn.
114 beidiu siufzen und lachen
    kunde ir munt vil wol gemachen.
    si vreute sich ir suns geburt:
    ir schimph ertranc in riwen furt.

113, 1. Die kuneginne *Dd* = Sine muoter *Ggg*.   3. Diu chungin sprac enal-
len fliz *Ggg*.   4. scer *D*, tschier *Ggg*.   beanfiz *Gg*.   6. = Ir *gg*, Iriu *Gg*.
rotiu *gg*.   velewelohten *G*.   7. tuttels *g*, tettels *d*, tuttelines *Dg*, tutelins
G, tütten *g*, rôten *g*.   grensel-flensel *gg*, gransel-vlansel *G*, grans-vlans (*und*
in sinen) *g* = grænselin-vlænselin *Dd*.   8. Si *G*, Die *gg*.   10. wambe *G*.
13. sie *D*.   duhte *DG*.   15. 16 *fehlen D*.   15. Sin *gg*.   cherte *G*.
16. Ir was die demuot bereit *d*.   17. Fro *G*.   21. menischliche *D*, mensliche
G.   23. swes sin lip *D*.   sinen zoren erringet *Gd*, sin zorn ringet *g*, sin
zorn erringet *g*, in zorne ringet *g*.   24. Diu sele unsanfte *G*.   25. Wie *Gg*.
114, 1. Bediu *G*.   sûfzen *D*, suften *G*.

5 Swer nu wîben sprichet baz,
deiswâr daz lâz ich âne haz:
ich vriesche gerne ir freude breit.
wan einer bin ich unbereit
dienstlîcher triuwe:
10 mîn zorn ist immer niuwe
gein ir, sît ich se an wanke sach.
ich bin Wolfram von Eschenbach,
unt kan ein teil mit sange,
unt bin ein habendiu zange
15 mînen zorn gein einem wîbe:
diu hât mîme lîbe
erboten solhe missetât,
ine hân si hazzens keinen rât.
dar umb hân ich der andern haz.
20 ôwê war umbe tuont si daz?
alein sî mir ir hazzen leit,
ez ist iedoch ir wîpheit,
sît ich mich versprochen hân
und an mir selben missetân;
25 daz lîhte nimmer mêr geschiht.
doch sulen si sich vergâhen niht
mit hurte an mîn hâmît:
si vindent werlîchen strît.
ine hân des niht vergezzen,
ine künne wol gemezzen
115 beide ir bærde unt ir site.
swelhem wîbe volget kiusche mite,
der lobes kemphe wil ich sîn:
mir ist von herzen leit ir pîn.

5 Sîn lop hinket ame spat,
swer allen frouwen sprichet mat
durch sîn eines frouwen.
swelhiu mîn reht wil schouwen,
beidiu sehen und hœren,
10 dien sol ich niht betœren.
schildes ambet ist mîn art:
swâ mîn ellen sî gespart,
swelhiu mich minnet umbe sanc,
sô dunket mich ir witze kranc.
15 ob ich guotes wîbes minne ger,
mag ich mit schilde und ouch mit sper
verdienen niht ir minne solt,
al dar nâch sî sie mir holt.
vil hôhes topels er doch spilt,
20 der an ritterschaft nâch minnen zilt.
hetens wîp niht für ein smeichen,
ich solt iu fürbaz reichen
an disem mære unkundiu wort,
ich spræche iu d'âventiure vort.
25 swer des von mir geruoche,
dern zels ze keinem buoche.
ine kan decheinen buochstap.
dâ nement genuoge ir urhap:
disiu âventiure
vert âne der buoche stiure.
116 ê man si hete für ein buoch,
ich wære ê nacket âne tuoch,
sô ich in dem bade sæze,
ob ichs questen niht vergæze.

5. spricht *G.*   6. Daz laze ich weiz got ane haz *G.*   7. ir ere *G.*
9. Dienslicher *G.*   11. sie *D.*   12. Volfram *D,* Wolvram *g.*   Eschelbach *g.*
15. Mit zorne *Ggg.*   18. Ich *Ggg.*   hazenes deheinen *G.*   19. dar umbe
DG.   hant min die *D.*   21. si *Dd* = ist *Ggg.*   24. sebem *G.*   26. idoch
ensuln si *D.*   29. Ich *G.*   30. Ichne *G.*

115, 1. Beidiu *G.*   berde *g,* gebære *D,* gebarde *Gg,* geberde *dgg.*   5. Ein (*E blau
gemahlt*) *D.*   6. Der *Gg.*   wiben *Ggg.*   10. diene *D,* Die *G.*   = wil
Ggg.   11. Schiltes *G.*   ambt *D.*   14. Diu *Ggg.*   15. = werdes *Ggg.*
16. = Muge *Ggg.*   schilt *G.*   = ouch *fehlt Ggg.*   17. minnen *Gdgg.*
18. sie *fehlt G.*   19. topeles *G.*   20. = Der mit *Ggg.*   21. = diu wip
Ggg.   22. = wolt *Ggg.*   iu *fehlt Ggg.*   24. spreche *D,* spriche *dg.*
iu *fehlt Gg.*   die *G.*   25. es *G.*   26. der en *D,* Der *G.*   zel si *DG.*
zecheinen *D,* zedeheinem *G.*   27. = Wan ich chan *Ggg.*

116, 2. nachent *Ggg,* ck *haben dgg,* ch *DGg.*   4. ichs *g,* ich des *DG.*   questen
D, chosten *Ggg,* kostens *d.*

III.

5 Ez machet trûric mir den lîp,
daz alsô mangiu heizet wîp.
ir stimme sint gelîche hel:
genuoge sint gein valsche snel,
etslîche valsches lære:
10 sus teilent sich diu mære.
daz die gelîche sint genamt,
des hât mîn herze sich geschamt.
wîpheit, dîn ordenlîcher site,
dem vert und fuor ie triwe mite.
15 genuoge sprechent, armuot,
daz diu sî ze nihte guot.
swer die durch triwe lîdet,
hellefiwer die sêle mîdet.
die dolte ein wîp durch triuwe:
20 des wart ir gâbe niuwe
ze himel mit endelôser gebe.
ich wæne ir nu vil wênic lebe,
die junc der erden rîhtuom
liezen durch des himeles ruom.
25 ich erkenne ir nehein.
man und wîp mir sint al ein:
die mitenz al gelîche.
frou Herzeloyd diu rîche
ir drîer lande wart ein gast:
si truoc der freuden mangels last.
117 der valsch sô gar an ir verswant,
ouge noch ôre in nie dâ vant.
ein nebel was ir diu sunne:
si vlôch der werlde wunne.

5 ir was gelîch naht unt der tac:
ir herze niht wan jâmers phlac.
Sich zôch diu frouwe jâmers balt
ûz ir lande in einen walt,
zer waste in Soltâne;
10 niht durch bluomen ûf die plâne.
ir herzen jâmer was sô ganz,
sine kêrte sich an keinen kranz,
er wære rôt oder val.
si brâhte dar durch flühtesal
15 des werden Gahmuretes kint.
liute, die bî ir dâ sint,
müezen bûwn und riuten.
si kunde wol getriuten
ir sun. ê daz sich der versan,
20 ir volc si gar für sich gewan:
ez wære man oder wîp,
den gebôt si allen an den lîp,
daz se immer ritters wurden lût.
'wan friesche daz mîns herzen trût,
25 welch ritters leben wære,
daz wurde mir vil swære.
nu habt iuch an der witze kraft,
und helt in alle rîterschaft.'
der site fuor angestlîche vart.
der knappe alsus verborgen wart
118 zer waste in Soltâne erzogn,
an küneclîcher fuore betrogn;
ez enmöht an eime site sîn:
bogen unde bölzelîn

---

6. = Daz so *Ggg*.   mængiu *D*.   7. stime *G*.   10. Hie *Gg*, Da *gg*.
11. = Daz si *Ggg*.   gelich *G*.   genant *G*.   13. din ordenlicher *Dd*, din
ordenlichen (*aber* 14. Dem) *g*, in (in ir *g*) ordenlichem *Ggg*.   15. gnuoge *D*.
16. sîe *D*.   zue nihten *g*.   17. 18 *fehlen Gg*.   18. nidet *D*.   19. ein
fehlt G.   22. wæne *fehlt D*.   23. erde *Gg*.   24. Lazen *Ggg*.   26. sint
mir *Ggg*.   27. mitenz] mitten es *g*, muotenz *g*, mident ez *g*, midens *Dd*, mi-
dez *g*, maint die *g*, meine ih *G*.   28. Fro *G*.

117, 1. so gar *Ddg*, vil gar *Ggg*, nach ir *Dg*.   3. = Ir was ein nebel *Ggg*.
4. werelde *D*.   5. geliche *D*.   der *fehlt Gdgg*.   6. wan *fehlt D*.
9. waste in *D*, wuestin *d*, wuosten *Ggg*, wuste *g*, wüestinne?   soltane *D*,
soldane *g*, soltanie *Ggg*, soltanie *g*, sollich anye *d*, Solatanie *g*.   10. planie *D*.
12. Si *G*.   deheinen *G*.   14. fluhte sal (*getrennt*) *Gg*, fluhtsal *g*, fluhsal *D*.
16. da bi ir *Gg*.   17. Muosen *Ggg*.   buwen *D*, bwen *G*.   29. sit fuor
angesliche *G*.   30. chnabe *Gdgg*.   geborgen *D*.

118, 1. waste in *D*, wasten *g*, wuest in *dg*, wuosten *Ggg*.   soltane *Dg*, soltanie
Ggg, soltanie *g*, solitanie *dg*.   2. chundchlicher *G*.   4. lölzelin *D*.

　s die sneit er mit sîn selbes hant,
und schôz vil vogele die er vant.
　Swenne abr er den vogel erschôz,
des schal von sange ê was sô grôz,
sô weinder unde roufte sich,
10 an sîn hâr kêrt er gerich.
sîn lîp was clâr unde fier:
ûf dem plân am rivier
twuog er sich alle morgen.
erne kunde niht gesorgen,
15 ez enwære ob im der vogelsanc,
die süeze in sîn herze dranc:
daz erstracte im sîniu brüstelîn.
al weinde er lief zer künegîn.
sô sprach si 'wer hât dir getân?
20 du wære hin ûz ûf den plân.'
ern kunde es ir gesagen niht,
als kinden lîhte noch geschiht.
　dem mære gienc si lange nâch.
eins tages si in kapfen sach
25 ûf die boume nâch der vogele schal.
si wart wol innen daz zeswal
von der stimme ir kindes brust.
des twang in art und sîn gelust.
frou Herzeloyde kêrt ir haz
an die vogele, sine wesse um waz:
119 si wolt ir schal verkrenken.
ir bûliute unde ir enken
die hiez si vaste gâhen,
vogele würgn und vâhen.
　s die vogele wâren baz geriten:
etslîches sterben wart vermiten:
der bleip dâ lebendic ein teil,
die sît mit sange wurden geil.
　Der knappe sprach zer künegîn
10 'waz wîzet man den vogelîn?'

er gert in frides sâ zestunt.
sîn muoter kust in an den munt:
diu sprach 'wes wende ich sîn gebot,
der doch ist der hœhste got?
15 suln vogele durch mich freude lân?'
der knappe sprach zer muoter sân
'ôwê muoter, waz ist got?'
'sun, ich sage dirz âne spot.
er ist noch liehter denne der tac,
20 der antlitzes sich bewac
nâch menschen antlitze.
sun, merke eine witze,
und flêhe in umbe dîne nôt:
sîn triwe der werlde ie helfe bôt.
25 sô heizet einr der helle wirt:
der ist swarz, untriwe in niht verbirt.
von dem kêr dîne gedanke,
und och von zwîvels wanke.'
　sîn muoter underschiet im gar
daz vinster unt daz lieht gevar.
120 dar nâch sîn snelheit verre spranc.
er lernte den gabilôtes swanc,
dâ mit er mangen hirz erschôz,
des sîn muoter und ir volc genôz.
　s ez wære æber oder snê,
dem wilde tet sîn schiezen wê.
nu hœret fremdiu mære.
swennerrschôz daz swære,
des wære ein mûl geladen genuoc,
10 als unzerworht hin heim erz truoc.
　Eins tages gieng er den weideganc
an einer halden, diu was lanc:
er brach durch blates stimme in zwîc.
dâ nâhen bî im gienc ein stîc:
15 dâ hôrter schal von huofslegen.
sîn gabylôt begunder wegen:

5. = die *fehlt Ggg.*　　12. ame *D*, an eim *g*, an dem *gg*, an der *g*, in der *d*,
bi einem *G.*　14. Er chunde wench sorgen *Gg.*　15. vogele (voglein *g*)
chlanc *Gg.*　16. Die *Gg*, diu *Dg.*　17. prustelin *D.*　18. weinde *g*, wei-
nende *DG.*　21. Er *G.*　es *fehlt Dg.*　22. = lihte chinden *Ggg.*
26. swal *g*, et swal *G*, er swal *gg.*　28. twanch ir art *D.*　29. Diu chun-
ginne cherte *Gg.*　30. A die *G.*　um] umb *Dgg.* umbe *G.*
119, 1. verchenchen *D.*　2. buoliute *D.*　3. die *Dg, fehlt Ggg.*　Sú hiesse faste
gohen *d.*　= balde *Ggg.*　4. wrgen *DG.*　5. die *fehlt D.*　7. = Ir
Ggg.　beleip *DG.*　lebendch *G.*　12. Diu *Gg.*　13. diu *D*, Und *d* = Si
Ggg.　15. sulen *DG.*　dur *G.*　17. was *D.*　20. antlitzes *d*, antluzes
DG.　21. mennischen *D*, mannes *dgg.*　antlitze *dg*, antluzze *DG.*　22. su
D.　23. und *fehlt G.*　flege *Gg.*　ime *d.*　umb *D.*　24. triuwe der
werlt *G.*　25. einer *DG.*　27. chere *DG.*　30. unde och daz *G.*
120, 2. lernete *G.*　Gabylots *D.*　3. manegn *D.*　4. Des er unde sin volch
(unde sin muoter wol *g*) genoz *Gg.*　5. aber *G*, regen *d*, eber oder re *gg.*
8. Swenner erschoz *Gdgg*, swenne er schoz *Dgg.*　9. Es *G.*　gnuoch *Dgg.*
11. 14. gie *D.*　12. eine *Ggg.*　13. blate stimme *G*, blatstimme *gg.*　en]
ein *alle.*　14. = Bi im nahen giench *Ggg.*

dô sprach er 'waz hân ich vernomn?
wan wolt et nu der tiuvel komn
mit grimme zorneclîche!
20 den bestüende ich sicherlîche.
mîn muoter freisen von im sagt:
ich wæne ir ellen sî verzagt.'
alsus stuont er in strîtes ger.
nu seht, dort kom geschüftet her
25 drî ritter nâch wunsche var,
von fuoze ûf gewâpent gar.
der knappe wânde sunder spot,
daz ieslîcher wære ein got.
dô stuont ouch er niht langer hie,
in den phat viel er ûf sîniu knie.
121 lûte rief der knappe sân
'hilf, got: du maht wol helfe hân.'
der vorder zornes sich bewac,
dô der knappe im phade lac:
5 'dirre tœrsche Wâleise
unsich wendet gâher reise.'
ein prîs den wir Beier tragn,
muoz ich von Wâleisen sagn:
die sint tœrscher denne beiersch her,
10 unt doch bî manlîcher wer.
swer in den zwein landen wirt,
gefuoge ein wunder an im birt.
Dô kom geleischieret
und wol gezimieret
15 ein ritter, dem was harte gâch.
er reit in strîteclîchen nâch,
die verre wâren von im komn:
zwên ritter heten im genomn
eine frouwen in sîm lande.
20 den helt ez dûhte schande:
in müete der juncfrouwen leit,
diu jæmerlîche vor in reit.
dise drî wârn sîne man.
er reit ein schœne kastelân:

23 sîns schildes was vil wênic ganz.
er hiez Karnahkarnanz
leh cons Ulterlec.
er sprach 'wer irret uns den wec?'
sus fuor er zuome knappen sân.
den dûhter als ein got getân:
122 ern hete sô liehtes niht erkant.
ûfem touwe der wâpenroc erwant.
mit guldîn schellen kleine
vor iewederm beine
5 wârn die stegreife erklenget
unt ze rehter mâze erlenget.
sîn zeswer arm von schellen klanc,
swar ern bôt oder swanc.
der was durch swertslege sô hel:
10 der helt was gein prîse snel.
sus fuor der fürste rîche,
gezimiert wünneclîche.
Aller manne schœne ein bluomen
kranz,
den vrâgte Karnahkarnanz
13 'junchêrre, sâht ir für iuch varn
zwên ritter die sich niht bewarn
kunnen an ritterlîcher zunft?
si ringent mit der nôtnunft
und sint an werdekeit' verzagt:
20 si füerent roubes eine magt.'
der knappe wânde, swaz er sprach,
ez wære got, als im verjach
frou Herzeloyd diu künegîn,
do sim underschiet den liehten
schîn.
25 dô rief er lûte sunder spot
'nu hilf mir, hilferîcher got.'
vil dicke viel an sîn gebet.
fil li roy Gahmuret.
der fürste sprach 'ich pin niht got,
ich leiste ab gerne sîn gebot.

17. spracher *G.* 19. grime *G.* zornes riche *Ggg.* 20. ich bestuonde in *Gdg.* 21. fraise *Ggg.* 22. er ellens *g,* si ellens *G.* 24. geschuft *Dg,* geschauftet *g.* 25. Dri *dgg,* Drie *gg,* Zwene *G, fehlt D.* 26. fuoz *D,* vuez- zen *g.* 29. er ouch *d,* ouch *Gg,* er *gg.* lenger *Ggg.* 30. in daz phat *D,* In dem phade *Ggg.*

121, 1. Vil lute *Ggg.* 3. vordr *D,* vordere *G,* voder *g.* 4. ime *D,* in dem *die übrigen.* 6. Uns *alle aufser D.* gaher *Dgg,* gahe *Gg,* gehe *gg.* 7. Einen *d* = Den *Ggg.* beiger *G.* 9. beigesch *G.* 13. geleisiert *g,* geloisiert *G.* 17. waren von im *Dg,* von im (fur in *G)* waren *Gdgg.* 19. = eine junch- frouwen *Dd.* sim *g.* 22. iamélichen *G.* im *Gdgg.* 25. schilte *G.* 26. karnakarnanz *Ggg.* 27. Leh *g,* Lech *Ggg* = Lah *D,* La *d.* = cuns *Ggg.* ultrech *Gg.* 29. zuo dem *G.* 30. *fehlt G.*

122, 1. eren *D,* Er *G.* 2. uofem *D,* Uf dem *G.* 3. guldinen *DG.* 4. iet- wederm *G.* 5. stegereif *dgg.* 8. ern *g,* er in *Ggg,* er den *Ddgg.* 14. karnak. *G.* 15. Iunch herre *D,* iucherre *G.* 21. chappe *G.* 22. ez *Dg,* Er *Gdgg.* got *Ddg,* ein got *Ggg.* 24. lihten *D.* 26. helfe richer *G.* 28. viliroys *G,* Fillii roy *D.* 30. abr *D,* aver *g,* aber *die übrigen.*

5*

123 du maht hie vier ritter sehn,
　　ob du ze rehte kundest spehn.'
　　der knappe frâgte fürbaz
　　'du nennest ritter: waz ist daz?
5　hâstu niht gotlîcher kraft,
　　sô sage mir, wer gît ritterschaft?'
　　'daz tuot der künec Artûs.
　　junchêrre, komt ir in des hûs,
　　der bringet iuch an ritters namn,
10　daz irs iuch nimmer durfet schamn.
　　ir mugt wol sîn von ritters art.'
　　von den helden er geschouwet wart:
　　Dô lac diu gotes kunst an im.
　　von der âventiure ich daz nim,
15　diu mich mit wârheit des beschiet.
　　nie mannes varwe baz geriet
　　vor im sît Adâmes zît.
　　des wart sîn lob von wîben wît.
　　aber sprach der knappe sân.
20　dâ von ein lachen wart getân.
　　'ay ritter guot, waz mahtu sîn?
　　du hâst sus manec vingerlîn
　　an dînen lîp gebunden,
　　dort oben unt hie unden.
25　aldâ begreif des knappen hant
　　swaz er îsers ame fürsten vant:
　　dez harnasch begunder schouwen.
　　'mîner muoter juncfrouwen
　　ir vingerlîn an snüeren tragnt,
　　diu niht sus an einander ragnt.'
124 der knappe sprach durch sînen muot
　　zem fürsten 'war zuo ist diz guot,
　　daz dich sô wol kan schicken?
　　ine mages niht ab gezwicken.'
5　der fürste im zeigete sâ sîn swert:

'nu sich, swer an mich strîtes gert,
　　des selben wer ich mich mit slegn:
　　für die sîne muoz ich an mich legn,
　　und für den schuz und für den stich
10　muoz ich alsus wâpen mich.'
　　aber sprach der knappe snel
　　'ob die hirze trüegen sus ir vel,
　　so verwunt ir niht mîn gabylôt.
　　der vellet manger vor mir tôt.'
15　Die ritter zurnden daz er hielt
　　bî dem knappen der vil tumpheit wielt.
　　der fürste sprach 'got hüete dîn.
　　ôwî wan wær dîn schœne mîn!
　　dir hete got den wunsch gegebn,
20　ob du mit witzen soldest lebn.
　　diu gotes kraft dir virre leit.'
　　die sîne und och er selbe reit,
　　unde gâhten harte balde
　　zeinem velde in dem walde.
25　dâ vant der gefüege
　　frôn Herzeloyden phlüege.
　　ir volke leider nie geschach:
　　die er balde eren sach:
　　si begunden sæn, dar nâch egen,
　　ir gart ob starken ohsen wegen.
125　der fürste in guoten morgen bôt,
　　und. frâgte se, op si sæhen nôt
　　eine juncfrouwen lîden.
　　sine kunden niht vermîden,
5　swes er vrâgt daz wart gesagt.
　　'zwêne ritter unde ein magt
　　dâ riten hiute morgen.
　　diu frouwe fuor mit sorgen:
　　mit sporn si vaste ruorten,
10　die die juncfrouwen fuorten.'

123, 2. du *Ddg*, duse *G*, du si *g*, duz *gg*.　　5. Habestu *Ggg*.　　goteticher *G*.
9. Er *Gdgg*.　　10. ninder durft *G*.　　12. beschouwet *Ggg*.　　13. gots *G*.
= gunst *Dd*.　　14. aventiure *D*, aventure *G*, *meistens*.　　15. mit] der
Gdg.　　18. lop *G*.　　21. aî *G*.　　guot *Ggg*, got *Ddgg*.　　mahte sin *G*.
25. aldâ *fehlt G*, Da *gg*, Do *g*.　　begreif gar *Gg*.　　30. Diu *Ggg*, die *D*.
124, 1. chnapp *G*.　　2. = Ia herre war zuo *Ggg*.　　3. sus *Ggg*.　　5. zeigete
im *Ggg*.　　6. = strites an mich *Ggg*.　　9. und (*das erste*) *fehlt Gg*.　　(für
(*das zweite*) fûf *D*.　　10. wapennen *G*.　　13. sone *DG*.　　14. Der (Ir *g*)
lit vil manger *Gg*.　　von *D*.　　15. zurendn *D*.　　16. tumpheite *D*, tumbe *g*.
18. Owe *G*.　　20. bi witzen *Gg*.　　21. verre *Gdgg*.　　23. gæhten *D*.
= danen *Ggg*, alle *g*, fúrbas *g*.　　25. sach *Ggg*.　　26. frou *D*.　　herzeloide *G*.
phuege *D*.　　28. êren *G*, ern *d*, erren *g*.　　29. vñ dar nach *Ggg*.　　egên *G*.
30. ir gart *fehlt D*.
125. *Bis hieher folgen meine zahlen den absätzen in Bernh. Püterichs handschrift: die
folgenden hundert sind auch in dieser unregelmäsig. von 224 an setzen fast alle
handschriften immer an gleichen stellen ab:* G *stimmt mit ihnen erst von* 435 *an,
wo die zweite hand anfängt.*　　2. se *fehlt Ddgg*.　　5. = er si *Ggg*.
vragete *DG*.　　= ez *Ggg*.　　7. = Hie *Ggg*.　　hôte *G*.　　hiut enmorgen
gg.　　10. di die *D*.

ez was Meljahkanz.
den ergâhte Karnachkarnanz,
mit strîte er im die frouwen nam:
diu was dâ vor an freuden lam.
15 si hiez Imâne
von der Bêâfontâne.
Die bûliute verzagten,
do die helde für si jagten.
si sprâchen 'wiest uns sus geschehen?
20 hât unser junchêrre ersehen
ûf disen rittern helme schart,
sone hân wir uns niht wol bewart.
wir sulen der küneginne haz
von schulden hœren umbe daz,
25 wand er mit uns dâ her lief
hiute morgen dô si dannoch slief.'
der knappe enruochte ouch wer
dô schôz
die hirze kleine unde grôz:
er huop sich gein der muoter widr,
und sagt ir mær. dô viel si nidr:
126 sîner worte si sô sêre erschrac,
daz si unversunnen vor im lac.
dô diu küneginne
wider kom zir sinne,
5 swie si dâ vor wære verzagt,
dô sprach si 'sun, wer hât gesagt
dir von ritters orden?
wâ bist dus innen worden?'
'muoter, ich sach vier man
10 noch liehter danne got getân:
die sagten mir von ritterschaft.
Artûs küneclîchiu kraft
sol mich nâch rîters êren
an schildes ambet kêren.'
15 sich huop ein niwer jâmer hie.
diu frouwe enwesse rehte, wie

daz si ir den list erdæhte
unde in von dem willen bræhte.
Der knappe tump unde wert
20 iesch von der muoter dicke ein
pfert.
daz begunde se in ir herzen klagn.
si dâhte 'in wil im niht versagn:
ez muoz abr vil bœse sîn.'
do gedâhte mêr diu künegîn
25 'der liute vil bî spotte sint.
tôren kleider sol mîn kint
ob sîme liehten lîbe tragn.
wirt er geroufet unt geslagn,
sô kumt er mir her wider wol.'
ôwê der jæmerlîchen dol!
127 diu frouwe nam ein sactuoch:
si sneit im hemde unde bruoch,
daz doch an eime stücke erschein,
unz enmitten an sîn blankez bein.
5 daz wart für tôren kleit erkant.
ein gugel man obene drûfe vant.
al frisch rûch kelberîn
von einer hût zwei ribbalîn
nâch sînen beinen wart gesnitn.
10 dâ wart grôz jâmer niht vermitn.
diu küngîn was alsô bedâht,
si bat belîben in die naht.
'dune solt niht hinnen kêren,
ich wil dich list ê lêren.
15 an ungebanten strâzen
soltu tunkel fürte lâzen:
die sîhte und lûter sîn,
dâ solte al balde rîten in.
du solt dich site nieten,
20 der werlde grüezen bieten.
Op dich ein grâ wîse man
zuht wil lêrn als er wol kan,

---

11. Daz *Ggg.*   Meliakanz *D*, Melyakanz *gg*, meliagantz *dg*.   12. karnakar-
nanz *G.*   14. was gar an *G.*   15. 16 *fehlen Gd.*   17. bouliute *D.*
sere verz. *Ggg.*   18. riter *Gg.*   21. an *D.*   helmschart *Gg.*
22. So haben *Ggg.*   24. umb *D.*   25. da her mit uns *Gy.*   26. hiüten
morgen *gg.*   27. enruohte *G.*   ouch *Dj*, *fehlt Gdgg.*   30. mære *DG*
immer.

126, 2. vor im *fehlt G.*   4. ze sinne *Gdgg.*   5. vore wer *g.*   6. Doch *G.*
11. sagetn *D*, seiten *G.*   12. artuses *G.*   16. enwese *G*, enweste
D.   17. daz *fehlt Gg.*   sir *G.*   der liste *Ggg.*   22. ine *D*, ichne *G.*
23. vil] harte *Ggg.*   24. dahte *Gyg.*

127, 3. schein *Ggg.*   6. Ein *gg*, eiñ *D*, Eine *Gdgg.*   gugel *gg*, kugel *g*, kogel *d*,
gugelen *D*, gugelin (*und* ein) *y*, chugelen *G*, kugeln *g.*   obene *fehlt G.*
7. = Al ruch frisch *Ggg.*   8. = Uz *Ggg.*   hûte *Ddgg.*   ribalin *Ggg.*
9. sinem beine *Ggg.*   10. Dane *Gg.*   14. list ê] site *Gg*, witze *g*, liste
die übrigen.   15. unbechanten *G.*   16. tunchele *G.*   fürte *mit* ü *dgg.*
18. solte *G*, solt *gg*, solt du *Ddgg.*   20. werelde *D.*   21. grawe *g*, alt *Ggg.*
22. leren *DG.*

dem soltu gerne volgen,
und wis im niht erbolgen.
25 sun, lâ dir bevolhen sîn,
swa du guotes wîbes vingerlîn
mügest erwerben unt ir gruoz,
daz nim: ez tuot dir kumbers buoz.
du solt zir kusse gâhen
und ir lîp vast umbevâhen:
128 daz gît gelücke und hôhen muot,
op si kiusche ist unde guot.
du solt och wizzen, sun mîn,
der stolze küene Lähelîn
5 dînen fürsten ab ervaht zwei lant,
diu solten dienen dîner hant,
Wâleis und Norgâls.
ein dîn fürste Turkentâls
den tôt von sîner hende en-
phienc:
10 dîn volc er sluoc unde vienc.'
'diz rich ich, muoter, ruocht es got:
in verwundet noch mîn gabylôt.'
des morgens dô der tag erschein,
der knappe balde wart enein,
15 im was gein Artûse gâch.
[frou] Herzeloyde in kuste und lief
im nâch.
der werlde riwe aldâ geschach.
dô si ir sun niht langer sach
(der reit enwec), wemst deste baz?
20 dô viel diu frouwe valsches laz
ûf die erde, aldâ si jâmer sneit
sô daz se ein sterben niht vermeit.
ir vil getriulîcher tôt
der frouwen wert die hellenôt.
25 ôwol si daz se ie muoter wart!

sus fuor die lônes bernden vart
ein wurzel der güete
und ein stam der diemüete.
ôwê daz wir nu niht enhân
ir sippe unz an den eilften spân!
129 des wirt gevelschet manec lîp.
doch solten nu getriwiu wîp
heiles wünschen disem knabn,
der sich hie von ir hât erhaben.
5 Dô kêrt der knabe wol getân
gein dem fôrest in Brizljân.
er kom an einen bach geritn.
den hete ein han wol überschritn,
swie dâ stuonden bluomen unde gras,
10 durch daz sîn fluz sô tunkel was,
der knappe den furt dar an vermeit.
den tager gar derneben reit,
alsez sînen witzen tohte.
er beleip die naht swier mohte,
15 unz im der liehte tag erschein.
der knappe huob sich dan al ein
zeime furte lûter wol getân.
dâ was anderhalp der plân
mit eime gezelt gehêret,
20 grôz rîcheit dran gekêret.
von drîer varwe samît
ez was hôh unde wît:
ûf den næten lâgen borten guot.
dâ hienc ein liderîn huot,
25 den man drüber ziehen solte
immer swenne ez regenen wolte.
duc Orilus de Lalander,
des wîp dort unde vander
ligende wünneclîche,
die herzoginne rîche.

---

30. und *fehlt Gg.*   vaste *DG.*

128, 4. daz der stolze lehelin *Gg.*   6. Diu *G*, die *Dg*, Di *g.*   7. nurgals *Gg*,
nuorgals *g.*   7. 8. -âls *D.*   11. wilz got *G.*   13. tach *G.*   14. = wart
vil balde *Ggg.*   en *fehlt D.*   15. gegen *D.*   16. Die frouwe in kust (kuste
in: *g*) und lieff ime nach *dg*, Diu chunginne lief im nach *G*, Herzelaude lief
im nach *g.*   17. werelde *D.*   dâ] do *d*, *fehlt D* = hie *Ggg.*   18. niht
mere *Ggg.*   19. = Der vert von ir *Ggg.*   wem ist alle.   des *g.*   20. da *D.*
21. An *G.*   25. ie *fehlt Dg.*   26. diu *Dg.*   bernde *Ddgg.*   28. und
fehlt Ggg.   stein *Dgg.*   30. eilften *g*, elften *D*, eiliften *g*, einliften *G*,
einleften *g.*

129, 3. Wunschen heiles *G.*   4. hat von ir *G.*   5. Do reit *D.*   chuappe *Ggg.*
6. voreise *G.*   ze *Ggg*, gein *g.*   Prizlian *D*, brizlian *Gg*, Brezilian *gg.*
7. In *Ggg.*   hane *G.*   10. sin] der *Ggg.*   fliez *G.*   15. Des morgens
do der tach erschein *Ggg.*   16. huop *setzt D vor z.* 17.   17. luter *Dd*,
fehlt Gg, luter unde *gg.*   23. neten *D.*   porten *Ddg.*   26. Imer soz regnen
wolte *Gg.*   27. Duc *g*, Duch *G*, Durch *gg*, Untze (*für* cuns?) *d*, Der her-
zoge *D.*   Ôrilus *D*, orillus *G.*   lalânder *D.*   28. unde *D*, unden *Gg*, un-
der *dgg.*   29. minnecliche *D.*   30. diu *D.*

130 glîch eime rîters trûte.
　si hiez Jeschûte.
　Diu frouwe was entslâfen.
　si truoc der minne wâfen,
5 einen munt durchliuhtic rôt,
　und gerndes ritters herzen nôt.
　innen des diu frouwe slief,
　der munt ir von einander lief:
　der truoc der minne hitze fur.
10 sus lac des wunsches âventiur.
　von snêwîzem beine
　nâhe bî ein ander kleine,
　sus stuonden ir die liehten zene.
　ich wæn mich iemen küssens wene
15 an ein sus wol gelobten munt:
　daz ist mir selten worden kunt.
　ir deckelachen zobelîn
　erwant an ir hüffelîn,
　daz si durch hitze von ir stiez,
20 dâ si der wirt al eine liez.
　si was geschicket unt gesniten,
　an ir was künste niht vermiten:
　got selbe worht ir süezen lîp.
　och hete daz minneclîche wîp
25 langen arm und blanke hant.
　der knappe ein vingerlîn dâ vant,
　daz in gein dem bette twanc,
　da er mit der herzoginne ranc.
　dô dâhter an die muoter sîn:
　diu riet an wîbes vingerlîn.
131 ouch spranc der knappe wol getân
　von dem teppiche an daz bette sân.
　Diu süeze kiusche unsamfte erschrac,
　do der knappe an ir arme lac:
5 si muost iedoch erwachen.
　mit schame al sunder lachen
　diu frouwe zuht gelêret
　sprach 'wer hât mich entêret?

　junchêrre, es ist iu gar ze vil:
10 ir möht iu nemen ander zil.'
　diu frouwe lûte klagte:
　ern ruochte waz si sagte,
　ir munt er an den sînen twanc.
　dâ nâch was dô niht ze lanc,
15 er druct an sich die herzogîn
　und nam ir och ein vingerlîn.
　an ir hemde ein fürspan er dâ sach:
　ungefuoge erz dannen brach.
　diu frouwe was mit wîbes wer:
20 ir was sîn kraft ein ganzez her.
　doch wart dâ ringens vil getân.
　der knappe klagete'n hunger sân.
　diu frouwe was ir lîbes lieht:
　si sprach 'ir solt mîn ezzen nieht.
25 wært ir ze frumen wîse,
　ir næmt iu ander spîse.
　dort stêt brôt unde wîn,
　und ouch zwei pardrîsekîn,
　alss ein juncfrouwe brâhte,
　dius wênec iu gedâhte.'
132　Ern ruochte wâ diu wirtin saz:
　einen guoten kropf er az,
　dar nâch er swære trünke tranc.
　die frouwen dûhte gar ze lanc
5 sîns wesens in dem poulûn.
　si wânde, er wære ein garzûn
　gescheiden von den witzen.
　ir scham begunde switzen.
　iedoch sprach diu herzogîn
10 'junchêrre, ir sult mîn vingerlîn
　hie lâzen unt mîn fürspan.
　hebt iuch enwec: wan kumt mîn man,
　ir müezet zürnen lîden,
　daz ir gerner möhtet mîden.'
15　dô sprach der knappe wol geborn
　'wê waz fürht ich iurs mannes zorn?

130, 1. Gelich G, geliche D. 　4. minnen G. 　5. Einenunt durluhtc rot G.
6. gernde G. 　7. ln des do Gg, Innen des do gg. 　9. minnen Gdg. 　viur
G, fiwer (und aventiwer) D. 　11. = Mit snewizen Ggg. 　12. Nahen Ggg.
14. wæne DG. 　imen D. 　chusses dgg, chuses G. 　15. einen DG. 　wol
fehlt D. 　17. dechlachen Gg. 　18. ir an ir Gg. 　hufelin G. 　20. Die
der wirt Ggg. 　wirt fehlt D. 　al eine ligen liez G. 　21. geschicht G.
22. chunste G. 　27. gein] doch zuo G. 　28. do D.
131, 1. = Do Ggg. 　2. tepech G. 　an Ddg, uf Ggg. 　6. Alschamende sun-
der lachen G. 　10. moht G, meht g, mohte g, mohtet D. 　= spil Ggg.
12. Erenruohte G. 　14. Dar nach G. 　15. è er druhte D. 　16. ein] ir G.
17. da Dg, do G, fehlt den übrigen. 　21. = vil ringens da Ggg. 　22. 'n hunger]
den hunger Dg, hunger dgg, hungern G. 　23. liebes D. 　liht fast alle aufser G.
24. meht g, niht die übrigen. 　26. næmet DG. 　28. ouch fehlt G. 　par
drisekin gg, parelin g, rephuonlin G, legelin g. 　29. Als Ggg.
132, 1. Done ruohter Ggg. 　5. wesenes-bavelun G. 　6. ez G. 　garzuon D.
12. Hefet iuch den wech G. 　14. gerne Gd. 　moht G. 　16. We gg, Wie
G, owe D, fehlt dgg. 　iwers DG. 　mans G.

wan schadet ez iu an êren,
sô wil ich hinnen kêren.'
dô gienger zuo dem bette sân:
20 ein ander kus dâ wart getân.
daz was der herzoginne leit.
der knappe ân urloup dannen reit:
iedoch sprach er 'got hüete dîn:
alsus riet mir diu muoter mîn.'
25   der knappe des roubes was gemeit.
do er eine wîl von dan gereit,
wol nâch gein der mîle zil,
dô kom von dem ich sprechen wil.
der spürte an dem touwe
daz gesuochet was sîn frouwe.
133 der snüere ein teil waz ûz getret:
dâ hete ein knappe dez gras gewet.
Der fürste wert unt erkant
sîn wîp dort unde al trûric vant.
5 dô sprach der stolze Orilus
'ôwê frowe, wie hân ich sus
mîn dienst gein iu gewendet!
mir ist nâch laster gendet
manec rîterlîcher prîs.
10 ir habt ein ander âmîs.'
diu frouwe bôt ir lougen
mit wazzerrîchen ougen
sô, daz sie unschuldic wære.
ern geloubte niht ir mære.
15   iedoch sprach si mit forhten siten
'dâ kom ein tôr her zuo geriten:
swaz ich liute erkennet hân,
ine gesach nie lîp sô wol getân.
mîn fürspan unde ein vingerlîn
20 nam er âne den willen mîn.'

'hey sîn lîp iu wol gevellet.
ir habt iuch zim gesellet.'
dô sprach si 'nune welle got.
sîniu ribbalîn, sîn gabilôt
25 wârn mir doch ze nâhen.
diu rede iu solte smâhen:
fürstinne ez übele zæme,
op si dâ minne næme.'
aber sprach der fürste sân
'frouwe, ich hân iu niht getân:
134 irn welt iuch einer site schamn:
ir liezet küneginne namn
und heizt durch mich ein herzogin,
der kouf gît mir ungewin.
5 Mîn manheit ist doch sô quec,
daz iwer bruoder Erec,
mîn swâger, fil li roy Lac,
iuch wol dar umbe hazzen mac.
mich erkennet och der wîse
10 an sô bewantem prîse
der ninder mag entêret sîn,
wan daz er mich vor Prurîn
mit sîner tjoste valte.
an im ich sît bezalte
15 hôhen prîs vor Karnant.
ze rehter tjost stach in mîn hant
hinderz ors durch fîanze:
durch sînen schilt mîn lanze
iwer kleinæte brâhte.
20 vil wênc ich dô gedâhte
iwerr minne eim anderm trûte,
mîn frouwe Jeschûte.
frouwe, ir sult gelouben des
daz der stolze Gâlôes

---

17. Schadet aber ez iu *G.* 19. = spranger *Ggg.* gein *Ggg.* 22. Ane
urloup er danen reit *Ggg.* 24. Also *Gg.* = mir *fehlt Ggg.* 26. wile
DG. 27. = Vil nahen *Ggg.* 29. Er *Ggg.* spurt *Gg.* 30. ge-
schouwet *G.*

133, 1. 2. getretet-gewetet *g*, getreten-geweten *Ggy.* 2. daz *DG.* 4. uñ *D*,
unden *g*, under *g*, in *dg*, *fehlt Ggg.* 5. = der herzoge *Ggg.* Ôrilus *D*,
orillus *G.* 6. frouwe *DG.* 9. Vil manch *Ggg.* lobelicher bris *Gg.*
11. *nach* 12 *D.* 13. So dazse unschulch wære *G.* 14. Er *G.* 15. forhten
Gdgg, vorchte *g*, forte *D*, vorht *g.* 16. tore *DG.* 17. ich noch *G.*
18. Ich *G.* 19. ein] = min *Ggg.* 20. daz nam er *D.* 21. Owe *G.*
22. iu *D.* 23. si *fehlt G.* 24. ribalin *Ggg.* 25. iedoch *G*, gar *gg.*
26. solt *G.* = versmahen *Ggg.* 27. ubel *G.* 30. ine han *D.*

134, 1. iren *D*, Irne *G.* 2. kunneginne *D.* 3. hiezet *Dg*, heizet *die übrigen*.
5. .. in *D*, Min *gg*, Sin *Gdgg.* diu ist *Gg.* doch] wol *Gg.* qwech *D*,
chech *G.* 7. geswige *G.* fillii roy *D*, silli roy *d*, fil fily) de Roy *gg*, vili
roys *G*, fillurois *g.* 8. *vor* 7. *Gg.* 9. oh *G*, auch *gg*, wol *g* = idoch *Dd.*
10. gewandem *Ggg.* 11. nindr mach entæret *D.* 12. prûrin *G.* 15. = Vil
hohen *Ggg.* 18. sin *D.* mit *Dgg.* 19. cleinæte *d*, chleinode *DG.*
21. Iwerre *G.* eim *gg*, einem *DG.* anderen *G.* truote *D.*
22. Jescuote *D.*

25 fil li roy Gandîn
tôt lac von der tjoste mîn.
ir hielt ouch dâ nâhen bî,
dâ Plihopliherî
gein mir durch tjostieren reit
und mich sîn strîten niht vermeit.
135 mîn tjoste in hinderz ors verswanc,
daz in der satel ninder dranc.
ich hân dicke prîs bezalt
und manegen ritter ab gevalt.
5 des enmoht ich nu geniezen niht:
ein hôhez laster mir des giht.
  Si hazzent mich besunder,
die von der tavelrunder,
der ich ähte nider stach,
10 da'z manec wert juncfrouwe sach,
umben spärwær ze Kanedic.
ich behielt iu prîs und mir den sic.
daz sâhet ir unt Artûs,
der mîne swester hât ze hûs,
15 die süezen Cunnewâren.
ir munt kan niht gebâren
mit lachen, ê si den gesiht
dem man des hôhsten prîses giht.
wan kœm mir doch der selbe man!
20 sô wurde ein strîten hie getân,
als hiute morgen, dô ich streit
und eime fürsten frumte leit,
der mir sîn tjostieren bôt:
von mîner tjoste lager tôt.
25 ich enwil iu niht von zorne sagen,
daz manger hât sîn wîp geslagen
umb ir krenker schulde,
het ich dienst od hulde,
daz ich iu solte bieten,
ir müest iuch mangels nieten.

136 ich ensol niht mêr erwarmen
an iweren blanken armen,
dâ ich etswenn durch minne lac
manegen wünneclîchen tac.
5 ich sol velwen iweren rôten munt,
[und] iwern ougen machen rœte kunt.
ich sol iu fröude entêren,
[und] iwer herze siuften lêren.'
  Diu fürstin an den fürsten sach:
10 ir munt dô jæmerlîchen sprach
'nu êret an mir ritters prîs
ir sît getriuwe unde wîs,
und ouch wol sô gewaldic mîn,
ir muget mir geben hôhen pîn.
15 ir sult ê mîn gerihte nemn.
durch elliu wîp lâts iuch gezemn:
ir mugt mir dannoch füegen nôt.
læge ich von andern handen tôt,
daz iu niht prîs geneicte,
20 swie schier ich denne veicte,
daz wære mir ein süeziu zît,
sît iwer hazzen an mir lît.'
  aber sprach der fürste mêr
'frouwe, ir wert mir gar ze hêr:
25 des sol ich an iu mâzen:
geselleschaft wirt lâzen
mit trinken und mit ezzen:
bî ligens wirt vergezzen.
ir enphâhet mêr dehein gewant,
wan als ich iuch sitzen vant.
137 iwer zoum muoz sîn ein bästîn seil,
iwer phert bejagt wol hungers teil,
iwer satel wol gezieret
der wirt enschumphieret.'
5 vil balder zarte unde brach
den samît drabe: dô daz geschach,

---

25. Fillii roy *D*, fili roys *dg*, villiroys; *G*, Fil lo Roys *g*, Fillurois *g*.
27—135,6. *fehlen G.*

135, 9. ahte *G.*   10. da ez *D*, Daz es *dg.*   frouwe *Gg.*   11. umbe den *DG.*
spærwære *D*, sparware *G*, sparwer *g.*   chanadich *Ggg.*   15. kunewaren *G.*
17. lachene e *G.*   18. brises iehet *G.*   19. chœme *DG.*   doch] = nu *Ggy.*
21. hiüten *gg*, hüte en *g.*   25. en *fehlt Ggg.*   26. Wan *G.*   27. ir *Dd*
= michel *Ggg*, michels *y*, *fehlt gg.*   28. odr *D*, oder *G.*   30. muost *D*,
muoset *G.*   siuch *G.*

136, 1. en *fehlt Gy.*   2. iwerem *D.*   3. etswenne *D*, etewenne *G.*   4. = Vil
mangen *Ggg.*   6. und *fehlt G.*   7. iu *Dgg*, iuch *G.*   8. und *fehlt Gg.*
10. iamerl. *G immer.*   12. getriwe *D*, getriu *G.*   13. Unt doch *Ggg.*
14. fuogen *G.*   16. lats iuch *G*, lat sin euch *g*, lat es eu *g*, lat iuchs *g*, lat
iuch *Ddgg.*   19. enneichte *G.*   20. dane veigete *G.*   21. liebiu *G.*
23. 24. mere-here *alle aufser Gd.*   24. wert *g*, wæret *D*, waret *g*, warent
dg, wart *g*, wern *g*, sit *G.*   29. Irn phahet me *G.*   30. sizzent *D*,
sitzende *gg.*

137, 1. bastin *G*, pæstin *D.*   2. pharit *G.*   4. der *fehlt Gyg.*   entschunfieret
G.   6. drab *D.*

er zersluoc den satel dâ se inne reit
(ir kiusche unde ir wîpheit
Sîn hazzen lîden muosten):
10 mit bästînen buosten
bant ern aber wider zuo.
ir kom sîn hazzen alze fruo.
dô sprach er an den zîten
'frowe, nu sulen wir rîten.
15 kœme ich ann, des wurde ich geil,
der hie nam iwerre minne teil.
ich bestüende in doch durch âventiur,
ob sîn âtem gæbe fiur,
als eines wilden trachen.'
20 al weinde sunder lachen
diu frouwe jâmers rîche
schiet dannen trûreclîche.
sine müete niht, swaz ir geschach,
wan ir mannes ungemach:
25 des trûren gap ir grôze nôt,
daz si noch sampfter wære tôt.
nu sult ir si durch triwe klagn:
si begint nu hôhen kumber tragn.
wær mir aller wîbe haz bereit,
mich müet doch froun Jeschûten leit.
138 sus riten si ûf der slâ hin nâch:
dem knappen vorn ouch was vil gâch.
doch wesse der unverzagte
niht daz man in jagte:
5 wan swen sîn ougen sâhen,
so er dem begunde nâhen,
den gruozte der knappe guoter,
und jach 'sus riet mîn muoter.'
sus kom unser tœrscher knabe
10 geriten eine halden abe.

wîbes stimme er hôrte
vor eines velses orte.
ein frouwe ûz rehtem jâmer schrei:
ir was diu wâre freude enzwei.
15 der knappe reit ir balde zuo.
nu hœret waz diu frouwe tuo.
dâ brach frou Sigûne
ir langen zöpfe brûne
vor jâmer ûzer swarten.
20 der knappe begunde warten:
Schîânatulander
den fürsten tôt dâ vander
der juncfrouwen in ir schôz.
aller schimphe si verdrôz.
25 'er sî trûric od freuden var,
die bat mîn muoter grüezen gar.
got halde iuch,' sprach des knappen
　　　munt.
'ich hân hie jæmerlichen funt
in iwerm schôze funden.
wer gap iun ritter wunden?'
139 der knappe unverdrozzen
sprach 'wer hât in erschozzen?
geschahez mit eime gabylôt?
mich dunket, frouwe, er lige tôt.
5 welt ir mir dâ von iht sagn,
wer iu den rîter habe erslagn?
ob ich in müge errîten,
ich wil gerne mit im strîten.'
Dô greif der knappe mære
10 zuo sîme kochære:
vil scharphiu gabylôt er vant.
er fuort ouch dannoch beidiu
　　　phant,

---

10. bastinen *Ggg*.　　11. er in *G*.　　12. al *Dgg*, gar *Gdgg*.　　13. spracher *G*.
14. Frouwe *DG*.　　15. Chomer mir (nu *g*) des *Ggg*.　　ann] an *D*, an in *dg*,
in an *g*.　　16. minnen *Ggg*.　　17. doch *fehlt Ggg*.　　durch *Dg*, uf *Gdgg*.
18. Op halt *G*, Ob ioch *g*.　　20. weinende *DG*.　　21. was iamers *D*.
23. si nemuete *D*, Sin moht *gg*.　　24. wan *Dg*, Wenne ech (*d. i.* wan et) *d*,
Wan allein *g*, Niwan *G*, Niht wan *gg*.　　manns *G*.　　25. = solhe not *Ggg*.
26. sanfer *G*.　　27. od *Gg*.　　28. beginnet *DG*.　　hoher *D*, hœher *g*.
30. muete *Gg*.　　doch *fehlt Ggg*.　　fron *G*.

138, 2. vorn] vor in *alle; Ddg nach* knappen, *Ggg vor* gach.　　ouch was vil *D*,
ouch was *d* = was och *Ggg*.　　3. Done *Ggg*.　　5. wan swenne *Ddg*.
6. den *G*.　　8. riet *Gdgg*, riet mir *Dgg*.　　9. Alsus *Ggg*.　　10. enine hal-
den *D*, einhalben *G*.　　11. stimé *G*.　　12. veleses *G*, velsen *g*.　　17. Ez
brach fro *G*.　　18. = lange *Ggg*.　　19. üzer] uz ir *Ddgg*, uz der *Ggg*.
20. cbnabe *G*.　　21. Scianatulandr *D*, tschinnatulander *G*, shinadulander *g*,
Tschion. *g*, Schynat. *g*, Scian atukalander *g*, Schienot de lander *g*.　　23. tot
widerholt D vor in.　　24. = Alles schimphes *Gyg*.　　25. trurich odr *D*, trurech
oder *G*.　　29. iwer schoze *gg*, iweren schozen *Gg*.　　30. iu den *alle*.

139, 1. 2 *fehlen D*.　　4. lige] si *Gy*.　　5. = Chunnet *Ggg*, Chundet *gg*.
da von iht *D*, da von *d*, iht der von *Gg*, iht von im *gg*, von in iht *g*, von im *g*.
= gesagen *Ggg*.　　6. Der *gg*.　　den man *D*.　　7. Obe ih in *G*.　　mag *D*,
moht *g*.　　10. ze sinem *Gy*.

diu er von Jeschûten brach
unde ein tumpheit dâ geschach.
15 het er gelernt sîns vater site,
die werdeclîche im wonte mite,
diu bukel wære gehurtet baz,
da diu herzoginne al eine saz,
diu sît vil kumbers durch in leit.
20 mêr danne ein ganzez jâr si meit
gruoz von ir mannes lîbe.
unrehte geschach dem wîbe.
nu hœrt ouch von Sigûnen sagn:
diu kunde ir leit mit jâmer klagn.
25 si sprach zem knappen 'du hâst tugent.
gêret sî dîn süeziu jugent
unt dîn antlütze minneclîch.
deiswâr du wirst noch sælden rîch.
disen ritter meit dez gabylôt:
er lac ze tjostieren tôt.
140 du bist geborn von triuwen,
daz er dich sus kan riuwen.'
ê si den knappen rîten lieze,
si vrâgte in ê wie er hieze,
5 und jach er trüege den gotes vlîz.
'bon fîz. scher fîz, beâ fîz,
alsus hât mich genennet
der mich dâ heime erkennet.'
Dô diu rede was getân,
10 si erkant in bî dem namen sân.
nu hœrt in rehter nennen,
daz ir wol müget erkennen
wer dirre âventiur hêrre sî:
der hielt der juncfrouwen bî.
15 ir rôter munt sprach sunder twâl
'deiswâr du heizest Parzivâl.
der nam ist rehte enmitten durch.
grôz liebe ier solch herzen furch

mit dîner muoter triuwe:
20 dîn vater liez ir riuwe.
ichn gihe dirs niht ze ruome,
dîn muoter ist mîn muome,
und sag dir sunder valschen list
die rehten wârheit, wer du bist.
25 dîn vater was ein Anschevîn:
ein Wâleis von der muoter dîn
bistu geborn von Kanvoleiz.
die rehten wârheit ich des weiz.
du bist och künec ze Norgâls:
in der houbetstat ze Kingrivâls
141 sol dîn houbet krône tragen.
dirre fürste wart durch dich erslagen,
wand er dîn laut ie werte:
sîne triuwe er nie verscherte.
5 junc vlætic süezer man,
die gebruoder hânt dir vil getân.
zwei lant nam dir Lähelîn:
disen ritter unt den vetern dîn
ze tjostiern sluoc Orilus.
10 der liez och mich in jâmer sus.
Mir diende ân alle schande
dirre fürste von dîm lande:
dô zôch mich dîn muoter.
lieber neve guoter,
15 nu hœr waz disin mære sîn.
ein bracken seil gap im den pîn.
in unser zweier dienste den tôt
hât er bejagt, und jâmers nôt
mir nâch sîner minne.
20 ich hete kranke sinne,
daz ich im niht minne gap:
des hât der sorgen urhap
mir freude verschrôten:
nu minne i'n alsô tôten.'

25 dô sprach er 'niftel, mir ist leit
dîn kumber und mîn laster breit.
swenne ich daz mac gerechen,
daz wil ich gerne zechen.'
dô was im gein dem strîte gâch.
si wîste in unrehte nâch:
142 si vorht daz er den lîp verlür
unt daz si græzeren schaden kür.
eine strâze er dô gevienc,
diu gein den Berteneysen gienc:
5 diu was gestrîcht unde breit.
swer im widergienc od widerreit,
ez wære rittr od koufman,
die selben gruozter alle sân,
und jach, cz wær sînr muoter rât.
10 diu gabn ouch âne missetât.
der âbent begunde nâhen,
grôz müede gein im gâhen.
Do ersach der tumpheit genôz
ein hûs ze guoter mâze grôz.
15 dâ was inne ein arger wirt,
als noch ûf ungeslähte birt.
daz was ein vischære
und aller güete lære.
den knappen hunger lêrte
20 daz er dergegene kêrte
und klagte dem wirte hungers nôt.
der sprach 'in gæbe ein halbez brôt
iu niht ze drîzec jâren.
swer mîner milte vâren
25 vergebene wil, der sûmet sich.
ine sorge umb niemen danne um mich,
dar nâch um mîniu kindelîn.
iren komt tâlanc dâ her în.

het ir phenninge oder phant,
ich behielt iuch al zehant.'
143 dô bôt im der knappe sân
froun Jeschûten fürspan.
dô daz der vilân ersach,
sîn munt derlachte unde sprach
5 'wiltu belîben, süezez kint,
dich êrent al die hinne sint.'
'wiltu mich hînt wol spîsen
und morgen rehte wîsen
gein Artûs (dcin bin ich holt),
10 sô mac belîben dir daz golt.'
'diz tuon ich,' sprach der vilân.
'ine gesach nie lîp sô wol getân.
ich pringe dich durch wunder
für des künges tavelrunder.'
15 Die naht beleip der knappe dâ:
man sah in smorgens anderswâ.
des tages er kûme erbeite.
der wirt ouch sich bereite
und lief im vor, der knappe nâch
20 reit: dô was in beiden gâch.
mîn hêr Hartmann von Ouwe,
frou Ginovêr iwer frouwe
und iwer hêrre der künc Artûs,
den kumt ein mîn gast ze hûs.
25 bitet hüeten sîn vor spotte.
ern ist gîge noch diu rotte:
si sulen ein ander gampel nemn:
des lâzen sich durch zuht gezemn.
anders iwer frouwe Enîde
unt ir muoter Karsnafîde
144 werdent durch die mül gezücket
unde ir lop gebrücket.

---

29 dem *fehlt Gyg.*

142, 1. vorht *g*, vorhte *DG.* 2. grozen *Ddgg.* 4. bertenoysén *D*, britoneisen *G*,
brituneisen *gg*, britaneysen *d*. 5. gestrichet *g*, ge estrichet *D*, gestrichen *dgg*,
gebert *G*. 6. 7. odr *D*, oder *G*. 9. daz *D*. siner *alle.* 10. gaben
(gap in *dg*, gab im *g*, gap in im *g*) ouch *Ddgg*, gaben (gab *g*) im *Ggg*.
13. = Do sach *Ggg*. gnoz *Dg*. 15. = Dar inne was *Ggg*. 16. unge-
slahte *G*. 18. manger *Ggg*. 19. hungeren *G*. 20. dergein *D*. 22. Er
Gdgg. ine *DG*. 23. Iu *Gdgg*, setzen *Dgg* vor ein *z*. 22. 25. vergebn *D*.
26. Ich *G*. umb *D*, umbe *G*, *alle drei mahle.* nimen *G*, niemn *D*.
danne *D*, dan *g*, wan *Gdgg*, nun *g*, nün *g*. 28. en *fehlt g*. dalanc *g*, do-
ling *d*, dolene *g*. dä *fehlt Gg*. 29. Hiet *g*. pheninge *G*.
143, 1. = Im bot der chnape wolgetan *Ggg*. 3. do ez *D*. villan *g*. 4. der-
lachte] der lahte *g*, erlachet *d*, do lachete *oder* do lachte *DG und die übrigen.*
5. 7. Wil du *G*. 5. liebez *D*. 6. alle *die handschriften.* alle die hie
sint *dgg*. 9. Artuse *DG*. 11. diz *Dg*, Daz *Gdgg*. villan *g*. 12. Ichne *G*.
16. sach ins morgens *G*. 17. er vil chume enbeit (erbeit *g*) *Gg*. 18. Nu
was ouch der wirt bereit *G*. 19. Der lief *G*. 22. und frou *Dg*. schino-
ver *G*. 24. Dem *Gg*. = vriunt *.Ggg.* 25. bitt *D*, Bit *G*. spote-rote
G. 29. Andrs iwer frou *D*. enite *Gdgg*. 30. karsinifite *g*, kursenite *G*.
144, 1. mule *G*. 2. gebruchet *Gg*, gebuchet *Dyg*, gelucket *d*.

sol ich den munt mit spotte zern,
ich wil mînen friunt mit spotte wern.
5 dô kom der vischære
und ouch der knappe mære
einer houptstat sô nâhen,
aldâ si Nantes sâhen.
dô sprach er 'kint, got hüete dîn.
10 nu sich, dort soltu rîten în.'
dô sprach der knappe an witzen laz
'du solt mich wîsen fürbaz.'
'wie wol mîn lîp daz bewart!
diu mässenîe ist sölher art,
15 genæht ir immer vilân,
daz wær vil sêre missetân.'
    Der knappe al eine fürbaz reit
ûf einen plân niht ze breit:
der stuont von bluomen lieht gemâl.
20 in zôch nehein Curvenâl:
er kunde kurtôsîe niht,
als ungevarnem man geschiht.
sîn zoum der was pästîn,
und harte kranc sîn phärdelîn:
25 daz tet von strûchen manegen val.
ouch was sîn satel über al
unbeslagen mit niwen ledern.
samît, härmîner vedern
man dâ vil lützel an im siht.
ern bedorfte der mantelsnüere niht:
145 für suknî und für surkôt,
dâ für nam er sîn gabylôt.
des site man gein prîse maz.
sîn vater was gekleidet paz
5 ûfem tepch vor Kanvoleiz.

der geliez nie vorhtlîchen sweiz.
im kom ein ritter widerriten.
den gruozter nâch sînen siten,
'got hald iuch, riet mîn muoter mir.'
10 'junchêrre, got lôn iu unt ir,'
sprach Artûses basen sun.
den zôch Utepandragûn:
ouch sprach der selbe wîgant
erbeschaft ze Bertâne ûfez lant.
15 ez was Ithêr von Gaheviez:
den rôten rîter man in hiez.
    Sîn harnasch was gar sô rôt
daz ez den ougen rœte bôt:
sîn ors was rôt unde snel,
20 al rôt was sîn gügerel,
rôt samît was sîn covertiur,
sîn schilt noch rœter danne ein fiur,
al rôt was sîn kursît
und wol an in gesniten wît,
25 rôt was sîn schaft, rôt was sîn sper,
al rôt nâch des heldes ger
was im sîn swert gerœtet,
nâch der scherpfe iedoch gelœtet.
der künec von Kukûmerlant,
al rôt von golde ûf sîner hant
146 stuont ein kopf vil wol ergrabn,
ob tavelrunder ûf erhabn.
blanc was sîn vel, rôt was sîn hâr.
der sprach zem knappen sunder vâr
5 'gêret sî dîn süezer lîp:
dich brâht zer werlde ein reine wîp.
wol der muoter diu dich bar!
ine gesach nie lîp sô wol gevar.

---

3. den lip *Gg*.   4. vern *D*.   7. Der burch als nahen *G*.   8. Daz si *G*.
nantys *G*, nantis *gg*.   13. hei min lip daz vil wol bewart *Gg*.   = Hei wie
wol *gg*.   14. messnie *G*.   ist al *D*, ist in *g*.   15. genæhete *D*, Genahet
G, a᷊ hat nur *D*.   16. ist *Ggg*.   vil *fehlt Ggg*.   20. noch hin *d*, dehein
D.   curfenal *G*.   21. Erne *G*.   curtose *G*, kurtoyse *gg*.   22. ungevar-
nen *D*.   23. bastin *G*.   24. hart *G*.   phard. *G*.   25. struche *Gg*.
26. sattel *D*.   27. Umbe slagen *G*.   lederen *D*.   28. harminer vederen *G*.
29. man da vil *(fehlt d)* luzzel (wenic *g*) an im siht *Ddg*, Der zweiger man
wench an im siht *Gg*, Der zweier man luzel (lutzel man) an im da siht *gg*,
Der zwaier wenich man da siht *g*.   30. Er *G*.   mandel snuoner *G*.

145, 1. suknei *g*, sukenie *D*, suggenie *gg*, rok *Gg*, mantel *d*.   5. uofem *D*, Uf
dem *D*.   teppiche *D*.   6. gelie *G*.   vorthlichen *D*.   8. geruozter *D*.
10. lone iu uṅ ir *DG*.   11. artus *D*.   12. In *Ggg*.   Utep. *D*, utp. *Ggg*,
utrep. *g*, uter p. *dg*.   13. = der werde *Ggg*.   14. erbeschaft ce *D*.   bri-
tanie *alle aufser D*.   15. = Daz *Ggg*.   yther *D*.   kahaviez *Ggg*.
17. daz was gar *G*.   20. gügerel *mit* ü *g*, gugrel *D*.   21. 22. covertiure-
fiure *D*.   22. noch *fehlt g*, was *Gdg*.   24. an im *Ggg*.   28. nach *Dd*,
Al nach *g*, Gein *Ggg*.   scerpfe idoch *Ddg*, scherphe *gg*, scherphe herte *G*,
scharfen herte *g*, hert sharf *g*.   29. Chuchumerlant *D*, chukunberlant *g*,
kummerl. *g*.

146, 2. tafelrunder *G*, tavelrunde *Dg*, der toffelrunden *d*.   3. Rot *G*.   4. Er *Ggg*.
5. ge êrt *D*.   6. werelde *Dg*.   7. ôwol *mit* ô *D*, owol *G*.   gebar
alle aufser G.

du bist der wâren minne blic,
10 ir schumphentiure unde ir sic.
vil wîbes freude an dir gesigt,
der nâch dir jâmer swære wigt.
lieber friunt, wilt du dâ hin în,
sô sage mir durch den dienest mîn
15 Artûse und den sînen,
ine süle niht flühtic schînen:
ich wil hie gerne beiten
swer zer tjost sich sol bereiten,
Ir neheiner habz für wunder.
20 ich reit für tavelrunder,
mîns landes ich mich underwant:
disen koph mîn ungefüegiu hant
ûf zucte, daz der wîn vergôz
froun Ginovêrn in ir schôz.
25 underwinden mich daz lêrte.
ob ich schoube umbe kêrte,
sô wurde ruozec mir mîn vel.
daz meit ich,' sprach der degen snel.
'ine hânz ouch niht durch roup getân:
des hât mîn krône mich erlân.
147 friunt, nu sage der künegîn,
ich begüzzes ân den willen mîn,
aldâ die werden sâzen,
die rehter wer vergâzen.
5 ez sîn künge od fürsten,
wes lânt se ir wirt erdürsten?
wan holent sim hie sîn goltvaz?
ir sneller prîs wirt anders laz.'
der knappe sprach 'ich wirbe dir
10 swaz du gesprochen hâst ze mir.'
er reit von im ze Nantes în.
dâ volgeten im diu kindelîn
ûf den hof für den palas,
dâ maneger slahte fuore was.

15 schiere wart umb in gedranc.
Iwânet dar nâher spranc:
der knappe valsches vrîe
derbôt im kumpânîe.
Der knappe sprach 'got halde dich,
20 bat reden mîn muoter mich,
ê daz ich schiede von ir hûs.
ich sihe hie mangen Artûs:
wer sol mich ritter machen?'
Iwânet begunde lachen,
25 er sprach 'dun sihst des rehten niht;
daz aber schiere nu geschiht.'
er fuort in în zem palas,
dâ diu werde massenîe was.
sus vil kund er in schalle,
er sprach 'got halde iuch [hêrren] alle,
148 benamn den künec und des wip.
mir gebôt mîn muoter an den lîp,
daz ich die gruozte sunder:
unt die ob [der] tavelrunder
5 von rehtem prîse heten stat,
die selben si mich grüezen bat.
dar an ein kunst mich verbirt,
ine weiz niht welher hinne ist wirt.
dem hât ein ritter her enboten
10 (den sah ich allenthalben roten),
er well sîn dîze biten.
mich dunct er welle strîten.
im ist ouch leit daz er den wîn
vergôz ûf die künegîn.
15 ôwî wan het ich sîn gewant
enphangen von des künges hant!
sô wær ich freuden rîche:
wan ez stêt sô rîterlîche.'
Der knappe unbetwungen
20 wart harte vil gedrungen,

9. minnen *Gdgg.*　　10. scumphentiwr *D*, tschumphenture *G*.　　11. liget *dg.*
12. Der *g, fehlt d, dar die übrigen.*　　dir *Dgg*, dir in *d*, der *Ggg.*　　swere
dgg, swer *g*, sware *Gg*, swærer *D*.　　13. wil du *DG*.　　14. dur *G.*
15. Königs artusen *d*, dem kunege *D*.　　uñ al den *D*.　　16. Ich ensul *G.*
18. wil *Gdgg.*　　19. deheiner *G*.　　23. dern?　　24. Der chunginne in *G*.
26. schoup *Ggg.*　　27. ruessig *d*.　　29. Ich *G.*
147, 1. saget *D.*　　5. odr *D*, oder *G.*　　6. lazent si *D.*　　11. vor *Ggg.*　　zenanes
G.　　12. Do *G*.　　14. hande *alle aufser D*.　　15. = Vil schiere *Ggg.*
16. Iwanet *D*, Ywanet *G.*　　17. der] ein *D*.　　18. der bot *D*, Ert bot *d*, Got
g, Unde bot *Ggg.*　　19. = Do sprach der gast *Ggg*.　　20. = Alsus bat *Ggg*.　　hin-
zem *Gg.*　　25. dun *g*, dune *Dd*, du *Ggg.*　　27. er fuorten *D*, Do fuortern *Ggg*.
28. Da manger hande fuore was *G*.　　massenide *D*.　　30. er
sprach *fehlt g*.　　hêrren *fehlt dgg.*
148, 3. = si *Ggg.*　　4. unt *fehlt D.*　　5. = Mit *Ggg*.　　8. Ichen *G*.
hinne *D*.　　9. 10. enbôtn - rôtn *D*.　　11. welle *DG*.　　da ûze *D*.　　12. dun-
chet *DG*.　　15. Owe *G*.　　17. froude *G*.　　18. sô *fehlt Gg*.　　19. unbe-
dwngen *G*.

gehurtet her unde dar.
sie nâmen sîner varwe war.
diz was selpschouwet,
gehêrret noch gefrouwet
25 wart nie minneclîcher fruht.
got was an einer süezen zuht,
do'r Parzivâlen worhte,
der vreise wênec vorhte.
sus wart für Artûsen brâht
an dem got wunsches het erdâht.
149 im kunde niemen vîent sîn.
do besah in ouch diu künegîn,
ê si schiede von dem palas,
dâ si dâ vor begozzen was.
5 Artûs an den knappen sach:
zuo dem tumben er dô sprach
'junchêrre, got vergelt iu gruoz,
den ich vil gerne dienen muoz
mit [dem] lîbe und mit dem guote.
10 des ist mir wol ze muote.'
'wolt et got, wan wær daz wâr!
der wîle dunket mich ein jâr.
daz ich niht ritter wesen sol,
daz tuot mir wirs denne wol.
15 nune sûmet mich niht mêre,'
phlegt mîn nâch ritters êre.'
'daz tuon ich gerne,' sprach der wirt,
'ob werdekeit mich niht verbirt.
Du bist wol sô gehiure,
20 rîch an koste stiure
wirt dir mîn gâbe undertân.
dêswâr ich solz ungerne lân.
du solt unz morgen beiten:
ich wil dich wol bereiten.'
25 der wol geborne knappe
hielt gagernde als ein trappe.
er sprach 'in wil hie nihtes biten.

mir kom ein ritter widerriten:
mac mir des harnasch werden niht,
ine ruoch wer küneges gâbe giht.
150 sô gît mir aber diu muoter mîn:
ich wæn doch diust ein künegîn.'
Artûs sprach zem knappen sân
'daz harnasch hât an im ein man,
5 daz ich tirs niht getörste gebn.
ich muoz doch sus mit kumber lebn
ân alle mîne schulde,
sît ich darbe sîner hulde.
ez ist' Ithêr von Gaheviez,
10 der trûren mir durch freude stiez.'
'ir wært ein künec unmilte,
ob iuch sölher gâbe bevilte.
gebtz im dar,' sprach Keye sân,
'und lât in zuo zim ûf den plân.
15 sol iemen bringen uns den kopf,
hie helt diu geisel, dort der topf:
lâtz kint in umbe trîben:
sô lobt manz vor den wîben.
ez muoz noch dicke bâgen
20 und sölhe schanze wâgen.
Ine sorge umb ir deweders lebn:
man sol hunde umb ebers houbet
gebn.'
'ungerne wolt ich im versagn,
wan daz ich fürhter werde erslagn,
25 dem ich helfen sol der rîterschaft,'
sprach Artûs ûz triwen kraft.
der knappe iedoch die gâbe en-
phienc,
dâ von ein jâmer sît ergienc.
dô was im von dem künege gâch.
junge und alte im drungen nâch.
151 Iwânet in an der hende zôch
für eine louben niht ze hôch.

---

21. gehurt *D*, Gehuret *G*.   ꝰñ *G*.   23. = Daz *Ggg*.   24. gehert *D*.
26. in *D*.   ciner reiner *Gg*, einer reinen *gg*.   29. = wart er *Dd*.

149, 2. Nu *G*.   sach *Gg*.   4. Dar uffe si begozen was *Ggg*.   5. = Der
chunch *Ggg*.   an dem *D*.   7. vergelde *D*.   8. vil *fehlt D*.   9. dem-
dem *Dgg*, *fehlen Gdgg*.   11. wolt et *D*, Wolte *d* = Daz wolt *Ggg*.
wan *fehlt g*, unde *dg*.   15. Nu *G*.   20. = choste tiure *Ggg*, kostiwere *gg*.
23. unze *Ddg*, biz *Ggg*.   26. gagerende *G*.   27. ine *DG*.   nihts *G*.
30. ruoche *DG*.

150, 1. mir abe *g*, aber mir *D*.   2. wæne *DG*.   4. Dez *G*.   fuert *D*.
5. dirz *D*.   9. J'ther *D*.   kahaviez *G*.   11. wæret *DG*.   milte *D*.
13. gebts *D*.   kai *Gg*, key *gg*.   14. und *fehlt Ggg*.   zuo im *G*.
16. helt diu *Dg*, haltet die *d*, ist die *g*, haltet *Gg*, haldet *gg*.   17. Lat daz
chint umbe triben *G*.   19. = doch *Ggg*.   20. scanze *D*, tschanze *G*.
21. sorge niht *gg*.   dewedrs *D*, twedrs *g*, twerders *g*.   22. umbe *G*.
nach *D*.   houbt *G*, houpte *D*.   23. = solt *Ggg*.   imz *Ggg*.
30. liefen *Ggg*.

151, 2. ze groz *D*.

dô saher für unde widr:
ouch was diu loube sô nidr,
5 daz er drûffe hôrte unde ersach
dâ von ein trûren im geschach.
　dâ wolt ouch diu künegîn
selbe an dem venster sîn
mit rittern und mit frouwen.
10 die begundenn alle schouwen.
dâ saz frou Cunnewâre
diu fiere und diu clâre.
diu enlachte decheinen wîs,
sine sæhe in die den hôhsten prîs
15 hete od solt erwerben:
si wolt ê sus ersterben.
allez lachen si vermeit,
unz daz der knappe für si reit:
do erlachte ir minneclîcher munt.
20 des wart ir rükke ungesunt.
　Dô nam Keye scheneschlant
froun Cunnewâren de Lâlant
mit ir reiden hâre:
ir lange zöpfe clâre
25 die want er umbe sîne hant,
er spancte se âne türbant.
ir rüke wart kein eit gestabt:
doch wart ein stap sô dran gehabt,
unz daz sîn siusen gar verswanc,
durch die wât unt durch ir vel ez dranc.
152　dô sprach der unwîse
'iwerm werdem prîse
ist gegebn ein smæhiu letze:

ich pin sîn vängec netze,
5 ich soln wider in iuch smiden
daz irs enpfindet ûf den liden.
ez ist dem künge Artûs
ûf sînen hof unt in sîn hûs
sô manec werder man geriten,
10 durch den ir lachen hât vermiten,
und lachet nu durch einen man
der niht mit ritters fuore kan.'
in zorne wunders vil geschiht.
sîns slages wær im erteilet niht
15 vorem rîche ûf dise magt,
diu vil von friwenden wart geklagt.
op si halt schilt solde tragn,
diu unfuoge ist dâ geslagn:
wan si was von arde ein fürstîn.
20 Orilus und Lähelîn
ir bruoder, hetenz die gesehen,
der slege minre wære geschehen.
　Der verswigen Antanor,
der durch swîgen dûht ein tôr,
25 sîn rede unde ir lachen
was gezilt mit einen sachen:
ern wolde nimmer wort gesagn,
sine lachte diu dâ wart geslagn.
dô ir lachen wart getân,
sîn munt sprach ze Keyen sân
153 'got weiz, hêr scheneschlant,
daz Cunnewâre de Lâlant
durch den knappen ist zerbert,
iwer freude es wirt verzert

4. = Diu loube diu (*so Ggg*, diu *fehlt gg*) was wol so nider *Ggg*.　5. er-
horte *Ggg*.　　uñ ouch *D*.　　sach *Gdgg*.　　8. = in *Ggg*.　　den venstern
Gdgg.　10. begunden *Gg*, begunden in *die übrigen*.　11. fro kuneware *G*.
12. phier *G*.　13. enlachete *Dgg*, lachte *g*, enlahte niht *g*, erlacht nit *g*, lachte
niht *Gg*.　　deheinen *g*, dehein *g*, neheine *G*, do keine *d*.　　gwîs *D*.　14. in]
den *Gg*.　　die] diu *D*, der *die übrigen*.　15. odr *D*, oder *G*.　18. = Biz
daz *g*, Biz *Ggg*, Untz *g*.　21. kai *G*.　　scheneschlant] sine tschalant *g*, sine-
tschant *g*, thsenethsant *g*, scenescalt *D*, senschalt *G*, tschinet schalt *g*, zehant *g*.
22. Fron kunwaren *G*.　23. reidem *G*.　25. die *fehlt Ggg*.　26. Unde *Gg*.
spanctese *D*, spengtes *g*, spranct es *g*, spantese *G*, spantes *g*, spantez *g*, spante
sú *d*, spien sy *g*.　　ane *DGg*, an *d*, an ein *gg*.　　türbant *mit* ů *oder* ú *Ddgg*,
tûr bant *g*, ture bant *G*.　27. dechein *D*, dehein *G*.　28. stab *D*.　29. = Biz
Ggg.　　daz *fehlt G*.　　siûsen *D*, seusen *g*, süsen *Gg*.　30. Dur die *G*.

152, 2. Iweren *G*.　　werden *Gdgg*.　4. vench *Gg*, vanch *g*, vinchen *g*.　5. = Unde
Ggg.　　soln *g*, solen *DG*, sol in *gg*, sol *dg*.　　hin wider *Ggg*.　　in iuch] în *g*.
6. irz *D*.　9. wert *Gdgg*.　10. Dur *G*.　　habet *G*.　14. erteilt *G*.　15. Vor
dem *G*.　16. wirt *Gdgg*.　18. = Diu ungefuoge ist hie geslagen *Ggg*.　22. minrre
D, miner *G*.　　geschen *G*.　23. verswigene Anth. *D*.　　anthenor *dg*.
24. duoht *D*.　26. einer *d* = zwein *Ggg*.　27. Er wolte nimer *G*.　28. Si
nen lachte ê diu wart geslagen *g*.　30. kain *G*, kay *g*, key *g*.

153, 1. Goteweiz *G*.　　sciniscant *d*, key senetzant *g*, smetschant *g*, Scenescalt *D*,
seneschalt *G*, sineshalt *g*, schinneschalt *g*.　2. = Daz frou *Ggg*.　　kunew. *G*.
3. zebert *G*.　4. ês *D*.

5 noch von sîner hende,
ern sî nie sô ellende.'
'sît iwer êrste rede mir dröut,
ich wæne irs wênic iuch gevröut.'
sîn brât wart gâlûnet,
10 mit slegen vil gerûnet
dem witzehaften tôren
mit fiusten in sîn ôren:
daz tet Kaye sunder twâl.
dô muose der junge Parzivâl
15 disen kumber schouwen
Antanors unt der frouwen.
im was von herzen leit ir nôt:
vil dicker greif zem gabilôt.
vor der künegîn was sölch gedranc,
20 daz er durch daz vermeit den swanc.
  urloup nam dô Iwânet
zem fil li roy Gahmuret:
Des reise al eine wart getân
hin ûz gein Ithêr ûf den plân.
25 dem sagter sölhiu mære,
daz niemen dinne wære
der tjostierens gerte.
'der künec mich gâbe werte.
ich sagte, als du mir jæhe,
wiez âne danc geschæhe,
154 daz du den wîn vergüzze,
unfuoge dich verdrüzze.
ir decheinen lüstet strîtes.
gip mir dâ du ûffe rîtes,
5 unt dar zuo al dîn harnas:
daz enpfieng ich ûf dem palas:
dar inne ich ritter werden muoz.
widersagt sî dir mîn gruoz,
ob du mirz ungerne gîst.
10 wer mich, ob du bî witzen sîst.'
  der künec von Kukûmerlant

sprach 'hât Artûses hant
dir mîn harnasch gegebn,
dêswâr daz tæter ouch mîn lebn,
15 möhtestu mirz an gewinnen.
sus kan er friwende minnen.
was er dir abr ê iht holt,
dîn dienst gedient sô schiere den solt.'
'ich getar wol dienen swaz ich sol:
20 ouch hât er mich gewert vil wol.
gip her und lâz dîn lantreht:
ine wil niht langer sîn ein kneht,
ich sol schildes ambet hân.'
er greif im nâch dem zoume sân:
25 'du maht wol wesen Lähelîn,
von dem mir klaget diu muoter mîn.'
  Der rîter umbe kêrt den schaft,
und stach den knappen sô mit kraft,
daz er und sîn pfärdelîn
muosen vallende ûf die bluomen sîn.
155 der helt was zornes dræte:
er sluog in daz im wæte
vome schafte ûzer swarten bluot.
Parzivâl der knappe guot
5 stuont al zornic ûf dem plân.
sîn gabylôt begreif er sân.
dâ der helm unt diu barbier
sich locheten ob dem härsnier,
durchz ouge in sneit dez gabylôt,
10 unt durch den nac, sô daz er tôt
viel, der valscheit widersatz.
[wîbe] siufzen, herzen jâmers kratz
gap Ithêrs tôt von Gaheviez,
der wîben nazziu ougen liez.
15 swelhiu sîner minne enphant,
durch die freude ir was gerant,
unde ir schimpf enschumphiert,
gein der riwe gecondewiert.

6. Er si *g*, er ist *G*, Ern ist *g*. noch nie ell. *g*. 7. erstiu *G*. drot *D*.
9. gealunet *G*. 11. wizzehaftem *D*. 13. kai *G*. 16. Anthanors *D*.
20. dur *G*. 21. urlop *D*. 22. Ze *Ggg*. fillu roy *D*, viliroys *G*.
26. nîemn *D; nach daz Dd = nach* inne *Ggg*, *nach* da *g*, *fehlt g*. dinne
D, inne *g*, da inne *die übrigen*. 27. 28 *fehlen D*. 27. tiostierns *G*.
28. mich gewerte *d*. 29. gahe *G*, veriæhe *Dg*. 30. wi ez *D*.
154, 2. Ungefuoge *Ggg*. 3. Irne heinen *G*. 4. Gim mir *g*. da du uoffe
Ddg, da du uf *g*, da uffe du *Gg*, dar uf du *g*, daz du *g*. 5. = Unt *fehlt Ggg*.
harnasc *D*, harnasch *G*. 12. Artus *D*. 14. = Des war *fehlt Dd*.
ouch] licht ouch *d*. 21. la *Ggg*. 22. Ich *G*. 25. wesen] sin *Gg*.
29. phardelin *G*, pfæredliu *D*. 30. *mit DG stimmt keine der sechs übrigen*.
Muesen ir val an der erde sin *g*, Musten (Muose *g*) vallen (Vielen *g*) uf (in *g*)
der bluomen schîn (uff die blûmen hin *d*) *dgg*.
155, 3. wome *D*. uz der *G*. swarte *gg*. 4. der helt *Ggg*. 6. Zem ga-
bilote greif *Ggg*. 7. diu *DGg*, der *dgg*, daz *gg*. 8. locheten *Dd*, loh-
ten *g*, löcherten *g*, luhten *g*, luchent *Gg*. umbe den harsnier *G*. 9. Dur
daz *G*. 10. dur *G*. 11. valscheite *D*, valsche *Gg*, valsches *gg*. 12. Bibes *g*.
suften *Gg*. 13. gahaviez *G*. 17. entscumpfieret *D*. 18. = riuhe *Dd*.
gekondiwiert *g*, gegondewiert *G*, gecondwîeret *D*.

Parzivâl der tumbe
20 kêrt in dicke al umbe.
  er kunde im ab geziehen niht:
daz was ein wunderlîch geschiht:
helmes snüer noch sîniu schinnelier,
mit sînen blanken handen fier
25 kund ers niht ûf gestricken
noch sus her ab gezwicken.
vil dickerz doch versuochte,
wîsheit der umberuochte.
  Daz ors unt daz phärdelîn
erhuoben ein sô hôhen grîn,
156 daz ez Iwânet erhôrte
vor der stat ans graben orte,
froun Ginovêrn knapp unde ir mâc.
do'r von dem orse erhôrte den bâc,
5 und dô er niemen drüffe sach,
von sînen triwen daz geschach
die er nâch Parzivâle truoc,
dô gâhte dar der knappe kluoc.
er vant Ithêren tôt,
10 unt Parzivâln in tumber nôt.
snellîch er zin beiden spranc:
dô sageter Parzivâle danc
prîses des erwarp sîn hant
an dem von Kukûmerlant.
15 'got lôn dir. nu rât waz ich tuo:
ich kan hie harte wênic zuo:
wie bringe ichz ab im unde an mich?'
'daz kan ich wol gelêren dich,'
sus sprach der stolze Iwânet
20 zem fil li roy Gahmuret.
entwâpent wart der tôte man
aldâ vor Nantes ûf dem plân,

und an den lebenden geleget,
den dannoch grôziu tumpheit reget.
25   Iwânet sprach 'diu ribbalîn
sulen niht underem îsern sîn:
du solt nu tragen ritters kleit.'
diu rede was Parzivâle leit:
Dô sprach der knappe guoter
'swaz mir gap mîn muoter,
157 des sol vil wênic von mir komn,
ez gê ze schaden odr ze fromn.'
daz dûhte wunderlîch genuoc
Iwâneten (der was kluoc):
5 iedoch muos er im volgen,
ern was im niht erbolgen.
zwuo liehte hosen îserîn
schuohterm über diu ribbalîn.
sunder leder mit zwein porten
10 zwêne sporen dar zuo gehôrten:
er spien im an daz goldes werc.
ê erm büte dar den halsperc,
er stricte im umb diu schinnelier.
sunder twâl vil harte schier
15 von fuoze ûf gewâpent wol
wart Parzivâl mit gernder dol.
dô iesch der knappe mære
sînen kochære.
'ich enreiche dir kein gabylôt:
20 diu ritterschaft dir daz verbôt'
sprach Iwânet der knappe wert.
der gurte im umbe ein scharpfez swert:
daz lêrt ern ûz ziehen
und widerriet im fliehen.
25 dô zôher im dar nâher sân
des tôten mannes kastelân:

20. cherten D.   23. Helm *Ggg.*   snuer *g*, snuor *g*, snuere *die übrigen.*
noch sîniu *fehlt G*, noch diu *g*.   scinnelier *D*, schinilier *d* = tschillier *gg*,
tschilier *G*, schillier *gg*.   25. abe *Ggg*.   27. dichers *D*, ditchez *G*, dicke erz
die übrigen.   versuohte-unberuohte *G*.   29. uñ sin *Ggg*.   phardelin *G*,
phæredlin *D*.   30. ein *g*, einen *DG*.

156, 2. der stat *fehlt G*.   3. Fron schinoveren chnape *G*.   knappe *D*.   4. Dor *G*,
der *D*, Do er *die meisten*.   5. do *Dd* = daz *gg*, *fehlt Gg*.   8. do dahte *D*.
9. Da vant er *Ggg*.   Jthern *D*.   10. Parzifaln *g*, Parzivalen *DG*.   11. Sne-
liche er zuo in *G*.   12. Unde sagete *Ggg*.   parcifalen *gg*.   13. priss *D*.
15. lone *DG*.   nu *fehlt G*.   rate *D*.   17. unde *fehlt Gd*.   19. sus
fehlt Gdgg.   20. = Ze *Ggg*.   filli roy *g*, fillu roy *D*, vilirois *Gd*, fillo Roys *g*.
22. nantis *Ggg*.   den *G*.   23. geleît *D*.   24. tumpeit reît *D*.   25. rib-
balin *Dd* = ribalin *Ggg*.   26. under dem *G*, unden *d*.   isern *D*, yser *Gg*,
ysen *gg*, ysin *d*.   27. muost *Ggg*.

157, 2. zefrumen *G*.   4. ywaneten *G*, Jwanet *Ddyg*.   6. Er *G*.   7. zwo *D*.
8. schuoht erem *D*, Schuohter *Gg*.   ribalin *G*.   11. an] umbe *Ggg*.
12. ê er im butte dar (dar bitte *d*) *Dd*, E er bute im dar *g und ohne* dar *G*,
Er bot im dar *gg*.   halperch *D*.   13. umbe *DG*.   tschillier *Ggg*.
14. twale *D*.   vil *D*, *fehlt dg*, wart (*welches dann z.* 16 *fehlt*) *Ggg*.   15. fuoz
D, vuezen *g*.   16. gerendr *D*.   19. en *fehlt G*.   dechein *D*, nehein *G*.
22. Er *Gdgg*.   scharfez *G*.   25. zŏch er *G*.

daz truoc pein hôh unde lanc.
der gewâpent in den satel spranc:
ern gerte stegereife niht,
dem man noch snelheite giht.
158 Ywâneten niht bevilte,
ern lêrte in underm schilte
künsteclîch gebâren
und der vînde schaden vâren.
5 er bôt im in die hant ein sper:
daz was gar âne sîne ger:
doch vrâgt ern 'war zuo ist diz frum?'
'swer gein dir zer tjoste kum,
dâ soltuz balde brechen,
10 durch sînen schilt verstechen.
wiltu des vil getrîben,
man lobt dich vor den wîben.'
als uns diu âventiure gieht,
von Kölne noch von Mâstrieht
15 kein schiltære entwürfe in baz
denn alser ûfem orse saz.
dô sprach er ze Ywânete sân
'lieber friunt, mîn kumpân,
ich hân hie 'rworben des ich pat.
20 du solt mîn dienst in die stat
dem künege Artûse sagen
und ouch mîn hôhez laster klagen.
bring im widr sîn goltvaz.
ein ritter sich an mir vergaz,
25 daz er die juncfrouwen sluoc
durch daz si lachens mîn gewuoc.
mich müent ir jæmerlîchen wort.
diun rüerent mir kein herzen ort:
jâ muoz enmitten drinne sîn
der frouwen ungedienter pîn.
159 Nu tuoz durch dîne gesellekeit,

und lâz dir [sîn] mîn laster leit.
got hüet dîn: ich wil von dir varn:
der mag uns bêde wol bewarn.'
5 Ithêrn von Gaheviez
er jæmerlîche ligen liez.
der was doch tôt sô minneclîch:
lebende was er sælden rîch.
wær ritterschaft sîn endes wer,
10 zer tjost durch schilt mit eime sper,
wer klagte dann die wunders nôt?
er starp von eime gabylôt.
Iwânet ûf in dô brach
der liehten bluomen zeime dach.
15 er stiez den gabylôtes stil
zuo zim nâch der marter zil.
der knappe kiusche unde stolz
dructe en kriuzes wîs ein holz
durch des gabylôtes snîden.
20 done wolt er niht vermîden,
hin in die stat er sagte
des manec wîp verzagte
und manec ritter weinde,
der klagende triwe erscheinde.
23 dâ wart jâmers vil gedolt.
der tôte schône wart geholt.
diu künegîn reit ûz der stat:
daz heilictuom si füeren bat.
ob dem künege von Kukûmerlant,
den tôte Parzivâles hant,
160 Vrou Ginovêr diu künegin
sprach jæmerlîcher worte sîn.
'ôwê unde heiâ hei,
Artûss werdekeit enzwei
5 sol brechen noch diz wunder,
der ob der tavelrunder

---

28. der gewapent *Dg*, Do er gewapent *G*, Do er *g*, Gewaffent er *dgg*.   29. Er *G*.
stegereif *dg*, stegreifes *Dg*.

158, 2. Er *G*.   lertn *D*.   under dem *G*.   3. Chunstlîch *g*.   4. und *fehlt*
Ggg.   7. er *alle aufser D*.   frûm *G*.   8. = ze *Ggg*.   tiost *DG*, tiostiern
gg.   chume *G*.   9. berchen *G*.   10. Dur *G*.   11. Wil du *G*.
13. giht *alle aufser D*.   15. dechein *D*, Dehein *G*.   entwrfen baz *D*.
17. zywaneten *Dg*.   19. hie erw. *DG*.   23. Bringe im *G*.   25. die] eine *G*.
26. Dur *G*.   28. dine *D*, Diu *G*.   ruoren *G*.   dechein *D*, dehein *G*.
29. enmiten drine *G*.

159, 1. Nu *Ddg, fehlt Ggg*.   tuez *D*, tǒ ez *G*.   durh gesellcheit *G*.   2. La
dir *G*.   La dir min laster wesen leit *g*.   3. 4 *fehlen Ggg*.   3. huete *D*.
5. Itheren *G*.   uñ *D*.   kahaviez *G*.   6. iamerlichen *G*.   hiez *D*.
7. tôt *fehlt gg*, wol *Gg*.   9. wære *DG*.   sins *g*, sines *Ggg*.   10. dur *G*.
11. chlagetiu *D*.   dane *G*, denne *D*.   14. liehehten *G*.   16. Zuo im *G*.
18. enchruzewis *G*.   19. Durh die *G*.   20. = Eren wolt niht *Ggg*.
21. = hin *fehlt Ggg*.   23. unt des *D*.   27. kuneginne *Dd*.   28. heil-
tuom *dg*.

160, 1. schinover *G*.   4. Artuses *G*.

den hœhsten prîs solde tragn,
daz der vor Nantes lît erslagn.
sîns erbeteils er gerte,
10 dâ man in sterbens werte.
er was doch mässenîe alhie
alsô daz dechein ôre nie
dehein sîn untât vernam.
er was vor wildem valsche zam:
15 der was vil gar von im geschabn.
nu muoz ich alze fruo begrabn
ein slôz ob dem prîse.
sîn herze an zühten wîse,
obem slôze ein hantveste,
20 riet im benamn daz beste,
swâ man nâch wîbes minne
mit ellenthaftem sinne
solt erzeigen mannes triuwe.
ein berendiu fruht al niuwe
25 ist trûrens ûf diu wîp gesæt.
ûz dîner wunden jâmer wæt.
dir was doch wol sô rôt dîn hâr,
daz dîn bluot die bluomen clâr
niht rœter dorfte machen.
du swendest wîplich lachen.'
161 Ithêr der lobes rîche
wart bestatet künneclîche.
des tôt schoup siufzen in diu wîp.
sîn harnasch im verlôs den lîp:
5 dar umbe was sîn endes wer
des tumben Parzivâles ger.

sît dô er sich paz versan,
ungerne het erz dô getân.
daz ors einer site pflac:
10 grôz arbeit ez ringe wac:
ez wære kalt oder heiz,
ezn liez durch reise keinen sweiz,
ez træte stein oder ronen.
er dorft im keines gürtens wonen
15 doch eines loches nâher baz,
swer zwêne tage drüffe saz.
gewâpent reitz der tumbe man
den tac sô verre, ez hete lân
ein blôz wîser, solt erz hân geriten
20 zwêne tage, ez wære vermiten.
er lie'z et schûften, selten drabn:
er kunde im lützel ûf gehabn.
  hin gein dem âbent er dersach
eins turnes gupfen unt des dach.
25 den tumben dûhte sêre,
wie der türne wüehse mêre:
der stuont dâ vil ûf eime hûs.
dô wânder si sæt Artûs:
des jaher im für heilikeit,
unt daz sîn sælde wære breit.
162 Alsô sprach der tumbe man.
'mîner muoter volc niht pûwen kan.
jane wehset niht sô lanc ir sât,
swaz sir in dem walde hât:
5 grôz regen si selten dâ verbirt.'
Gurnemanz de Grâharz hiez der wirt

8. von *Dg.* nantis *Ggg.* 9. erbteils *D*, erbeteiles *G.* 10. Do *Gg.*
11. massnie *G*, mæssenide *D.* 13. deheine *D.* 14. wilden *G.* 18. Unt
sin *Ggg.* 19. ob emslozze *D.* 24. berdiu *G.* 29. liehter *Eg.* dorf-
ten *E.* 30. wiplic *E.*
161, 1. lobs *D.* 2. bestattet *D.* wnnecliche *Eg*, minnechliche *g.* 3. = Sin
EGgg. suften *EG.* 4. ime v. ten *E.* 5. Dar unde *E.* sins *Eg.* 6. tun-
ben *E immer.* 7. baz *D.* 8. ungern *D.* to *E.* 12. Ezn *E*, ez en *D*,
Ez *G.* lie dur *G.* deheinen *EG.* 14. Man *alle aufser Dg.* dorfte
ime *E.* deheins *G*, deheines *E.* 16. so er *D*, Der *G.* zwe *E.* gesaz
EGg. 17. reitz *g*, reit ez *DEG.* ter *E.* iunge *G.* 18. so sere *Eg.*
19. bloze *g*, *fehlt G.* 21. er liez et *D*, Er liesse es *d*, Er liez *g*, Ez wolte
EGgg, Er wolte *g*, Wolt ez *g.* selten] oder *EG und alle die vorher* wolte
haben. 22. ime *E.* luzzel *Ddgg*, wenic *Egg*, wench *G.* 23. dem *fehlt
Dg.* abende *Dg.* dersach] resach *D*, erschach *g*, gesach *d*, do sach *EGgg*,
doc sach *g*, do gesach *g.* 24. eines *DG.* turns *E.* güppfen *E*, gúpffen *d*,
gupf *g*, chuphen *Gg.* unt tes dah *E.* 26. wösche (sch *unterstrichen*) *E.*
27. eineme *E*, einem *(wie immer) G.* 28. wandr *D*, wande er des *E.* daz
si *gg.* sæte *D*, sate *E.* 29. iach er *EG.* ime vvr *E.* heilcheit *EG.*
30. taz *E.* salde *EG.* ware *E.*
162, 2. nih *E.* pûven *D*, buwen *E*, bwen *G.* 3. Ezn *Egg*, Ez *Ggg.* wech-
set *D*, wahset *G*, waschet *E.* so hohe ir sæt *G.* 4. si ir *DE.* indme *E.*
6. Gurnamanz *E*, Gurnomauz *G.* hiez ter *E.*

ûf dirre burc dar zuo er reit.
dâ vor stuont ein linde breit
ûf einem grüenen anger:
10 der was breiter noch langer
niht wan ze rehter mâze.
daz ors und ouch diu strâze
in truogen dâ er sitzen vant
des was diu burc unt ouch daz lant.
15 ein grôziu müede in des betwanc,
daz er den schilt unrehte swanc,
ze verre hinder oder für,
et ninder nâch der site kür
die man dâ gein prîse maz.
20 Gurnamanz der fürste al eine saz:
ouch gap der linden tolde
ir schaten, als si solde,
dem houbetman der wâren zuht.
des site was vor valsche ein fluht,
25 der enpfienc den gast: daz was sîn
reht.
bî im was ritter noch kneht.
sus antwurt im dô Parzivâl
ûz tumben witzen sunder twâl.
'mich pat mîn muoter nemen rât
ze dem der grâwe locke hât.
163 dâ wil ich iu dienen nâch,
sît mîn muoter des verjach.'
'Sît ir durch râtes schulde
her komen, iwer hulde
5 müezt ir mir durch râten lân,
und welt ir râtes volge hân.'
dô warf der fürste mære
ein mûzerspärwære

von der hende. in die burc er
swanc:
10 ein guldîn schelle dran erklanc.
daz was ein bote: dô kom im sân
vil junchêrren wol getân.
er bat den gast, den er dâ sach,
în füern und schaffen sîn gemach.
15 der sprach 'mîn muoter sagt al wâr:
altmannes rede stêt niht ze vâr.'
hin în sin fuorten al zehant,
da er manegen werden ritter vant.
ûf dem hove an einer stat
20 ieslîcher in erbeizen bat.
dô sprach an dem was tumpheit schîn
'mich hiez ein künec ritter sîn:
swaz halt drûffe mir geschiht,
ine küm von disem orse niht.'
25 gruoz gein iu riet mîn muoter mir.'
si dancten beidiu im unt ir.
dô daz grüezen wart getân
(daz ors was müede und ouch der man),
maneger bete si gedâhten,
ê sin von dem orse brâhten
164 in eine kemenâten.
si begundn im alle râten
'lâtz harnasch von iu bringen
und iweren liden ringen.'
5 Schiere er muose entwâpent sîn.
dô si diu rûhen ribbalîn
und diu tôren kleit gesâhen,
si erschrâken die sîn pflâgen.
vil blûgez wart ze hove gesagt:
10 der wirt vor schame was nâch verzagt.

7. dirre *Ddg*, der *Ggg*, ter *E*.   da zuo *G*.   9. Ef *E*.   einen *D*, eineme *E*.
gruenem *D*.   10. Er *Eg*, Ern *gg*.   11. niht wan *Ddg*, Niwan *Gg*, Niuwan
Eg, Nie wan *g*, Niur *g*, Neur *g*.   12. ouch *haben nur Ddg*. unt tiu *E*.
14. tiu *E*.   uñ *DE*.   taz *E*.   15. bedwanc *E*.   16. twanch *G*.
18. nieder (*vor* d *ein angefangenes* n) nach ter *E*.   19. do *E*.   20. Gurno-
manz *G*.   wrste *E*.   22. scaten *D*, schate *EG*, schat *g*.   wolde *Eg*.
23-28 *weggeschnitten von E*.   23. houptman *D*.   25. Er *Ggg*.   enphie *G*.
26. noch *Dgg*, noch der *Gdgg*.   27. = Des *Ggg*.   29. bat *EG*.

163, 1. ih *E*.   3. 5. dur *E*.   5. Muozt *EG*, muezzet *D*.   6. und *fehlt Gg*.
wolt *D*.   7. ter wrste *E*.   mare *EG*.   8. einen *DG*.   muozer *DE*, muz
Gg, gemuzten *g*.   sparware *G*, spareware *E*.   11. quam *D*.   ime *E*, in
Ddg.   13. hiez *EGgg*.   14. füren *D*, fören *G*, vören *E*.   16. = Altes
mannes *EGgg*.   17. sim vuorten *E*, sú fuortent in *d*, fuorten si in *D*.
18. mangen *G*.   rittr *D*, riter *EG*.   19. Uf den (ten *E*) hof *EGgg*.
21. deme *E*.   tunpheit *E*   23. halte *E*.   24. Ichen *G*.   chume abe *E*.
25-28 *Ddgg, fehlen EGgg*.   26. uñ *D*.   29. manegr *D*, Manger *G*.
si doch *G*, sy do *g*, si in *gg*.   30. Unz *Egg*, Unze *G*.   si in *D*.

164, 2. begunden *DEG*.   3. Latz *g*, Lat dez *G*, Lat daz *Edgg*, Lat den *Dgg*.
4. uñ *D*, Unde *EG*.   iuweren *E*.   5. = Vil schiere er *E*, Vil schierer *Ggg*.
6. die riuhen *E*.   ribalin *DE*.   7. Unt diu roten chleit *E*.   = ersahen
EGgg.   8. do erscrachen *D*.   9. blwech ez *D*.   zehofe *G*.

ein ritter sprach durch sîne zuht
'deiswâr sô werdeclîche fruht
erkôs nie mîner ougen sehe.
an im lît der sælden spehe
15 mit reiner süezen hôhen art.
wiest der minnen blic alsus bewart?
mich jâmert immer daz ich vant
an der werlde freude alsölh gewant.
wol doch der muoter diu in truoc,
20 an dem des wunsches lît genuoc.
sîn zimierde ist rîche:
dez harnasch stuont rîterlîche
ê ez kœm von dem gehiuren.
von einer quaschiuren
25 bluotige amesiere
kôs ich an im schiere.'
der wirt sprach zem ritter sân
'daz ist durch wîbe gebot getân.'
'nein, hêrre: erst mit sölhen siten,
ern kunde nimer wîp gebiten
165 daz si sîn dienst næme.
sîn varwe der minne zæme.'
der wirt sprach 'nu sule wir sehn
an des wæte ein wunder ist geschehn.'
5 Si giengen dâ si funden
Parzivâln den wunden
von eime sper, daz bleip doch ganz.
sîn underwant sich Gurnemanz.
sölch was sîn underwinden,
10 daz ein vater sînen kinden,
der sich triwe kunde nieten,

möhtez in niht paz erbieten.
sîne wunden wuosch unde bant
der wirt mit sîn selbes hant.
15 dô was ouch ûf geleit daz prôt.
des was dem jungen gaste nôt,
wand in grôz hunger niht vermeit.
al vastende er des morgens reit
von dem vischære.
20 sîn wunde und harnasch swære,
die vor Nantes er bejagete,
im müede unde hunger sagete;
unt diu verre tagereise
von Artûse dem Berteneise,
25 dâ mann allenthalben vasten liez.
der wirt in im im ezzen hiez:
der gast sich dâ gelabte.
in den barn er sich sô habte,
daz er der spîse swande vil.
daz nam der wirt gar zeime spil:
166 dô bat in vlîzeclîche
Gurnemanz der triwen rîche,
daz er vaste æze
unt der müede sîn vergæze.
5 Man huop den tisch, dô des wart zît.
'ich wæne daz ir müede sît'
sprach der wirt: 'wært ir iht fruo?'
'got weiz, mîn muoter slief duo.
diu kan sô vil niht wachen.'
10 der wirt begunde lachen,
er fuort in an die slâfstat.
der wirt in sich ûz sloufen bat:

---

11. dur *G.*   12. Deswar *EG.*   15. Von reine *EGg.*   suezen hohen *Dgg,*
hohen suessen *d,* suezen *g,* suoze hoher *EGg,* suesser hoher *g.*   16. wi ist *D,*
Vvie ist *E,* Wie ist *G.*   alsus *fehlt Edg.*   17. imer *G,* iemer *E.*
18. werlte *E.*   al *fehlt Edgg.*   solich *E.*   19. doch ter *E.*   20. dem
Ddg, im *Ggg,* ime *E.*   21. zimier daz *g,* zimierde diu?   22. daz *DE.*
23. ê ez chœmu *D,* Ez chome *E,* Ez chom *Ggg.*   24. quatschuren *E,* qua-
tschiuren *G.*   25. Bluotic *E,* Bluotch *G.*   amesiere *D,* amasier *d,* amisiere
Eg, amisier *Ggg.*   26. Chos ih an ime *E.*   schier *G.*   27-165,2 *weg-
geschnitten von E.*   28. Ez ist lihte (*fehlt g*) durh *Ggg.*   29. er ist *D.*
in *G,* ninder in *g.*   30. Er *G.*   nimer *D.*

165, 3. = Do sprach der (ter *E*) wirt *EGgg.*   sulen *G.*   4. des varwe ein
Eg, dem solch *G.*   6. Parzivaln *g,* Parzivalen *DEG.*   7. eineme *E.* be-
leip *DEG.*   8. gurnomanz *G,* Gurnamanz *E.*   9. Solch *G,* sôlh *D,* Solich
E, Selich *g.*   12. mohtez in *D,* Moht ez im *g,* Moht inz *Ggg,* Moht imz *Egg.*
baz *EG.*   15. Nu *EGgg.*   brot *EG.*   16. teme *E.*   17. Vvande *E,* Wan
(*wie immer*) *G.*   19. deme *E.*   21. nantis *EGg.*   23. tiu *E.*   tagreise *D.*
24. beriteneise *D,* britoneise *E,* britaneise *G.*   25. man in *alle.*   allent
halbn *D,* alent halben *G,* allez *Eg.* betalhe?   27. sich tagelabete *E.*
do *Gg.*   28. bran *E.*   30. zeinem *G,* ze heinem *E.*

166, 2. Gurnamanz *E,* Curnomauz *G.*   3. waste *E.*   4. Unt *G,* uñ *D,* Unde *E.*
5. dô des] do do d· *E,* des *g.*   was *EGgg.*   7. sus sprach *D.*   ter *E.*
wæret *D,* wart *Eg,* waret *Gdgg.*   vro *Eg.*   8. Gotewaiz *E.*   sliefe *G,*
slafet *Eg.*   duo *D,* nuo *dg,* nu *EGgg.*   9. Si *EGgg.*   11. fuorten an *D.*

ungernerz tet, doch muosez sîn.
ein declachen härmîn
15 wart geleit übr sîn blôzen lîp.
sô werde fruht gebar nie wîp.
grôz müede und slâf in lêrte
daz er sich selten kêrte
an die anderen sîten.
20 sus kunder tages erbîten.
dô gebôt der fürste mære
daz ein bat bereite wære
reht umbe den mitten morgens tac
zende am teppich, da er dâ lac.
25 daz muose des morgens alsô sîn.
man warf dâ rôsen oben în.
swie wênic man umb in dâ rief,
der gast erwachte der dâ slief.
der junge werde süeze man
gienc sitzen in die kuofen sân.
167 ine weiz wer si des bæte:
juncfrowen in rîcher wæte
und an lîbes varwe minneclîch,
die kômen zühte site gelîch.
5 Si twuogn und strichen schiere
von im sîn amesiere
mit blanken linden henden.
jane dorft in niht ellenden
der dâ was witze ein weise.
10 sus dolter freude und eise,
tumpheit er wênc gein in enkalt
juncfrouwen kiusche unde balt
in alsus kunrierten.

swâ von si parlierten,
15 dâ kunder wol geswîgen zuo.
ez dorft in dunken niht ze fruo:
wan von in schein der ander tac.
der glast alsus en strîte lac,
sîn varwe laschte beidiu lieht:
20 des was sîn lîp versûmet nieht.
man bôt ein badelachen dar:
des nam er vil kleine war.
sus kunder sich bî frouwen schemn,
vor in wolt erz niht umbe nemn.
25 die juncfrouwen muosen gên:
sine torsten dâ niht langer stên.
ich wæn si gerne heten gesehn,
ob im dort unde iht wære geschehn
wîpheit vert mit triuwen:
sì kan friwendes kumber riuwen.
168 der gast an daz bette schreit.
al wîz gewant im was bereit.
von golde unde sîdîn
einen bruochgürtel zôch man drîn.
5 scharlachens hosen rôt man streich
an in dem ellen nie gesweich.
Avoy wie stuonden sîniu bein!
reht geschickede ab in schein.
brûn scharlachen wol gesniten,
10 (dem was furrieren niht vermiten)
beidiu innen härmîn blanc,
roc und mantel wâren lanc:
breit swarz unde grâ
zobel dervor man kôs aldâ.

13. Ungerne erz *E.*   muost ez *D*, muose ez *E.*   14. hermin *G*, harmin *E.*
15. sinen *DEG.*   blôzen *fehlt Eg.*   16. wrht *E.*   17. unde *E.*
19. = Umbe (Ube *E*) an *EGgg.*   20. chunde er *E.*   = biten *EGgg.*
22. bereit *EG.*   23. unbe *E.*   mitten *D*, miten *E.*   24. ze ende *DE.*
an dem *Gdgg*, an deme *E*, an den *D.*   tepich *E*, tepche *G.*   da er *EGgg*
= der *Dd.*   25. morgns *E.*   26. dâ *fehlt*, am ende drin *EGg.*
27. man- 167, 2 *weggeschnitten von E.*   30. dî, und kuofen sân *fehlt, D.*
daz bade *g*, die schiff *d*, die bat stanben *g.*
167, 2. junchfrouwen *DG.*   mit *D.*   3. und *fehlt G.*   4. zuhtte *E.*
5. twuogen *G*, tẘgen *E*, truogen *Dg*, twungen *g.*   uñ *DG*, unde *E.*
schier *EG.*   6. ime *E.*   sin amisier *EG.*   7. Mit ir blanchen *E.*   9. do *D.*
11. Tunpheit *E*, Tupheit *G.*   wench *G*, wenic *E*, wenich *D.*   engalt *EG.*
12. chusche *EG.*   16. Iane (Ian *G*) dorfte in *EGgg.*   17. ime *Egg.*   der]
ein *G.*   18. in strite *E.*   20. niht *E.*   21. im ein *E*, im *g.*   badlachen *Dg.*
23. sich pi *E.*   24. volt ers *D.*   25. die *fehlt D.*   26. Si *G.*   torstn
D, getorsten *EG und die übrigen.*   lenger *G.*   27. Die wane ich gerne
EGg.   wæne *D.*   28. Obe *G.*   ime *E.*   unden *EGgg.*   30. friundes
G, vriundes *E.*   chunber *E.*   triwen-riwen *DG.*
168, 1. anz *G.*   pette *E*, bete *G.*   sc23eit *DE.*   2. = was im (ime *E*) *EGgg.*
5. swarz *G.*   7-13. *wenig lesbar in E.*   7. Avoi *G.*   stonden *E.*
8. Rehte *G.*   gescichede *D*, geschichet *EGgg.*   abe *G.*   = im *Ggg*,
ime *E.*   9. Brun scharlach *G.*   10. Deme was fůrrieren *E.*   11. harmin
EG.   12. mandel *G.*   13. Brun *EGg.*   14. dr vor *D*, der wr *E.*

15 daz leit an der gehiure.
　undr einen gürtel tiure
　wart er gefischieret,
　und wol gezimieret
　mit einem tiuren fürspan.
20 sîn munt dâ bî vor rœte bran.
　dô kom der wirt mit triwen
　　　kraft:
　nâch dem gienc stolziu rîterschaft.
　der enphienc den gast. dô daz ge-
　　　schach,
　der ritter ieslîcher sprach,
25 sine gesæhen nie sô schœnen lîp.
　mit triwen lobten si daz wîp,
　diu gap der werlde alsölhe fruht.
　durch wârheit und umb ir zuht
　si jâhen 'er wirt wol gewert,
　swâ sîn dienst genâden gert:
169 im ist minne und gruoz bereit,
　mager geniezen werdekeit.'
　ieslîcher im des tâ verjach,
　unt dar nâch swer in ie gesach.
5　Der wirt in mit der hant gevienc,
　geselleclîcher dannen gienc.
　in vrâgt der fürste mære,
　welch sîn ruowe wære
　des nahtes dâ bî im gewesen.
10 'hêr, dan wære ich niht genesen,
　wan daz mîn muoter her mir riet
　des tages dô ich von ir schiet.'
　'got müeze lônen iu unt ir.
　hêrre, ir tuot genâde an mir.'
15 dô gienc der helt mit witzen kranc
　dâ man got und dem wirte sanc.
　der wirt zer messe in lêrte

daz noch die sælde mêrte,
opfern unde segnen sich,
20 und gein dem tiuvel kêrn gerich.
dô giengens ûf den palas,
aldâ der tisch gedecket was.
der gast ze sîme wirte saz,
die spîser ungesmæhet az.
25 der wirt sprach durch höfscheit
'hêrre, iu sol niht wesen leit,
ob ich iuch vrâge mære,
wannen iwer reise wære.'
er saget im gar die underscheit,
wier von sîner muoter reit,
170 umbez vingerl unde umbz fürspan,
und wie erz harnasch gewan.
der wirt erkante den ritter rôt:
er dersiufte, in derbarmt sîn nôt.
5 sînen gast des namn er niht erliez,
den rôten ritter er in hiez.
Dô man den tisch hin dan genam,
dar nâch wart wilder muot vil zam.
der wirt sprach zem gaste sîn
10 'ir redet als ein kindelîn.
wan geswîgt ir iwerr muoter gar
und nemet ander mære war?
habt iuch an mînen rât:
der scheidet iuch von missetât.
15 sus heb ich an: lâts iuch gezemn.
ir sult niemer iuch verschemn.
verschamter lîp, waz touc der mêr?
der wont in der mûze rêr,
dâ im werdekeit entrîset
20 unde in gein der helle wîset.
　ir tragt geschickede unde schîn,
ir mugt wol volkes hêrre sîn.

---

16. Under *EG.*　　gulter *Dg.*　　17. gephischieret *EG.*　　18. Unde *EG.*
19. tiurem *D, in E nicht lesbar.*　　20. von *EGdgg.*　　22. gie *DG.*
groziu *Eg.*　　23. Er *EGgg.*　　= gruozte *EGgg.*　　24. iegelicher *E.*
27 werelde *D*, werlte *E.*　　= al *fehlt EGgg.*　　28-169, 2 *weggeschnitten*
von E.　　29. = sprachen *Ggg.*　　30. gnaden *D.*

169,　2. manger *D.*　　5. = bi *Ggg.*　　7. vragete *D.*　　9. nahts *G.*　　10. Herre
G, fehlt D.　　dane *DG.*　　13. und *D*, uñ *G.*　　15. Sus *Ggg.*　　gie *D.*
16. gote *G.*　　19. Opheren　uñ segenen *G.*　　20. und *fehlt G.*　　tiuvele
D, tiefel *G.*　　cheren *DG.*　　22. Da *Ggg.*　　verdechet *G.*　　23. zuo sinem
G, zuo dem *gg.*　　24. dî *D.*　　25. hôfsheit *D.*　　26. ensol *D.*　　28. Wane-
nen *G.*　　29. seit *D.*　　die *Gg*, diu *D.*　　30.　uñ wie er *D.*

170,　1. vingerl] vingelin *G*, vingerlin *die übrigen.*　　4. er dersiufte] der ersiufte
Dg, Erresufte *G*, Er ersufte *g*, Er sufte *oder* Er süfzete *dgg.*　　in derbarmt
sîn nôt] unde erbarmet (erbarmete *D*, erbarmt *gg*) in (im *g*) sin not *die meisten.*
5. = Den *Ggg.*　　ers namen niht erliez *Ggg.*　　7. her dane *Ggg.*　　gewan *G.*
10. reit *D*, ret *gg*, redt reht *g.*　　11. geswiget *D.*　　iwerre *G.*　　12. an-
dere *G.*　　13. Halt *Gdgg.*　　15. lat iuch *Dg.*　　16. nimer *G.*　　17. 18. mere-
rere *G.*　　18. lebet *G.*　　muoze *D.*　　21. Mich entriege gesiht (geschickete *g*)
vñ schin *Ggg.*

ist hôch und hœht sich iwer art,
lât iweren willen des bewart,
25 iuch sol erbarmen nôtec her:
gein des kumber sît ze wer
mit milte und mit güete:
vlîzet iuch diemüete.
der kumberhafte werde man
wol mit schame ringen kan
171 (daz ist ein unsüez arbeit):
dem sult ir helfe sîn bereit.
swenne ir dem tuot kumbers buoz,
sô nâhet iu der gotes gruoz.
5 im ist noch wirs dan den die gênt
nâch porte aldâ diu venster stênt.
Ir sult bescheidenlîche
sîn arm unde rîche.
wan swâ der hêrre gar vertuot,
10 daz ist niht hêrlîcher muot:
sament er ab schaz ze sêre,
daz sint och unêre.
gebt rehter mâze ir orden.
ich pin wol innen worden
15 daz ir râtes dürftic sît:
nu lât der unfuoge ir strît.
irn sult niht vil gevrâgen:
ouch sol iuch niht betrâgen
bedâhter gegenrede, diu gê
20 reht als jenes vrâgen stê,
der iuch wil mit worten spehen.
ir kunnet hœren unde sehen,
entseben unde dræhen:
daz solt iuch witzen næhen.
25 lât derbärme bî der vrävel sîn.
sus tuot mir râtes volge schîn.
an swem ir strîtes sicherheit

bezalt, ern hab iu sölhiu leit
getân diu herzen kumber wesn,
die nemt, und lâzet in genesn.
172 ir müezet dicke wâpen tragn:
so'z von iu kom, daz ir getwagen
undr ougen unde an handen sît,
des ist nâch îsers râme zît.
5 sô wert ir minneclîch gevar:
des nement wîbes ougen war.
Sît manlîch und wol gemuot:
daz ist ze werdem prîse guot.
und lât iu liep sîn diu wîp:
10 daz tiwert junges mannes lîp.
gewenket nimmer tag an in:
daz ist reht manlîcher sin.
welt ir in gerne liegen,
ir muget ir vil betriegen:
15 gein werder minne valscher list
hât gein prîse kurze vrist.
dâ wirt der slîchære klage
daz dürre holz ime hage:
daz pristet unde krachet:
20 der wahtære erwachet.
ungeverte und hâmît,
dar gedîhet manec strît:
diz mezzet gein der minne.
diu werde hât sinne,
25 gein valsche listeclîche kunst:
swenn ir bejaget ir ungunst,
sô müezet ir gunêret sîn
und immer' dulten schemeden pîn.
dise lêre sult ir nâhe tragn:
ich wil iu mêr von wîbes orden sagn.
173 man und wîp diu sint al ein;
als diu sunn diu hiute schein,

23. und] oder *Ggg.*   hœhet *DG.*   25. ich *D.*

171, 1. ein *fehlt Ggg.*   unsuoziu *Ggg.*   5. denne *D*, dene *G.*   6. brote
fast alle aufser D. 8. arem *D.*   9. wan *fehlt G.*   10. herrenlicher *D.*
11. samnet *D.*   aber *DG.*   scaz ze sere *Ddg*, schazes êre *gg*, schatzes
mere *Gg.*   16. nu *fehlt G.*   ungefuoge *Ggg.*   17. Iren *D*, Ir *G.*   18. en-
sol *Dgg.*   20. Rehte *G.*   iens *G*, ens *g*, eines *g.*   frage *Ggg.*   21. Swer
Ggg.   23. entseben *Dg*, Entsebe *G*, Bit leben *d*, Entsehen *g*, Entsten *g.*
drehen *g*, drahen *Ggg*, trehen *d*, trahen *g*, bræhen *D.*   24. sol *Ggg.*   nahen
Ggg.   25. derbärme] die erbærme *D*, die erbarme *G*, die erbermde *g*, erbarmde
gg, erbermde *dg.*   fravele *G.*   28. Bezelt erne habe iu solch leit *G.*
29. herze chumbr *D.*   30. diu *D.*   lat *Ggg.*

172, 1. ouch ditch *G*, doch diche *g.*   3. Undern *gg*, Under den *Ggg.*   an den
Ggg.   5. 6 = *fehlen Dd.*   5. wert *g*, werdet *Ggg.*   7. Weset *Ggg*,
West *g.*   mænlich *gg.*   8. iu guot *D.*   9. Und *fehlt Ggg.*   12. rehte
Dg, rehter *dgg.*   16. ze *Ggg.*   19. Ez *fast alle aufser DG.*   23. Diz *D*, Die
d = Daz *Ggg.*   zelt *D.*   25. listeclich *D.*   28. schemden *g*, schemenden
Gg, senden *g*, scamenden *Dgg*, schanden *g.*   29. nahen *Ggg.*   30. iu *fehlt d,*
mere iu *g.*   me *Gdg.*   von wiben sagen *gg.*

173, 1. die *D.*   2. Alsam *gg*, Sam *G.*   der sunne die *g.*   sunne *alle.*
hiute da *Gg.*

und ouch der name der heizet tac.
der enwederz sich gescheiden mac:
5 si blüent ûz eime kerne gar.
des nemet künsteclîche war.'
Der gast dem wirt durch râten neic.
sîner muoter er gesweic,
mit rede, und in dem herzen niht;
10 als noch getriwem man geschiht.
der wirt sprach sîn êre.
'noch sult ir lernen mêre
kunst an rîterlîchen siten.
wie kômet ir zuo mir geriten!
15 ich hân beschouwet manege want
dâ ich den schilt baz hangen vant
denner iu ze halse tæte.
ez ist uns niht ze spæte:
wir sulen ze velde gâhen:
20 dâ sult ir künste nâhen.
bringet im sîn ors, und mir dez mîn,
und ieslîchem ritterz sîn.
junchêrren sulen ouch dar komn,
der ieslîcher habe genomn
25 einen starken schaft, und bringe
in dar,
der nâch der niwe sî gevar.'
sus kom der fürste ûf den plân:
dâ wart mit rîten kunst getân.
sîme gaste er râten gap,
wierz ors ûzem walap
174 mit sporen gruozes pîne
mit schenkelen fliegens schîne
ûf den poinder solde wenken,
[und] den schaft ze rehte senken,
5 [und] den schilt gein tjoste für sich
nemen.

er sprach 'des lâzet iuch gezemen.'
Unfuoger im sus werte
baz denne ein swankel gerte
diu argen kinden brichet vel.
10 dô hiez er komen ritter snel
gein im durch tjostieren.
er begunde in condwieren
einem zegegen an den rinc.
dô brâhte der jungelinc
15 sîn êrsten tjost durch einen schilt,
deis von in allen wart bevilt
unt daz er hinderz ors verswanc
einen starken rîter niht ze kranc.
ein ander tjostiur was komn.
20 dô het ouch Parzivâl genomn
einen starken niwen schaft.
sîn jugent het ellen unde kraft.
der junge süeze âne bart,
den twanc diu Gahmuretes art
25 und an geborniu manheit,
daz ors von rabbîne er reit
mit vollerlîcher hurte dar,
er nam der vier nagele war.
des wirtes ritter niht gesaz,
al vallende er den acker maz.
175 dô muosen kleiniu stückelîn
aldâ von trunzûnen sîn.
sus stach err fünve nidr.
der wirt in nam und fuorte in widr.
5 aldâ behielt er schimpfes prîs:
er wart ouch sît an strîte wîs.
Die sîn rîten gesâhen,
al die wîsen im des jâhen,
dâ füere kunst und ellen bî.
10 'nu wirt mîn hêrre jâmers vrî:

3. Unt der *Gg.*   name *Dg*, man *Ggg*, mane *gg*, moṅ *d*, mone *g*.   der
Ddgg, der de *G*, *fehlt gg.*   hezet *G.*   4. enwederz *Dg*, entweders *dg*,
dewederz *Ggg*, twerderz *g*, wederz *g.*   5. cheren *G.*   6. chunstechiche *D*,
chunstchlichen *G.*   7. wirte *DG.*   10. getriwen *g.*   14. komt *g*, chomet
G, quamet *D.*   21. mirz min *D.*   22. riter daz sine *G.*   23. = Dar sulen
ouch iuncherren chomen *Ggg.*   25. bringen dar *Dd.*   28. ritene *G.*
29. Sinem gaster do *G.*   raten *DGg*, ze raten *g*, rate *gg*, rat *gg*, den rat *d.*
30. uf den *Gg*, uf dem *gg.*

174, 2. = Nach *Ggg*, vergl. *W.* 408, 17.   schenchelns *g*, schenkelz *g*, schenckel
d.   fliegens *Ggg*, fliegen *Dgg*, fliegende *d.*   3. Uz *Gg*, In *g.*   dem *alle*
aufser D.   4. und *fehlt G.*   5. und *fehlt Ggg.*   6. lat *Ggg.*   7. Unfuoge
er *D.*   8. swenchel *G.*   10. rittr *D*, ritere *G.*   12. im *g.*   condewieren
G.   13. Einen *Ggg*, jenen *Wackernagel.*   zegagen *G.*   15. erste *Gdgg.*
16. deis *D*, Das *d*, Des *die übrigen.*   19. ander *fehlt D.*   tiostiure *D*, tiosture
Gg, tyostier *g*, justier *d*, tiostiern *gg.*   20. = Nu *Ggg.*   24. Des twangin
Ggg.   diu *hat nur D.*   Gahmurets *DG.*   30. valende *G.*

175, 1. Da *G.*   3. Alsus *Ggg.*   err] er *gg*, ir *Gg*, er ir *die übrigen.*
4. fuorten *D.*   5. Seht da *Ggg.*   6. Unde wart *Ggg.*   7. sahen *g*, da ge-
sahen *Ggg.*   8. al *fehlt Ggg.*   gahen *G,*   10. Min herre wirt nu *Gg.*

sich mac nu jungen wol sîn lebn.
er sol im ze wîbe gebn
sîne tohter, unser frouwen.
ob wirn bî witzen schouwen,
15 sô lischet im sîn jâmers nôt.
für sîner drîer süne tôt
ist im ein gelt ze hûs geriten:
nu hât in sælde niht vermiten.'
sus kom der fürste sâbents în.
20 der tisch gedecket muose sîn.
sîne tohter bat er komn
ze tische: alsus hân ichz vernomn.
do er die maget komen sach,
nu hœret wie der wirt sprach
25 ze der schœnen Lîâzen.
'du solt di'n küssen lâzen,
disen ritter, biut im êre:
er vert mit sælden lêre.
ouch solt an iuch gedinget sîn
daz ir der meide ir vingerlîn
176 liezet, op siz möhte hân.
nune hât sis niht, noch fürspan:
wer gæbe ir sölhen volleist
so der frouwen in dem fôreist?
5 diu het etswen von dem sie 'npfienc
daz iu zenpfâhen sît ergienc.
ir muget Lîâzen niht genemn.'
der gast begunde sich des schemn,
Iedoch kuster se an den munt:
10 dem was wol fiwers varwe kunt.
Lîâzen lîp was minneclîch,
dar zuo der wâren kiusche rîch.
der tisch was nider unde lanc.
der wirt mit niemen sich dâ dranc.
15 er saz al eine an den ort.
sînen gast hiez er sitzen dort
zwischen im unt sîme kinde.

ir blanken hende linde
muosen snîden, sô der wirt gebôt,
20 den man dâ hiez den ritter rôt,
swaz der ezzen wolde.
nieman si wenden solde,
sine gebârten heinlîche.
diu magt mit zühten rîche
25 leist ir vater willen gar.
si unt der gast wârn wol gevar.
dar nâch schier gienc diu maget widr.
sus pflac man des heldes sidr
unz an den vierzehenden tac.
bî sîme herzen kumber lac
177 anders niht wan umbe daz:
er wolt ê gestrîten baz,
ê daz er dar an wurde warm,
daz man dâ heizet frouwen arm.
5 in dûhte, wert gedinge
daz wære ein hôhiu linge
ze disem lîbe hie unt dort.
daz sint noch ungelogeniu wort.
Eins morgens urloubs er bat;
10 dô rûmter Grâharz die stat.
der wirt mit im ze velde reit:
dô huop sich niwez herzenleit.
dô sprach der fürste ûz triwe erkorn
'ir sît mîn vierder sun verlorn.
15 jâ wând ich ergetzet wære
drîer jæmerlîchen mære.
der wâren dennoch niht wan driu:
der nu mîn herze envieriu
mit sîner hende slüege
20 und ieslîch stücke trüege,
daz diuhte mich ein grôz gewin,
einz für iuch (ir rîtet hin),
diu driu für mîniu werden kint
diu ellenthaft erstorben sint.

---

11. ich mach *D.* wol iungen (iugen *G,* jüngen *g*) nu *Ggg.* 14. wirn *Gg,*
wir in *die übrigen.* 15. So erlischet *Ggg.* amers *G.* 19. sabents *D,*
des abendes *dg,* wider *Ggg.* 20. verdecht *G.* 21. 22. = Der wirt hiez
zetische chomen. Sine tohter *Ggg.* 22. alsus han ichz *D,* also ich han *d,*
sus (*fehlt g*) han ich *die übrigen.* 25. zuo der *D.* 26. Nu soltu *Ggg.*
di'n] in *D,* dich *dgg,* niht *g, fehlt Ggg.* 27. biut *Dd* = unde biut *Ggg,*
unde erbiute *g.*
176, 1. moht *G.* 2. Nu *Ggg.* 3. solhe *g.* 5. etwen *G.* 6. zenpfahene *DG.*
10. viurs *G.* 12. Da bi *Ggg.* 13. nidere *G.* 14. sich da mit niemen
Ggg. 16. = liez *Ggg.* 19. wirt *fehlt G.* 20. der rittr *D.* 21. = Al
daz er *Ggg.* 22. niemen *DG.* sie *D.* 24. Diu maget zuhte riche *Gg.*
27. schiere *DG.* gie *D.* 28. Alsus *Ggg.*
177, 2. wolde gestrîten *D.* 3. 4. warem-arem *D.* 7. hie *fehlt Gg.* 9. Ei-
nes *D,* Des *G.* urloubs er *g,* urloubes er *Ddgg,* er urloubes *Gg.* 10. rum-
der *G.* 12. = Hie *Ggg.* herzeleit *G.* 13. der *fehlt G.* 15. Ich
wande [ich *g*] ergetzet ware *Gg.* 17. danoch niwan *G.* 20. ieslichez *Dd.*
21. diuhte *D,* duhte *G.* 22. Einz *gg,* einez *DG.* 23. minen *G,*

25 sus lônt iedoch diu ritterschaft:
ir zagel ist jâmerstricke haft.
  ein tôt mich lemt an freuden gar,
mînes sunes wol gevar,
der was geheizen Schenteflûrs.
dâ Cundwîr amûrs
178 lîp unde ir lant niht wolte gebn,
in ir helfer flôs sîn lebn
von Clâmidê und von Kingrûn.
des ist mir dürkel als ein zûn
5 mîn herze von jâmers sniten.
nu sît ir alze fruo geriten
von mir trôstelôsen man.
ôwe daz ich niht sterben kan,
sît Liâz diu schœne magt
10 und ouch mîn lant iu niht behagt.
  Mîn ander sun hiez cons Lascoyt.
den sluoc mir Idêr fil Noyt
umb einen sparwære.
des stên ich freuden lære.
15 mîn dritter sun hiez Gurzgrî.
dem reit Mahaute bî
mit ir schœnem lîbe:
wan si gap im ze wîbe

ir stolzer bruoder Ehkunat.
20 gein Brandigân der houbetstat
kom er nâch Schoydelakurt geritn.
dâ wart sîn sterben niht vermitn:
dâ sluog in Mâbonagrîn.
des verlôs Mahaute ir liehten schîn,
25 und lac mîn wîp, sîn muoter, tôt:
grôz jâmer irz nâch im gebôt.'
  der gast nams wirtes jâmer war,
wand erz im underschiet sô gar.
dô sprach er 'hêrre, in bin niht wîs'
bezal abr i'emer ritters prîs,
179 sô daz ich wol mac minne gern,
ir sult mich Liâzen wern,
iwerr tohter, der schœnen magt.
ir habt mir alze vil geklagt:
5 mag ich iu jâmer denne entsagen,
des lâz ich iuch sô vil niht tragen.'
  urloup nam der junge man
von dem getriwen fürsten sân
unt zal der massenîe.
10 des fürsten jâmers drîe
was riwic an daz quater komn:
die vierden flust het er genomn.

---

25. lont *dgg*, lonet *DG*.   26. iamers *Ggg*.   striche haft *Dg*, striches haft *g*, strichehaft *Gg*, strichaft *dg*.   28. mins suns *D*.   29. Scenteflurs *D*, tschentalôrs *G*, Jentafluors *gg*, shentaflors *g*, stentaflurs *g*, schantaflors *d*, gentaflurs *g*.   30. = Da frau *gg*, Do frou *G*, Diu frowe *g*, Do die schœne *g*.
178, 1. lib *D*.   3. Chlammide *D*.   un *G*.   kingruon *D*.   4. zŵn *D*. 7. trostelosem *D*, trostlosen *dgg*.   9. liaz *gg*, Liaze *DG*.   11. Coslascoyt *D*, conla scot *d*, kunfiliscot *G*, kunscot *g*, filischot *g*, kunic lascoit *g*, Cunslascunt *g*, kinsot *g*.   12. iders *Gdgg*, Ither *g*, ithers *g*.   fil not *Gdg*, vilinot *g*. 15. = Kurzgri *Ggg*.   16. 24. Mahaute *D*, mahante *d*, Mahode *Gg*, mahute *g*, mahŏd (mohot) *g*, mahorte (mahaut) *g*, Mahoube (Mahoude) *g*, mahodi *g*. 20. hobet stat *G*, houbtstat *D*.   21. Scoy delak. *D*, tschoidelak. *G*.   22. Des *Ggg*.   23. slug im *D*.   Mŏbon. *G*, mobon. *dg*.   26. ez ir *Gg*, iamers ir *g*. 27. nam sines iamers war *G*.   wirts *D*.   iamers *gg*.   29. er *fehlt G*. ine *D*, ichne *G*.   30. ich immer (imer) *alle*.
179, 1. mach wol *G*.   minnen *Gg*.   2. So sult ir mich *Gd*.   3. Iwer *G*. 5. etsagen *D*.   6. iuch niht langer tragen *Gg*.   8. = Zedem *Ggg*.   9. zaldr *D*, zeal der *G*.   messenie *G*.   10. Des werden fursten drie *G*.   11. quattr *D*.

IV.

Dannen schiet sus Parzivâl.
ritters site und ritters mâl
15 sîn lîp mit zühten fuorte,
ôwê wan daz in ruorte
manec unsüeziu strenge.
im was diu wîte zenge,
und ouch diu breite gar ze smal:
20 elliu grüene in dûhte val,
sîn rôt harnasch in dûhte blanc:
sîn herze d'ougen des bedwanc..
sît er tumpheit âne wart,
done wolt in Gahmuretes art
25 denkens niht erlâzen
nâch der schœnen Lîâzen,
der meide sælden rîche,
diu im geselleclîche
sunder minn bôt êre.
swar sîn ors nu kêre,
180 er enmages vor jâmer niht enthabn,
ez welle springen oder drabn.
  kriuze unde stûden stric,
dar zuo der wagenleisen bic
5 sîne waltstrâzen meit:
vil ungevertes er dô reit,
dâ wênic wegerîches stuont.
tal und berc wârn im unkuont.
genuoge hânt des einen site
10 und sprechent sus, swer irre rite
daz der den slegel fünde:

slegels urkünde
lac dâ âne mâze vil,
sulen grôze ronen sîn slegels zil.
15 Doch reit er wênec irre,
wan die slihte an der virre
kom er des tages von Grâharz
in daz künecrîch ze Brôbarz
durch wilde gebirge hôch.
20 der tac gein dem âbent zôch.
dô kom er an ein wazzer snel:
daz was von sîme duzze hel:
ez gâbn die velse ein ander.
daz reit er nider: dô vander
25 die stat ze Pelrapeire.
der künec Tampenteire
het si gerbet ûf sîn kint,
bî der vil liute in kumber sint.
  daz wazzer fuor nâch polze siten,
die wol gevidert unt gesniten
181 sint, sô si armbrustes span
mit senewen swanke trîbet dan.
dar über gienc ein brükken slac,
dâ manec hurt ûffe lac:
5 ez flôz aldâ reht in daz mer.
Pelrapeir stuont wol ze wer.
seht wie kint ûf schocken varn,
die man schockes niht wil sparn:
sus fuor diu brücke âne seil:
10 diun was vor jugende niht sô geil.

13. sus] do *Ggg.*   Parzifal *D.*   16. ouwe *D.*   in] ir *G.*   17. Vil manch
Ggg.   21. duhte in *Ggg.*   22. diu *alle.*   betwanch *G.*   24. Sone *Gg.*
gahmurets *G.*   25. Gedenchens *Ggg.*   28. geselchliche *G.*   29. minne *DG.*
180, 2. Ezn *g.*   schuften *G.*   3. stuoden *D.*   4. wagleisen *G*, wagenleise *gg.*
pich *D*, blich *Ggg.*   5. walt straze *Ggg.*   7. lutzel *Ggg.*   wegriches *D*,
weriches *G.*   8. waren *D*, was *G.*   unchunt *DG.*   9. Gnuoge *D.*   habent
Ggg.   10. gehent *oder* iehent *alle aufser D.*   sus *Dd* = des *gg*, *fehlt Gg.*
15. lutzel *Ggg.*   16. ander *D.*   18. -riche *DG.*   = briubarz *G*, briebarz *g*,
brubarz *gg.*   20. do gein *Ggg.*   abent *gg*, abende *DGdg.*   21. Er chom
an *G.*   23. gaben *DG.*   26. tampunteire *Ggg.*   27. geêrbet *D.*   29. polze
D, boltze *g*, bolzes *Gdgg.*
181, 1. so si *Ddg*, so si des *Gg*, so des *gg*, des des *g.*   arembr. *D.*   2. senwe
G, senwes *g.*   3. dar umbe gie *D.*   bruchen *G.*   5, inz mer *D.*   6. Pel-
rapeire *DG* immer.   was *Ggg.*   7. Nu seht *Ggg.*   schocken *dgg*, scho-
chen *Gg*, scochen *D*, kochen *g.*   8. di *D.*   schokes *gg*, schoches *Gg*, sco-
ches *D*, schockens *dgg.*   10. Dun *g*, Die en *g*, diu *Dgg*, Sine *G*, Sú *d.*   von *gg.*

dort anderhalben stuonden
mit helmen ûf gebuonden
sehzec ritter oder mêr.
die riefen alle kêrâ kêr:
15 mit ûf geworfen swerten
die kranken strîtes gerten.
Durch daz sin dicke sâhen ê,
si wânden ez wær Clâmidê,
wand er sô küneclîchen reit
20 geiu der brücke ûf dem velde breit.
dô si disen jungen man
sus mit schalle riefen an,
swie vil erz ors mit sporen versneit,
durch vorht ez doch die brüken meit.
25 den rehtiu zageheit ie flôch,
der rebeizte nider unde zôch
sîn ors ûf der brücken swanc.
eins zagen muot wær alze kranc,
solt er gein sölhem strîte varn.
dar zuo muos er ein dinc bewarn:
182 wander vorhte des orses val.
dô lasch ouch anderhalp der schal:
die ritter truogen wider în
helme, schilde, ir swerte schîn,
5 und sluzzen zuo ir porten:
grœzer her si vorhten.
sus zôch hin über Parzivâl,
und kom geriten an ein wal,
dâ maneger sînen tôt erkôs,
10 der durch ritters prîs den lîp verlôs
vor der porte gein dem palas,
der hôch und wol gehêret was.
einen rinc er an der porte vant:
den ruorter vaste mit der hant.
15 sîns rüefens nam dâ niemen war,
wan ein juncfrouwe wol gevar.

ûz einem venster sach diu magt
den helt haldèn unverzagt.
Diu schœne zühte rîche
20 sprach 'sît ir vîentlîche
her komen, hêrre, deist ân nôt.
ân iuch man uns vil hazzens pôt'
vome lande und ûf dem mer,
zornec ellenthaftez her.'
25 dô sprach er 'frowe, hie habt ein man
der iu dienet, ob ich kan.
iwer gruoz sol sîn mîn solt:
ich pin iu dienstlîchen holt.'
dô gienc diu magt mit sinne
für die küneginne,
183 und half im daz er kom dar în;
daz in sît wante hôhen pîn.
sus wart er în verlâzen.
iewederthalp der strâzen
5 stuont von bovel ein grôziu schar.
die werlîche kômen dar,
slingære und patelierre,
der was ein langiu vierre,
und arger schützen harte vil.
10 er kôs ouch an dem selben zil
vil küener sarjande,
der besten von dem lande,
mit langen starken lanzen
schärpfen unde ganzen.
15 als ichz mære vernomen hân,
dâ stuont ouch manec koufman
mit hâschen und mit gabilôt,
als in ir meisterschaft gebôt.
die truogen alle slachen balc.
20 der küneginne marschalc
Muose in durch si leiten
ûffen hof mit arbeiten.

---

11. anderthalbn *D.*   12. gebunden *DG.*   15. ufgewofenen *G.*   16. strits *G.*
17. Dur *G.*   18. Chlamide *D.*   19. wandr *D,* Wan er *G.*   chunstchliche *G.*
21. iugen *G.*   22. Alsus *Gg.*   23. vil *fehlt G,* sere *gg.*   24. bruke *Gdgg.*
25. Der rehte *Gg.*   zagheit *D.*   26. rebeiste *D,* erbeizte *G.*

182, 1. orss *D.*   2. = Do erlasch *Ggg.*   4. Helm *alle au/ser Dg.*   schilt *dgg.*
ir *Dg, fehlt Gg,* und *dgg.*   = swertes *Ggg.*   5. ir] die *Ggg.*   9. sinen
lip verlos *G.*   10. Unt *Ggg.*   12. wol *fehlt Gg,* vil *g.*   gehert *DG.*
13. porten *G.*   15. sines ruoffenes *G.*   17. Von *Ggg.*   20. vigentliche *G.*
21. herre *fehlt Ggg.*   deist *g,* dest *g,* daz ist *die übrigen.*   an *D,*
ein *g,* ane *Gg,* un *g.*   22. hazes *alle au/ser Dg.*   24. zornech vñ *D.*
25. frouwe *DG.*   = halt *G,* helt *g,* haldet *gg.*   28. dienstliche *D.*

183, 2. sint *D.*   wande *G.*   4. Ietweder halp *G.*   straze *D.*   5. povel *gg.*
langiu *Ggg.*   7. und *fehlt Ggg.*   patelierre *g,* pateliere *g,* patelirre *Ddgg,*
putelirre *G,* patelirære *g.*   8. lengiu *D.*   vierre] viere *g,* virre *die übrigen.*
9. (*ohne* und) *nach* 10 *Gg.*   atgêrschützen?   10. Ouch schos er (man *Gg*)
an dem *Ggg.*   11. scariande *D.*   12. Die *G.*   13. scharfen *Gd.*   14. Star-
chen *G,* Scharcken *d.*   17. haschen *d,* hascent *D,* hachen *G,* hatschen *gg,*
ackesen *g.*   19. swachen *D,* salches *g.*   20. malscalch *D.*   21. dur *G.*

der was gein wer berâten.
türn oben kemenâten,
25 wîchûs, perfrit, ärkêr,
der stuont dâ sicherlîchen mêr
denn er dâ vor gesæhe ie.
dô kômen allenthalben hie
ritter die in enpfiengen.
die riten unde giengen:
184 ouch was diu jæmerlîche schar
elliu nâch aschen var,
oder alse valwer leim.
min hêrre der grâf von Wertheim
5 wær ungern soldier dâ gewesn:
er möht ir soldes niht genesn.
der zadel fuogte in hungers nôt.
sine heten kæse, vleisch noch prôt,
si liezen zenstüren sîn,
10 und smalzten ouch deheinen wîn
mit ir munde, sô si trunken.
die wambe in nider sunken:
ir hüffe hôch unde mager,
gerumphen als ein Ungers zager
15 was in diu hût zuo den riben:
der hunger het inz fleisch vertriben.
den muosen si durch zadel dolen.
in trouf vil wênic in die kolen.
des twanc si ein werder man,
20 der stolze künec von Brandigân:
si arnden Clâmidês bete.
sich vergôz dâ selten mit dem mete
der zuber oder diu kanne:
ein Trühendingær phanne
25 mit kraphen selten dâ erschrei:

in was der selbe dôn enzwei.
wolt ich nu daz wîzen in,
sô het ich harte kranken sin.
wan dâ ich dicke bin erbeizet
und dâ man mich hêrre heizet,
185 dâ heime in mîn selbes hûs,
dâ wirt gefreut vil selten mûs.
wan diu müese ir spîse steln:
die dörfte niemen vor mir heln:
5 ine vinde ir offenlîche niht.
alze dicke daz geschiht
mir Wolfram von Eschenbach,
daz ich dulte alsolch gemach.
mîner klage ist vil vernomn:
10 nu sol diz mære wider komn,
wie Pelrapeir stuont jâmers vol.
dâ gap diu diet von freuden zol.
die helde triwen rîche
lebten kumberlîche.
15 ir wâriu manheit daz gebôt.
nu solde erbarmen iuch ir nôt:
ir lîp ist nu benennet phant,
sine lœse drûz diu hôhste hant.
nu hœrt mêr von den armen:
20 die solten iuch erbarmen.
Si enphiengen schämlîche
ir gast ellens rîche.
der dûhtes anders wol sô wert,
daz er niht dörfte hân gegert
25 ir herberge als ez in stuont:
ir grôziu nôt was im unkuont.
man leit ein teppech ûfez gras,
da vermûret und geleitet was

24. Tuorn *g*, turne *DG.*   oben *D*, obenan *d*, obe den *die übrigen.*   chem-
naten *G.*   25. wichûs *D*, Wichhus *G.*   perfert *D*, perferit *d*, perfride *g.*
ærcher *D*, ærhcger *g*, arch ker *G*, argere *g.*

184, 3. odr als *D.*   4. min herre *Ddg, fehlt Ggg.*   der grave (grefe *g*, graff *g*)
von *Ddgg*, grave (graff *g*) ppope (bopbe *g*, Boppe *g*) von *Ggg.*   5. wære *DG.*
ungerne *G.*   7. fuoget *D.*   9-18 *fehlen D.*   9. zensturen
G, zen stuorn *g*, zen stúrn *d*, zendesturn *g*, zene stürgen *g*, zen stören *g*, zene
stúrmen *g.*   10. smalzegeten *g*, smalzigten *g*, smahten *gg.*   13. hufe *G*,
huf *dg.*   14. Verrumphen *g.*   eins *g.*   16. in daz *alle.*   17. dur *G.*
18. wenig *d* = lutzel *Ggg.*   19. stolzer *Ggg.*   20. werde *Ggg.*   bradi-
gan *G.*   21-26 *fehlen D.*   22. Si *G.*   23. der *und* diu *fehlen d.*
Zúber *d.*   24. truhendingare *G*, trühendinger *gg*, druhendinger *g*, Truehender
g, drühunder *d.*   27. = Solt *Ggg.*   daz nu *Ggg.*   29. ditch *G.*   30. und
fehlt G.   dâ *fehlt dgg.*   herren *Gg*, nu herre *g*, wirt *gg.*

185, 4. Sine *Ggg*, Sich *gg.*   5. Ich *G.*   offenlichen *Gdgg.*   7. Esscenbach *D*,
eschenpach *g*, Eschelbach *g.*   8. dulde *gg* = dolte *Dd.*   al *fehlt Ggg.*
13. iamers *Ggg.*   16. solde] lat *D.*   17. 18 *fehlen Dd.*   19. Nu *Ddg*,
fehlt Ggg.   hœret *DG.*   mere *DGgg*, me *dgg.*   21. schamliche *G.*
22. elfenes *G.*   23. Er *Ggg.*   duohtes *D*, duhte si *G.*   25. im *G.*
26. unchuont *mit* ŏ *G.*   27. einen *DG.*   tepch uf dez *G.*   28. geleit *G.*

durch den schaten ein linde.
do entwâpent inz gesinde.
186 er was in ungelîche var,
dô er den râm von im sô gar
getwuoc mit einem brunnen:
dô het er der sunnen
5 verkrenket nâch ir liehten glast.
des dûhter si ein werder gast.
man bôt im einen mantel sân,
gelîch alsô der roc getân,
der ê des an dem helde lac:
10 des zobel gap wilden niwen smac.
si sprâchen 'welt ir schouwen
die küngîn, unser frouwen?'
dô jach der helt stæte
daz er daz gerne tæte.
15 si giengen geinme palas,
dâ hôch hin ûf gegrêdet was.
ein minneclîch antlützes schîn,
dar zuo der ougen süeze sîn,
von der küneginne gienc
20 ein liehter glast, ê sin enpfienc.
Von Katelangen Kyôt
unt der werde Manpfilyôt
(herzogen beide wâren die),
ir bruoder kint si brâhten hie,
25 des landes küneginne.
durch die gotes minne
heten se ûf gegebn ir swert.
dâ giengen die fürsten wert
grâ unde wol gevar,
mit grôzer zuht si brâhten dar
187 die frouwen mitten an die stegen.
dâ kuste si den werden degen:
die munde wâren bêde rôt.
diu küngîn ir hant im bôt:
5 Parzivâln si fuorte wider
aldâ si sâzen beidiu nider.

frouwen unde rîterschaft
heten alle swache kraft,
die dâ stuondn und sâzen:
10 si heten freude lâzen,
daz gesinde und diu wirtîn.
Condwîr âmûrs ir schîn
doch schiet von disen strîten:
Jeschûten, Enîten,
15 und Cunnewâren de Lâlant,
und swâ man lobs die besten vant,
dâ man frouwen schœne gewuoc,
ir glastes schîn vast under sluoc,
und bêder Isalden.
20 jâ muose prîses walden
Condwîr âmûrs:
diu truoc den rehten bêâ curs.
Der name ist tiuschen schœner lîp.
ez wâren wol nütziu wîp,
25 die disiu zwei gebâren,
diu dâ bî ein ander wâren.
dô schuof wîp unde man
niht mêr wan daz si sâhen an
diu zwei bî ein ander.
guote friunt dâ vander.
188 der gast gedâht, ich sage iu wie.
'Lîâze ist dort, Lîâze ist hie.
mir wil got sorge mâzen:
nu sihe ich Lîâzen,
5 des werden Gurnemanzes kint.'
Lîâzen schœne was ein wint
gein der meide diu hie saz,
an der got wunsches niht vergaz
(diu was des landes frouwe),
10 als von dem süezen touwe
diu rôse ûz ir bälgelîn
blecket niwen werden schîn,
der beidiu wîz ist unde rôt.
daz fuogte ir gaste grôze nôt.

29. schate *G,* schat *gg.*   30. entwapende *G.*
186, 1. ungelich gevar *Ggg.*   3. Getuoch *G.*   4. der liehten sunnen *Gg.*
     5. verdechet vil nach *D.*   7. = braht *Ggg.*   mandel *G.*   8. als *G.*
     15. gienen *G.*   geinme] gein einem *D,* hinze dem *g,* gein dem *die übrigen.*
     16. hohe *G.*   21. katlangen *g,* katelange *Dgg.*   22. Manfiliot *Ggg,* manfilot
     gg.   23. bede *G.*
187, 1. Ir *Ggg.*   3. münde *gg.*   5. Parzivalen *DG,* Parcifal *dgg.*   7. rittr
     chraft *D.*   8. = Die heten *Ggg.*   9. stuonden *DG.*   10. Die *Ggg.*
     11. unde och *Gg.*   14. unde eniten *Gdgg.*   15. kunew. *G.*   16. Oder *Ggg.*
     17. = Swa *Ggg,* Und swa *gg.*   19. unde *DG.*   beider ysalden *G.*   20. Diu
     da muoz *Ggg.*   priss *D.*   21. Daz was diu chungin condwiramurs *G.*
     23. die *Dgg,* Diu *G.*   26. di *D.*   27. Done *Gdgg.*   28. mer *g,* mere *Dd,*
     me *Ggg.*   30. Guoten *G.*   friwent *D,* friunde *gg.*
188, 3. Mich *und* sorgen (leides *Gg*) *Ggg.*   5. gurnomzes *G.*   7. dirre *Gdgg.*
     9. Do *Ggg,* Da *g.*   10. also *D.*   suezem *D.*   11. balgelin *G.*   12. = En-
blechet *Ggg,* Endechet *g,* Erblechet *gg.*   13. wize *D.*   14. fuogte *G.*

15 sîn manlîch zuht was im sô ganz,
sît in der werde Gurnamanz
von sîner tumpheit geschiet
unde im vrâgen widerriet,
ez enwære bescheidenlîche,
20 bî der küneginne rîche
saz sîn munt gar âne wort,
nâhe aldâ, niht verre dort.
maneger kan noch rede sparn,
der mêr gein frouwen ist gevarn.
25 Diu küneginne gedâhte sân
'ich wæn, mich smæhet dirre man
durch daz mîn lîp vertwâlet ist.
nein, êr tuotz durch einen list:
er ist gast, ich pin wirtîn:
diu êrste rede wære mîn.
189 dar nâch er güetlîch an mich sach,
sît uns ze sitzen hie geschach:
er hât sich zuht gein mir enbart.
mîn rede ist alze vil gespart:
5 hie sol niht mêr geswigen sîn.'
zir gaste sprach diu künegîn
'hêrre, ein wirtîn reden muoz.
ein kus erwarp mir iwern gruoz,
ouch but ir dienst dâ her în:
10 sus sagte ein juncfrouwe mîn.
des hânt uns geste niht gewent:
des hât mîn herze sich gesent.
hêrre, ich vrâge iuch mære,
wannen iwer reise wære.'
15 'frouwe, ich reit bî disem tage
von einem man, den ich in klage
liez, mit triwen âne schranz.
der fürste heizet Gurnamanz,

von Grâharz ist er genant.
20 dannen reit ich hiut in ditze lant.'
alsus sprach diu werde magt.
'hetz anders iemen mir gesagt,
der volge wurde im niht verjehn,
deiz eines tages wære geschehn:
25 wan swelch mîn bote ie baldest reit,
die reise er zwêne tage vermeit.
Sîn swester was diu muoter mîn,
iwers wirtes. sîner tohter schîn
sich ouch vor jâmer krenken mac.
wir haben manegen sûren tac
190 mit nazzen ougen verklaget,
ich und Lîâze diu maget.
sît ir iwerm wirte holt,
sô nemtz hînte als wirz gedolt
5 hie lange hân, wîp unde man:
ein teil ir dienet im dar an.
ich wil iu unsern kumber klagen:
wir müezen strengen zadel tragen.'
dô sprach ir veter Kyôt
10 'frouwe, ich sende iu zwelf prôt,
schultern unde hammen drî:
dâ ligent ähte kæse bî,
unt zwei buzzel mit wîn.
iuch sol ouch der bruoder mîn
15 hînte stiuren: des ist nôt.'
dô sprach Manpfiljôt
'frouwe, ich send iu als vil.'
dô saz diu magt an vreuden zil:
ir grôzer danc wart niht vermitn.
20 si nâmen urloup unde ritn
dâ bî zir weidehûsen.
zer wilden albe klûsen

15. im *fehlt Gg.*　　16. churnomanz *G.*　　17. tumpheite schiet *Ggg.*
19. Niwan *G*, Wan *gg*, Dann *gg.*　　21. sin muotr *D.*　　24. gein *Dg*, ze
Ggg, zuo den *d.*　　fræuden *gg.*　　25. dahte *Gd.*　　26. wæne *D immer.*
mih smaht *G.*　　27. Dur *G.*　　vertwalt *DGg*, vertwelt *g.*　　30. were billich
d, solte wesen *G*, ist *g.*
189, 3. enbârt *D*, erbart *gg.*　　5. hiene sol *D.*　　9. but *Dg*, bútet *dg*, enbut *G*,
enbutet *g.*　　10. Als *Gg*, Also *gg.*　　seit *Dg*, seite *d.*　　11. Sone *Gg*, So *gg.*
habent *Ddgg.*　　mich *Gg.*　　12. = versent *Ggg.*　　16. der mich *Ggg.*
mit *Ggg.*　　17. scanz *D.*　　18. gurnom. *G.*　　20. Danen rite ih *G.*　　hiute *D.*
diz *G*, daz *dg.*　　23. Der volge im nimer wurde vergehen *Gg.*　　24. Daz
ez *G.*　　eins *D.*　　25. = moht *Ggg.*　　25. wan *fehlt G.*　　bot al baldest *G.*
baldeste *D.*　　26. = meit *Ggg.*　　27. Min muoter was diu swester sin *Ggg.*
29. = von *Ggg.*　　30. suoren *D*, swaren *Ggg.*
190, 1. = uber chlaget *Ggg.*　　3. iweren *G.*　　4. So lidet *Ggg.*　　hínte *fehlt G.*
5. wib *D.*　　7. = muoz *Ggg.*　　sagen *D.*　　11. Schulteren unde hamen *G.*
12. æhte *g*, ahte *Gg*, aht *Dgg*, ouch aht *g*, sehsse *d.*　　13. buzel *G*, bussel *g*,
bünzel *g.*　　wine-mine *Ggg.*　　14. iuch sol ouch *Dgg*, Ouch sol úch *d*, Iuch
sol *gg*, Ouch sol *G.*　　15. Hint *G.*　　16. manfiliot *Gdgg*, manfilot *g.*
21. weide huosen *D.*　　22. zer wildr *D*, ze wilder *gg.*　　alben *gg*, in *G*
abgerieben und unlesbar.　　chuosen *D.*

die alten sâzen sunder wer:
si heten ouch fride vome her.
25 ir bote wider quam gedrabt:
des wart diu kranke diet gelabt.
dô was der burgære nar
gedigen an dise spîse gar:
Ir was vor hunger maneger tôt
ê daz in dar kœme'z brôt.
191 teiln ez hiez diu künegîn,
dar zuo die kæse, dez vleisch,
den wîn,
dirre kreftelôsen diet:
Parzivâl ir gast daz riet.
5 des bleip in zwein vil kûme ein snite:
die teiltens âne bâgens site.
diu wirtschaft was ouch verzert,
dâ mite maneges tôt erwert,
den der hunger leben liez.
10 dem gaste man dô betten hiez
sanfte, des ich wænen wil.
wærn die burgær vederspil,
sine wæren überkrüpfet niht;
des noch ir tischgerihte giht.
15 si truogen alle hungers mâl,
wan der junge Parzivâl.
der nam slâfes urloup.
ob sîne kerzen wæren schoup?
nein, si wâren bezzer gar.
20 dô gienc der junge wol gevar
an ein bette rîche
gehêrt küneclîche,
niht nâch armüete kür:
ein teppich was geleit derfür.
25 er bat die ritter wider gên,
diene liez er dâ niht langer stên.
kint im entschuohten, sân er slief;
unz im der wâre jâmer rief,
und liehter ougen herzen regen:
die wacten schiere den werden degen.

192 Daz kom als ich iu sagen wil.
ez prach niht wîplîchiu zil:
mit stæte kiusche truoc diu magt,
von der ein teil hie wirt gesagt.
5 die twanc urliuges nôt
und lieber helfære tôt
ir herze an sölhez krachen,
daz ir ougen muosen wachen.
dô gienc diu küneginne,
10 niht nâch sölher minne
diu sölhen namen reizet
der meide wîp heizet,
si suochte helfe unt friundes rât.
an ir was werlîchiu wât,
15 ein hemde wîz sîdîn:
waz möhte kampflîcher sîn,
dan gein dem man sus komende
ein wîp?
ouch swanc diu frouwe umb ir lîp
von samît einen mantel lanc.
20 si gienc als si der kumber twanc.
juncfrouwen, kamerære,
swaz der dâ bî ir wære,
die lie si slâfen über al.
dô sleich si lîse ân allen schal
25 in eine kemenâten.
daz schuofen diez tâ tâten,
daz Parzivâl al eine lac.
von kerzen lieht alsam der tac
was vor sîner slâfstat.
gein sînem bette gieng ir pfat:
193 üffen teppech kniete si für in.
si heten beidiu kranken sin,
Er unt diu küneginne,
an bî ligender minne.
5 hie wart alsus geworben:
an freuden verdorben
was diu magt: des twanc si schem:
ober si hin an iht nem?

24. si Dd, Unde Ggg.   Si ouch fride heten g.   ouch D, fehlt den übrigen.
25. = Ir boten wider chomen Ggg, Ir boten chomen wider gg.   30. dar chœme
daz (dizze D) brot Dd = chome dar daz (dis g) brot Ggg, chome daz brot gg.
191, 1-6 fehlen d.   1. Teilen DG.   ez fehlt Ggg, nach hiez gg.   2. Daz
fleisch die chase vñ den win G.   dar zuo fehlt gg, die dann für dez vleisch
den setzen fleish brot und oder fleysch daz brot den oder brot dz flaisch den.
5. des D = Es Gg, Ez gg.   bleip g, beleip DG.   10. Ir gaste Ggg.
beten G, beiten Dg.   12. wæren d. burgære D, Waren d. burgare G.
15. hungers mal Ddgg, hunger mal Ggg.   18. warn G.   23. aventure G.
24. tepech G.   25. Et D.   = hiez Ggg.   26. lenger G.   27. in Ggg.
entscuochten D.   sa Gg.   30. Die erwachten Ggg.
192, 1. Hie chom Ggg.   5. di D, Der d = Si Ggg.   13. suoche D, suohte G.
friwnts D.   17. dan D, Dane G.   18. = Do Ggg.   20. gie DG.
alsi G.   dwanch G.   24. lîse fehlt g, eine G.   26. = Ez Ggg.   28. alsam
Gdgg, also gg, sam g, so D.   30. gie D.
193, 2. bediu G.   7. 8. scheme-neme G.

leider des enkan er niht.
10 âne kunst ez doch geschiht,
mit eime alsô bewanden vride,
daz si diu süenebæren lide
niht zein ander brâhten.
wênc si des gedâhten.
15 　der magede jâmer was sô grôz,
vil zäher von ir ougen vlôz
ûf den jungen Parzivâl.
der rehôrte ir weinens sölhen schal,
daz er si wachende an gesach.
20 leit und liep im dran geschach.
ûf rihte sich der junge man,
zer küneginne sprach er sân
'frouwe, bin ich iwer spot?
ihr soldet knien alsus für got.
25 geruochet sitzen zuo mir her'
(daz was sîn bete und sîn ger):
'oder leit iuch hie aldâ ich lac.
lât mich belîben swâ ich mac.'
si sprach 'welt ir iuch êren,
sölhe mâze gein mir kêren
194 daz ir mit mir ringet niht,
mîn ligen aldâ bî iu geschiht.'
des wart ein vride von im getân:
si smouc sich an daz bette sân.
5 　Ez was dennoch sô spæte
daz ninder huon dâ kræte.
hanboume stuonden blôz:
der zadel hüener abe in schôz.
diu frouwe jâmers rîche
10 vrâgt' in zühteclîche,
ober hœren wolt ir klage.
si sprach 'ich fürhte, ob ichz iu sage,
ez wende in slâf: daz tuot iu wê.

mir hât der künec Clâmidê
15 und Kingrûn sîn scheneschlant
verwüestet pürge unde lant
unz an Pelrapeire
mîn vater Tampenteire
liez mich armen weisen
20 in vorhteclîchen vreisen.
mâge, fürsten unde man,
rîch und arme, undertân
was mir grôz ellenthaftez her:
die sint erstorben an der wer
25 halp oderz mêrre teil.
wes möht ich armiu wesen geil?
nu ist ez mir komen an daz zil,
daz ich mich selben tœten wil,
ê daz ich magetuom unde lîp
gebe und Clâmidês wîp
195 werde; wan sîn hant mir sluoc
Schenteflûrn, des herze truoc
manegen rîterlîchen prîs.
er mannes schœne ein blüende rîs,
5 er kunde valscheit mâzen,
der bruoder Lîâzen.'
　Dô Lîâze wart genant,
nâch ir vil kumbers was gemant
der dienst gebende Parzivâl.
10 sîn hôher muot kom in ein tal:
daz riet Lîâzen minne.
er sprach zer küneginne
'vrouwe, hilft iuch iemens trôst?'
'jâ, hêrre, ob ich wurde erlôst
15 von Kingrûne scheneschlant.
ze rehter tjost hât mir sîn hant·
gevellet manegen ritter nidr.
der kumt morgen dâ her widr,

11. einem *alle*. so *Ggg*. bewandem *D*, bewunden *d*, bewantem *g*, gewantem *g*, benanten *Gg*, bewarrem *g*. 13. Ninder *Gg*. zuo æin andr *D*. 14. Wie wench *Ggg*. 15. meide *D*. 16. zahere *G*. 17. iugen *G*. 18. horte *Gg*, hort *dgg*. weinen *Gd*, weines *g*. 19. lachende *Ggg*. sach *Ggg*. 20. leide vn liebe *D*, Liep und leit *gg*. 21. solt *G*. = sus *Ggg*. vor *G*. 26. was *fehlt G*. bet unde och *Ggg*.

194, 2. al bi¹v hie geschiht *G*. 7. = Die haneboume *Ggg*. da bloz *D*. 8. huenrre *D*. = von im *Dd*. 9. = maget *Ggg*. 12. si sprach *Dg*, *fehlt den übrigen*. ob *Ddg*, herre obe *Ggg*. 14. Chlammidê *D*. 15. kingruon *D*. scenesclant *D*, senetsachant *g*, sciniscant *d*, schineshant *g*, schinschalt *G*, sineschalt *g*. 18. tampunteire *Ggg*. 19. Lie *G*. 20. forhtlichen *Ggg*. 21. mage. [und *g*] fursten *Ddg*, Fursten mage *Ggg*. vn̄ *Ddg*, mine *Ggg*. 22. Riche *Gg*. arm *dgg*. 24. ane wer *Ggg*. 25. Wol *G*. halbe *Ggg*. oder dez *G*. mere *Gdg*, merer *gg*. 27. Ez ist mir *G*. ûf *D*. 30. gæbe *D*. Chlammides *D*.

195, 1. wrde. *Dg*. 2. Scenteflorn *D*, Tschentafluren *G*. 4. bluomen ris *G*. 8. wart *Ggy*. 11. des twanch in doch ir minne *Ggg*. riet *D*, rieten *g*, schuoff *d*. 13. hilfet *D*, hulf *Ggg*. 15. kingruone *D*. sciniscant *d*, Scenescalt *D*, senschalt *G*, seneschalt *g*, sinetschalt *g*, dem schineschalt *gg*. 16. 17. mir sin hant Gevellet *Gdg*, mir gevalt Sin hant *g*, er mit gewalt Sin hant vil *g*, er gevalt. mir [vil *D*] *Dg*, mit gewalt Gevellet *g*.

7*

und wænet daz ter hêrre sîn
20 süle ligen an dem arme mîn.
ir sâht wol mînen palas,
der ninder sô gehœhet was,
ine viel ê nider in den grabn,
ê Clâmidê solde habn
25 mit gewalt mîn magetuom.
sus wolt ich wenden sînen ruom.'
  dô sprach er 'frouwe, ist Kingrûn
Franzoys od Bertûn,
od von swelhem lande er vert,
mit mîner hant ir sît gewert
196 als ez mîn lîp volbringen mac.'
diu naht het ende und kom der tac.
diu vrouwe stuont ûf unde neic,
ir grôzen danc si niht versweic.
5 dô sleich si wider lîse.
nieman was dâ sô wîse,
der wurde ir gêns dâ gewar,
wan Parzivâl der lieht gevar.
  Der slief niht langer dô dernâch.
10 der sunnen was gein hœhe gâch:
ir glesten durch die wolken dranc.
dô hôrter maneger glocken klanc:
kirchen, münster suocht diu diet
die Clâmidê von freuden schiet.
15 ûf rihte sich der junge man.
der küneginne kappelân
sanc gote und sîner frouwen.
ir gast si muose schouwen,
unz daz der benediz geschach.
20 nâch sînem harnasch er sprach:

dâ wart er wol gewâpent în.
er tet ouch ritters ellen schîn
mit rehter manlîcher wer.
dô kom Clâmidês her
25 mit manger baniere.
Kingrûn kom schiere
vor den andern verre
ûf eim ors von Iserterre,
als i'z mære hân vernomn.
  dô was och für die porten komn
197 fil li roy Gahmuret.
der het der burgære gebet.
  diz was sîn êrste swertes strît.
er nam den poinder wol sô wît,
5 daz von sîner tjoste hurt
bêden orsen wart enkurt.
darmgürtel brâsten umbe daz:
ietweder ors ûf hähsen saz.
die ê des ûf in sâzen,
10 ir swert si niht vergâzen:
In den scheiden si die funden.
Kingrûn truoc wunden
durch den arm und in die brust.
disiu tjost in lêrte flust
15 an sölhem prîse, des er phlac
unz an sîn hôchvart-swindens tac.
sölch ellen was ûf in gezalt:
sehs ritter solter hân gevalt,
die gein im kœmen ûf ein velt.
20 Parzivâl im brâhte gelt
mit sîner ellenthaften hant,
daz Kingrûn scheneschlant·

---

21. saht *g*, sahet *DG.*   23. ich enviele ê *D.*   24. Chammide *D.*   25. ge-
walte *G.*   minen *DG.*   27. kingruon *D.*   28. 29. odr *D*, oder *G.*
28. bertuon *D*, britun *G.*   30. Von *Ggg.*

196, 2. hêt *g.*   6. niemn *D*, Niemen *G.*   7. ir gens *D*, ir genes *G.*   dar *Gg.*
8. der wolgevar *Ggg.*   9. Er *G*, Ern *gg.*   lenger *Gg.*   10. gein der *D.*
11. diu *Ggg.*   12. do erhort er *D.*   mangen *gg.*   13. suoht *G*, suochte *D.*
14. Chlammide *D.*   17. got *G.*   18. wolte *Ggg.*   19. Biz *Ggg.*   daz
fehlt Gg.   der] daz *g.*   bendizt *D*, benedig *dg*, benedicite *gg.*   22. do *Gg.*
23. rehte *G.*   24. Clamides *D hier*)und im folgenden immer, auch bei der
schreibung mit* Chl*, mit einem strich rechts am* l *(nicht über* a)*, der bald mehr
einem circumflex gleicht (und eben ein solcher findet sich auch* 552, 19 *am ersten*
l *in* lilachen)*, bald dem zeichen für* e *am* d*, bald der abkürzung für* n *oder* m.
28. ûf einem orse *DG.*   29. i'z] irz *(und dann hant)* D*, ichz *g*, ich
ez *g*, ich daz *Gg*, ich die *g*, ich dis *g*, ich dise *d.*   mare *DG.*
30. borte *G.*

197, 1. fillu roy *D*, Fil li Roy *gg*, Filirois *Gdgg.*   3. = erster *Ggg.*   6. Bei-
den *G.*   engurt *G.*   7. Darmgürtel *dgg*, Darmguotel *g*, taremgurteln *D*,
Darngurtel *Ggg.*   8. iewederr *D*, Iwerdez *g.*   hahsen *g*, haschen *G.*
10. = Der *Ggg.*   swerte si *Ggg.*   11. die] = si *Ggg.*   13. Dur *G.*
arem *D.*   dur die *G.*   16. sinen *Gg.*   swindes *Ggg*, endes *d.*   18. Sehes
riter er solt *G.*   22. sinetschaltz lant *g*, scunscant *d*, scenescalt *D*, sene-
schalt *G*, tschinetschalt *g.*

---

*) So auch schon 181, 18.

wânde vremder mære,
wie ein pfeterære
25 mit würfen an in seigte.
ander strît in neigte:
ein swert im durch den helm erklanc.
Parzivâl in nider swanc:
er sazt im an die brust ein knie.
er bôt daz wart geboten nie
198 deheinem man, sîn sicherheit.
ir enwolde niht der mit im streit:
er bat in fîanze
bringen Gurnamanze.
5 'nein, hêr, du maht mir gerner tuon
den tôt. ich sluog im sînen suon,
Schenteflûr nam ich sîn lebn.
got hât dir êren vil gegebn:
swâ man saget daz von dir
10 diu kraft erzeiget ist an mir,
daz tu mich hâst betwungen,
sô ist dir wol gelungen.'
Dô sprach der junge Parzivâl
'ich wil dir lâzen ander wal.
15 nu sicher der künegîn,
der dîn hêrre hôhen pîn
hât gefrumt mit zorne.'
'sô wurde ich der verlorne.
mit swerten wær mîn lîp verzert
20 klein sô daz in sunnen vert.
wande ich hân herzeleit getân
dort inne manegem küenen man.'
'sô füer von disem plâne
inz lant ze Bertâne
25 dîn ritterlîche sicherheit
einer magt, diu durch mich leit
des si niht lîden solde,
der fuoge erkennen wolde.

und sag ir, swaz halt mir geschehe,
daz si mich nimmer vrô gesehe,
199 ê daz ich si gereche
aldâ ich schilt durchsteche.
sage Artûse und dem wîbe sîn,
in beiden, von mir dienest mîn,
5 dar zuo der mássenîe gar,
und daz ich nimmer kume dar,
ê daz ich lasters mich entsage,
daz ich gesellecîchen trage
mit ir diu mir lachen bôt.
10 des kom ir lîp in grôze nôt.
sag ir, ich sî ir dienstman,
dienstlîcher dienste undertân.'
der rede ein volge dâ geschach:
die helde man sich scheiden sach.
15 Hin wider kom gegangen,
dâ sîn ors was gevangen,
der burgære kampfes trôst.
si wurden sît von im erlôst:
zwîvels pflac daz ûzer her,
20 daz Kingrûn an sîner wer
was enschumpfieret.
nu wart gecondwieret
Parzivâl zer künegîn.
diu tet im umbevâhens schîn,
25 si druct in vaste an ir lîp,
si sprach 'in wirde niemer wîp
ûf erde decheines man,
wan den ich umbevangen hân.'
si half daz er entwâpnet wart:
ir dienst was vil ungespart.
200 nâch sîner grôzen arbeit
was krankiu wirtschaft bereit.
die burgære sus gefuoren,
daz sim alle hulde swuoren,

---

24. phetrære *G.*   25. wrfn *D.*   uf in *Ggg.*   seicte *g*, seigete *D.*
26. neicte *g*, neigete *DG.*   27. dur *G.*   29. satzte *G*, satz *g*, sat *d.*
198, 1. decheinen *D.*   2. Er wolt ir *Gg.*   4. gurnom. *G.*   5. herre *DG.*
7. Scenteflorn *D*,tschantaflur *G*, Sentaflŏrn *g.*   ich nam *Ggg.*   9. swa man daz
seit von *Dg.*   10. Der *d* = Din *Ggg.*   si *Ggg.*   11. habest *G.*   15. = So
Ggg.   sichere *DG.*   17. getan *Ggg.*   18. = ware *Ggg.*   20. Clein *dy*,
chleine *DGgg*, *fehlt g.*   = als *Ggg*, sam *gg.*   in der *alle aufser D.*
21. wande *fehlt Ggg.*   22. chuenem *Dg.*   23. fuere *DG.*   plnige *G.*   24. In
daz lant zebritanige *G.*   25. Din *dg*, dine *DG.*   26. meide diu dur *G.*
28. der unfuoge *D.*   30. nimer frô *G.*
199, 1. gerche *G.*   3. 4. Unde sage von minem libe. Artuse unde sinem wibe
Ggg. vergl. 267,21. 625,17.   5. massenide *D.*   6. und *fehlt Ggg.*   nimmer
chum *D*, nimmer wil (wil nimer *G*) chomen *Ggg.*   7. daz *fehlt D.*   11. diens-
man *G.*   12. dienst *G.*   15. widr *D*, widere *G.*   21. enschunpfieret *D*,
entschumphiert *G.*   22. Do *Ggg.*   24. Si *Gg.*   umbe vahen *Gdgg.*
26. ine *D*, ihne *G.*   27. ûf *Dg*, Uf der *dgg*, Uf dirre *G.*
200, 3. so *Ggg.*   4. sw̆ren *D*, sŏwren *G.*

5 und jâhn er müese ir hêrre sîn.
dô sprach ouch diu künegîn,
er solte sîn ir âmîs,
sît daz er sô hôhen prîs
bezalt an Kingrûne.
10 zwêne segele brûne
die kôs man von der wer hin abe:
die sluoc grôz wint vast in die habe.
die kiele wârn geladen sô
dês die burgær wurden vrô:
15 sine truogen niht wan spîse.
daz fuogte got der wîse.
Hin von den zinnen vielen
und gâhten zuo den kielen
daz hungerc her durch den roup.
20 si möhten vliegen sô diu loup,
die magern und die sîhten,
von vleische die lîhten:
in was erschoben niht der balc.
der küneginne marschalc
25 tet den schiffen sölhen vride,
daz er gebôt bî der wide
daz se ir decheiner ruorte.
die koufliuter fuorte
für sînen hêrren in die stat.
Parzivâl in gelten bat
201 ir habe zwispilte.
[die] koufliute des bevilte:
sus was vergolten in ir kouf.
den burgærn in die kolen trouf.
5 ich wær dâ nu wol soldier:
wan dâ trinket niemen bier,
si hânt wîns und spîse vil.
dô warp als ich iu sagen wil
Parzivâl der reine.
10 von êrst die spîse kleine
teilter mit sîn selbes hant.

er sazt die werden dier dâ vant.
er wolde niht ir læren magn
überkrüpfe lâzen tragn:
15 er gab in rehter mâze teil.
si wurden sînes râtes geil.
hin ze naht schuof er in mêr,
der unlôse niht ze hêr.
Bî ligens wart gevrâget dâ.
20 er unt diu küngîn sprâchen jâ.
er lac mit sölhen fuogen,
des nu niht wil genuogen
mangiu wîp, der in sô tuot.
daz si durch arbeitlîchen muot
25 ir zuht sus parrierent
und sich dergegen zierent!
vor gesten sint se an kiuschen siten:
ir herzen wille hât versniten
swaz mac an den gebærden sîn.
ir friunt si heinlîchen pîn
202 füegent mit ir zarte.
des mâze ie sich bewarte,
der getriwe stæte man
wol friwendinne schônen kan.
5 er denket, als ez lîht ist wâr,
'ich hân gedienet mîniu jâr
nâch lône disem wîbe,
diu hât mîme lîbe
erboten trôst: nu lige ich hie.
10 des hete mich genüeget ie,
ob ich mit mîner blôzen hant
müese rüeren ir gewant.
ob ich nu gîtes gerte,
untriwe es für mich werte.
15 solt ich si arbeiten,
unser beider laster breiten?
vor slâfe süeziu mære
sint frouwen site gebære.'

---

5. iahen *G*, iachen *D*.   7. solt *G*.   11. = die *fehlt Ggg*.   her abe *Ggg*.
12. vaste *D*, *fehlt Ggg*.   14. Daz sin die *g*.   burgær *gg*, burgære *D immer*.   16. vuochte *G*.   17. Ein *d*, Her *Ggg*, Ser *g*.   18. gein *Gddg*.
19. hungerge *G*.   stoup *D*.   21. Die durren *Ggg*.   23. der] ir *Ggg*.
25. Schuof *Ggg*.   scheffen *Gg*.   27. = daz sich ir *Dd*.
201, 1. Ir chouf *Ggg*.   zwispilde *G*, zewispilte *D*, mit zwispilde *g*, zezwisbilde *g*,
ein zwispilte *d*, zwivilte *g*, zweyevelde *g*.   2. bevilde *gg*.   4. burgæren *D*,
burgaren do *Ggg*.   5. wær *g*.   6. trincht *G*.   pier *D*.   7. habent *G*.
wines (win *g*)   vn spise *Dgg*, spise unde wines (wins *g*) *Gdgg*, spise wines *g*.
10. erste *DG*.   12. Do satzter alle dier [da *g*] vant *Ggg*.   sazte di w. di er *D*.
13. wolt nih *G*.   15. Er gap ir *G*.   16. sins *D*.   17. 18. mere-here *DG*.
22. Daz *g*.   23. wib *G*.   swer *D*.   25. parrîernt *G*.   26. der geine
ziernt *G*.   28. herze *Gg*.   willen *Gdgg*.   29. mag *G*.   30. friwnt *D*.
202, 1. Fuoget mir ir *G*.   4. scœnen *Dd*.   5. liht is *G*, ist lihte *D*.   10. = Es
Gg, Ez *gg*.   12. Solte *Ggg*.   13. gites *Dgg*, guotes *dgg*, ihtes *G*.
14. es *fehlt g*.   18. site bare *G*, sitebere *g*.

sus lac der Wâleise:
20 kranc was sîn vreise.
Den man den rôten ritter ·hiez,
die künegîn er maget liez.
si wânde iedoch, si wær sîn wîp:
durch sînen minneclîchen lîp
25 des morgens si ir houbet bant.
dô gap im bürge unde lant
disiu magetbæriu brût:
wand er was ir herzen trût.
si wâren mit ein ander sô,
daz si durch liebe wâren vrô,
203 zwêu tage unt die dritten naht.
von im dicke wart gedâht
umbevâhens, daz sîn muoter riet:
Gurnemanz im ouch underschiet,
5 man und wîp wærn al ein.
si vlâhten arm unde bein.
ob ichz iu sageu müeze,
er vant daz nâhe süeze:
der alte und der niwe site
10 wonte aldâ in beiden mite.
in was wol und niht ze wê.
nu hœret ouch wie Clâmidê
in krefteclîcher hervart
mit mæren ungetrœstet wart.
15 sus begund im ein knappe sagen,
des ors zen sîten was durchslagen.
'vor Pelrapeire ûf dem plân
ist werdiu rîterschaft getân,
scharpf genuoc, von ritters hant.
20 betwungen ist der scheneschlant,
des hers meister Kingrûn
vert gein Artûse dem Bertûn.
Die soldier ligent noch vor der stat,
do er dannen schiet, als er si bat.
25 ir und iwer bêdiu her

vindet Pelrapeir mit wer.
dort inne ist ein ritter wert,
der anders niht wan strîtes gert.
iwer soldier jehent besunder,
daz von der tavelrunder
204 diu küneginne habe besant
Ithêrn von Kukûmerlant:
des wâpen kom zer tjoste für
und wart getragen nâch prîses kür.'
5 der künec sprach zem knappen sân
'Condwîr âmûrs wil mich hân,
und ich ir lîp unt ir lant.
Kingrûn mîn scheneschlant
mir mit wârheit enbôt,
10 si gæbn die stat durch hungers nôt,
unt daz diu küneginne
mir büte ir werden minne.'
der knappe erwarp dâ niht wan haz.
der künec mit her reit fürbaz.
15 im kom ein ritter widervarn,
der ouch daz ors niht kunde sparn:
der sagt diu selben mære.
Clâmidê wart swære
freude und rîterlîcher sin:
20 ez dûht in grôz ungewin.
des küneges man ein fürste sprach
'Kingrûnen niemen sach
strîten für unser manheit:
niwan für sich einen er dâ streit.
25 Nu lât in sîn ze tôde erslagen:
sulen durch daz zwei her verzagen,
diz, und jenez vor der stat?'
sînen hêrrn er trûren lâzen bat:
'wir sulenz noch paz versuochen.
wellnt si wer geruochen,
205 wir geben in noch strîtes vil
und bringenz ûz ir freuden zil.

---

22. chunginne G.   23. ware G, wære D.   24. Dur G.   25. des morgen D.
26. purge Dd = lute Ggg.   27. magetbare G.
203, 1. Zwene tage unt dri naht Gg.   2. bedaht G.   3. Umbe vahen Ggg.
des D.   4. Gurnom. G.   ouch fehlt Ggg.   5. diu waren Ggg.
6. sich DG.   arem D.   7. ichez G, ich Dg.   8. nahen Ggg.   10. da Gg.
11. ze fehlt Gg.   12. ouch] me Ggg.   13. An Ggg.   hohvart Ggg.
14. geuntrostet Ggg.   15. Diz Ggg.   begunde DG.   16. dursl. G.
19. 20 fehlen G.   20. Scenesclant D, smetschalant g, schenechant g.
21. kingruon D.   22. bertune D, britun G.   23. 24. = fehlen Dd.
24. dan G.   25. Ir ture beidiu her G.   26. Findent Gg.   ze wer Ggg.
29. = Die Ggg.   soldiere D.
204, 1. gesant Ggg.   2. Ìthern D, Itheren G.   4. mit G.   priss D, bris G,
prise g.   8. Kingruon D.   scenescalt D, sinschalt G, schenetscant g.
10. gæben D, gaben G.   von G.   12. Mir bute vaste ir minne Gg.
13. vant Gg.   17. sagte G, seît D.   21. sprac G.   22. da niemen D.
24. niwan D, Niht wan Ggg, fehlt dgg. wan?   dâ fehlt Ggg.   26. dur G.
27. ienz G.   28. herren DG.   30. Unde Ggg.   wellent D, welent G.

man und mâge sult ir manen,
und suocht die stat mit zwein vanen.
5 wir mugen an der lîten
wol ze orse zuo zin rîten:
die porten suochen wir ze fuoz.
deis wâr wir tuon in schimphes buoz.'
den rât gap Galogandres,
10 der herzoge von Gippones:
der brâht die burgære in nôt,
er holt och an ir letze en tôt.
als tet der grâve Nârant,
ein fürste ûz Ukerlant,
15 und manec wert armman,
den man tôten truoc her dan.
nu hœrt ein ander mære,
wie die burgære
ir letze tâten goume.
20 si nâmen lange boume
und stiezen starke stecken drîn
(daz gap den suochæren pîn),
mit seilen si die hiengen:
die ronen in redern giengen.
25 daz was geprüevet allez ê
si suochte sturmes Clâmidê,
Nâch Kingrûnes schumpfentiur.
och kom in heidensch wilde fiur
mit der spîse in daz lant.
daz ûzer antwerc wart verbrant:
206 ir ebenhœhe unde ir mangen,
swaz ûf redern kom gegangen.
igel, katzen in den graben,
die kundez fiwer hin dan wol schaben.
5 Kingrûn scheneschlant
was komen ze Bertâne in daz lant
und vant den künec Artûs

in Brizljân zem weidehûs:
daz was geheizen Karminâl.
10 dô warber als in Parzivâl
gevangen hete dar gesant.
froun Cunnewâren de Lâlant
brâhter sîne sicherheit.
diu juncfrouwe was gemeit,
15 daz mit triwen klagt ir nôt
den man dâ hiez den ritter rôt.
über al diz mære wart vernomn.
dô was ouch für den künec komn
der betwungene werde man.
20 im unt der messenîe sân
sagter waz in was enboten.
Keie erschrac und begunde roten:
dô sprach er 'bistûz Kingrûn?
âvoy wie mangen Bertûn
25 hât enschumpfieret dîn hant,
du Clâmidês scheneschlant!
wirt mir dîn meister nimmer holt,
dîns amts du doch geniezen solt:
Der kezzel ist uns undertân,
mir hie unt dir ze Brandigân.
207 hilf mir durch dîne werdekeit
Cunnewâren hulde umb krapfen breit.'
er bôt ir anders wandels niht.
die rede lât sîn, hœrt waz geschiht
5 dâ wir diz mære liezen ê.
für Pelrapeir kom Clâmidê.
dane wart grôz stürmen niht vermiten:
die inren mit den ûzern striten.
si heten trôst unde kraft,
10 man vant die helde werhaft:
dâ von behabten si daz wal.
ir landes hêrre Parzivâl

205, 4. suocht *dg*, suochet *D*, suochen *Gg*.   5. an einer *Ggg*.   6. zeorsen zuo in *G*.   7. porte *G*.   = suoche man *Ggg*.   8. Des *G*.   10. herzog *D*.   von *fehlt Gg*.   schipones *g*, tschinpones *G*.   12. Unde *Ggg*. entot *G*, den tot *D*.   13. Sam *Ggg*.   Nerant *D*, narrant *Ggg*.   15. armer man *D*.   16. truoch toten *Ggg*.   23. die] si *Ggg*.   24. rederen *Gd*. 25. al'z *G*.   26. = Si zesturme (sturmes *g*) suohte clamide *Ggg*.   27. kingruns *G*, kingruons *D*.   scumpfentiwer (*und* fiwer) *D*, tschumphen tiur *G*. 28. Och was in—29. braht in *Ggg*.

206, 1. ir *Dd* = *fehlt Ggg*.   und ir *Ddgg*, unde *G*, ir *dg*.   2. Soz *g*. 3. Igele *Gdd*.   chatzzen *G*.   4. = Daz *Ggg*.   chunde daz *DG*.   viur *G*. = her dan *Ggg*.   5. *wie* 204, 8.   6. was chomn *D*. britanie *G*.   8. Ze *Gd*. Prizlian *D*, pricilian *d*, brizilan *G*, brezzilian *gg*, prezilian *d*, brizzian *g*, brezian *g*.   zen *G*.   11. gevangenn *D*.   12. kunew. *G*.   16. der rittr *D*. 17. = daz mare *Ggg*.   19. betwungne *G*.   20. mæssenide *D*.   23. doch *D*. 26. duo *D*.   scenescalt *D*, schinschalt *G*.   28. amtes *D*, ambtes *G*. 29. = Die chezele sint *Ggg*.

207, 2. Kunwaren *g*.   umbe chrapfen *DG*.   5. daz *Gdd*.   7. = Da groz sturm (grozzes stuormen) niht wart vermiten *Ggg*.   8. inneren *G*.   uozern *D*, uzeren *G*.   11. Da vor *Ggg*.

streit den sînen verre vor:
dâ stuonden offen gar diu tor.
15 mit slegen er die arme erswanc,
sîn swert durch herte helme erklanc.
swaz er dâ ritter nider sluoc,
die funden arbeit genuoc:
die kunde man si lêren
20 zer halsperge gêren:
die burgær tâten râche schîn,
si erstâchen si zen slitzen în.
Parzivâl in werte daz.
do si drumbe erhôrten sînen haz,
25 zweinzec sir lebende geviengen
ê sir vom strîte giengen.
  Parzivâl wart wol gewar
daz Clâmidê mit sîner schar
rîterschaft zen porten meit,
unt daz er anderhalben streit.
208 Der junge muotes herte
kêrte anz ungeverte:
hin umbe begunder gâhen,
des küneges vanen nâhen.
5 seht, dô wart Clâmidês solt
alrêrst mit schaden dâ geholt.
die burgær strîten kunden,
sô daz in gar verswunden
die herten schilde von der hant.
10 Parzivâles schilt verswant
von slegen und von schüzzen.
swie wênec sis genüzzen,
die suochær die daz sâhen,
des prîss sim alle jâhen.
15 Galogandres den vanen
truoc: der kundez her wol manen:
der lag ans küneges sîten tôt.
Clâmidê kom selbe in nôt:
im und den sînen wart dâ wê.
20 den sturm verbôt dô Clâmidê.

die burgær manheite wîs
behielten frum unt den prîs.
  Parzivâl der werde degn
hiez der gevangen schône pflegn
25 unz an den dritten morgen.
daz ûzer her pflac sorgen.
der junge stolze wirt-gemeit
nam der gevangen sicherheit:
er sprach 'als ichz iu 'nbiute,
komt wider, guoten liute.'
209 ir harnasch er behalden bat:
inz her si kêrten für die stat.
  Swie si wærn von trünken rôt,
die ûzeren sprâchen 'hungers nôt
5 habt ir gedolt, ir armen.'
'lat iuch uns niht erbarmen'
sprach diu gevangene ritterschaft.
'dort inne ist spîse alsölhiu kraft,
wolt ir hie ligen noch ein jâr,
10 si behielten iuch mit in für wâr.
de küngin hât den schœnsten man
der schildes ambet ie gewan.
er mac wol sîn von hôher art:
aller ritter êre ist zim bewart.'
15 dô diz erhôrte Clâmidê,
alrêrst tet im sîn arbeit wê.
boten sander wider în,
und enbôt, swer bî der künegîn
dâ gelegen wære,
20 'ist er kampfes bære
sô daz sin dâ für hât erkant
daz er ir lîp unde ir lant
mir mit kampfe türre wern,
sô sî ein fride von bêden hern.'
25 Parzivâl des wart al vrô,
daz im diu botschaft alsô
gein sîn eines kampfe was gesagt.
dô sprach der junge unverzagt

---

14. gar] in Gg.   16. Daz Ggg.   liehte G.   17. dâ] der Gg.   18. ge-
wunnen Gd.   24. heten g.   25. si ir D, si gg.   lebende geviengen dg,
lebend viengen Gg, lebendich (lemitich g) geviengen Dgg, vingen d.   26. vome
G, von D, von dem die übrigen.   sturme Gg.   29. zer Gg.   30. an-
derthalben D, an der halden dy.
208, 6. alrest D.   9. von Dgg, vor Gddgg.   10. Parzivals G.   13. suo-
chære D.   14. pris G.   15. Galograndres G.   den vanen Truoch Gggg,
truoch den vanen Dddgg.   16. chunde ouchz D.   17. Er lage G.   20. stu-
rem D.   21. 22. = fehlen Ggg.   22. fromen dd.   24. Bat Ggg.   29. en-
biute alle.   30. guote Ggg.
209, 5. habt gedolt ir D.   8. al fehlt Gg.   9. = Welt gg, Wel G.   noch
ligen hie gg, beliben noch G.   10. behaltent gg.   11. De D, Diu G.
kuneginne D.   12. Der ritters namen Gg.   14. Ia ist riters ere Ggg.
= an im Ggg.   16. alrest D.   20. champh bare Gdgg.   21. sô fehlt Ggg.
22. ir stat g, die stat Gg.   23. mir fehlt Gdg.   24. beiden G.   27. eins
G, eins champf g.   wart Gdgg.   geseit G.   28. unverzeit G.

'dâ für sî mîn triwe pfant,
des inren hers dechein hant
210 kumt durch mîne nôt ze wer.'
zwischem graben und dem ûzern her
wart gestætet dirre vride.
dô wâpnden sich die kampfes smide.
5   Dô saz ·der künec von Brandigân
ûf ein gewâpent kastelân.
daz was gcheizen Guverjorz.
von sîme neven Grîgorz,
dem künec von Ipotente,
10 mit rîcher prîsente
was ez komen Clâmidê
norden über den Ukersê.
ez brâhte cuns Nârant,
und dar zuo tûsent sarjant
15 mit harnasche, al sunder schilt.
den was ir solt alsus gezilt,
volleclîchen zwei jâr,
ob d'âventiure sagt al wâr.
Grîgorz im sande ritter kluoc,
20 fünf hundert: ieslîcher truoc
helm ûf houbt gebunden;
die wol mit strîte kunden.
dô hete Clâmidês her
ûf dem lande und in dem mer
25 Pelrapeire alsô belegn,
die burgær muosen kumbers pflegn.
    ûz kom geriten Parzivâl
an daz urteillîche wal,
dâ got erzeigen solde
ober im lâzen wolde
211 des künec Tampenteires parn.
stolzlîch er kom gevarn,
niwan als dez ors den walap

vor der rabbîne gap.
5 daz was gewâpent wol für nôt:
von samît ein decke rôt
Lac ûf der îserînen.
an im selben liez er schînen
rôt schilt, rôt kursît.
10 Clâmidê erhuop den strît.
kurz ein unbesniten sper
brâht er durch tjoste vellen her,
dâ mit er nam den poinder lanc.
Guverjorz mit hurte spranc.
15 wol dâ getjostieret wart
von den zwein jungen âne bart
sunder fâlieren.
von liuten noch von tieren
wart nie gestriten herter kampf.
20 ieweder ors von müede dampf.
    sus heten si gevohten,
daz diu ors niht mêre enmohten:
dô sturzten sî dar under,
ensamt, niht besunder.
25 ir ieweder des geruochte,
das erz fiwer im helme suochte.
sine mohten vîrens niht gepflegn,
in was ze werke aldâ gegebn.
dô zerstuben in die schilde,
als der mit schimpfe spilde
212 und vedern würfe in den wint.
dennoch was Gahmuretes kint
ninder müede an keinem lide.
dô wânde Clâmidê, der vride
5 wære gebrochen ûz der stat:
sînen kampfgenôz er bat
daz er sich selben êrte
und mangen würfe werte.

210, 1. = chumt *vor* ze wer *Ggg.*   dur *DG.*   2. Zwischem] Zwischen *g,*
Zwischen (Zwischn *g*) dem *die übrigen.*   dem] des *G.*   ûzerem *D,* uezrem *g.*
3. gestetget *g.*   4. wapenden *D,* wapenten *G,* waffentn *g.*   champf smide
ddgg.   7. Guferschurz *G.*   8-26. Im sandez sin neve gregurz *G.*   9. ku-
nege *D.*   12. Nordern *g.*   13. cuns] der kunec *D,* der grave *die übrigen.*
narrant *g.*   14. sargant *g,* scariant *D immer.*   16. = sus *gg.*   17. wollecl. *D.*
18. seit *Dg.*   21. houbet *D.*   24. = Von dem *gg,* Vom *g,* Von *g.*   in
Dd, von *g,* uf *dgg.*   27. Hie chom och der iunge parzival *G.*   28. urtei-
liche *Gd,* urtelliche˙ *Dg.*   29. 30. solde-wolde *Dgg,* solte-wolte *Gddgg.*

211, 1. tampunteirs barn *G.*   3. Wan *gg,* Neur *g.*   als *fehlt G.*   4. Von *Gd.*
5. = Ez *Ggg.*   9. rot *Dg,* Roten *Gddgg.*   roten *d.*   10. der huob *d.*
12. dur tiostevelen *G.*   14. Guferschurz *Gg,* Kuvershurz *G,* Schufertschurz *g.*
17. valieren *G,* failieren *dgg.*   20. iweder *D,* Ietweder *G.*   tamph *G.*
22. = nimere *G,* nimer *g,* nimmer *g.*   mohten *Gddgg.*   24. Sament *G.*
25. ir *fehlt Gd.*   iwedr *D,* ietwedere *G.*   26. erz swert *Gg.*   ime (in dem
ddgg, in *gg*) helme *Dddgg,* in der scheide *G.*   29. Daz *G.*   schilte-spilte *G.*
30. = So *Ggg,* So als *g.*

212, 1. vedere *G,* veder *gg.*   3. dech. *D,* deh. *G.*   4. der *Gdgg,* daz der *Ddy.*
5. = zerbrochen *Ggg.*   6. champfgnoz *D.*   8. mangen wurf *G,* manigen
wurf *dg,* mangem wurf (werfen) *gg.*

Ez giengen ûf in slege grôz:
10 die wârn wol mangen steins genôz.
sus antwurt im des landes wirt.
'ich wæn dich mangen wurf verbirt:
wan dâ für ist mîn triwe pfant.
hetest et vride von mîner hant,
15 dirn bræche mangen swenkel
brust houbet noch den schenkel.'
    Clâmidê dranc müede zuo:
diu was im dennoch gar ze fruo.
sic gewunnen, sic verlorn,
20 wart sunder dâ mit strîte erkorn.
doch wart der künec Clâmidê
an schumpfentiur beschouwet ê.
mit eime niderzucke
von Parzivâles drucke
25 bluot wæte ûz ôrn und ûz der nasen:
daz machte rôt den grüenen wasen.
er enblôzt imz houbet schier
von helme und von herssenier.
gein slage saz der betwungen lîp.
der sigehafte sprach 'mîn wîp
213 mac nu belîben vor dir vrî.
nu lerne waz sterben sî.'
    'neinâ, werder degen balt.
dîn êre wirt sus drîzecvalt,
5 vast an mir rezeiget,
sît du mich hâst geneiget.
wâ möht dir hôher prîs geschehn?
Condwîr âmûrs mac wol jehn
daz ich der unsælige bin
10 unt dîn gelücke hât gewin.
Dîn lant ist erlœset,

als der sîn schif erœset:
ez ist vil deste lîhter.
mîn gewalt ist sîhter,
15 reht manlîchiu wünne
ist worden an mir dünne.
durch waz soltstu mich sterben?
ich muoz doch laster erben
ûf alle mîne nâchkumn.
20 du hâst den prîs und den frumn.
tuostu mir mêr, deist ân nôt.
ich trage den lebendigen tôt,
sît ich von ir gescheiden bin,
diu mir herze unde sin
25 ie mit ir gewalt beslôz,
unt ich des nie gein ir genôz.
des muoz ich unsælic man
ir lîp ir lant dir ledec lân.'
    dô dâhte der den sic hât
sân an Gurnemanzes rât,
214 daz ellenthafter manheit
erbärme solte sîn bereit.
sus volget er dem râte nâch:
hin ze Clâmidê er sprach
5 'ine wil dich niht erlâzen,
ir vater, Lîâzen,
dune bringest im dîn sicherheit.'
'nein, hêr, dem hân ich herzeleit
getân, ich sluog im sînen suon:
10 dune solt alsô mit mir niht tuon.
durch Condwîr âmûrs
vaht ouch mit mir Schenteflûrs:
Ouch wær ich tôt von sîner hant,
wan daz mir half mîn scheneschlant.

---

9. wurfe *Gg*.   10. wol *fehlt Ggg*.   mangen steins *D*, in angesteines *g*,
maniges steins *gg*, mangen steine *G*, mangen stein *dg*, der steine *d*.   gnoz *DG*.
12. wæne *D*.   manigen *d*, manch *Ggg*.   14. Hetstet fride *G*.   15. diren
bræche *D*, Dir enbrache *G*.   22. en tschunfenture *G*, In tschumpfentiwr *gg*, an
scumpfentiwer *D*.   = geschouwet *D*.   23. = Von einem *Ggg*.   25. orn
g, oren *DG*.   üz dr *Dgg*, uz *Gdgg*, *fehlt d*.   27. sciere *D*.   28. herss-
niere *D*, harsenier *G*.   29. slege *Gg*.   betwungene *G*.

213,   1. von *Gdg*.   2. was *D*.   3. Næine *g*.   = marer *Gg*, mær *g*, merre *g*,
kuner *g*.   4. Din er *G*.   5. erzeiget *G*.   7. Wie *Gg*.   mohte *Dd*, mac
Gdgg.   8. Kondwiramurs mach nu wol sehen *G*.   9. unsalge *G*, unselig *g*.
11. eroset *G*.   12. verœset *dgg*.   13. Daz *Gg*.   ist *Dd*, wirt *Gdgg*.
14. = ist worden *Ggg*.   15. manlich *Gg*, manlicher *g*.   17. soldestu *Dddg*,
woltstu *Ggg*.   21. deist *G*, dest *g*, des *d*, daz ist *Ddgg*.   ane *alle aufser*
DG.   22. lebendegen *G*.   24. min *Dg*.   un minen sin *D*.   27. un-
salch *G*.   28. lib *D*.   dir *fehlt d*, ir *Ggg*.   29. sig *D*.   30. sa *DG*.
Gurnom. *G*, Gurnemanzs *D*.

214,   2. Erbarmde *G*.   7. dine *DG*.   8. Neina *Dg*.   herre *DG*.   = ich
han im *Ggg*.   11. condwieren *D*, kundwirn *g*.   12. tschentaflurs *G*,
13. wære *D*.   14. smetschalant *g*, scenescalt *D*, schinschalt *G*.

15 in sande inz lant ze Brôbarz
Gurnemanz de Grâharz
mit werdeclîcher heres kraft.
dâ tâten guote ritterschaft
niun hundert ritter die wol striten
20 (gewâpent ors die alle riten)
und fünfzehn hundert sarjant
(gewâpent ich se in strîte vant:
den gebrast niht wan der schilte).
sîns heres mich bevilte:
25 ir kom ouch kûme der sâme widr.
mêr helde verlôs ich sidr.
nu darbe ich freude und êre.
wes gerstu von mir mêre?'
'ich wil senften dînen vreisen:
var gein den Berteneisen
215 (dâ vert och vor dir Kingrûn)
gein Artûse dem Bertûn.
dem soltu mînen dienest sagen:
bit in daz er mir helfe klagen
5 laster daz ich fuorte dan.
ein juncfrowe mich lachte an:
daz man die durch mich zeblou,
sô sêre mich nie dinc gerou.
der selben sage, ez sî mir leit,
10 und bring ir dîne sicherheit
sô daz du leistes ir gebot:
oder nim alhie den tôt.'
'sol daz geteilte gelten,
sone wil ichz niht beschelten:'
15 Sus sprach der künec von Brandigân:
'ich wil die vart von hinnen hân.'
mit gelübde dô dannen schiet
den ê sîn hôchvart verriet.
Parzivâl der wîgant

20 gienc da er sîn ors al müede vant.
sîn fuoz dernâch nie gegreif,
er spranc drûf âne stegreif,
daz alumbe begunden zirben
sîn verhouwene schildes schirben.
25 des wârn die burgære gemeit:
daz ûzer her sach herzeleit.
brât und lide im tâten wê:
man leite den künec Clâmidê
dâ sîne helfær wâren.
die tôten mit den bâren
216 frümt er an ir reste.
dô rûmdenz lant die geste.
Clâmidê der werde
reit gein Löver ûf de erde.
5 ensamt, niht besunder,
die von der tavelrunder
wârn ze Dîanazdrûn
bî Artûse dem Bertûn.
ob ich iu niht gelogen hân,
10 von Dîanazdrûn der plân
muose zeltstangen wonen
mêr dan in Spehteshart sî ronen:
mit sölher messnîe lac
durch hôchkezît den pfinxtac
15 Artûs mit maneger frouwen.
ouch mohte man dâ schouwen
Mange baniere unde schilt,
den sunderwâpen was gezilt,
manegen wol gehêrten rinc.
20 ez diuhten nu vil grôziu dinc:
wer möht diu reiselachen
solhem wîbe her gemachen?
och wânde dô ein frouwe sân,
si solt den prîs verloren hân,

---

15. Brubarz gg, briubarz G, briafarz g. 16. Kurnomanze G. = von Ggg.
17. Mit werdechlier herschaft G. 18. Die Ggg. 19. wol fehlt Gg.
20. = si Ggg. 21. funfzehen hundert Gdgg, zwelf hundert D, wol Tusent g.
23. = In Ggg. niwan G. 24. sins hers D. 25. ouch D, doch dgg,
vil Gg. 29. dine G und (freise-dem britaneise) gg. 30. den fehlt G.
Beriteneisen D, pritaneisen G.

215, 2. Berituon D, britun G. 3. min Gg. 6. lachet gg. 7. dur G.
11. leistest G. ir] sin D. 12. Oder du nim Ggg. 13. geteilt G.
14. iches G. 15. Do G. 16. reise Ggg. 17. urloube Ggg. do Dg, fehlt
Gdg, er gg. 18. sin hoher muot Gg. 20. Sin ors er almuode vant G.
gišch D. 21. dar naher Gdgg. 22. steigreif D. 23. = al fehlt Ggg.
umbe in Gg. gegunden g, begunde gg. 24. sine D, Sines Gg. verho-
wen dg, verhowenz g, fehlt Ggg. 27. prât D. 29. helfære D, helfare G,
immer in dieser endung.

216, 1. Fuorter Gg. 4. Löver mit ô Dg. die alle. 5. Ensament G.
8. Beritun D. 10. von DGg, Vor dgg. dianazadrun G, dianazrun g, die-
nazarun g. 11. zeltstange G. 12. imme g. 13. massinide D, massninide D.
13. massinide D. er lach Gg. 14. hochzit G. pfichest tach G.
16. maht Gg. 19. Unde mangen Gdgg. 21. reislachen D. 22. wibes
Gdgg. 24. ir bris Gg.

25 hete si dâ niht ir âmîs.
ich entætes niht decheinen wîs
(ez was dô manec tumber lîp),
ich bræhte ungerne nu mîn wîp
in alsô grôz gemenge:
ich vorht unkunt gedrenge.
217 etslîcher hin zir spræche,
daz in ir minne stæche
und im die freude blante:
op si die nôt erwante,
5 daz dienter vor unde nâch.
mir wære ê mit ir dannen gâch.
ich hân geredet um mîn dinc:
nu hœrt wie Artûses rinc
sunder was erkenneclîch.
10 vor ûz mit maneger schoie rîch
diu messnîe vor im az,
manc werder man gein valsche laz,
und manec juncfrouwe stolz,
daz niht wan tjoste was ir bolz:
15 ir friwent si gein dem vînde schôz:
lêrt in strît dâ kumber grôz,
sus stuont lîht ir gemüete
daz siz galt mit güete.
Clâmidê der jungelinc
20 reit mitten in den rinc.
verdecket ors, gewâpent lîp,
sah an im Artûses wîp,
sîn helm, sîn schilt verhouwen:
daz sâhen gar die frouwen.
25 sus was er ze hove komn.
ir habet ê wol vernomn
daz er des wart betwungen.

er rebeizte. vil gedrungen
wart sîn lîp, ê er sitzen vant
froun Cunnewâren de Lâlant.
218 dô sprach er 'frouwe, sît ir daz,
der ich sol dienen âne haz?
ein teil mich es twinget nôt.
sîn dienst iu'nbôt der ritter rôt.
5 der wil vil ganze pflihte hân
swaz iu ze laster ist getân,
ouch bitt erz Artûse klagen.
ich wæne ir sît durch in geslagen.
frouwe, ich pring iu sicherheit.
10 sus gebôt der mit mir streit:
nu leist ichz gerne, swenn ir welt.
mîn lîp gein tôde was verselt.'
frou Cunnewâre de Lâlant
greif an die gîserten hant,
15 aldâ frou Ginovêr saz,
diu âne den künec mit ir az.
Keie ouch vor dem tische stuont,
aldâ im wart diz mære kuont.
der widersaz im ein teil:
20 des wart frou Cunnewâre geil.
Dô sprach er 'frouwe, dirre man,
swaz der hât gein iu getân,
des ist er vaste underzogen.
doch wæne ich des, erst ûf gelogen.
25 ich tetz durch hoflîchen site
und wolt iuch hân gebezzert mite:
dar umbe hân ich iwern haz.
iedoch wil ich iu râten daz,
heizt entwâpen disen gevangen:
in mac hie stêns erlangen.'

26. deheïne *Gdgg.* gwis *D.* 28. ungern *D.* 29. In alsolch gedr. *G.*
29. 30. gedrenge-gemenge *Ggg.*

217, 2. Unde in *G.* 3. sinne *Ggg.* blande *Ggg.* 4. erchande *Gg.*
5. diender *G.* und *D.* 6. ê *Ddgg*, et *G, fehlt gg.* 7. geredet *g*, gereit *DG*, geredt *g*, geret *dg*, geeret *gg.* umbe *DG.* 8. Artuss *D.* 10. ioie *D*, tschoye *G.* 11. mæssenide *D.* 13. werdiu frouwe *G.* 14. niht ein tiost *Gg.* ir *fehlt Ggg.* 15. dem vigende *d*, dem vient *D* = vinde *Gg*, ir veinde *g*, den veienden *gg*, vianden *g.* 16. Wart sin arbeit da groz *Ggg.* 17. lihte *DG.* 18. = Daz si daz *Ggg.* 20. enmiten *Ggg.* 21. Verdaht *G.* 22. Chos *Ggg.* Artuss *D*, artus *Gg.* 23. Sin-sin *dg*, sinen-sinen *DGgg*, Den-den *gg.* 25. = Alsus *Ggg.* 28. Er erb. *G.*
30. Fron kunew. *G.*

218, 1. spracher *G* oft. 3. mich es (michs *D*) twinget *Dd* = twinget miches (mich sin *gg*, mich des *g*) *Ggg.* 4. sin *D*, Sinen *dg, fehlt Ggg.* iu enbot *Dg*, iu enbiut *Ggg*, enbiut eu *dgg.* 5. Unde wil *Ggg.* vil *fehlt Ggg.* 7. bit *G*, hiez *gg.* artusen *dg, vergl.* 215, 4. 10. da strit *D.* 11. ich *Gg.* swaz *G.* 14. geserten *Ggg*, gesergeten *g*, sichernde *g.* 15. fro schinover *G.* 17. Kai *G.* ouch *fehlt Ggg.* tissce stunt *D.* 18. diz mære wart *D.* 19. Er *Ggg.* imz *G*, ez im *dg*, es *g.* 20. fro kunew. *G.* 21. Doch *G.* er *fehlt D.* 22. gein iu hat *Ggg.* 23. vast *D.* 24. angelogen *gg.* 25. hofschliche *G.* 26. gezogen der mite *Gg.* 28. Doch *Ggg.* 29. heizet *DG.* entwapenen *G.* 30. stende *Gg.*

219 im bat diu juncfrouwe fier
ab nemen helm untz hersnier.
dô manz von im strouft unde
bant,
Clâmidê wart schiere erkant.
5 Kingrûn sach dicke
an in kuntlîche blicke.
dô wurden an den stunden
sîn hende alsô gewunden,
daz si begunden krachen
10 als die dürren spachen.
den tisch stiez von im zehant
Clâmidês scheneschlant.
sînen hêrren frâgter mære:
den vander freuden lære.
15 der sprach 'ich pin ze schaden
geborn.
ich hân sô wirdic her verlorn,
daz muoter nie gebôt ir brust
dem der erkante hôher flust.
mich enriwet niht mîns heres tôt
20 dâ gegen: minne mangels nôt
lestet ûf mich sölhen last,
mir ist freude gestîn, hôhmuot
gast.
Condwîr âmurs frumt mich grâ.
Pilâtus von Poncîâ,
25 und der arme Jûdas,
der bî eime kusse was
an der triwenlôsen vart
dâ Jêsus verrâten wart,
swie daz ir schepfær ræche,
die nôt ich niht verspræche,
220 daz Brôbarzære frouwen lîp
mit ir hulden wær mîn wîp,
sô daz ich se umbevienge,

swiez mir dar nâch ergienge.
5 ir minne ist leider verre
dem künec von Iserterre.
mîn lant untz volc ze Brandigân
müezens immer jâmer hân.
mîns vetern sun Mâbonagrîn
10 leit och dâ ze langen pîn.
nu bin ich, künec Artûs,
her geriten in dîn hûs,
betwungen von ritters hant.
du weist wol daz in mîn lant
15 dir manec laster ist getân:
des vergiz nu, werder man,
die wîle ich hie gevangen sî,
lâz mich sölhes hazzes vrî.
mich sol frou Cunnewâre
20 ouch scheiden von dem vâre,
diu mîne sicherheit enpfienc,
dô ich gevangen für si gienc.'
Artûs vil getriwer munt
verkôs die schulde sâ zestunt.
25 Dô vriesch wîb unde man
daz der künec von Brandigân
was geriten ûf den rinc.
nu dar nâher dringâ drinc!
schiere wart daz mære breit.
mit zühten iesch gesellekeit
221 Clâmidê der freuden âne:
'ir sult mich Gâwâne
bevelhen, frouwe, bin ichs wert.
sô weiz ich wol daz ers ouch
gert.
leist er dar an iwer gebot,
er êrt iuch unt den rîter rôt.'
Artûs bat sîner swester suon
gesellekeit dem künege tuon:

219, 1. Im *Ddg*, In *Ggg*.   phier *G*, scier *D*.   2. den helm *Ggg*.   unde *Gdgg*.   harsnier *G*.   3. abe im *Ggg*.   strouft *g*, stroufte *D*, strauf *g*, nam *Gg*.   und *D*.   6. An im *G*.   7. wart *Ggg*.   8. Sin *dgg*, sine *DG*. so *G*, ser *g*.   10. als *Dg*, Alsam *dgg*, Sam *G*.   11. 12. Ander stunt sin fræude swant Den tisch stiez er von im zehant *gg*.   12. scenescalt *D*, sinschalt *G*.   13. vrâgetr *D*.   14. vant er *G*.   15. = Er *Ggg*.   19. enriuwet *G*, enrewe *dg*.   hers *DG*.   20. Da engegene *Ggg*, Da engein und *g*.   21. Læst *gg*.   22. froude in hohem muote *Gg*.   gestin *D*.   24. pocia *G*. 27. triwenloser *D*.

220, 1. brobarzære *Dd* = briubarz der *Gg*, ze brubarz der *gg*.   6. kunege *D*. 7. unt dez folch ze *G*, unde zlant von *g*.   bradigan *G*.   8. iamerch stan *G*. 9. veteren *G,* veter *D*.   maboagrin *G*, Mubon. *gg*.   10. zelange *Gdg*. 14. in mîme?   16. nu vil *G*.   18. La *Ggg*.   19. fro kunew. *G*. 20. ouch *fehlt Ggg*.   22. gewapent *D*.   23. Artuses *G*.   27 = in *Ggg*. 29. Vil schiere *Ggg*.   30. zuht *Gg*.

221. 5. leistet er *D*.   6. eret *DG*.   8. dem riter *Gg*.

daz wære iedoch ergangen.
10 dô wart wol enphangen
von der werden massenîe
der betwungene valsches vrîe.
ze Clâmidê sprach Kingrûn
'ôwê daz ie kein Bertûn
15 dich betwungen sach ze hûs!
noch rîcher denne Artûs
wær du helfe und urborn,
und hetes dîne jugent bevorn.
sol Artûs dâ von prîs nu tragn,
20 daz Kai durch zorn hât geslagen
ein edele fürstinne,
diu mit herzen sinne
ir mit lachen hât erwelt
der âne liegen ist gezelt
25 mit wârheit für den hôhsten prîs?
die Berteneise ir lobes rîs
Wænent nu hôch gestôzen hân:
ân ir arbeit istz getân,
daz tôt her wider wart gesant
der künec von Kukûmerlant,
222 unt daz mîn hêrre im siges jach
den man gein im in kampfe sach.
der selbe hât betwungen mich
gar âne hælingen slich.
5 man sach dâ fiwer ûz helmen
wæn
unt swert in henden umbe dræn.'
dô sprâchens alle gelîche,
beide arm und rîche,
daz Keie hete missetân.
10 hie sule wir diz mære lân,
und komens wider an die vart

daz wüeste lant erbûwen wart,
dâ krône truoc Parzivâl:
man sach dâ freude unde schal.
15 sîn sweher Tampenteire
liez im ûf Pelrapeire
lieht gesteine und rôtez golt:
daz teilter sô daz man im holt
was durch sîne milte.
20 vil banier, niwe schilte,
des wart sîn lant gezieret.
und vil geturnieret
von im und von den sînen.
er liez dick ellen schînen
25 an der marc sîns landes ort,
der junge degen unervort.
sîn tât was gein den gesten
geprüevet für die besten.
Nu hœrt ouch von der künegîn.
wie möht der imer baz gesîn?
223 diu junge süeze werde
het den wunsch ûf der erde.
ir minne stuont mit sölher kraft,
gar âne wankes anehaft.
5 si het ir man dâ für erkant,
iewederz an dem andern vant,
er was ir liep, als was si im.
swenne ich daz mære an mich
nu nim,
daz si sich müezen scheiden,
10 dâ wehset schade in beiden.
ouch riwet mich daz werde wîp.
ir liute, ir lant, dar zuo ir lîp,
schiet sîn hant von grôzer nôt;
dâ gein si im ir minne bôt.

---

9. Ez *Ggg.* 10. wart er *Ggg.* 11. messenie *G.* 12. frige *G.* 13. ze-
fehlt Ggg. 14. ie dechein *D*, iedehein *G.* 15. gevangen *Ggg.*
17. Wær *g*, wære *DG.* arbor *alle aufser D.* 18. = hetest (het *g*) doch
(auch *g*) *Ggg.* dine iugende *Gg.* bevor *d* = vor *Ggg.* 20. kaie *D.*
= hat durch zorn *Ggg.* 23. lachene het *Gg.* 24. triegen *G.* 26. di
bertenoyse *D*, Die pritanis *G.* 27. Wanenet *G.* hohe *Ggg.* 28. arbeist
D. istz] ist ez *Gg*, ist *Dgg*, wart *d.* 29. tote her *DGdg.* wart
wider *Ggg.*

222, 1. unt *fehlt G.* 2. in champhæ *G*, en chempfe *g.* 4. hælichen *g.* 6. han-
den *Gg.* 7. sprachen si *Dg*, iahens *Ggg*, sprachen *d*, iahen *g.* algeliche *G.*
8. Beidiu *G.* arme *Dgg.* und *D*, unde *G.* 9. kai het *G.* 10. su-
len *G.* 12. erbwen *G*, erbowen *g.* 15. tampunt. *Ggg*
immer. 17. und *fehlt Ggg.* rotes *D.* 19. Was tur *G.* 20. baniere *D.*
= niwer *Ggg.* 21. Der *d, fehlt Ggg.* 24. lie *G.* diche *D*, ditche *G.*
25. march *g*, marche *D.* 26. unervort *dgg*, unerforht *Ggg*, unverforht *D.*
27. getat *gg.* wart *G.* von *Ggg*, vor *g.* 28. Gebrœet *G.* 29. bœret
ouch *Dd* = sprechet *Ggg.*

223, 6. Ietwederz *G*, Ir ietwederz *gg.* 7. also *Dd*, sam *g.* 8. = mih genim
Ggg. 10. wahset *Gg.* 11. schone *Gg*, suoze *gg.* 13. von] un̄ *D.*
11. Da engene (engegen *gg*) sim *Ggg.*

15   eins morgens er mit zühten sprach
(manc rittr ez hôrte unde sach)
'ob ir gebietet, frouwe,
mit urloube ich schouwe
wiez umbe mîne muoter stê.
20 ob der wol oder wê
sî, daz ist mir harte unkunt.
dar wil ich zeiner kurzen stunt,

und ouch durch âventiure zil.
mag ich iu gedienen vil,
25 daz giltet iwer minne wert.'
sus het er urloubs gegert.
er was ir liep, so'z mære giht:
sine wolde im versagen niht.
von allen sînen mannen
schiet er al eine dannen.

16. Daz ez manch riter sach *Gg*, Do er ritter horte und sach *d*.   17. ge-
biet *G*.   21. harte *DG*, gar *g*, *fehlt dgg*.   22. daz *D*.   24. iu dane *Gg*.
25. gilt *G*.   26. urloubs *g*, urloubes *DG*.   2ɜ. woltes im *Ggg*.

V.

224 Swer ruochet hœren war nu kumt
den âventiur hât ûz gefrumt,
der mac grôziu wunder
merken al besunder.
5 lât rîten Gahmuretes kint.
swâ nu getriwe liute sint,
die wünschn im heils: wan ez muoz sîn
daz er nu lîdet hôhen pîn,
etswenne ouch freude und êre.
10 ein dinc in müete sêre,
daz er von ir gescheiden was,
daz munt von wîbe nie gelas
noch sus gesagte mære,
diu schœnr und bezzer wære.
15 gedanke nâch der künegin
begunden krenken im den sin:
den müeser gar verloren hân,
wærz niht ein herzehafter man.
mit gewalt den zoum daz ros
20 truog über ronen und durchez mos:
wandez wîste niemens hant.
uns tuot diu âventiure bekant
daz er bî dem tage reit,
ein vogel hetes arbeit,
25 solt erz allez hân erflogen.
mich enhab diu âventiure betrogen,
sîn reise unnâch was sô grôz
des tages do er Ithêren schôz,
unt sît dô er von Grâharz

kom in daz lant ze Brôbarz.
225 Welt ir nu hœrn wiez im gestê?
er kom des âbnts an einen sê.
dâ heten geankert weideman:
den was daz wazzer undertân.
5 dô si in rîten sâhen,
si wârn dem stade sô nâhen
daz si wol hôrten swaz er sprach.
einen er im schiffe sach:
der het an im alsolch gewant,
10 ob im dienden elliu lant,
daz ez niht bezzer möhte sîn.
gefurriert sîn huot was pfâwîn.
den selben vischære
begunder vrâgen mære,
15 daz er im riete durch got
und durch sîner zühte gebot,
wa er herberge möhte hân.
sus antwurte im der trûric man.
er sprach 'hêr, mirst niht bekant
20 daz weder wazzer oder lant
inre drîzec mîln erbûwen sî.
wan ein hûs lît hie bî:
mit triwen ich iu râte dar:
war möht ir tâlanc anderswar?
25 dort an des velses ende
dâ kêrt zer zeswen hende.
so'r ûf hin komet an den grabn,
ich wæn dâ müezt ir stille habn.

224, 2. Den die g.   7. wunschen G, wnscen D.   heils gg, heiles DG.
wan fehlt Gd.   8. Er muoz nu liden G.   9. Etswanne G.   ouch fehlt Ggg.
12. man g, nyman d.   13. nach sus gesagtem (gesagter g) mære Dg.
14. scœner D, schoner G.   17. des muoser D.   18. Wærz g, Warz G, wærez
D.   herzenhafter Ggg.   20. uber berch Gg.   durchez D, das d = uber
Ggg.   21. enwîste D.   24. hets G.   25. halbez Gg.   26. = Uns habe
Ggg.   30. Brobarz Dd, brovarz g, briubarz G, brubarz gg.

225, 1. hœren DG.   2. abents D, abendes G, abens g.   7. waz Gg.   8. ime
D, in dem G.   scheffe Gg.   9. al fehlt Gdgg.   12. punct nach gefur-
riert D.   phawin Gg, pfawin (wie es scheint) D, phewin gg, pfewin dg,
pfellin g.   13. den selhen wiscære D.   16. uñ durch Dg, Unde och dur
Gdgg.   zuht G.   17. er die Ggg.   moht G.   18. Des Ggg.   trurige DG.
19. er sprach fehlt gg.   herre DG.   mir ist alle aufser G.   unerchant
Gg, umbechant gg.   20. oder] noch Ggg.   21. inre D, Inner g, Inne g,
In Gdgg.   milen DG.   erbŵen D, erbowet g.   22. burch Ggg.   daz
lit gg, diu lit G.   uns hie bî D.   25. veldes Ggg.   27. so ir alle aufser G.

bit die brüke iu nider lâzen
und offen iu die strâzen.'
226 Er tet als im der vischer riet,
mit urlouber dannen schiet.
er sprach 'komt ir rehte dar,
ich nim iwer hînt selbe war:
5 sô danket als man iwer pflege.
hüet iuch: dâ gênt unkunde wege:
ir muget an der lîten
wol misserîten,
deiswâr des ich iu doch niht gan.'
10 Parzivâl der huop sich dan,
er begunde wackerlîchen draben
den rehten pfat unz an den graben.
dâ was diu brükke ûf gezogen,
diu burc an veste niht betrogen.
15 si stuont reht als si wære gedræt.
ez enflüge od hete der wint ge-
wæt,
mit sturme ir niht geschadet was.
vil türne, manec palas
dâ stuont mit wunderlîcher wer.
20 op si suochten elliu her,
sine gæben für die selben nôt
ze drîzec jâren niht ein brôt.
ein knappe des geruochte
und vrâgte in waz er suochte
25 od wann sîn reise wære.
er sprach 'der vischære
hât mich von im her gesant.
ich hân genigen sîner hant
niwan durch der herberge wân.
er bat die brükken nider lân,
227 und hiez mich zuo ziu rîten în.'
'hêrre, ir sult willekomen sîn.

sît es der vischære verjach,
man biut iu êre unt gemach
5 durch in der iuch sande widr,'
sprach der knappe und ' lie die
brükke nidr.
In die burc der küene reit,
ûf einen hof wît unde brêit.
durch schimpf er niht zetretet was
10 (dâ stuont al kurz grüene gras:
dâ was bûhurdiern vermiten),
mit baniern selten überriten,
alsô der anger z'Abenberc.
selten frœlîchiu werc
15 was dâ gefrümt ze langer stunt:
in was wol herzen jâmer kunt.
wênc er des gein in enkalt.
in enpfiengen ritter jung unt alt.
vil kleiner junchêrrelîn
20 sprungen gein dem zoume sîn:
ieslîchez für dez ander greif.
si habten sînen stegreif:
sus muoser von dem orse stên.
in bâten ritter fürbaz gên:
25 die fuorten in an sîn gemach.
harte schiere daz geschach,
daz er mit zuht entwâpent wart.
dô si den jungen âne bart
gesâhen alsus minneclîch,
si jâhn, er wære sælden rîch.
228 Ein wazzer iesch der junge man,
er twuoc den râm von im sân
undern ougen unt an handen.
alt und junge wânden
5 daz von im ander tag erschine.
sus saz der minneclîche wine.

---

29. bittet D. die bruke (bruk g, brucken gg) iu Ggg, iu die brukken (brucke
d, brügge g, bruchge g) Ddgg.
226, 1. tet] et G. visscære D, vischare G. 3. reht G. 4. So nim ich iwer
Gg. hinte D. 6. huetet D. 8. wol Dg, Vil wol die übrigen. 9. Des-
war G. = doch fehlt Ggg. niene gan G. 11. gewarlichen G.
13. Do Gg. 15. reht fehlt D. 16. oder DG. hiet g, fehlt G. wat G.
18. mangiu Gg, manigen dg. 19. Stuonden (Stuent g) da Ggg. 20. ob sî D.
suohten G, so auch 23. 24. 24. was er D. 25. odr wannen D, oder wa-
nen·G. 29. Niwan Dg, Niht wan dgg, fehlt Gg. wan? der fehlt d.
30. bruke Gdgg.

227, 1. zuo iu G. 3. ez D. 4. biutet D. 6. brukken gg. 9. Mit
schimpher niht Ggg. zetretet g, zetret D, zertretet G. 11. buhurdieren D,
buhurt gar Gg. 12. banieren DG. uber geriten Ggg. 13. So Gg.
zuo obenberg d, datze babenberch Gg. 15. zemanger Gg. 17. engalt G.
18. iunch G. uñ DG. 21. furz D, fur daz G. 22. halten G, habtan g.
25. = Si Ggg, Und g. 26. schier G. 29. Sahn g. also Gg. 30. iahen
DG. wær gg.

228, 3. Under Gg. an DG, fehlt d, an den gg. 4. Alte G. 5. ein ander
Ggg. erscin-win Dg. 6. Do Ggg.

gar vor allem tadel vrî
mit pfelle von Arâbî
man truoc im einen mantel dar:
10 den legt an sich der wol gevar;
mit offenre snüere.
ez was im ein lobs gefüere.
 dô sprach der kamerære kluoc
'Repanse de schoye in truoc,
15 mîn frouwe de künegîn:
ab ir sol er iu glihen sîn:
wan iu ist niht kleider noch gesniten.
jâ mohte ich sis mit êren biten:
wande ir sît ein werder man,
20 ob ichz geprüevet rehte hân.'
'got lôn iu, hêrre, daz irs jeht.
ob ir mich ze rehte speht,
sô hât mîn lîp gelücke erholt:
diu gotes kraft gît sölhen solt.'
25 man schancte im unde pflac sîn sô,
die trûregen wâren mit im vrô.
man bôt im wirde und êre:
wan dâ was râtes mêre
denne er ze Pelrapeire vant,
die dô von kumber schiet sîn hant.
229 Sîn harnasch was von im getragen:
daz begunder sider klagen,
dâ er sich schimpfes niht versan.
ze hove ein redespæher man
5 bat komn ze vrävellîche
den gast ellens rîche
zem wirte, als ob im wære zorn.
des het er nâch den lîp verlorn
von dem jungen Parzivâl.

10 dô er sîn swert wol gemâl
ninder bî im ligen vant,
zer fiuste twanger sus die hant
daz dez pluot ûzen nagelen schôz
und im den ermel gar begôz.
15 'nein, hêrre,' sprach diu ritterschaft,
'ez ist ein man der schimpfes kraft
hât, swie trûrc wir anders sîn:
tuot iwer zuht gein im schîn.
ir sultz niht anders hân vernomn,
20 wan daz der vischær sî komn.
dar gêt: ir sît im werder gast:
und schütet ab iu zornes last.'
si giengen ûf ein palas.
hundert krône dâ gehangen was,
25 vil kerzen drûf gestôzen,
ob den hûsgenôzen,
kleine kerzen umbe an der want.
hundert pette er ligen vant
(daz schuofen dies dâ pflâgen):
hundert kulter drûffe lâgen.
230 Ie vier gesellen sundersiz,
da enzwischen was ein underviz.
derfür ein teppech sinewel,
fil li roy Frimutel
5 mohte wol geleisten daz.
eins dinges man dâ niht vergaz:
sine hete niht betûret,
mit marmel was gemûret
drî vierekke fiwerrame:
10 dar ûffe was des fiwers name,
holz hiez lign alôê.
sô grôziu fiwer sît noch ê

7. zadel *dg.* 8. Ein phelle *G.* 9. = braht im *Ggg.* mandel *G.* 10. leit *G.*
11. ofner *g*, offener *die übrigen.* 12. Daz *Ggg.* im *fehlt Gg.* ein *fehlt g.*
lobs *Dgg*, lobes *G.* 14. Repanse de scoye *Dd* = Urepans de tschoye *g.*
Urrepansch detschoy *g*, Urrepanschoye *G.* 15. de *für* diu *hat immer nur D.*
16. Ober iu (Uber euch *g*) sol gelihen sin *Gg.* gelihen *alle, nur* gleichet *g.*
17-24 *fehlen G.* 17. = wan *fehlt gg.* 18. = Ouch *gg.* ir sis *gg.*
19. = sit ouch ein *gg.* 21. daz] sit *gg.* 26. trurigen *G*, truorigen *D.*
al vro *D.* 27-229, 18 *fehlen G.*
229, 2. daz begundr sider sere chlagen *D.* 3. Do *g.* 4. wortspeher *g.* 5. ze
fehlt gg. 12. sus *Dd* = so *gg.* 13. dez *D*, *fehlt gg*, ime daz *dgg*, im *g.*
negein *gg.* 17. swi trurech *D.* 18. an im *gg.* 19. iren *D.* 19-22. N
wart ouch schiere do vernomen. Daz der vischare ware chomen. Zuo dem
gie der werde gast. An dem des wunsches niht gebrast *G.* 20. ist *g.*
21. Zdem get *gg.* im *Dg*, *fehlt g*, im ein *dgg.* 22. schuttet *Dg*, legt *gg*,
lat *dg.* ladet? zorens *D.* 23. in *gg.* einen *Dg.* 24. Wol hundert *G.*
27. Vil chleiner cherzen *Ggg.* al umbe *D.* 28. Wol hundert beter ligen
vant *G.* 29. 30. Mit gulteren riche. geriht herliche *G.* 29. = Ez *gg.*
30. kolter *g*, golter *g*, gulter *g.*
230, 1. 2 *fehlen G.* 1. 9. fier *D.* 2. da zwiscen *D.* 3. dı fûr *D*, Da vur *G.*
tepch sinwel *G.* 4. fillu roy *D*, Fili Roi *g*, Fillurois *g*, Filiroys *Gd.*
5. Maht *G*, Der moht *gg.* 7. 8. betuoret-gemuoret *D.* 9. ram *DG.*
10. fiurs *G.* nam *D.* 11. lingaloe *G*, lignum (lingnum) aloe *dgg.*

8*

sach niemen hie ze Wildenberc:
jenz wâren kostenlîchiu werc.
15 der wirt sich selben setzen bat
gein der mitteln fiwerstat
ûf ein spanbette.
ez was worden wette
zwischen im und der vröude:
20 er lebte niht wan töude.
in den palas kom gegangen
der dâ wart wol enpfangen,
Parzivâl der lieht gevar,
von im der in sante dar.
25 er liez in dâ niht langer stên:
in bat der wirt nâher gên
und sitzen, 'zuo mir dâ her an.
sazte i'uch verre dort hin dan,
daz wære iu alze gastlîch.'
sus sprach der wirt jâmers rîch.
231 Der wirt het durch siechheit
grôziu fiur und an im warmiu kleit.
wît und lanc zobelîn,
sus muose ûze und inne sîn
5 der pelliz und der mantel drobe.
der swechest balc wær wol ze lobe:
der was doch swarz unde grâ:
des selben was ein hûbe dâ
ûf sîme houbte zwivalt,
10 von zobele den man tiure galt.
sinwel arâbsch ein borte
oben drûf gehôrte,
mitten dran ein knöpfelîn,
ein durchliuhtic rubîn.
15 dâ saz manec ritter kluoc,
dâ man jâmer für si truoc.

ein knappe spranc zer tür dar în.
der truog eine glævîn
(der site was ze trûren guot):
20 an der snîden huop sich pluot
und lief den schaft unz ûf die hant,
deiz in dem ermel wider want.
dâ wart geweinet unt geschrît
ûf dem palase wît:
25 daz volc von drîzec landen
möhtz den ougen niht enblanden.
er truoc se in sînen henden
alumb zen vier wenden,
unz aber wider zuo der tür.
der knappe spranc hin ûz derfür.
232 Gestillet was des volkes nôt,
als in der jâmer ê gebôt,
des si diu glævîn het ermant,
die der knappe brâhte in sîner hant.
5 wil iuch nu niht erlangen,
sô wirt hie zuo gevangen
daz ich iuch bringe an die vart,
wie dâ mit zuht gedienet wart.
zende an dem palas
10 ein stählîn tür entslozzen was:
dâ giengen ûz zwei werdiu kint.
nu hœrt wie diu geprüevet sint.
daz si wol gæben minnen solt,
swerz dâ mit dienste het erholt.
15 daz wâren juncfrouwen clâr.
zwei schapel über blôziu hâr
blüemîn was ir gebende.
iewederiu ûf der hende
truoc von golde ein kerzstal.
20 ir hâr was reit lanc unde val.

13. hietze *G.* 　wildeberch *g.* 　14. îenez *D.* 　chostchlichiu *G*, chostlichiu
dgg. 　15. sitzen *Ggg.* 　16. miteren *Ggg.* 　hertstat *gg.* 　17. An *Ggg.*
spanbete (*aber* wette) *G.* 　20. tounde *G*, towende *D.* 　21. Uf *G.* 　25 nach
26 *Ggg.* 　25. Der *D.* 　lie *G.* 　lenger *G.* 　.27. vñ sizzen *D*, Er sprach
sitzen *d* = Sitzet *Ggg.* 　dâ] hie *G.* 　28. ich iuch *alle.* 　29. iu *fehlt Gg.*
30. sus *D* = So *Gg*, Do *g*, *fehlt gg.* 　Der wurt was jomers rich *d.*
231, 1. dur siecheit *G.* 　2. an im *fehlt Gdgg.* 　3. und *fehlt Gg.* 　zoblin *D.*
4. uzze und inne *g*, uez und innen *gg*, 　uzen vñ innen *DGdgg.* 　5. der-der
D, Der-ein *g*, Ein-der *gg*, Ein-ein *Gdgg.* 　pelliz *D*, bellitz *g*, belz *Gdgg.*
6. swechest *gg*, swechst *g*, swecheste *DG.* 　was *Ggg.* 　8. alda *D.*
11. Sinewel arabensch *G.* 　porte *D und die meisten.* 　13. Dar an was
ein *Gg.* 　kneuflin *g*, chophelin *G.* 　17. dar *Dgg*, her *Gdgg*, hin *g.*
18. glevîn *D*, clavin *Ggg.* 　21. ûf *Dgg*, an *Gdgg.* 　22. deiz *D*, Daze im *G*,
Daz *dgg*, Daz ez *gg.* 　= an dem *Ggg.* 　24. In *Ggg.* 　26. mohtez *DG*, Moht *g.*
28. Zallen (Zen allen *G*) vier wenden *Ggg.* 　29. hin zer (hinz der *gg*) tur *Ggg.*
232, 1. = wart *Ggg.* 　3. gleven *D*, glævei *g*, gleve *g*, clavine *G.* 　4. der
knappe brahte *Dd* = der chnape truoch *Gg*, truoch ein chnappe *gg.* 　in der
hant *Gg.* 　6. hie angefangen *Ggg.* 　10. stælin *G.* 　16. tschapel *G.*
blozez *Ggg*, blosz *d.* 　17. bluomen *alle aufser G.* 　18. Ietwedriu *G*, Iewer-
driu *g.* 　der *D*, einer *d*, ir *die übrigen.* 　19. cherze stal. *G*, kerzenstal *gg.*
20. reit (reid *D*) lanch *Dg*, rot reit *d*, lanch reit (reid *g*) *Ggg*, reit *g.*

si truogen brinnendigiu lieht.
hie sule wir vergezzen nieht
umbe der juncfrowen gewant,
dâ man se kumende inne vant.
25 de grævîn von Tenabroc,
brûn scharlachen was ir roc:
des selben truoc ouch ir gespil.
si wâren gefischieret vil
mit zwein gürteln an der krenke,
ob der hüffe ame gelenke.
233 Nâch den kom ein herzogîn
und ir gespil. zwei stöllelîn
si truogen von helfenbein.
ir munt nâch fiwers rœte schein.
5 die nigen alle viere:
zwuo satzten schiere
für den wirt die stollen.
dâ wart gedient mit vollen.
die stuonden ensamt an eine schar
10 und wâren alle wol gevar.
den vieren was gelîch ir wât.
seht wâ sich niht versûmet hât
ander frouwen vierstunt zwuo.
die wâren dâ geschaffet zuo.
15 viere truogen kerzen grôz:
die andern viere niht verdrôz,
sine trüegen einen tiuren stein,
dâ tages de sunne lieht durch schein.
dâ für was sîn name erkant:
20 ez was ein grânât jâchant,
beide lanc unde breit.
durch die lîhte in dünne sneit

swer in zeime tische maz;
dâ obe der wirt durch rîchheit az.
25 si giengen harte rehte
für den wirt al ehte,
gein nîgen si ir houbet wegten.
viere die taveln legten
ûf helfenbein wîz als ein snê,
stollen die dâ kômen ê.
234 Mit zuht si kunden wider gên,
zuo den êrsten vieren stên.
an disen aht frouwen was
röcke grüener denn ein gras,
5 von Azagouc samît,
gesniten wol lanc unde wît.
dâ mitten si zesamne twanc
gürteln tiur smal unde lanc.
dise ahte juncfrouwen kluoc,
10 ieslîchiu ob ir hâre truoc
ein kleine blüemîn schapel.
der grâve Iwân von Nônel
unde Jernîs von Rîl,
jâ was über manege mîl
15 ze dienst ir tohter dar genomn:
man sach die zwuo fürstîn komn
in harte wünneclîcher wât.
zwei mezzer snîdende als ein grât
brâhten si durch wunder
20 ûf zwein twehelen al besunder.
daz was silber herte wîz:
dar an lag ein spæher vlîz:
im was solch scherpfen niht vermiten,
ez hete stahel wol versniten.

---

21. brinnendigiu *D*, brindiu *G*, brinendiu *g*, brinnundiu *g*, brinnende *dgg*.
22. sulen *G*.   24. si chomende *G*.   25. gravin *G*, grævinne *D*.   tene-
broch *G und alle aufser D*.   26. scharlach *Gg*, sharlat *g*.   28. warn *gg*.
gefitschiert *G*.   30. huf an dem *G*.

233, 1. den *DG*, den zwein *dg*, der *gg*.   = giench *Ggg*.   5. niegen *D*.
6. Zwo *Dd* = Die zwo (zwu *g*, zo̊ *G*) *Ggg*.   sasten *d*.   9. = Si *Ggg*.
sampt *dgg*, sament *G*.   einer *Gdgg*.   12. nu seht *D*.   13. Andere *G*.
zẘ *D*, zwo *G*.   14. geschaft *G*.   18. diu *G*.   20. Er *G*.   iochant *Ggg*.
21. Beidiu *G*.   22. die lieht *G*, diu lieht *gg*.   dune *G*.   24. da (Dar *gy*)
obe (oben *g*) *Dyg*, Dar abe *Gdgg*.   25. harte] alle *Ggg*.   26. alle *Gdg*.
æhte *D*, ahte *G*.   27. houbt *G*.   28. Vier die tafelen *G*.   29. 30 *fehlen G*.

234, 1. chuden *G*.   3. An den *Gdgg*, An *g*.   ahte *G*.   6. wol *fehlt Ggg*.
7. Da enmiten *Ggg*.   8. Gurtel *Gdgg*.   tiur *gg*, tiure *D*, *fehlt G*.
9. = Die *gg*, Diu *G*.   ahte *Gdg*.   iunchfrouwen *Gdgg*, frouwen *Dg*.
11. bluomen *dgg*.   tschapel *G*.   12. Iwein *Ggg*.   13. unt *D*.   = Ger-
nis *gg*, kernis *G*.   Rîl *D*, Rile *dgg*, kile *Ggg*.   14. = Ez *Ggg*.   mile
alle aufser D.   16. zo̊ *G*, zwo *D*, *oft*.   furstinne *G*.   18. snident *g*.
19. = Truogen *Ggg*.   20. = In *Ggg*.   al *fehlt Gdg*.   sunder *G*.
21. Diu (Sû *d*, Ir sniden *g*) waren von silber (w. silberin herte *d*) wiz *Gdg*.
herte *d*, hert vn *Dg*,   harte *gg*.   23. In *Gd*.   solch] ir *Gg*, sî *g*.   scherphe
alle aufser D.   24. Si heten *Gdg*.   stal *Gg*.   gesniten *Gd*.

25 vorm silber kômen frouwen wert,
der dar ze dienste was gegert:
die truogen lieht dem silber bî;
vier kint vor missewende vrî.
sus giengen se alle sehse zuo:
nu hœrt was ieslîchiu tuo.
235 Si nigen. ir zwuo dô truogen dar
ûf die taveln wol gevar
daz silber, unde leitenz nidr.
dô giengen si mit zühten widr
5 zuo den êrsten zwelven sân.
ob i'z geprüevet rehte hân,
hie sulen ahzehen frouwen stên.
âvoy nu siht man sehse gên
in wæte die man tiure galt:
10 daz was halbez plîalt,
daz ander pfell von Ninnivê.
dise unt die êrsten sehse ê
truogen zwelf röcke geteilt,
gein tiwerr kost geveilt.
15   nâch den kom diu künegîn.
ir antlütze gap den schîn,
si wânden alle ez wolde tagen.
man sach die maget an ir tragen
pfellel von Arâbî.
20 ûf einem grüenen achmardî
truoc si den wunsch von pardîs,
bêde wurzeln unde rîs.
daz was ein dinc, daz hiez der Grâl,
erden wunsches überwal.
25 Repanse de schoy si hiez,
die sich der grâl tragen liez.
der grâl was von sölher art:
wol muoser kiusche sîn bewart,

die sîn ze rehte solde pflegn:
die muose valsches sich bewegn.
236 Vorem grâle kômen lieht:
diu wârn von armer koste nieht;
sehs glas lanc lûter wolgetân,
dar inne balsem der wol bran.
5 dô si kômen von der tür
ze rehter mâze alsus her für,
mit zühten neic diu künegîn
und al diu juncfröwelîn
die dâ truogen balsemvaz.
10 diu küngîn valscheite laz
sazte für den wirt den grâl.
dez mære giht daz Parzivâl
dicke an si sach unt dâhte,
diu den grâl dâ brâhte:
15 er het och ir mantel an.
mit zuht die sibene giengen dan
zuo den ahzehen êrsten.
dô liezen si die hêrsten
zwischen sich; man sagte mir,
20 zwelve iewederthalben ir.
diu maget mit der krône
stuont dâ harte schône.
swaz ritter dô gesezzen was
über al den palas,
25 den wâren kameræere
mit guldîn becken swæere
ie viern geschaffet einer dar,
und ein junchêrre wol gevar
der eine wîze tweheln truoc.
man sach dâ rîcheit genuoc.
237 Der taveln muosen hundert sîn,
die man dâ truoc zer tür dar în.

25. Vorm *gg*, Vorem *D*, Vor dem *G*.   26. da *alle aufser DG*.   29. = Die
Ggg, Si *gg*.   si *D*, *fehlt allen übrigen*.   viere *Gg*.   30. iegel. *G*.
235, 1. = Ez nigen *Ggg*.   dô] = vñ *Ggg*.   5. Aber zuo den ersten stan *G*.
stan *ddg*.   6. iz *g*, ich *D*, ihz *G*, ichz *ddgg*.   reht geparliert han *g*.
10. = Ez *Ggg*.   blialt *d*.   11. pfelle *DG*.   ninve *G*.   13. 14. geteilet-
geveilet *alle aufser G*.   14. tiur *G*, tiurr *g*, teurre *g*.   15. gie *Ggg*.
16. Der *Ggg*.   19. Phelle *Gdgg*.   von arabis *G*.   20. gruenem *D*.
achmardis *G*.   21. paradis *alle aufser DG*.   22. Beidiu *G*.   = wurz *Ggg*.
23. dinch hiez *G*.   24. Erden wunsch *Gdgg*.   uber val *g*, uber al *Gdgg*.
25. Repanse de *Ddg*, Urrepanse de *gg*, Urrepan *G*.   schoy *g*, schoye *Gdgg*,
scoye *D*, shoie *g*, tschoie *g*.   = si *fehlt Ggg*.   26. Die man *Gg*.   den
Gdgg.   28. muose ir *Ddgg*.   29. 30. Diu *DG*.   29. zereht solte *G*.
236, 2. die *D*.   3. lanc *fehlt Gddgg*.   luter vñ *Gd*.   6. = sus *gg*, *fehlt*
Gg.   8. iunchfröwelin *G*.   9. di *D*.   balsam *D*.   10. kunigin *dg*, kuneginne *D*,
chunginne *G*.   = valsches *Ggg*.   12. Dez *G*, Daz *dgg*, diz *Ddg*, Dizze *g*.
16. die selben *Gg*.   19. sich] sie *dg*, in *Gg*.   20. ietwerder halben *G*,
iwerderhalben *g*.   23. da *Gg*.   26. guldinen *DG*.   27. vieren *G*, fieren *D*.
geschaft *G*. einer *fehlt G*.
237, 1. tavelen *G*.   muosen hundrt *G*, hundert muosten *D*.   2. dâ] do *D*.
her in *G*.

man sazte ieslîche schiere
für werder ritter viere:
5 tischlachen var nâch wîze
wurden drûf geleit mit vlîze.
der wirt dô selbe wazzer nam:
der was an hôhem muote lam.
mit im twuoc sich Parzivâl.
10 ein sîdîn tweheln wol gemâl
die bôt eins grâven sun dernâch:
dem was ze knien für sî gâch.
swâ dô der taveln keiniu stuont,
dâ tet man vier knappen kuont
15 daz se ir diens niht vergæzen
den die drobe sæzen.
zwêne knieten unde sniten:
die andern zwêne niht vermiten,
sine trüegen trinkn und ezzen dar,
20 und nâmen ir mit dienste war.
hœrt mêr von rîchheite sagen.
vier karrâschen muosen tragen
manec tiwer goltvaz
ieslîchem ritter der dâ saz.
25 man zôhs zen vier wenden.
vier ritter mit ir henden
mans ûf die taveln setzen sach.
ieslîchem gieng ein schrîber nâch,
der sich dar zuo arbeite
und si wider ûf bereite,
238 Sô dâ gedienet wære.
nu hœrt ein ander mære.
hundert knappen man gebôt:
die nâmn in wîze tweheln brôt
5 mit zühten vor dem grâle.
die giengen al zemâle
und teilten für die taveln sich.

man sagte mir, diz sag ouch ich
ûf iwer ieslîches eit,
10 daz vorem grâle wære bereit
(sol ich des iemen triegen,
sô müezt ir mit mir liegen)
swâ nâch jener bôt die hant,
daz er al bereite vant
15 spîse warm, spîse kalt,
spîse niwe unt dar zuo alt,
daz zam unt daz wilde.
esn wurde nie kein bilde,
beginnet maneger sprechen.
20 der wil sich übel rechen:
wan der grâl was der sælden fruht,
der werlde süeze ein sölh genuht,
er wac vil nâch gelîche
als man saget von himelrîche.
25 in kleiniu goltvaz man nam,
als ieslîcher spîse zam,
salssen, pfeffer, agraz.
dâ het der kiusche und der vrâz
alle gelîche genuoc.
mit grôzer zuht manz für si truoc.
239 Môraz, wîn, sinopel rôt,
swâ nâch den napf ieslîcher bôt,
swaz er trinkens kunde nennen,
daz mohter drinne erkennen
5 allez von des grâles kraft.
diu werde geselleschaft
hete wirtschaft vome grâl.
wol gemarcte Parzivâl
die rîcheit unt daz wunder grôz:
10 durch zuht in vrâgens doch verdrôz.
er dâhte 'mir riet Gurnamanz
mit grôzen triwen âne schranz,

---

3. sazta *g.*　　8. hohmuote *D.*　　10. eine sidine *D.*　　twehel *Gddg.*　　11. die
Dd, Do *d* = *fehlt Ggg.*　　12. zechomene *Ggg.*　　13. do *fehlt Gg*, da *g*, so *g.*
dech. *D*, deh. *G*, eineu *g.*　　15. diens *D*, dienst *g*, dienstes *die übrigen.*
16. di drob *D.*　　19. Si truogen *ddgg.*　　trinchen *vñ* ezzen *Dddgg*, spise
unde trinchen *Gg.*　　21. hœret mer *D*, Hort me *G.*　　richeit *alle aufser D.*
22. karrotschen *g*, craschenære *G.*　　24. Ieslich *Gg.*　　25. man zohse *D*, Si
zugen *Ggg.*　　zevier *Ggg.*　　28. gie *D.*　　scribære *D*, schribare *G*, schiubær *g.*
29. dar zuo zeigte *Gg.*　　30. vh es widr *D.*

238, 1. So gedient ware *G.*　　2. horet andriu *Ggg.*　　3. Wol hundert *G.*
4. namen *DG.*　　twehelen *G*, twehln *g.*　　6. = Si *Ggg.*　　8. seite *Gg.*
seit ez *g.*　　daz *Gdgg*, nuo *d.*　　10. vor dem *D.*　　was *Ggg.*　　12. mue-
zet *DG.*　　13. = Wan swa nach *Ggg.*　　iener *DGgg*, einer *g*, yemer *d*, ieg-
licher *dg.*　　14. erz *G*, er daz *g.*　　bereite *D*, bereit *Gdgg*, beraitet *dg.*
da vant *G.*　　15. warem *D.*　　16. unt *fehlt Gd.*　　18. Esne w. *G*, es enw.
D.　　dech. *D*, deh. *G.*　　22. werelde *D.*　　ein] al *D.*　　27. Salsen phepher
G.　　30. Mit zuhten *G.*　　man *dgg.*　　für sî *D.*

239, 1. = siropel *Ggg*, siropl *g.*　　2. Swar nach *Ggg.*　　3. moht *Gg.*　　= ge-
nenen *Ggg.*　　7. Het *Ggg*, heten *D.*　　vor dem *G.*　　8. gemarhte *G.*
11. gurom. *G.*　　12. = guoten *Ggg*, rechten *g.*

ich solte vil gevrâgen niht.
waz op mîn wesen hie geschiht
15 die mâze als dort pî im?
âne vrâge ich vernim
wiez dirre massenîe stêt.'
in dem gedanke nâher gêt
ein knappe, der truog ein swert:
20 des palc was tûsent marke wert,
sîn gehilze was ein rubîn,
ouch möhte wol diu klinge sîn
grôzer wunder urhap.
der wirt ez sîme gaste gap.
25 der sprach 'hêrre, ich prâhtz in nôt
in maneger stat, ê daz mich got
ame lîbe hât geletzet.
nu sît dermit ergetzet,
ob man iwer hie niht wol enpflege.
ir mugetz wol füeren alle wege:
240 Swenne ir geprüevet sînen art,
ir sît gein strîte dermite bewart.'
ôwê daz er niht vrâgte dô!
des pin ich für in noch unvrô.
5 wan do erz enpfienc in sîne hant,
dô was er vrâgens mit ermant.
och riwet mich sîn süezer wirt,
den ungenande niht verbirt,
des im von vrâgn nu wære rât.
10 genuoc man dâ gegeben hât:
dies pflâgen, die griffenz an,
si truognz gerüste wider dan.
vier karrâschen man dô luot.
ieslîch frouwe ir dienest tuot,
15 ê die jungsten, nu die êrsten.
dô schuofen se abr die hêrsten
wider zuo dem grâle.

dem wirte und Parzivâle
mit zühten neic diu künegîn
20 und al diu juncfröwelîn.
si brâhten wider în zer tür
daz si mit zuht ê truogen für.
Parzivâl in blicte nâch.
an eime spanbette er sach
25 in einer kemenâten,
ê si nâch in zuo getâten,
den aller schœnsten alten man
des er künde ie gewan.
ich magez wol sprechen âne guft,
er was noch grâwer dan der tuft.
241 Wer der selbe wære,
des freischet her nâch mære.
dar zuo der wirt, sîn burc, sîn lant,
diu werdent iu von mir genant,
5 her nâch sô des wirdet zît,
bescheidenlîchen, âne strît
unde ân allez für zogen.
ich sage die senewen âne bogen.
diu senewe ist ein bîspel.
10 nu dunket iuch der boge snel:
doch ist sneller daz diu senewe jaget.
ob ich iu rehte hân gesaget,
diu senewe gelîchet mæren sleht:
diu dunkent ouch die liute reht.
15 swer iu saget von der krümbe,
der wil iuch leiten ümbe.
swer den bogen gespannen siht,
der senewen er der slehte giht,
man welle si zer biuge erdenen
20 sô si den schuz muoz menen.
swer aber dem sîn mære schiuzet,
des in durch nôt verdriuzet:

15. = Der (Inder *g*) maze *Ggg.*   16. fragen *alle aufser DG.*   ich wol *g,*
ich dane wol *G.*   17. massenide *D.*   20. balch *G.*   21. = Daz (Des *g*) geh.
Ggg, Sin knopf *g.*   24. es *D.*   25. = Er *Ggg.*   brahtz *G,* bratz *g.*   26. An
Ggg.   27. hete *Gg.*   29. pflege *alle aufser DG.*   30. wol *fehlt Ggg.*
240,   5. wand erz *D,* Wan daz erz *g.*   6. = dermite gemant *Ggg.*   8. Unge-
nade in niht *Ggg.*   ungenade *alle aufser D.*   9. vragen *Dgg,* frage *Gdgg.*
nu *fehlt Ggg.*   10. gnuoch *D.*   12. = Unt *Gyg.*   truogenz *G,* trugenz *D.*
13. chræschen *G.*   dô] ê *D.*   15. iungesten *DG.*   23. im *Gg.*   24. er-
sach *D,* do sach *gg.*   dersach?   25. chemnaten *G.*   26. = taten *Ggg.*
29. muoz wol *Ggg.*   30. wizer *D.*   danne ein *Ggg.*
241,   2. freischet ir *Ggg.*   3. diu burch *Gdgg.*   4. di werden *D.*   5. wirt *G.*
7. Unde allez rehte vur gezogen *Gg.*   8. senwe ungelogen *Gg.*   10. = Ouch
Ggg.   duncht *G.*   11. = Noch *Ggg.*   14. di *D.*   dunket *dgg.*   ouch
die] alle *G.*   15. Wan swer *Ggg.*   seit *Ggg.*   16. fuoren *G.*   17. Wan
swer *gg.*   spannen *G,* gespannet *gg.*   18. Der senwe man *Gg.*   slehte *Dg,*
slihte *die übrigen.*   19. Sine welle sich *Ggg.*   zerbuge *G,* zeder luge *g.*
denen *Gdgg.*   20. muezze *g.*   nemen *Ggg.*   21. = aber *fehlt Ggg.*
dem] denne *gg.* dem tôrn?   22. des in *Dd* = Da ins *Ggg,* Des uns *g.*
Das ins *g,* denens in? *oder so?* swer ab dem sîn mære schiuzet, dens durch
nôt verdriuzet (wan-für).

wan daz hât dâ ninder stat,
und vil gerûmeclîchen pfat,
25 zeinem ôren în, zem andern für.
mîn arbeit ich gar verlür,
op den mîn mære drunge:
ich sagte oder sunge,
daz ez noch paz vernæme ein boc
odr ein ulmiger stoc.
242 Ich wil iu doch paz bediuten
von disen jâmerbæren liuten.
dar kom geriten Parzivâl,
man sach dâ selten freuden schal,
5 ez wære buhurt oder tanz:
ir klagendiu stæte was sô ganz,
sine kêrten sich an schimphen niht.
swâ man noch minner volkes siht,
den tuot etswenne vreude wol:
10 dort wârn die winkel alle vol,
und ouch ze hove dâ man se sach.
der wirt ze sîme gaste sprach
'ich wæn man iu gebettet hât.
sît ir müede, so ist mîn rât
15 daz ir gêt, leit iuch slâfen.'
nu solt ich schrîen wâfen
umb ir scheiden daz si tuont:
ez wirt grôz schade in beiden kuont.
      vome spanbette trat
20 ûfen tepch an eine stat
Parzivâl der wol geslaht:
der wirt bôt im guote naht.
diu rîterschaft dô gar ûf spranc.
ein teil ir im dar nâher dranc:
25 dô fuorten si den jungen man
in eine kemenâten sân.
diu was alsô gehêret
mit einem bette gêret,

daz mich mîn armuot immer müet,
sît d'erde alsölhe rîchheit blüet.
243 Dem bette armuot was tiur.
alser glohte in eime fiur,
lac drûffe ein pfellel lieht gemâl.
die ritter bat dô Parzivâl
5 wider varen an ir gemach,
do'r dâ niht mêr bette sach.
mit urloube se fuoren dan.
hie hebt sich ander dienst an.
      vil kerzen unt diu varwe sîn
10 die gâbn ze gegenstrîte schîn:
waz möhte liehter sîn der tac?
vor sînem bette ein anderz lac,
dar ûfe ein kulter, da er dâ saz.
junchêrren snel und niht ze laz
15 maneger im dar nâher spranc:
si enschuohten bein, diu wâren blanc.
ouch zôch im mêr gewandes abe
manec wol geborner knabe.
vlætec wârn diu selben kindelîn.
20 dar nâch gienc dô zer tür dar în
vier clâre juncfrouwen:
die solten dennoch schouwen
wie man des heldes pflæge
und ober sanfte læge.
25 als mir diu âventiure gewuoc,
vor ieslier ein knappe truoc
eine kerzen diu wol bran.
Parzivâl der snelle man
spranc underz declachen.
sie sagten 'ir sult wachen
244 Durch uns noch eine wîle.'
ein spil mit der île
het er unz an den ort gespilt.
daz man gein liehter varwe zilt,

---

23. daz *Dd* = ez *Ggg.*   enhat *Gg.*   24. Noch vil *gg,* Noch *Ggg.*
gerumecl. *dgg,* geruomcl. *D,* geruml. *gg,* gerumgez *G,* gerumez *g.*   30. ful-
miger *G,* vil vuler *g,* ulmyner *g,* milwiger *g.*

242, 1. muoz *Ggg.*   doch *haben nur Dg.*   mere *Ggg.*   betuten *G.*
2. iamerbernden *G.*   8. minner] min *D.*   9. etwene *G.*   11. Ein teil
man, ir zehofe sach *Gg.*   15. legt iuch *gg,* unde legt euch *g,* und ligent *d,*
eûch legen *g.*   17. Von *Ggg.*   18. = Des *Ggg.*   20. teppech *D.*   27. alsô]
wol *D.*   29. immr *D,* imer *G.*   30. al *fehlt Ggg.*

243, 1. was armuot (armuote *G*) *alle aufser D.*   tîwer *D.*   2. glohte (glue-
get *d*) in *Dd* = gleste uz *Gg.*   dem *g.*   fîwer *D.*   3. phelle *Gdgg.*
wol *Gg.*   6. niht mere *dg,* nimere *G.*   7. si *DG.*   = schie-
den *Ggg.*   10. gaben *DG.*   11. mahte *G.*   13. gulter *G.*   = da er
saz *Ggg.*   14. iunchherrn *D.*   ze *fehlt Gg.*   15. = Ein teil ir im *Ggg,*
Einer ym *g,* Genuog er im *g.*   16. enschuochten *D,* entschuoten *G.*   di *D.*
17. zouch *G.*   19. Flatch *G.*   diu selben] diu *Ggg,* disiu *g.*   20. Nu
seht dort chom. zer tur her in *Ggg.*   21. = vil *Dd.*   22. = Die danoch
wolten (solten *g*) schouwen *Ggg.*   26. ieslier *G,* ieslicher *D.*   29. unders *D.*
30. sprachen *alle aufser D.*

244, 4. Daz mangen liehter *G.*

5 daz begunde ir ougen süezen,
ê si enpfiengen sîn grüezen.
ouch fuogten in gedanke nôt,
daz im sîn munt was sô rôt
unt daz vor jugende niemen dran
10 kôs gein einer halben gran.
dise vier juncfrouwen kluoc,
hœrt waz ieslîchiu truoc.
môraz, wîn unt lûtertranç
truogen drî ûf henden blanc:
15 diu vierde juncfrouwe wîs
truog obz der art von pardîs
ûf einer tweheln blanc gevar.
diu selbe kniete ouch für in dar.
er bat die frouwen sitzen.
20 si sprach 'lât mich bî witzen.
sô wært ir diens ungewert,
als mîn her für iuch ist gegert.'
süezer rede er gein in niht vergaz:
der hêrre tranc, ein teil er az.
25 mit urloube se giengen widr:
Parzivâl sich leite nidr.
ouch sazten junchêrrelîn
ûfen tepch die kerzen sîn,
dô si in slâfen sâhen:
si begunden dannen gâhen.
245 Parzivâl niht eine lac:
geselleclîche unz an den tac
was bî im strengiu arbeit.
ir boten künftigiu leit
5 sanden im in slâfe dar,
sô daz der junge wol gevar
sîner muoter troum gar widerwac,
des si nâch Gahmurete pflac.
sus wart gesteppet im sîn troum

10 mit swertslegen umbe den soum,
dervor mit maneger tjoste rîch.
von rabbîne hurteclîch
er leit in slâfe etslîche nôt.
möhter drîzecstunt sîn tôt,
15 daz heter wachende ê gedolt:
sus teilt im ungemach den solt.
von disen strengen sachen
muos er durch nôt erwachen.
im switzten âdern unde bein.
20 der tag ouch durch diu venster schein.
dô sprach er 'wê wâ sint diu kint,
daz si hie vor mir niht sint?
wer sol mir bieten mîn gewant?'
sus wart ir der wîgant,
25 unz er anderstunt entslief.
nieman dâ redete noch enrief:
si wâren gar verborgen.
umbe den mitten morgen
do erwachte aber der junge man:
ûf rihte sich der küene sân.
246 Ufem teppech sach der degen wert
ligen sîn harnasch und zwei swert:
daz eine der wirt im geben hiez,
daz ander was von Gaheviez.
5 dô sprach er zim selben sân
'ouwê durch waz ist diz getân?
deiswâr ich sol mich wâpen drîn.
ich leit in slâfe alsölhen pîn,
daz mir wachende arbeit
10 noch hiute wætlîch ist bereit.
hât dirre wirt urliuges nôt,
sô leist ich gerne sîn gebot
und ir gebot mit triuwen,
diu disen mantel niuwen

---

7. fuogten im *G*, fuogt im *gg.*   8. Daz in die munde waren rot *G.*   muot *D.*
10. grane *G.*   11. Die *Ggg.*   12. = Nu horet *Ggg.*   was *D.*   iegel. *G.*
13. unt *fehlt Ggg.*   16. Truoch obez *G.*   pardis *D*, bardis *G*, paris *g.*
paradis *die übrigen.*   17. In *Ggg.*   = wiz *Ggg*, lieht *gg.*   18. = ouch
fehlt Ggg.   19. die iuncfrowen *dg*, si alle *Ggg*, sie zu ym *g.*   20. lat
uns *G.*   21. So werdet ir dienstlich gewert *G.*   wært *gg*, wæret *D.*   dienst *g*,
dienstes *dgg.*   22. Als unser fur iuch *G.*   23. gein in *Dg*, gein ir *dgg*,
fehlt G.   24. *nach* tranch *interpungiert D.*   25. si *DG.*   schieden *Ggg.*
26. der leit sich nider *Gg.*   27. Do *Gg.*   saztan *g.*   diu *Gdgg.*   iunch-
frôwelin *Dg.*   29. si *fehlt G.*
245, 3. ein strengiu *Ggg.*   9. gestept *g*, gestabet *G.*   11. Da vor *G.*   mir *D.*
12. Von rabine hurtchliche *G.*   13. etliche *g*, etslich *Dd*, solhe *Ggg*, solhiu *g.*
19. ader *G*, âder *g*, arm *gg.*   24. ir *Ddgg*, in *Ggg.*   25. an derstunt *Ddg*,
ander wæide *g*, an der wende *Gg.*   26. niemn *D*, Niemen *G.*   rief *G.*
27. Wan si *Ggg.*   28. = Reht *Ggg*, Hin *g.*   an dem *Ggg.*
246, 1. teppeche *D*, tepeche *G.*   vant *Ggg.*   4. kahav. *G.*   5. Sus *D.*
6. We *G.*   warzuo *Ggg*, war uf *g*, warunb *g.*   7. Desw. *G.*   8. = al
fehlt Ggg, ê *g.*   10. watlich *G*, wænech *D*, wene *g*, wæn ich *die übrigen.*
12. gern *D.*

15 mir lêch durch ir güete.
wan stüende ir gemüete
daz si dienst wolde nemn!
des kunde mich durch si gezemn,
und doch niht durch ir minne:
20 wan mîn wîp de küneginne
ist an ir lîbe alse clâr,
oder fürbaz, daz ist wâr.'
er tet alser tuon sol:
von fuoz ûf wâpent er sich wol
25 durch strîtes antwurte,
zwei swert er umbe gurte.
zer tür ûz gienc der werde degen:
dâ was sîn ors an die stegen
geheftet, schilt unde sper
lent derbî: daz was sîn ger.
247 E Parzivâl der wîgant
sich des orses underwant,
mangez er der gadem erlief,
sô daz er nâch den liuten rief.
5 nieman er hôrte noch ensach:
ungefüege leit im dran geschach.
daz het im zorn gereizet.
er lief da er was erbeizet
des âbents, dô er komen was.
10 dâ was erde unde gras
mit tretenne gerüeret
untz tou gar zerfüeret.
al schrînde lief der junge man
wider ze sîme orse sân.
15 mit pâgenden worten
saz er drûf. die porten
vander wît offen stên,
derdurch ûz grôze slâ gên:
niht langer er dô habte,
20 vast ûf die brükke er drabte.

ein verborgen knappe'z seil
zôch, daz der slagebrüken teil
hetz ors vil nâch gevellet nidr.
Parzivâl der sach sich widr:
25 dô wolter hân gevrâget baz.
'ir sult varen der sunnen haz,'
sprach der knappe. 'ir sît ein gans.
möht ir gerüeret hân den flans,
und het den wirt gevrâget!
vil prîss iuch hât betrâget.'
248 Nâch den mæren schrei der gast:
gegenrede im gar gebrast.
swie vil er nâch geriefe,
reht alser gênde sliefe
5 warp der knappe und sluoc die
porten zuo.
dô was sîn scheiden dan ze fruo
an der flustbæren zît
dem der nu zins von freuden gît:
diu ist an im verborgen.
10 umbe den wurf der sorgen
wart getoppelt, do er den grâl
vant,
mit sînen ougen, âne hant
und âne würfels ecke.
ob in nu kumber wecke,
15 des was er dâ vor niht gewent:
ern hete sich niht vil gesent.
Parzivâl der huop sich nâch
vast ûf die slâ dier dâ sach.
er dâht 'die vor mir rîten,
20 ich wæn die hiute strîten
manlîch um mîns wirtes dinc.
ruochten sis, sô wære ir rinc
mit mir niht verkrenket.
dane wurde niht gewenket,

---

18. solde *gg*, wolte *G.*   dur *G.*   21. alse *D*, als *G*, also *dg*, wol so *gg*,
wol also *g.*   24. wapende *D.*   25. = Gein *Ggg.*   27. gieng uz *Ggg.*
28. Do *Gg.*   30. Leint *gg.*

247, 3. gademe *G*, gadm *g.*   5. niemen *DG.*   7. Diz *Ggg.*   zoren *D.*
11. tretene *G*, trettenne *g*, tretten *D.*   13. scrig. *D*, schrig. *G.*   16. uf *G.*
17. Vant er wite *G.*   19. da *Gg.*   20. vaste *DG.*   porte (*corrigiert*) *G.*
Vast gein der port *g.*   drafte *G.*   21. daz *alle.*   22. Zuchte *Ggg.*   slag-
bruken *D*, slage brugen *d*, vallebrucken *g*, slagebrucke ein *gg*, slege bruke
ein *Gg*, slegbruke ein *g.*   26. dr *D.*   30. brises *G.*

248, 1. rief *G.*   5. dî *D.*   porte *G.*   6. dan sceiden *D*, scheiden gar *gg.*
7. flustebæren *D.*   9. Do *Ggg.*   = was *Ggg.*   11. Was *Ggg.*   geto-
pelt *Ggg*, getupelt *g.*   do ern *g.*   15. = ungewent *Ggg.*   16. eren *D*,
Erne *G.*   het *G.*   18. vaste *D*, *fehlt Ggg.*   19. dahte *DG.*   die hie *G.*
for *D.*   rîten *D*, riten *Gg*, súllen reiten *g*, ritent *dgg.*   20. ich wæne die
Dd = Die wane ich *Ggg*, die wellen noch *g*   hiute morgen *G.*   strîten
Dg, striten *Gg*, stritent *dgg.*   21. manliche *D.*   umbe *DG.*   mines wirts *G.*
22. Geruohten *Gdg.*   sone *G*, son *g.*   23. ungechrenchet *Gg.*   24. Da *gg*
= alda *D*, Also *d.*

25 ich hulfe in an der selben nôt,
daz ich gediende mîn brôt
und ouch diz wünneclîche swert,
daz mir gap ir hêrre wert.
ungedient ich daz trage.
si wænent lîhte, ich sî ein zage.’
249 Der valscheite widersaz
kêrt ûf der huofslege kraz.
sîn scheiden dan daz riwet mich.
alrêrst nu âventiurt ez sich.
5 do begunde krenken sich ir spor:
sich schieden die dâ riten vor.
ir slâ wart smal, diu ê was breit:
er verlôs se gar: daz was im leit.
mær vriesch dô der junge man,
10 dâ von er herzenôt gewan.
do erhôrte der degen ellens rîch
einer frouwen stimme jæmerlîch.
ez was dennoch von touwe naz.
vor im ûf einer linden saz
15 ein magt, der fuogte ir triwe nôt.
ein gebalsemt ritter tôt
lent ir zwischenn armen.
swenz niht wolt erbarmen,
der si sô sitzen sæhe,
20 untriwen ich im jæhe.
sîn ors dô gein ir wante
der wênic si bekante:
si was doch sîner muomen kint.
al irdisch triwe was ein wint,
25 wan die man an ir lîbe sach.
Parzivâl si gruozte unde sprach
‘frouwe, mir ist vil leit

iwer senelîchiu arebeit.
bedurft ir mînes dienstes iht,
in iwerem dienste man mich siht.’
250 Si danct im ûz jâmers siten
und vrâgt in wanne er kœme geriten.
si sprach ‘ez [ist] widerzæme
daz iemen an sich næme
5 sîne reise in dise waste.
unkundem gaste
mac hie wol grôzer schade geschehn.
ich hânz gehôrt und gesehn
daz hie vil liute ir lîp verlurn,
10 die werlîche’n tôt erkurn.
kêrt hinnen, ob ir welt genesn.
saget ê, wâ sît ir hînt gewesn?’
‘dar ist ein mîle oder mêr,
daz ich gesach nie burc sô hêr
15 mit aller slahte rîchheit.
in kurzer wîle ich dannen reit.’
si sprach ‘swer iu getrûwet iht,
den sult ir gerne triegen niht.
ir traget doch einen gastes schilt.
20 iuch möht des waldes hân bevilt,
von erbûwenem lande her geritn.
inre drîzec mîln wart nie versnitn
ze keinem bûwe holz noch stein.
wan ein burc diu stêt al ein.
25 diu ist erden wunsches rîche.
swer die suochet flîzeclîche,
leider der envint ir niht.
vil liute manz doch werben siht.
ez muoz unwizzende geschehen,
swer immer sol die burc gesehen.

---

25. in inder *D*. 27. daz *Gdgg*. 29. 30 *fehlen D*.

249, 1. 2. Der valscheite widr sazz. cherte *Ddg*, Sich huop der valscheit (der valsche *G*), der (des *gg*, valsches *gg*) wider satz. Vaste (*so Gg, fehlt gg*) *Ggg*. 4. alrest nu aventiwertez sich *D*. 9. mære *DG*. dô *fehlt Ggg*. 11. Ez *Gg*. vernam *Ggg*. = der helt *Ggg*. riche *G*. 12. iamerliche *G*. 15. vuoget *G*. 16. gebalsemet *G*, gebalsenter *g*. 17. zwischen den *alle*, zwischen ir *g*. 18. Den ez *Ggg*, Dem ez·*gg*. 19. also *Ggg*. 20. iches im *G*. 24. irdesch *G*. 26. und *D*. 27. = Nu wizet (Vil selig *g*) frouwe mir ist leit *Ggg*. vil *D*, sere *d*. 28. senlichiu arbeit *D*. 29. Geruocht *G*. mins diens *D*.

250, 1. nach *Gg*. 2. Si *G*. vraget *D*, fragte *G*. wanne *gg*, wannen *D*, wanen *G*. 5. Sin *dgg*. 7. groz *G*. 8. gehoret *G*. vñ wol *D*. 10. = werliche den *Dd*. ende *Ggg*. churen *Ggg*. 11. Chert hinnen welt ir genesen *Gg*. 12. hînt *fehlt D*. 16. inre churzen *D*. zit *Ggg*. 17. der *Ggg*. getrwet *D*. 21. erbwenem *D*, erbouweme *g*, erbuwem *d*, unerbuwenem *G*, unerbuwem *g*. 22. Inner *gg*, In *Gdgg*. milen *DG*. 23. deh. *G*. buowe *Dg*. 24. Niwan *Ggg*, Neur *g*. 25. ist in erden *G*. 27. der invint *g*, dern vindet *D*, der envindet *G*. 30. Der *G*. immer die burc sol *g*, die burch imer sol *G*, die burc sol (wil) *gg*.

251 Ich wæn, hêr, diust iu niht bekant.
　Munsalvæsche ist si genant.
　der bürge wirtes royâm,
　Terre de Salvæsche ist sîn nam.
5 ez brâhte der alte Tyturel
　an sînen sun. rois Frimutel,
　sus hiez der werde wîgant:
　manegen prîs erwarp sîn hant.
　der lac von einer tjoste tôt,
10 als im diu minne dar gebôt.
　der selbe liez vier werdiu kint.
　bî rîcheit driu in jâmer sint:
　der vierde hât armuot,
　durch got für sünde er daz tuot.
15 der selbe heizet Trevrizent.
　'Anfortas sîn bruoder lent:
　der mac gerîten noch gegên
　noch geligen noch gestên.
　der ist ûf Munsalvæsche wirt:
20 ungenâde in niht verbirt.'
　　si sprach 'hêr, wært ir komen dar
　zuo der jæmerlîchen schar,
　sô wære dem wirte worden rât
　vil kumbers den er lange hât.'
25 der Wâleis zer meide sprach
　'grœzlîch wunder ich dâ sach,
　unt manege frouwen wol getân.'
　bî der stimme erkante sie den man.
　　Dô sprach sie 'du bist Parzivâl.
　nu sage et, sæhe du den grâl
252 unt den wirt freuden lære?
　lâ hœren liebiu mære.

　ob wendec ist sîn freise,
　wol dich der sælden reise!
5 wan swaz die lüfte hânt beslagen,
　dar ob muostu hœhe tragen:
　dir dienet zam unde wilt,
　ze rîcheit ist dir wunsch gezilt.'
　　Parzivâl der wîgant
10 sprach 'wâ von habt ir mich erkant?'
　si sprach 'dâ bin ichz diu magt
　diu dir ê kumber hât geklagt,
　und diu dir sagte dînen namn.
　dune darft dich niht der sippe schamn,
15 daz dîn muoter ist mîn muome.
　wîplîcher kiusche ein bluome
　ist si, geliutert âne tou.
　got lôn dir daz dich dô sô rou
　mîn friwent, der mir zer tjost lac tôt.
20 ich hânn alhie. nu prüeve nôt
　die mir got hât an im gegebn,
　daz er niht langer solde lebn.
　er pflac manlîcher güete
　sîn sterben mich dô müete:
25 och hân ich sît von tage ze tage
　fürbaz erkennet niwe klage.'
　　'ôwê war kom dîn rôter munt?
　bistuz Sigûne, diu mir kunt
　tet wer ich was, ân allen vâr?
　dîn reideleht lanc prûnez hâr,
253 Des ist dîn houbet blôz getân.
　zem fôrest in Brizljân
　sah ich dich dô vil minneclîch,
　swie du wærest jâmers rîch.

251, 1. Ich wæne herre *Dgg*, Ich wane *Gdg*, Herre *g*, Sy sprach *g*.　　diu ist *alle*.
　nur G sist.　iu unbechant *Ggg*.　2. Monsalvasch *d*, Montsalvatsche *g*, Munt-
　schalfatsch *G*, salvæsce *mit æ pflegt nur D zu setzen*.　3. burgare *G*, bur-
　ger *g*.　wirtes *Dd*, wirt ist *gg*, wirt was *G*, wirt *g*.　roian *G*.　4. Der-
　deschalvatsche was *G*, Der de salvatsche was *gg*.　5. Daz *Ggg*.　6. rois
　fehlt g und ist in G von der ersten hand nachgetragen, der kunec *D*.　7. sus
　fehlt Ggg.　8. = Vil mangen *Ggg*.　9. an *Ggg*.　10. ein chungin
　dar *g*, ein chungin *Gg*.　11. lie *G*.　fier *D*.　12. dri *G*.　mit *Ggg*.
　13. hat *Dd*, der hat *gg*, lidet *Gg*.　15. = Der ist geheizen *Ggg*.　trevre-
　zent *Ggg*.　17. nemach *Ggg*.　19. muntsalvatsch *G*.　20. ungenande?
　s. 240, 8.　21. si sprach *fehlt Gg*.　herre *DG*, *fehlt g*.　wart *Gg*, wert
　g, wæret *D*.　24. chumberz *D*.　25. zuo der *D*.　26. Groziu *Gg*, Groz
　dgg.　29. Si sprach *Ggg*.　du bist ez *gg*, bistuz *G*.　30. et *Dd* = *fehlt*
　Ggg, an *gg*, a (*ohne* nu) *g*.

252, 3. = si sin *Ggg*.　6. chrone *Gg*.　7. dient *DG*.　8. Gein *Ggg*.
　rihtuem *g*, riche *g*, reichen *dg*, raichen *g*.　10. bechant *G*.　11. Si iach
　im *gg*.　iz *g*.　12. hât *fehlt D*.　13. und *fehlt G*.　18. lon *g*, lone
　DG.　dô *fehlt Ggg*.　20. Den han ich *G*.　hânn] han *gg*, han in *Ddgg*.
　al *Dgg*, *fehlt Gdgg*.　23. erchenne *D*, erchant *G*.　30. reideloht *Gg*.
　reideloch *g*.

253, 1. Dest din *g*.　2. In dem *Gg*.　voreis *G*, forst *gg*, vorecht *g*.　Prizlian *D*,
　prezilian *g*, brizilan *G*, bricilan *d*, brizilian *g*, brezzilian *g*, Breziliam *g*, Bre-
　cilian *g*.　4. warst *G*.

5 du hâst verlorn varw unde kraft.
dîner herten geselleschaft
verdrüzze mich, solt ich die haben:
wir sulen disen tôten man begraben.'
dô natzten d'ougen ir die wât.
10 ouch was froun Lûneten rât
ninder dâ bî ir gewesen.
diu´riet ir frouwen 'lat genesen
disen man, der den iweren sluoc:
er mag ergetzen iuch genuoc.'
15 Sigûne gerte ergetzens niht,
als wîp die man bî wanke siht,
manege, der ich wil gedagn.
hœrt mêr Sigûnen triwe sagn.
    diu sprach 'sol mich iht gevröun,
20 daz tuot ein dinc, ob in sîn töun
læzet, den vil trûrgen man.
schiede du helflîche dan,
sô ist dîn lîp wol prîses wert.
du füerst och umbe dich sîn swert:
25 bekennestu des swertes segen,
du maht ân angest strîtes pflegen.
Sîn ecke ligent im rehte:
von edelem geslehte
worhtez Trebuchetes hant.
ein brunne stêt pî Karnant,
254 dar nâch der künec heizet Lac.
daz swert gestêt ganz einen slac,
am andern ez zevellet gar:
wilt duz dan wider bringen dar,
5 ez wirt ganz von des wazzers trân.
du muost des urspringes hân,
underm velse, ê in beschin der tac.

der selbe brunne heizet Lac.
sint diu stücke niht verrêrt,
10 der se reht zein ander kêrt,
sô se der brunne machet naz,
ganz unde sterker baz
wirt im valz und ecke sîn
und vliesent niht diu mâl ir schîn.
15 daz swert bedarf wol segens wort:
ich fürht diu habestu lâzen dort:
hâts aber dîn munt gelernet,
sô wehset unde kernet
immer sælden kraft bî dir:
20 lieber neve, geloube mir,
sô muoz gar dienen dîner hant
swaz dîn lîp dâ wunders vant:
ouch mahtu tragen schône
immer sælden krône
25 hôhe ob den werden:
den wunsch ûf der erden
hâstu volleclîche:
niemen ist sô rîche,
der gein dir koste mege hân,
hâstu vrâge ir reht getân.'
255   Er sprach 'ich hân gevrâget niht.
'ôwê daz iuch mîn ouge siht,'
sprach diu jâmerbæriu magt,
'sît ir vrâgens sît verzagt!
5 ir sâhet doch sölch wunder grôz:
daz iuch vrâgens dô verdrôz!
aldâ ir wârt dem grâle bî;
manege frouwen valsches vrî,
die werden Garschiloyen
10 und Repans de schoyen,

---

5. varwe *alle.*   6. dirre herten selleschaft?   7. di *Dd* == si *Ggg.*   8. den *Ggg.* dîn?   9. nazzeten *D,* naztan *g.*   diu *alle, fehlt g.*   ir diu ougen *G.* ir wat *Gg.*   10. fron *G.*   Lunetteu *D.*   12. Diu riet frouwe *G.*   13. der iu den iwern *Gg.*   15. Sine gerte *Gg.*   17. Manger der *Ggg.*   18. von sigunen triwe *oder* triwen *gg,* von sigunen *G.*   19. Si *alle aufser G.* gevroun-toun *D,* gefrouwen-touwen *G.*   20. == Daz ist *Ggg.*   op sin *Gg.* 21. Lat *Gg.*   der *G.*   trurigen *Dgg,* truwen *d,* getrúwen *g,* getriwe *G.* 22. helfechliche *Gg.*   25. == Hastu gelernt *Ggg.*   28. geslæhte *D,* geslahte *G.*

254, 2. == bestet *Ggg.*   3. An dem anderm *g.*   zerv. *G.*   4. wil duz *DG.* dane *G,* denne *D.*   wider *fehlt Gdg.*   5. von dem *G.*   7. underem *D,* Under dem *G.*   e ez *Ggg.*   beschin *dgg,* bescine *D,* beschine *G.* 8. brunne *fehlt D.*   10. rehte *DG.*   14. verliesent diu mal niht *G.* 16. furhte *DG.*   die hastu *D.*   17. Hatse aver *G.*   muot *D.*   18. so wechset *D,* Gewurzet *(durchstrichen, verbessert* So wahset) *G.*   chernt *g,* gechernet *G,* gernet *D,* gernt *g,* geeret *g,* bernt *g,* vernet *g,* schermet *g.* 19. an dir *Ggg.*   23. So *Ggg.*   machtu *D.*   24. In zwein *(unterstrichen)* imer der sælden chrone *G,* der *haben auch dgg.*   27. gewaltchliche *G.* 29. muge *alle aufser D.*

255, 3. iamerbæriu *D,* iamerbere *gg,* iamerbernde *G,* iamerlichen *g,* iæmerliche *dgg.*   4. Daz *Ggg.*   6. da *Gg.*   7. al *fehlt Ggg.*   Do *G.*   wart *g,* waret *DG.*   9. 10 *fehlen G.*   10. Repanse *D,* repansen *d* == urrepans *gg,* urrepansen *g.*   adeschoyen *g.*

und snîdnde silbr und bluotec sper.
ôwê waz wolt ir zuo mir her?
gunêrter lîp, verfluochet man!
ir truogt den eiterwolves zan,
15 dâ diu galle in der triuwe
an iu bekleip sô niuwe.
iuch solt iur wirt erbarmet hân,
an dem got wunder hât getân,
und het gevrâget sîner nôt.
20 ir lebt, und sît an sælden tôt.'
dô sprach er 'libiu niftel mîn,
tuo bezzeren willen gein mir schîn.
ich wandel, hân ich iht getân.'
'ir sult wandels sîn erlân,'
25 sprach diu maget. 'mirst wol bekant,
ze Munsalvæsche an iu verswant
êre und rîterlîcher prîs.
iren vindet nu decheinen wîs
decheine geinrede an mir.'
Parzivâl sus schiet von ir.
256 Daz er vrâgens was sô laz,
do'r bî dem trûregen wirte saz,
daz rou dô grœzlîche
den helt ellens rîche.
5 durch klage und durch den tac
sô heiz
begunde netzen in der sweiz.
durch den luft von im er bant
den helm und fuort in in der hant.
er entstricte die vinteilen sîn:
10 durch îsers râm was lieht sîn schîn.
er kom ûf eine niwe slâ.
wandez gienc vor im aldâ
ein ors daz was wol beslagen,
und ein barfuoz pfäret daz muose
tragen

15 eine frouwen die er sach.
nâch der ze rîten im geschach.
ir pfärt gein kumber was verselt:
man het im wol durch hût gezelt
elliu sîniu rippe gar.
20 als ein harm ez was gevar.
ein bästîn halfter lac dar an.
unz ûf den huof swanc im diu man.
sîn ougen tief, die gruoben wît.
ouch was der frouwen runzît
25 vertwâlet unde vertrecket,
durch hunger dicke erwecket.
ez was dürre als ein zunder.
sîn gên daz was wunder:
wandez reit ein frouwe wert,
diu selten kunrierte pfert.
257 Dâ lac ûf ein gereite,
smal ân alle breite,
geschelle und bogen verrêret,
grôz zadel dran gemêret.
5 der frouwen trûrec, niht ze geil,
ir surzengel was ein seil:
dem was sie doch ze wol geborn.
ouch heten die este und etslich dorn
ir hemde zerfüeret:
10 swa'z mit zerren was gerüeret,
dâ saher vil der stricke:
dar unde liehte blicke,
ir hût noch wîzer denn ein swan.
sîne fuorte niht wan knoden an:
15 swâ die wârn des velles dach,
in blanker varwe er daz sach:
daz ander leit von sunnen nôt.
swiez ie kom, ir munt was rôt:
der muose alsôlhe varwe tragen,
20 man hete fiwer wol drûz geslagen.

---

11. *das erste* und *fehlt G und (nebst dem zweiten) g.*　　snidende *D*, sni-
den *G*, snidic *gg.*　　silber *alle.*　　13. Geunert *Gg.*　　verfluocht *G*, verfluh-
ter *dgg.*　　14. truoget *D*, trugét *Ggg.*　　15. bi *G.*　　16. beleip *Ggg.*
17. iwer *DG.*　　23. = Ich wandelz *Ggg.*　　26. Zemuntsalvatsche *G.*
28. Ir *Gdgg.*　　nu *Ddg*, eu *g*, mer *gg*, nimer *G*, niht mer *g.*　　deheine
Gdgg.　　gwîs *D.*　　29. gagen rede *G.*　　30. do *Ggg.*

256, 1. vas so *D.*　　2. daz er bi *D.*　　trurigem *D.*　　5. Dur-dur *G.*　　7. Dur *G.*
er von im *Ggg.*　　8. furten in der *D.*　　9. Ernstriht *g.*　　vinteilen *Gg*, fin-
teiln *g*, phintalien *g*, fantailen *dg*, fintalen *D*, vintelen *g.*　　12. gienc *fehlt G.*
14. parfuoz *Ddg.*　　pharit *G*, pferht *g.*　　daz *fehlt D.*　　17. = Daz *Ggg.*
pherit *G.*　　18. wol *fehlt Gdg.*　　dur die *Gdgg.*　　21. bastin *G.*　　dar
ane-mane *G.*　　22. die hûf *dg.*　　25. Vertwalt *G.*

257, 1. uffe *G.*　　2. bereite *G.*　　3. 4. verreret-gemeret *alle*, *nur D* verrert-
gemert, *G* verret-gecheret.　　6. surzingel *gg.*　　10. Swaz *g*, swa daz *D*, Swa
ez *die übrigen.*　　zerrene *G.*　　11. Da sach ouch er vil ditche *G.*　　12. Dar
under *G.*　　14. hete *D.*　　hadern *g*, knöpffe *g.*　　swane-ane *G.*　　18. ie
Ggg, ir *D*, echt *g*, *fehlt d.*　　20. Wan *g.*　　= hets *G*, het daz *gg*,
hiet daz *g.*

swâ man se wolt an rîten,
daz was zer blôzen sîten:
[nantes iemen vilân,
der het ir unreht getân:]
25 wan si hete wênc an ir.
durch iwer zuht geloubet mir,
si truoc ungedienten haz:
wîplîcher güete se nie vergaz.
ich saget iu vil armuot:
30 war zuo? diz ist als guot.
doch næme ich sölhen blôzen lîp
für etslîch wol gekleidet wîp.
258 Dô Parzivâl gruoz gein ir sprach,
an in si erkenneclîchen sach.
er was der schönste übr elliu lant;
dâ von sin schiere het erkant.
5 si sagete 'ich hân iuch ê gesehn.
dâ von ist leide mir geschehn:
doch müez iu freude unt êre
got immer geben mêre
denn ir um mich gedienet hât.
10 des ist nu ermer mîn wât
denn ir si jungest sâhet.
wært ir niht genâhet
mir an der selben zît,
sô het ich êre âne strît.'
15 dô sprach er 'frouwe, merket baz,
gein wem ir kêret iwern haz.
jane wart von mîme lîbe
iu noch decheinem wîbe
laster nie gemêret
20 (sô het ich mich gunêret)
sît ich den schilt von êrst gewan
und rîters fuore mich versan.
mirst ander iwer kumber leit.'
al weinde diu frouwe reit,
25 daz si begôz ir brüstelîn,

als sie gedræt solden sîn.
diu stuonden blanc hôch sinewel:
jane wart nie dræhsel sô snel
der si gedræt hete baz.
swie minneclîch diu frouwe saz,
259 si muose in doch erbarmen.
mit henden und mit armen
begunde si sich decken
vor Parzivâl dem recken.
5 Dô sprach er 'frouwe, nemt
durch got
ûf rehten dienst sunder spot
an iwern lîp mîn kursît.'
'hêrre, wær daz âne strît
daz al mîn freude læge dran,
10 so getörst ichz doch niht grî-
fen an.
welt ir uns tœtens machen vrî,
sô rîtet daz i'u verre sî.
doch klagte ich wênec mînen tôt,
wan daz ich fürhte ir komts in nôt.'
15 'frouwe, wer næm uns ez lebn?
daz hât uns gotes kraft gegebn:
ob des gerte ein ganzez her,
man sæhe mich für uns ze wer.'
si sprach 'es gert ein werder degen:
20 der hât sich strîtes sô bewegen,
iwer sehse kœmns in arbeit.
mirst iwer rîten bî mir leit.
ich was etswenne sîn wîp:
nune möhte mîn vertwâlet lîp
25 des heldes dierne niht gesîn:
sus tuot er gein mir zürnen schîn.'
dô sprach er zuo der frouwen sân
'wer ist hie mit iwerem man?
wan flühe ich nu durch iwern rât,
daz diuht iuch lîhte ein missetât.

---

23. vil an *Gg.*   25. Wande si het wenc an ir *g.*   lutzl *gg.*   27. trug *D.*
28. si *DG.*   29. sagte *G.*   iu *fehlt Ggg.*   vil *Dg,* vil ir *Ggg,* vil von *d.*
32. gechleit *D,* gekleitz *g,* gevazt *g.*

258, 1. gesprach *G.*   3. uber *alle.*   5. sprach *alle aufser D.*   10. = Ez *Ggg.*
11. nahest *G.*   12. 13. ir mir—Do *Gg,* ir mir—Mir *g.*   15. merket baz *dgg,*
merchet daz *D,* wizet daz *Ggg,* wiszent basz *g.*   21. Sin ich *G.*   24. wiende
G, weinende *D,* weinunde *g.*   27. hoch blanch *G,* blanc ioch *g.*   sinwel *D.*
28. dræchsel *D,* drahsel *Gg.*

259, 5. dur *G.*   7. iuren *g.*   10. Sone *G.*   nemen *G,* legen *g.*   11. tœtens
machen *D,* todes machen *g,* machen todes *die übrigen.*   12. rit *g.*   i'u] ich
g, ich iu *die übrigen.*   13. min not *Dg,* und 14 ir chiest den tot *D,* euwe-
ren tot *g.*   14. chomts *Ggg,* komet sin *g,* komt *dg.*   15. Do sprach er
Ddgg, Er sprach *g, fehlt G.*   nem *gg,* næme *DG.*   uns ez] unsz *D,* uns *g,*
uns daz *gg,* unser *dg,* uns unser *G.*   21. chomens *G,* chœmense *D.*
24. nu *D.*   vertwalt *Gg,* vertwalter *gg,* vertailet *g.*   25. dierne] dieren *D,*
dirne *Gdgg,* dirn *gg.*   26. zorns *Ggg.*   29. Wan *fehlt Gg.*   30. duht *G,*
diuhte *D.*   ein *fehlt Gg.*

260 swenne ich fliehen lerne,
　　sô stirb ich als gerne.'
　　Dô sprach diu blôze herzogîn
　　'er hât hie niemen denne mîn.
5 der trôst ist kranc gein strîtes
　　sige.'
　　niht wan knoden und der rige
　　was an der frouwen hemde ganz.
　　wîplîcher kiusche lobes kranz
　　truoc si mit armüete:
10 si pflac der wâren güete
　　sô daz der valsch an ir verswant.
　　die finteiln er für sich pant,
　　gein strîter wolde füeren
　　den helm er mit den snüeren
15 eben ze sehne ructe.
　　innen des daz ors sich pucte,
　　gein dem pfärde ez schrîen niht
　　　　vermeit.
　　der vor Parzivâl dâ reit
　　und vor der blôzen frouwen,
20 der erhôrtz und wolde schouwen
　　wer bî sîme wîbe rite.
　　daz ors warf er mit zornes site
　　vaste ûz dem stîge.
　　gein strîteclîchem wîge
25 hielt der herzoge Orilus
　　gereit zeiner tjost alsus,
　　mit rehter manlîcher ger,
　　von Gaheviez mit eime sper:
　　daz was gevärwet genuoc,
　　reht als er sîniu wâpen truoc.
261　Sînen helm worhte Trebuchet.
　　sîn schilt was ze Dôlet
　　in Kailetes lande

　　geworht dem wîgande:
5 rant und buckel heten kraft.
　　zAlexandrîe in heidenschaft
　　was geworht ein pfellel guot,
　　des der fürste hôch gemuot
　　truoc kursît und wâpenroc.
10 sîn decke was ze Tenabroc
　　geworht ûz ringen herte:
　　sîn stolzheit in lêrte,
　　der îserînen decke dach
　　was ein pfellel, des man jach
15 daz der tiwer wære.
　　rîch und doch niht swære
　　sîne hosen, halsperc, hersnier:
　　und in îserîniu schillier
　　was gewâpent dirre küene man,
20 geworht ze Bêâlzenân
　　in der houbetstat zAnschouwe.
　　disiu blôziu frouwe
　　fuort im ungelîchiu kleit,
　　diu dâ sô trûric nâh im reit:
25 dane hete sis niht bezzer state.
　　ze Sessûn was geslagen sîn plate;
　　sîn ors von Brumbâne
　　de Salvâsche ah muntâne:
　　mit einer tjost rois Lähelîn
　　bejagetez dâ, der bruoder sîn.
262　Parzivâl was ouch bereit:
　　sîn ors mit walap er reit
　　gein Orilus de Lalander.
　　ûf des schilde vander
5 einen trachen als er lebte.
　　ein ander trache strebte
　　ûf sîme helme gebunden;
　　an den selben stunden

260, 1. swenne *D*, Swene *G*, Wan swenn *gg*, Wenne wo *d*.　　4. niemens dane *Ggg*,
nieman wan *gg*.　　6. Niwan *Gg*.　unz der *g*, unde an der *G*.　12. finteiln *g*,
finteilen *g*, phinteilen *Gg*, fantailen *dg*, fintalen *D*, vintelen *g*.　13. er in *g*.
rueren *d*.　　14. 15. = Er *vor* eben *Ggg*.　15. ebene *DG*.　zesehenne *G*.
17. = Mit *Ggg*.　pharde *G*.　18. Der da *G*.　Parzivale *DGg*.　dâ *fehlt*
Gg.　20. erhortez *Dd* = hort ez *gg*, horte *Ggg*.　wolt *G*.　22. zorns
DG.　24. stritchlichen *G*.　25. orillus *G*.　26. Gereht *G*, Bereit *g*.
tioste sus *Ggg*.　27. manlichen *G*.　28. kahviez *G*.　29. gevarwet *G*.

261, 1. Trebuchét *D*.　2. Dolêt *D*.　7. phelle *Ggg*.　10. zetenebroch *alle*
aufser D.　14. phelle *Gg*.　17. harsenier *G*.　18. in *fehlt Gg*, ein yse-
neyn *g*.　iseniniu *G*.　scillier *D*, tschillier *gg*, tschilier *G*, schinnelier *d*.
19. guote *Gg*.　20. beazenan *g*, belzenan *g*, bealzedan *G*.　22. bloze *G*.
23. Truoch *Ggg*.　24. vor im *G*.　25. hete et sis *G*.　stat *G*.　26. Ze-
sesune *G*.　blate *Dgg*.　27. brunbanige *G*.　28. Desalvasche an *d*, Des
salvatsche ah *G*, Der sevatsche *g*, Dehsenahtse ab *g*, Zu salvatsche eh *g*, Lechsa
wachtse a *g*, zer wilden *D*.　muntanige *G*, montanie *gg*.　29. tioste *G*.
rois *fehlt G*, der kunec *D*.　30. Beiagte da *G*.

262, 2. Daz *Ggg*, Ditze *g*.　von rabine *G*.　3. Oŕilus *D*, orillus *G*.　7. Uf
sinen helm *Gg*.　8. nàch den selben stuonden?

manec guldîn trache kleine
10 (mit mangem edelen steine
muosen die gehêret sîn:
ir ougen wâren rubîn)
ûf der decke und ame kursît.
dâ wart genomn der poynder wît
15 von den zwein helden unverzagt.
newederhalp wart widersagt:
si wârn doch ledec ir triuwe.
trunzûne starc al niuwe
von in wæten gein den lüften.
20 ich wolde mich des güften,
het ich ein sölhe tjost gesehen
als mir diz mære hât verjehen.
    dâ wart von rabbîne geriten,
ein sölch tjoste niht vermiten:
25 froun Jeschûten muot verjach,
schœner tjost si nie gesach.
diu hielt dâ, want ir hende.
si freuden ellende
gunde enwederm helde schaden.
diu ors in sweize muosen baden.
263 Prîss si bêde gerten.
die blicke von den swerten,
und fiwer daz von helmen spranc,
und manec ellenthafter swanc,
5 die begunden verre glesten.
wan dâ wâren strîts die besten
mit hurte an ein ander kumen,
ez gê ze schaden odr ze frumen
den küenen helden mæren.
10 swie willec d'ors in wæren,
dâ sî bêde ûf sâzen,
der sporn si niht vergâzen,
noch ir swerte lieht gemâl.
prîs gedient hie Parzivâl,
15 daz er sich alsus weren kan

wol hundert trachn und eines man.
ein trache wart versêret,
sîne wunden gemêret,
der ûf Orilus helme lac.
20 sô durchliuhtec daz der tac
volleclîche durch in schein,
wart drab geslagen manc edel stein.
daz ergienc zorse und niht ze
       fuoz.
froun Jeschûten wart der gruoz
25 mit swertes schimphe aldâ bejagt,
mit heldes handen unverzagt.
mit hurt si dicke ein ander schuben,
daz die ringe von den knien ze-
       stuben,
swie si wæren îserîn.
ruocht irs, si tâten strîtes schîn.
264 Ich wil iu sagen des einen zorn.
daz sîn wîp wol geborn
dâ vor was genôtzogt:
er was iedoch ir rehter vogt,
5 sô daz si schermes wart an in.
er wânde, ir wîplîcher sin
wær gein im verkêret,
unt daz si gunêret
het ir kiusche unde ir prîs
10 mit einem andern âmîs.
des lasters nam er pflihte.
ouch ergienc sîn gerihte
über si, daz grœzer nôt
wîp nie gedolte âne tôt,
15 unde ân alle ir schulde.
er möht ir sîne hulde
versagen, swenner wolde:
nieman daz wenden solde,
ob [der] man des wîbes hât gewalt.
20 Parzivâl der degen balt

---

11. Die muosen wol *Ggg.*   gehert *DG.*   13. uf dem cursit *Gg.*   16. Ne-
wed. *DG*, Entwed. *g*, Dewed. *gg*, Dwed. *g*, Da wed. *g*, Ietwed. *d.*   18. stach *D.*
21. eine *DG.*   22. marere *(für* mære ir?*)* hat vergiehen *G.*   25. munt *g.*
26. Daz si nie schoner tiost gesach *Gg.*   27. da unt want *gg*, und wand *g*,
da bar *g.*   29. Engunde *dg.*   enwederm *Dg*, dewedrem *g*, dewerem *G*,
twederm *gg*, yetwederem *d.*   riter *Gg.*

263,   1. Brises *G.*   3. Unde daz viur *Gg.*   daz *fehlt Gg.*   uz *Gg.*   sprach *G.*
     7. chomen *G.*   10. willch diu ors *G.*   11. uffe *G.*   13. = Unt *Ggg.*
     14. gedient hie *dgg*, gediende hie *g*, gediende *Dg*, begie hie *Gg.*   16. trachen
oder tracken *alle.*   eins *D.*   19. uffe orillus *G.*   22. Drabe wart *Ggg.*
edel *fehlt dgg.*   23. Ditze ergie *Ggg.*   und *fehlt dgg.*   24. Fron *G.*
26. Von *gg.*   27. hurte *DG.*   an einander schuben *g*, zein andr (zeiner *G*)
flugen *die übrigen.*   28. vor *Ggg.*   30. Ruocht *G*, Ruohte *g*, ruochet *D.*

264,   1. Ich sag iu des *D.*   zoren-wolgeboren *G.*   12. Doch *Ggg*, Do *g.*
ergie *DGg.*   14. Nie wip *Gdgg.*   gedolte *D*, gedulte *d*, erdolte *g*, erleit
Ggg, der leit *g.*   = an (ane *G*) den tot *Ggg.*   16. Ern *g.*   18. Niemen
G, niemn *D.*   19. der *Ddg*, *fehlt Ggg*, ein *g.*   het *gg*, habe *Gg.*

Oriluses hulde gerte
froun Jeschûten mit dem swerte.
des hôrt ich ie güetlîche bitn:
ez kom dâ gar von smeiches sitn.
25 mich dunket si hân bêde reht.
der beidiu krump unde sleht
geschuof, künner scheiden,
sô wender daz an beiden,
deiz âne sterben dâ ergê.
si tuont doch sus ein ander wê.
265 Da ergienc diu scharpfe herte.
iewederr vaste werte
sînen prîs vor dem ander.
duc Orilus de Lalander
5 streit nâch sîme gelêrten site.
ich wæne ie man sô vil gestrite.
er hete kunst unde kraft:
des wart er dicke sigehaft
an maneger stat, swiez dâ ergienc.
10 durch den trôst zuo zim er vienc
den jungen starken Parzivâl.
der begreif ouch in dô sunder twâl
unt zucte in ûz dem satel sîn:
als ein garbe häberîn
15 vastern under de arme swanc:
mit im er von dem orse spranc,
und dructe in über einen ronen.
dâ muose schumpfentiure wonen
der sölher nôt niht was gewent.
20 'du garnest daz sich hât versent
disiu frouwe von dîm zorne.
nu bistu der verlorne,
dune lâzest sî dîn hulde hân.'
'daz enwirt sô gâhes niht getân'

25 sprach der herzoge Orilus:
'ich pin noch niht bedwungen sus.'
Parzivâl der werde degen
druct in an sich, daz bluotes regen
spranc durch die barbiere.
dâ wart der fürste schiere
266 bedwungen swes man an in warp.
er tet als der ungerne starp.
Er sprach ze Parzivâle sân
'ôwê küene starker man,
5 wa gedient ich ie dise nôt
daz ich vor dir sol ligen tôt?'
'jâ lâze ich dich vil gerne lebn'
sprach Parzivâl, 'ob tu wilt gebn
dirre frouwen dîne hulde.'
10 'ich entuons niht: ir schulde
ist gein mir ze grœzlîch.
si was werdekeite rîch:
die hât si gar verkrenket
und mich in nôt gesenket.
15 ich leiste anders swes du gerst,
op du mich des lebens werst.
daz het ich etswenn von gote:
nu ist dîn hant des worden bote
daz ichs danke dîme prîse.'
20 sus sprach der fürste wîse.
'mîn leben kouf ich schône.
in zwein landen krône
treit gewaldeclîche
mîn bruoder, der ist rîche:
25 der nim dir swederz du wellest
daz du mich tôt niht vellest.
ich pin im liep, er lœset mich
als ich gedinge wider dich.

21. Oriluses *d*, Orillus *Gg*, Ôrilus *Dgg*.　　23. guotlichen *G*.　　24. ez chom *D*.
da *Ddgg*, doch *g*, hie *G*.　　uz *g*.　　smeiches *Gg*, smeichens *gg*, swachen *g*,
smehen *g* = scimpfes *Dd*.　　25. duncht *g*.　　han *Gg*, habn *Dg*, haben *gg*,
habent *d*, haten *g*.　　28. wender *gg*, wendr *D* wende er *dg*, went er *g*, wende
G, wendet *g*.

265, 1. = ergie *Ggg*.　　scherphe *G*.　　2. ietwedere *G*.　　4. duc] Auch *g*, Untze
(*für* Cuns) *d*, der herzoge *D*, *fehlt den übrigen*.　　6. so wol *Ggg*.　　12. ouch
in diu *Gg*, ouch do *D*, ouch in *gg*, in ouch *dg*.　　13. zuchten *D*.　　14. eine
Dg.　　garben *D*.　　hæbrin *D*, haberin *g*.　　15. Vast ern *gg*, Vaster in *G*,
vast er in *D*.　　undr di *D*, under die *G*, den arm *gg*.　　16. von dem orse
er *G*.　　17. druchten *D*.　　eine *G*, ein *gg*.　　18. Do *Gg*.　　muoser *Ggg*.
19. = nœte *Dd*.　　21. dime *D*, dinem *G*.　　22. Des bistu *Gg*, Nu bistuz *gg*.
23. din *gg*, dine *DGgg*, die *d*, dan *g*.　　24. Desn wirt *g*.　　newirt *G*.
so schiere *Ggg*.　　26. Ichne bin *G*.　　doch *Ggg*.　　unbetwngen *D*.
28. Druct in *gg*, Druht in *g*, druchten *D*.　　Druchte in daz der bluotes re-
gen *G*.　　30. Do *Gg*.

266, 1. betwngen *D*.　　an im *D*.　　2. als *Ggg*, alsam *d*, so *D*.　　3. zebarzi-
vale *G*.　　4. chuone *Ggg*, kuen *g*, chuoner *dgg*, iunch *D*.　　5. Wan (*ohne* ie) *g*.
6. von *Gg*.　　7. = Ich laze dich *Ggg*.　　8. obe du wil *G*.　　10. Ich tuon
sin niht *Ggg*.　　11. alze *G*, als *g*, so *d*.　　13. verchrencht *G*.　　17. etswenne
DG.　　20. Do *Ggg*, So *g*, Also *g*.

9*

Dar zuo nim ich mîn herzentuom
von dir. dîn prîslîcher ruom
267 hât werdekeit an mir bezalt.
nu erlâz mich, küener degen balt,
suone gein disem wîbe,
und gebiut mîme lîbe
5 anders swaz dîn êre sîn.
gein der gunêrten herzogîn
mag ich suone gepflegen niht,
swaz halt anders mir geschiht.'
Parzivâl der hôch gemuot
10 sprach 'liute, lant, noch varnde guot,
der decheinez mac gehelfen dir,
dune tuost des sicherheit gein mir,
daz du gein Bertâne varst,
unt die reise niht langer sparst,
15 zeiner magt, die blou durch mich
ein man, gein dem ist mîn gerich
âne ir bete niht verkorn.
du solt der meide wol geborn
sichern und mîn dienest sagen:
20 oder wirt alhie erslagen.
sage Artûse und dem wîbe sîn,
in beiden, von mir dienest mîn,
daz si mîn dienst sus letzen,
[und] die magt ir slege ergetzen.
25 dar zuo wil ich schouwen
in dînen hulden dise frouwen
mit suone âne vâre:
ode du muost ein bâre
tôt hinnen rîten,
wiltu michs widerstrîten.
268 Merc diu wort, unt wis der werke
ein wer:

des gib mir sicherheit alher.'
dô sprach der herzoge Orilus
zem künege Parzivâl alsus.
5 'mac niemen dâ für niht gegebn,
sô leist ichz: wande ich wil noch
lebn.'
durch die vorhte von ir man
frou Jeschût diu wol getân
strîtscheidens gar verzagte:
10 ir vîndes nôt si klagte.
Parzivâl jn ûf verliez
do'r froun Jeschûten suone gehiez.
der betwungene fürste sprach
'frowe, sît diz durch iuch geschach,
15 in strît diu schumpfentiure mîn,
wol her, ir sult geküsset sîn.
ich hân vil prîss durch iuch verlorn:
waz denne? ez ist doch verkorn.'
diu frouwe mit ir blôzem vel
20 was zem sprunge harte snel
von dem pfärde ûf den wasen.
swie dez pluot von der nasen
den munt im hete gemachet rôt,
si kust in dô er kus gebôt.
25 dâ wart niht langer dô gebitn,
si bêde und ouch diu frouwe ritn
für ein klôsen in eins velses want.
eine kefsen Parzivâl dâ vant:
ein gemâlet sper derbî dâ lent.
der einsidel hiez Trevrizent.
269 Parzivâl dô mit triwen fuor:
er nam daz heiltuom, drûf er swuor.
sus stabter selbe sînen eit.
er sprach 'hân ich werdekeit:

29. ich *fehlt Ggg*, ouch *d.* herzogntuom *g.* 30. Von mir *Gg*.
267, 1. an mir werdcheit *Gdgg*. 2. erlaze *D*, erla *Ggg*. 3. Suon *g*. 4. und *fehlt Ggg*. gebiute *D*, gebúte du *d*. 7. gepflegen suone *dgg*. 11. deheinz *G*. 14. iht? 15. = Gein einer meide die *Ggg*. 20. wirt *g*, wirde *D*, wurde aber du *d*, du wirst *Ggg*. 22. In *fehlt gg*, Den *d*. Beiden sampt den dienst min *g*. den *vor* dienst *alle aufser DG*. 23. min *DG*, mir *g*, minen *die übrigen*. so *gg*, sol *Gg*. 24. und *fehlt Ggg*. 25. beschouwen *Ggg*. 28. Ode *G*, odr *D*. ein *dgg*, eine *DGg*. 29. Toter *Gg*. 30. Wil du miches *G*.
268, 1. Merch *g*, Merche *DG*. 2. gip *G*. 4. Gein dem *Gg*. parzivale sus *Ggg*. 7. die *fehlt Ggg*. 8. Fro *G*. Jescute *D*, ieschute *G*, *immer*. = diu *fehlt Gg*. 9. Ir schæidens *gg*, Ir friundes *G*. 12. Dor *G*, Do er *gg*, Da er *gg* = der *Dd*. suon *dgg*, hulde *Gg*. 13. betwungen *dgg*, betwungenne *G*. 15. strîte *DG*. 18. iedoch *Ggg*. 19. blozzen *dgg*. 21. pharde *G*. 22. 23. im *nach* bluot *G*. 22. vor *G*. 23. het *G*, hiet *g*. 25. Ez *Ggg*. lenger *Ggg*. 27. Fúr ein *d*, fúr eine *D* = Zeiner *Ggg*. 29. gemalt *DG*, gemaltez *g*. da lent *DGdgg*, lent *gg*, gelent? 30. hiez] der hiez *D*. trevrezent *g*, Treverzzent *g*, treverezent *G*.
269, 1. dô *fehlt Ggg*. 2. Er nam die chesse dar uffer swuor *G*. heiltuom *dgg*, hailctuem *g*, heilichtum *D*. 4. Er sprach herre han *Gg*.

5 ich hab se odr enhab ir niht,
swer mich pîme schilde siht,
der prüevet mich gein rîterschaft.
des namen ordenlîchiu kraft,
als uns des schildes ambet sagt,
10 hât dicke hôhen prîs bejagt:
ez ist ouch noch ein hôher name.
mîn lîp gein werltlîcher schame
immer sî gewenket
und al mîn prîs verkrenket.
15 dirre worte sî mit werken pfant
mîn gelücke vor der hœhsten hant:
ich hânz dâ für, die treit got.
nu müeze ich flüsteclîchen spot
ze bêden lîben immer hân
20 von sîner kraft, ob missetân
disiu frouwe habe, dô diz geschach
daz i'r fürspan von ir brach.
och fuort ich mêr goldes dan.
ich was ein tôre und niht ein man,
25 gewahsen niht pî witzen.
vil weinens, dâ bî switzen
mit jâmer dolte vil ir lîp.
.sist benamn ein unschuldic wîp.
dâne scheide ich ûz niht mêre:
des sî pfant mîn sælde und êre.
270 Ruocht irs, si sol unschuldec sîn.
sêt, gebt ir widr ir vingerlîn.
ir fürspan wart sô vertân
daz es mîn tôrheit danc sol hân.'
5 die gâbe enpfienc der degen guot.
dô streich er von dem munde'z pluot

und kuste sînes herzen trût.
ouch wart verdact ir blôziu hût.
Orilus der fürste erkant
10 stiez dez vingerl wider an ir hant,
und gap ir an sîn kursît:
die was von rîchem pfelle, wît,
mit heldes hant zerhouwen.
ich hân doch selten frouwen
15 wâpenroc an gesehen tragn,
die wære in strîte alsus zerslagn:
von ir krîe wart ouch nie turnei
gesamliert noch sper enzwei
gestochen, swâ daz solde sîn.
20 der guote knappe und Lämbekîn
die tjost zesamne trüegen baz.
sus wart diu frouwe trûrens laz.
dô sprach der fürste Orilus
aber ze Parzivâle alsus.
25 'helt, dîn unbetwungen eit
gît mir grôz liep und krankez leit.
ich hân schumpfentiure gedolt,
diu mir freude hât erholt.
jâ mac mit êren nu mîn lîp
ergetzen diz werde wîp,
271 Daz ich se hulde mîn verstiez.
dô ich die süezen eine liez
waz mohte si, swaz ir geschach?
dô se aber von dîner schœne sprach,
5 ich wând dâ wære ein friuntschaft bî.
nu lôn dir got, sist valsches vrî.
ich hân unfuoge an ir getân.
fürz fôrest in Brizljân

---

5. habs *g*, habese *G*.   oder ichne haber niht *Ggg*.   6. bi dem schilte *G*.
8. des nam *D*.   11. 12. nam-scham *G*.   12. wereltlicher *D*, werdech-
licher *gg*.   15. wort *D*.   18. So *Gg*.   19. leben *Gg*.   21. daz *Ggg*.
22. i'r] ir *G und* (ich *nach* furspan) *d*, ich *g*, ich ir *die übrigen*.   van ir *g*.
23. ih ir me *Ggg*.   25. Gescheiden von den witzen *G*.   gewachsen *D*.
27. vil gedolt ir lip *Ggg*.   28. Si ist *alle*.   Si ist ein hart unschuldch
wip *G*.   30. Es *G*, Ez *gg*.

270, 1. Ruochet *D*, Geruochet *Gg*, Geruocht. *gg*.   2. sêt *fehlt Gd*, Seht *gg*.
5. = enphie der helt guot *Ggg*.   6. streicher *D*.   munde dez bluot *G*.
8. Do *Gg*.   verdact] verdaht *G*, verdechet *Dgg*, bedacht *dg*.   10. dz *D*,
daz *G*.   vingerlin *alle aufser G*.   wider *fehlt Gg*.   12. die] Diu *G*, der
D, Daz *die übrigen*.   mit *D*.   13. verhouwen *Gdgg*.   15. wapenroch an
gesehen tragn *D*, Gesehen (Sehen *gg*) waffen roch an (wappenrocke an *dg*,
wapenroch *G*, wapen roche *g*) tragen (getragen *G*) *Gdgg*.   16. wæren *oder*
waren wern warn *alle*.   17. = ouch *fehlt Ggg*.   18. Gesamliert *g*, gesam-
lieret *D*, Gesambeliert *G*, Gesamenet *g*, Gesampt *g*.   20. und *fehlt Ggg*,
oder *d*.   læmikin *g*, lemmekin *g*, lambekin *G*.   21. truegen *D*, truogen *g*,
tragen *d*, truoge *G*, truog *g*, trage *g*.   23. = herzoge *Ggg*.   24. parzifal
alle aufser DG.   sus *Gg*.   29. 30 fehlen *G*.

271, 1. suone min *Gg*, minér suon *gg*.   2. = die guoten *Ggg*.   5. wande *DG*.
ein *fehlt Gg*.   6. lone *DG*.   sis *G*, so ist *D*.   7. In han *D*, ungefuoge *Ggg*.
8. Durh dez *Ggg*, Durch *gg*.   voreist· *G*, forst *dgg*.   brizilan *G*, Prizlian *D*.

reit ich dô in jûven poys.
10 Parzivâl diz sper von Troys
nam und fuortez mit im dan.
des vergaz der wilde Taurîân,
Dodines bruoder, dâ.
nu sprechet wie oder wâ
15 die helde des nahtes megen sîn.
helm unde ir schilde heten pîn:
die sah man gar verhouwen.
Parzivâl zer frouwen
nam urloup unt zir âmîs.
20 dô ladete in der fürste wîs
mit im an sîne fiwerstat:
daz half in niht, swie vil ers pat.
aldâ schieden die helde sich,
diu âventiur wert mære mich.
25 dô Orilus der fürste erkant
kom dâ er sîn poulûn vant
und sîner messenîe ein teil,
daz volc was al gelîche geil
daz suone was worden schîn
gein der sældebernden herzogîn.
272 Daz wart niht langer dô ge-
spart,
Orilus entwâpent wart,
bluot und râm von im er twuoc.
er nam die herzoginne kluoc
5 und fuorte se an die suonstat
und hiez bereiten in zwei bat.
dô lac frou Jeschûte
al weinde bî ir trûte,
vor liebe, unt doch vor leide niht,

10 als guotem wîbe noch geschiht.
ouch ist genuogen liuten kunt,
weindiu ougn hânt süezen munt.
dâ von ich mêr noch sprechen wil.
grôz liebe ist freude und jâ-
mers zil.
15 swer von der liebe ir mære
treit ûf den seigære,
oberz immer wolde wegn,
ez enkan niht anderr schanze
pflegn.
da ergienc ein suone, des wæn
ich.
20 dô fuorn si sunder baden sich.
zwelf clâre juncfrouwen
man mohte bî ir schouwen:
die pflâgen ir, sît si gewan
zorn ân ir schult von liebem man.
25 si hete ie snahtes deckekleit,
swie blôz si bîme tage reit.
die batten dô mit freuden sie.
ruochet ir nu hœren (wie
Orilus des innen wart)
âventiur von Artûses vart?
273 Sus begund im ein rîter sagen.
'ich sach ûf eínen plân geslagen
tûsent poulûn oder mêr.
Artûs der rîche künec hêr,
5 der Berteneise hêrre,
lît uns hie niht verre
mit wünneclîcher frouwen schar.
ungevertes ist ein mîle dar.

9. do in ivuen poys *D*, do in dem iovan pois *dg*, do in manie von poys *gg*, von
(vor *g*) ir also von poys *Gg*.   10. daz *Gg*, ein *d*.   11. fuotez *G*.   12. Es *G*,
Sin *g*, Ez *gg*.   Tavrian *Dg*, thavrian *g*, Toyrian *g*, turian *G*, tharian *g*, tarrian
d, torian *g*.   13. Todines *g*, Toclines *G*, Toclicies *g*.   14. sprecht *G*.
15. megen *D*, mugen *Ggg*, mugin *g*, mohten *dg*.   16. helme *D*.   hetan *g*.
17. zerhouwen *Ggg*.   21. Vil ofte an *Ggg*.   22. = Ez *G*, Ezn *gg*.   23. Al
da *Dd* = Do *Gggg*, Sus *g*. Al scheiden?   24. Sus wert diu aventure mich *G*.
wert mære *D*, wert mere *gg*, wert mer *g*, wert me *d*, werte *g*.   26. = sine
Dd.   pavelun *G*.   27. mæssenide *D*.   29. suon *gg*.
272, 1. Nuo *d* = Ez *Ggg*.   2. Do orillus *Ggg*.   3. von im er *D*, er von im *g*,
von im man *Ggg*, man von (ab *g*) im *dgg*.   5. Unde fuortes *G*.   6. Er *Ggg*.
in ein *g*, im ein *Ggg*, zway *g*.   7. Da *G*.   fro *G*.   8. weinende *DG*.
9. von leide *G*.   12. weinende *D*, Weindiu *G*, Wainunden *g*, Weinundem *g*.
ougen *DG*.   hant *Dgg*, haben *Gdg*, habent *g*.   18. enchunde *Ggg*.   andrr *D*,
andere *G*.   tsch. *G*.   19. ergie *D*.   suone des wæne ich *DG*, suon des wæn
ich *g*, sune wen ich *g*.   20. Doch *Ggg*.   fuoren si sundr *D*, fuorten sunder
(under *G*) handen sich *Gg*.   22. mahte *G*.   24. liebem *Ggg*, lieben *Ddg*.
25. Ir detche [ie *g*, ê *g*] nahtes was bereit *Ggg*.   snahtes *Dg*, nachtes *d*.
26. bi dem *G*.   27. badeten *Gg*.   29. des *DGgg*, do *dgg*.   30. Artus *D*.
273, 1. begunde *DG*.   3. Wol tusent *Gd*.   poulun *D*, pavelun *G*.   5. berte-
noyse *D*, briteneise *g*, britaneisen *d*, brituneiser *d*, britansche *G*, brittanisce *g*.
6. niht ze *G*.   8. ungeverts *D*.

da ist ouch von rîtern grœzlîch schal.
10 bî dem Plimizœl ze tal
ligents an iewederm stade.'
dô gâhte vaste ûzem bade
der herzoge Orilus.
Jeschûte und er gewurben sus.
15 diu senfte süeze wol getân
gieng ouch ûz ir bade sân
an sîn bette: dâ wart trûrens rât.
ir lide gedienden bezzer wât
dan si dâ vor truoc lange.
20 mit nâhem unbevange
behielt ir minne freuden prîs,
der fürstîn und des fürsten wîs.
juncfrouwen kleitn ir frouwen sân.
sîn harnasch truoc man dar dem man.
25 Jeschûten wât man muose lobn.
vogele gevangen ûf dem klobn
si mit freuden âzen,
dâ se an ir bette sâzen.
frou Jeschûte etslîchen kus
enpfienc: den gab ir Orilus.
274 Dô zôch man der frouwen wert
starc wôl gênde ein schœne pfert,
gesatelt unt gezoumet wol.
man huop si drûf, diu rîten sol
5 dannen mit ir küenen man.
sîn ors wart gewâpent sân,
reht als erz gein strîte reit,
sîn swert, dâ mit ers tages streit,
man vorn an den satel hienc.
10 von fuoz ûf gewâpent gienc

Orilus zem orse sîn:
er spranc drûf vor der herzogîn.
Jeschûte und er fuoren dan.
sîne mâssenîe sân
15 gein Lalant bat er alle kêren.
wan ein rîter solt in lêren
gein Artûse rîten:
er bat daz volc des bîten.
si kômen Artûs sô nâhen,
20 daz si sîniu poulûn sâhen
vil nâhe ein mîle dez wazzer nidr.
der fürste sant den rîter widr,
der in gewîset hete dar:
frou Jeschût diu wol gevar
25 was sîn gesinde, unt niemen mêr.
der unlôse Artûs niht ze hêr
was gegangen, dô ers âbents gaz,
ûf einen plân. umb in dâ saz
Diu werde massenîe.
Orilus der valsches vrîe
275 kom an den selben rinc geritn.
sîn helm sîn schilt was sô versnitn
daz niemen dran kôs keiniu mâl:
die slege frumte Parzivâl.
5 vom orse stuont der küene man:
frou Jeschûte enpfiengez sân.
vil junchêrrn dar nâher spranc:
umb in und si was grôz gedranc.
si jâhn 'wir suln der orse pflegn.'
10 Orilus der werde degn
leit schildes schirben ûfez gras.
nâch ir, durch die er komen was,

---

begunder vrâgen al zehant.
froun Cunnewâren de Lalant
15 zeigte man im, wâ diu saz.
ir site man gein prîse maz.
gewâpent er sô nâhe gienc.
der künec, diu küngîn, in enpfienc:
er dancte in, bôt fîanze sân
20 sîner swester wol getân.
bî den trachen ûfem kursît
erkande sin wol, wan ein strît:
si sprach 'du bist der bruoder mîn,
Orilus, od Lähelîn.
25 ich nim iur dweders sicherheit.
ir wârt mir bêde ie bereit
ze dienste als ich iuch gebat:
mir wære ûf den triwen mat,
solt ich gein iu kriegen,
[und] mîn selber zuht betriegen.'
276 Der fürste kniete vor der magt.
er sprach 'du hâst al wâr gesagt:
ich pinz dîn bruoder Orilus.
der rôte rîter twanc mich sus
5 daz ich dir sicherheit muoz gebn:
dâ mit erkoufte ich dô mîn lebn.
die enphâch: sô wirt hie gar getân
als ich gein im gelobet hân.'
do enpfienc si triwe in wîze hant
10 von im der truoc den serpant,
unt liez in ledec.   dô daz ge-
              schach,
dô stuont er ûf unde sprach

'ich sol und muoz durch triwe
        klagen.
ôwê wer hât dich geslagen?
15 dîne slege tuont mir nimmer wol:
wirtz zît daz ich die rechen sol,
ich ginre den, swerz ruochet sehen,
daz mir grôz leit ist dran ge-
        schehen.
ouch hilft mirz klagen der küen-
        ste man
20 den muoter ie zer werlt gewan:
der nennet sich der rîter rôt.
hêr künec, frou küngîn, er enbôt
iu beiden samt dienest sîn,
dar zuo benamn der swester mîn.
25 er bitet sîn dienst iuch letzen,
[und] dise magt ir slege ergetzen.
och het ichs dô genozzen
gein dem helde unverdrozzen,
wesser wie si mich bestêt
und mir ir leit ze herzen gêt.'
277 Keie erwarp dô niwen haz,
von rittern, frouwen, swer dâ saz
am stade bî dem Plimizœl.
Gâwân und Jofreit fîz Idœl,
5 unt des nôt ir habt gehœret ê,
der gevangene künec Clâmidê,
und anders manec werder man
(ir namn ich wol genennen kan,
wan daz ichz niht wil lengen),
10 die begunden sich dô mengen.

---

14. Fron kunew. *G.*   15. = da *Ggg.*   16. Ir guote *Ggg.*   17. er ir so *gg.*
nahen *Ggg.*   18. diu] und *dg,* unt diu *die übrigen.*   19. Er neic *Gg.*
in] unde *Ggg,* in unde *die übrigen.*   21. = dem *Ggg.*   ame *Ggg.*   22. er-
chanden *D.*   wol ane strit *Gdgg.*   24. odr *D,* oder *G.*   25. Ichn *gg.*
iwer *DG.*   dweders *Gdgg,* dewedrs *D,* tweders *gg,* ietweders *g.*   26. Ir
sit *G.*   ie] sus *G.*   27-30 *fehlen G.*   27. Mit dienste swes ich *gg.*
28. an *d.*   30. selbes *dgg.*

276, 1. fur die *Gdgg.*   6. = choufte *Ggg.*   9. Doch *D.*   10. serphant *G.*
11. lîezen *D* = lie in *Ggg.*   13. mit triwen *Ggg,* von schulden *d.*
14. ouwe *D.*   15. niemir *Gg,* niht *gg.*   16. Wirt es *G,* Wirt des *gg,* Wirt
sin *g,* Wirt *g.*   = ich dich *Ggg.*   17. ginres *g,* geinner *g,* innere *G.*
19. hilft *g,* hilfet *DG.*   21. Er *Ggg.*   den *Ggg.*   22. unde vrou *Gg,*
und *g.*   23. sament *G.*   den dienst *alle aufser D.*   24. sweter *D.*
25. bitt *D,* bit *Gg.*   iuch sin (*oder* sinen) dienst letzen *Ggg.*   26. und
fehlt Gg.   dise *d,* diese *D* = die *Ggg.*   27. hetis do *g,* hiet si do *g.*

277, 1. niwan *Ggg,* niht wan *gg.*   2. vrowen *gg,* von frauwen *d,* vñ von frou-
wen *Dg,* unde frouwen *Ggg.*   swer] swaz ir *Ggg.*   3. Plimizœl *D,* plimizol
gg, plimzol *d,* blimizol *g,* blimzol *G.*   4. tschofreit *Gg.*   visidol *Gg,* œ *hat
nur D.*   5. gehort *G.*   6. künec *fehlt Gg.*   7. vñ anders (ander *gg*)
manech (manger *g*) werdr *Ddgg,* Unde manch ander werder *G,* Und manic wert
(werde *g*) ander *gg.*   8. ir namn *Dg,* Der namen *dgg,* Den *G,* Die *gg.*
genenen wol chan *G.*   10. dô *fehlt Ggg.*

ir dienst mit zühten wart gedolt.
frou Jeschûte wart geholt
ûf ir pfärde, aldâ si saz.
der künec Artûs niht vergaz,
15 und ouch diu künegîn sîn wîp,
si enpfiengen Jeschûten lîp.
von frouwen dâ manc kus ge-
    schach.
Artûs ze Jeschûten sprach
'iwern vater, den künec von Kar-
    nant,
20 Lacken, hân ich des erkant,
daz ich iwern kumber klagte
sît man mirn zem êrsten sagte.
ouch sît ir selb sô wol getân,
es solt iuch friwent erlâzen hân.
25 wan iwer minneclîcher blic
behielt den prîs ze Kanedic:
durch iwer schœne mære
bleip iu der sparwære,
Iwer hant er dannen reit.
swie mir von Oriluse leit
278 geschæhe, in gunde iu trûrens niht,
noch engetuon swa'z geschiht.
mirst liep daz ir die hulde hât,
unt daz ir frowenlîche wât
5 tragt nâch iwer grôzen nôt.'
si sprach 'hêr, daz vergelt iu got:
dar an ir hœhet iwern prîs.'
Jeschûten unt ir âmîs
frou Cunnewâre de Lalant
10 dannen fuorte sâ zehant.
einhalp an des küneges rinc

über eins prunnen ursprinc
stuont ir poulûn ûf dem plân,
alṣ oben ein trache in sînen klân
15 hets ganzen apfels halben teil.
den trachen zugen vier wintseil,
reht alser lebendec dâ flüge
untz poulûn gein den lüften züge.
dâ bî erkandez Orilus:
20 wan sîniu wâpen wâren sus.
er wart entwâpent drunde.
sîn süeziu swester kunde
im bieten êre unt gemach.
über al diu messenîe sprach,
25 des rôten rîters ellen
næm den prîs zeime gesellen.
Des jâhen se âne rûnen.
Kei bat Kingrûnen
Orilus dienn an sîner stat.
er kundez wol, den ers dâ bat:
279 wander hetes vil getân
vor Clâmidê ze Brandigân.
Kei durch daz sîn dienst liez:
unsælde ins fürsten swester hiez
5 ze sêre âlûnn mit eime stabe:
durch zuht entweich er diens abe.
ouch was diu schulde niht verkorn
von der meide wol geborn.
doch schuof er spîse dar genuoc:
10 Kingrûnz für Orilusen truoc.
Cunnewâr diu lobes wîse
sneit ir bruoder sîne spîse
mit ir blanken linden hant.
frou Jeschûte von Karnant

---

11. ir *fehlt gg*, E *Gg*.   zuht *Ggg*.   12. Fro *G*.   13. pharide da *Gg*.
14. Artus der chunch *Ggg*.   16. Die *Gg*.   19. karnant *D*.   20. Lange
han *Gg*.   des] den *Ggg*, so *d*.   22. miren *D*.   von erste *Gd*, erste *gg*.
23. selbe *DG*.   26. kanedîch *D*, chanadich *Ggg*.   28. beleib *D*, Beleip *G*.
30. Oriluse *g*, **Orilus** *D*, orillus *G*.
278, 1. Geschach *Gg*.   ine *D*, ichne *G*, ich *gg*.   2. Unde *Gg*.   engetuon *D*,
getün *g*, entuon ouch noch *Gg*, entuon [halt *gg*, ouch *d*] nimmer *dgg*.   swaz
dgg, swa ez *D*, swaz mir *Ggg*.   geschit *G*.   3. Mirst *g*.   4. fraweliche *g*,
foliche *G*.   6. = si sprach *fehlt Ggg*.   herre *DG*.   8. = Frowen
ieschuten *gg*, Fro ieschute *G*.   9. Fro kuneware delant *G*.   10. sa *Dd* =
al *Ggg*.   11. ans chunges *G*.   13. palun *G*.   14. Als *d*, als ez *die*
übrigen.   oben *gg*, obene *D*, ob *d*, *fehlt Gg*.   15. hete des *DG*, Hiet
des *g*.   ganzes *D*, *fehlt Gg*.   17. lebende *Ggg*.   18. Unt daz
pavelun *G*.   19. orrilus *G*.   24. mæssenide *D*.   25. 26. Zuo des roten riters
ellen.   Möhte sich niht gezellen *G*.   26. næme *D*.   Nempt den pris ze-
sellen *g*.   29. dien *g*, dienen *DG*.
279, 4. tohter *G*.   5. ze sêre *fehlt g*.   alûnen *DG*, bluwen *g*.   mit dem *Gg*.
6. entweicher *D*, tet er sich *Gg*.   dienstes *alle aufser D*.   10. Kingrûn ez
DG. ez oder sy *nach* Orilus *gg*.   = orillus *oder* Orilus *Ggg*.   11. Cunne-
ware *Dd* = Fro kuneware *Ggg*.   lobs *D*, *fehlt Gg*.

15 mit wîplîchen zühten az.
  Artûs der künec niht vergaz,
  ern kœm dâ diu zwei sâzen
  und friwentlîchen âzen.
  dô sprach er 'gezt ir übele hie,
20 ez enwart iedoch mîn wille nie.
  irn gesâzt nie über wirtes brôt,
  derz iu mit bezzerem willen bôt

  sô gar ân wankes vâre.
  mîn frou Cunnewâre,
25 ir sult iurs bruoder hie wol pflegn.
  guote naht geb iu der gotes segn.'
  Artûs fuor slâfen dô.
  Orilus wart gebettet sô
  daz sîn frou Jeschûte pflac
  geselleclîch unz an den tac.

---

17. eren *DG.*   chœm *g.*   18. lieplichen *gg*, mit ein ander *Gg.*   19. Er
sprach *Gdg.*   gezt *gg*, gezzet *DG.*   ir hinte ubel hie *D.*   20. = Daz *Ggg.*
wart *G.*   21. Irn *gg*, iren *D*, Ir *G.*   gesazt *gg*, gesazet *DG.*   23. ane
DG.   25. iwers *DG.*   26. Guot *gg.*   28. Oriluse *D.*   gebet *G.*
29. Daz *Ggg*, da *Dg*, Do *dg.*

VI.

280 Welt ir nu hœrn wie Artûs
von Karidœl ûz sîme hûs
und ouch von sîme lande schiet,
als im diu messenîe riet?
5 sus reit er mit den werden
sîns lands und anderr erden,
diz mære giht, den ahten tac
sô daz er suochens pflac
den der sich der rîter rôt
10 nante und im solh êre bôt
daz er in schiet von kumber grôz,
dô er den künec Ithêren schôz
und Clâmidên und Kingrûn
ouch sande gein den Bertûn
15 in sînen hof besunder.
über die tafelrunder
wolt er in durch gesellekeit
laden. durch daz er nâch im reit,
alsô bescheidenlîche:
20 beide arme und rîche,
die schildes ambet ane want,
lobten Artûses hant,
swâ si sæhen rîterschaft,
daz si durch ir gelübde kraft
25 decheine tjost entæten,
ez enwære op si in bæten
daz er se lieze strîten.

er jach 'wir müezen rîten
in manec lant, daz rîters tât
uns wol ze gegenstrîte hât:
281 Uf gerihtiu sper wir müezen sehn.
welt ir dan für ein ander schehn,
als vreche rüden, den meisters hant
abe stroufet ir bant,
5 dar zuo hân ich niht willen:
ich sol den schal gestillen.
ich hilf iu swa's niht rât mac sîn:
des wartet an daz ellen mîn.'
dise gelübde habt ir wol vernomn.
10 welt ir nu hœren war sî komn
Parzivâl der Wâleis?
von snêwe was ein niwe leis
des nahtes vast ûf in gesnît.
ez enwas iedoch niht snêwes zît,
15 istz als ichz vernomen hân.
Artûs der meienbære man,
swaz man ie von dem gesprach,
zeinen pfinxten daz geschach,
odr in des meien bluomenzît.
20 waz man im süezes luftes gît!
diz mære ist hie vast undersniten,
ez parriert sich mit snêwes siten.
sîne valkenær von Karidœl
riten sâbnts zem Plimizœl

280, 1. hœren *DG.*　　2. Ze *Ggg.*　　karidol *D*, charidol *G*, -ol *alle.*　　3. Mit
riteren *vñ* mit frouwen schiet *G.*　　4. massenide *D.*　　6. Sines landes unde
uf der erden *Gg.*　　7. Daz *Gg.*　　giht naht *vñ* tach *Ggg.*　　8. = Also
Ggg.　　suochenens *G.*　　9. Den [den *g*] man [da *G*] den *Ggg.*　　der *Dd*
= den *Ggg.*　　13. clamide *Gg.*　　chingrun *Gg*, kingrune *g*, kingrunen *Ddgg.*
14. den britun *G*, britun *g*, britune *g*, den bertunen *D*, den britunen *dg*, pri-
tunen *gg.*　　16. taffelrunder *G.*　　22. Die lobten *Ggg.*　　Artuss *D.*　　24. ge-
lubedes *G*, glubdes *g.*　　25. da tæten *G.*　　26. sis in *G*, si ins *g*, si *g.*
28. sprach *alle aufser D.*　　30. zegagen strite stat *G.*

281, 2. danne *D*, dane *G*, da *g.*　　wider *G.*　　3. also *D.*　　den *Dd* = in
Ggg, ausz *g, fehlt gg.*　　4. ab stroufet *Dd* = Abe zuckent *gg*, Abzuchtan *gg*,
Abzuchende *g*, Son abe gezuchet wirt *G.*　　iriu *g*, die *d.*　　5. trag ich *D.*
7. swas *G*, waz *g*, swa sin *g*, swa ez *D.*　　9. Disiu *g*, Diz *g.*　　12. snêwe
mit ê *D*, sne *dgg.*　　niwiu *G.*　　14. was *G.*　　15. Istez *D*, Ez ist *g*, Ist *G.*
ich *Ggg.*　　16. = mêige bære *G*, mægebære *g*, meibere *g.*　　18. pfingsten *g*,
phinchesten *G.*　　21. Daz *Gdgg.*　　vaste *DG.*　　23. valchenære *D*, valch-
nære *G.*　　ze *G.*　　-ol *alle.*　　24. Waren *G.*　　sabents *D*, s habenden *g*,
des (eins *g*) abendes *Gdgg.*　　zem] zuo einem *d*, zuo dem *Dg*, bi dem *Ggg*,
vorm *g.*　　Plimizol *D*, blimzol *G*, brimizol *g.*

25 durch peizen, dâ si schaden kuren.
ir besten valken si verluren:
der gâhte von in balde
und stuont die naht ze walde.
von überkrüphe daz geschach
daz im was von dem luoder gâch.
282 Die naht bî Parzivâle er stuont,
da in bêden was der walt unkuont
und dâ se bêde sêre vrôs.
dô Parzivâl den tac erkôs,
5 im was versnît sîns pfades pan:
vil ungevertes reit er dan
über ronen und [über] manegen stein.
der tac ie lanc hôher schein.
ouch begunde liuhten sich der walt,
10 wan daz ein rone was gevalt
ûf einem plân, zuo dem er sleich:
Artûs valke al mite streich;
dâ wol tûsent gense lâgen.
dâ wart ein michel gâgen.
15 mit hurte vlouger under sie,
der valke, und sluog ir eine hie,
daz sim harte kûme enbrast
under des gevallen ronen ast.
an ir hôhem fluge wart ir wê.
20 ûz ir wunden ûfen snê
vieln drî bluotes zäher rôt,
die Parzivâle fuogten nôt.
von sînen triwen daz geschach.
do er die bluotes zäher sach
25 ûf dem snê (der was al wîz),
dô dâhter 'wer hât sînen vlîz
gewant an dise varwe clâr?
Cundwier âmûrs, sich mac für wâr
disiu varwe dir gelîchen.
mich wil got sælden rîchen,

283 Sît ich dir hie gelîchez vant.
gêret sî diu gotes hant
und al diu crêatiure sîn.
Condwîr âmûrs, hie lît dîn schîn.
5 sît der snê dem bluote wîze bôt,
und ez den snê sus machet rôt,
Cundwîr âmûrs,
dem glîchet sich dîn bêâ curs:
des enbistu niht erlâzen.'
10 des heldes ougen mâzen,
als ez dort was ergangen,
zwên zaher an ir wangen,
den dritten an ir kinne.
er pflac der wâren minne
15 gein ir gar âne wenken.
sus begunder sich verdenken,
unz daz er unversunnen hielt:
diu starke minne sîn dâ wielt,
sölhe nôt fuogt im sîn wîp.
20 dirre varwe truoc gelîchen lîp
von Pelrapeir diu künegin:
diu zuct im wizzenlîchen sin.
sus hielt er als er sliefe.
wer dâ zuo zim liefe?
25 Cunnewâren garzûn was gesant:
der solde gegen Lalant.
der sach an den stunden
einen helm mit maneger wunden
und einen schilt gar verhouwen
in dienste des knappen frouwen.
284 Dâ hielt gezimiert ein degn,
als er tjostierns wolde pflegn
gevart, mit ûf gerihtem sper.
der garzûn huop sich wider her.
5 het in der knappe erkant enzît,
er wær von im vil unbeschrît,

---

27. gahete *D.*   29. uberchruffe *D.*

282,   2. beiden *G.*   5. sines *Gdgg*, des *yg*, sin *D.*   7. *das zweite* über *fehlt*
Gd.   8. ielanch *G*, ie langer *g.*   9. louhten *g.*   12. al mite *Ddg*, mit *G*,
mit im *gg*, als mit im *g.*   14. gragen *g*, bagen *Gg.*   19. hohem *Ddgg*, ho-
hen *Gdgg.*   21. Vieln *g.*   bluots *DG.*   21. 24. zahere *G.*   22. Parzi-
valen *D.*   fuogeten *G.*   24. bluots *D.*   25. snewe *D.*   die *d.*   27. Ge-
want *Gdq*, Gewent *g*, gewendet *Ddgg.*   28. Condwiramurs *G immer.*   sich
Ddgg, ich (*und* 29 Disse) *d*, ia *Ggg.*

283,   2. ge ert *D.*   5. buote die wize *G.*   6. = so *Ggg.*   7. Suoziu *G*,
Froue *g*, Ahy *g.*   8. gelichet *DG.*   11. = Wiez *Ggg*, Waz *g.*   12. zahr
d, zeher *dgg.*   15. gar *Dgg*, *fehlt Gddg.*   17. Unz *dg*, unze *D*, Fúr *d*,
So *Ggg.*   19. Alsolher not half im *Ggg.*   fuogte im sin pris *D.*   20. Diu
dirre *G.*   gelichen lip *D.*   22. wizenl. *G*, wizzel. *g*, wizechl. *g*, wissecl. *d.*
23. hiel *G.*   slieft *D.*   24. im *G.*   lief *D.*   26. solt gein *G.*   27. Er
Ggg.   28. mangen *Gd.*   29. und *fehlt dg.*   gar *fehlt Gg.*

284,   2. tiustierens *D.*   phelgen *G.*   3. gevart] geværwet *Dddgg*, Genart *g*,
Gereht *G*, Das pfert *g*, Mit gevartem *g.*   6. wær *G.*

deiz sîner frouwen ritter wære.
als gein einem æhtære
schupfterz volc hin ûz an in:
10 er wolt im werben ungewin.
sîne kurtôsîe er dran verlôs.
lât sîn: sîn frouwe was ouch lôs.
sölch was des knappen krîe.
'fîâ fîâ fîe,
15 fî ir vertânen!
zelent si Gâwânen
und ander dise rîterschaft
gein werdeclîcher prîses kraft,
und Artûs den Bertûn?'
20 alsus rief der garzûn.
'tavelrunder ist geschant:
iu ist durch die snüere alhie ge-
rant.'
dâ wart von rittern grœzlîch
schal:
si begunden vrâgen über al,
25 ob rîterschaft dâ wære getân.
dô vrieschen si daz einec man
dâ hielt zeiner tjost bereit.
genuogen was gelübde leit,
die Artûs von in enphienc.
sô balde, daz er niht engienc,
285 Beide lief unde spranc
Segramors, der ie nâch strîte ranc.
swâ der vehten wânde vinden,
dâ muose man in binden,
5 odr er wolt dermite sîn.
ninder ist sô breit der Rîn,
sæher strîtn am andern stade,

dâ wurde wênec nâch dem bade
getast, ez wær warm oder kalt:
10 er viel sus dran, der degen balt.
snellîche kom der jungelinc
ze hove an Artûses rinc.
der werde künec vaste slief.
Segramors im durch die snüere lief,
15 zer poulûns tür dranger în,
ein declachen zobelîn
zuct er ab in diu lâgen
und süezes slâfes pflâgen,
sô daz si muosen wachen
20 und sînre unfuoge lachen.
dô sprach er zuo der niftel sîn.
'Gynovêr, frouwe künegîn,
unser sippe ist des bekant,
man weiz wol über manec lant
25 daz ich genâden wart an dich.
nu hilf mir, frouwe, unde sprich
gein Artûse dînem man,
daz ich von im müeze hân
(ein âventiure ist hie bî)
daz ich zer tjost der êrste sî.'
286 Artûs ze Segramorse sprach
'dîn sicherheit mir des verjach,
du soltst nâch mînem willen varn
unt dîn unbescheidenheit bewarn.
5 wirt hie ein tjost von dir getân,
dar nâch wil manc ander man
daz ich in lâze rîten
und ouch nâch prîse strîten:
dâ mite krenket sich mîn wer.
10 wir nâhen Anfortases her,

---

7. deiz *D*, Daz *g*, Daz ez *g*, Daz er *Gddgg*. 8. eim *g*. ahtære *Gdg*.
11. churtoise *Gg*. 12. lat wesen *D*. doch *Gg*. 13. Selich *g*. 14. Phia
phia phige *G*. 15. Pfi *g*. 15-19. vertane. Zelent si (Zêlt si *g*, Untsaget
ist *d*) gawane. Unde andere dirre (ander siner *g*, al disser *d*) riterschaft. Gein
werdchlichem (*so Gg*, werdiclicher *dgg*) prise (*so Gd*, prises *gg*) chraft. Unde
artus (ouch arthuse *d*) dem (der *g*, den *g*) britun *Gdgg*. 16. Zelt ir *d*.
19. Artusen *Ddg*. den *dg*, der *D*. 21. Diu *Ggg*. tavelrunde *Ddgg*.
23. grœzlich *D*, michel *d*, grozer *Ggg*, grosz geschal *dg*. 28. was daz (*und
doch* 29 Die) *g*. 29. Das *d*.

285, 1. Beidiu *Gg*. 2. 14. Segremors *Gdg*, Saigrimors *g*. ie *vor* ranch *Gg*.
3. Sa *G*. 5. Olde *G*, Ob *g*. 7. striten *DG*. an dem *alle aufser D*.
9. Getast *gg*, getastet *Dd*, Gerastet *Gg*, Gedacht *d*. iz *G*. wær *g*.
warem odr *D*. 10. viele *Gg*, vielle *g*. helt *Ggg*. 11. = Sus chom der
snelle iungelinch *Ggg*. 12. Artuss *D*, artus *G*. 15. bavelunes *G*, paulun *d*.
hin *G*. 16. zoblin *D*. 17. diu *D*, die *g*, die da *Gddgg*. 20. siner *DG*.
21. niftel *Dgg*, niftelen *Ggg*, nyftelin *dd*, nifteln *g*. 22. Schinover *G*, Kyno-
ver *g*. 23. erchant *Ggg*. 24. mengiu *D*. 26. Unde hilf *G*. und *D*.
28. muose *G*. 29. diu ist *Ggg*.

286, 1. Segram. *Dd*, segrem. *Gdg immer*, Saigrim. *g*. 3. soldest *D*, soltest *G*,
soldes *g*, soltes *d*, solt *g*. 4. din *dgg*. bescheidenheit *dg*. 6. dar nâch]
So *G*. wænt *g*, wanet *Ggg*. 9. Da mit *G*. 10. anfortasses *gg*, Amfor-
tases *dg*, Anfortas *DG*.

daz von Munsalvæsche vert
untz fôrest mit strîte wert:
sît wir niht wizzen wâ diu stêt,
ze arbeit ez uns lîhte ergêt.'
15 Gynovêr bat Artûsen sô
dês Segramors wart al vrô.
dô sim die âventiure erwarp,
wan daz er niht vor liebe starp,
daz ander was dâ gar geschehen.
20 ungerne het er dô vergehen
sîns kumenden prîses pflihte
ieman an der geschihte.
der junge stolze âne bart,
sîn ors und er gewâpent wart.
25 ûz fuor Segramors roys,
kalopierende ulter juven poys.
sîn ors übr hôhe stûden spranc.
manc guldîn schelle dran erklanc,
ûf der decke und an dem man.
man möht in wol geworfen hân
287 zem fasân inz dornach.
swems ze suochen wære gâch,
der fünde in bî den schellen:
die kunden lûte hellen.
5 Sus fuor der unbescheiden helt
zuo dem der minne was verselt.
wedr ern sluoc dô noch enstach,
ê er widersagen hin zim sprach.
unversunnen hielt dâ Parzivâl.
10 daz fuogten im diu bluotes mâl
und ouch diu strenge minne,

diu mir dicke nimt sinne
unt mir daz herze unsanfte regt.
ach nôt ein wîp an mich legt:
15 wil si mich alsus twingen
unt selten hilfe bringen,
ich sol sis underziehen
und von ir trôste vliehen.
nu hœret ouch von jenen beiden,
20 umb ir komn und umb ir scheiden.
Segramors sprach alsô.
'ir gebâret, hêrre, als ir sît vrô
daz hie ein künec mit volke ligt.
swie unhôhe iuch 'daz wigt,
25 ir müezt im drumbe wandel gebn,
odr ich verliuse mîn lebn.
ir sît ûf strît ze nâhe geriten.
doch wil ich iuch durch zuht biten,
ergebet iuch in mîne gewalt;
odr ir sît schier von mir bezalt,
288 daz iwer vallen rüert den snê.
sô tæt irz baz mit êren ê.'
Parzivâl durch drô niht sprach:
frou minne im anders kumbers jach.
5 durch tjoste bringen warf sîn ors
von im der küene Segramors.
umbe wande ouch sich dez kastelân,
dâ Parzivâl der wol getân
unversunnen ûffe saz,
10 sô daz erz bluot übermaz.
sîn sehen wart drab gekêret:
des wart sîn prîs gemêret.

---

12. Unt daz voreist *G*, Unde ditze forest *gg*, Unde dissen forest (forst) *dg*.
13. Welt ir niht *Ggg*.　　wa daz stêt *Ggg*,　　14. zarbeîte *Dg*.　　15. Schi-
nover *G*.　　sprach zeartuse so *Ggg*.　　16. Daz *d*.　　19. dâ] im *G*.
20. ungern *D*.　　21. Sines niwen chomens phlihte *Gg*.　　priss *D oft*.
22. îemen *DG*.　　ander *D*.　　25. == chom *Ggg*.　　roys *Ddg*, de roys *Ggg*,
der roys *gg*, von Roys *d*.　　26. Galopiernde *gg*, Galopiert *Ggg*.　　ultr *D*,
uber ulter *g*.　　ívuen *D*, io von *g*, ionan *d*, jona *d*, lo von *Ggg*, la von *g*.
27. uber *DG*.　　29. unde uf *Ggg*.　　der man *Gg*.　　30. mohten *D*,
maht in *g*.

287, 1. Zem vashan *g*, Zeinem phaysan *d*, Zen vasanen *G*, Nach fasan *g*.　　in *d*,
in daz *Ggg*.　　2　　2. s] sin *Dddgg*,　　nach in *g*, *fehlt G*.　　3. funden *D*.
von *Ggg*.　　5. unbescheidene *G*.　　6. Zedem *G*.　　minnen *Gd*.　　7. do
Dd, fehlt Gdgg.　　9. do *G*.　　10. Da *d*.　　12. nimt dicke *g*.　　sinne *D*,
die sinne *Gdgg*, mine s. *dg*.　　15. also *G*.　　16. helfe *Gdgg*.　　17. muoz
Ggg.　　19. Horet nu *g*, Horet *Ggg*.　　ouch *Dgg*, *fehlt Gddg*.　　îenen *D*.
in *ddg*.　　20. und ir *dd*.　　22. hêrre] reht *Gg*.　　unfro *Ggg*.　　23. mit
vorche (*vor* e *ein* t *von anderer hand*) *D*.　　24. iu *G*.　　25. muezet *DG*.
== wandel drumbe *Ggg*.　　27. == dur strit *Ggg*.　　zenahen *Ggg*.　　28. Nu
Ggg.　　biten *Dgg*, des biten *Gddgg*.　　29. ergebt *D*, Ir gebet *Gg*, Gebt
uch her an *d*.　　mine *DGdgg*, min *dgg*, meinen *g*.　　30. sciere *DG*.

288, 1. iuer *G*.　　2. tet *dg*, tætet *DG*.　　7. sichz *D*, sich daz *G*.　　10. Do er
daz *Ggg*.　　12. Hie sin sin gemeret *G*, Sin wizze hie gem. *g*, Hie wart sin
pris gem. *gg*.

do er der zaher niht mêr sach,
frou witze im aber sinnes jach.
15 hie kom Segramors roys.
Parzivâl daz sper von Troys,
daz veste unt daz zæhe,
von värwen daz wæhe,
als erz vor der klûsen vant,
20 daz begunder senken mit der hant.
ein tjost enpfienger durch den schilt:
sîn tjost hin wider wart gezilt,
daz Segramors der werde degen
satel rûmens muose pflegen,
25 und daz dez sper doch ganz bestuont,
dâ von im wart gevelle kuont.
Parzivâl reit âne vrâgen
dâ die bluotes zäher lâgen.
do er die mit den ougen vant,
frou minne stricte in an ir bant.
289 weder ern sprach dô sus noch sô:
wan er schiet von den witzen dô.
   Segramors kastelân
huop sich gein sînem barne sân.
5 er muose ûf durch ruowen stên,
ober inder wolde gên.
sich legent genuoc durch ruowen nidr:
daz habt ir dicke freischet sidr.
waz ruowe kôs er in dem snê?
10 mir tæte ein ligen drinne wê.
der schadehafte erwarp ie spot:
sælden pflihtær dem half got.
   daz her lac wol sô nâhen
daz sie Parzivâlen sâhen

15 haben als im was geschehen.
der minne er muose ir siges jehen,
diu Salmônen ouch betwanc.
dâ nâch was dô niht ze lanc,
ê Segramors dort zuo zîn gienc.
20 swer in hazte od wol enpfienc,
den was er al gelîche holt:
sus teilter bâgens grôzen solt.
   er sprach 'ir habt des freischet vil,
rîterschaft ist topelspil.
25 unt daz ein man von tjoste viel.
ez sinket halt ein mers kiel.
lât mich nimmer niht gestrîten,
daz er mîn getorste bîten,
ober bekande mînen schilt.
des hât mich gar an im bevilt,
290 der noch dort ûze tjoste gert.
sîn lîp ist ouch wol prîses wert.'
   Keye der küene man
brâhtz mære für den künec sân,
5 Segramors wære gestochen abe,
unt dort ûze hielt ein strenger knabe,
der gerte tjoste reht als ê.
er sprach, 'hêr, mir tuot immer wê,
sol ers genozzen scheiden hin.
10 ob ich iu sô wirdec pin,
lât mich versuochen wes er ger,
sît er mit ûf gerihtem sper
dort habt vor iwerm wîbe.
nimmer ich belîbe
15 in iwerem dienste mêre:
tavelrunder hât unêre,

---

13. niht mer *Dd*, nicht me en *d*, nimmer *g*, niht en *gg*, niene *G.*   15. de
roys *Ggg*, der roys *gg.*   16. sin sper *Ggg.*   18. Mit *Ggg.*   værwen *D*,
varwen *G*, varwe *die übrigen.*   19. cluse *gg*, chlosen *D.*   22. hin *fehlt*
Ggg.   23. der werdegen *G.*   24. Satel rumes *G.*   25. Und *fehlt G.*
dz *D*, daz *Ggg*, *fehlt dg.*   26. Da mit *Ggg.*   27. bagen *G.*   28. bluots
DG.   zaher *G.*   29. da *D.*   30. Fro *G.*   stricke in *d*, in striche *D.*

289, 1. Sin munt sprach weder sus noch so *Ggg.*   2. den *fehlt Gdgg.*   4. dem *g.*
barne *Gg*, barn *dgg*, baren *D*, barnen *g.*   5. dur *G.*   ruowe *Ggg*, triwe *g.*
7. genuc *g*, genuoge *G*, gnuoge *Dg.*   ruowe *Ggg.*   8. Des habt ir vil ge-
freischet sider *Ggg.*   freiscet *D*, gefreiset *d.*   11. scadhafte *D.*   warb *Gg.*
12. phlihtær *G*, pflihtære *D.*   15. == Halden *Ggg.*   16. Der minne muo-
ser siges iehen *Ggg.*   17. salmonen *G*, Salemonen *g*, Salomonen *die übrigen.*
18. == Dar nach *Ggg.*   ouch *Ggg.*   19. ê *fehlt Ggg.*   == dar *Ggg*, da *gg.*
zuo in *G.*   20. Der [in *g*] wol oder ubel enphiench *Gg.*   == Dern *gg.*
hazzte *g*, hetz *g*, hazzete *D*, haszet *dgg.*   oder *dgg*, odr der in *D.*   23. des
fehlt Gdgg.   gefreischet *alle aufser D.*   26. Ezn *g.*   27. Lat in nyemer
gestriten *d.*   29. erchande *Ggg*, kande *g.*

290, 1. Der dort noch *Gg.*   deuze *G.*   2. doch *Ggg.*   4. Brahtez *G*, braht
diz *D*, braht daz *die übrigen.*   mære *fehlt G.*   6. unt *fehlt Gg.*
7. gerte *Dg*, gert *Gdgg.*   8. Herre sprach er mir tuot we *gg.*   herre *DG*,
fehlt g.   immer *Dgg*, *fehlt Gd.*   13. halt *G*, helt *g*, haltet *gg.*   16. ta-
felrunde *D.*   hats *Gg.*

ob manz im niht bezîte wert.
ûf unsern prîs sîn ellen zert.
nu gebt mir strîtes urloup.
20 wær wir alle blint oder toup,
ir soltz im weren: des wære zît.'
Artûs erloubte Keien strît.
　gewâpent wart der scheneschalt.
dô wolder swenden den walt
25 mit tjost ûf disen kumenden gast.
der truoc der minne grôzen last:
daz fuogte im snê unde bluot.
ez ist sünde, swer im mêr nu tuot.
ouch hâts diu minne kranken prîs:
diu stiez ûf in ir krefte rîs.
291 Frou minne, wie tuot ir sô,
daz ir den trûrgen machet vrô
mit kurze wernder fröude?
ir tuot in schiere töude.
5 wie stêt iu daz, frou minne,
daz ir manlîche sinne
und herzehaften hôhen muot
alsus enschumpfieren tuot?
daz smæhe unt daz werde,
10 und swaz ûf der erde
gein iu decheines strîtes pfligt,
dem habt ir schiere an gesigt.
wir müezen iuch pî kreften lân
mit rehter wârheit sunder wân.
15 frou minne, ir habt ein êre,
und wênc decheine mêre.
frou liebe iu gît geselleschaft:
anders wær vil dürkel iwer kraft.
frou minne, ir pflegt untriuwen
20 mit alten siten niuwen.
ir zucket manegem wîbe ir prîs,
unt rât in sippiu âmîs.

und daz manec hêrre an sînem man
von iwerr kraft hât missetân,
25 unt der friunt an sîme gesellen
(iwer site kan sich hellen),
unt der man an sîme hêrren.
frou minne, iu solte werren
daz ir den lîp der gir verwent,
dar umbe sich diu sêle sent.
292 Frou minne, sît ir habt gewalt,
daz ir die jugent sus machet alt,
dar man doch zelt vil kurziu jâr,
iwer werc sint hâlscharlîcher vâr.
5 disiu rede enzæme keinem man,
wan der nie trôst von iu gewan.
het ir mir geholfen baz,
mîn lop wær gein iu niht sô laz.
ir habt mir mangel vor gezilt
10 und mîner ougen ecke alsô verspilt
daz ich iu niht getrûwen mac.
mîn nôt iuch ie vil ringe wac.
doch sît ir mir ze wol geborn,
daz gein iu mîn kranker zorn
15 immer solde bringen wort.
iwer druc hât sô strengen ort,
ir ladet ûf herze swæren soum.
hêr Heinrich von Veldeke sînen boum
mit kunst gein iwerm arde maz:
20 het er uns dô bescheiden baz
wie man iuch süle behalten!
er hât her dan gespalten
wie man iuch sol erwerben.
von tumpheit muoz verderben
25 maneges tôren hôher funt.
was od wirt mir daz noch kunt,
daz wîze ich iu, frou minne.
ir sît slôz ob dem sinne.

---

17. enzit *Ggg.*　　19. = nu *fehlt Ggg.*　　20. Wer *gg*, wære *D*, Waren *Gg*,
Weren *dg*, Wern *g.*　alle *fehlt G.*　blint odr *D.*　21. = Man *Ggg.*
wer zit *gg.*　22. keyn den *dgg*, im den *Ggg.*　23. scenescalt *D*, sinschalt
G, sinetschalt *gg.*　25. chuonen *Gg.*　26. = swaren last *Ggg.*　28. Es *G.*
nu mere *Gg*, iht mer *gg*, nu iht mer *g*, mere *d.*　29. 30 = *fehlen Ggg.*
291, 2. die *G.*　　trûrigen *D.*　　3. churze werendr *D*, kurzwernder *dgg*, churzer
werder *g.*　4. tounde *DG.*　5. 15. 17. 19. 28. fro *G.*　7. herzenhaften *Ggg.*
8. entschunpfieren *G.*　11. deh. *G*, decheins *D.*　14. reiner *G.*
19. pfligt *D.*　21. zucht mangem *G.*　22. ratet *DG.*　ir *Gg.*　23. daz
fehlt G.　24. iwere *G.*　28. solt weren *G.*　30. = Da von *Ggg.*
292, 1. 27. Fro *G.*　　2. iungde sus *g*, iungen *Gg.*　3. dar *D*, der *dgg*, Den
Gg.　4. Iwer *Ggg*, iweriu *D.*　wer *Gg.*　valschlichiu *G*, valscheu *g.*
5. = Diu *Ggg.*　zame *Gdgg.*　dehæinem *dgg*, deheinen *G.*　10. und
fehlt Ggg.　11. getrûwen *D*, getrewen *g.*　16. der hat *Gg.*　18. hêr Henrc
von Veldeke einen boum? *s. Eneide* 1824.　Maister *g.*　Veldeke *D*, vel-
deche *g*, velde eke *G*, veldek *g*, Veldeck *gg*, veldeg *d*, veldechin *g.*　sin toum *d.*
19. chûnste *Ddg.*　orden *d*, arme *g.*　21. solde *gg.*　23. sul *gg.*　26. odr
D, oder *G.*　28. = ein sloz *Ggg.*

ezen hilfet gein iu schilt noch
  swert,
snell ors, hôch purc mit türnen
  wert:
293 ir sît gewaldec ob der wer.
bêde ûf erde unt in dem mer
waz entrinnet iwerm kriege,
ez flieze oder fliege?
5 Frou minne, ir tâtet ouch gewalt,
dô Parzivâl der degen balt
durch iuch von sînen witzen schiet,
als im sîn triwe dô geriet.
daz werde süeze clâre wîp
10 sand iuch ze boten an sînen lîp,
diu künegîn von Pelrapeire.
Kardeiz fîz Tampenteire,
ir bruoder, nâmt ir och sîn lebn.
sol man iu sölhe zinse gebn,
15 wol mich daz ich von iu niht hân,
iren wolt mir bezzer senfte lân.
 ich hân geredet unser aller wort:
nu hœrt ouch wiez ergienge dort.
 Keie der ellens rîche
20 kom gewâpent rîterlîche
ûz, alser strîtes gerte:
ouch wæne in strîtes werte
des künec Gahmuretes kint.
swâ twingende frouwen sint,
25 die sulen im heiles wünschen nuo:
wande in brâht ein wîp dar zuo
daz minne witze von im spielt.
Keie sîner tjost enthielt,
unz er zem Wâleise sprach
'hêrre, sît iu sus geschach,
294 Daz ir den künec gelastert hât,
welt ir mir volgen, so ist mîn rât
unt dunct mich iwer bestez heil,
nemt iuch selben an ein brackenseil

5 unt lât iuch für in ziehen.
iren megt mir niht enpfliehen,
ich bringe iuch doch betwungen dar:
sô nimt man iwer unsanfte war.'
 den Wâleis twanc der minnen
  kraft
10 swîgens. Keie sînen schaft
ûf zôch und frumt im einen
  swanc
anz houbet, daz der helm erklanc.
dô sprach er 'du muost wachen.
âne lînlachen
15 wirt dir dîn slâfen hie benant:
ez zilt al anders hie mîn hant:
ûf den snê du wirst geleit.
der den sac von der müle treit,
wolt man in sô bliuwen,
20 in möhte lazheit riuwen.'
 frou minne, hie seht ir zuo:
ich wæn manz iu ze laster tuo:
wan ein gebûr spræche sân,
mîme hêrrn sî diz getân.
25 er klagt ouch, möhter sprechen.
frou minne, lât sich rechen
den werden Wâleise:
wan liez in iwer vreise
unt iwer strenge unsüezer last,
ich wæn sich werte dirre gast.
295 Keie hurte vaste an in
unt drang imz ors alumbe hin,
unz daz der Wâleis übersach
sîn süeze sûrez ungemach,
5 sînes wîbes glîchen schîn,
von Pelrapeir der künegîn:
ich meine den geparrierten snê.
dô kom aber frou witze als ê,
diu im den sin her wider gap.
10 Keie ez ors liez in den walap:

29. Ez *Gg.* 30. snell *D*, Snelle *dg*, Snele̤ *Ggg.* hohiu burch *Ggg.*
293, 2. Beidiu *G.* uf der *dgg*, hin *g.* 5. Fro *G.* 9. süeze] chiusce *D.*
 10. Sand *g.* 12. roys *vor* tampunt. *übergeschrieben G.* 13. namt *g.*
 16. welt *Ggg.* 17. geredet *g*, gereit *DG*, geret *g*, geeret *d*, gesprochen *g*,
gesait *g.* unser wort? 18. ouch *fehlt Ggg.* 22. = Ich *Ggg.* ich in *d.*
 23. Gahmurets *DG.* 24. Swa nu *Gdgg.* dwing. *G.* 29. Biz *Ggg.*
 = ze parzivale *Ggg.*
294, 2. im wandelen *Ggg.* 3. duncht *Gg*, dunchet *D.* beste *G.* 4. So
nempt *gg*, Ir nemet *G.* Lat euch nemen *g.* = selben *fehlt Ggg.* 6. mu-
get *Ggg.* 7. = gevangen *Ggg.* 12. = Uf daz *Ggg*, Uf *g.* houbt *DG.*
 14. lîn lachen *D*, lilachen *die übrigen.* 16. hie *fehlt Gdgg.* 18. mul *D.*
 19. wolte *DG.* so *D*, also *d* = sus *g*, alsus *Ggg.* 21. 26. Fro *G.* 22. man
iuz *Ggg.* 23. gebuor *D*, gebure *die übrigen.* 24. herren *DG.* 28. frieise *G.*
295, 2. Er *Ggg.* ore *D.* 3. unze *Dd* = So *Ggg.* 4. surz *G*, fûrez *D.*
 5. sins *Dg.* glichen *g.* 8. im aber *Gg.* frou *fehlt Ggg.* 10. = Kay
lie daz ors in *Ggg.*

der kom durch tjostieren her.
von rabîn sancten si diu sper.
Keie sîne tjoste brâhte,
als im der ougen mez gedâhte,
15 durchs Wâleis schilt ein venster wît.
im wart vergolten dirre strît.
Keie Artûs schenescalt
ze gegentjoste wart gevalt
übern ronen dâ diu gans entran,
20 sô daz dez ors unt der man
liten beidiu samt nôt:
der man wart wunt, dez ors lac tôt.
zwischen satelbogen und eime stein
Keyn zeswer arm und winster bein
25 zebrach von disem gevelle:
surzengel, satel, geschelle
von dirre hurte gar zebrast.
sus galt zwei bliwen der gast:
daz eine leit ein maget durch in,
mit dem andern muoser selbe sîn.
296 Parzivâl der valscheitswant,
sîn triwe in lêrte daz er vant
snêwec bluotes zäher drî,
die in vor witzen machten vrî.
5 sîne gedanke umben grâl
unt der küngîn glîchiu mâl,
iewederz was ein strengiu nôt:
an im wac für der minnen lôt.
trûren unde minne
10 brichet zæhe sinne.
sol diz âventiure sîn?
si möhten bêde heizen pîn.

küene liute solten Keien nôt
klagen: sîn manheit im gebôt
15 genendeclîche an manegen strît.
man saget in manegen landen wît
daz Keie Artûs scheneschalt
mit siten wære ein ribbalt:
des sagent in mîniu mære blôz:
20 er was der werdekeit genôz.
swie kleine ich des die volge hân,
getriwe und ellenthaft ein man
was Keie: des giht mîn munt.
ich tuon ouch mêre von im kunt.
25 Artûses hof was ein zil,
dar kom vremder liute vil,
die werden unt die smæhen,
mit siten die wæhen.
Swelher partierens pflac,
der selbe Keien ringe wac:
297 an swem diu kurtôsîe
unt diu werde cumpânîe
lac, den kunder êren,
sîn dienst gein im kêren.
5 ich gihe von im der mære,
er was ein merkære.
er tet vil rûhes willen schîn
ze scherme dem hêrren sîn:
partierre und valsche diet,
10 von den werden er die schiet:
er was ir fuore ein strenger hagel,
noch scherpfer dan der bîn ir zagel.
seht, die verkêrten Keien prîs,
der was manlîcher triwen wîs:

---

12. rabine *DG*.   15. Dur des waleis *Gdgg*, durch Parzivaien *D*.   16. ver-
golden *D*.   17. Kay artuses sineschalt *G*.   19. Ubern *g*, Uber *g*, uber den
DG.   20. daz dz *D*, daz daz *G*.   21. = Beidiu sament liten not *Ggg*.
22. was wunt *Ggg*.   23. Zwischeme *G*, Zwischen *gg*, zwiscen dem *Ddgg*.
und *fehlt Gg*.   24. Keyn (Kayen *g*, Keys *d*, Kay *Gg*) zeswer *Ggg* = Keie der
zeswe *Dd*.   arem *D*.   und *g*, vñ daz *Dg*,   das *d*, unde sin *Gg*, sin *g*.
25. Zer brast *Ggg*.   26. Surzingel *g*.   = unde satel geschelle *Ggg*, und
satelgeschelle *g*.   27. hurt *D*.   zerbrast *G*.   28. do der *d*, dirre *gg*.
29. ein magedin?   30. selbe *fehlt Gg*.

296, 1. Ane parzivale valscheit swant *G*.   3. Snebich *g*, Sin sne *d*, Sine *Gg*.
4. Die in machten witze vri *Ggg*.   5. sine gedanche *D*, Sin gedang *g*, Ein
gedanc in pausieren *g*, Sin pensieren *Ggg*, Sin pansieren *gg*.   7. Ietw. *G*.
9. wan truren und minne *D*.   11. daz *Ggg*.   12. Si mohtenz *gg*.   bei-
diu *G*.   13. kays *G*.   17. sinschalt *G*.   18. ribalt *Ggg*.   19. saget in
min *Ggg*.   22. ellenthafter man *Ggg*.   23. min *Dgg*, im min *Gdgg*, *fehlt g*.
24. ouch *D*, ime (*d. i.* iu) *d* = noch *Ggg*, eu noch *g*.   mer *G*.   25. Artus
hoff *D*.   26. vremdr rittr vil *D*.   28. Mit varwen *G*.   29. partierns *G*,
partiers *d*.   30. Der selben key kriegens wach *g*.   Kay *G*.

297, 1. die *D*.   curtoysie *Gg*.   2. cumponie *G*.   9. Partierre *D*, Paratierre *g*,
Partiere *d*, Partierære *Ggg*, Partîrer *g*.   11. strenge *G*.   12. scarpfer *D*.
der bin ir *Dg*, der by ir *dg*, der pîn der *g*, ein pin ir *G*, ein pigen *g*, des
pigen *g*.   13. Keyen] sinen *Gg*.   14. Er *Ggg*.

15 vil hazzes er von in gewan.
von Dürgen fürste Herman,
etslîch dîn ingesinde ich maz,
daz ûzgesinde hieze baz.
dir wære och eines Keien nôt,
20 sît wâriu milte dir gebôt
sô manecvalten anehanc,
etswâ smæhlîch gedranc
unt etswâ werdez dringen.
des muoz hêr Walther singen
25 'guoten tac, bœs unde guot.'
swâ man solhen sanc nu tuot,
des sint die valschen gêret.
Kei hets in niht gelêret,
noch hêr Heinrich von Rîspach.
hœrt wunders mêr, waz dort geschach
298 Uf dem Plimizœles plân.
Keie wart geholt sân,
in Artûs poulûn getragen.
sîne friunt begunden in dâ klagen,
5 vil frouwen unde manec man.
dô kom ouch mîn hêr Gâwân
über in, dâ Keie lac.
er sprach 'ôwê unsælic tac,
daz disiu tjost ie wart getân,
10 dâ von ich friunt verloren hân.'
er klagt in senlîche.
Keie der zornes rîche
sprach 'hêrre, erbarmet iuch mîn lîp?
sus solten klagen altiu wîp.
15 ir sît mîns hêrren swester suon:
möht ich iu dienst nu getuon,
als iwer wille gerte

do mich got der lide werte!
sone hât mîn hant daz niht vermiten,
20 sine habe vil durch iuch gestriten:
ich tæte ouch noch, unt solt ez sîn.
nune klagt nimêr, lât mir den pîn.
iwer œheim, der künec hêr,
gewinnet nimmer sölhen Keien mêr.
25 ir sît mir râch ze wol geborn:
het ab ir ein vinger dort verlorn,
dâ wâgte ich gegen mîn houbet.
seht ob ir mirz geloubet.
  kêrt iuch niht an mîn hetzen.
er kan unsanfte letzen,
299 der noch dort ûze unflühtec habt:
weder ern schûftet noch endrabt.
Och enist hie ninder frouwen hâr
weder sô mürwe noch sô clâr,
5 ez enwære doch ein veste bant
ze wern strîtes iwer hant.
swelch man tuot solhe diemuot schîn,
der êret ouch die muoter sîn:
vaterhalb solter ellen hân.
10 kêrt muoterhalp, hêr Gâwân:
sô wert ir swertes blicke bleich
und manlîcher herte weich.'
sus was der wol gelobte man
gerant zer blôzen sîten an
15 mit rede: er kunde ir gelten niht,
als wol gezogenem man geschiht,
dem scham versliuzet sînen munt,
daz dem verschamten ist unkunt.
  Gâwân ze Keien sprach
20 'swâ man sluog oder stach,

16. durgen *G*, duringen *die übrigen*. marcgrefe *g*. 17. Etlich *G*.
19. eins *D*. kayn *G*. 24. hêr] er *g*. 25. bœse *DG*. 29. Rîspach
mit î *D*.

298, 1. Plimizœls *D*, plimizoles *g*, plimizolles *g*, plimizols *g*, blimzoles *G*, Brimi-
zols *g*. 4. do *G*. 6. = Dar *Ggg*. mîn *fehlt Gg*. 7. = Uber kain
alda (da *G*) er lach *Ggg*. 12. zorns *G*, zorens *D*. 13. iu *g*. 17. Als
ich (irs *Gg*, ir *g*) etswene gert *Ggg*. 18. So *g*. wert *Ggg*. 19. Do
hette *d*. daz min hant *D*. 20. Sú hat *d*. durch iu *D*. 21. = Si *Ggg*.
unt solt ez *D*, *ohne* unt *d* = moht ez *Ggg*, ob ez mohte *g*. 22. = nune
fehlt Ggg. ni mere *D*, min ere *d* = niht mer *gg*, niht me *G*. 23. 24 *hier*
Dd = *nach z.* 30 *Ggg*. 24. nimmer *D*, nimer deheinen *Ggg*. kai *G*.
25. rache *DG*, rich *d*. zehoch geboren *G*. 26. abr ir *D*, aber ir *Ggg*,
ir aber *dg*, ir *gg*. einen *alle*. dort *Dgg*, *fehlt Gdgg*. floren *G*.
27. Da engene waget ih min houbet *G*.

299, 1. Der dort noch deuze *G*, Der dor uze noch *g*. 2. Er enschuftet *G*, ern
scûft *D*. 4. murge *G*. 5. doch *D*, ye doch *d* = iu doch *Ggg*. 6. Ze-
bewarne *Gg*. Iwerm strît zewerr hant *g*. 7. solch dimuot *g*, solhe die-
muete *D*. 8. = iedoch *Ggg*. 9. vaterhalbn *D*. 11. wert *g*, wêrt *g*,
werdet *DG*. swerts *D*. 17. = Dem versliuzet schame *Ggg*. 19. = Ga-
wan iedoch ze kain sprach *Ggg*. 20. swa man [ie *g*] sluog odr stach *Ddg*,
Swa man ie striten (ie gestriten *g*) sach *gg*, Swa man mich striten ie ge-
sach *G*, Swan man mich ie in strite sach *g*.

10*

swaz des gein mir ist geschehn,
swer mîne varwe wolde spehn,
diu wæne ich ie erbliche
von slage odr von stiche.
25 du zürnest mit mir âne nôt:
ich pin der dir ie dienst pôt.'
ûzem poulûn gienc hêr Gâwân,
sîn ors hiez er bringen sân:
sunder swert und âne sporn
saz drûf der degen wol geborn.
300 Er kêrt ûz da er den Wâleis vant,
des witze was der minnen pfant.
er truoc drî tjoste durch den schilt,
mit heldes handen dar gezilt:
5 ouch het in Orilus versniten.
sus kom Gâwân zuo zim geriten,
sunder kalopieren
unt âne punieren:
er wolde güetlîche ersehen,
10 von wem der strît dâ wære geschehen.
dô sprach er grüezenlîche dar
ze Parzivâl, dies kleine war
nam. daz muose et alsô sîn:
dâ tet frou minne ir ellen schîn
15 an dem den Herzeloyde bar.
ungezaltiu sippe in gar
schiet von den witzen sîne,
unde ûf gerbete pîne
von vater und von muoter art.
20 der Wâleis wênec innen wart,
waz mîns hêrn Gâwânes munt
mit worten im dâ tæte kunt.
dô sprach des künec Lôtes suon
'hêrre, ir welt gewalt nu tuon,

25 sît ir mir grüezen widersagt.
ine bin doch niht sô gar verzagt,
ine bringz an ander vrâge.
ir habet man und mâge
unt den künec selbe entêret,
unser laster hie gemêret.
301 Des erwirbe ich iu die hulde,
daz der künec læt die schulde,
welt ir nâch mîme râte lebn,
geselleschaft mir für in gebn.'
5 des künec Gahmuretes kint,
dröwen und vlêhn was im ein wint.
der tavelrunder hôhster prîs
Gâwân was solher nœte al wîs:
er het se unsanfte erkant,
10 do er mit dem mezer durh die hant
stach: des twang in minnen kraft
unt wert wîplîch geselleschaft.
in schiet von tôde ein künegîn,
dô der küene Lähelîn
15 mit einer tjoste rîche
in twanc sô vollenclîche.
diu senfte süeze wol gevar
ze pfande sazt ir houbet dar,
roin Ingûse de Pahtarliez:
20 alsus diu getriwe hiez.
dô dâhte mîn hêr Gâwân
'waz op diu minne disen man
twinget als si mich dô ivanc,
und sîn getriulîch gedanc
25 der minne muoz ir siges jehen?'
er marcte des Wâleises sehen,
war stüenden im diu ougen sîn.
ein failen tuoches von Sûrîn,

---

21. = von mir ist *gg*, ist von mir *Ggg*.   22. Der *Ggg*.   = chunde spe-
hen *Ggg*.   23. ie derbliche *g*.   24. slegen *Ggg*.   noch *Ggg*.   25. zunst *G*.
an *D*.   30. = der helt *Ggg*.
300, 3. Der *gg*.   driu venster *Ggg*.   5. Sus het *Ggg*.   6. = Gawan chom
zuo im geriten *Ggg*.   7. galop. *Ggg*.   10. dâ *fehlt Ggg*.   ware *DG*,
wer *gg*.   11. gruesseclichen *d* = gruozliche *Ggg*.   12. ce Parzivale ders
(des *g*) *Ddg*, Parzival des *Ggg*.   13. muoset also *G*.   14. Do tet fro *G*.
15. An im *Ggg*.   17. sin *alle*.   18. unde ûf gerbetr (uf gerbeter *G*, uf ge
erbter *g*, ouf gerebter *g*, uf geborner *g*) pin (bin *G*) *alle*.   21. mîns
fehlt dg, des *G*.   Gawans *DG*.   23. loths *D*.   26. Ich *G*.
27. Ichen *G*.   bringz *g*, bringez *DG*.   29. selbe *Ggg*, selb *dg*, selben *D*.
30. hie *fehlt Ggg*.   gemert *G*.
301, 1. erwibe *D*, erbirwe *g*.   2. læt *mit* æ *D*.   4. = Unde geselleschaft *Ggg*.
mir] her *Ggg*.   6. Dron *Gg*.   flehn *g*.   7. Tafelrunde *D*.   hoster bris
G.   8. = dirre note *Ggg*.   9. Er hetse ouch *G*.   16. sus *Ggg*.
19. 20 *fehlen G*.   19. de kunegin *Ddg*.   Jnguose *D*, ingûze *gg*, ingwiz *g*.
de *gg*, von *Dg*, *fehlt dg*.   paterlies *g*, phaterliez *g*, pauterliez *g*.   21. sprach
Ggg.   26. marhte *Gg*.   Waleis *DG*.   27. im *fehlt Ggg*.   28. Ein fai-
len *d*, eine failen *D*, Eine vale *G*, Ein valen *g*, Ein vêl *g*, Eins væilen *gg*, Ein
pfellel (*und* tuoch) *g*.   tuoches *fehlt G*.   von einen sigelatin *g*.   forin *d*.

gefurriert mit gelwem zindâl,
die swanger über diu bluotes mâl.
302 Dô diu faile wart der zaher dach,
sô daz ir Parzivâl niht sach,
im gap her wider witze sîn
von Pelrapeir diu künegîn:
5 diu behielt iedoch sîn herze dort.
nu ruochet hœren sîniu wort.
er sprach 'ôwê frowe unde wîp,
wer hât benomn mir dînen lîp?
erwarp mit rîterschaft mîn hant
10 dîn werde minn, krôn unde ein lant?
bin ichz der dich von Clâmidê
lôste? ich vant ach unde wê,
und siufzec manec herze frebel
in dîner helfe. ougen nebel
15 hât dich bî liehter sunnen hie
mir benomn, jan weiz ich wie.'
er sprach 'ôwê war kom mîn sper,
daz ich mit mir brâhte her?'
dô sprach mîn hêr Gâwân
20 'hêrre, ez ist mit tjost vertân.'
'gein wem?' sprach der degen wert.
'irn habt hie schilt noch dez swert:
waz möht ich prîss an iu bejagen?
doch muoz ich iwer spotten tragen:
25 ir biet mirz lîhte her nâch paz.
etswenne ich ouch vor tjost gesaz.
vinde ich nimmer an iu strît,
doch sint diu lant wol sô wît,
ich mac dâ prîs und arbeit holen,
beidiu freude und angest dolen.'
303 Mîn hêr Gâwân dô sprach
'swaz hie mit rede gein iu geschach,

diu ist lûter unde minneclîch,
und niht mit stæter trüebe rîch.
5 ich ger als ichz gedienen wil.
hie lît ein künec und rîter vil
und manec frouwe wol gevar:
geselleschaft gib ich iu dar,
lât ir mich mit iu rîten.
10 da bewar ich iuch vor strîten.'
'iwer genâde, hêrre: ir sprechet wol,
daz ich vil gerne dienen sol.
sît ir cumpânîe bietet mir,
nu wer ist iur hêrre oder ir?'
15 'ich heize hêrre einen man
von dem ich manec urbor hân.
ein teil ich der benenne hie.
er was gein mir des willen ie
daz er mirz rîterlîche bôt.
20 sîne swester het der künec Lôt,
diu mich zer werlde brâhte.
swes got an mir gedâhte,
daz biutet dienst sîner hant.
der künec Artûs ist er genant.
25 mîn nam ist ouch vil unverholn,
an allen steten unverstoln:
liute die mich erkennent,
Gâwân mich die nennent.
iu dient mîn lîp und der name,
welt irz kêren mir von schame.'
304 Dô sprach er 'bistuz Gâwân?
wie kranken prîs ich des hân,
op du mirz wol erbiutes hie!
5 ich hôrte von dir sprechen ie,
du erbütesz allen liuten wol.
dîn dienst ich doch enpfâhen sol

---

29. Geturriet von *G.*   zendal *Gg.*   30. die *D.*   bluots *DG.*
302, 1. diu faile *D*, die vaile *d*, die feile *g*, diu væle *G*, die vale *g*, diu vêl *g*, das vel *g*, di zeher *g*.   6. = disiu wort *Ggg.*   7. ouwe *D*, *fehlt dgg.*   frouwe *D*, minne *G.*   10. Din *dgg*, dine *DG.*   minne *alle.*   kron *gg*, chrone *DG.*   ein *Dgg*, zway *g*, *fehlt Gdg*, *und (nebst* und) *g.*   12. vñ owê *D.*   13. siuf-zech *Dg*, süfftze *d*, suften *Gg*, seuften *g*, süftzen *gg.*   16. iane (nune *Ggg*) weiz ich *DGgg*, ich en (*fehlt d*) weiz [niht *g*] *dgg.*   18. braht *G.*   22. = traget hie *Ggg.*   dz *D*, daz *G.*   24. wil *Ggg.*   26. von *Ggg.*   29. umb *g*, mit *G.*   30. vñ beidiu *D.*
303, 1. Des chunges lotes sun do sprach *Ggg.*   3. Daz *Gd.*   4. = und *fehlt Ggg.*   = valscher *Ggg.*   7. Mit wunnchlicher frouwen schar *Ggg.*   9. ir *fehlt Gdg.*   10. = So *Ggg.*   11. = Got lone iu herre *Ggg.*   sprecht *G.*   13. conpanie biet *G.*   14. nu *fehlt Ggg.* iwer *DG.*   odr *D.*   15. her-ren *Gg.*   17. benne *G.*   18. = phlach *Ggg.*   19. willchlichen *Gg.*   20. hat *Ggg.*   21. werelde *D.*   23. biut *G.*   25. = Ouch ist min name *Ggg.*   vil *fehlt Ggg.*   25. unverholn-26. unverstoln *Ddg*, unferstolen-vil unferholen *Ggg.*   26. = An manger stat *Ggg.*   29. der *Dd* = ouch min *Ggg*, min *g*, *fehlt g.*
304, 2. Vil *alle aufser D.*   3. erbiutst *G.*   4. hort *G.*   5. erbütesz] erbiutez *D*, erbütest *d*, erbutest *gg*, erbeutest ez *g*, erbietst ez *g*, butest ez *G*, beütestes *g.*

niwan ûf gegendienstes gelt.
nu sage mir, wes sint diu gezelt,
der dort ist manegez ûf geslagn?
10 lît Artûs dâ, sô muoz ich klagn
daz ich in niht mit êren mîn
mac gesehen, noch die künegîn.
ich sol rechen ê ein bliuwen,
dâ von ich sît mit riuwen
15 fuor, von solhen sachen.
ein werdiu magt mir lachen
bôt: die blou der scheneschalt
durch mich, daz von ir reis der
walt.'
'unsanfte ist daz gerochen,'
20 sprach Gâwân: 'imst zebrochen
der zeswe arm untz winster bein.
rît her, schouw ors und ouch den
stein.
hie ligent ouch trunzûne ûf dem snê
dîns spers, nâch dem du vrâgtest ê.'
25 dô Parzivâl die wârheit sach,
dô vrâgter fürbaz unde sprach
'diz lâze ich an dich, Gâwân,
op daz sî der selbe man
der mir hât laster vor gezilt:
sô rît ich mit dir swar du wilt.'
305 'Ine wil gein dir niht liegens pflegn,'
sprach Gâwân. 'hiest von tjost ge-
legn
Segramors ein strîtes helt,
des tât gein prîse ie was erwelt.

5 du tætz ê Keie wart gevalt:
an in bêden hâstu prîs bezalt.'
si riten mit ein ander dan,
der Wâleis unt Gâwân.
vil volkes zorse unt ze fuoz
10 dort inne bôt in werden gruoz,
Gâwâne und dem rîter rôt,
wande in ir zuht daz gebôt.
Gâwân kêrt da er sîn poulûn vant.
froun Cunnewâren de Lalant
15 ir snüere unz an die sîne gienc:
diu wart vrô, mit freude enpfienc
diu magt ir rîter, der si rach
daz ir von Keien ê geschach.
si nam ir bruoder an die hant,
20 unt froun Jeschûten von Karnant:
sus sach si komen Parzivâl.
der was gevar durch îsers mâl
als touwege rôsen dar gevlogen.
im was sîn harnasch ab gezogen.
25 er spranc ûf, do er die frouwen
sach:
nu hœrt wie Cunnewâre sprach.
'Got alrêst, dar nâch mir,
west willekomen, sît daz ir
belibt bî manlîchen siten.
ich hete lachen gar vermiten,
306 unz iuch mîn herze erkande,
dô mich an freuden pfande
Keie, der mich dô sô sluoc.
daz habt gerochen ir genuoc.

---

7. uf dienstes gelt *Ggg*, uf dienstes widergelt *g*, auff dienst gegen gelt *g*.
8. mir *fehlt G.*   9. = Der dort manigez ist *g*, Der mangez ist dort *Gyg*,
Der manges dort ist *gg*.   11. 12. = in mit den eren min. Niht mach *Ggg*.   daz
i'n niht mac mit êren mîn gesehen, noch die künegîn?   13. ê] noch *G.*
blôwen (*aber* riwen) *G.*   14. = Dar umbe *Ggg*, Daz *g*.   16. 17. = ir
lachen Mir bot die sluoch *Ggg*.   sinschalt *G.*   18. daz von ir der (*über-
geschrieben* swant der) walt *G*, daz von ir der walt. ershal *g*.   19. daz ist *Gg.*
20. im ist *alle.*   zerbr. *G*, gebr. *dyg*, gestochen *g*.   21. arem *D.*   unde
daz *DGyg*, daz *dg*.   22. schow *g*, scouwe *DG*.   = ouch *fehlt Ggg*.
23. drunzune *G.*   24. von dem *Gg*.   du *fehlt D.*   vragtest *D*,   vrag-
tast *g*, fragest *die fünf übrigen.*   26. vrageter *Ddg*, dahter *Ggg*.   furbaz
Dd = mer *Ggg*.   27. Daz *Gg*.

305, 1. Ich nemach *Ggg*.   2. hie ist *DG.*   4. = gezelt *Ggg*.   5. du tætez-
wart (was *d*) *Ddg*, Daz was-wurde *Ggg*.   6. beid. *G.*   12. *vor* 11 *Gg.*
13. kert *g*, cherte *DG.*   14. Fron *G.*   15. ir *D*, *fehlt d* = Der *Ggg*.
16. = Si *Ggg*.   vil vro *D.*   freude enpfiench *D*, freuden phiench *g*, freu-
den enpfienc *dgg*, freuden si in (*fehlt G*) enphiench *Ggg*.   18. kei *G.*
gescach *D.*   19. ande hant *D.*   23. tôwige *D*, touwich *g*.   dar] davor
nachgetragen warn *D*, wæren (wêrn *g*, wer *d*) dar *Ddgg*, dar weren *gg*,
weren *g*.   25. = do er si chomen sach *Ggg*.   27. alrerst *g*.   28. west
fehlt Gg, Sit *gg*.

306, 1. = E iuch *Ggg*.   2. Sit *Ggg*.

5 ich kust iuch, wære ich kusses
　　wert.'
'des het ich hiute sân gegert,'
sprach Parzivâl, 'getorst ich sô:
wand ich pin iwers enpfâhens vrô.'
　si kust in unde sazt in nider.
10 eine juncfrowen si sande wider
und hiez ir bringen rîchiu kleit.
diu wârn gesniten al gereit
ûz pfelle von Ninnivê:
si solde der künec Clâmidê,
15 ir gevangen, hân getragen.
diu magt si brâhte und begunde
　　klagen,
　der mantel wære âne snuor.
Cunnewâre sus gefuor,
von blanker sîte ein snüerelîn
20 si zucte und zôhez im dar în.
mit urloube er sich dô twuoc,
den râm von im: der junge truoc
bî rôtem munde liehtez vel.
gekleidet wart der degen snel:
25 dô was er fier unde clâr.
swer in sach, der jach für wâr,
er wære gebluomt für alle man.
diz lop sîn varwe muose hân.
　Parzivâl stuont wol sîn wât.
einen grüenen smârât
307 spien sim für sîn houbtloch.
Cunnewâr gap im mêr dennoch,
einen tiweren gürtel fier.
mit edelen steinen manec tier
5 muose ûzen ûf dem borten sîn:

diu rinke was ein rubîn.
wie was der junge âne bart
geschicket, do er gegürtet wart?
diz mære giht, wol genuoc.
10 daz volc im holdez herze truoc:
swer in sach, man oder wîp,
die heten wert sînen lîp.
　der künec messe het gehôrt:
man sach Artûsen komen dort
15 mit der tavelrunder diet,
der neheiner valscheit nie geriet.
die heten alle ê vernomn,
der rôte rîter wære komn
in Gâwânes poulûn.
20 dar kom Artûs der Bertûn.
　der zerblûwen Antanor
spranc dem künege allez vor,
unz er den Wâleis ersach.
den vrâgter 'sît irz der mich rach,
25 und Cunnewâren de Lalant?
vil prîses giht man iwerre hant.
Keie hât verpfendet:
sîn dröun ist nu gelendet.
ich fürhte wênec sînen swanc:
der zeswe arm ist im ze kranc.'
308　Dô truoc der junge Parzivâl
âne flügel engels mâl
sus geblüet ûf der erden.
Artûs mit den werden
5 enpfieng in minneclîche.
guots willen wâren rîche
alle dien gesâhen dâ.
ir herzen volge sprâchen jâ,

---

5. chuss wert D.　　6. sa G.　　8. iwers chusses G.　　9. chusten D.
saztin gg, satzte in Gg, saste in d, sazen Dg.　　12. albereit G, al gemæit g.
13. ninve G.　　17. mandel Gg.　　18. = alsus Ggg.　　19. = Uz Ggg,
Uzer g.　　sîte DGg, siden dgg.　　20. zohez im D, zoch im ez gg, zoch im
si g, zoch im daz Gdg, zoch daz g.　　21. sich fehlt d.　　23. liehtz G.
24. gechleit D, Gechlet G.　　27. Gebluomet in vur alle man G, ohne er wære.
so auch g, aber ohne in, und z. 28 daz lop: dann ist zu lesen müese.　ge-
bluemt g, gebluemet D, gelobt g.　　28. Daz dgg.　　29. Parzivale DG.
30. = tiuren Ggg.

307, 2. Cunneware D immer, Kunwar g.　　Diu frouwe gap im me danoch G.
3. vier G.　　4. Von (Ausz g) edelem gesteine alle aufser DGd.　　5. borten
Gg, porten Ddgg.　　6. ringe gg.　　8. gechleidet wart Gg.　　9. Daz Gg.
11. swer in sach. (gesach dg) man odr wip Ddg, Beidiu man unde wip Ggg.
15. Tafelrunde D oft.　　16. Der deheine vascheit G.　　17. alle e wol Gg.
19. Gawans DG.　　21. zerblûwen D, zerblôwen G.　　Anthanor D, anthenor dg.
25. Unde mine frouwen de lalant G.　　26. prîs D, brises G.　　iwerr D.
28. droun g, drouwen D, dron Gg.　　29. furht wench G.　　30. arem D.

308, 2. fluge G.　　3. gebluomet G, gluet D.　　5. = riterliche Ggg.　　6. guo-
tes D.　　7. di in D, die in G.　　sahen Gg.　　8. herce gg, hertze ime d.
volgen gg.　　sprach g, diu sprach G.

gein sîme lobe sprach niemen
nein:
10 sô rehte minneclîcher schein.
Artûs sprach zem Wâleis sân
'ir habt mir lieb und leit getân:
doch habt ir mir der êre
brâht unt gesendet mêre
15 denne ich ir ie von manne en-
pfienc.
da engein mîn dienst noch kleine
gienc,
het ir prîss nimêr getân,
wan daz diu herzogîn sol hân,
frou Jeschût, die hulde.
20 ouch wære iu Keien schulde
gewandelt ungerochen,
het ich iuch ê gesprochen.'
Artûs saget im wes er bat,
war umbe er an die selben stat
25 und ouch mêr landes was geritn.
si begunden in dô.alle bitn
daz er gelobte sunder
den von der tavelrunder
sîn rîterlîch gesellekeit.
im was ir bete niht ze leit:
309 Ouch moht ers sîn von schulden vrô.
Parzivâl si werte dô.
nu râtet, hœret unde jeht,
ob tavelrunder meg ir reht
5 des tages behalden. wande ir pflac
Artûs, bî dem ein site lac:
nehein rîter vor im az
des tages swenn âventiure vergaz
daz si sînen hof vermeit.
10 im ist âventiure nu bereit:

daz lop muoz tavelrunder hân.
swie si wær ze Nantes lân,
man sprach ir reht ûf bluomen velt:
dane irte stûde noch gezelt.
15 der künec Artûs daz gebôt
zêren dem rîter rôt:
sus nam sîn werdekeit dâ lôn.
ein pfelle von Acratôn,
ûz heidenschefte verre brâht,
20 wart zeime zil aldâ gedâht,
niht breit, sinewel gesniten,
al nâch tavelrunder siten;
wande in ir zuht des verjach:
nâch gegenstuol dâ niemen sprach,
25 diu gesitz wârn al gelîche hêr.
der künec Artûs gebôt in mêr
daz man werde rîtr und werde
frouwen
an dem ringe müese schouwen.
die man dâ gein prîse maz,
magt wîb und man ze hove dô az.
310 Dô kom frou Gynovêr dar
mit maneger frouwen lieht gevar;
mit ir manc edel fürstîn:
die truogen minneclîchen schîn.
5 ouch was der rinc genomn sô wît
daz âne gedrenge und âne strît
manc frouwe bî ir âmîs saz.
Artûs der valsches laz
brâht den Wâleis an der hant.
10 frou Cunnewâre de Lalant
gieng im anderthalben bî:
diu was dô trûrens worden vrî.
Artûs an den Wâleis sach;
nu sult ir hœren wie er sprach.

---

11. = sprach zeim [do *g*] san *Ggg*, zuo im sprach san *g*.   16. Min dienst
da gein (*oder* da engein) noch chleine giench *Ggg*.   17. nimer *D*, mynre
d = niht me *Ggg*.   20. kay *G*.   21. ungerochen *Ggg*, unt gerochen *Ddgg*.
29. Sin *dgg*, sine *DG*.   riterliche sicherheit *G*.

309, 1. = Er mohts *Ggg*, Si möchten *g*.   3. râtet] = sprechet *Ggg*.   4. muge *G*.
5. wande *fehlt G*, ob *g*.   er *d*.   7. Dehein *Gg*.   8. swenne *D*, so *Gg*.
10. nu aventiwer *g*.   11. muoz *d*, muose *die übrigen*.   12. da ce *D*.
zenantis *Ggg*.   18. acredon *G*, achgregon *gg*.   20. Des was da zeinem zil
gedaht *Ggg*.   21. sînwel *D*.   22. der tav. *Gdgg*.   23. vergach *G*.
24. gegen stuole *D*, gagensidel *G*.   25. di gesizze (gesesse *d*) waren *Ddg*,
Ir gesitz (gesitze *gg*, sitzen *g*) was *Ggg*.   27. werde — werde *Dgg*,
daz zweite fehlt dgg*, beide fehlen *G*.   28. Am *g*.   = solt *oder*
solde *Ggg*.

310, 1. Ouch *Ggg*.   fro schinovere *G*, frou gynofere *g*.   3. manech *D*.
edele *G*.   4. lieht gevarwen schin *g*.   5. = Der rinch was wol genomen
so wit *Ggg*.   7 nach 8 *Gg*.   amise *g*.   9. Do brahte *Gg*.   11. 12 *feh-
len G*.   11. Gein im *g*.   anderhalben *g*.   12. worden trurens *gg*.
14. wier sprach *G*.

15 'ich wil iweren clâren lîp
lâzen küssen mîn [altez] wîp.
des endorft ir doch hie niemen
    bitn,
sît ir von Pelrapeire geritn:
wan da ist des kusses hôhstez zil.
20 eins dinges ich iuch biten wil:
kôm ich imer in iwer hûs,
gelt disen kus,' sprach Artûs.
'ich tuon swes ir mich bitet, dâ,'
sprach der Wâleis, 'unde ouch an-
    derswâ.'
25 ein lützel gein im si dô gienc,
diu küngîn in mit kusse enpfienc.
'nu verkiuse ich hie mit triwen,'
sprach si, 'daz ir mich mit riwen
liezt: die het ir mir gegebn,
dô ir rois Ithêr nâmt sîn lebn.'
311 Von der suone wurden naz
der küngîn ougen umbe daz,
wan Ithêrs tôt tet wîben wê.
man sazte den künec Clâmidê
5 anz uover zuo dem Plimizœl:
bî dem saz Jofreit fîz Idœl.
zwischen Clâmidê und Gâwân
der Wâleis sitzen muose hân.
als mir diu âventiure maz,
10 an disem ringe niemen saz,
der muoter brust ie gesouc,

des werdekeit sô lützel trouc.
wan kraft mit jugende wol gevar
der Wâleis mit im brâhte dar.
15 swer in ze rehte wolde spehn,
sô hât sich manec frouwe ersehn
in trüeberm glase dan wær sîn munt.
ich tuon iu vonme velle kunt
an dem kinne und an den wangen:
20 sîn varwe zeiner zangen
wær guot: si möhte stæte habn,
diu den zwîvel wol hin dan kan
    schabn.
ich meine wîp die wenkent
und ir vriuntschaft überdenkent.
25 sîn glast was wîbes stæte ein bant:
ir zwîvel gar gein im verswant.
ir sehen in mit triwe enpfienc:
durch diu ougen in ir herze er
    gienc.
Man und wîp im wâren holt.
sus het er werdekeit gedolt,
312 unz ûf daz siufzebære zil.
hie kom von der ich sprechen wil,
ein magt gein triwen wol gelobt,
wan daz ir zuht was vertobt.
5 ir mære tet vil liuten leit.
nu hœrt wie diu juncfrouwe reit.
ein mûl hôch als ein kastelân,
val, und dennoch sus getân,

---

16. küszen lan *dg*.   altz *D*, *fehlt g*.   17. en *fehlt G*.   durft *g*, dürft *g*, durfet *Gg*.   hie *fehlt Ggg*.   19. wan *fehlt Gg*.   hohstez *gg*, hohestez *G*, hoste *gg* = hohster *D*, hœhester *d*.   20. ih iuh *G*, ich *gg*.   bitten *D*. 21. immer *D*.   23. bittet *D*.   24. ouch *fehlt G*.   25. = Ein wench *Ggg*.   gein im si do *D*, sú gegen im do *d* = naher si im do *gg*, si naher im do *gg*, sie im do naher *g*, sim dar naher *G*.   28. mich *gg*, *fehlt Gg* gänzlich = vor z. 29 *Dd*.   30. rois *fehlt Gg*, dem kunege *die übrigen*.

311, 1. = Von dirre *Ggg*.   3. wande *D*, *fehlt G*.   wibe *D*.   5. Ans *d*, an daz *DG*.   over *dg*, ower *g*, ur var *G*.   blimzol *G*, primizol *g*.   6. Bi im *Ggg*.   schofreit *G*.   vizidol *Gg*.   Jdol *auch D*.   10. dem *Ggg*. 12. = so wench *Ggg*.   13. = Wan *fehlt Ggg*.   iugent *D*, iunge *g*. 15. = chunde spehen *Ggg*.   17. truoberm *g*, truobrem *Gg*, trueberme *g*, trubern *gg*, trueber *Dd*.   glase *D*, glasz *d* = glast *g*, spiegl *gg*, velle *G*. dane *G*, denne *D*.   18. iu *fehlt Ggg*.   von sinen *G*, von sime *oder* sinem *die übrigen*.   19. 20. dem wange-zange *Gg*.   21. si] = diu *Ggg*. mehte *g*, moht *G*.   22. Die der *Ggg*, Der *g*.   zwifel chunde dan hin schaben *Gg*.   24. Unt an ir *Ggg*.   friwentscaft *D*.   30. erholt *D*.

312, 1-4. Parzifâl der werde degen. Nu müez sîn der ouch fürbaz pflegen, Der sîn unz her gepflegen hât. Des wirt nôt, wan ez hie gât An solhiu hovemære, Der ich ze sagen wol enbære, Und enmages doch niht verdagen: Man muoz freud und unfreude sagen. Swie trûric uns diz mære tuo, Dâ hœret doch ein swîgen zuo: Nu merket ez mit schœnen siten. Hie komet ein maget zuo geriten, Gein zuht vil dicke wol gelobet, Wan daz ir zuht hie wirt vertobet. *d*.   1. suftebare *G*, seuftzeberez *g*.   3. Ein man *G*.   5. tet *D*, tuot *d*.   6. nu *fehlt Ggg*.   7. Ein *gg*, Einen *DG*.

nassnitec unt verbrant,
10 als ungerschiu marc erkant.
ir zoum und ir gereite
was geworht mit arbeite,
tiwer unde rîche.
ir mûl gienc volleclîche.
15 si was niht frouwenlîch gevar.
wê waz solt ir komen dar?
si kom iedoch: daz muose et sîn.
Artûs her si brâhte pîn.
    der meide ir kunst des verjach,
20 alle sprâche si wol sprach,
latîn, heidensch, franzoys.
si was der witze kurtoys,
dîaletike und jêometrî:
ir wâren ouch die liste bî
25 von astronomîe.
si hiez Cundrîe:
surziere was ir zuoname;
in dem munde niht diu lame:
wand er geredet ir genuoc.
vil hôher freude se nider sluoc.
313 Diu maget witze rîche
was gevar den unglîche
die man dâ heizet bêâ schent.
ein brûtlachen von Gent,
5 noch plâwer denne ein lâsûr,
het an geleit der freuden schûr:
daz was ein kappe wol gesniten
al nâch der Franzoyser siten:

drunde an ir lîb was pfelle guot.
10 von Lunders ein pfæwîn huot,
gefurriert mit einem blîalt
(der huot was niwe, diu snuor
           niht alt),
der hieng ir an dem rücke.
ir mære was ein brücke:
15 über freude ez jâmer truoc.
si zuct in schimpfes dâ genuoc
    über den huot ein zopf ir swanc
unz ûf den mûl: der was sô lanc,
swarz, herte und niht ze clâr,
20 linde als eins swînes rückehâr.
si was genaset als ein hunt:
zwên ebers zene ir für den munt
giengen wol spannen lanc.
ietweder wintprâ sich dranc
25 mit zöpfen für die hârsnuor.
mîn zuht durch wârheit missefuor,
daz ich sus muoz von frouwen
           sagen:
kein andriu darf ez von mir klagen.
    Cundrî truoc ôren als ein ber,
niht nâch friundes minne ger:
314 Rûch wâs ir antlütze erkant.
ein geisel fuorte se in der hant:
dem wârn die swenkel sîdîn
unt der stil ein rubbîn.
5 gevar als eines affen hût
truoc hende diz gæbe trût.

<hr>

9. Nase snitch *G*, Nas sneitich *g*, Nase gesniten *g*, Nase geschúrpffet *g*.
10. Als ein *G*.   ungers *Gd*, ungrischeu *g*, ungerischiu *gg*.   marh *D*.
11. toum *D*.   unde ir phardes gereite *Gg*.   13. Tiur *G*.   14. muol *D*.
15. Sine *G*.   frouwenliche *D*, frowelich *g*, frowlich *G*, freulich *g*.   var *D*.
16. Owe *Ggg*.   17. muoset *G*, muose *dgg*.   18. Artuses *G*.   bin *G oft*.
19. Der frouwen *G*.   zuht *Gg*.   verach *G*.   21. Latine *G*.   23. Dia-
letik *g*, Dyaletike *g*, Dialetiche *g*, Dioletche *G*, dialetice *D*.   Jeometrî *D*, ieo-
metrie *G*, die iemotri *g*, Giometri *g*, geometrie *g*.   24. 25 *fehlen Gg*.
24. ouch *fehlt gg*.   bie *g*.   26. gundrie *G immer*.   27. Surzier *alle
aufser D*.   zuo nam-lam *D*.   29. wan der *D*, Wan er *die übrigen*.   gereit
D, geret *d*.   30. si *DG*.

313, 2. dem *Ggg*.   ungeliche *DG*.   3. di *D*, Diu *g*.   beascent *Dd*, bea-
dschent *G*, beagent *g*.   5. lasẘr *D*, lazur *Ggg*.   6. Het an ir *gg*, Fuort an
im *G*.   scẘr *D*.   9. = Unde *gg*, Unden *Ggg*.   libe *DG*, *fehlt g*.
was *fehlt G*.   10. phawen *G*.   11. Gefurriet *G*.   blialt *Gd*, plialt *gg*,
Pliât *Dgg*.   18. mẘl *D*.   19. und *fehlt Gdg*.   20. ein *dg*,
fehlt g.   swins *D*.   rücke *fehlt Gg*.   21. genast *D*.   22. zen *G*.
23. spanne *Ggg*.   25. hars snuor *D*.   26. mit warheit *Dg*.   28. nechein
D, Dehein *G*.   enderiu darfez *D*.   29. Cundrîe *mit* e *alle immer*, Si *G*.
30. friwents *D*.   minnen *G*.

314, 2. Ein *dgg*, Einen *D*, Eine *Gg*.   geiselen *Gg*.   si fuorte *D*.   3. Der *Ggg*.
was der *Ggg*.   4. rubin *G*.   5. aven (v *in* f *verändert*) *G*.   huot-truot *D*.

die nagele wâren niht ze lieht;
wan mir diu âventiure gieht,
si stüenden als eins lewen klân.
10 nâch ir minn was selten tjost getân.
 sus kom geriten in den rinc
trûrens urhap, freuden twinc.
si kêrte aldâ se den wirt vant.
frou Cunnewâre de Lalant
15 az mit Artûse:
de küngîn von Janfûse
mit froun Ginovêren az.
Artûs der künec schône saz.
Cundrî hielt für den Bertenoys,
20 si sprach hin zim en franzoys:
ob ichz iu tiuschen sagen sol,
mir tuont ir mære niht ze wol.
 'fil li roy Utpandragûn,
dich selbn und manegen Bertûn
25 hât dîn gewerp alhie geschant.
die besten über elliu lant
sæzen hie mit werdekeit,
wan daz ein galle ir prîs versneit.
tavelrunder ist entnihtet:
der valsch hât dran gepflihtet.
315 Künc Artûs, du stüent ze lobe
hôhe dînn genôzen obe:
dîn stîgnder prîs nu sinket,
dîn snelliu wirde hinket,
5 dîn hôhez lop sich neiget,
dîn prîs hât valsch erzeiget.
tavelrunder prîses kraft
hât erlemt ein geselleschaft

 die drüber gap hêr Parzivâl,
10 der ouch dort treit diu rîters mâl.
ir nennet in den ritter rôt,
nâch dem der lac vor Nantes tôt:
unglîch ir zweier leben was;
wan munt von rîter nie gelas,
15 der pflæg sô ganzer werdekeit.'
vome künge se für den Wâleis reit,
 si sprach 'ir tuot mir site buoz,
daz ich versage mînen gruoz
Artûse unt [der] messnîe sîn.
20 gunêrt sî iwer liehter schîn
und iwer manlîchen lide.
het ich suone oder vride,
diu wæren iu beidiu tiure.
ich dunke iuch ungehiure,
25 und bin gehiurer doch dann ir.
hêr Parzivâl, wan sagt ir mir
unt bescheidt mich einer mære,
dô der trûrge vischære
saz âne freude und âne trôst,
war umb irn niht siufzens hât erlôst.
316 Er truog iu für den jâmers last.
ir vil ungetriwer gast!
sîn nôt iuch solt erbarmet hân.
daz iu der munt noch werde wan,
5 ich mein der zungen drinne,
als iuz herze ist rehter sinne!
gein der helle ir sît benant
ze himele vor der höhsten hant:
als sît ir ûf der erden,
10 versinnent sich die werden.

---

7. = Ir *Ggg.*   wæren *G.*   warn crimp und nih lieht *g.*   8. Als *Ggg.*
giht *alle.*   9. stuenden *mit* ue *D.*   10. minne *alle.*   11. geritten *D.*
an *G.*   12. Truren *G.*   13. al *fehlt Gdgg.*   si *DG.*   14. Fro kunew. *G.*
16. Jamfuse *dg*, lanfuse *Ggg*, Lamfuse *g.*   17. Mit fron schino-
veren *G.*   18. Der chunch artus *Ggg.*   19. britoneys *G.*   21. ihez *G.*
tiuscen *D*, tuschen (*vor* s *ein* t *übergeschriben*) *G*, deutsch *g.*   22. tuot *Ggg.*
23. Fillu roy *D*, Fillu rois *g*, Filiroys *G.*   utp. *Ggg*, urp. *g*, Uotep. *D*, utrep.
g, uter p. *dg.*   24. selben *Ddg*, *fehlt Ggg.*   25. dîn] ein *Gg.*   gewerf
g, gewerft *g.*   alhie] gar *G.*   27. sæzen *Ddg*, Sazen *Ggg.*   29. 30. ent-
niht-gepfliht *D.*

315, 1. stuende *alle.*   2. dinen *DG.*   gnozen *D.*   3. stigender *DG.*
4. sneliu *G.*   7. Der tav. *Gdgg.*   10. ouch *fehlt Ggg.*   diu riters man *G.*
11. der rittr *D.*   12. nantis *Ggg.*   13. ungelich *DG.*   14. wan *fehlt Ggg.*
15. pflæge *D*, phlage *G*, pflach *g.*   grozer (*ohne* sô) *G.*   16. si *DG.*
19. Dem chunge *Ggg*, Dem chunge Artus *g.*   Massenide *D.*   21. manliche
G, manlich *dg*, mænlichen *gg.*   23. die *D.*   25. gehiwerr *D*, geheurre *g.*
doch *fehlt g.*   27. besceidet *DG.*   der mare *Gg.*   28. trurige *G*, truo-
rige *D.*   29. = ane helfe *Ggg.*   30. iren *D*, ir in *G.*   süftens *g*, *fehlt G.*
habt *G.*   erost *D.*

316, 1. = iu vor *Ggg.*   4. = Daz iwer munt *Ggg.*   5. mæin *g*, meine *DG.*
6. = guoter *Ggg.*   8. von *G.*   9. also *D.*   10. Vesinnent *G*, Ver-
sument *dgg.*

ir heiles pan, ir sælden fluoch,
des ganzen prîses reht unruoch!
ir sît manlîcher êren schiech,
und an der werdekeit sô siech,
15 kein arzet mag iuch des ernern.
ich wil ûf iwerem houbte swern,
gît mir iemen des den eit,
daz grœzer valsch nie wart bereit
necheinem alsô schœnem man.
20 ir vederangl, ir nâtern zan!
iu gap iedoch der wirt ein swert,
des iwer wirde wart nie wert:
da erwarb iu swîgen sünden zil.
ir sît der hellehirten spil.
25 gunêrter lîp, hêr Parzivâl!
ir sâht ouch für iuch tragen den
grâl,
und snîdnde silbr und bluotic sper.
ir freuden letze, ir trûrens wer!
wær ze Munsalvæsche iu vrâgen
mite,
in heidenschaft ze Tabronite
317 Diu stat hât erden wunsches solt:
hie het iu vrâgen mêr erholt.
jenes landes künegîn
Feirefîz Anschevîn
5 mit herter rîterschefte erwarp,
an dem diu manheit niht verdarp,
die iwer bêder vater truoc.
iwer bruoder wunders pfligt genuoc:
ja ist beidiu swarz unde blanc
10 der küngîn sun von Zazamanc.
nu denke ich ave an Gahmureten,

des herze ie valsches was erjeten.
von Anschouwe iwer vater hiez,
der iu ander erbe liez
15 denn als ir habt geworben.
an prîse ir sît verdorben.
het iwer muotr ie missetân,
sô solt ichz dâ für gerne hân,
ir möht sîn sun niht gesîn.
20 nein, si lêrte ir triwe pîn:
geloubet von ir guoter mære,
unt daz iwer vater wære
manlîcher triwe wîse
unt wîtvengec hôher prîse.
25 er kunde wol mit schallen.
grôz herze und kleine gallen,
dar ob was sîn brust ein dach.
er was riuse und vengec vach:
sîn manlîchez ellen
kund den prîs wol gestellen.
318 Nu ist iwer prîs ze valsche komn.
ôwê daz ie wart vernomn
von mir, daz Herzeloyden barn
an prîse hât sus missevarn!'
5 Cundrî was selbe sorgens pfant.
al weinde si die hende want,
daz manec zaher den andern sluoc:
grôz jâmer se ûz ir ougen truoc.
die maget lêrt ir triuwe
10 wol klagen ir herzen riuwe.
wider für den wirt si kêrte,
ir mær si dâ gemêrte.
si sprach 'ist hie kein rîter wert,
des ellen prîses hât gegert,

---

14. ander *G.* 15. nehein *D,* Dehein *G.* 19. An *G.* deheinem *Gdgg.*
als *Gg.* scœnem *Ddg,* schonen *Gg.* 20. veder angel *G,* vedr angel *D.*
nateren *G,* notern *d.* 24. der helle hirt ein spil *g.* 25. Geunert *G,* Gune-
ret *g.* 26. saht *gg.* = doch *Ggg.* 27. und *fehlt Gdg.* snîdende
Dgg, sniden *G,* snidic *g.* silber *alle.* und *fehlt Gg.* 28. truren *g.*
29. frage *G.* 30. Thabronît *D,* tabrunit *Gg.*
317, 1. 2 *fehlen Gg·* 3. Eines *Gg,* Gein des *g.* 4. Veirefiz *G.* 5. riter-
schaft *Gdgg.* 7. bedr *D,* beider *G.* 9. Derst *Ggg.* und *D.* 11. denche
ih *Gg,* denche *D,* gedencke ich *dg,* gedenchet ich *g,* denct ir *g.* aber *alle*
au*ſ*ser *D.* 12. = ie *fehlt Ggg.* er iêten *D,* ergeten *G.* 17. Hiet *g.*
muoter *DG.* 18. wolt ihez *Gg.* da fur gerne *D,* da vur *Ggg,* gerne da
fur *dgg.* 19. Irn *g.* moht *Ggg,* mæht *D,* meht *g,* möchtent *dg.* sin
Gdgg, ir *Dgg.* ir êsun? 21. Geloubt *Gg.* guot *G,* guotiu *gg.* 23. triwe
Dg, triwen *Gdgg.* 24. witvenge *Gg.* 25. 26. schalle-chleiniu galle *Gdgg.*
27. Dar uber *Ggg.* 28. ri͜vse *D,* reuse *g,* rúse *d,* russe *G,* rusche *gg.*
29. Sin wert manlich ellen *G.* 30. chunde *DG.* stellen *Gg.*
318, 3. herzeloyde *Gg,* herzenlauden *g.* 4. = An triwen *Ggg.* 5-8. = *feh-*
len Ggg. 5. sorgen *d.* 6. al weinende *Dd.* 8. si *Dd.* 10. Al chla-
gende herze riuwe *Ggg.* 11. chunch *Ggg.* 12. mær *g.* 13. dehein *G.*
14. habe *Ggg.*

15 unt dar zuo hôher minne?
ich weiz vier küneginne
unt vier hundert juncfrouwen,
die man gerne möhte schouwen.
ze Schastel marveil die sint:
20 al âventiure ist ein wint,
wan die man dâ bezalen mac,
hôher minne wert bejac.
al hab ich der reise pîn,
ich wil doch hînte drüffe sîn.'
25 diu maget trûrec, niht gemeit,
ân urloup vome ringe reit.
al weinde se dicke wider sach:
nu hœrt wie si ze jungest sprach.
'ay Munsalvæsche, jâmers zil!
wê daz dich niemen trœsten wil!'
319 Cundrîe la surziere,
diu unsüeze und doch diu fiere,
den Wâleis si beswæret hât.
waz half in küenes herzen rât
5 unt wâriu zuht bî manheit?
und dennoch mêr im was bereit
scham ob allen sînen siten.
den rehten valsch het er vermiten:
wan scham gît prîs ze lône
10 und ist doch der sêle krône.
scham ist ob siten ein güebet uop.
Cunnewâr daz êrste weinen huop,
daz Parzivâl den degen balt
Cundrîe surzier sus beschalt,
15 ein alsô wunderlîch geschaf.
herzen jâmer ougen saf
gap maneger werden frouwen,
die man weinde muose schouwen.
    Cundrîe was ir trûrens wer.
20 diu reit enwec: nu reit dort her

ein rîter, der truoc hôhen muot.
al sîn harnasch was sô guot
von den fuozen unz ans houbtes
    dach,
daz mans für grôze koste jach.
25 sîn zimierd was rîche,
gewâpent rîterlîche
was dez ors und sîn selbes lîp.
nu vander magt man unde wîp
trûrec ame ringe hie:
dâ reit er zuo, nu hœret wie.
320 Sîn muot stuont hôch, doch jâ-
    mers vol.
die bêde schanze ich nennen sol.
hôchvart riet sîn manheit,
jâmer lêrt in herzenleit.
5   er reit ûz zem ringe.
op man in dâ iht dringe?
vil knappen spranc dar nâher sân,
do enpfiengen si den werden man.
sîn schilt unt er wârn unbekant.
10 den helm er niht von im bant:
der vreuden ellende
truoc dez swert in sîner hende,
bedecket mit der scheiden.
dô vrâgter nâh in beiden,
15 'wa ist Artûs unt Gâwân?'
junchêrren zeigten im die sân.
    sus gienger durch den rinc wît.
tiwer was sîn kursît,
mit liehtem pfelle wol gevar.
20 für den wirt des ringes schar
stuont er unde sprach alsus.
'got halt den künec Artûs,
dar zuo frouwen unde man.
swaz ich der hie gesehen hân,

---

19. = Uf Ggg.   Scastel D, schathal d, tschahtel gg, tschater Gg, kastelle g.
Marveil g, marnail d, marveile g, marfeile Gg, Marvale D, mærval g.   si sint
Gg.   22. Werder minne hoch beiach Ggg.   23. dar der Gg.   24. noch
Gdgg.   hint G, hinde g.   dar uffe G.   26. an urloup dannen reit D.
27. weinde g, wende g.   si diche DG, si hin g.   29. Aȝ D, A G, Ey dgg,
Hey g, Auch g.
319, 3. beswart G.   6. und fehlt Gg.   9. wan fehlt G.   11. an G.   siten
rehter uop Gg.   13. parzivalen Gd, parcifaln gg.   14. surzir gg, surziere
Dd, surtziere g, fehlt Ggg.   alsus Ggg.   15. Umbe Ggg.   alsus Gg.
17. Gab do g.   18. Man muose hie weinen schouwen Ggg.   weinde g,
weinende Dd.   20. Si reit den wech (ein weg g, ein wench g) Ggg.
22. daz was guot G.   23. von den fuozen Dg, Von dem fuosz dg, Von fuoze
Ggg.   an des alle.   houpts D, haups g.   25. zimierde Dd = zimier
daz Ggg.   27. dez Dd = sin Ggg, fehlt g.   unde och Ggg.   28. 29. Manch
maget unde wip. Was trurch an dem ringe hie Gg.   28. = Do gg.
320, 4. herzeleit Gdgg.   5. ûz zem] ûzen zôme D, uszen dem g, uzzen zuo
dem die übrigen.   12. dz D.   13. Verdechet Ggg.   14. nach den G.
22. halde D.

25 den biut ich dienstlîchen gruoz.
　wan einem tuot mîn dienst buoz,
　dem wirt mîn dienst nimmer schîn.
　ich wil bî sîme hazze sîn:
　swaz hazzes er geleisten mac,
　mîn haz im biutet hazzes slac.
321　Ich sol doch nennen wer der sî.
　ach ich arman unde ôwî,
　daz er mîn herze ie sus versneit!
　mîn jâmer ist von im ze breit.
5 daz ist hie hêr Gâwân,
　der dicke prîs hât getân
　und hôhe werdekeit bezalt.
　unprîs sîn het aldâ gewalt,
　dô in sîn gir dar zuo vertruoc,
10 ime gruozer mînen hêrren sluoc.
　ein kus, den Jûdas teilte,
　im solhen willen veilte.
　ez tuot manc tûsent herzen wê
　daz strenge mortlîche rê
15 an mîme hêrren ist getân.
　lougent des hêr Gâwân,
　des antwurte ûf kampfes slac
　von hiute [über] den vierzegisten tac,
　vor dem künec von Ascalûn.
20 in der houbetstat ze Schanpfanzûn.
　ich lade in kampflîche dar
　gein mir ze komenne kampfes var.
　　kan sîn lîp des niht verzagen,
　ern welle dâ schildes ambet tragen,
25 sô man i'n dennoch mêre
　bî des helmes êre
　unt durch ritter ordenlîchez lebn:
　dem sint zwuo rîche urbor gegebn,
　rehtiu scham und werdiu triwe

　gebent prîs alt unde niwe.
322 Hêr Gâwân sol sich niht verschemn,
　ob er geselleschaft wil nemn
　ob der tavelrunder,
　diu dort stêt besunder.
5 der reht wære gebrochen sân,
　sæze drob ein triwenlôser man.
　ine bin her niht durch schelten komn:
　geloubet, sît irz habt vernomn,
　ich vorder kampf für schelten,
10 der niht wan tôt sol gelten,
　oder lebn mit êren,
　swenz wil diu sælde lêren.'
　der künec swîgt und was unvrô,
　doch antwurte er der rede alsô.
15 'hêrre, erst mîner swester suon:
　wær Gâwân tôt, ich wolde tuon
　den kampf, ê sîn gebeine
　læge triwenlôs unreine.
　wil glücke, iu sol Gâwânes hant
20 mit kampfe tuon daz wol bekant
　daz sîn lîp mit triwen vert
　und sichs valsches hât erwert.
　hab iu anders iemen leit
　getân, sô machet niht sô breit
25 sîn laster âne schulde:
　wan erwirbt er iwer hulde
　sô daz sîn lîp unschuldec ist,
　ir habt in dirre kurzen vrist
　von im gesagt daz iweren prîs
　krenket, sint die liute wîs.'
323 Beâcurs der stolze man,
　des bruoder was hêr Gâwân:
　der spranc ûf, sprach zehant
　'hêrre, ich sol dâ wesen pfant,

---

27. im enwirt dienst nimer scin D.　30. biut G.
321, 1, wer er Gdg.　2. Owe ich G.　4. riwe Ggg.　ce D, so d, alze gg, aze
G, worden g. zü arbeit g.　5. Ez G.　hie Dg, fehlt d, hie mein g, min
Ggg.　10. Imme g, Inme g.　13. tet G.　14. strenger mortlicher gg.
15. Daz an minem Gdg.　17. So Ggg.　18. Von hiut an dem g.　vierz-
gesten G, viertzehenten gg, XIIIj d.　19. kunege G, chunge G.　aschalun
G meistens.　20. haupstat g, hohen stat D.　schanfezûn g, tschanfanzun g,
tschanfenzun G.　22. ce chomn in Dg.　kampfar d.　24. dâ] des g. och?
25. i'n] ich g, ich in oder ih in die übrigen.　27. riters Ggg.　28. zwo D.
zwei richiu urbor Ggg.　29. werdiu Ddgg, wariu gg, rehtiu Gg.
30. Gebirt g.
322, 2. gesellcheit Ggg.　5. = Ir Ggg.　6. 18. triwenl. D, triwel. Gdgg,
triwl. g.　9. vordr D, vordere G.　11. nach Ggg.　12. Swen ez Ggg.
13. swigt g, swîgete Dg, sweich die übrigen.　wart Gg.　15. er ist alle.
19. wil gelucke DG, fehlt g.　Gawans D.　24. sonc D.　26. erwirbet er
D, er erwirbet d = gewint er g, gewinner (t über e übergeschrieben) G,
gewinnet er gg, er gewinnet g.　28. an Gdgg.　29. von im fehlt D.
323, 1. Deacors D.　3. = stuont uf Ggg.　unde sprach alle aufser D.

5 swar Gâwâne ist der kampf gelegt.
sîn velschen mich unsanfte regt:
welt irs niht erlâzen in,
habt iuch an mich: sîn pfant ich pin,
ich sol für in ze kampfe stên.
10 ez mac mit rede niht ergên
daz hôher prîs geneiget sî,
der Gâwân ist ledeclîche bî.'
  er kêrte aldâ sîn bruoder saz,
fuozvallens er dâ niht vergaz.
15 den bat er sus, nu hœret wie.
'gedenke, bruoder, daz du ie
mir hülfe grôzer werdekeit.
lâ mich für dîn arbeit
ein kampflîchez gîsel wesn.
20 ob ich in kampfe sol genesn,
des hâstu immer êre.'
er bat in fürbaz mêre
durch bruoderlîchen rîters prîs.
Gâwân sprach 'ich pin sô wîs
25 daz ich dich, bruoder, niht gewer
dîner bruoderlîchen ger.
ine weiz war umbe ich strîten sol,
ouch entuot mir strîten niht sô wol:
ungerne wolt ich dir versagn,
wan daz ich müesez laster tragn.'
324 Bêâcurs al vaste bat.
der gast stuont an sîner stat:
er sprach 'mir biutet kampf ein man,
des ich neheine künde hân:
5 ine han och niht ze sprechen dar.
starc, küene, wol gevar,
getriuwe unde rîche,
hât er diu volleclîche,

er mac porgen deste baz:
10 ine trage gein im decheinen haz.
er was mîn hêrre und mîn mâc,
durch den ich hebe disen bâc.
unser vätr gebruoder hiezen,
die nihts ein ander liezen.
15 nehein man gekrœnet wart
nie, ichn het im vollen art
mit kampfe rede ze bieten,
mich râche gein im nieten.
ich pin ein fürste ûz Ascalûn,
20 der lantgrâve von Schanpfanzûn,
und heize Kingrimursel.
ist hêr Gâwân lobes snel,
der mac sich anders niht entsagn,
ern müeze kampf dâ gein mir tragn.
25 ouch gib i'm vride übr al daz lant,
niwan von mîn eines hant:
mit triwen ich vride geheize
ûzerhalp des kampfes kreize.
got hüete al der ich lâze hie;
wan eins, er weiz wol selbe wie.'
325 Sus schiet der wol gelobte man
von dem Plimizœles plân.
dô Kingrimursel wart genant,
ohteiz dô wart er schiere erkant.
5 werden virrigen prîs
het an im der fürste wîs:
si jâhen daz her Gâwân
des kampfes sorge müese hân
gein sîner wâren manheit,
10 des fürsten der dâ von in reit.
och wante manegen trûrens nôt,
daz man im dâ niht êren bôt.

---

5. geleit *G*. 6. reiget *G*, wegt *g*. 7. 8. = *fehlen Ggg*. 9. ze champfe
für in *alle aufser DGd*. 10. mit rede] so lihte *G*. 12. derst Gâwân?
ledechliche ist *Gg*, eweclich* ist *g*. 13. al *fehlt G*. 14. dâ *fehlt Gg*.
15. Er bat in sus *Ggg*. 17. = rehter *Ggg*. 20. an *Ggg*. sule *Ggg*.
24. Her gawan *Ggg*. 28. Doch *Ggg*. tuot *Gdgg*. 29. ungern *D*. dirz *dg*.
30. ich muesez laster] ich muosz laster *d*, ich muose daz laster *Gg*, ich muz
daz laster *gg*, ich müste laster *g*, ichz lastr muose *D*.

324, 1. Deachors *D*. 4. deheine *Gg*. 5. zesprechenne *G*. 6. Stæte *Gg*.
9. destebaz *DG*. 10. Ichne han *Ggg*. 11. unde och *Gg*. 13. veter *gg*,
vatere *G*. = bruoder *Ggg*. 15. So hoher man *Ggg*. gechront *G*.
16. Nie. ichn hiet im *g*. 17. mit champfe (kamppff *d*) rede *Ddg*, Im cham-
pfes rede *gg*, In kamphes rede *gg*. 18. Min *g*, Mit *g*. zuo nieten *g*.
20. Scampf. *D*, tschanvenzun *G*. 23. = Er *Gg*, Ern *gg*. 24. ern mueze
D, Er muz *dg*, Erenwelle da *Gg*, Ern welle den *gg*. da *Dd* = *fehlt Ggg*.
25. Ich gibe im *Ggg*. i'm] ich im *Ddgg*, ich *g*. 27. truwe *d*. 30. An *g*.
eins *gg*, eines *DG*.

325, 2. plimizols *gg*, blimzoles *G*, Primizols *D*, Brimizols *g*. 4. Otheis do *g*,
Got weiz du *g*. 9. Von *Ggg*. werden *Gg*. 11. mante *d*. trurns *G*.
12. ere *D*.

dar wâren solhiu mære komn
als ir wol ê hât vernomn,
15 die lîhte erwanden einen gast
daz wirtes gruozes im gebrast.
von Cundrîen man och innen wart
Parzivâls namn und sîner art,
daz in gebar ein künegîn.
20 unt wie die 'rwarp der Anschevîn.
maneger sprach 'vil wol ichz weiz
daz er si vor Kanvoleiz
gediende hurteclîche
mit manegem poynder rîche,
25 und daz sîn ellen unverzagt
erwarp die sældebæren magt.
Amphlîse diu gehêrte
ouch Gahmureten lêrte,
dâ von der helt wart kurtoys.
nu sol ein ieslîch Bertenoys
326 sich vröun daz uns der helt ist komn,
dâ prîs mit wârheit ist vernomn
an im und ouch an Gahmurete.
reht werdekeit was sîn gewete.'
5   Artûss her was an dem tage
komen freude unde klage;
ein solch geparriertez lebn
was den helden dâ gegeben.
si stuonden ûf über al:
10 dâ was trûren âne zal.
ouch giengen die werden sân
da der Wâleis und Gâwân
bî ein ander stuonden:
si trôsten se als si kuonden.
15   Clâmidê den wol geborn
dûht, er hete mêr verlorn

dan iemen der dâ möhte sîn,
unt daz ze scharpf wær sîn pîn.
er sprach ze Parzivâle
20 'wært ir bî dem grâle,
sô muoz ich sprechen âne spot,
in heidenschaft Tribalibot,
dar zuo'z gebirge in Kaukasas,
swaz munt von rîcheit ie gelas,
25 und des grâles werdekeit,
dine vergülten niht mîn herzeleit
daz ich vor Pelrapeire gewan.
ach ich arm unsælic man!
mich schiet von freuden iwer hant.
hie ist vrou Cunwâr de Lalant:
327 och wil diu edele fürstîn
sô verre ziwerm gebote sîn
daz ir diu niemen dienen lât,
swie wîl si dienstgeltes hât.
5 Si möht iedoch erlangen
daz ich pin ir gevangen
alsus lange hie gewesen.
ob ich an freuden sol genesen,
sô helft mir daz si êre sich
10 sô daz ir minne ergetze mich
ein teil des ich von iu verlôs,
dâ mich der freuden zil verkôs.
ich hetz behalten wol, wan ir:
nu helfet dirre meide mir.'
15 'daz tuon ich,' sprach der Wâ-
            leis,
'ist si bete volge kurteis.
ich ergetze iuch gern: wan sist
            doch mîn,
durch die ir welt pî sorgen sîn.

13. Da *Ggg.*   14. wol ê *D*, e wol *dg*, e *Ggg.*   habet *Gdgg.*   15. einem
gast *D.*   17. An *Ggg.*   18. Parzifals *gg*, Parzivales *DG*, Des waleis *d.*
20. die erwarp *DG.*   21. Vil m. *Gg*, Wie m. *g.*   vil *DG*, wie *dgg*, *fehlt g.*
ichz *Dgg*, ih *Gdgg.*   24. Mit manger ponder *Ggg.*   25. verzaget *G.*
26. sælde benden *G*, selden bernden *gg.*   27. Anflise *Ggg.*   30. ein- 1. sich
D, ein-Hie *G*, sich-Hie *dgg*, sich- (*ohne* Hie) *g.*   britoynois *G.*
326, 1. vroun *D*, frouen *G.*   5. 6. was *vor* chomen *Ggg.*   5. Artus *Gdgg.*
bi *Ggg.*   7. geparriertz *D*, geparrieret *gg*, geparriet *G.*   11. = Si giengen
mit ein ander san *Ggg.*   12. der Wâleis] Parzival *D.*   13. stunden *D.*
14. Die *Ggg.*   alsi *D.*   chunden *alle.*   15. Cl'amiden *Dd.*   18. zescharf *G.*
20. wæret *D*, Wart *gg*, Waret *Gdgg.*   pi *D.*   21. = wil ich *Ggg.*   âne
fehlt G.   23. zuoz gebirge] zuo zegirbe *g*, zü zü gebirge *g*, zuo daz gebirge
die meisten.   von *G.*   kaukasas *dgg*, kausakas *G*, koukesas *D.*   25. Dar
zuo des *Ggg.*   26. Die *d* = *fehlt Ggg.*   28. Owe ich *G.*   arem *D.*
30. Cunneware *D*, kuneware *G.*
327, 2. in iwerem *Gdg*, mit eúwerem *g.*   3. = Daz si ir *Ggg.*   4. dienstes geltes
Ggg.   7. Als *Ggg*, Also *gg.*   8. sule *Ggg.*   10. ergtze *G.*   12. Do *Gg.*
14. dirre mære *G.*   16. Si ist bete wol so kurteis *Gg*, Uwer bet ist wol
kurteis *g.*   volge *Ddg*, wol *g.*   17. gerne *DG.*   wan *fehlt Ggg.*   si ist
DG.   doch *fehlt dg.*   18. Mit (*oder* Bi) der ir *Ggg.*

ich mein diu treit den bêâ curs,
20 Condwîren âmûrs.'
von Janfûse de heidenîn,
Artûs unt daz wîp sîn,
und Cunnewâre de Lalant,
und frou Jeschûte von Karnant,
25 die giengen dâ durch trœsten zuo.
waz welt ir daz man mêr nu tuo?
Cunnewârn si gâben Clâmidê:
wan dem was nâch ir minne wê.
sînen lîp gap err ze lône,
unde ir houbet eine krône,
328 Da'z diu von Janfûse sach.
diu heidenîn zem Wâleis sprach
'Cundrîe nant uns einen man,
des ich iu wol ze bruoder gan.
5 des kraft ist wît unde breit.
zweier krône rîcheit
stêt vorhteclîche in sîner pflege
ûf dem wazzer und der erden wege.
Azagouc und Zazamanc,
10 diu lant sint kreftec, ninder kranc.
sîme rîchtuom glîchet niht
ân den bâruc, swâ mans giht,
und âne Tribalibot.
man bett in an als einen got.
15 sîn vel hât vil spæhen glast:
er ist aller mannes varwe ein gast,
wîz unde swarz [ist er] erkant.
ich fuor dâ her durch ein sîn lant.
er wolde gern erwendet hân

20 mîn vart diech her hân getân:
daz warber, dône mohter.
sîner muoter muomen tohter
bin ich: er ist ein künec hêr.
ich sage iu von im wunders mêr.
25 nie man gesaz von sîner tjost,
sîn prîs hât vil hôhe kost,
sô milter lîp gesouc nie brust,
sîn site ist valscheite flust,
Feirefîz Anschevîn,
329 Swie fremdez mir hie wære,
ich kom ouch her durch mære
unt zerkennen âventiure.
nu lît diu hœhste stiure
5 an iu, des al getouftiu diet
mit prîse sich von laster schiet,
sol guot gebærde iuch helfen iht,
unt daz man iu mit wârheit giht
liehter varwe und manlîcher site.
10 kraft mit jugende vert dâ mite.'
diu rîche wîse heidenin
het an künste den gewin
daz si wol redete franzeis.
dô antwurt ir der Wâleis:
15 solch was sîn rede wider sie.
'got lône iu, frouwe, daz ir hie
mir gebt sô güetlîchen trôst.
ine bin doch trûrens niht erlôst,
und wil iuch des bescheiden.
20 ine mages sô niht geleiden

---

19. meine *DG*.   20. Die schonen *Gg*, Die raine *g*.   Condwiren *D*, Conde-
wiren *d*, Kundewiren *g*, Kundwirn *g*, condwir *Ggg*.   21. lanfuse *Gg*, lanfusen
gg, ianfusen *g*. *so auch* 328, 1.   diu *alle*.   22. vñ Artus *D*.   25. di *D*.
do *G*.   trösten *G*.   27. -waren *DG* *immer*.   gabn *D*.   28. wan *fehlt*
Ggg.   minnen *Gg*.   29. err] er *D*, er ir *die übrigen*.   30. hobet *D*.   ein *d*.
328, 1. Daz *Dg*, Do das *d*, Daz ez *Ggg*.   2. heideninne zem waleise *D*.
7. vorteclich *g*, vorhtliche *Ggg*.   8. unde uf der *Gdgg*.   11. Sim *g*.
richtuom *dgg*, richtuome *D*, rihtuome *G*.   glichet *dg*, gelichet *D*, gelicht *G*.
12. Ane *alle au/ser D*.   der *g*.   barruch so man giht *G*.   14. betten an
D, bet (betet, bettet) in an *gg*, bet an in *Gg*, bat *d*.   als an einen *dg*, als
an *G*.   15. = Sin varwe hat so *Ggg*.   16. Diust *Gg*, Diu *g*, Sie ist *g*.
manne *Gdg*, minne *g*.   17. = Er ist (Si ist *g*, Beide *gg*) wiz (Er wiz ist *g*)
unde swarz erchant *Ggg*.   19. Do wolter gerne *Gdgg*.   20. Min *dg*, mine
D, Die *Ggg*.   die ich *alle*.   han her *g*, da her han *D*.   21. mohter *G*.
22. muoter *fehlt d*.   muontohter *G*.   24. iu *fehlt d*.   = wunders
von im *Ggg*.   25. Niemn *D*, Nieniem *G*.   vor *d*.   27. 28. *Ddg*, *fehlen*
Ggg.   28. sine site *D*.
329, 5. An iu der getouften diet *Gg*.   des al *Dd* = daz ist alle *g*, deist gar *g*,
daz ist gar die *g*, der ist *g*.   6. sich *Ddg*, ih *Ggg*, üch *g*.   7. gebære *gg*.
niht *Ggg*.   11. wise riche *G*.   12. chunst *Gg*, künsten *d*.   13. reite *D*,
reitte *g*, rette *dg*.   franzoys *G*.   14. antwrte *DG*.   15. Selich *g*.
17. guotl. *D*, guotel. *G*.   18. Ich bin doch trurenes unerlost *G*.

als ez mir leide kündet,
daz sich nu manger sündet
an mir, der niht weiz mîner klage
und ich dâ bî sîn spotten trage.
25 ine wil deheiner freude jehn,
ine müeze alrêrst den grâl gesehn,
diu wîle sî kurz oder lanc.
mich jaget des endes mîn gedanc:
dâ von gescheide ich nimmer
mînes lebens immer.
330 Sol ich durch mîner zuht gebot
hœren nu der werlte spot,
sô mac sîn râten niht sîn ganz:
mir riet der werde Gurnamanz
5 daz ich vrävellîche vrâge mite
und immer gein unfuoge strite.
vil werder rîter sihe ich hie:
durch iwer zuht nu râtt mir wie
daz i'uwern hulden næhe mich.
10 ez ist ein strenge schärpf gerich
gein mir mit worten hie getân:
swes hulde ich drumbe vloren hân,
daz wil ich wênec wîzen im.
swenne ich her nâch prîs genim,
15 sô habt mich aber denne dernâch.
mir ist ze scheiden von iu gâch.
ir gâbt mir alle geselleschaft,
die wîle ich stuont in prîses kraft:
der sît nu ledec, unz ich bezal
20 dâ von mîn grüeniu freude ist val.
mîn sol grôz jâmer alsô pflegn,
daz herze geb den ougen regn,
sît ich ûf Munsalvæsche liez
daz mich von wâren freuden stiez,

25 ohteiz wie manege clâre magt!
swaz iemen wunders hât gesagt,
dennoch pflît es mêr der grâl.
der wirt hât siufzebæren twâl.
ay helfelôser Anfortas,
waz half dich daz ich pî dir was?'
331 Sine mugen niht langer hie gestên:
ez muoz nu an ein scheiden gên.
dô sprach der Wâleise
zArtûse dem Berteneise
5 unt zen rittern und zen frouwen,
er wolt ir urloup schouwen
unt mit ir hulden vernemn.
des moht et niemen dâ gezemn:
daz er sô trûrec von in reit,
10 ich wæn, daz was in allen leit
Artûs lobt im an die hant,
kœm imer in sölhe nôt sîn lant
als ez von Clâmidê gewan,
des lasters wolder pflihte hân:
15 im wære ouch leit daz Lähelîn
im næm zwuo rîche krônen sîn.
vil diens im dâ maneger bôt:
den helt treip von in trûrens nôt.
frou Cunnewâr diu clâre magt
20 nam den helt unverzagt
mit ir hant unt fuort in dan.
dô kust in mîn hêr Gâwân:
dô sprach der manlîche
ze dem helde ellens rîche
25 'ich weiz wol, friwent, daz dîn vart
gein strîtes reise ist ungespart.
dâ geb dir got gelücke zuo,
und helfe ouch mir daz ich getuo

---

25. Ich wil neheiner *G.*   frouden *Gg.*   phlegen *Ggg.*   26. Ich muoz *Ggg.*
alrerst *G*, alrest *Ddgg*, al erst *g.*   27. wil *gg.*   29. geude ich *g.*   nimmr-
immr *D*, nimer-imer *G.*   30. mins *D.*   lebns *g*, libes *g.*
330, 2. Dulten *G.*   werelde *D.*   3. Sone *G.*   4. gurnomantz *g*, kurnomanz *G.*
5. vraveliche *G.*   6. unfuogen *D.*   8. râtt (rat *g*, ratet *gg*) mir *Dgg*, ratet
Gdgg.   9. daz *fehlt d.*   i'uwern] iwern *gg*, ich iwern *Ddgg*, ih iweren *G.*
næhe *D*, genebe *d*, nahe *Gg*, nahen *gg*, nehen *g*, nehene *g.*   10. scærpf *D*,
scharpfe *dg*, scherpher *g*, scharf *G.*   12. vloren *G*, verlorn *D.*   15. dane
G, *fehlt gg.*   dar nach *D.*   18. an *Ggg.*   25-30 *fehlen G.*   25. Ah-
teiz wie manich chlariu magt *g.*   27. pflits *D*, phligt sin *dgg.*   28. seüfftze-
bere *g*, suffftenbar *g.*   29. Hai *g*, Ey *gg.*
331, 1 nach 2 *G.*   Ezne mach *Gg.*   hie] so *Gg*, sust *g.*   gan-gestan *Ggg.*
2. nu *fehlt Gg*, et *g.*   3. aber der *Gg.*   waleis *Ggg.*   4. Ze artus dem
britaneis *Ggg.*   5. unt *fehlt Gdgg.*   zen-zen *D*, zuo-zuo den *g*, ze-ze
Gdgg.   8. dorfte *Ggg.*   = et *fehlt Ggg.*   10. wæne *DG immer.*
= ez was *Ggg*, ez wer *gg.*   12. Chœm *g.*   imer *G*, iemer *D*, immer *gg.*
14. chumbers *Ggg.*   16. nem *g*, næme *DG.*   zwo *D.*   chrone *Ggg.*
17. diens *D*, dienst *g*, dienstes *die übrigen.*   21. hende *gg*, *fehlt Gg.*
22. chusten *D.*   23. Unde sprach manliche (gezogenliche *d*) *Gdg.*   25. = Friunt
(Helt *g*) ich weiz wol *Ggg.*

dir noch den dienst als ich kan
  gern.
des müeze mich sîn kraft gewern.'
332 Der Wâleis sprach 'wê waz ist
  got?
wær der gewaldec, sölhen spot
het er uns pêden niht gegebn,
kunde got mit kreften lebn.
5 ich was im diens undertân,
sît ich genâden mich versan.
nu wil i'm dienst widersagn:
hât er haz, den wil ich tragn.
friunt, an dînes kampfes zît
10 dâ nem ein wîp für dich den strît:
diu müeze ziehen dîne hant;
an der du kiusche hâst bekant
unt wîplîche güete:
ir minn dich dâ behüete.
15 ine weiz wenn ich dich mêr gesehe:
mîn wünschen sus an dir geschehe.'
ir scheiden gap in trûren
ze strengen nâchgebûren.
frou Cunnewâre de Lalant
20 in fuorte dâ se ir poulûn vant,
sîn harnasch hiez si bringen dar:
ir linden hende wol gevar
wâpnden Gahmuretes suon.
si jach 'ich solz von rehte tuon,
25 sît der künec von Brandigân
von iwern schulden mich wil hân.
grôz kumber iwer werdekeit
gît mir siufzebærez leit.
swenne ir sît trûrens niht erwert,
iwer sorge mîne freude zert.'
333 Nu was sîn ors verdecket,
sîn selbes nôt erwecket.

ouch het der degen wol getân
lieht wîz îsernharnasch an,
5 tiwer ân aller slaht getroc:
sîn kursît, sîn wâpenroc,
was gehêrt mit gesteine.
sînen helm al eine
het er niht ûf gebunden:
10 dô kuster an den stunden
Cunnewârn die clâren magt.
alsus wart mir von ir gesagt.
da ergienc ein trûrec scheiden
von den gelieben beiden.
15 hin reit Gahmuretes kint.
swaz âventiure gesprochen sint,
diene darf hie niemen mezzen zuo,
irn hœrt alrêrst waz er nu tuo,
war er kêre und war er var.
20 swer den lîp gein rîterschefte spar,
der endenk die wîle niht an in,
ob ez im râte stolzer sin.
Condwier amûrs,
dîn minneclîcher bêâ curs,
25 an den wirt dicke nu gedâht.
waz dir wirt âventiure brâht!
schildes ambet umben grâl
wirt nu vil güebet sunder twâl
von im den Herzeloyde bar.
er was ouch ganerbe dar.
334 Dô fuor der massnîe vil
gein 'dem arbeitlîchen zil,
ein âventiur ze schouwen,
dâ vier hundert juncfrouwen
5 und vier küneginne
gevangen wâren inne,
ze Schastel marveile.
swaz in dâ wart ze teile,

332, 1. wê *fehlt* Gg. 2. == er Ggg. 3. beiden *G*. 5. *wie* 331, 17.
6. Die wile ich Ggg. 7. Ich wil im dienst *G*. i'm] ich *d*, ich im *die übri-*
gen. dienstes *g*. 12. habest Gg. erchant Ggg. 14. minne *alle*.
dâ *fehlt dg*. 15. Ich wæiz *g*. wenne *D*, wene *G*. 16. wunsch Ggg.
alsus *G*. 22. = blanchen Ggg. hande *D*. 23. wapenden *D*, Wapenten
G, Wapheten *g*. sun *DG*. 24. Si sprach Ddg. tûn *D*.
28. Ist mir ein (und *g*) Gg. siufzebæres *D*, suftebarz *G*. seuftwereu *g*.
29. So *G*. niht trurens sit Gd.

333, 3. helt Gg. 4. îsern *D*, iseren Gg, ysenin *g*, *fehlt dg*. 5. slahte troch *g*.
7. steine *g*. 12. Sus Ggg. ir DGg, in *dgg*, im *gg*. 13. ergie DG.
17. dine *D*. 18. iren *D*, Irne *G*. alrerst Gd, alrest Dgg. 21. en-
denche *D*, denche *G*. niht die wile Ggg. 22. rætet *D*. 23. Suoze *G*,
Owe *g*. 26. Daz im wirt Ggg. 27. == Des schiltes Ggg. umbe en-
gral *G*. 28. vil] wol Gg. 30. ouch *fehlt* Gg. ganerbe *D*, gan erbe *G*,
ge anerbet *g*, gar erbe *g*, rechter erbe *g*, erbe *g*, geferwet *d*.

334, 1. Ouch Ggg, Sust *g*. == chert *gg*, chom *g*, begunde *G*. mæssenide *D*.
2. arbeitlichem *Dg*. 3. ein *fehlt G*. ze *fehlt d*. 7. == Uf Ggg.
Scastel *D*, schahteil *d*, tschatel *g*, tschater *G*, tschahtez *g*, kastel *g*.

11*

daz haben âne mînen haz:
10 ich pin doch frouwen lônes laz.
dô sprach der Krieche Clîas
'ich pin der dâ versûmet was.'
vor in allen er des jach.
'der turkoyte mich tâ stach
15 hinderz ors, ich muoz mich schamn.
doch sagter mir vier vrouwen namn,
die dâ krônebære sint.
zwuo sint alt, zwuo sint noch kint.
der heizet einiu Itonjê,
20 diu ander heizet Cundrîê,
diu dritte heizt Arnîve,
diu vierde Sangîve.'
daz wolt ieslîcher dâ besehn.
ez enmoht ir reise niht volspehn:
25 si muosten schaden dâ bejagn.
den sol ouch ich ze mâzen klagn.
wan swer durch wîp hât arbeit,
daz gît im freude, etswenne ouch leit
an dem orte fürbaz wigt:
sus dicke minne ir lônes pfligt.
335 Do bereite ouch sich hêr Gâwân
als ein kampfbære man
hin für den künec von Ascalûn.
des trûrte manec Bertûn
5 und manec wîp unde magt.
herzenlîche wart geklagt
von in sîn strîtes reise.
der werdekeit ein weise
wart nu diu tavelrunder.
10 Gâwân maz besunder
wâ mit er möhte wol gesign.
alt herte schilde wol gedign
(ern ruochte wie si wârn gevar)

die brâhten koufliute dar
15 ûf ir soumen, doch niht veile:
der wurden im drî ze teile.
do erwarp der wâre strîtes helt
siben ors ze kampfe erwelt.
ze sînen friwenden er dô nam
20 zwelf schärpfiu sper von Angram,
starc rœrîne schefte drîn
von Oraste Gentesîn
ûz einem heidenschen muor.
Gâwân nam urloup unde fuor
25 mit unverzagter manheit.
Artûs was im vil bereit,
er gap im rîcher koste solt,
lieht gesteine und rôtez golt
und silbers manegen stærlinc.
gein sorgen wielzen sîniu dinc.
336 Ekubâ diu junge
fuor gein ir schiffunge:
ich mein die rîchen heidenin.
dô kêrte manegen ende hin
5 daz volc von dem Plimizœl.
Artûs fuor gein Karidœl.
Cunnewâre und Clâmidê
die nâmn ouch sînen urloup ê.
Orilus der fürste erkant
10 und frou Jeschûte von Karnant
die nâmn ouch sînen urloup sân,
doch beliben se ûf dem plân
bî Clâmidê den dritten tac,
wand er der brûtloufte pflac,
15 niht mit benanter hôhgezît:
si wart dâ heime grœzer sît.
wand im sîn milte daz geriet,
vil ritter, kumberhaftiu diet,

---

11. Ouch *Ggg.*   chrîeche *D*, fier *G*.   14. Ein *G*.   16. Er seite
mir *Gg.*   18. zwo-zwo *D*, Zwo-zŏ *G*.   19. Diu ein heizt Itonie *G*.
Itonîe *D*.   20. heizet *fehlt Gd*.   Cundrîe *D*, gundrie *G*.   21. heizt *fehlt D*.
sangie *d*.   22. Sangîve *D*, haizt saive *g*, saivie *G*, haizet salive *g*, Seive *g*,
Seyve *g*, haisset saffie *g*, armye *d*.   23. ieslicher sehen *Ggg.*   24. = Ir reise
moht ez niht *Ggg.*   25. muosen *Gg.*   26. ze maze *Ggg.*   28. = Ez git
froude *Ggg.*   29. = orte er *Ggg.*
335, 1. = Nu *Ggg.*   2. champfbære *mit einem* er-*strich über* æ *D*.   3. den
DGdgg, der *gg.*   asch. *G*.   5. Und *fehlt Gg.*   6. Herzenlichen *G*.
7. sines *Ggg.*   12. alt. *Dgg*, Alte *Gdg*, Hie *g*.   14. Si *Ggg.*   17. = Och
Ggg.   der mære strits *D*.   18. gein *Ggg.*   strite wol *G*.   20. schar-
phiu *G*, starke *dgg*.   21. Starch *Ggg*, starche *Ddgg*.   23. heidenischem *gg*,
heidniscem *D*.   24. urloub und *D*.   27. richer gabe *G*.   28. und *fehlt*
Ggg.   29. stærlinch *mit* æ *auch G*.
336. 337. *diese beiden abschnitte*. *haben nur D*, *d (Heidelberg 339)*, *g (Heidelb.*
364) und g² (der alte druck).   3. meîne di *D*.   5. 6. plimizol-karidol *alle*.
8. die *fehlt gg²*.   sein *g²*, ir *d*.   urloub *D*.   11. die *fehlt g²*.   sein *g²*,
den *d*.   12. Iedoch blibens *dg*.   14. wandr *D*.   der *Dd*, da *gg²*.
brutloufte *g*, bruotlofte *D*, brutlofft *d*, brautlaufftes *g²*.

beleib in Clâmidês schar,
20 und ouch daz varende volc vil gar.
die fuorter heim ze lande:
mit êren âne schande
wart in geteilet dâ sîn habe,
mit valsche niht gewîset abe.
25 dô fuor frou Jeschûte
mit Orilus ir trûte
durch Clâmidên ze Brandigân.
daz wart zeinen êrn getân
froun Cunnewârn der künegîn.
dâ krônte man die swester sîn.
337 Nu weiz ich, swelch sinnec wîp,
ob si hât getriwen lîp,
diu diz mære geschriben siht,
daz si mir mit wârheit giht,
5 ich kunde wîben sprechen baz
denne als ich sanc gein einer maz.
de küngîn Belakâne
was missewenden âne
und aller valscheite laz,

10 dô si ein tôter künec besaz.
sît gap froun Herzeloyden troum
siufzebæren herzeroum.
welch was froun Ginovêren klage
an Ithêres endetage!
15 dar zuo was mir ein trûren leit,
daz alsô schamlîchen reit
des künges kint von Karnant,
frou Jeschûte kiusche erkant.
wie wart frou Cunnewâre
20 gâlûnet mit ir hâre!
des sint si vaste wider komn:
ir bêder scham hât prîs genomn.
ze machen nem diz mære ein man,
der âventiure prüeven kan
25 unde rîme künne sprechen,
beidiu samnen unde brechen.
ich tætz iu gerne fürbaz kunt,
wolt ez gebieten mir ein munt,
den doch ander füeze tragent
dan die mir ze stegreif wagent.

---

19. an *dgg*².   20. vil *fehlt* d.   27. clamide *d.*   28. eren *alle.*
337, 1. ich wol *dg.*   7. kuneginne *D.*   belankane *g.*   8. missewende *gg*².
9. valscheite *g,* valscheit *D.*   11. hertzenlouden *g.*   12. Vil seúfftzberes *g*².
hertzen *d.*   13. Ginovern *D.*   14. jthers *alle.*   16. scheml *g.*   17. ku-
neges *D.*   18. kusche *dg,* von chiusce *D,* die wol *g*².   23. ze machene *D.*
nam *g*².   24. erkiesen *g*².   25. Und der reime wol kan *g*².   26. samenen
*dgg*².   vñ ce brechen *D.*   27. tætez *D.*   28. erlouben *g.*   30. denne
D.   stegereìff *d,* stegereife *gg*², stegreifen *D.*

VII.

338 Der nie gewarp nâch schanden,
    ein wîl zuo sînen handen
    sol nu dise âventiure hân
    der werde erkande Gâwân.
5 diu prüevet manegen âne haz
    derneben oder für in baz
    dan des mæres hêrren Parzivâl.
    swer sînen friunt alle mâl
    mit worten an daz hœhste jagt,
10 der ist prîses anderhalp verzagt.
    im wære der liute volge guot,
    swer dicke lop mit wârheit tuot.
    wan, swaz er sprichet oder sprach,
    diu rede belîbet âne dach.
15 wer sol sinnes wort behalten,
    es enwelln die wîsen walten?
    valsch lügelîch ein mære,
    daz wæn ich baz noch wære
    âne wirt ûf eime snê,
20 sô daz dem munde wurde wê,
    derz ûz für wârheit breitet:
    sô het in got bereitet
    als guoter liute wünschen stêt,
    den ir triwe zarbeite ergêt.
25 swem ist ze sölhen werken gâch,
    dâ missewende hœret nâch,
    pfliht werder lîp an den gewin,
    daz muoz in lêren kranker sin.
    er mîdetz ê, kan er sich schemn:
    den site sol er ze vogte nemn.

339 Gâwân der reht gemuote,
    sîn ellen pflac der huote,
    sô daz diu wâre zageheit
    an prîse im nie gefrumte leit.
5 sîn herze was ze velde ein burc,
    gein scharpfen strîten wol sô kurc,
    in strîts gedrenge man in sach.
    friunt und vîent im des jach,
    sîn krîe wær gein prîse hel,
10 swie gerne in Kingrimursel
    mit kampfe hete dâ von genomn.
    nu was von Artûse komn,
    des enweiz ich niht wie mangen tac,
    Gâwân, der manheite pflac.
15 sus reit der werde degen balt
    sîn rehte strâze ûz einem walt
    mit sîme gezog durch einen grunt.
    dâ wart im ûf dem bühel kunt
    ein dinc daz angest lêrte
20 und sîne manheit mêrte.
    dâ sach der helt für umbetrogn
    nâch manger baniere zogn
    mit grôzer fuore niht ze kranc.
    er dâhte 'mirst der wec ze lanc,
25 flühtic wider geim walde.'
    dô hiez er gürten balde
    einem orse daz im Orilus
    gap: daz was genennet sus,
    mit den rôten ôren Gringuljete:
    er enpfiengz ân aller slahte bete.

338, 1. gewarb *D.*   2. Ein *dgg*, eine *DG.*   wile *alle.*   ze *G.*   5. bruevet *D.*   an haz *G.*   7. Dane *G*, den *D.*   hern *g.*   11. im] nu *D.* = ist *Ggg.*   12. der *Gg.*   13. spricht *G.*   16. es] E *G.* E sin wöllen *g.* enwellen *DG.*   17. lügelich *g*, luglich *D.*   24. ze arbeit *G.*   26. hort *G.*   27. pflihtet *D.*   28. charger *Gg.*   29. midetez *D, getrennt G.*

339, 3. sô *fehlt Gg.*   5. pŭrch *G.*   6. kŏrch *G.*   7. strites *DG.*   8. vigent *G.*   9. snel *Gdgg.*   10. kingrimurzel *D.*   12. = Nu was ouch *Ggg.* 13. neweiz ih *G.*   manegen *D*, manich *gg.*   15. ware *gg*, mare *G.*   16. Sin *dg.*   reht *G.*   strazen *D.*   ûz einem *D*, uz einen *dg*, auff einen *g*, fur einen *G*   17. vur *G*, in *g.*   18. bühel *mit* ü *dg*, buhele *G.*   21. da ersach *D.*   23. Vil grozer *Ggg.*   24. = Do dahter *Ggg.*   mir *G*, mir ist *die übrigen.*   25. wider *fehlt G.*   gein *g*, gein dem *die übrigen.*   27. Sinem *Gd*, Sim *g.*   28. gennet *G.*   29. Gringuliet *D*, gringülgt *g*, gringulete *d*, kringuliet *Ggg*, kringulet *gg.*   30. er enpfiengez *DG*, Er phiench ez *g*, Ernphiez *g.*   an alle bet *G*, ân sine bet *g*, bete *nur d.*

340 Ez was von Muntsalvâsche komn,
　unt hetz Lehelîn genomn
　ze Brumbâne bîme sê:
　eime rîter tet sîn tjost wê,
5 den er tôt derhinder stach;
　des sider Trevrizent. verjach.
　　Gâwân dâhte 'swer verzagt
　sô daz er fliuhet ê man jagt,
　dês sîme prîse gar ze fruo.
10 ich wil in nâher stapfen zuo,
　swaz mir dâ von nu mac geschehn.
　ir hât michz mêrre teil gesehen.
　des sol doch guot rât werden.'
　do erbeizter zer erden,
15 reht als er habete einen stal.
　die rotte wâren âne zal,
　die dâ mit cumpânîe riten.
　er sach vil kleider wol gesniten
　und mangen schilt sô gevar
20 daz err niht bekande gar,
　noch keine baniere under in.
　'disem her ein gast ich pin,'
　sus sprach der werde Gâwân
　'sît ich ir keine künde hân.
25 wellent siz in übel wenden,
　eine tjost sol ich in senden
　deiswâr mit mîn selbes hant,
　ê daz ich von in sî gewant.'
　dô was ouch Gringuljeten gegurt,
　daz in mangen angestlîchen furt
341 gein strîte was zer tjoste brâht:
　des wart och dâ hin zim gedâht.
　　Gâwân sach geflôrieret
　unt wol gezimieret

5 von rîcher koste helme vil.
　si fuorten gein ir nîtspil
　wîz niwer sper ein wunder,
　diu gemâlt wârn besunder
　junchêrrn gegeben in die hant,
10 ir hêrren wâpen dran erkant.
　　Gâwân fil li roy Lôt
　sach von gedrenge grôze nôt,
　mûl die harnasch muosen tragen,
　und manegen wol geladen wagen:
15 den was gein herbergen gâch.
　ouch fuor der market hinden nâch
　mit wunderlîcher pârât:
　des enwas et dô kein ander rât.
　ouch was der frouwen dâ genuoc:
20 etslîchiu'n zwelften gürtel truoc
　ze pfande nâch ir minne.
　ez wârn niht küneginne:
　die selben trippâniersen
　hiezen soldiersen.
25 hie der junge, dort der alde,
　dâ fuor vil ribalde:
　ir loufen machte in müede lide.
　etslîcher zæm baz an der wide,
　denne er daz her dâ mêrte
　unt werdez volc unêrte.
342 Für was geloufen unt geriten
　daz her, des Gâwân het erbiten.
　von solhem wâne daz geschach:
　swer den helt dâ halden sach,
5 der wânde er wære des selben hers.
　disehalp noch jensît mers
　gefuor nie stolzer rîterschaft:
　si heten hôhes muotes kraft.

340, 2. hete *Gdgg.*　　3. Zebrunbane bi dem se *G.*　　4. so we *Gg.*　　6. trevre-
zent *G.*　　8. vlîuht *D.*　　man *DGgg,* man in *dgg.*　　9. Des *G,* Dest *g,* daz
ist *die übrigen*].　　10. Ich sol *Ggg.*　　in] hin *Ggg.*　　12. habt *dgg.*　　mih
dez mere *G.*　　13. De sol *G.*　　14. ze der *D* = uf die *Ggg,* uf der *g.*
15. hete *G allein.*　　16. rote *Gd.*　　17. conp. *G.*　　19. so *Gd,* so wol *g,*
wol *Dgg.*　　20. err] er *Dg,* er ir *die übrigen.*　　= erchande *Ggg.*　　21. noch
deheine *D,* Unde neheine *G.*　　23. sus *fehlt Ggg*　　24. deh. *DG.*　　27. Desw.
G.　　29. = Nu *Ggg.*　　Gringulieten *D,* Gringüliet *g,* gringulet *d,* kringuliet
Ggg, kringulet *gg.*

341, 3. gefloieret *G.*　　5. helm *Gg.*　　8. Diu gemalten *Ggg.*　　9. iuncherren
DG.　　gegebn *D,* geben *d,* gaben *g.*　　10. dar an bechant *D.*　　11. filli roy
g, fillu roy *D,* fili roy *d,* fyz luroy *g,* fiez lyroi *g,* filiroys *Gg,* filli roys *g.*
13. mûle *Dd* = Vil mule *Ggg.*　　14. geladenen *Gdgg.*
16. = Da *Ggg,* Den *g.*　　18. en *fehlt G.*　　et *fehlt gg,* ouch *d*　　doch *D.*
dehein *DG.*　　19. = Er sach der *Ggg.*　　20. etslichiu *DG,* Etlich *d.*
den *DdGg.*　　23. trippeniersen *Ggg.*　　27. = Den machet ir loufen *Ggg.*
muediu *Dg.*　　28. zæme *DG.*

342, 5. Daz er wande *Gg.*　　6. iensît *dgg,* ensit *G,* iene sîte *D.*　　mêrs *D.*
8. hohmuotes *D.*

nu fuor in balde hinden nâch
10 vast ûf ir slâ (dem was vil gâch)
ein knappe gar unfuoge vrî.
ein ledec ors gieng im bî:
einen niwen schilt er fuorte,
mit bêden sporen er ruorte
15 âne zart sîn runzît,
er wolde gâhen in den strît.
wol gesniten was sîn kleit.
Gâwân zuo dem knappen reit,
nâch gruozer vrâgte mære,
20 wes diu massenîe wære.
dô sprach der knappe 'ir spottet
mîn.
hêrre, hân ich sölhen pîn
mit unfuoge an iu erholt,
het ich dann ander nôt gedolt,
25 diu stüende mir gein prîse baz.
durch got nu senftet iwern haz.
ir erkennt ein ander baz dan ich:
waz hilft dan daz ir frâget mich?
ez sol iu baz wesen kunt
zeinem mâle und tûsentstunt.'
343 Gâwân bôt des mangen eit,
swaz volkes dâ für in gereit,
daz er des niht erkande.
er sprach 'mîn varn hât schande,
5 sît ich mit wârheit niht mac jehn
daz ich ir keinen habe gesehn
vor disem tage an keiner stat,
swar man mîn dienst ie gebat.'
der knappe sprach ze Gâwân
10 'bêr, sô hân ich missetân:
ich soltz iu ê hân gesagt.

dô was mîn bezzer sin verzagt.
nu rihtet mîne schulde
nâch iwer selbes hulde.
15 ich solz iu dar nâch gerne sagn:
lât mich mîn unfuoge ê klagn.'
'junchêr, nu sagt mir wer si sîn,
durch iwern zuhtbæren pîn.'
'hêr, sus heizt der vor iu vert,
20 dem doch sîn reise ist unrewert:
roys Poydiconjunz,
und duc Astor de Lanverunz.
dâ vert ein unbescheiden lîp,
dem minne nie gebôt kein wîp:
25 er treit der unfuoge kranz
unde heizet Meljacanz.
ez wære wîb oder magt,
swaz er dâ minne hât bejagt,
die nam er gar in nœten:
man solt in drumbe tœten.
344 Er ist Poydiconjunzes suon
und wil ouch rîterschaft hie   tuon:
der pfligt der ellens rîche
dicke unverzagetlîche.
5 waz hilft sîn manlîcher site?
ein swînmuoter, lief ir mite
ir värhelîn, diu wert ouch sie.
ine hôrte man geprîsen nie,
was sîn ellen âne fuoge:
10 des volgent mir genuoge.
hêr, noch hœrt ein wunder,
lât iu daz sagen besunder.
grôz her nâch iu dâ füeret
den sîn unfuoge rüeret,

9. Do *Ggg.*   10. vaste *Dd = fehlt Ggg.*   vil *D, fehlt d =* ouch *Ggg.*
14. Mit sporen er vaste ruorte *G.*   19. = fragte in *Ggg*, in fragte *g*, fragt
er der *g*, frogete er *d.*   20. diu massenide *D =* daz gesinde *Ggg.*   21. = Der
chnape sprach *Ggg.*   spotet *Gg*, spott *g.*   22. diesen pin *Gg.*   23. unge-
fuoge *Gg.*   an iuch *Ggg.*   verholt *gg.*   24. dane andere *G.*   26. nu
fehlt Gg.   27. erchennet *DG*, kennet *g*, bekennet *dg.*   dan *g*, dane *G*,
denne *D.*   28. hilfet *DG.*   dane *G*, denne *D, fehlt gg.*   vragt *D.*
29. chûnt *D.*   30. tûsent stuont *D.*

343, 2. reit *dgg.*   5. darf *D.*   6.7. deh. *G.*   10.19. Herre *DG.*   11. soldez *D.*
12. bezzer *D*, bœser *d =* bester *Ggg.*   13. riht *G.*   14. ewers *g.*
16. 25. ungefuoge *Gg.*   17. Iuncherre *DG.*   nu *fehlt Gdg.*   18. zuhte-
bæren *D*, zuhtbwernden *g.*   19. heizet *DG.*   20. noch *Gg.*   21. der ku-
nec *Dg.*   poideconiunz *Ggg immer.*   22. duc astor *gg*, ouch astor *d*, auch
kastur *g*, de chastor *G*, der herzoge Astor *D.*   von *D.*   lunfarunz *Ggg.*
24. dehein *DG*, ein *g.*   26. Meliahcanz *gg*, meliabganz *G.*   29. gar
enoten *G.*

344, 1. Der *G*, Ez *g.*   = Poydiconiunz *Dd.*   2. Der *G*, Er *g.*   da *G.*
5. hilfet *Dd =* touch *Ggg.*   6. swine muoter *Ggg.*   im *Ggg.*   7. verh. *G.*
diu *Ggg*, die *D, fehlt g*, das *d.*   werte *Gdgg.* — 8. gehorte *Ddg.*   10. mir]
noch *Ggg*, auch *g*, ouch noch *g.*   11. noch] = nu *Ggg.*   13. da nach iu
Ggg.   14. ungefuoge *Gg.*

15 der künec Meljanz von Lîz.
hôchvartlîchen zornes vlîz
hât er gevrumet âne nôt:
unrehtiu minne im daz gebôt.'
der knappe in sîner zuht ver-
    jach
20 'hêrre, ich sagez iu, wand i'z sach.
des künec Meljanzes vater,
in tôdes leger für sich bater
die fürsten sînes landes.
unerlœset pfandes
25 stuont sîn ellenthaftez lebn:
daz muose sich dem tôde ergebn.
in der selben riuwe
bevalher ûf ir triuwe
Meljanzen den clâren
allen den die dâ wâren.
345 Er kôs im einen sunder dan:
der fürste was sîn hôhster man,
gegen triwe alsô bewæret,
aller valscheit erlæret:
5 den bater ziehen sînen suon.
er sprach 'du maht an im nu tuon
dîner triwe hantveste.
bit in daz er die geste
unt die heinlîchen habe wert:
10 swenne es der kumberhafte gert,
dem bit in teilen sîne habe.'
sus wart bevolhen dâ der knabe.
    dô leiste der fürste Lyppaut
al daz sîn hêrre der künec Schaut
15 an tôdes legere gein im warp:
harte wênec des verdarp,
endehaft ez wart geleistet sidr.
der fürste fuorte den knappen
    widr.
der hete dâ heime liebiu kint,
20 als sim noch pillîche sint;
ein tohter der des niht gebrach,

wan daz man des ir zîte jach,
si wære wol âmîe.
si heizet Obîe
25 ir swester heizet Obilôt.
Obîe frumt uns dise nôt.
    eins tages gedêhez an die stat
daz si der junge künec bat
nâch sîme dienste minne.
si verfluochte im sîne sinne,
346 unde vrâgte in wes er wânde,
war umb er sich sinnes ânde.
Si sprach hin zim 'wært ir sô alt,
daz under schilde wære bezalt
5 in werdeclîchen stunden,
mit helm ûf houbt gebunden
gein herteclîchen vâren,
iwer tage in fünf jâren,
daz ir den prîs dâ het genomn,
10 und wært ir danne wider komn
ze mîm gebote gewesen dâ,
spræche ich denne alrêste jâ,
des iwer wille gerte,
alze fruo ich iuch gewerte.
15 ir sît mir liep (wer lougent des?)
als Annôren Gâlôes,
diu sît den tôt durch in erkôs,
dô sin von einer tjost verlôs.'
    'ungern ich,' sprach er 'frouwe,
20 iuch sô bî liebe schouwe
daz iwer zürnen ûf mich gêt,
genâde doch bîm dienste stêt,
swer triwe rehte mezzen wil.
frouwe, es ist iu gar ze vil
25 daz ir mînen sin sus smâhet:
ir habt iuch gar vergâhet.
ich möht doch des genozzen hân,
daz iwer vater ist mîn man,
unt daz er hât von mîner hant
manege burc und al sîn lant.'

16. Hochvertchlichen *G und alle aufser D.*   zorns *G*, zorens *D*.   17. ân *D*, gar an *G*, gar ane *gg*.   20. i'z] ihz *G*, ich *g*, ichez *D*, ichz *gg*.   22. Ans todes legere *Gg*.   24. unerlost *D*, unerlostes *dg*.   30. den *fehlt dg*.
345, 3. Gein *Ggg*.   7. triwen *Ggg*.   8. bitte *D*.   11. Den bit im *G*. bitte *Dd*.   13. Lyppaut] Lyppaôt *D*, lipaot *d*, lybaot *g*, libot *g*, libaut *Ggg*, Libaût *g*.   14. Schaut] Scôt *D*, Tschot *g*, schot *g*, tschaut *Gg*, tschût *g*.   15. Am *gg*, An des *g*.   20. alsi im *D*.   billichen *G*, billîch *dgg*.   21. eine *DG allein*.   24. hiez *D*, hies die schœne *g*.   29. ir minne *Ggg*.
346, 1. Unt *G*.   8. = gein funf *Ggg*.   9. hetet *D*.   10. und *fehlt Gg*.   11. = In *Ggg*.   mim *g*, minem *DG*.   12. alrest *G*.   14. alze fruo i'uch werte?   16. = Sam *Ggg*.   annorn *gg*.   Galûes *g*.   18. an einer *Ggg*. tioste vlos *G*.   22. gnade *D*.   bime *D*, bi dem *gg*, bi *Ggg*.   24. des *D*. 25. 26. smæhet-vergæhet *gg*.   27. des *fehlt G*.

347 'Swem ir iht lîht, der diene ouch
        daz,'
     sprach si. 'mîn zil sich hœhet baz.
     ine wil von niemen lêhen hân:
     mîn vrîheit ist sô getân,
5 ieslîcher krône hôch genuoc,
     die irdisch houbet ie getruoc.'
     er sprach 'ir sîtz gelêret,
     daz ir hôchvart sus mêret.
     sît iwer vater gap den rât,
10 er wandelt mir die missetât.
     ich sol hie wâpen alsô tragn
     daz wirt gestochen unt geslagn.
     ez sî strîten oder turnei,
     hie belîbet vil der sper enzwei.'
15   mit zorne schiet er von der magt.
     sîn zürnen sêre wart geklagt
     von al der massenîe:
     in klagt ouch Obîe.
     gein dirre ungeschihte
20 bôt sîn gerihte
     und anders wandels genuoc
     Lyppaut, der unschulde truoc.
     ez wære krump oder sleht,
     er gerte sînre genôze reht,
23 hof dâ die fürsten wæren:
     und er wær zuo disen mæren
     komen âne schulde.
     genædeclîcher hulde
     er vaste sînen hêrren bat.
     dem tet der zorn ûf freuden mat.
348 Man kunde dâ niht gâhen
     sô daz Lyppaut wolt vâhen

     sînen hêrren: wander was sîn wirt;
     als noch getriwer man verbirt.
5 der künec ân urloup dannen schiet,
     als im sîn kranker sin geriet.
     sîne knappen, fürsten kindelîn,
     al weinde tâten klagen schîn,
     die mit dem künec dâ wârn ge-
         wesen.
10 vor den mac Lyppaut wol genesen,
     wand ers mit triwe hât erzogen,
     gein werder fuore niht betrogen;
     ez ensî dan mîn hêrre al ein,
     an dem dochs fürsten triwe erschein.
15 mîn hêrre ist ein Franzeys,
     li schahteliur de Bêâveys:
     er heizet Lisavander.
     die eine unt die ander
     muosen dem fürsten widersagn,
20 do si schildes ambet muosen tragn.
     bîme künege ritter worden sint
     vil fürsten hiute und ander kint.
     des vordern hers pfligt ein man
     der wol mit scharpfen strîten kan,
25 der künec Poydiconjunz von Gors:
     der füert manc wol gewâpent ors.
     Meljanz ist sîns bruoder suon:
     si kunnen bêde hôchvart tuon,
     der junge und ouch der alde.
     daz es unfuoge walde!
349 Sus hât der zorn sich für genomn,
     daz bêde künege wellent komn
     für Bêârosche, dâ man muoz
     gedienn mit arbeit wîbe gruoz.

347, 1. lîhet *DG*.   ouch *fehlt Gd*.   3. Ich *G*.   4. also *Gdg*.   6. ir-
desch *G*.   7. sitz *D*, sit *die übrigen*.   13. strit *Gg*.   19. gegen dirre un-
gesîhte *D*.   22. Lyppaot *Dd*, Libaut *Ggg*, Lybayt *g*.   24. siner *alle*.
gnoze *D*.   26. und *fehlt G*.   ze *G*.   27. chômen *G*.   29. Er
ditche *G*.

348, 2. wolde *D*, wolte *G*.   3. Sin *g*.   5. da dannen sciet *D*.   7. Chnapen
fursten siniu chindelin *Ggg*.   8. weinende *DG meistens*.   tæten *G*.
chlagen *G*, chlagens *Ggg*, klage *dgg*.   9. chunege *DG*.   dâ *fehlt gg*.
11. wanderse mit triwe hat *Dd* = Wan er si hat (erz hat *g*, er hat si *g*) mit
triwe *Ggg*.   12. = An *Ggg*.   13. Ez si *dg und ohne* dan *g*.   denne
Ddg, dane *G*, danne *gg*.   hêrre *fehlt D*.   14. doch des *alle*.   schein *Ggg*.
15. franzoys *G*.   16. Li tschatelurre *Ggg*, Lihtschahtelurre *g*, Lesach de lurre
g, der burcgrave *Ddg*.   von *Dg*.   beaveis *G*.   17. = Der *Ggg*.   18. ein
dg, einen *G*.   = unde ouch *Ggg*.   20. solten *Ggg*.   21. = Mit dem
Ggg.   22. = Manch furste *Ggg*.   hiute *fehlt gg*.   andr *D*, anderiu *G*, an-
driu *g*, andru *g*.   23. vodern *g*.   24. scharfen *G*.   25. 26. Gôrs-örs *gg*.
26. = der *fehlt Ggg*.   Fuort *gg*, fueret *DG*.   29. ouch *fehlt G*.
30. ungefuoge *Ggg*.

349, 2. daz *fehlt Ggg*.   3. bearotsche *Ggg immer*.   4. Mit arbeit dienen *Ggg*.
gedienen *Ddgg*.

5 vil sper muoz man dâ brechen,
bêdiu hurtn und stechen.
Bêârosche ist sô ze wer,
ob wir heten zweinzec her,
ieslîchez grœzer dan wir hân,
10 wir müesens unzerfüeret lân.
　　mîn reise istz hinder her ver-
　　　holn:
disen schilt hân ich dan verstoln
ûz von andern kinden,
ob mîn hêrre möhte vinden
15 ein tjost durch sînen êrsten schilt,
mit hurtes poynder dar gezilt.'
der knappe hinder sich dô sach.
sîn hêrre fuor im balde nâch:
driu ors unt zwelf wîziu sper
20 gâhten mit im balde her.
ich wæn sîn gir des iemen trüge,
er wolde gern ze vorvlüge
die êrsten tjost dâ hân bejagt.
sus hât mir d'âventiure gesagt.
25　der knappe sprach ze Gâwân
'hêr, lât mich iwern urloup hân.'
der kêrte sîme hêrren zuo.
waz welt ir daz Gâwân nu tuo,
ern besehe waz disiu mære sîn?
doch lêrt in zwîvel strengen pîn.
350 Er dâhte 'sol ich strîten sehn,
und sol des niht von mir geschehn,
sost al mîn prîs verloschen gar.
kum ab ich durch strîten dar
5 und wirde ich dâ geletzet,
mit wârheit ist entsetzet
al mîn werltlîcher prîs.
ine tuon es niht decheinen wîs:

ich sol ê leisten mînen kampf.'
10 sîn nôt sich in ein ander klampf.
gegen sîner kampfes verte
was ze belîben alze herte:
ern moht ouch dâ niht für ge-
　　varn.
er sprach 'nu müeze got be-
　　warn
15 die kraft an mîner manheit.'
Gâwân gein Bêârosche reit.
　　burg und stat sô vor im lac,
daz niemen bezzers hûses pflac.
ouch gleste gein im schône
20 aller ander bürge ein krône
mit türnen wol gezieret.
nu was geloschieret
dem her derfür ûf den plân.
dô marcte mîn hêr Gâwân
25 mangen rinc wol gehêrt.
dâ was hôchvart gemêrt:
wunderlîcher baniere
kôs er dâ mange schiere,
und manger slahte fremden bovel.
der zwîvel was sîns herzen hovel,
351 Dâ durch in starkiu angest sneit.
Gâwân mitten durch si reit.
　　doch ieslîch zeltsnuor de andern
　　　dranc,
ir her was wît unde lanc.
5 dô saher wie si lâgen,
wes dise und jene pflâgen.
swer byen sey venûz dâ sprach,
gramerzîs er wider jach.
grôz rotte an einem orte lac,
10 sarjande von Semblidac:

---

5. = Man muoz vil sper da *Ggg*.　　6. Beidiu *G*.　　hurten *alle*.　　unde *D*.
9. groᵛzer dane *G*, grozer denne *D*.　　10. unzerfuort *D*.　　11. istz] ist dez
G, ist des *g*, ist daz *die übrigen*.　　15. eine *DG allein*.　　16. hurten *D*,
hurtens *g*.　　19. driu] diu *D*.　　20. gaheten *D*.　　= vaste mit im her *Ggg*.
21. niemen *Gg*.　　24. = Als mir *gg*, So mir *Gg*.　　diu aventiure *DG*.
saget *Ggg*.　　　　25. Do sprach der knappe zuo gawan *d*.
26. herre *fehlt G*.　　iwer *Ggg*.　　27. Er *Ggg*.

350, 2. soldes *D*.　　3. = erloschen *Ggg*.　　4. aber *DG*, aver *g*.　　7. wereltl.
D, werdechl. *gg*.　　8. Ich entuon sin niht neheine wis *G*.　　gwis *D*.
11. Gein *Ggg*.　　12. was ce *D*, Was *die übrigen*.　　13. Er *G*.　　ouch *Ggg*
= ot *D*, *fehlt d*.　　do *D*.　　17. Burch unde hus *G*.　　18. hûs *D*.
19. glaste *Gg*.　　20. andr *D*, anderen *Ggg*, *fehlt g*.　　eine *D*.　　21. turen
G, truren *D*.　　22. gelotsch. *Ggg*, geloisiert *g*.　　23. der fuor ûf *D*.
24. do *Dg*, Da *G*.　　marhte *D* = sach *Ggg*.　　25. gehêret *D*.　　26. ge-
mêret *DG*.　　29. fromden pofel *Gg*.　　30. hofel *G*.

351, 1. in] sin *d*, ein *g*.　　= groziu *Ggg*.　　2. enmiten dur *Ggg*.　　sie *D*.
3. de *G*, die *D*.　　7. byen seyvenᵒuz *D*, biensevenuz *Gg*, se *alle aufser D*.
8. Gramerzis *dgg*, gramærzys *D*, grantmerzis *Gg*.　　10. semlidach *Ggg*.

den lac dâ sunder nâhen bî
turkople von Kahetî.
unkünde dicke unminne sint.
sus reit des künec Lôtes kint:
15 belîbens bete in niemen bat.
Gâwân kêrte gein der stat.
  er dâhte 'sol ich kipper wesn,
ich mac vor flüste baz genesn
dort in der stat dan hie bî in.
20 ine kêr mich an dehein gewin,
wan wiech dez mîn behalde
sô deis gelücke walde.'
  Gâwân gein einer porten reit.
der burgær site was im leit:
25 sine hete niht betûret,
al ir porten wârn vermûret
und al ir wîchûs werlîch,
dar zuo der zinnen ieslîch
mit armbruste ein schütze pflac,
der sich schiezens her ûz bewac:
352 Sî vlizzen sich gein strîtes werc.
Gâwân reit ûf an den berc.
  swie wênec er dâ wære bekant,
er reit ûf da er die burc vant.
5 sîn ougen muosen schouwen
mange werde frouwen.
diu wirtîn selbe komen was
durch warten ûf den palas
mit ir schœnen tohtern zwein,
10 von den vil liehter varwe schein.
  schier het er von in vernomn,
si sprâchen 'wer mac uns hie
        komn?'

sus sprach diu alte herzogîn.
'waz gezoges mac diz sîn?'
15 dô sprach ir elter tohter sân
'muoter, ez ist ein koufman.'
'nu füert man im doch schilde
        mite.'
'daz ist vil koufliute site.'
  ir junger tohter dô sprach
20 'du zîhst in daz doch nie ge-
        schach:
swester, des mahtu dich schamen:
er gewan nie koufmannes namen.
er ist sô minneclîch getân,
ich wil in zeime ritter hân.
25 sîn dienst mac hie lônes gern:
des wil ich in durch liebe wern.'
  sîne knappen nâmn dô goume
daz ein linde und ölboume
unden bî der mûre stuont.
daz dûhte si ein gæber fuont.
353 Waz welt ir daz si mêr nu tuon?
wan do'rbeizte der künec Lôtes
        suon,
alda er den besten schaten vant.
sîn kamerær truoc dar zehant
5 ein kulter unde ein matraz,
dar ûf der stolze werde saz.
ob im saz wîbe hers ein fluot.
sîn kamergewant man nider luot
unt dez harnasch von den soumen.
10 hin dan undern andern boumen
herberge nâmen sie,
knappen die dâ kômen hie.

---

11. do *G.*   12. Turchopel *Ggg*, Durkopele *g.*   kaheti *Dd* = kahadi *gg*,
kabadi *G*, kabali *g.*   15. bilibens *D*, Belibenes *G.*   bet *G*, *fehlt dgg die
zum theil den vers anders ausfüllen.*   17. chipper *G*, kypper *D.*   20. Ich *G.*
ker *dg.*   deheinen *DG.*   gwin *D.*   21. wi ich *D*, deich *G.*   daz mine *D.*
22. deis *G*, des *g*, daz es *D.*   23. 26. porte *G.*   25. betwert *D. so auch* 26.
26. alle ir *D.*   27. elliu iriu *Gg.*   28. Da zuo *G.*   iegelich *G.*
29. arembr. *D.*   30. der schiezens her ûz sich bewac?   her *fehlt g.*
her ûz *fehlt d.*

352, 2. = cherte uf *Ggg.*   4. cherte *Gg.*   5. Siniu *Gg.*   6. Vil mange *gg.*
8. uf dem *G.*   9. schœnen *fehlt G.*   tohteren *G.*   11. Sciere het er von
in *Dd* = Von (Ay von *g*) den het er vil schier *gg*, Von den er schiere hete *G.*
12. Si fragten *Ggg.*   wage *G*, was *D*, ist *g.*   13. So *G.*   14. zoges
mach ditze *D.*   15. = Ir alter tohter sprach do (sprach al *g*, die sprach *gg*)
san *Ggg.*   18. daz *DGd*, We daz *gg*, Muter ez *g.*   20. zi-
hest *DG.*   22. koufmans *gg.*   25. diens *G.*   27. taten *Ggg.*   = dô
fehlt Ggg.   goum *d.*   28. Daz linde oder olbome *g.*   unde oleboume *G*,
und oleboum *d*, und ein ölboume *gg.*   30. sîe *D.*   funt *G*, fûnt *D.*

353, 1. mer tuon *Gg.*   2. Wan *fehlt gg.*   rebeizte *D*, erb. *G.*   des *Ggg.*
lotes sun *G*, Lôts sûn *D.*   3. aldaer *G.*   schate *G*, schat *g.*   5. einen
DGg.   gulter *G*, golter *g.*   einen *g.*   7. = was *Ggg.*   8. kamergwant *D.*
9. untz *D*, Untze *d.*   10. undern *g*, undr den *Dd*, under *Ggg.*

diu alte herzogîn sprach sân
'tohter, welch koufman
15 kunde alsus gebâren?
dune solt sîn sus niht vâren.'
dô sprach diu junge Obilôt
'unfuoge ir dennoch mêr gebôt:
geim künege Meljanz von Lîz
20 si kêrte ir hôchverte vlîz,
dô er si bat ir minne.
gunêrt sîn sölhe sinne!'
dô sprach Obîe,
vor zorne niht diu vrîe,
25 'sîn fuore ist mir unmære.
dort sitzt ein wehselære:
des market muoz hie werden guot.
sîn soumschrîn sint sô behuot,
dîns ritters, tœrschiu swester mîn:
er wil ir selbe goumel sîn.'
354 Gar dirre worte hôre
kom Gâwân in sîn ôre.
die rede lât sîn als si nu stê:
nu hœret wiez der stat ergê.
5 ein schefræh wazzer für si flôz
durch eine brükke steinîn grôz,
niht gein der vînde want:
anderhalp was unverhert daz lant.
ein marschalc kom geriten sân:
10 für die brücken ûf den plân
nam er herberge wît.
sîn hêrre kom an rehter zît,
und ander die dâ solden komn.
ich sagez iu, hât irs niht vernomn,
15 wer ins wirtes hilfe reit,
und wer durch in mit triwen streit.
im kom von Brevigariez

sîn bruoder duc Marangliez.
durch den kômn zwên ritter snel,
20 der werde künec Schirnîel:
der truoc krôn ze Lyrivoyn:
als tet sîn bruoder ze Avendroyn.
dô die burgære sâhen
daz in helfe wolde nâhen,
25 daz ê des was ir aller rât,
daz dûht si dô ein missetât.
der fürste Lyppaut dô sprach
'ôwê daz Bêârosche ie geschach
daz ir porten suln vermûret sîn!
wan swenne ich gein dem hêrren
                                  mîn
355 Schildes ambet zeige,
mîn bestiu zuht ist veige.
ez hulfe mich und stüende ouch baz
sîn hulde dan sîn grôzer haz.
5 wie stêt ein tjost durch mînen
                                  schilt,
mit sîner hende dar gezilt,
odr ob versnîden sol mîn swert
sînen schilt, mîns hêrren wert!
gelobt daz iemer wîse wîp,
10 diu treit alze lôsen lîp.
nu lât mich mînen hêrren hân
in mîme turne: ich müeste in lân
und mit im in den sînen.
swar an er mich wil pînen,
15 des stên ich gar ze sîme gebote.
doch sol ich gerne danken gote
daz er mich niht gevangen hât,
sît in sîn zürnen niht erlât
eren well mich hie besitzen.
20 nu râtet mir mit witzen,'

---

13. alt *G.*   19. Gegen einem *g*, gein dem *die übrigen*. gein rois?   Melianze
DG.   de liz *g.*   22. Geungert *G.*   25. = Mir ist sin vuore unmare *Ggg.*
26. sitzt *g.*   wechslære *D.*   27. Der *gg*, Sin *G.*   = mach *Ggg.*
28. Sin *dg*, sine *D*, Siniu *G.*   29. tôrsciu *D.*   30. geumel *gg.*

354, 2. Gawane *D.*   4. Unde *Gdgg.*   hort ouch *Ggg.*   5. schifrahe *G*,
schef reht *D*, schifrætich *g*, schifrehez *g*, schifrich *dgg*, schifriche *g.*   8. der-
halp? *s.* 663, 24.   9. marscal *D.*   10. brucken *D*, brucke *gg*, burch *Gdgg.*
14. habt *G.*   15. in des *D.*   helfe *alle aufser D.*   17. brevegariez *Ggg*,
Brevgariez *g.*   18. tuc *g*, der herzoge *D.*   maragliez *G.*   19. chomen
zwene *DG.* kom zwên?   20. Scirniel *D*, scirmel *d*, schirmel *gg*, tschirmel *gg*,
tschirviel *g*, tschirnel *G.*   21. chrone *DG* immer.   = liravoyn *Gg.*
23. sahen *Gd*, gesahen *D*, alle sahen *gg.*   26. duhte *DG.*   ein *fehlt Gg.*
Ich meine daz si dâ vor Vermûret heten ir tor *d.*   27. do *DG*, selbe *die*
übrigen.   29. borte sulen *G.*   vermuort *D.*

355, 3. 4 *fehlen Gg.*   4. dan *g*, den *D.*   7. Olde obe *G.*   9. imer *G.*
10. diu hat *D.*   12. muoste *D*, muose *G.*   14. Swar er *Ggg.*   pinenen *G.*
15. ich im *D.*   gar] gerne *G.*   sime *d*, sim *g*, sinem *DG.*   16. = wil
Ggg.   ichs *D.*   imer *G.*   19. well *g.*

sprach er zen burgæren,
'gein disen strengen mæren.'
dô sprach dâ manc wîse man
'möht ir unschult genozzen hân,
25 ez enwær niht komn an disiu zil.'
si gâben im des râtes vil,
daz er sîn porte ûf tæte
und al die besten bæte
ûz gein der tjoste rîten.
si jâhn 'wir mugen sô strîten,
356 E daz wir uns von zinnen wern
Meljanzes bêden hern.
ez sint doch allez meistec kint,
die mit dem künec dâ komen sint:
5 da erwerbe wir vil lîhte ein pfant,
dâ von ie grôzer zorn verswant.
der künec ist lîhte alsô gemuot,
swenn er hie ritterschaft getuot,
er sol uns nôt erlâzen
10 und al sîn zürnen mâzen.
veltstrîts sol uns doch baz gezemen,
dan daz se uns ûz der mûre nemen.
wir solten wol gedingen
dort in ir snüeren ringen,
15 wan Poydiconjunzes kraft:
der füert die herten ritterschaft.
dâ ist unser grœster freise
die gevangen Berteneise,
der pfligt der herzoge Astor:
20 den siht man hie gein strîte vor.
da ist och sîn sun Meljacanz.
het den erzogen Gurnamanz,

sô wær sîn prîs gehœhet gar:
doch siht man in in strîtes schar.
25 da engegen ist uns grôz helfe komn.'
ir habt ir râten wol vernomn:
der fürste tet als man im riet.
die mûre er ûzen porten schiet.
die burgære ellens unbetrogn
begunden ûz ze velde zogn,
357 Hie ein tjost, diu ander dort.
daz her begunde ouch trecken vort
her gein der stat durch hôhen muot.
ir vesprîe wart vil guot.
5 ze bêder sîte rotten ungezalt,
garzûne krîe manecvalt.
bêde schottesch und walsch
wart dâ gerüefet sunder valsch.
der ritter tât was âne vride:
10 die helde erswungen dâ die lide.
ez wârn doch allez meistec kint,
die ûzem her dar komen sint.
die begiengen dâ vil werde tât,
die burgær pfanten se ûf der sât.
15 der nie gediende an wîbe
kleinœt, der möhte an sîme lîbe
niemer bezzer wât getragen.
von Meljanze hôrt ich sagen,
sîn zimierde wære guot:
20 er het och selbe hôhen muot
und reit ein schœne kastelân,
daz Meljacanz dort gewan,
do'r Keyn sô hôhe derhinder stach
daz mann am aste hangen sach.

25. en *fehlt G.* 27. Daz man *G.* sin *dgg,* sine *D,* die *G.* porten *D.*
30. iahen *DG immer.*

356, 1. E *fehlt Gg.* 2. beiden *G.* 3. Wenne es sint das merteil kint *d.*
meistech *D,* meiste *Ggg,* mæist *g,* maistel *g.* 4. di *D.* kunege *alle.*
da *DGg, fehlt dgg.* 5. erwerben *G.* ein *fehlt G.* 7. so *Ggg.* 8. So
er *Gg.* 11. velt strites *DG,* Velt strit *g.* doch *fehlt Ggg.* 12. Dane
G, den *D.* daz *fehlt Gg.* si *DG, fehlt g.* muore *D, fehlt G.*
14. snuoren *DG,* snuere *dg.* 15. poidek. *G,* -iunzs *D.* 17. = Deist *G,*
Daz ist *gg.* grôster *Dg,* grôzestiu *G,* grozstiu *g,* groste *gg,* grozeu *g,* grosse *d.*
20. = da *Ggg.* gegen *Dd* = in *Ggg.* 21. Melyacanz *D,* Meliahganz *G.*
22. kurnom. *G.* 28. er *fehlt G.* schriet *Gg.* 30. zogn] chomen *G.*

357, 1. diu andr *D,* diu andere *G,* ein *fehlt G.* 2. ouch *fehlt Gg.* treken
D, trechen *G,* strecken *dg.* 5. iewedersit rotten ungezalt? beider *G.*
roten *G,* rotte *Dg,* rot *d.* 7. Beidiu schotsch *G.* 8. geruoffen *Gg.*
9. nach 10 *Ggg.* 11. Es was doch das merteil kint *d* = wol tatenz och diu
selben chint *Ggg.* 12, Diu *G.* da *G.* 13. begunden *D.* da vil werde
tât *Dd* = werdchlie tat *Ggg,* werdelich getat *g.* 14. burgær *G.* 15. 16. der
nie kleinœte an wîbe gedient, der möhte an sîme lîbe? 16. chleinot *Dg,*
Cleinœte *d,* Chleinode *Ggg,* Cleinod *g.* = der endorfte *Ggg.* sime *Dg,*
fehlt den übrigen. 17. Nimer *G.* 18. Melyanze *D oft mit* y. hore *Ggg.*
19. zimere wær *G.* 20. ouch *G.* 21. = Er *Ggg.* 22. meliahganz *G.*
23. keyn *gg,* kain *G,* keyen *D.* hohe *D,* hoch *gg,* ho *g,* verre *Gg.* dr
hindr *D.* 24. manen ame *G.*

25 do ez Meljacanz dort erstreit,
Meljanz von Lîz ez hie wol reit.
sîn tât was vor ûz sô bekant.
al sîn tjost in ir ougen vant
Obî dort ûf dem palas,
dar si durch warten komen was.
358 'Nu sich,' sprach si, 'swester mîn.
deiswâr mîn ritter unt der dîn
begênt hie ungelîchiu werc.
der dîne wænt daz wir den berc
5 unt die burc sülen verliesen.
ander wer wir müezen kiesen.'
diu junge muose ir spotten doln:
si sprach 'er mac si's wol erholn:
ich gib im noch gein ellen trôst,
10 daz er dîns spottes wirt erlôst.
er sol dienst gein mir kêren,
unde ich wil im freude mêren.
sît du gihst er sî ein koufman,
er sol mîns lônes market hân.'
15 ir bêder strît der worte
Gâwân ze merke hôrte.
als ez im dô getohte
übersaz erz, swie er mohte.
sol lûter herze sich niht schemen,
20 daz muoz der tôt dervon ê nemen.
daz grôze her al stille lac,
des Poydiconjunz dort pflac:
wan ein werder jungelinc
was im strîte und al sîn rinc,
25 der herzoge von Lanverunz.
dô kom Poydiconjunz:
ouch nam der alt wîse man
die eine und die andern dan.

diu vesperîe was erliten
und wol durch werdiu wîp gestriten.
359 Dô sprach Poydiconjunz
zem herzogen von Lanverunz
'geruocht ir mîn niht bîten,
so ir vart durch rüemen strîten?
5 sô wænt ir daz sî guot getân.
hie ist der werde Lahedumân
unde ouch Meljacanz mîn suon:
swaz die bêde solden tuon,
und ich selbe, ir möht dâ strîten
sehn,
10 ob ir strîten kundet spehn.
ine kum nimer von dirre stat,
ine mache uns alle strîtes sat:
ode mir gebent man unde wîp
her ûz gevangn ir bêder lîp.'
15 dô sprach der herzoge Astor
'hêr, iwer neve was dâ vor,
der künec, und al sîn her von Lîz:
solt iwer her an slâfes vlîz
die wîl sich hân gekêret?
20 habt ir uns daz gelêret?
sô slâf ich dâ man strîten sol:
ich kan bî strîte slâfen wol.
doch gloubt mir daz, wær ich niht
komn,
die burgær heten dâ genomn
25 frumen und prîs zir handen:
ich bewart iuch dâ vor schanden.
durch got nu senftet iwern zorn.
da ist mêr gewunnen dan verlorn
von iwerre massenîe,
wils jehen frou Obîe.'

25. Daz *Ggg.*　　Melyac. *D*, meliahk. *G.*　　26. Melyanz von Lŷz *D.*　　27. sô
fehlt gg.　　28. alle *DG.*　　sin *g*, sine *DG.*　　tioste *D.*　　29. Obie *G*,
Obŷe *D.*

358, 1. = Do sprach si sihestu swester min *Ggg.*　　2. Desw. *G.*　　4. wênt *gg*,
wænet *DG.*　　8. diu sprach *D.*　　sis *gg*, sichs *Dd*, sihes *G*, sich *gg.*
9. doch *Gg.*　　gegen *D.*　　10. spottens *gg.*　　12. unde
fehlt d.　　ih sol *Gg.*　　14. lotes *g.*　　15. beider *G.*　　17. gedohte *G.*
18. Ubersach *g*, Versaz *Ggg.*　　20. mueze *D.*　　22. dort] = da *Ggg.*
25. dr herz. *D.*　　lanvarunz *Ggg immer.*　　27. alte *alle aufser DG.*　　28. = Die
einen *Ggg.*　　29. vesprîe *Dg.*

359, 5. wênt *dgg*, wænet *DG.*　　6. der *fehlt G.*　　= grave *Ggg.*　　= lah-
doman *gg*, lachdoman *G.*　　7. vñ *Dd* = Hie ist *Ggg.*　　meliahg. *G.*
sin sun *Gg.*　　9. moht *gg*, möchte *d*, mohtet *Dg*, mueset *g.*　　da *D*, *fehlt dg*,
doch *gg*, ouch *G.*　　11. Ich *G.*　　nimer *G*, niemer *D.*　　12. Ich engemache iuch
alle *G*, Ich gemach euch *g.*　　strits *D*, vehtens *Ggg.*　　13. odr *D.*　　= git
Ggg.　　14. gevangen *alle.*　　ir bedr *Dg*, beider *d*, bede ir *Ggg.*　　18. slaf-
fes *G.*　　19. wile *DG immer.*　　haben gechert. Habet-gelert *G.*　　21. slave
ich *G.*　　= swa *Ggg.*　　23. doch gloubet mir *Dd* = Nu wizt *Ggg.*
24. = dâ *fehlt Ggg.*　　25. Frum *Gg.*　　26. bewarte *Gg*, bewar *die übrigen.*
28. = Hiest *Ggg.*　　29. Von iwere messnie *G.*　　30. iehen *D*,
gehen *G.*　　frou *fehlt Ggg.*

360   Poydiconjunzes zorn was ganz
    ûf sînen neven Meljanz.
    doch brâht der werde junge man
    vil tjost durch sînen schilt her dan:
5   daz endorft sîn niwer prîs niht klagn.
    nu hœret von Obîen sagn.
    diu bôt ir hazzes genuoc
    Gâwân, dern âne schulde truoc:
    si wolt im werben schande.
10   einen garzûn si sande
    hin ze Gâwân, dâ der saz:
    si sprach 'nu vrâge in fürbaz,
    ob diu ors veile sîn,
    und ob in sînen soumschrîn
15   lige inder werdez krâmgewant.
    wir frowen koufenz al zehant.'
    der garzûn kom gegangen:
    mit zorn er wart enpfangen.
    Gâwâns ougen blicke
20   in lêrten herzen schricke:
    der garzûn sô verzagte
    daz ern vrâgte noch ensagte
    al daz [in] sîn frouwe werben hiez.
    Gâwân die rede ouch niht enliez,
25   er sprach 'vart hin, ir ribbalt.
    mûlslege al ungezalt
    sult ir hie vil enpfâhen,
    welt ir mir fürbaz nâhen.'
    der garzûn dan lief oder gienc:
    nu hœret wiez Obîe an vienc.

361   Einen junchêrrn si sprechen bat
    den burcgrâven von der stat:
    der was geheizen Scherules.
    si sprach 'du solt in biten des
5   daz erz durch mînen willen tuo
    und manlîche grîfe zuo.

    undern ölboumen bîme grabn
    stênt siben ors: diu sol er habn,
    und ander rîcheite vil.
10   ein koufman uns hie triegen wil:
    bit in daz er daz wende.
    ich getrûw des sîner hende,
    si nemez unvergolten:
    ouch hât erz unbescholten.'
15   der knapp hin nider sagte
    al daz sîn frowe klagte.
    'ich sol vor triegen uns bewarn,'
    sprach Scherules, 'ich wil dar varn.'
    er reit hin ûf dâ Gâwân saz,
20   der selten ellens ie vergaz;
    an dem er vant krancheite flust,
    lieht antlütze und hôhe brust,
    und einen ritter wol gevar.
    Scherules in pruovte gar,
25   sîn arme unde ieweder hant
    und swaz geschickede er dâ vant.
    dô sprach er 'hêrre, ir sît ein gast:
    guoter witze uns gar gebrast,
    sît ir niht herberge hât.
    nu prüevetz uns für missetât.

362 Ich sol nu selbe marschalc sîn:
    liute und guot, swaz heizet mîn,
    daz kêr ich iu gein diens siten.
    nie gast zuo wirte kom geriten,
5   der im wære als undertân.'
    'hêr, iwer genâde,' sprach Gâwân.
    'daz han ich ungedient noch:
    ich sol iu gerne volgen doch.'
    Scherules der lobs gehêrte
10   sprach als in sîn triwe lêrte.
    'sît ez sich hât an mich gezogt,
    ich pin vor flust nu iwer vogt;

360,   1. -iunzs *D.*   3. iunge werde *Gg.*   4. == Mange *Ggg.*   tioste *Dg.*
5. endorfte *Dd* == endarf *Ggg.*   6. == ouch von *Ggg.*   8. 11. Gawane
DG allein.   11. der *Dgg,* er *Gdgg.*   12. == Sage im unde frage in *Ggg.*
14. Olde *G,* Oder *gg.*   sinem *dgg.*   15. chram gwant *D.*   18. Mit haze
Ggg.   22. Daz er *G.*   23. al *D,* Also *d == fehlt Ggg.*   in *fehlt g.*
24. == doch *Ggg.*   niht liez *Dgg.*   27. hie vil *Dd* == von mir *Gg,* vil von
mir *gg,* von mir vil *g.*   29. dan *Ggg,* dannen *Ddg.*   == unde *Ggg.*
gîe-an vîe *D.*

361,   1. iuncherren *DG.*   2. burgr. *G.*   3. Scer. *D,* tscher. *Ggg.*   4. bitten *D.*
7. Under dem olbaum *gg.*   ame *Gg.*   8. sten *D.*   11. bitte *D.*   erz
wende *Gg.*   12. getruwe *G,* getrẘe *D.*   14. umb. *G.*   15. knappe *DG.*
21. chrancheit *Ggg,* chranche *dg.*   24. bruovte *G,* pruovete *D.*   25. Sine *G.*
ietwedere *G.*   30. pruovetz *D.*

362,   1. nu *Ddg,* iu *Gg,* ewer *g, fehlt g,* selbe iwer *g.*   3. diens *D,* dienst *g,*
dienste *g,* dienstes *Gdgg.*   5. == Der im so gar wær (wære *G*) under tan
Ggg.   6. herre iwer gnade sprach *Dd* == Iwer gnade herre sprach *gg,* Ge-
nade (Eúwer gnade *g*) sprach her *Ggg.*   7. unferdient *Ggg.*   8. Unde sol
Ggg.   10. sin *fehlt Ggg.*   11. an] uf *Gg.*   12. fluste *Dg.*

ezen nem iu dan daz ûzer her:
dâ bin ich mit iu an der wer.’
15 mit lachendem munde er sprach
hin zal den knappen dier dâ sach
'ladet ûf iur harnasch über al:
wir sulen hin nider in daz tal.’
Gâwân fuor mit sîme wirt.
20 Obîe nu daz niht verbirt,
ein spilwîp si sande,
die ir vater wol erkande,
und enbôt im solhiu mære,
dâ füere ein valschære:
25 'des habe ist rîche unde guot:
bit in durch rehten rîters muot,
sît er vil soldiere hât,
ûf ors, ûf silber unde ûf wât,
daz diz sî ir êrste gelt.
ez frumt wol siben ûfez velt.’
363 Daz spilwîp zem fürsten sprach
al des sîn tohter dar verjach.
swer ie urliuges pflac,
dem was vil nôt, ob er bejac
5 möhte an rîcher koste hân.
Lyppauten den getriwen man
überlesten soldiere,
daz er gedâhte schiere
'ich sol diz guot gewinnen
10 mit zorne od abe mit minnen.’
die nâchreiser niht vermeit.
Scherules im widerreit,
er vrâgte war im wær sô gâch.
'ich rîte eim trügenære nâch:

15 von dem sagt man mir mære,
ez sî ein valschære.’
unschuldec was hêr Gâwân:
ezen hete niht wan d’ors getân,
und ander daz er fuorte.
20 Scherulesn lachen ruorte:
er sprach 'hêrre, ir sît betrogen:
swerz iu saget, er hât gelogen,
ez sî maget man oder wîp.
unschuldec ist mîns gastes lîp:
25 ir solt in anders prîsen.
ern gewan nie münzîsen,
welt ir der rehten mære losen,
sîn lîp getruoc nie wehselpfosen.
seht sîn gebâr, hœrt sîniu wort:
in mîme hûs liez ich in dort:
364 Kunt ir dan ritters fuore spehen,
ir müezt im rehter dinge jehen.
sîn lîp gein valsche nie wart palt.
swer im dar über tuot gewalt,
5 wærz mîn vater ode mîn kint,
al die gein im in zorne sint,
mîn mâge ode mîn bruoder,
die müesn diu strîtes ruoder
gein mir ziehn: ich wil in wern,
10 vor unrehten strîten nern,
swa ich, hêr, vor iwern hulden mac.
ûz schildes ambt in einen sac
wolt ich mich ê ziehen,
sô verre ûz arde fliehen
15 dâ mich niemn erkande,
ê daz ir iwer schande,

---

13. dane *G*, denne *D*.   14. bi iu *G*.   15. = Sin munt do lachende sprach
Ggg.   16. hin *Dd*, Hie *g*, *fehlt den übrigen.*   zal den (Zue den *gg*, Ze
allen *gg*) knappen *Ddgg*, Zen chnapen allen *G*.   17. iwer *Dd* = dez *Ggg*.
18. inz tal *DG allein*.   19. mit sinen wirt *G*.   20. daz nu *Ggg*.   21. spile
wip *G*. *so auch* 363, 1.   22. bechande *Ggg*.   23. = Dem enbot si (er *G*)
solhiu mare *Ggg*.   24. vaschare *G*.   26. bitte *D*.   29. erster *D*, erstez *dg*.
30. sibene uf daz *G*.

363, 1. spilwip *D*.   2. al daz *D*.   5. = An richer choste mohte han *Ggg*.
9. daz guot *D*.   10. odr aber *D*, olde abe *g*.   13. Unde *Ggg*.   14. eim] dem
D, einem *die übrigen*.   trugnære *Dd* = triegare *Ggg*, valschære *g*.
16. Er *Ggg*.   triegare *Ggg*.   18. en *fehlt G*.   heten *alle aufser D*.
niwan *Gg*.   diu ors *DG*.   20. Tscherulesen *Ggg*.   21. Do sprach er *D*.
22. sagete *D*.   der *Ggg*.   hatz *g*.   23. ez wære magt *D*.   26. er eng.
D, Er *g*. *G*.   münze isen *g*.   27. mære] warheit *G*.   28. nie valshen
phosen *g*.   29. sine *DG allein*.   gebære *Dg*, gebærde *Gdgg*.   horet *oder*
hort *Gdgg*, vñ hœret *Dgg*.   30. ih liez in *G*.

364, 1. Kunt *g*, Chunnet *DG*.   dann *g*, danne *D*, *fehlt G*.   3. = Sin lip wart
nie gein valsche balt *Ggg*.   4. = tæte *Ggg*.   5. = Ez ware *Ggg*, Ez si *g*.
odr *D*, oder *G*.   miniu *Gg*.   6. Alle die *alle*.   in haze *G*.   7. Min *dgg*,
mine *DGgg*.   odr *D*.   min *Ddg*, mine *Ggg*.   8. muosen *DG*.   diu
DGgg, *fehlt dgg*.   strîts *D*.   9. ziehen *DG*.   neren *G*.   10. Von *G*.
weren *G*.

hêrre, an im begienget.
güetlîch ir enpfienget
billîcher al die her sint komn
20 und iwern kumber hânt vernomn,
dan daz irs welt rouben.
des sult ir iuch gelouben.'
der fürste sprach 'nu lâz mi'n sehn.
dâ mac niht arges ûz geschehn.'
25 er reit da er Gâwânen sach.
zwei ougen unde ein herze jach,
diu Lyppaut mit im brâhte dar,
daz der gast wær wol gevar
und rehte manlîche site
sînen gebærden wonten mite.
365 Swem wâriu liebe ie erholte
daz er herzeminne dolte,
herzeminne ist des erkant,
daz herze ist rehter minne ein
pfant,
5 alsô versetzet unde verselt,
kein munt ez nimmer gar volzelt
waz minne wunders füegen kan.
ez sî wîb oder man,
die krenket herzeminne
10 vil dicke an hôhem sinne.
Obîe unt Meljanz,
ir zweier minne was sô ganz
und stuont mit solhen triuwen,
sîn zorn iuch solde riuwen,
15 daz er mit zorne von ir reit:
des gab ir trûren solhez leit
daz ir kiusche wart gein zorne balt.
unschuldec Gâwân des enkalt,

und ander diez mit ir dâ liten.
20 si kom dicke ûz frouwenlîchen
siten:
sus flaht ir kiusche sich in zorn.
ez was ir bêder ougen dorn,
swâ si den werden man gesach:
ir herze Meljanze jach,
25 er müest vor ûz der hôste sîn.
si dâhte 'ob er mich lêret pîn,
den sol ich gerne durch in hân.
den jungen werden süezen man
vor al der werlt ich minne:
dar jagent mich herzen sinne.'
366 Von minn noch zornes vil geschiht:
nune wîzetz Obîen niht.
nu hœret wie ir vater sprach,
do er den werden Gâwân sach
5 undern in daz lant enpfienc,
wie erz mit rede dô ane vienc.
dô sprach er 'hêrre, iwer kumn
daz mac an sælden uns gefrumn.
ich hân gevaren manege vart:
10 sô suoze in mînen ougen wart
nie von angesihte.
zuo dirre ungeschihte
sol iwer kümfteclîcher tac
uns trœsten, wander trœsten mac.'
15 er bat in tuon dâ ritters tât.
'ob ir harnaschs mangel hât,
des lât iuch wol bereiten gar.
welt ir, sît, hêrre, in mîner schar.'
dô sprach der werde Gâwân
20 'ich wær des ein bereiter man:

---

18. guotliche *D*, Billiche *G.* 19. pillicher *D*, Guotliche *G.* al *g*, alle *die übrigen.* her sint *D.* 20. habent *G.* 21. Dane *G*, denne *D.* irs *g*, irse *D*, ir si *dgg*, ir uns *G.* wellet *D.* 23. la *Ggg.* mi'n] mih *Ggg*, mich in *Ddgg.* gesehn *D.* 24. Dane *G.* ûz] zuo *Gg.* 25. = Er fuort in *Ggg.* daer *G.* 27. di *D.* 29. = Unt daz *Ggg.* manlich *Gdgg.* 30. wonte *Gdg.*

365, 1. = rehtiu *Ggg.* erholt-dolt *gg.* 2. herze liebe *Ggg.* 3. 9. hercen minne *D.* 3. = bechant *Ggg.* 4. = ein *fehlt Ggg.* 6. dech. *D*, Deh. *G.* 9. di *D.* 12. = Der *Ggg.* 15. = er so zornich *gg*, er so trurch *G.* 16. ir *Ggg* = in *Dd.* 18. Unschulch *G.* engalt *D.* 19. mit im *dgg.* 20. frouwenlichen *Dg*, vrowel. *g*, fröml. *d*, frol. *g*, frevel *g*, frúntl. *g*, frouwen *G.* 22. bedr *D*, beider *G.* 24. melianz *G.* 25. muose *Dd* = solt *Ggg.* der beste *Gg.* 27. = Den wil ich gerne von im han *Ggg.* 28. werde iunge *Gg.* 29. vor aldr werlde *D.*

366, 1. minnen *Ddgg*, minne *G*, manne *g*, minem *g.* noch zorns *DGg*, zornes *g*, zorn noch *gg.* 2. wiztez *D*, wizet ez *G*, wizet *g.* 3. Und *gg.* hort *G*, hort ouch *gg.* 4. Do er gawanen sach *G.* 7. chomen *G.* 8. mach mit sælden *D.* 11. Nye man von *dg.* 12. = Gein *Ggg.* 13. chunftchl. *G.* 16. harnascs *D*, harnasch *dgg*, harnasches *Gg*, harnaisches *g.* magel *G.* 17. lat iuch wol *Dd* = lat iuch uns *gg*, heize (wil *g*) ih iuh *Gg.* 20. bereîter *Ddg*, bereite *G*, bereit *gg.*

ich hân harnasch und starke lide;
wan daz mîn strîten stêt mit fride
unz an eine benante stunde.
ir læget ob odr unde,
25 daz wolt ich durch iuch lîden:
nu muoz ichz durch daz mîden,
hêrre, unz ein mîn kamph ergêt,
dâ mîn triwe sô hôhe pfandes stêt,
durch aller werden liute gruoz
ichs mit kamphe lœsen muoz
367 (Sus pin ich ûf der strâzen),
odr ich muoz den lîp dâ lâzen.’
daz was Lyppaute ein herzeleit.
er sprach ‘hêr, durch iur werdekeit
5 unt durch iwerre zühte hulde
sô vernemet mîn unschulde.
ich hân zwuo tohter die mir sint
liep: wan si sint mîniu kint.
swaz mir got hât an den gegebn,
10 dâ wil ich pî mit freuden lebn.
ôwol mich daz ich ie gewan
kumber den ich von in hân!
den streit iedoch diu eine
mit mir al gemeine.
15 unglîch ist diu gesellekeit:
mîn hêrre ir tuot mit minnen leit,
und mir mit unminne.
als ich michs versinne,
mîn hêrre mir gewalt wil tuon
20 durch daz ich hân decheinen suon.
mir sulen ouch tohter lieber sîn:
waz denne, ob ichs nu lîde pîn?
den wil ich mir ze sælden zeln,
swer sol mit sîner tohter weln,
25 swie ir verboten sî dez swert,
ir wer ist anders als wert:

si erwirbt im kiuscheclîche
einen sun vil ellens rîche.
des selben ich gedingen hân.’
‘nu gewers iuch got,’ sprach Gâwân.
368 Lyppaut der fürste al vaste bat.
‘hêr, durch got, die rede lât:’
sus sprach des künec Lôtes suon:
‘durch iwer zuht sult ir daz tuon,
5 und lât mich triwe niht enbern.
eins dinges wil ich iuch gewern:
ich sage iu hînt bî dirre naht,
wes ich mich drumbe hân bedâht.’
Lyppaut im dancte und fuor ze-
hant.
10 ame hove er sîne tohter vant,
unt des burcgrâven tohterlîn:
diu zwei snalten vingerlîn.
dô sprach er Obilôte zuo
‘tohter, wannen kumest duo?’
15 ‘vatr, ich var dâ nider her.
ich getrûwe im wol daz er michs
wer:
ich wil den fremden ritter biten
dienstes nâch lônes siten.’
‘tohter, sô sî dir geklagt,
20 ern hât mir an noch ab gesagt.
kum mîner bete anz ende nâch.’
der meide was zem gaste gâch.
dô se in die kemenâten gienc,
Gâwân spranc ûf. dô er sie ’nphienc,
25 zuo der süezen er dô saz.
er danct ir daz si niht vergaz
sîn dâ man im missebôt.
er sprach ‘geleit ie ritter nôt
durch ein sus wênec frouwelîn,
dâ solt ich durch iuch inne sîn.’

---

22. daz *fehlt* G.   23. ein *dgg.*   benant G.   24. obe olde G.   25. mit
iu *Ggg.*   28. hohes *Gd.*   30. ichse D, Ich sú *d* = Ich die *gg,* Die ich *g,*
Den ih G.

367, 1. *nach* 2 *Ggg.*   2. Ode G.   3. lippaote *d,* Lyppaoten D, libaute G, ly-
baut *gg.*   4. iwer DG.   5. iwer G.   zühte *fehlt d.*   6. sô *fehlt Gg.*
7. zw G, zwo D.   9. an in *Gg.*   11. ôwol *mit* ô D, Wol *Ggg.*   15. un-
gelich DG.   gesellecheit D.   18. = mich *Ggg.*   21. = doch *Ggg,*
fehlt g.   22. = Waz dar umbe *Ggg.*   ob ichs nu D, obe ihes nu G, ob ich
nu *dgg,* ob ich sin (des) *gg.*   25. dz D, daz G.   27. erwirbt G.   chiusceh-
liche D, keuschliche *dgg,* chusliche *Ggg.*   30. wers G.   wærs *g.*

368, 1. der fürste *fehlt* G.   3. = sus *fehlt Ggg.*   Lots DG.   6. Eins *gg,*
eines DG.   9. Er danchte im unde G.   10. = Uf dem hofer
Ggg.   11. burgr. G.   tôhterlin Ddg.   12. diu zwei diu D.   14. chu-
mest duo *g,* chumest du G, chumstu D.   16. trouwe *g.*   = mih *Ggg.*
gewer Ddg.   17. fromeden G.   20. abe noch ane *Ggg.*   26. Und *gg.*
27. do Gg.   29. so G.   chleine Gg.   freuwelin *gg.*   30. durch iu D,
bi iu G.

369 Diu junge süeze clâre
sprach ân alle vâre
'got sich des wol versinnen kan:
hêrre, ir sît der êrste man
5 der ie mîn redegeselle wart:
ist mîn zuht dar an bewart,
und och mîn schamlîcher sin,
daz gît an freuden mir gewin:
wan mir mîn meisterin verjach,
10 diu rede wære des sinnes dach.
hêr, ich bit iwer unde mîn:
daz lêrt mich endehafter pîn.
den nenne ich iu, geruochet irs:
habt ir mich ihtes deste wirs,
15 ich var doch ûf der mâze pfat,
wande ich dâ ziu mîn selber bat.
ir sît mit der wârheit ich,
swie die namen teilen sich.
mîns lîbes namen sult ir hân:
20 nu sît maget unde man.
ich hân iwer und mîn gegert.
lât ir mich, hêrre, ungewert
nu schamlîche von iu gên,
dar umbe muoz ze rehte stên
25 iwer prîs vor iwer selbes zuht,
sît mîn magtuomlîchiu fluht
iwer genâde suochet.
ob ir des, hêrre, ruochet,
ich wil iu geben minne
mit herzenlîchem sinne.
370 Ob ir manlîche site hât,
sô wæne ich wol daz ir niht lât
irn dient mir: ich pin diens wert.
sît och mîn vater helfe gert
5 an friwenden unde an mâgen,
lât iuch des niht betrâgen,
irn dient uns beiden ûf mîn [eins] lôn.'

er sprach 'frouwe, iurs mundes dôn
wil mich von triwen scheiden.
10 untriwe iu solde leiden.
mîn triwe dolt die pfandes nôt:
ist si unerlœset, ich pin tôt.
doch lât mich dienst unde sinne
kêren gegen iwerre minne:
15 ê daz ir minne megt gegebn,
ir müezet fünf jâr ê lebn:
deist iwerr minne zît ein zal.'
nu dâhter des, wie Parzivâl
wîben baz getrûwt dan gote:
20 sîn bevelhen dirre magde bote
was Gâwân in daz herze sîn.
dô lobter dem freuwelîn,
er wolde durch si wâpen tragen.
er begunde ir fürbaz mêre sagen
25 'in iwerre hende sî mîn swert.
ob iemen tjoste gein mir gert,
den poynder müezt ir rîten,
ir sult dâ für mich strîten.
man mac mich dâ in strîte sehn:
der muoz mînhalp von iu geschehn.'
371 Si sprach 'vil wênc mich des bevilt.
ich pin iur scherm und iwer schilt
und iwer herze und iwer trôst,
sît ir mich zwîvels hât erlôst.
5 ich pin für ungevelle
iwer geleite und iwer geselle,
für ungelückes schûr ein dach
bin ich iu senfteclîch gemach.
mîn minne sol iu fride bern,
10 gelückes vor der angest wern,
daz iwer ellen niht verbirt
irn wert iuch vaste unz an den wirt.
ich pin wirt und wirtîn,
und wil in strîte bî iu sîn.'

369, 7. schemlicher *G.* 9. wande *D.* meistrinne *D,* meisterinne *Gg.* iach *Gg.*
11. bitte *D.* 14. ihts *D,* ichtes *d* = iht *Ggg.* 16. Unde ich *g.* datze
iu *G.* 23. schemelichen *G.* 25. vur *Gdg.* 26. magtetuomlichiu *G.*
27. = Genade an iuch suochet *Ggg.* gnade *D.*
370, 2. = weiz ih *Ggg.* 3. dienstes *alle aufser D.* 7. beiden *fehlt g.*
eins *DG,* eines *dgg,* einer *g,* ein *g.* 8. iwers *DG.* 11. dulte die *d* = dolt
ie *gg,* ie dolte *g,* dolet *Gg.* 12. unerlost *D.* 14. gein iwere *G.* 15. mu-
get *G.* geben *Gdg.* 17. dar ist *D.* iwere minnen *G.* 18. = Do
Ggg. wi Parcival *D.* 19. getrŵete *DG.* denne *D,* dene *G.* got *G.*
20. 21. was *setzen alle vor* dirre, *wofür d* der *hat.* 20. magde *gg,* me-
gede *d,* meigde *g,* meide *DGg.* ein bote *D allein,* gebote (ge *durchstrichen*)
G, gebot *g.* 23. = Er wolt da wapen dur si tragen *Ggg.* 24. mer *D.*
25. iwere *G.* 27. muozzet *Dd* = sult *Ggg.* 28. = Ir muozet (muezt
gg) da *Ggg.*
371, 2. iwer *DG.* 3. Und *fehlt Gd.* 4. habet *G.* 7. scŵr *D.* 10. vur
die *Gg.* 12. Irne *G,* iren *D.* 14. = bi iu in strite *Ggg.*

15 swenne ir des gedingen hât,
   sælde und ellen iuch niht lât.'
   dô sprach der werde Gâwân
'frouwe, ich wil beidiu hân,
sît ich in iwerm gebote lebe,
20 iwer minne und iwers trôstes gebe.'
die wîle was ir händelîn
zwischen den handen sîn.
dô sprach si 'hêr, nu lât mich
   varn.
ich muoz ouch mich dar an be-
   warn.
25 wie füert ir âne mînen solt?
dar zuo wære i'u alze holt.
ich sol mich arbeiten,
mîn kleinœte iu bereiten.
swenne ir daz traget, decheinen wîs
überhœht iuch nimmer ander prîs.'
372 Dan fuor diu magt und ir ge-
   spil.
si buten beide ir dienstes vil
Gâwâne dem gaste:
der neig ir hulden vaste.
5 dô sprach er 'sult ir werden alt,
trüeg dan niht wan sper der walt
als erz am andern holze hât,
daz wurde iu zwein ein ringiu sât.
kan iwer jugent sus twingen,
10 welt irz inz alter bringen,
iwer minne lêrt noch ritters hant
dâ von ie schilt gein sper ver-
   swant.'
   dan fuorn die magede beide
mit fröuden sunder leide.
15 des burcgrâven tohterlîn

diu sprach 'nu saget mir, frouwe
   mîn,
wes habt ir im ze gebne wân?
sît daz wir niht wan tocken hân,
sîn die mîne iht schœner baz,
20 die gebt im âne mînen haz:
dâ wirt vil wênec nâch gestriten.'
der fürste Lippaut kom geriten
an dem berge enmitten.
Obylôt und Clauditten
25 saher vor im ûf hin gên:
er bat si bêde stille stên.
dô sprach diu junge Obilôt
'vater, mir wart nie sô nôt
dîner helfe: dar zuo gip mir rât.
der ritter mich gewert hât.'
373 'Tohter, swes dîn wille gert,
hân ichz, des bistu gewert.
ôwol der fruht diu an dir lac!
dîn geburt was der sælden tac.'
5 'vater, sô wil ich dirz sagen,
heinlîche mînen kumber klagen:
nâch dînn genâden dar zuo sprich.'
er bat si heben für sich:
si sprach 'war kœm dan mîn ge-
   spil?'
10 dô hielt der ritter bî im vil:
die striten wer si solde nemen.
des moht ieslîchen wol gezemen:
iedoch bôt man se einem dar:
Clauditte was och wol gevar.
15 al rîtnde sprach ir vater zir
'Obylôt, nu sage. mir
ein teil von dîner nœte.'
'dâ hân ich kleinœte

16. niht enlat *D*, niht verlat *gg*.   18. bediu *G*.   19. iwerem *D*, iurem *g*.
20. Iwer *dgg*, iwerr *D*, Iwere *G*.   iwers *Gdgg*, iwerre *D*, uwer *g*.   21. wa-
ren *D*.   handelin *Gg*.   24. = Ich sol *Ggg*.   26. = bin *Ggg*.   ich iu
alle.   al *fehlt Gdg*, gar *g*.   28. cleinœte *d*, chleinote *Dg*, chleinode *Ggg*,
cleinœde *g*, chleinuode *g*.   29. deheine *Gdg*, nehain *g*.   gwis *D*.   30. uber
hohet *DG*.   nimmr *D*, dehein *Gg*.

372, 1. Dan *g*, Dane *G*, Dannen *D*.   2. butten *D*.   bede *G*.   5. do sprach
er *D*, Und sprach *d* = Er sprach und *gg*, Er sprach *G*.   6. truoge dane
(denne *D*) *DG*.   7. am (an dem *d*) andern *Dd* = an anderm *Gg*, in an-
derme *g*, anderm *gg*.   8. Daz ware *Gg*.   in zwein *G*.   11. lert *dgg*.
13. Dann *g*, Dane *G*, Dannen *D*.   fuoren *DG*.   magede *Gg*, megde *dgg*,
meide *D*.   14. = ane leide *Ggg*.   16. = diu *fehlt Ggg*.   17. zegebene *G*.
18. wan *fehlt G*.   23. enmitten *D*, enmiten *G*.   24. = Obyloten *Dd*.
Clauditten *D*, clauditen *G*.   26. = Die bat er bede *Ggg*.   29. gim mir *G*.

373, 7. dinen *DG*.   gn. *Dgg*.   dar nach *G*.   8. hebn *D*, heven *g*.   9. kom *g*,
chœme *DG*.   dan *g*, dane *G*, denne *D*.   10. = Do hielt da (*fehlt g*) bi im
riter vil *Ggg*.   11. wer die solte *G*.   14. Claudîte *D und ohne circumflex Gdg*,
Claudit *g*.   15. Al ritende *D*, Alritende *G*.   = sprach der furste zir *Ggg*.
17. note *DG*.   18. chlæinœte *dgg*, chleinote *Dgg*, chleinode *G*.

dem fremden ritter gelobt.
20 ich wæn mîn sin hât getobt.
hân ich im niht ze gebenne,
waz toug ich dan ze lebenne,
sît er mir dienst hât geboten?
sô muoz ich schämeliche roten,
25 ob ich im niht ze gebne hân.
nie magede wart sô liep ein man.’
dô sprach er ‘tohter, wart an mich:
ich sol des wol bereiten dich.
sît du diens von im gerst,
ich gib dir daz du in gewerst,
374 Ob dich halt dîn muoter lieze.
got gebe daz ichs genieze.
ôwî er stolz werder man,
waz ich gedingen gein im hân!
5 nie wort ich dennoch zim gesprach:
in mîme. slâfe i’n hînte sach.’
    Lyppaut gienc für die herzogîn,
unt Obylôt diu tohter sîn.
dô sprach er ‘frouwe, stiurt uns
    zwei.
10 mîn herze nâch freuden schrei,
dô mich got dirre magt beriet
und mich von ungemüete schiet.’
diu alte herzogîn sprach sân
‘waz welt ir mînes guotes hân?’
15 ‘frouwe, sît irs uns bereit,
Obylôt wil bezzer kleit.
si dunket si’s mit wirde wert,
sît sô werder man ir minne gert
und er ir biutet dienstes vil
20 und ouch ir kleinœte wil.’
dô sprach der magede muoter

‘er süezer man vil guoter!
ich wæne, ir meint den fremden
    gast.
sîn blic ist reht ein meien glast.’
25 dô hiez dar tragen diu wîse
samît von Ethnîse.
unversniten wât truoc man dâ mite.
pfelle von Tabronite
ûzem lande ze Trîbalibôt.
an Kaukasas daz golt ist rôt,
375 Dar ûz die heiden manege wât
wurkent, diu vil spæhe hât,
mit rehter art ûf sîden.
Lyppaut hiez balde snîden
5 sîner tohter kleider:
er miste gern ir beider,
der bœsten unt der besten.
einen pfell mit golde vesten
den sneit man an daz freuwelîn.
10 ir muose ein arm geblœzet sîn:
dâ was ein ermel von genomn,
der solte Gâwâne komn.
    daz was ir prîsente,
pfell von Neurîente,
15 verre ûz heidenschaft gefuort.
der het ir zeswen arm geruort,
doch an den roc niht genæt:
dane wart nie vadem zuo gedræt.
den brâhte Clauditte dar
20 Gâwâne dem wol gevar.
dô wart sîn lîp gar sorgen vrî.
sîner schilde wâren drî:
ûf einen sluogern al zehant.
al sîn trûren gar verswant:

---

20. min zuht si vertobet *Gg.*   21. cegebne *D.*   22. dane *G*, denne *D.*
zelebene *G*, celebne *D.*   24. = Nu *Ggg.*   schamelichen *G.*   25. cegebn
D, zegebene *G.*   26. meide *D.*   28. soles *G.*   29. du *fehlt G.*   diens
D, dienst *g*, dienstes *die übrigen.*   an in *Ggg.*

374, 2. ihez *G.*   3. Owe *Gdgg.*   er stolz (stolze *g*) werder *Dg*, er stolzer werder
dgg, der stolze werder *g*, der stolze werde *G.*   5. 6 *fehlen G*   6. i’n] ich
in *alle.*   hint *gg.*   7. = Libaut reit (quam *g*) zer herzogin *Ggg.*   gie *D.*
9. Fr sprach *G.*   stiwert *D.*   14. mîns *Dd.*   16. bezriu *g.*   17. sis *gg*,
sichs *D*, sihes *G*, sich *d*, mich *g.*   18. wert *G.*   19. Under ir biut *G.*
20. chleinode *DG.*   21. meide *D.*   23. meint *dgg.*   24. Sin varwe *G.*
meigen *G.*   25. dar tragen *Ggg*, tragen dar *Ddgg.*   26. entyse *G.*
28. Thabr. *Dd*, taprunit *G.*   30. koukesas *D allein.*

375, 1. heidene *G.*   2. Wurchet *Gd.*   spehe stat *gg.*   3. = Von *Ggg.*
ûf *D*, uz *die übrigen.*   4. balde *fehlt G.*   6. miste *G*, mishte *g*, missete
Ddg, misset *gg.*   = ir *fehlt Ggg.*   7. bosten *D*, bosesten *G.*   8. = Von
golde einen phelle vesten *Ggg.*   pfelle *D.*   9. = den *fehlt Ggg.*
10. 16. arem *D.*   geblœzet *mit* œ *g.*   11. vone *G.*   13. = presente *Ggg.*
14. pfelle *D*, Ein phelle *G.*   neuriente *Ggg*, Nouriente *D*, Nauriente *g*, no-
riente *d*, oriente *g*, grigente *g.*   16. = Er *Ggg.*   17. = Doch niht an den
roch genat *Ggg.*   19. claudite *G.*

25 sînen grôzen danc er niht versweic,
vil dicke er dem wege neic,
den diu juncfrouwe gienc,
diu in sô güetlîche enpfienc
und in sô minneclîche
an fröuden machte rîche.
376 Der tac het ende und kom diu
　　　naht.
ze bêder sît was grôziu maht,
manec werlîch ritter guot.
wær des ûzern hers niht solhiu
　　　fluot,
5 sô heten die inren strîtes vil.
dô mâzen si ir letze zil
bî dem liehtem mânen.
si kunden sich wol ânen
vorhteclîcher zageheit.
10 vor tages wart von in bereit
zwelf zingel wîte,
vergrabet gein dem strîte,
daz ieslîch zingel muose hân
ze orse ûz drî barbigân.
15 Kardefablêt de Jâmor,
des marschalc nam dâ vier tor,
dâ man smorgens sach sîn her
wol mit ellenthafter wer.
der herzoge rîche
20 streit dâ rîterlîche.
diu wirtîn was sîn swester.
er was des muotes vester
denne anders manec strîtec man,
der wol in strîte tûren kan:
25 des leit er dicke in strîte pîn.
sîn her dâ zogete snahtes în.
er was verre dar gestrichen,
wander selten was entwichen

strîteclîcher herte.
vier porte er dâ wol werte.
377 Swaz hers anderhalp der brü-
　　　cken lac,
daz zogete über, ê kom der tac,
ze Bêârosche in die stat,
als sie Lyppaut der fürste bat.
5 dô wâren die von Jâmor
geriten über die brücken vor.
man bevalh ieslîche porten sô,
daz si werlîche dô
stuonden, dô der tag erschein.
10 Scherules der kôs im ein,
die er und mîn hêr Gâwân
niht unbehuot wolden lân.
man hôrt dâ von den gesten
(ich wæn daz wârn die besten),
15 die klagten daz dâ was geschehn
ritterschaft gar ân ir sehn,
unt daz diu vesperîe ergienc
daz ir deheiner tjost da enpfienc.
diu klage was gar âne nôt:
20 ungezalt mans in dâ bôt,
allen den dies ruochten
unts ûz ze velde suochten.
in den gazzen kôs man grôze
　　　slâ:
ouch sach man her unde dâ
25 mange banier zogen în
allez bî des mânen schîn,
und mangen helm von rîcher kost
(man wolt si füeren gein der tjost)
und manec sper wol gemâl.
ein Regenspurger zindâl
378 Dâ wær ze swachem werde,
vor Bêârosche ûf der erde:

---

26. Vil ditcher dem G.
376, 2. Zebeider site G.　　5. innren G.　　7. liehten Gdg.　　9. Vorhtlicher Ggg.
zagheit D.　　12. Vergraben dgg.　　geim g.　　14. barbegan D allein.
15. von Lamor Dg.　　17. man sm. Dgg, mans m. Gg, man m. dg.　　18. enl-
lent hafter G.　　23. strîtec fehlt G.　　24. in fehlt G.　　tuoren D.
26. des nahtes alle.　　30. porte gg, borte G, porten Ddgg.
377, 1. derhalp? s. 354, 10. 8.　　1. 6. bruke G.　　2. zogete D, zogte ê g, zogete
och Gdgg.　　chom Ddg, chœm gg, chome Gg.　　3. ce Bearoscê D.　　4. = Li-
baut der furste si des bat Ggg.　　alsî D.　　5. = Ouch Ggg.　　amor Gg,
lamor g, nun immer.　　7. porte G.　　9. = Stuont also (als Gg) der tach Gg.
11. min herr D, fehlt d, her Ggg.　　14. warn D.　　15. = Si Ggg.　　wære D.
17. diu] da G.　　vesprie D.　　18. da Dg, fehlt Gdgg.　　19. an not D.
20. = Wan ung. Ggg.　　21. den fehlt Gd.　　dîs D.　　geruochten D, ge-
ruochten die übrigen.　　22. unt es D, Und es d, Unde si die übrigen.　　ûz
fehlt g.　　suohten G, suochent D.　　25. = trechen in Ggg.　　26. dem dgg.
mane g.　　30. -gare G, -gær g.　　zendal G.
378, 1. Dâ fehlt Ggg.　　Wære gewesen zeswachen werde G.　　2. von D.

man sach dâ wâpenrocke vil
hôher an der koste zil.
5 diu naht tet nâch ir alten site:
am orte ein tac ir zogte mite.
den kôs man niht bî lerchen sanc:
manc hurte dâ vil lûte erklanc.
daz kom von strîtes sachen.
10 man hôrt diu sper dâ krachen
reht als ez wære ein wolken rîz.
dâ was daz junge her von Lîz
komn an die von Lirivoyn
und an den künec von Avendroyn.
15 da erhal manc rîchiu tjoste guot,
als der würfe in grôze gluot
ganze castâne.
âvoy wie ûf dem plâne
von den gesten wart geriten
20 und von den burgærn gestriten!
Gâwân und der schahteliur,
durch der sêle âventiur
und durch ir sælden urhap
ein pfaffe in eine messe gap.
25 der sanc se beide got unt in:
dô nâhte ir werdekeit gewin:
wand ez was ir gesetze.
dô riten se in ir letze.
ir zingel was dâ vor behuot
mit mangem werden ritter guot:
379 Daz wâren Scherules man:
von den wart ez dâ guot getân.
waz mag ich nu sprechen mêr?
wan Poydiconjunz was hêr:

5 der reit dar zuo mit solher kraft,
wær Swarzwalt ieslîch stûde ein
schaft,
man dorft dâ niht mêr waldes
sehn,
swer sîne schar wolde spehn.
der reit mit sehs vanen zuo,
10 vor den man strîts begunde fruo.
pusûner gâben dôzes klac,
alsô der doner der ie pflac
vil angestlîcher vorhte.
manc tambûrr dâ worhte
15 mit der pusûner galm.
wart inder dâ kein stupfen halm
getretet, des enmoht ich niht.
Erffurter wîngarte giht
von treten noch der selben nôt:
20 maneg orses fuoz die slâge bôt.
dô kom der herzoge Astor
mit strîte an die von Jâmor.
dâ wurden tjoste gewetzet,
manc werder man entsetzet
25 hinderz ors ûfn acker.
si wârn ir strîtes wacker.
vil fremder krîe man dâ rief.
manc volc ân sînen meister lief,
des hêrre dort ze fuoze stuont:
ich wæn dem was gevelle kuont.
380 Dô ersach mîn hêr Gâwân
daz geflohten was der plân,
die friunde in der vînde schar:
er huob ouch sich mit poynder dar.

4. = Wol richer *Ggg.*   5. altem *Gg.*   9. chom *D.*   10. diu] vil *Gg.*
11. reht *fehlt G.*   riz *D.*   15. riche *G.*   16. Also *Gg.*   17. chastange
G, kostanîe *g.*   18. Avy *G,* Awe *g,* Owi *d.*   20. burgæren *D,* buraren *G.*
21. tschatalur *G,* tschatelur *gg.*   25. Er *Ggg.*   si beidiu *G.*   uñ *DG.*
26. nahet *G.*   in *Ggg.*   27. wandz *D,* wenne es *d* = Und daz *g,*
Daz *Ggg.*

379, 3. = Waz magih da von sprchen mer *G,* Waz welt ir daz ich spreche mer *gg.*
4. wan *fehlt G.*   5. da zuo *Ggg.*   6. stuode *g,* stuonde *D.*   7. dorft *gg.*
nimer *Gdg,* nimmer *g.*   8. sin *dgg.*   9. sehes *G.*   10. Vor dem *G.*
11. Pusonerr *D,* Busunare *Ggg,* Busunen *g,* Busune *dg.*   duzzes *gg,* gedo-
zes *G.*   12. Als *Gg.*   doner *G,* donrr *D,* donr *gg, fehlt g,* donre *g,*
turn *d.*   der ie da phlach *G.*   13. angesl. *G.*   14. tambuorr da *G,*
thambur do *d* = tambur *G,* tamburre *g,* tambure *gg.*   worte *D.*   15. der
pusonrr *D,* der pusmur *d* = den busunaren *Ggg,* den busunren *g,* den busu-
nieren *g,* den busunen *g.*   16. indr *ohne* dâ *D.*   dehein *G,* ein *gg.*
stupfen *Dd,* stopfen *g,* stophel *Gg,* stopel *g,* stüpfel *gg.*   17. getreit *D,* Ge-
trette *g.*   enmach *gg.*   18. Erffurter *D,* Erphurtare *G,* Ertfurter *g,* Ertfür-
ter *gg,* Erpfúrter *gg,* Ein pfurrater *g.*   19. tretten *D,* tretene *G.*   20. = Vil
orse vuoze (fuoz *g*) die *(fehlt G)* sla da bot *Ggg.*   slage bot *Dd.*   21. = Nu
Ggg.   23. tiost *Ggg.*   24. = gesetzet *Ggg.*   25. uofen *D,*
uf den *die übrigen.*   27. vil werdr *D.*   28. vole ane *D.*   29. zefuozen *Ggg.*
380, 1. = Nu sach *Ggg.*   min herr *D.*   3. friwnt *D.*   under der *Gg.*
4. sich des endes dar *Gg.*

5 müelîch sîn was ze warten:
diu ors doch wênec sparten
Scherules unt die sîne:
Gâwân si brâht in pîne.
waz er dâ ritter nider stach,
10 und waz er starker sper zebrach!
der werden tavelrunder bote,
het er die kraft niht von gote,
sô wær dâ prîs für in gegert.
dô wart erklenget manec swert.
15 im wârn al ein beidiu her:
gein den was sîn hant ze wer;
die von Lîz und die von Gors.
von bêder sît er manec ors
gezogen brâhte schiere
20 zuo sînes wirts baniere.
er frâgte obs iemen wolte dâ:
der was dâ vil, die sprâchen jâ.
si wurden al gelîche
sîner gesellschefte rîche.
25 dô kom ein ritter her gevarn,
der ouch diu sper niht kunde sparn.
der burcgrâve von Bêâveis
und Gâwân der kurteis
kômen an ein ander,
daz der junge Lysavander
381 Hinderm orse ûf den bluomen lac,
wan er von tjost gevelles pflac.
daz ist mir durch den knappen
    leit,
ders änderen tages mit zühten reit
5 und Gâwân sagte mære,
wâ von diz komen wære.
der erbeizte über sîn hêrren nider
Gâwânn erkante und gab im wider

daz ors daz dâ wart bejagt.
10 der knappe im neic, wart mir ge-
    sagt.
nu seht wâ Kardefablêt
selbe ûfem acker stêt
von einer tjost mit hurt erkant:
die zilte Meljacanzes hant.
15 dô zucten in die sîne enbor.
dâ wart dicke Jâmor
mit herten swertslegen geschrît.
dâ wart enge, und niht ze wît,
dâ hurte gein der hurte dranc.
20 manc helm in in diu ôren klanc.
Gâwân nam sîne gesellschaft:
do ergienc sîn poynder mit kraft,
mit sînes wirts baniere
beschutter harte schiere
25 von Jâmor den werden.
dô wart ûf die erden
ritter vil gevellet.
geloubetz, ob ir wellet:
geziuge sint mir gar verzagt,
wan als diu âventiure sagt.
382 Leh kuns de Muntâne
fuor gein Gâwâne.
dâ wart ein rîchiu tjost getân,
daz der starke Lahedumân
5 hinderm orse ûfm acker lac;
dar nâch er sicherheite pflac,
der stolze degen wert erkant:
diu ergienc in Gâwânes hant.
dô den zingeln aller næhste vor:
10 da ergienc manc hurteclîcher strît.
dicke Nantes wart geschrît,

---

5. mueliche *D.*   was sin *Gg.*   6. do *Ggg.*   7. und al *dgg.*   10. und
fehlt Gg.   er da *Ggg.*   zerbr. *G,* zustach *g.*   11. werde *Ggg.*   tafel-
runde *D.*   14. Da *Gg.*   15. al eine *gg,* gelic *G.*   18. beider site *G.*
maneg *D,* mangen *G.*   20. sins *D.*   wirtes *DG.*   21. = Unde *Ggg.*
opse *G.*   22. = Ir was genuoch die *Ggg.*   25. Nu *Ggg.*   27. 28. bea-
voys (beanoys *G*) -kurtoys *Gdg.*   29. Die chomen *Ggg.*

381, 2. wandr von tioste *D.*   4. änderen *D,* anderen *d* = vorderen *Ggg.*   5. Ga-
wane *DG allein.*   seite *G.*   6. Wie diz *Gg.*   ergangen *G.*   7. si-
nen *alle.*   8. Gawan in *alle.*   9. was *gg.*   11. Nu seheht wa kardefabelet
(e *vor* l *übergeschrieben*) *G.*   14. = Die tet *Ggg.*   Melyacanzs *D,* melyah-
ganzes *G.*   16. ditch amor *G.*   17. Bi *Ggg.*   18. = Da was *Ggg.*
22. poindier *g.*   so mit *G,* da mit *g.*   23. *wie* 380, 20.   24. Beschuter *G.*
26. Da *Gg.*   27. = Manch riter nider gevellet *Ggg.*   29. = Mir sint
geziuge *Ggg.*

382, 1. Lehkons *gg,* Lechkuns *G,* Lacontz *d,* Der grave *D.*   demontange *g,* de
funtane *d,* emontane *gg,* emuntage *G,* von der Muntane *D.*   2. gegen *D.*
4. = lahdoman *Ggg.*   5. ûfem *D,* uf dem *G.*   7. = Der starche *Ggg.*
8. Gawans *DG oft.*   10. Dem zingel *G.*   nahest *G,* næhest, *g.*   11. = her-
ticlicher *gg,* riterlicher *G,* herter *gg.*   12. Dicke do *d* = Vil ditche *Ggg.*
nantis *Gg.*

186   PARZIVAL VII.   s. 92b, z. 11402.

Artûss herzeichen.
die herten, niht die weichen,
15 was dâ manc ellender Berteneis,
unt die soldier von Destrigleis
ûz Erekes lande;
der tât man dâ bekande.
ir pflac duc de Lanverunz.
20 ouch möhte Poydiconjunz
die Berteneis hân ledec lân:
sô wart ez dâ von in getân.
si wâren Artûse
zer muntâne Clûse
25 ab gevangen, dâ man strîten sach:
in eime sturme daz geschach.
si schrîten Nantes nâch ir siten
hie od swâ si strîtes biten:
daz was ir krîe unde ir art.
etslîcher truoc vil grâwen bart.
383 Ouch het ieslîch Bertûn
durch bekantnisse ein gampilûn
eintwedr ûf helm odr ûf den schilt
nâch Ilinôtes wâpne gezilt:
5 daz was Artûs werder suon.
waz mohte Gâwân dô tuon,
ern siufzete, do er diu wâpen sach,
wande im sîn herze jâmers jach.
sîn œheimes sunes tôt
10 brâht Gâwânn in jâmers nôt.
erekande wol der wâpen schîn:
dô liefen über diu ougen sîn.
er liez die von Bertâne

sus tûren ûf dem plâne:
15 er wolde mit in strîten niht,
als man noch friwentschefte giht.
er reit gein Meljanzes her.
dâ wârn die burgær ze wer,
daz mans in danken mohte;
20 wan daz in doch niht tohte
daz velt gein überkraft ze be-
haben:
si wârn entwichen geime graben.
den burgærn manege tjost dâ bôt
ein ritter allenthalben rôt:
25 der hiez der ungenante,
wande in niemen dâ bekante.
ich sagz iu als ichz hân vernomn.
er waz zuo Meljanze komn
dâ vor ame dritten tage.
des kômn die burgære in klage:
384 Meljanze er helfe sich bewac.
der erwarb ouch im von Semblidac
zwelf knappen, die sîn nâmen war
an der tjoste und an der poynder
schar:
5 swaz sper gebieten moht ir hant,
diu wurden gar von im verswant.
sîn tjoste wârn mit hurte hel,
wand er den künec Schirnîel
und sînen bruoder dâ vienc.
10 dennoch dâ mêr von im ergienc.
sicherheit er niht erliez
den herzogen Marangliez.

13. Artuss D, Artus gg, Artuses Gdgg.   15. ellendr D.   16. die fehlt Ggg.
soldiere DG, soldirre g.   = destrigeis Ggg.   19. = Der Ggg.   duch
de Ggg, duc voc g, die d, der herzoge von Dg.   lanvarunz Ggg.   21. berte-
noise D, pritaneys G, britaneyse g, brituneis g.   han Dg, in d, all gg, alle G.
23. = wurden Ggg.   24. montanie Gdg.   26. In einem strume G.
28. = Da gg.   Do vñ swa si sider striten Gg.   odr D.   strits D.
29. = Ez Ggg.

383, 1. Ez fuort ouch Gg.   etslich britun Gdgg.   2. bechantnusse gg, bechant-
nuse G.   gampelun d, kanpelun g, chappelun gg, capelun G.   3. ûf-ûf
den Dd = ufem-ufeme G, ufm-ufm g, uf-uf g.   4. Jlynots D.   wapen
D, waben G.   5. = Der Ggg.   artuses alle aufser D.   6. mach Ggg.
= nu Ggg.   7. ern siuofzete D, Er süfftzet d, Er süfcte g, Er sufte G, Er
seuft gg.   9. Sins D.   10. in groze not G.   11. er
bechande Dg.   12. = Do uber liefen im (fehlt G) diu Ggg.   13. lie G.
14. sus fehlt Ggg.   Tûren mit û Gg, tuoren D, túren d, Turnieren g.
uf der planige G.   15. Erne wolte Ggg.   16. noch] nach D.   18. = Die
(Do G) burgare waren so zewer Ggg.   waren di burgære D.   20. = Wan
in doch niht getohte Ggg.   21. gegen D.   haben Ggg.   22. geime G.
27. als ich G.   30. chomen DG.

384, 1. Melyanze er D, Melianz der Gg.   2. Dem erwarb ouch er gg.   ouch
fehlt G.   semlidach Ggg.   4. ander-ander D = Zer-in der Ggg.
6. di D.   von] vil G.   7. Sin dgg.   von dgg.   snel Gg.   8. Scir-
niel D, Tschirniel g, schirmel dgg, tschirnel G.   10. = da fehlt gg, nach
im Gg, nach mer g.   11. Der sicherheit Gg.

die wârn des ortes herte.
ir volc sich dennoch werte.
15 Meljanz der künec dâ selbe streit:
swem er lieb od herzeleit
hete getân, die muosen jehn
daz selten mêre wære geschehn
von deheinem alsô jungen man,
20 als ez dâ von im wart getân.
sîn hant vil vester schilde kloup:
waz starker sper vor im zestoup,
dâ sich poynder in den poynder
slôz!
sîn jungez herze was sô grôz
25 daz er strîtes muose gern:
des enmoht in niemen dâ gewern
volleclîch (daz was ein nôt),
unz er Gâwân tjostieren bôt.
   Gâwân ze sînen knappen nam
der zwelf sper einz von Angram,
385 als erz erwarp zem Plymizœl.
Meljanzes krî was Barbygœl,
diu werde houptstat in Lîz.
Gâwân nam sîner tjoste vlîz:
5 dô lêrte Meljanzen pîn
von Oraste Gentesîn
der starke rœrîne schaft,
durch den schilt in dem arme ge-
haft.
ein rîchiu tjost dâ geschach:
10 Gâwân in flügelingen stach,
unde enzwei sîn hindern satelbogn,

daz die held für unbetrogn
hindern orsen stuonden.
dô tâten se als si kuonden,
15 mit den swerten tûren.
dâ wære zwein gebûren
gedroschen mêr denne genuoc.
iewedr des andern garbe truoc:
stuckoht die wurden hin geslagn.
20 Meljanz ein sper ouch muose tragn,
daz stacte dem helde durch den
arm:
bluotec sweiz im machte warm.
dô zuct in mîn hêr Gâwân
in Brevigariezer barbigân
25 unt twanc in sicherheite:
der was er im bereite.
wære der junge man niht wunt,
dane wær nie man sô gâhes kunt
daz er im wurde undertân:
man müese'in langer hân erlân.
386 Lyppaut der fürste, des landes
wirt,
sîn manlîch ellen niht verbirt.
gein dem streit der künec von Gors.
dâ muosen beidiu liute unt ors
5 von geschütze lîden pîne,
dâ die Kahetîne
unt die sarjant von Semblydac
ieslîcher sîner künste pflac:
turkople kunden wenken.
10 die burgær muosen denken,

---

15. dâ *Dg*, *fehlt G*dgg.   16. od] vn̄ *D*, oder *die übrigen*.   17. = der muose gehen *Ggg*.   18. mêre wære] = e was *Ggg*.   19. decheinem *D*, dehaim *g*.   als *Ggg*.   iungem *g*.   20. da wart von im *Gg*, von im da wart *g*.   21. starcher-22. vester *Gg*.   22. von *Ggg*.   in zerstoup *G*. 26. nemoht *G*, enmahte *g*.   27. vollechliche *DG*.   28. Gawane *DG*. 29. = Von sinen chnapen er do nam *Ggg*.   sime *D*.

385, 1. erwarf *G*.   blimzol *G*.   2. chrie *DG*.   barbigol *Ggg* = Parb. *Dd*. 5. = Diu *Ggg*.   7. ror ime schaft *G*.   nach 7 = Wart da (*oder* dar *gg*) getriben mit hurte chraft. Daz tet gawan der werde gast *Ggg*.   8. in den arm *Ggg*.   gehaft] er gehaft *D*, brast *d* = er brast *Ggg*.   9. al da *Ggg*. 10. flugl. *D*, flugenlichen *g*.   11. unden *Dg*.   sinen *alle*.   12. helde *DG*. 13. Hindern *gg*, hinder den *DG*.   14. si alsi *D*.   chunden *alle*.   15. twᵉren *D. so auch* 16.   18. Ietwedere *G*.   19. = Die wurden stuchoht *Ggg*. 20. ouch *fehlt Ggg*.   21. stachte *g*, stecte *g*, stechete *D*, stecket *g*, stach und dann den helt *Gg*.   24. Brevegarssszare *y*, preregariezare *G*, prevegariezerte *g*.   Barbegan *D*.   25. betwang *D*.   sicherheite-bereite *D*, sicherheitbereit *oder* vil bereit *gg*, umbe sicherheit-do bereit *G*.   28. niemn so gahes *Dd* = so gahes (hahes *G*, gahens *g*) niemen *Ggg*.   30. muoses in *g*, mueste es in *dg*, mueste ins *gg*.   lenger *G*.

386, 1. der fürste *fehlt Gg*.   2. sin *DGd*, Des *die übrigen*.   = manheit *Ggg*. 3. = Mit *Ggg*.   4. vn̄ *DG*.   5. = geschoze *Ggg*.   6. = kahadine *Ggg*.   7. sariande *alle*.   semlidach *Ggg*.   9. Turcopel *G*, Turkoppel *g*, Türchopel *g*.

waz vînde von ir letzen schiet.
si heten sarjande ad piet:
ir zingel wâren sô behuot
als dâ man noch daz beste tuot.
15 swelch wert man dâ den lîp verlôs,
Obîen zorn unsanfte er kôs,
wande ir tumbiu lôsheit
vil liute brâht in arbeit.
wes enkalt der fürste Lyppaut?
20 sîn hêrre der alte künec Schaut
hetes in erlâzen gar.
do begunde müeden ouch diu schar:
dennoch streit vaste Meljacanz.
op sîn schilt wære ganz?
25 des enwas niht hende breit be-
          libn:
dô het in verr hin dan getribn
der herzoge Kardefablêt.
der turnei al stille stêt
ûf einem blüemînen plân.
dô kom ouch mîn hêr Gâwân.
387 Des kom Meljacanz in nôt,
daz im der werde Lanzilôt
nie sô vaste zuo getrat,
do er von der swertbrücke pfat
5 kom und dâ nâch mit im streit.
im was gevancnusse leit,
die frou Ginovêr dolte,
dier dâ mit strîte holte.
dô punierte Lôtes suon.
10 waz mohte Meljacanz nu tuon,
ern tribe ochz ors mit sporen dar?
vil liute nam der tjoste war.
wer dâ hinderm orse læge?

den der von Norwæge
15 gevellet hete ûf de ouwe.
manc ritter unde frouwe
dise tjost ersâhen,
die Gâwân prîses jâhen.
den frowen ez guot ze sehne was
20 her nider von dem palas.
Meljacanz wart getretet,
durch sîn kursît gewetet
maneg ors daz sît nie gruose en-
          beiz:
ez reis ûf in der bluotec sweiz.
25 da ergienc der orse schelmetac,
dar nâch den gîren ir bejac.
dô nam der herzoge Astor
Meljacanzen den von Jâmor:
der was vil nâch gevangen.
der turney was ergangen.
388 Wer dâ nâch prîse wol rite
und nâch der wîbe lône strite?
ine möht ir niht erkennen,
solt ich se iu alle nennen,
5 ich wurde ein unmüezec man.
inrehalp wart ez dâ guot getân
durch die jungen Obilôt,
und ûzerhalb ein ritter rôt,
die zwêne behielten dâ den prîs,
10 für si niemen keinen wîs.
dô des ûzern hers gast
innen wart daz im gebrast
dienstdankes von dem meister sîn
(der was gevangen hin în),
15 er reit da er sîne knappen sach.
ze sîn gevangen er dô sprach

---

11. = letze *Ggg.*   12. sarieande *G.*   ad piet *Dd* = aphiet *gg*, apiet *g*, anphiet *G.*   13. 14 *fehlen Gg.*   16. erchos *Dgg.*   19. Es (Des *g*) en-galt *Ggg.*   = ir vater *Ggg.*   20. alte *fehlt Ggg.*   Scôt *D*, scaot *d*, tschaut *Ggg*, tschout *gg.*   22. begunden *Gg.*   ouch] al *Gg.*   di *D*, die *G.*   23. 387, 1. 10. 21. 28. Melyacanz *D*, Meliahganz *G.*   25. = Esn was *gg*, Sin was *Gg.*   26. verre *DG.*   27. kat defablet *G.*   29. bluominem *D*, bluomeinen *G.*   30. ouch *Dg*, *fehlt den übrigen.*

387, 2. Wan im *Ggg.*   lanzelot *Gdgg.*   5. und *fehlt Gg.*   danach *D*, dar nah *Ggg*, dannoch *dgg.*   6. vanchnusse *Ggg.*   7. tschinovere *G.*   9. pun-gierte *g*, pungnierte *G.*   10. mach *Ggg.*   11. och (ouch *D*) dez *DG.*   12. der] = ir *Ggg.*   13. dâ *fehlt Gg.*   = gelage *Ggg.*   15. Gevalt het *G.*   de *D.*   17. tioste sahen *Gdg.*   18. di (Und *d*) Gawane priss ia-hen *Dd* = Gawan (Gawane *G*) si prises (*oder* priss *gg*) iahen *Ggg.*   19. ce-sehn *D*, zesehene *G.*   21. Daz mel. *Ggg.*   -etet *G*, -ettet *g*, -et *dgg*, -ett *D.*   22. = Dur sinen wapen roch *Ggg.*   23. Mange *G.*   24. = Da viel *Ggg.*   25. scelm tach *D.*   28. den von *Ggg*, von *Dg*, de *d.*   29. Die heten in nach *Ggg.*

388, 3. irn möht ir niht? Lat michse wol *Ggg.*   5. umuozch *G.*   6. Inner halp *g.*   dâ *fehlt Gdg.*   8. Unt der vor ein *Gg.*   10. = Unde fur si *Ggg.*   niemn *D.*   keinen *g*, decheinen *D*, deheinen *g*, deheine *Gdgg.*   gwis *D.*   16. sinen *DG.*   gevangenen *G.*

'ir hêrren gâbt mir sicherheit.
mir ist hie widervaren leit,
gevangen ist der künec von Lîz:
20 nu kêret allen iwern flîz,
ober ledec müge sîn,
mager sô vil geniezen mîn,'
sprach er zem künec von Avendroyn
unt ze Schirnîel von Lyrivoyn
25 unt zem herzogen Marangliez.
mit spæher glübde er si liez
von im rîten in die stat:
Meljanzen er si lœsen bat,
oder daz si erwurben im den grâl.
sine kunden im ze keinem mâl
389 Niht gesagen wâ der was,
wan sîn pflæge ein künec hiez An-
fortas.
dô diu rede von in geschach,
der rôte ritter aber sprach
5 'ob mîner bete niht ergêt,
sô vart dâ Pelrapeire stêt.
bringt der küngîn iwer sicherheit,
und sagt ir, der durch si dâ streit
mit Kingrûne und mit Clâmidê,
10 dem sî nu nâch dem grâle wê,
unt doch wider nâch ir minne.
nâch bêden i'emer sinne.
nu sagt ir sus, ich sant iuch dar.
ir helde, daz iuch got bewar.'
15 mit urloube se riten în.
dô sprach ouch er zen knappen
sîn
'wir sîn gewinnes unverzagt.
nemt swaz hie orse sî bejagt.

wan einz lât mir an dirre stunt:
20 ir seht wolz mîn ist sêre wunt.'
dô sprâchen die knappen guot
'hêr, iwer genâd daz ir uns tuot
iwer helfe sô grœzlîche.
wir sîn nu immer rîche.'
25 er welt im einz ûf sîne vart,
mit den kurzen ôren Inglîart,
daz dort von Gâwâne gienc,
innen des er Meljanzen vienc.
dâ holtz des rôten ritters hant:
des wart verdürkelt etslîch rant.
390 Mit urloub tet er dankêre.
fünfzehn ors oder mêre
liez er in âne wunden.
die knappen danken kunden.
5 si bâten in belîben vil:
fürbaz gestôzen was sîn zil.
dô kêrte der gehiure
dâ grôz gemach was tiure:
ern suochte niht wan strîten.
10 ich wæn bî sînen zîten
ie dechein man sô vil gestreit.
daz ûzer her al zogende reit
ze herbergen durch gemach.
dort inne der fürste Lyppaut sprach,
15 und vrâgte wiez dâ wære komn:
wander hête vernomn,
Meljanz wære gevangen.
daz was im liebe ergangen:
ez kom im sît ze trôste.
20 Gâwân den ermel lôste
âne zerren vonme schilte
(sînen prîs er hôher zilte):

---

17. herrn *D*.   gabet *D*, gebent *d* = ir gabt *g*, ir gabet *Ggg*.   22. sô vil]
= dar an *Ggg*.   23. kunege *DG*.   24. tschirnel von liaravoin *G*.
25. Meriangliez *G*.   26. gelubde *alle*.   29. Oder daz sim wurben umbe den
gral *Ggg*.   odr *D*.   30. Si *Ggg*.   zedeheinen *G*, zdem einen *g*.

389, 1. = Niht gezeigen *g*, Gezeigen ninder *Ggg*.   3. = Do disiu *Ggg*.
5. bet *G*.   = erge-ste *Ggg*.   7. bringet *DG*.   8. und *fehlt G*.
9. kyngruone *D*.   11. Unde ouch *Ggg*.   wider *fehlt Gg*.   12. beiden *G*.
immer *g*, ich immer *die übrigen*.   13. nu sagt ir sus *Ddg*, Sagt ir von mir *gg*,
Saget ir *G*.   15. urloub *g*.   si *DG*.   16. ouch *fehlt Gd*.   17. gwin-
nes *D*.   = niht verzaget *Ggg*.   18. sin *Gg*.   19. 25. einez *DG*.
20. wol dez *DG*.   mine *D*.   sêre *fehlt dgg*.   22. herre iwer gnade *Dd*
= Iwer (*fehlt Gg*) genade herre *Ggg*.   23. 24. grozlich-rich *Dd*.   26. = In-
guliart *Ggg*.   28. in des *D*.   er] = dor *Ggg*.   29. holt ez *Ddg*, erholz *g*,
erholt ez *g*, erholte *Gg*, erholt *g*.   rites *G*.   30. verdurkelet *mit* k *G*,
verdürkelt *mit* ü *gg*.

390, 1. urloub *g*.   dane chere *G*, danne kere *gg*.   8. = guot gemach *Ggg*.
9. Er suochte *G*.   13. *fehlt d*.   ze *D* = Gein *Ggg*.   herben dur *G*.
14. Dort inne libbaut do sprach *G*.   16. Wenne er *d*, wandr er *D* = Ich
waner *G*, Ich wæn er *gg*.   21. vome *G*.

den gap er Clauditten:
an dem orte und ouch dâ mitten
25 was er durchstochen und durch-
　　　slagn:
er hiez in Obilôte tragen.
dô wart der magede freude grôz.
ir arm was blanc unde blôz:
dar über hefte sin dô sân.
si sprach 'wer hât mir dâ getân?'
391 Immer swenn si für ir swester
　　　gienc,
diu disen schimpf mit zorn enpfienc.
den rittern dâ was ruowe nôt,
wande in grôz müede daz gebôt.
5 Scherules nam Gâwân
unt den grâven Lahedumân.
dennoch mêr ritter er dâ vant,
die Gâwân mit sîner hant
des tages ûf dem velde vienc,
10 dâ manec grôziu hurte ergienc.
dô sazte se ritterlîche
der burcgrâve rîche.
er und al sîn müediu schar
stuonden vor dem künege gar,
15 unze Meljanz enbeiz:
guoter handelunge er sich dâ vleiz.
des dûhte Gâwân ze vil:
'obez der künec erlouben wil,
hêr wirt, sô sult ir sitzen.'
20 sprach Gâwân mit witzen:
sîn zuht in dar zuo jagte.
der wirt die bete versagte:
er sprach 'mîn hêrre ist skünges
　　　man.

disen dienst het er getân,
25 ob den künec des gezæme
daz er sînen dienst næme.
mîn hêr durch zuht sîn niht ensiht:
wand ern hât sîner hulde niht.
gesament die friuntschaft iemer got,
sô leist wir alle sîn gebot.'
392 Dô sprach der junge Meljanz
'iwer zuht was ie sô ganz,
die wîle daz ich wonte hie,
daz iwer rât mich nie verlie.
5 het ich iu baz gevolget dô,
sô sæhe man mich hiute frô.
nu helft mir, grâve Scherules,
wande ich iu wol getrûwe des,
um mînen hêrrn der mich hie hât,
10 (si hœrnt wol bêde iwern rât)
und Lyppaut, der ander vater mîn,
der tuo sîn zuht nu gein mir
　　　schîn.
sîner hulde het ich niht verlorn,
wold es sîn tohter hân enborn.
15 diu prüevete gein mir tôren schimpf:
daz was unfrouwenlîch gelimpf.'
dô sprach der werde Gâwân
'hie wirt ein suone getân,
die niemen scheidet wan der tôt.'
20 dô kômen, die der ritter rôt
hin ûz hete gevangen,
ûf für den künec gegangen:
die sageten wiez dâ wære komn.
dô Gâwân hête vernomn
25 sîniu wâpen, der mit in dâ streit,
und wem si gâben sicherheit,

24. ouch da Dg, aldo d, an dem Gg, den g, en gg.　　26. = Den bat er Ggg.
27. meide Dg.　　29. hafte G.
391, 1. Immr D, fehlt G.　　swen g, swenne Dd, so Ggg.　　3. was da g, den
was Gg.　　6. = lahdoman Ggg.　　7. Dan och mer G.　　10. manch groz
hurt G.　　11. satzzte si G.　　12. burgr. G.　　15. Unze G, unz Dd, Unz
daz gg.　　16. dâ fehlt Gdgg.　　17. gawan gg, gawanen Gdgg, Gawane D.
18. = Obe iuz Ggg.　　23. skünges] chuniges gg, des kuniges (chunges G)
die übrigen.　　26. sin Ggg.　　27. herre DG.　　= sin dur zuht niht siht
Ggg.　　28. er G.　　29. gesamnet D, Gesamnt g.　　iemr Dd, imer Gg,
immer gg.　　30. so leiste (leisten d) wir Dd, So leisten g. Wir leisten Ggg.
392, 2. zuht was ie Ddg, triwe diu ist Ggg, triwe ist g, treûwe was g.　　7. helft g.
9. Umb g, umbe DG.　　herren G.　　10. so D.　　hœrent Dd = verne-
ment Ggg.　　11. =und fehlt Ggg.　　12. der fehlt Ggg.　　sine DG allein.
nu Ddg und (hier, und nochmals übergeschrieben nach mir) G, fehlt den übrigen.
= an mir Ggy.　　13. = Ichne hete siner hulde niht verloren Ggg.
14. woldes Ddg, Wolte oder Wolt Ggg.　　haben G.　　verboren alle aufser
DG.　　16. unfræuwelich g, unfroulich G.　　19. di nimmer D.　　dan dg.
20. qwamen di D.　　22. ûf fehlt Gg, Ouch gg.　　23. = Unde Ggg.

und dô sim sagten umben grâl,
dô dâhter des, daz Parzivâl
diss mæres wære ein urhap.
sîn nîgen er gein himel gap,
393 Daz got ir strîtes gegenniet
des tages von ein ander schiet.
des was ir helendiu zuht ein pfant,
daz ir neweder wart genant.
5 sine erkande ouch niemen dâ:
daz tet man aber anderswâ.
    zuo Meljanz sprach Scherules
'hêrre, muoz i'uch biten des,
sô ruochet mînen hêrren sehn.
10 swes friunt dâ bêdenthalben jehn,
des sult ir gerne volgen,
unt sît im niht erbolgen.'
daz dûhte se guot über al.
dô fuorens ûf des küneges sal,
15 daz inner her von der stat:
des fürsten marschalc si des bat.
dô nam mîn hêr Gâwân
den grâven Lahedumân
und ander sîne gevangen
20 (die kômn dar zuo gegangen):
er bat si geben sicherheit,
die er des tages ab in erstreit,
Scherulese sîme wirt.
männeglîch nu niht verbirt,
25 sine füern, als dâ gelobet was,
ze Bêârosche ûfen palas.
Meljanze gap diu burcgrâvîn

rîchiu kleider unde ein rîselîn,
da'r sînen wunden arm în hienc,
dâ Gâwâns tjoste durch gienc.
394 Gâwân bî Scherulese enbôt
sîner frouwen Obilôt,
daz er si gerne wolde sehn
und ouch mit wârheite jehn
5 sînes lîbes undertân,
und er wolt ouch ir urloup hân.
'und sagt, ich lâze irn künec
hie:
bit si sich bedenken wie
daz sin alsô behalte
10 daz prîs ir fuore walte.'
    dise rede hôrte Meljanz.
er sprach 'Obilôt wirt kranz
aller wîplîchen güete.
daz senft mir mîn gemüete,
15 ob ich ir sicherheit muoz gebn,
daz ich ir frides hie sol lebn.'
'ir sult si dâ für hân erkant,
iuch envienc hie niemen wan ir
hant:'
sus sprach der werde Gâwân
20 'mînen prîs sol si al eine hân.'
Scherules kom für geriten.
nune was ze hove niht vermiten,
dane wære magt man unde wîp
in solher wæte ieslîches lîp,
25 daz man kranker armer wât
des tages dâ hete lîhten rât.

27. dô *fehlt* G*dg*.   sim *g*, si im *DG*.   umbe engral *G*.   28. daz] wie
G*gg*.   29. Dises *G*.   mærs *DG*.
393, 1. gegen bîet G*gg*.   4. newedr *D*, dewere *G*, deweder *gg*, tweder *g*, twe-
derre *g*, yetweder *d*.   bechant *G*.   7. Ze G*g*.   Melianze
DG allein.   8. muoz ich iuch D*dgg*, ich muoz iuch *g*, ih wil iuh *G*.   bit-
ten *D*.   9. sô *und* hêrren *fehlt g*.   10. frîwnt *D*.   bedenthen iehen *G*.
14. fuorens *dgg*, fuoren si *D*, fuorten sin *G*. = des vursten G*gg*.   15. Unde
daz G*gg*, Untz *g*.   inrre *D*.   16. = Libauts marschalch G*gg*.   sie *D*.
18. = Lahedoman *g*, Lahdoman *gg*, lachdoman *G*.   20. di chomen *Dd* = Er
chom G*gg*.   21. = Unde bat G*gg*.   23. Tscherules G*gg*, *so auch* 394, 1.
24. Mannegelich *G*, Menneclich *gg*.   25. sine fuoren *D*, Sú fuoren *d* = Eren
chom G*gg*, Er chom *gg*, Er enkome *g*.   gelobt *D*, geboten G*g*.   26. ce Be-
aroscê *D*.   27. purcgravin *D*, burchrævin *G*.   29. da er *D*.   arem *D*.
30. tiost durh *G*.   erging *d*.   Diu von Gawans Tiost ergienc *g*.
394, 6. Under welle G*g*, Und ich welle *gg*.   ouch *fehlt* G*g*.   7. = und *fehlt*
G*gg*.   ir den *alle*.   8. bittet *D*.   9. Si in (*ohne* daz) G*gg*.   11. = Des
antwurte Meljanz G*gg*.   12. der *D*.   Er obilote wirdet chranz *G*.   14. senf-
tet *DG*.   15. = Daz ih G*gg*.   sol G*g*.   16. = Unde och ir G*gg*.
muoz *gg*.   18. vîench *G*.   dan *dgg*.   19. = So G*gg*.
23. vñ *D*.   24. iêslichs *D*, yesliches *g*, iegliches *g*, ieslich G*gg*, yegelicher *d*.
25. man *D*, man da *die übrigen*.   chranch *gg*.   26. da hete D*dg*, het da *g*,
hete G*gg*.

mit Meljanz ze hove reit
al die dort ûze ir sicherheit
ze pfande heten lâzen.
dort elliu vieriu sâzen,
395 Lyppaut, sîn wîp und sîniu kint.
ûf giengen die dâ komen sint.
    der wirt gein sîme hêrren spranc:
ûf dem palase was grôz gedranc,
5 da ern vînt und die friunde en-
          pfienc.
Meljanz bî Gâwâne gienc.
'kund ez iu niht versmâhen,
mit kusse iuch wolt enpfâhen
iwer altiu friwendîn:
10 ich mein mîn wîp, die herzogîn.'
Meljanz antwurt dem wirte sân
'ich wil gern ir kus mit gruoze
          hân,
zweier frouwen diech hie sihe:
der dritten ich niht suone gihe.'
15 des weinten die eltern dô:
Obilôt was vaste vrô.
    der künec mit kusse enpfangen
          wart,
unt zwên ander künege âne bart
als tet der herzog Marangliez.
20 Gâwânn man kuss ouch niht er-
          liez,
und daz er næm sîn frouwen dar.
er dructez kint wol gevar
als ein tockn an sîne brust:
des twang in friwentlîch gelust.

25 hin ze Meljanze er sprach
'iwer hant mir sicherheite jach:
der sît nu ledec, und gebt si her.
aller mîner freuden wer
sitzet an dem arme mîn:
ir gevangen sult ir sîn.'
396 Meljanz durch daz dar nâher
          gienc.
diu magt Gâwânn zuo zir ge-
          vienc:
Obilôt doch sicherheit geschach,
da ez manc werder ritter sach.
5 'hêr künec, nu habt ir missetân,
sol mîn ritter sîn ein koufman,
des mich mîn swester vil an streit,
daz ir im gâbet sicherheit.'
sus sprach diu maget Obilôt:
10 Meljanze si dâ nâch gebôt
daz er sicherheit verjæhe,
diu in ir hant geschæhe
ir swester Obîen.
'zeiner âmîen
15 sult ir si hân durch ritters prîs:
zeim hêrren und zeim âmîs
sol si iuch immer gerne hân.
ine wils iuch dwederhalb erlân.'
    got ûz ir jungen munde sprach:
20 ir bete bêdenthalp geschach.
dâ meistert frou minne
mit ir krefteclîchem sinne,
und herzenlîchiu triuwe,
der zweier liebe al niuwe.

27. melianze *G*, Melyanze *D*.   28. = Alle die *Ggg*.
395, 1. = Der wirt sin wip *Ggg*.   und *fehlt D*.   2. = Fur giengen *Ggg*.
3. = Libaut *Ggg*.   4. balase *G*.   5. er den vient *Dd* = er die vinde
Ggg, er viende *gg*.   die friunde *G*, di friwnde *D*, friunde *die übrigen*.
6. Gawan bi Melianze giench *Ggg*.   10. mein *dgg*.   11. antwrte *D*, ant-
wurte *G*.   dem wirte] im *G*.   12. = gern *fehlt Ggg*.   13. zweir *D*,
Zweiger *G*.   di ich *D*, die ih *G*.   15. = die elteren (elter *g*) bede do
Ggg.   16. vaste] vil *D*.   frô *G*.   19. herzoge *DG*.   20. Gawan *Gdg*.
chusses *DG*.   ouch = *fehlt gg*, e *G*.   21. daz *fehlt Ggg*.   næme sine
DGg, neme sin *d*, næme ouch sin *gg*.   22. druchte daz *DG*.   23. eine
Dgg.   tochen *Ddgg*, tochelin *G*.   sin *dg*.   25. = Gawan zemelianze
sprach *Ggg*.   30. = Der *Ggg*, Ir sult ir gevangen sin *g*.
396, 2. gawanen *alle aufser D*.   zuo zir geviench *D*, zuo ir geving *d* = vaste
(fehlt g) umbe viench *Ggg*.   3. Obilote *D und mit übergeschribenem* e *G*
allein.   = da *Ggg*.   4. Daz ez *alle aufser DG*.   wert *Gg*.   7. vil
gestreit *G*.   9. magt *D* = iunge *Ggg*.   10. dar nach *Ggg*.   11. ver-
gahe *G*.   15. si nemen *Ggg*.   16. zeinem-zeinem *DG*.   18. Ich wiles *Ggg*.
deweder halb *Gg*, twederhalp *g*, wederhalp *gg*, enwederthalp *D*, ye wider
halp *d*.   19. ir] der *Gg*.   iugen *G*.   20. bet *Ggg*.   iewederhalp *G*.
21. Do *Gg*.   meisterte *DG*.   fro *G*.   22. chreftechlichem *D*, friuntlichem
(ohne ir) *Ggg*.   24. zweir *D*, zweiger *G*.

25 Obîen hant füru mantel sleif,
dâ ɜi Meljanzes arm begreif:
al weinde kust ir rôter munt
dâ der was von der tjoste wunt.
manc zaher im den arm begôz,
der von ir liehten ougen vlôz.
397 Wer macht si vor der diet sô balt?
daz tet diu minne junc unt alt.
Lyppaut dô sînen willen sach,
wande im sô liebe nie geschach.
5 sît got der êrn in niht erliez,
sîn tohter er dô frouwe hiez.
wie diu hôchzît ergienc,
des vrâgt den der dâ gâbe enpfienc :
und war dô männeglîch rite,
10 er hete gemach odr er strite,
des mag ich niht ein ende hân.
man sagte mir daz Gâwân

urloup nam ûf dem palas,
dar er durch urloup komen was.
15 Obilôt des weinde vil:
si sprach 'nu füert mich mit iu hin.'
dô wart der jungen süezen magt
diu bete von Gâwâne versagt:
ir muoters kûm von im gebrach.
20 urloup er dô zin allen sprach.
Lyppaut im diens bôt genuoc,
wand er im holdez herze truoc.
Scherules, sîn stolzer wirt,
mit al den sînen niht verbirt,
25 ern rîte ûz mit dem degene balt.
Gâwâns strâze ûf einen walt
gienc: dar sander weideman
und spîse verre mit im dan.
urloup nam der werde helt:
Gâwân gein kumber was verselt.

25. füru] vuf den *G.*   26-28. = Melianzes arm si begreif. Unde druchte in
an ir roten munt. Al da er was zer (ze *g*) tioste wunt *Ggg.*   27. weinende *D.*
29. zæher *g.*   im] ir *G.*
397, 1. = Waz *Ggg.*   macht *dg*, machte *DG.*   2. uñ *DG.*   3. do *d und*
(*vor* sach) *D* = nu *Ggg.*   5. = Daz in got der eren *Ggg.*   eren *DGgg*,
ere *dg.*   6. sine *DGg.*   frouwen *Gdgg.*   8. fragt *gg*, vraget *DG.*
dâ] die *Gg.*   9. Und wer mannechliche rite *gg.*   do *D und nach* mennic-
lich *dg, fehlt Gg.*   mannegelich *G.*   13. = Nam urloup *Ggg.*   15. = Daz
was obilote leit. Wan si groz weinen niht vermeit *Ggg.*   16. si sprach. nu
fuoret mich mit iu hin *D,* Sú sprach mit úch ich hinnen wil *d* = do sprach
si (Si sprach *g*) herre sit ih bin. iwer so fuoret (fuert *gg*) mich mit iu hin *Ggg.*
17. iunge *G.*   18. bet *Ggg.*   gawan gar *gg.*   19. muotr sî *D,* muoter si
die übrigen.   chum *gg,* chume *DG.*   brach *D.*   21. = Libaut im danchte
genuoch *Ggg.*   22. wandr *D.*   25. degn *D.*   27. sant er *D.*   28. mit in *D.*

VIII.

398 Swer was ze Bêârosche komn,
doch hete Gâwân dâ genomn
den prîs ze bêder sît al ein;
wan daz dervor ein ritter schein,
5 bî rôtem wâpen unrekant,
des prîs man in die hœhe bant.
Gâwân het êre unde heil,
ieweders volleclîchen teil:
nu nâht och sînes kampfes zît.
10 der walt was lanc unde wît,
dâ durch er muose strîchen,
wolder kampfes niht entwîchen:
âne schulde er was derzuo erkorn.
nu was ouch Inglîart verlorn,
15 sîn ors mit kurzen ôren:
in Tabronit von Môren
wart nie bezzer ors ersprenget.
nu wart der walt gemenget,
hie ein schache, dort ein velt,
20 etslîchz sô breit daz ein gezelt
vil kûme drüffe stüende.
mit sehn gewan er küende
erbûwens lands, hiez Ascalûn.
dâ frâgter gegen Schanpfanzûn
25 swaz im volkes widerfuor.
hôch gebirge und manec muor,
des het er vil durchstrichen dar.
dô nam er einer bürge war:
âvoy diu gap vil werden glast:
dâ kêrte gegen des landes gast.
399 Nu hœrt von âventiure sagen,

und helfet mir dar under klagen
Gâwâns grôzen kumber.
mîn wîser und mîn tumber,
5 die tuonz durch ir gesellekeit
und lâzen in mit mir [sîn] leit.
ôwê nu solt ich swîgen.
nein, lât fürbaz sîgen
der etswenne gelücke neic
10 und nu gein ungemache seic.
disiu burc was gehêret sô,
daz Enêas Kartâgô
nie sô hêrrenlîche vant,
dâ froun Dîdôn tôt was minnen pfant.
15 waz si palase pflæge,
und wie vil dâ türne læge?
ir hete Acratôn genuoc,
diu âne Babylône ie truoc
ame grif die grœsten wîte
20 nâch heiden worte strîte.
si was alumbe wol sô hôch,
unt dâ si gein dem mer gezôch:
decheinen sturm si widersaz,
noch grôzen ungefüegen haz.
25 dervor lac raste breit ein plân:
dar über reit hêr Gâwân.
fünf hundert ritter oder mêr
(ob den alln was einer hêr)
die kômen im dâ widerriten
in liehten kleidern wol gesniten.
400 Als mir d'âventiur sagete,
ir vederspil dâ jagete

398, 5. roten *D.*　8. Ietw. *G.*　9. nahet *alle.*　sins *dg*, sin *g*, des *g.*
14. inguliart *Gg.*　16. Thabr. *D*, tabrunit *Ggg.*　22. sehenne *G.*　23. er-
b°owens *D*, Erbuwenes *G*, Erbuens *g.*　landes daz hiez *alle.*　Ascaluon *D*,
aschalun *G.*　24. Do *Gg.*　vragetr *D.*　tschanfenzun *G*, -zuon *D.*
25. im da *D.*　26. und *fehlt Gg.*　30. cherte gegen *D*, keret gein *g*, kert
er gein *gg*, kert engegen *dgg*, engene cherte *G.*

399, 1. Aventiuren *D.*　6. lazenz in *g.*　sin *DGgg*, wesen *dgg.*　9. Dar *G*,
Dem *g.*　11. gehert *DG.*　12. kartigo *G.*　13. herrnliche *D.* herrenlichen *g*,
herliche *gg*, herlichen *Gdgg.*　14. didon *Gg*, Dydon *gg*, Tydon *D*, dido *d*, di-
donen *g.*　16. und *fehlt Ggg.*　18. Babylonie *D*, babilonie *G.*　19. Anme
Ggg.　griffe *DG*, begriff *d.*　grosten *D*, hohesten *Ggg.*　20. heidene *G.*
24. ungefiu°egen *D.*　28. allen *DG.*　29. di chomn *D.*

400, 1. diu Aventiure *DG.*

den kranch od swaz vor in dâ
    vlôch.
ein râvît von Spâne hôch
5 reit der künec Vergulaht.
sîn blic was tac wol bî der naht.
sîn geslähte sante Mazadân
für den berc ze Fâmorgân:
sîn art was von der feien.
10 in dûhte er sæhe den meien
in rehter zît von bluomen gar,
swer nam des küneges varwe war.
Gâwânen des bedûhte,
do der künec sô gein im lûhte,
15 ez wære der ander Parzivâl,
unt daz er Gahmuretes mâl
hete alsô diz mære weiz,
dô der reit în ze Kanvoleiz.
    ein reiger tet durch fluht ent-
      wîch
20 in einen muorigen tîch:
den brâhten valken dar gehurt.
der künec suochte unrehten furt,
in valken hilfe wart er naz:
sîn ors verlôs er umbe daz,
25 dar zuo al diu kleider sîn
(doch schiet er valken von ir pîn):
daz nâmn die valkenære.
op daz ir reht iht wære?
ez was ir´reht, si soltenz hân:
man muose och si bî rehte lân.
401 Ein ander ors man im dô lêch:
des sînen er sich gar verzêch.
man hienc ouch ander kleit an in:
jenz was der valkenære gewin.
5   hie kom Gâwân zuo geriten.
âvoy nu wart dâ niht vermiten,

erne wurde baz enpfangen
dan ze Karidœl wære ergangen
Ereckes enpfâhen,
10 dô er begunde nâhen
Artûs nâch sîme strîte,
unt dô frou Enîte
sîner freude was ein condewier,
sît im Maliclisier
15 daz twerc sîn vel unsanfte brach
mit der geisel da'z Gynovêr sach,
unt dô ze Tulmeyn ein strît
ergienc in dem kreize wît
umben spärwære.
20 Idêr fil Noyt der mære
im sîne sicherheit dâ bôt:
er muose'im bieten für den tôt.
    die rede lât sîn, und hœrtz och hie:
ich wæne sô vriescht ir nie
25 werdern antpfanc noch gruoz.
ôwê des wirt unsanfte buoz
des werden Lôtes kinde.
rât irz, ich erwinde
unt sag iu fürbaz niht mêre.
durch trûren tuon ich widerkêre.
402 Doch vernemet durch iwer güete,
wie ein lûter gemüete
fremder valsch gefrumte trüebe.
ob ich iu fürbaz üebe
5 diz mære mit rehter sage,
sô kumt irs mit mir in klage.
    dô sprach der künec Vergulaht
'hêrre, ich hân mich des bedâht,
ir sult rîten dort hin în.
10 magez mit iweren hulden sîn,
ich priche iu nu gesellekeit.
ist ab iu mîn fürbaz rîten leit,

---

3. krang *d*, chranich *gg*.   odr *D*, odcr *G*.   da vor in floc *G*.   4. spange
G.   7. geslahte *G*.   8. ze *fehlt g*.   feimurgan *g*, phimurgan *G*.   9. art
fehlt G.   von den *dg*.   pheigen *G*.   10. In duhter sahe den meigen *G*.
13. beduohte *D*.   15. andr Parzifal *D*.   17. = als *Ggg*.   18. Do er *Gg*.
19. reger *Gd*.   20. muorgen *G*.   22. suohte *G*.   24. verloser *G*.
25. di chleidr *D*.   26. sciet *D*.   27. Ez *G*.   namen *alle*.   die *fehlt gg*.
30. ouch sie *D*.

401, 3. man hing ouch andr chleider an in *D*.   4. ienez *D*, Daz *Gg*.
valchnare *G*.   6. Aphoy *G*.   7. ern *D*.   8. Dane *G*, den *D*.   11. Ar-
tuse *G*, Artuose *D*.   13. frouden *Gg*.   kundwir *D*.   14. in *G*.   Malicli-
scîer *D*, malaclisier *d*, Maliachlisir *g*.   15. = getwerch *Ggg*, gedwerch *g*.
16. daz *Gg*, da ez *Dd*, daz ez *gg*.   kinovere *G*.   17. tulmen *g*, tulmein *G*.
19. sparw. *G*.   20. Ieders *d*.   filnot *Gg*.   22. muose *G*, muosese *D*,
mustez *g*, muose si *g*.   23. und] nu *G*.   hortse *D*.   24. sone *G*.
vrîesct *D*, friescht *g*, frieschet *g*, gefrieschet *Gdgg*.   25. werdn *D*.   ant-
vanch *G*.   26. ouwe *D*.

402, 2. luoter *D*.   3. fremdr *D*.   gefrumte *D*.   6. chomt *G*.   12. ab *D*,
abe *G*.

ich lâz swaz ich ze schaffen hân.'
dô sprach der werde Gâwân
15 'hêr, swaz ir gebietet,
billîche ir iuch des nietet:
daz ist och âne mînen zorn
mit guotem willen gar verkorn.'
dô sprach der künec von As-
        calûn
20 'hêrre, ir seht wol Schamfanzûn.
dâ ist mîn swester ûf, ein magt:
swaz munt von schœne hât gesagt,
des hât si vollec lîchen teil.
welt irz iu prüeven für ein heil,
25 deiswâr sô muoz si sich bewegen
daz se iwer unz an mich sol pflegen.
ich kum iu schierre denn ich sol:
ouch erbeit ir mîn vil wol,
gesehet ir die swester mîn:
irn ruocht, wolt ich noch lenger
        sîn.'
403 'Ich sihe iuch gern, als tuon ich sie.
doch hânt mich grôze frouwen ie
ir werden handelunge erlân.'
sus sprach der stolze Gâwân.
5 der künec sande ein ritter dar,
und enbôt der magt daz si sîn
        war
sô næm daz langiu wîle
in diuhte ein kurziu île.
Gâwân fuor dar der künec gebôt.
10 welt ir, noch swîg ich grôzer nôt.
nein, ich wilz iu fürbaz sagen.
strâze und ein pfärt begunde tragen
Gâwân gein der porte
au des palas orte.
15 swer bûwes ie begunde,

baz denne ich sprechen kunde
von dises bûwes veste.
dâ lac ein burc, diu beste
diu ie genant wart ertstift:
20 unmâzen wît was ir begrift.
der bürge lop sul wir hie lân,
wande ich iu vil ze sagen hân
von des küneges swester, einer magt.
hie ist von bûwe vil gesagt:
25 die prüeve ich rehte als ich sol.
was si schœn, daz stuont ir wol:
unt hete si dar zuo rehten muot,
daz was gein werdekeit ir guot;
sô daz ir site und ir sin
was gelîch der marcgrâvin,
404 Diu dicke vonme Heitstein
über al die marke schein.
wol im derz heinlîche an ir
sol prüeven! des geloubet mir,
5 der vindet kurzewîle dâ
bezzer denne anderswâ.
ich mac des von frouwen jehn
als mir diu ougen kunnen spehn.
swar ich rede kêr ze guote,
10 diu bedarf wol zühte huote.
nu hœr dise âventiure
der getriwe unt der gehiure:
ich enruoche umb d'ungetriuwen.
mit dürkelen riuwen
15 hânt se alle ir sælekeit verlorn:
des muoz ir sêle lîden zorn.
ûf den hof dort für den palas
        reit
Gâwân gein der gesellekeit,
als in der künec sande,
20 der sich selben an im schande.

<hr>

13. laze *DGdg*, laz ez *gg*.   zeschafene *G*.   15. 16. gebiet-niet *Gg*.
16. pillîche *D*.   20. tschanphenzun *G*.   24. iu *Ddg*,
nu *Ggg*.   26. unze ane *G*.   27. schierre *g*, scirre *D*, schiere *gg*, schirer *g*,
schier *Gd*.   30. iren *DG*.   ruocht *dgg*, ruoht *Gg*, ruochtet *D*.
403,   4. der werde *dgg*, min her *G*.   5. einen *DG*.   6. meide *DGgg*, me-
gede *dgg*.   7. næme *DG*.   9. Er fuor dar als der *Gg*.   10. *D interpun-
giert hinter* noch.   12. pharit *G*.   begunde *Dgg*, begunden *Gdgg*.   14. pa-
lases *Gdd*.   15. bŵes *D*, *so auch* 17 *und* 24.   17. diss *D*.   20. Uma-
zen *G*.   21. sul *g*, sule *D*, suln *g*; sulen *Gdg*, *fehlt g*.   hie *fehlt g*,
nu *Gg*.   22. cesagn *D*, zesagene *Gg*.   25. reht *G*.   26. schone *G*,
scœne *D*.   27. und *fehlt Gg*.   30. margravin *G*.
404,   1. vome *G*.   aitstein *g*, beitstein *g*, hertstein *dg*.   2. erschein *gg*, liehte
schein *Gg*.   4. solde *D*.   daz *Ggg*.   5. vant *D*.   churze wile *Gdg*,
churzw. *Dgg*.   6. Bezere vil dane *Gg*.   7. des *Dg*, des wol *Ggg*, wol des *dg*.
9. cher *g*, chere *DG*.   11. hœre *Dd* = horet *Ggg*, hort *gg*.   13. di *D*,
die *G*.   14. triu wen?

ein ritter, der in brâhte dar,
in fuorte dâ saz wol gevar
Antikonîe de künegin.
sol wîplich êre sîn gewin,
25 des koufes het si vil gepflegn
und alles valsches sich bewegn:
dâ mite ir kiusche prîs erwarp.
ôwê daz sô fruo erstarp
von Veldeke der wîse man!
der kunde se baz gelobet hân.
405 Dô Gâwân die magt ersach,
der bote gienc nâher unde sprach
al daz der künec werben hiez.
diu künegin dô niht enliez,
5 sine spræche 'hêr, gêt nâher mir.
mîner zühte meister daz sît ir:
nu gebietet unde lêret.
wirt iu kurzewîle gemêret,
daz muoz an iwerm gebote sîn.
10 sît daz iuch der bruoder mîn
mir bevolhen hât sô wol,
ich küsse iuch, ob ich küssen sol.
nu gebiet nâch iweren mâzen
mîn tuon odr mîn lâzen.'
15 mit grôzer zuht sî vor im stuont.
Gâwân sprach 'frouwe, iwer muont
ist sô küssenlîch getân,
ich sol iweren kus mit gruoze
hân.'
ir munt was heiz, dick unde rôt,
20 dar an Gâwân den sînen bôt.
da ergienc ein kus ungastlîch.
zuo der meide zühte rîch
saz der wol geborne gast.
süezer rede in niht gebrast
25 bêdenthalp mit triuwen.

si kunden wol geniuwen,
er sîne bete, si ir versagen.
daz begunder herzenlîchen klagen:
ouch bat er sir genâden vil.
diu magt sprach als i'u sagen wil.
406 'Hêrre, sît ir anders kluoc,
sô mageŝ dunken iuch genuoc.
ich erbiutz iu durch mîns bruoder
bete,
daz ez Ampflîse Gamurete
5 mînem œheim nie baz erbôt;
âne bî ligen. mîn triwe ein lôt
an dem orte fürbaz wæge,
der uns wegens ze rehte pflæge:
und enweiz doch, hêrre, wer ir sît;
10 doch ir an sô kurzer zît
welt mîne minne hân.'
dô sprach der werde Gâwân
'mich lêret mîner künde sin,
ich sage iu, frouwe, daz ich pin
15 mîner basen bruoder suon.
welt ir mir genâde tuon,
daz enlât niht durch mînen art:
derst gein iwerm sô bewart,
daz si bêde al glîche stênt
20 unt in rehter mâze gênt.'
ein magt begunde in schenken,
dar nâch schier von in wenken.
mêr frowen dennoch dâ sâzen,
die och des niht vergâzen,
25 si giengn und schuofen umb ir
pflege.
ouch was der ritter von dem
wege,
der in dar brâhte.
Gâwân des gedâhte,

22. diu wolgevar *Gg.*   23. Antyg. *g*, Antikonŷe *D.*   diu *DG.*   27. Da
mit *G.*   28. daz ie so *Gg.*   29. veldeke *Gg*, Veldekke *D*, veldecke *gy*,
veldechin *g*, veldich *g*, feldig *d.*   30. si *DG.*
405, 5. Si sprach *Gdg.*   7. 13. gebietet *dgg*, gebiet *DGgg.*   8. churzew. *Gdg,*
churzw. *Dgg.*   9. iwerem *DG*, iurem *g.*   13. iweren *Ggg*, iwerr *D*, iwer *dgg.*
14. unde *Gg.*   16. Er sprach *Gg.*   17. chussenlich *Ddgg*, chuslich *Ggg.*
18. Ih wil iweren gruoz mit chusse han *G.*   19. diche *D*, ditche *G.*
25. Beid. *G.*   26. chunde *DGg.*   27. Gegen siner bette
er (*d. i.* ir) versagen *d.*   28. hercenliche *D allein.*   30. i'u] ich iu *Ddg,*
ich nu *g*, ih *Ggg*, si *g.*
406, 3. erbiutez iu *D*, erbiut iuz *gg.*   4. ez *Gdgg*, er *D*, ichz *g*, *fehlt y.*
anphl. *G.*   gamurete *D.*   5. Minen *G.*   œheime *D*, oheime
G, *allein.*   7. Ame orte *G.*   8. ce *D*, *fehlt G.*   9. = Unt (*fehlt g*)
ih neweiz doch *Ggg.*   10. Daz *dg*, Unt *G.*   13. Mich lert muoter chunde
sin *G*, Mich lerte min mueter kundic sin *g.*   14. daz *Ddg*, wer *Ggg.*
16. Welt ir genade an mir tuon *G.*   18. iurem *g*, dem iwerem *Ggg.*
19. hêde al] vil nach *G.*   geliche *DG.*   gent *G.*   20. in ir rehter *g*, in
einer *Gg.*   22. schier *dgg.*   24. nich *D.*   25. giengen *DG.*   und schuofen
fehlt g, schaffen *dg.*   si giengen schuofen *Wackernagel.*

do si alle von im kômen ûz,
daz dicke den grôzen strûz
407 væhet ein vil kranker ar.
er greif ir undern mantel dar:
Ich wæne, er ruort irz hüffelîn.
des wart gemêret sîn pîn.
5 von der liebe alsölhe nôt gewan
beidiu magt und ouch der man,
daz dâ nâch was ein dinc ge-
      schehen,
hetenz übel ougen niht ersehen.
des willn si bêde wârn bereit:
10 nu seht, dô nâht ir herzeleit.
dô gienc zer tür în aldâ
ein ritter blanc: wand er was grâ.
in wâfenheiz er nante
Gâwânen, do ern erkante.
15 dâ bî er dicke lûte schrei
'ôwê unde heiâ hei
mîns hêrren den ir sluoget,
daz iuch des niht genuoget,
irn nôtzogt och sîn tohter hie.'
20 dem wâfenheiz man volget ie:
der selbe site aldâ geschach.
Gâwân zer juncfrouwen sprach
'frowe, nu gebet iweren rât:
unser dwederz niht vil wer hie hât.'
25 er sprach 'wan het ich doch mîn
      swert!'
dô sprach diu juncfrouwe wert
'wir sulen ze wer uns ziehen,
ûf jenen turn dort fliehen,
der bî mîner kemenâten stêt.

genædeclîchez lîhte ergêt.'
408 Hie der ritter, dort der koufman,
diu juncfrouwe erhôrte sân
den bovel komen ûz der stat.
mit Gâwân si geim turne trat.
5 ir friunt muost kumber lîden.
si bat siz dicke mîden:
ir kradem unde ir dôz was sô
daz ez ir keiner marcte dô.
durch strît si drungen gein der tür:
10 Gâwân stuont ze wer derfür.
ir în gên er bewarte:
ein rigel dern turn besparte,
den zucter ûz der mûre.
sîn arge nâchgebûre
15 entwichn im dicke mit ir schar.
diu künegin lief her unt dar,
ob ûf dem turn iht wær ze wer
gein disem ungetriwen her.
dô vant diu maget reine
20 ein schâchzabelgesteine,
unt ein bret, wol erleit, wît:
daz brâht si Gâwâne in den strît.
an eim îsenînem ringez hienc,
dâ mit ez Gâwân enpfienc.
25 ûf disen vierecken schilt
was schâchzabels vil gespilt:
der wart im sêr zerhouwen.
nu hœrt och von der frouwen.
ez wære künec oder roch,
daz warf si gein den vînden doch:
409 ez was grôz und swære.
man sagt von ir diu mære,

407, 1. Væhet gg, Vahet dgg, væht D, Vaht G.   2. grief Gg.   3. ir dg.
4. gemert DG allein.   5. al fehlt Ggg.   6. ouch der fehlt Ggg, der g.
7. nach ein dinch was g, was nah ein dinch Gg.   geschen G.   8. Hetz
Gd.   ubliu g.   ouge G.   gesehen dgg.   9. willen DG.   si warn
beidiu gg, was er gar G.   10. naht (e über t wie 396, 3) G, nahet Dgg.
ir Dgg, in Gdgg.   14. Gawan gg.   bechande Gg.   15. erschrei g.
16. ouwe D.   19. sine DGg.   20. wafem heiz D.   23. iuren g.   24. twe-
derz gg, dewederz Gdgg, enwederz D, ietwederz g.   28. turen G.   29. bi
der chemenate Gg.   dort stet Ggg.   30. Genadchliche ez G, genæ-
dechliez D.

408, 3. Einen Gg.   povel Gdgg.   4. Gawane DGg.   gein dem G, gegen
dem D.   5. muose DG, muosen gg.   8. ez ir Dgg, echt ir d, irz g, ir Ggg.
dech. D, deh. G.   marhte Gg, mercte g.   9. giengen Gg.   10. Gawan
spranch hin uz der fur G.   12. Ein gg, einen DGdg.   der den alle.
turen G.   15. entwichen alle.   scharen G.   17. turne G.   18. unge-
trîwem Dgg.   19. magt D, iunge Gg.   21. erleget gg.   22. brahte DG.
23. In g.   eime D, einem die übrigen.   iseninem D, isenim g, iseninen
Ggg, ysennen g, eisenen g, isen d.   24. Da bi Gg.   26. Wart Gd.
schahtzabels G.   27. ser g.   verhouwen dg.   29. kúnig alt oder d.
rok G.

Swen dâ erreichte ir wurfes swanc,
der strûchte âne sînen danc.
5 diu küneginne rîche
streit dâ ritterlîche,
bî Gâwân si werlîche schein,
daz diu koufwîp ze Tolenstein
an der vasnaht nie baz gestriten:
10 wan si tuontz von gampelsiten
ünde müent ân nôt ir lîp.
swâ harnaschrâmec wirt ein wîp,
diu hât ir rehts vergezzen,
sol man ir kiusche mezzen,
15 sine tuoz dan durch ir triuwe.
Antikonîen riuwe
wart ze Schanfanzûn erzeiget
unt ir hôher muot geneiget.
in strît si sêre weinde:
20 wol si daz bescheinde,
daz friwentlîch liebe ist stæte.
waz Gâwân dô tæte?
    swenne im diu muoze geschach,
daz er die maget reht ersach;
25 ir munt, ir ougen, unde ir nasen.
baz geschict an spizze hasen,
ich wæne den gesâht ir nie,
dan si was dort unde hie,
zwischen der hüffe unde ir brust.
minne gerende gelust
410 kunde ir lîp vil wol gereizen.
irn gesâht nie âmeizen,
Diu bezzers gelenkes pflac,
dan si was dâ der gürtel lac.
5 daz gap ir gesellen
Gâwâne manlîch ellen.
si tûrte mit im in der nôt.
sîn benantez gîsel was der tôt,
und anders kein gedinge.
10 Gâwânen wac vil ringe
vînde haz, swenn er die magt erkôs;

dâ von ir vil den lîp verlôs.
dô kom der künec Vergulaht.
der sach die strîteclîchen maht
15 gegen Gâwâne kriegen.
ich enwolt iuch denne triegen,
sone mag i'n niht beschœnen,
ern well sich selben hœnen
an sînem werden gaste.
20 der stuont ze wer al vaste:
dô tet der wirt selbe schîn,
daz mich riwet Gandîn
der künec von Anschouwe,
daz ein sô werdiu frouwe
25 sîn tohter, ie den sun gebar,
der mit ungetriwer schar
sîn volc bat sêre strîten.
Gâwân muose bîten
unzé der künec gewâpent wart:
er huop sich selbe an strîtes vart.
411   Gâwân dô muose entwîchen,
doch unlasterlîchen:
Unders turnes tür er wart getân.
nu seht, dô kom der selbe man,
5 der in kampflîche an ê sprach:
vor Artûse daz geschach.
der lantgrâve Kyngrimursel
gram durch swarten unt durch vel,
durch Gâwâns nôt sîn hende er want:
10 wan des was sîn triwe pfant,
daz er dâ solte haben vride,
ezen wær daz eines mannes lide
in in kampfe twungen.
die alten unt die jungen
15 treib er vonme turne wider:
den hiez der künec brechen nider.
Kyngrimursel dô sprach
hin ûf da er Gâwânen sach
'helt, gib mir vride zuo dir dar în.
20 ich wil geselleclîchen pîn

409, 4. struochte *D*, struhte *G*.   7. Gawane *DGg*.   werli-
chen *Ggg*, so werlich *d*, ze wer *g*.   8. zetollen steine *Gg*, ze tolnstein *gg*.
10. tuondez *G*.   15. tuoez *D*, *getrennt G*.   dane *G*, denne *D*, *fehlt g*.
ir *fehlt Gg*.   16. Antig. *g*.   17. zetschanfenzun *G*.   erzeigt-geneigt *g*.
19. strite *DG*.   26. geschicht *G*, gesichet *D*.   spize *G*, spitze *d*.   27. ge-
sahet *DG*, *auch* 410, 2.   28. Danne *G*, denne *D*.   29. huffe *D*, hufe *g*, hüff *d*,
huf *Ggg*.   30. gernde *Ggg*, gerenden *d*, gerender *gg*.

410, 4. Dane *G*, denne *D*.   7. turte *dgg*, twerte *D*, trurte *Ggg*.   9. dech. *D*,
deh. *G*.   11. swenn *Dg*, do *G*.   14. stritl. *alle aufser DG*.   15. Gein
Ggg.   16. Ihne welle iuh dane triegen *G*.   17. in *g*, ich *gg*, ich in *oder*
ih in *die übrigen*.   18. welle *DG*.   30. Der *Gg*.

411, 2. Iedoch *G*.   5. an ê *D*, e. an *g*, ane *gg*, an *Gdgg*.   9. Durh gawanes
not er sine hende want *G*.   sine *D*, die *g*.   13. twüngen *g*.   19. gim
mir *G*.   dar *Ddgg*, hin *Ggg*.

mit dir hân in dirre nôt.
mich muoz der künec slahen tôt,
odr ich behalde dir dîn lebn.'
Gâwân den vride begunde gebn:
25 der lantgrâve spranc zuo zim dar.
des zwîvelte diu ûzer schar
(er was ouch burcgrâve aldâ):
si wæren junc oder grâ,
die blûgten an ir strîte.
Gâwân spranc an die wîte,
412 als tet ouch Kyngrimursel:
gein elln si bêde wâren snel.
Der künec mant die sîne.
'wie lange sulen wir pîne
5 von disen zwein mannen pflegen?
mîns vetern sun hât sich bewegen,
er wil erneren disen man,
der mir den schaden hât getân,
den er billîcher ræche,
10 ob im ellens niht gebræche.'
genuoge, dens ir triwe jach,
kurn einen der zem künege sprach
'hêrre, müeze wirz iu sagn,
der lantgrâve ist unerslagn
15 hie von manger hende.
got iuch an site wende,
die man iu vervâhe baz.
werltlîch prîs iu sînen haz
teilt, erslaht ir iwern gast:
20 ir ladet ûf iuch der schanden last.
sô ist der ander iwer mâc,
in des geleite ir disen bâc
hebt. daz sult ir lâzen:
ir sît dervon verwâzen.
25 nu gebt uns einen vride her,
die wîl daz dirre tac gewer:
der vride sî och dise naht.
wes ir iuch drumbe habt bedâht,
daz stêt dannoch ziwerre hant,
ir sît geprîset odr geschant.

413 Mîn frouwe Antikonîe,
vor valscheit diu vrîe,
dort al weinde bî im stêt.
ob iu daz niht ze herzen gêt,
5 sît iuch pêde ein muoter truoc,
so gedenket, hêrre, ob ir sît kluoc,
ir sandet in der magede her:
wær niemen sîns geleites wer,
er solt iedoch durch si genesen.'
10 der künec liez einen vride wesen,
unz er sich baz bespræche
wier sînen vater ræche.
unschuldec was hêr Gâwân:
ez hete ein ander man getân,
15 wande der stolze Ehcunat
ein lanzen durch in lêrte pfat,
do er Jofreyden fîz Ydœl
fuorte gegen Barbigœl,
den er bî Gâwâne vienc.
20 durch den disiu nôt ergienc.
dô der vride wart getân,
daz volc huop sich von strîte sân,
manneglich zen herbergen sîn.
Antikonîe de künegîn
25 ir vetern sun vast umbevienc:
manc kus an sînen munt ergienc,
daz er Gâwânen het ernert
und sich selben untât erwert.
si sprach 'du bist mîns vetern suon:
du kundst durch niemen missetuon.'
414 Welt ir hœrn, ich tuon iu kunt
wâ von ê sprach mîn munt
daz lûtr gemüete trüebe wart.
5 die ze Schampfanzûn tet Vergulaht:
wan daz was im niht geslaht
von vater noch von muoter.
der junge man vil guoter
von schame leit vil grôzen pîn,
10 dô sîn swester diu künegîn

25. im *G*.   26. zwifelt *gg*, zer spielte *d*.   29. blugten *G*, bluctan *g*, blueg-
ten *g*, blougen *g*, bluogeten *D*, bluegeten *dg*, bluogenten *g*.
412, 2. ellen *DG*.   8. Der uns *Gg*.   9. billichen *Ggg*.   11. Gnuoge *D*, Ge-
gnuogen *g*, Gnuc *g*.   18. wereltl. *D*.   19. teilet. erslahet ir *D allein*.
23. Hevet *G*.   25. nu *fehlt G*.   26. wer *Ggg*.   29. ziwrre *g*, ziwerr *D*,
datze iwere *G*.
413, 3. weinende *D*.   bi iu *Gg*.   6. So denchet *G*.   7. meide *D*.   15. ekunat
Ggg.   16. eine *DG allein*.   18. fuorte *G*.   23. Manegelich *G*, Mennechlich *g*.
zeherbergen *Gg*, zur herberge *dgg*.   24. Antyk. *D*.   diu *DG*.   25. vaste
DG.   28. und *fehlt Gg*.   selb *d*.   30. Dune *Gdgg*.   chundest *Ddgg*,
chanst *Gg*.
414, 1. ir nu *Ggg*.   hœrn *g*.   3. luter *G*, luoter *D*.   getruobet wart *Gg*.
4. Geunert *G*.   9. schem *G*, scheme *g*, schemde *d*.   10. swestr *D*.

in begunde vêhen:
man hôrt in sêre vlêhen.
dô sprach diu juncfrouwe wert
'hêr Vergulaht, trüege ichz swert
15 und wær von gotes gebot ein man,
daz ich schildes ambet solde hân,
iwer strîten wær hie gar verzagt.
dô was ich âne wer ein magt,
wan daz ich truoc doch einen schilt,
20 ûf den ist werdekeit gezilt:
des wâpen sol ich nennen,
ob ir ruochet diu bekennen.
guot gebærde und kiuscher site,
den zwein wont vil stæte mite.
25 den bôt ich für den ritter mîn,
den ir mir sandet dâ her în:
anders schermes het ich niht.
swâ man iuch nu bî wandel siht,
ir habt doch an mir missetân,
op wîplîch prîs sîn reht sol hân.
415 Ich hôrt ie sagen, swa ez sô gezôch
daz man gein wîbes scherme vlôch,
dâ solt ellenthaftez jagen
an sîme strîte gar verzagen,
5 op dâ wære manlîch luht.
hêr Vergulaht, iurs gastes vluht,
dier gein mir tet für den tôt,
lêrt iwern prîs noch lasters nôt.'
Kingrimursel dô sprach
10 'hêrre, ûf iwern trôst geschach
daz ich hêrn Gâwân
ûf dem Plimizœles plân
gap vride her in iwer lant.
iwer sicherheit was pfant,
15 ob in sîn ellen trüege her,
daz ich des für iuch wurde wer,
in bestüend hie niht wan einec man.
hêr, dâ bin ich bekrenket an.

hie sehen mîne genôze zuo:
20 diz laster ist uns gar ze fruo.
kunnet ir niht fürsten schônen,
wir krenken ouch die krônen.
sol man iuch bî zühten sehn,
sô muoz des iwer zuht verjehn
25 daz sippe reicht ab iu an mich.
wær daz ein kebeslîcher slich
mînhalp, swâ uns diu wirt gezilt,
ir hetet iuch gâhs gein mir bevilt:
wande ich pin ein ritter doch,
an dem nie valsch wart funden
noch:
416 Ouch sol mîn prîs erwerben
daz ichs âne müeze ersterben;
des ich vil wol getrûwe gote:
des sî mîn sælde gein im bote.
5 ouch swâ diz mære wirt verno-
men,
Artûs swester sun sî komen
in mîme geleite ûf Schanpfanzûn,
Franzoys od Bertûn,
Provenzâle od Burgunjoys,
10 Galiciâne unt die von Punturtoys,
erhœrent die Gâwânes nôt,
hân ich prîs, derst denne tôt.
mir frümt sîn angestlîcher strît
vil engez lop, mîn laster wît.
15 daz sol mir freude swenden
und mich uf êren pfenden.'
dô disiu rede was getân,
dô stuont dâ einer sküneges man,
der was geheizen Liddamus.
20 Kyôt in selbe nennet sus.
Kyôt la schantiure hiez,
den sîn kunst des niht erliez,
er ensunge und spræche sô
dês noch genuoge werdent frô.

---

12. flegen *G.*   14. ichz *Dgg*, ih dez *G*, ich *dgg*.   15. gots *G.*   17. fer-
daget *alle aufser D.*   21. wil ih *Gg.*
415, 5. manlichiu *Dg.*   6. iwers *DG.*   10. gesach *G.*   11. hern *Dgg*, dem
hern *G*, dem herren *dgg.*   Gawane - plane *D.*   12. Plimizœls *D*, blimzo-
les *G.*   13. her *fehlt Gg.*   17. ich *D.*   bestuende *DG.*   einc *G*,
ein *gg.*   18. gechrenchet *Gd.*   19. gnoze *D*, genozzen *dgg.*   22. úch *dg.*
27. wirt] ware *G.*   28. gahes *Ddg*, gahens *Ggg*, gahen *g.*   an mir *D.*
416, 2. = sterben *Ggg.*   3. getrẅe *D*, getrowe *g*, getrewe *g.*   5. Doch *Gg.*
8. oder *D*, olde *G.*   pritun *G.*   9. oder *DG.*   Burguniôys *D*, burgunois *d*,
purgunoys *g*, burgonois *G*, burgomois *gg.*   10. Galciane *g.*   unt di von
Dg, oder die von *gg*, ode von *Gg*, oder *d.*   ponturtois *Gd*, Eunturtôys *D.*
11. Gawans *DG.*   13. angesl. *G.*   18. = dâ *fehlt Ggg.*   des k. *alle.*
19. lidamus *G immer, fast allein.*   20. Kiot nenet in selbe sus *Gg.*   21. las-
cantiure *Dd*, latschanture *G*, latschantur *g.*   22. des *fehlt Gg.*   23. Ern
sünge *gg.*   24. frou *G.*

25 Kyôt ist ein Provenzâl,
der dise âventiur von Parzivâl
heidensch geschriben sach.
swaz er en franzoys dâ von ge-
       sprach,
bin ich niht der witze laz,
daz sage ich tiuschen fürbaz.
417 Dô sprach der fürste Liddamus
'waz solt der in mîns hêrren hûs,
der im sînen vater sluoc
und daz laster im so nâhe truoc?
5 ist mîn hêrre wert bekant,
daz richt alhie sîn selbes hant.
sô gelt ein tôt den andern tôt.
ich wæne gelîche sîn die nôt.'
nu seht ir wie Gâwân dô stuont:
10 alrêst was im grôz angest kuont.
dô sprach Kingrimursel
'swer mit der drô wær sô snel,
der solt och gâhen in den strît.
ir habt gedrenge oder wît,
15 man mac sich iwer lîhte erwern.
hêr Liddamus, vil wol ernern
trûwe ich vor iu disen man:
swaz iu der hete getân,
ir liezetz ungerochen.
20 ir habt iuch gar versprochen.
man sol iu wol gelouben
daz iuch nie mannes ougen
gesâhn ze vorderst dâ man streit:
iu was ie strîten wol sô leit
25 daz ir der fluht begundet.
dennoch ir mêr wol kundet:
swâ man ie gein strîte dranc,
dâ tæt ir wîbes widerwanc.
swelch künec sich læt an iwern rât,
vil twerhes dem diu krône stât.

418 Dâ wær von mînen handen
in kreize bestanden
Gâwân der ellenthafte degen:
des het ich mich gein im be-
       wegen,
5 daz der kampf wære alhie getân,
wolt es mîn hêrre gestatet hân.
der treit mit sünden mînen haz:
ich trûwte im ander dinge baz.
hêr Gâwân, lobt mir her für wâr
10 daz ir von hiute über ein jâr
mir ze gegenrede stêt
in kampfe, ob ez sô hie ergêt
daz iu mîn hêrre læt dez lebn:
dâ wirt iu kampf von mir ge-
       gebn.
15 ich sprach iuch an zem Plimizœl:
nu sî der kampf ze Barbigœl
vor dem künc Meljanze.
der sorgen zeime kranze
trag ich unz ûf daz teidinc
20 daz ich gein iu kum in den rinc:
dâ sol mir sorge tuon bekant
iwer manlîchiu hant.'
Gâwân der ellens rîche
bôt gezogenlîche
25 nâch dirre bete sicherheit.
dô was mit rede aldâ bereit
der herzoge Liddamus
begunde ouch sîner rede alsus
mit spæhlîchen worten,
aldâ siz alle hôrten.
419 Er sprach: wand im was spre-
       chens zît:
'swâ ich kum zuome strît,
hân ich dâ vehtens pflihte
ode fluht mit ungeschihte,

28. en *fehlt g.*   der von *gg, fehlt Gg.*   sprach *d.*
417, 4. nahen *Gyg.*   5. wert *Dg,* wer *Ggg,* wær *g,* an wer *d.*   6. Ez *Gg.*
richet *DG,* reche *g.*   selbes *fehlt gg.*   8. gelich *G.*   sin di *Ddg,* si
diu *gg,* sin dise *Gg.*   9. ir *fehlt Ggg.*   12. der rede *Gg.*   14. odr *D,*
olde *G.*   15. eu vil lihte *g.*   18. Swaz er iu hete *Gg.*   19. unerochen *g.*
23. gesahen *DG.*   zevorderste *G, fehlt (dann* so streit *g) gg.*   28. tætet
D, tatet *die übrigen.*   29. swelech *D.*   lat *alle.*   30. dwerhes *g.*   im *dgg.*
sin *Ggg.*
418, 1. Ia *gg,* So *d.*   5. daz *fehlt G.*   6. gestattet *D,* gestat *gg.*   8. trwête
D, trewet *g,* getruwte *G,* getruwete *dgg.*   anderre *Dg.*   13. lat *alle aufser D.*
16. barbigol *Ggg* = Parb. *Dd.*   17. kunige *alle.*   19. tagedinch *g,* deg-
dinc *g.*   20. chum gein in *Gdg.*   22. werlichiu *Gg.*   25. bet *DGgg.*
28. Er begunde *d.*   ouch *fehlt dgg.*   29. spehelichen *dgg.*
419, 1. wande *D,* wan *(wie immer) G.*   2. chom *G.*   3. hân] wan *D.*
4. odr *D.*

5 bin ich verzagetlîche ein zage,
 ode ob ich prîs aldâ bejage,
 hêr lantgrâve, des danket ir
 als irz geprüeven kunnt an mir.
 enpfâhe ichs nimmer iweren solt,
10 ich pin iedoch mir selben holt.'
 sus sprach der rîche Liddamus.
 'welt irz sîn hêr Turnus,
 sô lât mich sîn hêr Tranzes,
 und strâft mich ob ir wizzet wes,
15 unde enhebt iuch niht ze grôze.
 ob ir fürsten mînre genôze
 der edelste und der hœhste birt,
 ich pin ouch [landes] hêrre und
  landes wirt.
 ich hân in Galiciâ
20 beidiu her unde dâ
 mange burc reht unz an Vedrûn.
 swaz ir unt ieslîch Bertûn
 mir dâ ze schaden meget getuon,
 ine geflœhe nimmer vor iu huon.
25 her ist von Bertâne komn
 gein dem ir kampf hât genomn:
 nu rechet hêrren unt den mâc.
 mich sol vermîden iwer bâc.
 iwern vetern (ir wârt sîn man),
 swer dem sîn leben an gewan,
420 Dâ rechetz. ich entet im niht:
 ich wæne mirs och iemen giht.
 iwern vetern sol ich wol ver-
  klagn:

 sîn sun die krôn nâch im sol tragn:
5 derst mir ze hêrren hôch genuoc.
 diu küngîn Flûrdamûrs in truoc:
 sîn vater was Kingrisîn,
 sîn an der künec Gandîn.
 ich wil iuch baz bescheiden des,
10 Gahmuret und Gâlôes
 sîn œheime wâren.
 ine wolt sîn gerne vâren,
 ich möht mit êrn von sîner hant
 mit vanen enpfâhen mîn lant.
15 swer vehten welle, der tuo daz.
 bin ich gein dem strîte laz,
 ich vreische iedoch diu mære wol.
 swer prîs ime strîte hol,
 des danken im diu stolzen wîp.
20 ich wil durch niemen mînen lîp
 verleiten in ze scharpfen pîn.
 waz Wolfhartes solt ich sîn?
 mirst in den strît der wec ver-
  grabt,
 gein vehten diu gir verhabt.
25 wurdet ir mirs nimmer holt,
 ich tæte ê als Rûmolt,
 der künec Gunthere riet,
 do er von Wormz gein Hiunen
  schiet:
 er bat in lange sniten bæn
 und inme kezzel umbe dræn.'
421 Der lantgrâve ellens rîche
 sprach 'ir redet dem glîche

---

5. 6 *fehlen* D.   5. verzagetliche *G*, verzagelich *dgg*, verzegliche *g*.
6. Olde obe ih *G*.   7. dancht *G*.   8. gepruoven chunnet *DG*.   14. stra-
fet *D*, stravet *G*, strapfet *g*.   ob *fehlt Ggg*.   15. unde *fehlt d*. = en
fehlt Ggg.   hevet *Gg*.   16. miner *alle, nur G* unsere.   17. edelst *gg*,
edeleste *G*.   hoheste *G*, richste *D*.   18. landes herre. vn landes wirt *DGg*,
ohne herre *g*, landes herre und wirt *dgg*.   20. unt da *D*.   21. Manch *g*.
reht *fehlt Ggg*.   vederun *G*.   23. muget *G*.   24. ich engeflœhe *Dg*, Ih
engeflohen *Gg*, Ich en flœhe *g*, Ich geflœh *dg*.   25. britanie *G*.   26. habet
alle aufser D.   27. den *D*, ouch den *g*, *fehlt Gdgg*.   28. vergen *Gg*.
29. wart *g*.   30. Swer im *G*.

420, 1. recht ez *G*.   2. niemen *g*.   8. Und sin *dgg*.   ane der
Gd, andr (*dann* chunne *g*) *Dgg*.   9. iuh gar *Gg*.   11. sine *DGd*.
oheim *gg*.   12. Ich enwelle sin anders varen *G*, Ich well sin den gerne
varn *g*.   wolte *D*.   13. mohte *D*, mahte *G*.   eren *DG*.   14. miniu *g*.   18. er-
hol *Gg*.   22. Wolfharts *DGg*, wolfartes *g*.   23. vergrabn *D*.   24. ge-
gen *D*.   vehtene *G*.   26. Ruomolt *Dgg*.   27. der kunec *Ddgg*, Dem
chunge *Ggg*.   Gunthere] Gunther *DGg*, Günther *dgg*, Gunter *g*, Gunthern *g*.
28. wormz *g*, wurms *d*, wormeze *DG*, Wormesze *g*, wormze *g*, wͦrmze *g*,
wormsze *g*.   gein] gegen *g*, gein den *die übrigen*.   hiunen *D*, húnen *dgg*,
huonen *g*, hunen *Ggg*.   29. im *Gg*.   30. und *fehlt G*.   inme] in einem
Gg, in sime *D*, in sinem *dgg*, in sinen *g*.

421, 2. ir reit *G*.   geliche *fast alle*. rîch-gelîch *keine*.

als manger weiz an iu für wâr
iwer zît unt iwer jâr.
5 ir rât mir dar ich wolt iedoch,
unt sprecht, ir tæt als riet ein
     koch
den küenen Nibelungen,
die sich unbetwungen
ûz huoben dâ man an in rach
10 daz Sîvride dâ vor geschach.
mich muoz hêr Gâwân slahen tôt,
odr ich gelêre in râche nôt.'
'des volge ich,' sprach Liddamus.
'wan swaz sîn œheim Artûs
15 hât, unt die von Indîâ,
der mirz hie gæbe als siz hânt dâ,
der mirz ledeclîche bræhte,
ich liezez ê daz ich væhte.
nu behaldet prîs des man iu giht.
20 Segramors enbin ich niht,
den man durch vehten binden muoz:
ich erwirbe sus wol küneges gruoz.
Sibche nie swert erzôch,
ei was ie bî [den] dâ man vlôch:
25 doch muose man in vlêhen,
grôz gebe und starkiu lêhen
enpfienger von Ermrîche genuoc:
nie swert er doch durch helm ge-
     sluoc.
mir wirt verschert nimmer vel
durch iuch, hêr Kyngrimursel:
422 Des hân ich mich gein iu bedâht.'
dô sprach der künec Vergulaht
'swîget iwerr wehselmære.
ez ist mir von iu bêden swære,
5 daz ir der worte sît sô vrî.'

ich pin iu alze nâhen bî
ze sus getânem gebrehte:
ez stêt mir noch iu niht rehte.'
diz was ûf dem palas,
10 aldâ sîn swester komen was.
bî ir stuont hêr Gâwân
und manec ander werder man.
der künec sprach zer swester sîn
'nu nim den gesellen dîn
15 und ouch den lantgrâven zuo dir.
die mir guotes günn, die gên mit
     mir,
und rât mirz wægest waz ich tuo.'
si sprach 'dâ lege dîn triwe zuo.'
nu gêt der künec an sînen rât.
20 diu küneginne genomen hât
ir vetern sun unt ir gast:
dez dritte was der sorgen last.
ân alle missewende
nam si Gâwânn mit ir hende
25 unt fuort in dâ si wolte wesn.
si sprach zim 'wært ir niht genesn,
des heten schaden elliu lant.'
an der küneginne hant
gienc des werden Lôtes suon:
er mohtz och dô vil gerne tuon.
423 In die kemenâten sân
gienc diu küngîn unt die zwêne
     man:
vor den andern bleip si lære:
des pflâgen kamerære.
5 wan clâriu juncfröwelîn,
der muose vil dort inne sîn.
diu künegin mit zühten pflac
Gâwâns, der ir ze herzen lac.

---

5. ratet *alle.*   wolde *gg.*   idoch *Dd* = doch *Ggg.*   6. sprechet ir tætet *oder* tatet *alle.*   7. nibelungen *Ggg*, Nybel. *gg*, Nibl. *D*, nebulungen *g*, nebelingen *d.*   10. Sîvr. *D*, sifr. *Gg*, Syfr. *gg*, syfrit *d.*   12. Olde *G.*   15. Hant *G.*   18. daz *Dg*, danne *dg*, dann das *g*, *fehlt Ggg.*   23. Sibche *D*, Sybche *g*, Sibeche *Gdg*, Sybeche *g*, Sibich *gg.*   24. bî den *fehlt dg*, gerne *G.*   25. flegen *G.*   26. groze *Ddgg*, Groziu *g.*   gebe *D*, geb *g*, gabe *die übrigen.*   27. Enpfienge er *g*, Enphie er *Ggg.*   Ermriche *g*, Ermēriche *D*, Ermerich *g*, ermenrich *Gdg*, Ermentriche *g*, einē reiche *g.* gnuoch *D.*   29. versert *d*, verschertet *dgg.*

422,   3. iwere *G.*   wechsel m. *D.*   4. beiden *G.*   7. gebræhte *D*, brahte *G.* 8. iu noch mir *G*, mir doch *g.*   10. Da *Gg.*   11. Bi der *Gg.*   12. Unde anders manch werder man *Gg.*   15. Unt den *Gg.*   ze dir *g.*   16. gunnen *D*, gunen *G.*   die *fehlt dg.*   17. wegest *gg*, wægeste *DG*, wægst *g.* daz ih *G.*   18. dine *DGg.*   19. gie *G.*   22. des *D.*   23. Ane missewende *Gg.*   24. Si nam *Gg.*   Gawann *D*, Gawan *gg* und (en *übergeschrieben*) *G*, gawanen *dg.*   mit der *d*, bi der *gg.*   25. fuorten *D.*

423,   1. chemnaten *G.*   2. keneginne *D.*   3. beleip *DG.*   5. Chleiniu iuchfrouwelin *G.*   6. Vil dort inne muose sin *Gg.*   8. Gawanes der in ir herzen lach *G.*

dâ was der lantgrâve mite:
10 der schiet si ninder von dem site.
doch sorgte vil diu werde magt
umb Gâwâns lîp, wart mir ge-
     sagt.
sus wærn die zwên dâ inne
bî der küneginne,
15 unz daz der tac liez sînen strît.
diu naht kom. dô was ezzens zît.
môraz, wîn, lûtertranc,
brâhten juncfrowen dâ mitten kranc,
und ander guote spîse,
20 fasân, pardrîse,
guote vische und blankiu wastel.
Gâwân und Kyngrimursel
wâren komn ûz grôzer nôt.
sît ez diu künegin gebôt,
25 si âzen als si solten,
unt ander dies iht wolten.
Antikonîe in selbe sneit:
daz was durch zuht in bêden leit.
swaz man dâ kniender schenken
     sach,
ir deheim diu hosennestel brach:
424 Ez wâren meide, als von der zît,
den man diu besten jâr noch gît.
ich pin des unerværet,
heten si geschæret
5 als ein valke sîn gevidere:
dâ rede ich niht widere.
nu hœrt, ê sich der rât geschiet,
waz man des landes künege riet.
die wîsen heter zim genomn:
10 an sînen rât die wâren komn.
etslîcher sînen willen sprach,
als im sîn bester sin verjach.
dô mâzen siz an manege stat:
der künec sîn rede och hœren bat.

15 er sprach 'ez wart mit mir ge-
     striten.
ich kom durch âventiure geriten
inz fôrest Læhtamrîs.
ein ritter alze hôhen prîs
in dirre wochen an mir sach,
20 wand er mich flügelingen stach
hinderz ors al sunder twâl,
er twanc mich des daz ich den
     grâl
gelobte im zerwerben.
solt ich nu drumbe ersterben,
25 sô muoz ich leisten sicherheit
die sîn hant an mir erstreit.
dâ râtet umbe: des ist nôt.
mîn bester schilt was für den tôt
daz ich dar um bôt mîne hant,
als iu mit rede ist hie bekant.
425 Er ist manheit und ellens mêr.
der helt gebôt mir dennoch mêr
daz ich ân arge liste
inre jâres vriste,
5 ob ichs grâls erwurbe niht,
daz ich ir kœme, der man giht
der krôn ze Pelrapeire
(ir vater hiez Tampenteire);
swenne si mîn ouge an sæhe,
10 daz ich sicherheit ir jæhe.
er enbôt ir, ob si dæhte an in,
daz wære an freuden sîn gewin,
und er wærez der si lôste ê
von dem künege Clâmidê.'
15 dô si die rede erhôrten sus,
dô sprach aber Liddamus
'mit dirre hêrrn urloube ich nuo
spriche: och râten si derzuo.
swes iuch dort twanc der eine man,
20 des sî hie pfant hêr Gâwân:

---

10. sîe *g*, sich *Gg*.   11. sorgte *G*, sorgt *g*, sorgete *Dd*, sorget *gg*.   wer-
diu *D*.   12. umbe *DG allein*.   13. waren *alle*.
15. lie *Gg*.   17. luoter tranch *Dg*.   18. da enmiten *Ggg*.   20. Vasan *G*,
Vashan *g*, Vasande *g*, Fasant *g*.   perdrise *g*.   21. 22. wastêl-mursêl *D*.
25. alsi *D*.   28. beiden *G*.   29. da chinder senchen sach *G*.   30. Ir de-
heim *g*, ir decheinem *D*, Irne heinen *G*.   hosenestel *Gg*, hosnestel *gg*.

424, 1. als *fehlt Gg*.   2. noch *fehlt g*, da *G*.   5. 6. gevider-
wider *Ddgg*.   7. ê] wi *D*.   11. leslicher *G*.   14. sin *dgg*.   16. aven-
tiwr *D*, aventure *G*.   17. voreis *G*.   læhtamrîs *D*, *mit* æ *auch G*.
18. Einem (em *übergeschrieben G*) riter alzeoher (r *aus* n *gemacht G*) bris-
19. geschach *Gg*.   20. flugl. *D*.   23. im erwerben *Gg*.   24. sterben
Gdg.   25. muose *Ggg*.   29. dar umbe *DG*.   min hant *gg*.

425, 4. Inner *Gg*, In der *g*, In des *d*.   iars *DG*.   5. Obe ih erwurbe des gra-
les niht *Gg*.   6. der man da *Gg*.   13. und *fehlt G*.   warz *G*.
14. Chlammide *D*.   15. horten *Gg*.   17. herrn *D*.

der vederslagt ûf iweren klobn.
bitt in iu vor uns allen lobn
daz er iu den grâl gewinne.
lât in mit guoter minne
25 von iu hinnen rîten
und nâch dem grâle strîten.
die scham wir alle müesen klagn,
wurd er in iwerem hûs erslagn.
nu vergebt im sîne schulde
durch iwerre swester hulde.
426 Er hât hie'rliten grôze nôt
und muoz nu kêren in den tôt.
swaz erden hât umbslagenz mer,
dane gelac nie hûs sô wol ze wer
5 als Munsalvæsche: swâ diu stêt,
von strîte rûher wec dar gêt.
bî sîme gemach in hînte lât:
morgen sag man im den rât.'
des volgten al die râtgeben.
10 sus behielt hêr Gâwân dâ sîn leben.
   man pflac des heldes unverzagt
des nahts aldâ, wart mir gesagt,
daz harte guot was sîn gemach.
dô man den mitten morgen sach
15 unt dô man messe gesanc,
ûf dem palase was grôz gedranc
von bovel unt von werder diet.
der künec tet als man im riet,
er hiez Gâwânen bringen:
20 den wolter nihtes twingen,
wan als ir selbe hât gehôrt.
nu seht wâ in brâhte dort
Antikonî diu wol gevar:
ir vetern sun kom mit ir dar,
25 unt andr genuoge des küneges man.
diu küngîn fuorte Gâwân

für den künec an ir hende.
ein schapel was ir gebende.
ir munt den bluomen nam ir prîs:
ûf dem.schapele decheinen wîs
427 Stuont ninder keiniu alsô rôt.
swem si güetlîche ir küssen bôt,
des muose swenden sich der walt
mit manger tjost ungezalt.
5   mit lobe wir solden grüezen
die kiuschen unt die süezen
Antikonîen,
vor valscheit die vrîen.
wan si lebte in solhen siten,
10 daz ninder was underriten
ir prîs mit valschen worten.
al die ir prîs gehôrten,
ieslîch munt ir wunschte dô
daz ir prîs bestüende alsô
15 bewart vor valscher trüeben jehe.
lûter virrec als ein valkensehe
was balsemmæzec stæte an ir.
daz riet ir werdeclîchiu gir:
diu süeze sælden rîche
20 sprach gezogenlîche
   'bruoder, hie bring ich den degen,
des du mich selbe hieze pflegen.
nu lâz in mîn geniezen:
des ensol dich niht verdriezen.
25 denke an brüederlîche triwe,
unde tuo daz âne riwe.
dir stêt manlîchiu triwe baz,
dan daz du dolst der werlde haz,
und mînen, kunde ich hazen:
den lêr mich gein dir mâzen.'

---

21. iurem *dgg.*   cholbn *D.*   22. Bit *G.*   30. iwere *G.*

426, 1. hie erl. *alle, nur d* erl. hie.   2. vñ er *D.*   3. erde *dg.*   umb slagen hat das *d.*   umbe slagenz *Dgg,* umbe slagen daz *Ggg.*   4. dane gelach *D,* Da gelach *dg,* Da lac *g,* So gelach *g,* Son lac *g,* So lag *g,* Sone gestuont *G.*   huos *D.*   6. ruoher *D.*   7. hint hie lat *G.*   9. volgten *Ggg,* volgeten *D.*   12. nahts *G.*   al *fehlt Gdgg.*   14. miteren. *G.*   15. dô *fehlt Gg.*   16. wart *Gg.*   17. povel *Ggg.*   20. dwingen *G.*   21. habet *Ggg.*   23. Antikonie *alle.*   25. gnuoge *D.*   26. Gawann *D.*   28. scapel *D,* schappel *dgg,* tschapel *g,* tschappel *G.*   29. bluoen *G.*   ir *Dg,* den *Gdgg.*   30. tschappele *G.* e *haben nur DG.*   deheine *Gdgg.*   gwîs *D.*

427, 1. dech. *Dd,* deh. *Gg,* kein *g,* einiu *gg.*   als *Ggg.*   2. guotl. *D.*   7. Antykonîen *gg,* froun Ant. *D,* Die maget a. *G,* Maget a. *d,* Die schonen a. *g,* Die reinen a. *g.*   9. lebet in solher siten *G.*   12. Alle die *alle.*   15. Bewart vor aller valschen iehe *G.*   z truoben *Dg,* truober *g,* truobe *dgg.*   21. bring *g.*   23. laze *G.*   genzien *G.*   25. brŭd. *D.*   26. unt *DG.*   28. Dan *gg.*   29. Unt den minen *Gg.*   hazzen-mazen *D.*   30. lere *DG.*

428 Dô sprach der werde süeze
        man
  'daz tuon ich, swester, ob ich
        kan:
  dar zuo gip selbe dînen rât.
  dich dunket daz mir missetât
5 werdekeit habe underswungen,
  von prîse mich gedrungen:
  waz töht ich dan ze bruoder dir?
  wan dienden alle krône mir,
  der stüende ich ab durch dîn ge-
        bot:
10 dîn hazzen wær mîn hôhstiu nôt.
  mirst unmære freude und êre,
  niht wan nâch dîner lêre.
  hêr Gâwân, ich wil iuch des biten:
  ir kômt durch prîs dâ her ge-
        riten:
15 nu tuotz durch prîses hulde,
  helft mir daz mîn schulde
  mîn swestr ûf mich verkiese.
  ê daz ich si verliese,
  ich verkiuse ûf iuch mîn herzeleit,
20 welt ir mir geben sicherheit
  daz ir mir werbet sunder twâl
  mit guoten triwen umben grâl.'
    dâ wart diu suone gendet
  unt Gâwân gesendet
25 an dem selben mâle
  durch strîten nâch dem grâle.
  Kyngrimursel och verkôs
  ûf den künec, der in dâ vor verlôs,
  daz er im sîn geleite brach.
  vor al den fürsten daz geschach;
429 Dâ ir swert wârn gehangen:
  diu wârn in undergangen,
  Gâwâns knappn, ans strîtes stunt,
  daz ir decheinr was worden wunt:

5 ein gewaltec man von der stat,
  der in vrides vor den andern bat,
  der vienc se und leit se in prîsûn.
  ez wær Franzeis od Bertûn,
  starke knappn unt kleiniu kint,
10 von swelhen landen sie [komen]
        sint,
  die brâhte man dô ledeclîchen
  Gâwâne dem ellens rîchen.
  dô in diu kint ersâhen,
  dâ wart grôz umbevâhen.
15 ieslîchz sich weinende an in hienc:
  daz weinn iedoch von liebe er-
        gienc.
    von Çurnewâls mit im dâ was
  cons Lîâz fîz Tînas.
  ein edel kint wont im och bî,
20 duk Gandilûz, fîz Gurzgrî
  der durch Schoydelakurt den lîp
        verlôs,
  dâ manec frouwe ir jâmer kôs.
  Lyâze was des kindes base.
  sîn munt, sîn ougen unt sîn nase
25 was reht der minne kerne:
  al diu werlt sah in gerne.
  dar zuo sehs andriu kindelîn.
  dise ahte junchêrren sîn
  wârn gebürte des bewart,
  elliu von edeler hôhen art.
430 Si wâren im durch sippe holt
  unt dienden im ûf sînen solt.
  werdekeit gap er ze lône,
  unt pflac ir anders schône.
5   Gâwân sprach zen kindelîn
  'wol iu, süezen mâge mîn!
  mich dunket des, ir wolt mich
        klagn,
  ob ich wære alhie erslagn.'

428, 7. denne *D*, dane *G*.   9. Der stuode ih. abe durh *G*.   10. hostiu *g*,
  grosteu *g*, meistiu *G*.   12. niht *fehlt G*, Nìe *g*, Nu *g*.   14. durh pris *G*.
  15. durch brises *G*.   16. Helft *g*.   mine *DG allein*.   17. swester *alle*.
  18. E dane ih *G*.   28. da vor *DGg*, da *die übrigen*.

429, 3. 9. knappen *alle*.   3. ans] an *g*, an des *Dgg*, an der *Gg und* (*ohne strî-
  tes*) *dg*.   strîts *D*.   4. decheiner *D*, deheiner *G*.   5. vor *dgg*.   6. der
  fehlt D.   7. viese *D*.   leitese *D*.   8. franzieis *G*.   ode *G*, oder *D*.
  pritun *G*.   10. swelhen landen si *Dgg*, swelhem lande si *Gdg*.   11. di braht *D*.
  dô *fehlt Gg*.   14. Do *Gg*.   15. ieslichez *D*, Ieslich *g*, Etslichez *Gg*.
  16. weinen *DG*.   idoch *Dgg*, doch *Gdgg*.   18. Laŷz *D*, liaz *G*.   Tynâs *D*.
  21. durh tschoidelahgurt *G*.   25. Was zereht *G*.   minnen *Gd*.   chern-
  gern *DGg*.   27. sehes *G*.   andr *D*.   28. Die *Gg*.   aht *D*, echt *d*.
  29. begurte *D*.   30. edel *G*.   hoher *Gdgg*.

430, 1. durch] umbe *Gg*.   6. Owol *Gg*.   sueze *dgg*, lieben *G*.   7. dun-
  ket *fehlt G*.

man moht in klage getrûwen wol:
10 si wârn halt sus in jâmers dol.
er sprach 'mir was umb iuch vil
    leit.
wâ wârt ir dô man mit mir streit?'
si sagtenz im, ir keiner louc.
'ein mûzersprinzelîn enpflouc
15 uns, dô ir bî der künegin
sâzt: dâ lief wir elliu hin.'
    die dâ stuondn und sâzen,
die merkens niht vergâzen,
die prüeveten daz hêr Gâwân
20 wære ein manlîch höfsch man.
urloubes er dô gerte,
des in der künec gewerte,
unt daz volc al gemeine,
wan der lantgrâve al eine.
25 die zwêne nam diu künegîn,
unt Gâwâns junchêrrelîn:
si fuorte se dâ ir pflâgen
juncfrouwen âne bâgen.
dô nam ir wol mit zühten war
manc juncfrouwe wol gevar.
431 Dô Gâwân enbizzen was
(ich sage iu als Kyôt las),
durch herzenlîche triuwe
huop sich dâ grôziu riuwe.
5 er sprach zer küneginne
'frouwe, hân ich sinne
unt sol mir got den lîp bewaren,
sô muoz ich dienstlîchez varen
unt rîterlîch gemüete
10 iwer wîplîchen güete
ze dienste immer kêren.
wande iuch kan sælde lêren,
daz ir habt valsche an gesigt:
iwer prîs für alle prîse wigt.
15 gelücke iuch müeze sælden wern.

frowe, ich wil urloubes gern:
den gebt mir, unde lât mich varn.
iwer zuht müez iwern prîs be-
    warn.'
ir was sîn dan scheiden leit:
20 dô weinden durch gesellekeit
mit ir manc juncfrouwe clâr.
diu küngîn sprach ân allen vâr
'het ir mîn genozzen mêr,
mîn fröude wær gein sorgen hêr:
25 nu moht iur vride niht bezzer sîn.
des gloubt ab, swenne ir lîdet
    pîn,
ob iuch vertreit ritterschaft
in riwebære kumbers kraft,
sô wizzet, mîn hêr Gâwân,
des sol mîn herze pflihte hân
432 Ze flüste odr ze gewinne.'
diu edele küneginne
kuste den Gâwânes munt.
der wart an freuden ungesunt,
5 daz er sô gâhes von ir reit.
ich wæne, ez was in beiden leit.
    sîn knappen heten sich bedâht,
daz sîniu ors wâren brâht
ûf den hof für den palas,
10 aldâ der linden schate was.
ouch wârn dem lantgrâven komn
sîn gesellen (sus hân ichz ver-
    nomn):
der reit mit im ûz für die stat.
Gâwân in zühteclîchen bat
15 daz er sich arbeite
unt sîn gezoc im leite
ze Bêârosch. 'da ist Scherules:
den sulen si selbe biten des
geleites ze Dîanazdrûn.
20 dâ wonet etslîch Bertûn,

---

9. trẘen *D.*   10. halt *Dg, fehlt g,* doch *Gg,* ouch *d.* sus halt *gg.*
12. wart *DG.*   13. ir deh. *G.*   14. muozer sp. *D,* muz sp. *G,* gemuoz-
tez sp. *g.*   16. sazet *DG.*   do *g.* lief *g,* liefe *D,* liefen *Gdgg.*   wir
alhin *d.*   17. stuonden *alle.*   unde *D.*   19. Do *G.*   pruoveten *DG,*
bruovent *g.*   20. hubscher *g.*   24. al *fehlt Gg.*   25. Die zwene man
unde diu chungin *G.*   26. iuncherrnlin *D.*   30. frouwe *Gg.*
431, 6. ih han *Ggg.*   die sinne *Gg.*   7. unt *fehlt G.*   10. iwerre *G.*
18. muoze *DG.*   20. weinde *Ggg.*   21. frouwe *Gg.*   25. maht *G.*
iwer *DG.*   26. des *fehlt d,* Daz *gg,* Unde *Gg.*   geloubt *gg,* geloubet *DG.*
aber *alle, fehlt Gg.*   28. riwebare *Ggg,* triwewere *g,* riwebæren *D,* riwe-
barn *g,* reúweberm *g,* unberendem *d.*
432, 1. olde *G.*   3. Gawans *DG.*   5. gahs *g,* gahens *g*   7. Sin *gg.*
12. Sin *dgg.*   sus han ih *Gg,* han ich *d,* als ichz han *gg.*   17. Bearosce
D, bearotsche *G.*   daz ist *D.*   18. selbe *Ddg,* bede *Ggg,* von mir *g.*
bitten *D.*

der se bringet an den hêrren mîn
oder an Ginovêrn die künegîn.'
   daz lobt im Kyngrimursel:
urloup nam der degen snel.
25 Gringuljet wart gewâpent sân,

daz ors, und mîn hêr Gâwân.
er kust sîn mâg diu kindelîn
und ouch die werden knappen sîn.
nâch dem grâle im sicherheit gebôt:
er reit al ein gein wunders nôt.

22. tschinoveren *G*, Gynover *g.*   27. chuste sine mage *DG*.   28. die
starchen *G*.   30. al eine *DG*.

IX.

433 'Tuot ûf.' wem? wer sît ir?
'ich wil inz herze hin zuo dir.'
sô gert ir zengem rûme.
'waz denne, belîbe ich kûme?
5 mîn dringen soltu selten klagn:
ich wil dir nu von wunder sagn.'
jâ sît irz, frou âventiure?
wie vert der gehiure?
ich meine den werden Parzivâl,
10 den Cundrîe nâch dem grâl
mit unsüezen worten jagte,
dâ manec frouwe klagte
daz niht wendec wart sîn reise.
von Artûse dem Berteneise
15 huop er sich dô: wie vert er nuo?
den selben mæren grîfet zuo,
ober an freuden sî verzagt,
oder hât er hôhen prîs bejagt?
oder ob sîn ganziu werdekeit
20 sî beidiu lang unde breit,
oder ist si kurz oder smal?
nu prüevet uns die selben zal,
waz von sîn henden sî geschehen.
hât er Munsalvæsche sît gesehen,
25 unt den süezen Anfortas,
des herze dô vil siufzec was?
durch iwer güete gebt uns trôst,
op der von jâmer sî erlôst.
lât hœren uns diu mære,
ob Parzivâl dâ wære.
434 Beidiu iur hêrre und ouch der mîn.
nu erliuhtet mir die fuore sîn:
der süezen Herzeloyden barn,

wie bât Gahmurets sun gevarn,
5 sît er von Artûse reit?
ober liep od herzeleit
sît habe bezalt an strîte.
habt er sich an die wîte,
oder hât er sider sich verlegn?
10 sagt mir sîn site und al sîn pflegn.
nu tuot uns de âventiure bekant,
er habe erstrichen manec lant,
zors, unt in schiffen ûf dem wâc;
ez wære lantman oder mâc,
15 der tjoste poinder gein im maz,
daz der decheiner nie gesaz.
sus kan sîn wâge seigen
sîn selbes prîs ûf steigen
und d'andern lêren sîgen.
20 in mangen herten wîgen
hât er sich schumpfentiure erwert,
den lîp gein strît alsô gezert,
swer prîs zim wolte borgen,
der müesez tuon mit sorgen.
25 sîn swert, daz im Anfortas
gap dô er bîme grâle was,
brast sît dô er bestanden wart:
dô machtez ganz des brunnen art
bî Karnant, der dâ heizet Lac.
daz swert gehalf im prîss bejac.
435 Swerz niht geloubt, der sündet.
diu âventiure uns kündet
daz Parzivâl der degen balt
kom geriten ûf einen walt,
5 ine weiz ze welhen stunden;
aldâ sîn ougen funden

433, 8. die g. *g.*   18. Olde *G.*   19. Unt *Gg.*   20. sî] ist *D.*   21. Olde-olde *G*, Öder-unde *dg.*   23. sin *G.*   handen *Gdgg.*   26. vil] so *G.* suffic *g*, trurch *G.*   28. chumber *G.*

434, 2. Erluht (*ohne* nu) *Gg.*   3. herzeloide *G.*   6. 9. oder *D*, olde *G.* 10. sine *D.*   11. diu *D.*   13. zorse *D*, Ze orse *G.*   scheffen *G.* 19. und *fehlt G.*   di *D*, die *G.*   21. schunpheture *G.*   23. ʒe im wolde *G.* porgen *D.*   24. muosez *gg.*   26. bime *Dg*, bi dem *G.*   der *G.*   28. macht ez *g*, mahtez *gg*, mach^tenzt *G*, machet ez *D.*   der *G.*   29. dâ *fehlt Gg.* 30. pris *g*, brise *G.*

435, 1. geloubet *D*, geloubit *G* (*von nun an sehr oft* i *für* e).   3. parzivâl *G*, Pørzifal *D.*   degin palt *G.*   5. Ih ne *G.*   6. sin *dg*, siniu *DCg.*

ein klôsen niwes bûwes stên,
dâ durch ein snellen brunnen gên:
einhalp si drüber was geworht.
10 der junge degen unervorht
reit durch âventiur suochen:
sîn wolte got dô ruochen.
er vant ein klôsnærinne,
diu durch die gotes minne
15 ir magetuom unt ir freude gap.
wîplîcher sorgen urhap
ûz ir herzen blüete alniuwe,
unt doch durch alte triuwe.
Schîânatulander
20 unt Sigûnen vander.
der helt lac dinne begraben tôt:
ir leben leit ûf dem sarke nôt.
Sigûne doschesse
hôrte selten messe:
25 ir leben was doch ein venje gar.
ir dicker munt heiz rôt gevar
was dô erblichen unde bleich,
sît werltlîch freude ir gar gesweich.
ez erleit nie magt sô hôhen pîn:
durch klage si muoz al eine sîn.
436 Durch minne diu an im erstarp,
daz si der fürste niht erwarp,
si minnete sînen tôten lîp,
ob si worden wær sîn wîp,
5 dâ hete sich frou Lûnete

gesûmet an sô gæher bete
als si riet ir selber frouwen.
man mac noch dicke schouwen
froun Lûneten rîten zuo
10 etslîchem râte gar ze fruo.
swelch wîp nu durch geselleschaft
verbirt, und durch ir zühte kraft,
pflihte an vremder minne,
als ich michs versinne,
15 læt siz bî ir mannes lebn,
dem wart an ir der wunsch gegebn.
kein beiten stêt ir alsô wol:
daz erziuge ich ob ich sol.
dar nâch tuo als siz lêre:
20 behelt si dennoch êre,
sine treit dehein sô liehten kranz,
gêt si durch freude an den tanz.
wes mizze ich freude gein der nôt
als Sigûn ir triwe gebôt?
25 daz möht ich gerne lâzen.
über ronen âne strâzen
Parzivâl fürz venster reit
alze nâhn: daz was im leit.
dô wolter vrâgen umben walt,
ode war sîn reise wære gezalt.
437 Er gerte der gegenrede aldâ:
'ist iemen dinne?' si sprach 'jâ'
do er hôrt deiz frouwen stimme was,
her dan ûf ungetretet gras

7. eine *DGg.* nĭwes *G* (*die zweite hand setzt immer* iuw, *die erste nur
selten; beide immer* ouw). bŵes *D,* bouwes *G, so auch* 438, 28.
8. einen *DG.* 9. drubir was giworht *G.* 10. unervorhte *G.* 11. suo-
chen *gg,* ce versuochen *Ddgg,* ziversuechen *G.* 12. wolt *G.* do ge-
ruochen *Gd.* 13. eine *DGg.* chlosenarinne *G,* kloserinne *g.* 15. Ir
froude unde ir magetuome gap *G.* 17. bluote *DG.* 19. Scianatulandr *D,*
Schinatulander *g,* Schion. *dg.* 20. unt siguonen da vandr *D.* 23. Si-
guone *D,* Sigenune *G.* doscesse *Dg,* duscesse *g,* ducesse *gg,* dezesse *G.*
24. Hort *Gg.* 25. veinie *G.* 28. wertlich *G.* 30. muose *Gdgg.*

436, 3. minte *dg.* senen *G.* 5. fro lunet *G.* 6. an ir gahen bet *Gg.*
7. alsi *D.* ir selbin *G.* 8. doch *D.* 9. Frouwe *G.* zů-frő *G (für
uo* üe *setzt die zweite hand* ů ŏ ue, *für* ou ŏu *die beiden ersten).* 10. râte]
rait *G.* 12. 13. verbirt *setzt D nach* pfliht. 13. frőmeder *G.* 14. mih
Ggg. 15. Lat *alle ausfer D.* sis *G.* 17. dech. *D,* Deh. *G.* als *Ggg.*
18. ob] als *Ggg.* 19. als iz *G,* als ez *g.* 20. beheltet *Dg,* Behalt *Ggg,*
Behaltet *dg.* 21. dehein *gg,* deheinen *DG,* dekeinen *d,* keinen *gg.* 23. zuo
der nôt *Gg.* 24. Siguonen *D,* sigenun *G.* 26. an *G.* 27. Parcifal *D
nun oft.* fur daz *G.* 28. nahen *Ggg* = nahe *Dd.* 30. oder *D.*
gizalt *G.*

437, 1. Er vragte der *D.* 2. drinne *Ggg.* 3. horte daz ez *DG.* 4. Her dân *G.*
ungetretet *gg,* ungetrett *D,* ungetret *Gg,* ungetreten *dg.*

14*

5 warf erz ors vil drâte.
　ez dûht in alze spâte:
　daz er niht was erbeizet ê,
　diu selbe schame tet im wê.
　er bant daz ors vil vaste
10 zeins gevallen ronen aste:
　sînen dürkeln schilt hienc er ouch
　　dran.
　dô der kiusche vrävel man
　durch zuht sîn swert von im gebant,
　er gienc fürz venster zuo der want:
15 dâ wolter vrâgen mære.
　diu klôs was freuden lære,
　dar zuo aller schimpfe blôz:
　er vant dâ niht wan jâmer grôz.
　er gert ir anz venster dar.
20 diu juncfrouwe bleich gevar
　mit zuht ûf vôn ir venje stuont.
　dennoch was im hart unkuont
　wer si wære od möhte sîn.
　si truog ein hemde hærîn
25 under grâwem roc zenæhst ir hût.
　grôz jâmer was ir sundertrût:
　die het ir hôhen muot gelegt,
　vonme herzen siufzens vil erwegt.
　mit zuht diu magt zem venster
　　gienc,
　mit süezen worten sin enpfienc.
438 Si truoc ein salter in der hant:
　Parzivâl der wîgant
　ein kleinez vingerlîn dâ kôs,
　daz si durch arbeit nie verlôs,
5 sine behieltz durch rehter minne rât.
　dez steinlîn was ein grânât:
　des blic gap ûz der vinster schîn

reht als ein ander gänsterlîn.
　senlîch was ir gebende.
10 'dâ ûzen bî der wende,'
　sprach si, 'hêr, dâ stêt ein banc:
　ruocht sitzen, lêrtz iuch iwer ge-
　　danc
　unt ander unmuoze.
　daz ich her ziwerem gruoze
15 bin komen, daz vergelt iu got:
　der gilt getriulîch urbot.'
　　der helt ir râtes niht vergaz,
　für daz venster er dô saz:
　er bat ouch dinne sitzen sie.
20 si sprach 'nu hân ich selten hie
　gesezzen bî decheinem man.'
　der helt si vrâgen began
　umbe ir site und umb ir pflege,
　'daz ir sô verre von dem wege
25 sitzt in dirre wilde.
　ich hânz für unbilde,
　frouwe, wes ir iuch begêt,
　sît hie niht bûwes umb iuch stêt.'
　Si sprach 'dâ kumt mir vonme
　　grâl
　mîn spîs dâ her al sunder twâl.
439 Cundrîe la surziere
　mir dannen bringet schiere
　alle samztage naht
　mîn spîs (des hât si sich bedâht),
5 die ich ganze wochen haben sol.'
　si sprach 'wær mir anders wol,
　ich sorgete wênec umb die nar:
　der bin ich bereitet gar.'
　　dô wânde Parzivâl, si lüge,
10 unt daz sin anders gerne trüge.

---

8. scham *G.*　　vil we *Gg.*　　10. Zeins *G.*　　11. Sin *g.*　　hienger *D.*
der an *g.*　　12. fravil *G.*　　13. zuhte *G.*　　14. gie fur daz *G.*　　16. chlose
DGgg, closen *g*, chluse *dg.*　　21. zuhten *Ggg.*　　22. Danch *G.*　　harte
Gdgg.　　23. Vver *G. so zuweilen.*　　ode *G*, oder *D.*　　24. hemede *G.*
25. grawen *Gg.*　　roche *DG.*　　zenæhst *Ddgg*, zenaheste *G*, zü nahest *g.*
26. sunder *fehlt G*, herzen *g.*　　27. Diu *Ggg*, Der *die übrigen.*　　28. Von
dem *Gdgg*, Von *g.*　　vil suftens *Gg.*　　29. Mit zuhtin *Gg.*　　gie-enphie *G.*
438, 1. ein *gg*, einen *DG.*　　saltir *G.*　　3. Einz chleinez *G.*　　4. verchôs *Gg.*
5. behieltz *g*, behieltez *DG.*　　minnen *G.*　　6. dz *D*, Daz *G.*　　8. Rehte *G*,
fehlt D.　　gensterlin *G*, ganaisterlin *g*, ganesterlin *g.*　　12. ruochet *DG.*
lertz *g*, lerz *D*, lertez *Gdgg*, lerez *g.*　　iuwer danc *G.*　　13. Unde ander iuwer
unmuoze *G.*　　14. ze iuwern *G.*　　15. Pin chomin *G.*　　16. giltet *G.*
getriulîch] getriulichen *Dg*, getriuwelichen *Gdg*, trewelichen *gg*, trüwe *g.*
19. sitze *G.*　　25. sizzet *D*, Sitzet *G.*　　27. iuwech *G*, euch hie *g.*　　28. Sit
hie bouwes umbe iuch niht stet *G*, Sit nih buowes hie bi eu stet *g.*
29. Do sprach si mir chumit vome grâl *Gg.*　　30. Ein *G.*　　spîse *alle.*
al *fehlt dgg.*
439, 1. Cundrie (*nicht mit* G) *G.*　　3. samzetaginne *G.*　　4. spise *alle.*　　5. die
ganzen *gg*, die *g.*　　8. ich *Dg*, ich wol *die übrigen.*　　beraten *g*, gereit *G.*
9. want *G.*　　10. gerne *fehlt G.*

er sprach in schimpfe zir dar în
'durch wen tragt ir daz vingerlîn?
ich hôrt ie sagen mære,
klôsnærinne und klôsnære
15 die solten mîden âmûrschaft.'
si sprach 'het iwer rede kraft,
ir wolt mich velschen gerne.
swenne ich nu valsch gelerne,
sô hebt mirn ûf, sît ir dâ bî.
20 ruochts got, ich pin vor valsche vrî:
ich enkan decheinen widersaz.'
si sprach 'disen mähelschaz
trag ich durch einen lieben man,
des minne ich nie an mich gewan
25 mit menneschlîcher tæte:
magtuomlîchs herzen ræte
mir gein im râtent minne.'
si sprach 'den hân ich hinne,
des kleinœt ich sider truoc,
sît Orilus tjost in sluoc.
440　Mîner jæmerlîchen zîte jâr
wil ich im minne gebn für wâr.
der rehten minne ich pin sîn wer,
wand er mit schilde und ouch mit
　　sper
5 dâ nâch mit ritters handen warp,
unz er in mîme dienste erstarp.
magetuom ich ledeclîche hân:
er ist iedoch vor gote mîn man.
ob gedanke wurken sulen diu werc,
10 sô trag ich niender den geberc
der underswinge mir mîn ê.
mîme leben tet sîn sterben wê.
der rehten ê diz vingerlîn

für got sol mîn geleite sîn.
15 daz ist ob mîner triwe ein slôz,
vonme herzen mîner ougen vlôz.
ich pin hinne selbe ander:
Schîânatulander
ist daz eine, dez ander ich.'
20 Parzivâl verstuont dô sich
daz ez Sigûne wære:
ir kumber was im swære.
den helt dô wênec des verdrôz,
vonme hersenier dez houbet blôz
25 er macht ê daz er gein ir sprach.
diu juncfrouwe an im ersach
durch îsers râm vil liehtez vel:
do erkande si den degen snel.
si sprach 'ir sîtz hêr Parzivâl.
sagt an, wie stêtz iu umben grâl?
441 Habt ir geprüevet noch sîn art?
oder wiest bewendet iwer vart?'
er sprach zer meide wol geborn
'dâ hân ich freude vil verlorn.
5 der grâl mir sorgen gît genuoc.
ich liez ein lant da ich krône truoc,
dar zuo dez minneclîchste wîp:
ûf erde nie sô schœner lîp
wart geborn von menneschlîcher
　　fruht.
10 ich sen mich nâch ir kiuschen zuht,
nâch ir minne ich trûre vil;
und mêr nâch dem hôhen zil,
wie ich Munsalvæsche mege ge-
　　sehn,
und den grâl: daz ist noch unge-
　　schehn.

---

11. sprache G. 　14. Chlosænærinne vn̄ closenær G. 　15. di D. 　19. hevet G.
20. Ruchts g, ruochtes D, Ruochet es G. 　von falsche Gg. 　21. deheiner G.
hindersatz g. 　22. mæheln schatz G, michelen sch. d. 　25. menníschl. G.
26. Magetuomes h. Ggg. 　27. gegen D. 　28. hieinne D allein. 　29. cleinœte
d, chleinot Dg, chleinode Ggg, chleinœde g. 　30. orlûs G. 　zer tiost gg.
ersluoch Gg.
440, 　4. wander D, Wan er G. 　　schilte G. 　　ouch fehlt Gdgg. 　　5. riters
hande erwarp G. 　6. Unze G meistens. 　minen G immer. 　7. ledich-
lichen G. 　8. got G. 　9. Obe gedanch suln diu werch G. 　10. Sone Ggg.
niendr D, niemer G. 　den berch G. 　12. Minem lebinne (vermutlich) G.
tét D. 　13. ditze fing. G. 　14. Vor got Ggg. 　16. Vom gg, Von dem G.
mîner] immer G. 　17. selbânder D. 　18. Tshian. G. 　19. ein dgg.
dz D, daz G. 　24. Vom g, Vom dem G. 　harsenier G, hersnîere D.
des huop bloz D. 　25. machte gg, machet G, machete D. 　e G. 　27. ysen g.
liehtz D, liehtiz G.
441, 　1. Habe ir gebruvet G. 　sin dgg, sinen DGgg. 　2. wi ist D, wie ist G.
4. vil virflorn G. 　5. sorge gite ginuoch G. 　6. ih chron G. 　7. Da zuo
daz minneclicheste wip G. 　9. mennischelicher G, menslicher gg, men-
chen dgg. 　12. dem hohem G. 　13. Munsælvæsce D (so, oder munsæl-
væsche, immer in diesem buche), muntsalvatsche G. 　muge G. 　14. Und
dem grâl G.

15 niftel Sigûn, du tuost gewalt,
sît du mîn kumber manecvalt
erkennest, daz du vêhest mich.'
diu maget sprach 'al mîn gerich
sol ûf dich, neve, sîn verkorn.
20 du hâst doch freuden vil verlorn,
sît du lieze dich betrâgen
umb daz werdeclîche vrâgen,
unt dô der süeze Anfortas
dîn wirt unt dîn gelücke was.
25 dâ hete dir vrâgen wunsch bejagt:
nu muoz dîn freude sîn verzagt,
unt al dîn hôher muot erlemt.
dîn herze sorge hât gezemt,
diu dir vil wilde wære,
hetest dô gevrâgt der mære.'
442 'Ich warp als der den schaden hât,'
sprach er. 'liebiu niftel, [gip mir] rât,
gedenke rehter sippe an mir,
und sage mir ouch, wie stêt ez dir?
5 ich solte trûrn umb dîne klage,
wan daz ich hœhern kumber trage
danne ie man getrüege.
mîn nôt ist zungefüege.'
si sprach 'nu helfe dir des hant,
10 dem aller kumber ist bekant;
ob dir sô wol gelinge,
daz dich ein slâ dar bringe,
aldâ du Munsalvæsche sihst,
dâ du mir dîner freuden gihst.
15 Cundrîe la surziere reit
vil niulîch hinnen: mir ist leit
daz ich niht vrâgte ob si dar
wolte kêrn ode anderswar.
immer swenn si kumt, ir mûl dort
stêt,
20 da der brunne ûzem velse gêt.

ich rât daz du ir rîtes nâch:
ir ist lîhte vor dir niht sô gâch,
dune mügest si schiere hân erriten.
dane wart niht langer dô ge-
biten,
25 urloup nam der helt aldâ:
dô kêrter ûf die niwen slâ.
Cundrîen mûl die reise gienc,
daz ungeverte im undervienc
eine slâ dier het erkorn.
sus wart aber der grâl verlorn.
443 Al sîner vröude er dô vergaz.
ich ·wæne er het gevrâget baz,
wær er ze Munsalvæsche komn,
denne als ir ê hât vernomn.
5 nu lât in rîten: war sol er?
dort gein im kom geriten her
ein man: dem was daz houbet blôz,
sîn wâpenroc von koste grôz,
dar underz harnasch blanc gevar:
10 ânz houbt was er gewâpent gar.
gein Parzivâle er vaste reit:
dô sprach er 'hêrre, mir ist leit
daz ir mîns hêrren walt sus pant.
ir wert schiere drumbe ermant
15 dâ von sich iwer gemüete sent.
Munsalvæsche ist niht gewent
daz iemen ir sô nâhe rite,
ezn wær der angestlîche strite,
ode der alsolhen wandel bôt
20 als man vor dem walde heizet tôt.'
einen helm er in der hende
fuorte, des gebende
wâren snüere sîdîn,
unt eine scharpfe glævîn,
25 dar inne al niwe was der schaft.
der helt bant mit zornes kraft

15. sigun *d.*   16. min *d.*   17. vehes *G.*   18. geriht *G.*   22. Umb *G.*
werdeliche fragin *G.*   27. erlo°met *G.*   28. sorgin *G.*   30. hetest dô]
Hetestu do *G*, betes *und dann* du *nach* gevraget *D*, Hetestu *die übrigen.*
gefragt *g.*
442, 2. gib *G.*   4. ouch *fehlt G.*   stetz *DGg.*   5. truoren (trurin *G*)
umbe *DG.*   7. den *D*, Denne *dgg.*   16. Vil *fehlt Gg.*   Nûliche *G* =
muelich *Dd.*   18. chern *g.*   oder *DG.*   19. swenne *DG.*   muol *D.*
21. rate *DG.*   22. Ir is *G.*   23. schier *G.*   24. Done-lenger da *G.*
27. Cgundrien *G.*   mŵel *D.*   29. Ein sla die er hete *Gg.*   jene *Wackernagel.*
443, 1. al *Dgg*, Aller *dgg*, Al nah *G.*   3. Wær *G.*   4. habit virnomin *G.*
6. chome *G.*   8. wappin roch *G.*   9. undenz *D*, under *dgg*, under daz
die übrigen.   10. Anez *G*, an dez *D*, Onz *g*, Ane daz *die übrigen.*   hou-
bet *D*, huopte *G.*   gewappent *G.*   11. Gegin parzival *G.*   14. werde†
schier *D*, 16. nih *G.*   17. = nahen *Ggg.*   18. Ezn wær *g*, Eze1
wære *DG.*   angestlichen *G.*   19. oder *D.*   ansolhen *D*, einen sollichen *d.*
24. Unde scharfe glavin *G.*   26. zorns *DG.*

den helm ûfz houbet ebene.
ez enstuont in niht vergebene
an den selben zîten
sîn dröun und ouch sîn strîten:
444 Iedoch bereit er sich zer tjost.
Parzivâl mit solher kost
het ouch sper vil verzert:
er dâhte 'ich wære unernert,
5 rit ich über diss mannes sât:
wie wurde denn sîns zornes rât?
nu trite ich hie den wilden varm.
mirn geswîchen hende, ieweder arm,
ich gibe für mîne reise ein pfant,
10 daz ninder bindet mich sîn hant.'
　daz wart ze bêder sît getân,
diu ors in den walap verlân,
mit sporn getriben und ouch gefurt
vast ûf der rabbîne hurt:
15 ir enweders tjost dâ misseriet.
manger tjost ein gegenniet
was Parzivâles hôhiu brust:
den lêrte kunst unt sîn gelust
daz sîn tjost als eben fuor
20 reht in den stric der helmsnuor.
er traf in dâ man hæht den schilt,
sô man ritterschefte spilt;
daz von Munsalvæsche der templeis
von dem orse in eine halden reis,
25 sô verr hin ab (diu was sô tief),
daz dâ sîn leger wênec slief.
　Parzivâl der tjoste nâch
volgt. dem orse was ze gâch:
ez viel hin ab, deiz gar zebrast.
Parzivâl eins zêders ast

445 Begreif mit sînen handen.
nu jehts im niht ze schanden,
daz er sich âne schergen hienc.
mit den fuozen er gevienc
5 undr im des velses herte.
in grôzem ungeverte
lac daz ors dort niden tôt.
der ritter gâhte von der nôt
anderhalp ûf die halden hin:
10 wolt er teilen den gewin
den er erwarp an Parzivâl,
sô half im baz dâ heime der grâl.
　Parzivâl her wider steic.
der zügel gein der erden seic:
15 dâ hete daz ors durch getreten,
als ob ez bîtens wære gebeten,
des jener ritter dâ vergaz.
dô Parzivâl dar ûf gesaz,
done was niht wan sîn sper ver-
　　lorn:
20 diu vlust gein vinden was verkorn.
ich wæne, der starke Lähelîn
noch der stolze Kyngrisîn
noch roys Gramoflanz
noch cons Lascoyt fîz Gurnemanz
25 nie bezzer tjost geriten,
denne als diz ors wart erstriten.
dô reit er, ern wiste war,
sô daz diu Munsalvæscher schar
in mit strîte gar vermeit.
des grâles vremde was im leit.
446 Swerz ruocht vernemn, dem tuon
　　ich kuont
wie im sîn dinc dâ nâch gestuont.

27. Dem *G*.　　ûfez *D*, uf daz *die übrigen*.　　eben-virgebin *Gdgg*.
30. dron *DG*.　　ouch *fehlt Gdg*.
444, 1. zetyost *G*.　　4. unernerte *G*.　　5. disses *G*.　　6. denne *DG*.
zorens *D*.　　7. trit *G*, tritte *D*, tret *dgg*, trette *gg*.　　dem *G*.　　8. gewi-
schen *G*.　　iwedr *D*, ietweder *dg*, unde ietweder *gg*, unde *Gg*.　　9. gib im *g*.
min *Gg*.　　10. nindr *D*, niender *G*.　　11. zebeider site *G*.　　13. gefuort *g*,
gefuert *G*, gefurt *Dddgg*.　　14. rabine *G*.　　huort *g*, hurt *die übrigen*.
15. enw. *D*, twed. *g*, dewed. *gg*, dewers *G*, ietwed. *dgg*.　　16. ein gein nict *G*,
engegen biet *g*.　　19. al *dg*.　　ebene *G*.　　21. hæht *Dg*, hælt *G*, heft *g*, hapt
d, hæbet *g*, hencket *d*.　　23. tepeleis *G*.　　24. ôrse *G*.　　halde *Gg*.
25. verre *DG*.　　abe *G*.　　sô *fehlt Ggg*.　　28. Volgte *gg*, Volget *Gdgg*, vol-
gete *D*.　　ce *D*, ouch *G*.　　29. Ez vil hin abe *G*.　　daz ez *alle*.　　gar *fehlt Gg*.
445, 2. iehst im *D*, get es im *d*, ieht ez im *g*, gebet sim *G*, iehet sin *g*, geht
ims *gg*.　　3. an scherigen *G*.　　5. Under dem felse herten *Gg*.　　8. ga-
hete *D*.　　9. anderhalben *Ddgg*.　　sin *dg* und (*punctiert, übergeschrieben*)
hin) *G*.　　10. Wolder *G*.　　12. in *G*.　　14. gein den *G*.　　15. ôrs *G*.
18. druf *G*.　　20. Der schade *G*.　　veinden *gg*, veienden *g*, vinde *d*.
21. lehelin *G*.　　23. roy Gramovlanz *D*.　　24. cons fiz lascheit Gurnomanz *G*.
26. Danne als wart daz ors erstriten *G*.　　27. ern (erne *G'*) wesse *Gg*, erne-
wiste selbe *D*.　　28. diu] der *D*.　　30. fromede *G*.
446, 1. ruocht *g*.　　2. dar nach *Ggg*.　　stuont *Gg*.

desn prüeve ich niht der wochen
    zal,
über wie lanc sider Parzivâl
5 reit durch âventiure als ê.
eins morgens was ein dünner snê,
iedoch sô dicke wol, gesnît,
als' der noch frost den liuten gît.
ez was ûf einem grôzen walt.
10 im widergienc ein rîter alt,
des part al grâ was gevar,
dâ bî sîn vel lieht unde clâr:
die selben varwe truoc sîn wîp;
diu bêdiu über blôzen lîp
15 truogen grâwe röcke herte
ûf ir bîhte verte.
sîniu kint, zwuo juncfrowen,
die man gerne mohte schowen,
dâ giengen in der selben wât.
20 daz riet in kiusches herzen rât:
si giengen alle barfuoz.
Parzivâl bôt sînen gruoz
dem grâwen rîter der dâ gienc;
von des râte er sît gelücke en-
    phienc.
25 ez mohte wol ein hêrre sîn.
dâ liefen frouwen bräckelîn.
mit senften siten niht ze hêr
gienc dâ rittr und knappen mêr
mit zühten ûf der gotes vart:
genuog sô junc, gar âne bart.
447 Parzivâl der werde degen
het des lîbes sô gepflegen
daz sîn zimierde rîche
stuont gar rîterlîche:
5 in selhem harnasch er reit,
dem ungelîch was jeniu kleit
die gein im truoc der grâwe man.

daz ors ûzem pfade sân
kêrter mit dem zoume.
10 dô nam sîn vrâgen goume
umbe der guoten liute vart:
mit süezer rede ers innen wart.
dô was des grâwen rîters klage,
daz im die heileclîchen tage
15 niht hulfen gein alselhem site,
daz er sunder wâpen rite
ode daz er barfuoz gienge
unt des tages zît begienge.
Parzivâl sprach zim dô
20 'hêr, ich erkenne sus noch sô
wie des jârs urhap gestêt
ode wie der wochen zal gêt.
swie die tage sint genant,
daz ist mir allez unbekant.
25 ich diende eim der heizet got,
ê daz sô lasterlîchen spot
sîn gunst übr mich erhancte:
mîn sin im nie gewancte,
von dem mir helfe was gesagt:
nu ist sîn helfe an mir verzagt.'
448 Dô sprach der rîter grâ gevar
'meint ir got den diu magt gebar?
geloubt ir sîner mennescheit,
waz er als hiut durch uns erleit,
5 als man diss tages zît begêt,
unrehte iu denne dez harnasch stêt.
ez ist hiute der karfrîtac,
des al diu werlt sich freun mac
unt dâ bî mit angest siufzec sîn.
10 wâ wart ie hôher triwe schîn,
dan die got durch uns begienc,
den man durch uns anz kriuze hienc?
hêrre, pflegt ir toufes,
sô jâmer iuch des koufes:

---

3 *nach* 4 *G.*   6. eine dunner *G.*   7. wol *fehlt Gg.*   9. einen *Gd.*
11. pârt *G.*   12. lieht *Dg,* linde *Gdgg,* was linde *g.*   14. 18. di *D.*   17. zẘ
D, zwô *G.*   20. in *Dgg,* ir *Gdgg.*   23. rîter *mit* î *D.*   24. sît] sin *Ggg.*
geluch *G.*   26. brachelin *G.*   28. rîter *D,* riter *G.*   30. Genuoge *G,*
gnuoge *D.*   an bart *G.*

447, 2. lîbes *fehlt G.*   5. solhem harnasche *G.*   6. Dem iungelinge was *G.*
warn *gg.*   7. di *D.*   gegen *G.*   14. heilchl. *G.*   15. al *fehlt Ggg.*
solh. *G.*   17. 22. Oder *G.*   18. enphienge *Gg.*   19. zeim *G.*   20. herre
DG.   sús *G.*   21. iars *g.*   zit *Gg.*   24. alliz umbekant *G.*
25. diene *Gg.*   einem *alle.*   27. uber *D,* ubir *G,* umb *g.*   vir-
hancte *Gdg.*

448, 1. grawær. *G.*   3. Geloubet ir sin *G.*   menesceit *D,* mennischeit *G.*
4. hiute *D.*   5. dis *dg,* disses *DG,* dits *g.*   6. danne daz harnachs *G.*
8. alle diu *Gd.*   sich frouden mac *G.*   9. suftec *G.*   10. grozer *Gy.*
11. denne *D,* Danne *G.*   12. cruce *G* (*die erste hand immer* chruze, *nie mit*
c *oder* tz).   14. iamer *Dg,* iamert *die übrigen.*

15 er hât sîn werdeclîchez lebn
mit tôt für unser schult gegebn,
durch daz der mensche was ver-
lorn,
durch schulde hin zer helle erkorn.
ob ir niht ein heiden sît,
20 sô denket, hêrre, an dise zît.
rîtet fürbaz ûf unser spor.
iu ensitzet niht ze verre vor
ein heilec man: der gît iu rât,
wandel für iwer missetât.
25 welt ir im riwe künden,
er scheidet iuch von sünden.'
sîn tohter begunden sprechen
'waz wilt du, vater, rechen?
sô bœse weter wir nu hân,
waz râts nimstu dich gein im an?
449 Wan füerstun da er erwarme?
sîne gîserten arme,
swie rîterlîch die sîn gestalt,
uns dunct doch des, si haben kalt:
5 er erfrüre, wærn sîn eines drî.
du hâst hie stênde nâhen bî
gezelt und slavenîen hûs:
kœm dir der künec Artûs,
du behieltst in ouch mit spîse wol.
10 nu tuo als ein wirt sol,
füer disen rîter mit dir dan.'
dô sprach aber der grâwe man
'hêr, mîn tohter sagent al wâr.
hie nâhen bî elliu jâr
15 var ich ûf disen wilden walt,
ez sî warm oder kalt,
immer gein des marter zît,
der stæten lôn nâch dienste gît.
swaz spîse ich ûz brâht durch got,

20 die teil ich mit iu âne spot.'
diez mit guoten willen tâten,
die juncfrouwen bâten
in belîben sêre:
unt er hete belîbens êre,
25 iewederiu daz mit triwen sprach.
Parzivâl an in ersach,
swie tiur von frost dâ was der
sweiz,
ir munde wârn rôt, dicke, heiz:
die stuonden niht senlîche,
des tages zîte gelîche.
450 Ob ich kleinez dinc dar ræche,
ungern ich daz verspræche,
ichn holt ein kus durch suone dâ,
op si der suone spræchen jâ.
5 wîp sint et immer wîp:
werlîches mannes lîp
hânt si schier betwungen:
in ist dicke alsus gelungen.
Parzivâl hie unde dort
10 mit bete hôrt ir süezen wort,
des vater, muotr unt [der] kinde.
er dâhte 'ob ich erwinde,
ich gên ungerne in dirre schar.
dise meide sint sô wol gevar,
15 daz mîn rîten bî in übel stêt,
sît man und wîp ze fuoz hie gêt.
sich füegt mîn scheiden von in baz,
sît ich gein dem trage haz,
den si von herzen minnent
20 unt sich helfe dâ versinnent.
der hât sîn helfe mir verspart
und mich von sorgen niht bewart.'
Parzivâl sprach zin dô sân
'hêrre und frouwe, lât mich hân

15. werdelichez *G.*   16. tode *DG.*   17. der mennichs *G.*   22. en *fehlt G.*
27. Sine *DG allein.*   begunde *gg.*   28. wil du *DG.*   30. rats *g,*
râtes *DG.*

449, 1. Wan fuorstu in da erre warme *G.*   2. geserten *g.*   3. si *Ggg.*
sin *G.*   4. dunkt *g.*   des *fehlt Ggg.*   5. erfrure *G,* erfrûr *D.*   wæren
D, wære *Ggg.*   eines] ein *Gg.*   6. nahe *G.*   7. slavinen *g.*   8. chœme
D, Chome (*über keinen vocal* e *übergeschrieben*) *G.*   artûs *G.*   9. be-
hieltest *D,* behielst *Gg.*   10. ein wirte *G.*   11. fuere *DG.*   13. mine *Dg.*
töhter *dg.*   sagt *gg.*   ál wâr *G.*   14. nahe *Gdg.*   16. warme *G.*
20. an spot *G.*   21. guotin *G,* guotem *dgg, fehlt g.*   23. belibennes *Gdg.*
so *G* 24.   25. Ietwedriu *Gg.*   27. froste *alle.*   dâ *fehlt dg.*   wære
Ggg.   28. rôt *fehlt d.*   dicke *g,* vñ diche *D,* ditche unde *G und die*
übrigen.   29. 30. senelich-gelich *G.*

450, 1. chleinz *G.*   da *Ggg.*   3. einen *DG.*   chuss *D,* cius *G.*   sŏene *G.*
5. ét *G.*   6. Wertl. *Ggg,* Werdechl. *d.*   10. bet *DG.*   suoziu *Ggg.*
11. der muoter *gg.*   der] ir *d.*   16. zefueze *Ggg,* ze fuozen *g.*   17. fuogt
g, fueget *DG.*   18. träge *G.*   19. si] in *G.*   22. vor *dgg.*   24. Frouwe
unde herre lant *Gg.*   vrowen *gg.*

25 iwern urloup gelücke iu heil
gebe, und freuden vollen teil.
ir juncfrouwen süeze,
iwer zuht iu danken müeze,
sît ir gundet mir gemaches wol.
iwern urloup ich haben sol.'
451 Er neic, unt die andern nigen.
dâ wart ir klage niht verswigen.
hin rîtet Herzeloyde fruht.
dem riet sîn manlîchiu zuht
5 kiusch unt erbarmunge:
sît Herzeloyd diu junge
in het ûf gerbet triuwe,
sich huop sîns herzen riuwe.
alrêrste er dô gedâhte,
10 wer al die werlt volbrâhte,
an sînen schepfære,
wie gewaltec der wære.
er sprach 'waz ob got helfe phligt,
diu mînem trûren an gesigt?
15 wart ab er ie ritter holt,
gedient ie ritter sînen solt,
ode mac schilt unde swert
sîner helfe sîn sô wert,
und rehtiu manlîchiu wer,
20 daz sîn helfe mich vor sorgen ner,
ist hiut sîn helflîcher tac,
sô helfe er, ob er helfen mac.'
    er kêrt sich wider dann er dâ
    reit.
si stuonden dannoch, den was leit
25 daz er von in kêrte.
ir triwe si daz lêrte:
die juncfrowen im sâhen nâch;
gein den ouch im sîn herze jach
daz er si gerne sæhe,

wand ir blic in schœne jæhe.
452 Er sprach 'ist gotes kraft sô fier
daz si beidiu ors unde tier
unt die liut mac wîsen,
sîn kraft wil i'm prîsen.
5 mac gotes kunst die helfe hân,
diu wîse mir diz kastelân
dez wægest umb die reise mîn:
sô tuot sîn güete helfe schîn:
nu genc nâch der gotes kür.'
10 den zügel gein den ôren für
er dem orse legte,
mit den sporn erz vaste regte.
    gein Fontân la salvâtsche ez
    gienc,
dâ Orilus den eit enpfienc.
15 der kiusche Trevrizent dâ saz,
der manegen mântac übel gaz:
als tet er gar die wochen.
er hete gar versprochen
môraz, wîn, und ouch dez prôt.
20 sîn kiusche im dennoch mêr gebôt,
der spîse het er keinen muot,
vische noch fleisch, swaz trüege bluot.
sus stuont sîn heileclîchez lebn.
got het im den muot gegebn:
25 der hêrre sich bereite gar
gein der himelischen schar.
mit vaste er grôzen kumber leit:
sîn kiusche gein den tievel streit.
    an dem ervert nu Parzivâl
    diu verholnen mære umben grâl.
453 Swer mich dervon ê frâgte
unt drumbe mit mir bâgte,
ob ichs im niht sagte,
umprîs der dran bejagte.

---

29. mir gundet *gg.*   30. Iuwern urlop *G.*

451, 2. Do *G.*   3. reit *Ggg.*   Herzeloyden *D.* herzenlauden *dgg.*   5. chiusce
D, Chusche *G.*   erbærmunge *G.*   6. Herzeloyde *D,* herzoloyde *G.*   9. alr-
est *D.*   dahte *G.*   10. werlde *G.*   14. mime *g*, minne *G.*   15. aber *g,*
aber er *D,* er abir *G.*   16. gediende *D.*   îe *D,* ie *G.*   17. schilte *G.*
unt *D,* ode *G.*   21. hiute *DG.*   helfeclicher *Gg,* helfenlicher *g.*   23. chert *gg.*
dan *g,* danne *G,* dannen *D.*   dâ *fehlt Gg.*   28. Gen *G.*   30. Wande *G.*
schoene *G,* scone *D.*

452, 1. chrast *G.*   3. di *Dg.*   liute *D,* lute *G.*   4. sine *DGd.*   chrafte *G.*
im *G,* ich *g,* ich im *die übrigen.*   5. kunst *DGgg,* kunft *g,* gunst *d,* chraft *gg.*
6. ditze ch.   7. dz *D.*   wegist *G.*   13. fontane *Dg.*
funtane *G,* fontanie *gg,* funtanie *d.*   14. orillus *G.*   15. Trefrizent *g,* Tre-
friszent *g.*   16. mænigen *G.*   mântach *Dgg,* mæntac *Gdgg.*   19. ouch
dez] ouchz *Dd,* ouch daz *Ggg,* ouch *g, fehlt g.*   21. dech. *D.* deh. *G.*
24. dem muot *G.*   27. vasten *alle aufser D.*   28. dem *DG.*   tievel *D,* nefel *G.*
29. dervert *g.*   30. virholnen *Gdgg,* verholn *gg,* verholniu *D.*   umb
den grâl *G.*

453, 1. drumbe fragite *G.*   2. unt dar umbe *D.*   bâget *G.*   3. Ob ih sim *G.*
4. Umbrîs *G.*   er *Gg*

5 mich batez helen Kyôt,
wand im diu âventiure gebôt
daz es immer man gedæhte,
ê ez d'âventiure bræhte
mit worten an der mære gruoz
10 daz man dervon doch sprechen
muoz.
Kyôt der meister wol bekant
ze Dôlet verworfen ligen vant
in heidenischer schrifte
dirre âventiure gestifte.
15 der karakter â b c
muoser hân gelernet ê,
ân den list von nigrômanzî.
ez half daz im der touf was bî:
anders wær diz mær noch unver-
numn.
20 kein heidensch list möht uns ge-
frumn
ze künden umbes grâles art,
wie man sîner tougen inne wart.
ein heiden Flegetânîs
bejagte an künste hôhen prîs.
25 der selbe fisîôn
was geborn von Salmôn,
ûz israhêlscher sippe erzilt
von alter her, unz unser schilt
der touf wart fürz hellefiur.
der schreip vons grâles âventiur.
454 Er was ein heiden vaterhalp,
Flegetânîs, der an ein kalp
bette als ob ez wær sîn got.
wie mac der tievel selhen spot
5 gefüegen an sô wîser diet,

daz si niht scheidet ode schiet
dâ von der treit die hôhsten hant
unt dem elliu wúnder sint be-
kant?
Flegetânîs der heiden
10 kunde uns wol bescheiden
ieslîches sternen hinganc
unt sîner künfte widerwanc;
wie lange ieslîcher umbe gêt,
ê er wider an sîn zil gestêt.
15 mit der sternen umbereise vart
ist gepüfel aller menschlîch art.
Flegetânîs der heiden sach,
dâ von er blûweclîche sprach,
im gestirn mit sînen ougen
20 verholenbæriu tougen.
er jach, ez hiez ein dinc der grâl:
des namen las er sunder twâl
inme gestirne, wie der hiez.
'ein schar in ûf der erden liez:
25 diu fuor ûf über die sterne hôch.
op die ir unschult wider zôch,
sît muoz sîn pflegn getouftiu fruht
mit alsô kiuschlîcher zuht:
diu menscheit ist immer wert,
der zuo dem grâle wirt gegert.'
455 Sus schreip dervon Flegetânîs.
Kyôt der meister wîs
diz mære begunde suochen
in latînschen buochen,
5 wâ gewesen wære
ein volc dâ zuo gebære
daz ez des grâles pflæge
unt der kiusche sich bewæge.

5. Dich *G.*   batiz helen *G*, batz heln *D.*   kiot *G immer.*   6. Wande *G.*
7. ers *g.*   8. diu Aventiure *DG.*   10. doch] nu *G.*   sprechn *D.*   12. Ze
dolêt v. liegen vant *G.*   13. heidenscher *D.*   14. stifte *G.*   16. Muese er
haben *G.*   17. ane *DG.*   nigram. *gg.*   18. touffe *G.*   19. andrs *D.*
wære-mære *DG, wie gewöhnlich.*   ditze *G.*   noh unvirnomin *G.*   20. de-
hein *D,* Nehein *G.*   heidenischer *G.*   uns *fehlt G.*   gefrumin *G,* gefro-
men *dgg.*   21. umb den *G.*   Grals *DG.*   23. hiez fl. *dg.*   flegetanis
(i *zwischen* e *und* g *übergeschrieben*) *G, nachher immer* Fleigetanis.   25. vi-
sion *Gd.*   26. salmon *Gg,* Salomon *D,* Salemon *g,* Salomon *dgg.*   27. isra-
helscher *d,* -lischer *DGgg,* israhels *gg.*   diet erzalt *G.*   29. toufe *G.*

454, 1. Ez *G.*   3. ob *fehlt Gg.*   4. sinen sp. *Gg.*   6. oder *G.*   11. Ie-
gel. *G,* Iegesl. *g.*   sternes *Gg.*   12. sinen chunste *G.*   13. iegesl. *Gg.*
15. stern *g,* sterne *gg.*   16. gepu^efel *D,* gepruovet *die übrigen.*   mensch-
lich *g.*   menneschlicher *Dgg,* mennischen *Gd.*   18. blwecliche *g und (mit* o
über w) *D,* bluchlichen *gg,* bluchelichen *G,* blœdeclichen *d.*   19. in me
D, im me *G.*   gestirne *DG.*   20. Verholnbæriu *G.*   21. ezwære *Ggg.*
25. fuer o^vf *G.*   sternen *Gdg,* stern *g.*   29. mennischeit *Gg.*

455, 1. screip *G.*   3. Daz *G.*   4. latinischen *D und die übrigen aufser G.*
6. dar zuo *Gdgg.*

er las der lande chrônicâ
10 ze Britâne unt anderswâ,
ze Francrîche unt in Yrlant:
ze Anschouwe er diu mære vant.
er las von Mazadâne
mit wârheit sunder wâne:
15 umb allez sîn geslehte
stuont dâ geschriben rehte,
unt anderhalp wie Tyturel
unt des sun Frimutel
den grâl bræht ûf Amfortas,
20 des swester Herzeloyde was,
bî der Gahmuret ein kint
gewan, des disiu mære sint.
der rît nu ûf die niwen slâ,
die gein im kom der rîter grâ.
25 er erkande ein stat, swie læge
der snê
dâ liehte bluomen stuonden ê.
daz was vor eins gebirges want,
aldâ sîn manlîchiu hant
froun Jeschûten die hulde erwarp,
unt dâ Orilus zorn verdarp.
456 Diu slâ in dâ niht halden liez:
Fontâne la salvâtsche hiez
ein wesen, dar sîn reise gienc.
er vant den wirt, der in enphiene.
5 der einsidel zim sprach
'ouwê, hêr, daz iu sus geschach
in dirre heileclîchen zît.
hât iuch angestlîcher strît
in diz harnasch getriben?
10 ode sît ir âne strît beliben?
sô stüende iu baz ein ander wât,
lieze iuch hôchferte rât.
nu ruocht erbeizen, hêrre,
(ich wæne iu daz iht werre)
15 und erwarmt bî einem fiure.

hât iuch âventiure
ûz gesant durch minnen solt,
sît ir rehter minne holt,
sô minnt als nu diu minne gêt,
20 als disses tages minne stêt:
dient her nâch umbe wîbe gruoz.
ruocht erbeizen, ob ichs biten
muoz.'
Parzivâl der wîgant
erbeizte nider al zehant,
25 mit grôzer zuht er vor im stuont.
er tet im von den liuten kuont,
die in dar wîsten,
wie die sîn râten prîsten.
dô sprach er 'hêr, nu gebt mir rât:
ich bin ein man der sünde hât.'
457 Dô disiu rede was getân,
dô sprach aber der guote man
'ich bin râtes iwer wer.
nu sagt mir wer iuch wîste her.'
5 'hêr, ûf dem walt mir widergienc
ein grâ man, der mich wol enpfienc:
als tet sîn massenîe.
der selbe valsches frîe
hât mich zuo ziu her gesant:
10 ich reit sîn slâ, unz ich iuch vant.'
der wirt sprach 'daz was Kahenîs:
der ist werdeclîcher fuore al wîs.
der fürste ist ein Punturteis:
der rîche künec von Kâreis
15 sîne swester hât ze wîbe.
nie kiuscher fruht von lîbe
wart geborn dan sîn selbes kint,
diu iu dâ widergangen sint.
der fürste ist von küneges art.
20 alle jâr ist zuo mir her sîn vart.'
Parzivâl zem wirte sprach
'dô ich iuch vor mir stênde sach,

---

10. britane *g*, Brittanie *D*, britannia *G*.　11. in ir lant *G*.　12. anschouwe *G*.
13. 14. mazadan-sunder wan *alle*.　15. Ubir alliz *G*.　geslæhte *D*, geslahte *G*.
16. *fehlt G*.　17. wi *D*, von *G*.　tit. *G*.　19. bræhte *Dg*, braht *Ggg*.
20. Hercelo▾yde *D*.　23. ritet *alle*, *nur g* rait.　24. ritr grâ *D*.　27. eins
birges *G*.　25. Da sin *G*.　29. Fron *G*.　30. orillus *G*.

456, 2. Fontane *D*, Fontanie *gg*, Funtane *G*, Funtanie *d*.　lasalvasche *G*, la-
salvasce *d*.　6. We *G*.　herre *fehlt g*.　sus *fehlt D*.　7. heiligen *gg*.
9. ditze *g*.　10. Oder *G*.　an *G*.　13. ruochet *DG*.　15. erwarmt *g*.
19. minnet *DG*.　20. disse *g*, ditse *g*.　22. Ruechet *G*.　bitten *D*.
24. Erbeizzet *G*.　25. grozir zuhte er von *G*.　28. brîsten *G*.　29. nu
fehlt G.

457, 1. disiu *Dg*, diu *Gdgg*.　4. iu *D*.　5. walde *alle*.　7. mæssinîe *G*.
8. frie *G*.　11. kahenis *gg*, kahnis *G*, kæhenis *g*, kehenis *d*, Gabenîs *D*.
12. al *Gdgg*, *fehlt Dgg*.　13. porturteiś *G*.　14. Kareis *gg*, chareis *Dg*,
Gareis *G*, sareis *g*, clareyse *d*.　17. Nie wart *G*.　dan *g*, danne *G*,
denne *D*.

vorht ir iu iht, do ich ꝣuo ziu reit?
was iu mîn komen dô iht leit?'
25 dô sprach er 'hêrre, geloubet mirz,
mich hât der ber und ouch der
hirz
erschrecket dicker denne der man.
ein wârheit ich iu sagen kan,
ichn fürhte niht swaz mennisch ist:
ich hân ouch mennischlîchen list.
458 Het irz niht für einen ruom,
sô trüege ich fluht noch magetuom.
mîn herze enpfienc noch nie den
kranc
daz ich von wer getæte wanc.
5 bî mîner werlîchen zît,
ich was ein rîter als ir sît,
der ouch nâch hôher minne ranc.
etswenne ich sündebærn gedanc
gein der kiusche parrierte.
10 mîn lebn ich dar ûf zierte,
daz mir genâde tæte ein wîp.
des hât vergezzen nu mîn lîp.
gebt mir den zoum in mîne hant.
dort under jenes velses want
15 sol iwer ors durch ruowe stên.
bi einer wîle sul wir beide gên
und brechn im grazzach unde varm:
anders fuoters bin ich arm.
wir sulenz doch harte wol ernern.'
20 Parzivâl sich wolde wern,
daz ers zoums enpfienge niht.
'iwer zuht iu des niht giht,
daz ir strîtet wider decheinen wirt,
ob unfuoge iwer zuht verbirt.'

25 alsus sprach der guote man.
dem wirte wart der zoum verlân.
der zôch dez ors undern stein,
dâ selten sunne hin erschein.
daz was ein wilder marstal:
dâ durch gienc eins brunnen val.
459 Parzivâl stuont ûffem snê.
ez tæte eim kranken manne wê,
ob er harnasch trüege
da der frost sus an in slüege.
5 der wirt in fuorte in eine gruft,
dar selten kom des windes luft.
dâ lâgen glüendige koln:
die mohte der gast vil gerne doln.
ein kerzen zunde des wirtes hant:
10 do entwâpent sich der wîgant.
undr im lac ramschoup unde varm.
al sîne lide im wurden warm,
sô daz sîn vel gap liehten schîn.
er moht wol waltmüede sîn:
15 wand er het der strâzen wênc ge-
riten,
âne dach die naht des tages er-
biten:
als het er manege ander.
getriwen wirt dâ vander.
dâ lac ein roc: den lêch im an
20 der wirt, unt fuort in mit im dan
zeiner andern gruft: dâ inne was
sîniu buoch dar an der kiusche las.
nâch des tages site ein alterstein
dâ stuont al blôz. dar ûf erschein
25 ein kefse: diu wart schier erkant;
dar ûffe Parzivâles hant

---

23. Forhte ir *G.*   26. Mir *G.*   bêr *G.*   29. mennisch *G*, mensch *gg*,
mensche *Dgg*, menschelich *d.*   30. mennischl. *Gg*, menschl. *Ddgg.*
458, 2. Sone trage ih *Gg.*   3. enphie *G oft.*   den] der *D.*   4. von warre *G.*
5. wærlichen *G*, werltlicher *g.*   8. sundebæren *D*, sundebære *G.*   danc *g.*
11. gn. *D.*   12. nu virgezzen *G.*   14. iens *DGgg.*   vels *G.*   15. rẅen *D.*
16. suln *G.*   17. und *fehlt gg.*   brechen *alle.*   grazzach *D*, grazzich *G.*
grasach *g*, gras abe *d*, grasz *g*, gras *gg.*   18. arme *G.*   19. suln ez *G.*
21. ers *D*, er des *Gdg*, er den zoum *gg.*   zoums *g*, zoumes *DGd.*   23. stri-
tet *D*, stritte *G.*   24. Obe ungefuoge iuwer zuhte *G.*   25. Also *G.*
26. zoume *G.*   27. Er *Gd.*   dz *D*, daz *G.*   ors *fehlt g.*   undern] un-
der einen *Gd*, under ienen *die übrigen.*
459, 2. einem *D*, einen *G.*   4. froste *G.*   in *fehlt G.*   5. grufte *G*, krufft *dg.*
6. lufte *G.*   7. glundige *g*, gluendich *D*, gluene *Gdgg*, genuoge *g.*
8. Daz *G.*   9. eine *DGg.*   zunte *G*, zünt *g.*   11. under *D*, Undir *G.*
unt *D.*   12. sin *G.*   im *Ddg*, in *G*, *fehlt gg.*   13. gap *setzt D vor z.* 14.
14. mohte *G.*   15. Wan *G.*   strazin *G*, straze *gg.*   wench *Gg*, we-
nech *D.*   getriten *D.*   16. Ane danc *G.*   18. vande er *G.*   19. rokch *D.*
leit *G.*   20. fuortn *D.*   21. grûft *D*, krufft *dg.*   25. chesfe *G.*

swuor einen ungefelschten eit,
dâ von froun Jeschûten leit
ze liebe wart verkêret
unt ir fröude gemêret.
460 Parzivâl zem wirte sîn
　　sprach 'hêrre, dirre kefsen schîn
　　erkenne ich, wand ich drûffe
　　　　swuor
　　zeinen zîten do ich hie für si
　　　　fuor.
5 ein gemâlt sper derbî ich vant:
　　hêr, daz nam al hie mîn hant:
　　dâ mit ich prîs bejagte,
　　als man mir sider sagte.
　　ich verdâht mich an mîn selbes wîp
10 sô daz von witzen kom mîn lîp.
　　zwuo rîche tjoste dermit ich reit:
　　unwizzende ich die bêde streit.
　　dannoch het ich êre:
　　nu hân ich sorgen mêre
15 denne ir an manne ie wart ge-
　　　　sehn.
　　durch iwer zuht sult ir des jehn,
　　wie lanc ist von der zîte her,
　　hêr, daz ich hie nam daz sper?'
　　dô sprach aber der guote man
20 'des vergaz mîn friunt Taurîan
　　hie: er kom mirs sît in klage.
　　fünfthalp jâr unt drî tage
　　ist daz irz im nâmet hie.
　　welt irz hœrn, ich prüeve iu wie.'
25 ame salter laser im über al
　　diu jâr und gar der wochen zal,
　　die dâ zwischen wâren hin.
　　'alrêrst ich innen worden bin
　　wie lange ich var wîselôs

unt daz freuden helfe mich verkôs,'
461 Sprach Parzivâl. 'mirst freude ein
　　　　troum:
　　ich trage der riwe swæren soum.
　　hêrre, ich tuon iu mêr noch
　　　　kuont.
　　swâ kirchen ode münster stuont,
5 dâ man gotes êre sprach,
　　kein ouge mich dâ nie gesach
　　sît den selben zîten:
　　ichn suochte niht wan strîten.
　　ouch trage ich hazzes vil gein
　　　　gote:
10 wand er ist mîner sorgen tote.
　　die hât er alze hôhe erhabn:
　　mîn freude ist lebendec begrabn.
　　kunde gotes kraft mit helfe sîn,
　　waz ankers wær diu vreude mîn?
15 diu sinket durch der riwe grunt.
　　ist mîn manlîch herze wunt,
　　od mag ez dâ vor wesen ganz,
　　daz diu riuwe ir scharpfen kranz
　　mir setzet ûf werdekeit
20 die schildes ambet mir erstreit
　　gein werlîchen handen,
　　des gihe ich dem ze schanden,
　　der aller helfe hât gewalt,
　　ist sîn helfe helfe balt,
25 daz er mir denne hilfet niht,
　　sô vil man im der hilfe giht.'
　　der wirt ersiuft unt sah an in.
　　dô sprach er 'hêrre, habt ir sin,
　　sô schult ir got getrûwen wol:
　　er hilft iu, wand er helfen sol.
462 Got müeze uns helfen beiden.
　　hêr, ir sult mich bescheiden

---

27. ungefelscheten *G*, ungefelschen *d*, ungefalischten *g*.　　28. fron *G*.
29. wercherte *G*.

460, 1. sîn] sprach *G*.　　3. wan *G*.　　4. da *G*.　　hie fur sî *Dg*, hie (hin *d*) fúŗ
dgg, hie *G*, fur sie *g*.　　7. brise beiagit *G*.　　10. chome *G*.　　11. Zu
G, zwo *D*.　　13. ich here *G*.　　15. Danne *G immer*.　　18. herre *fehlt*
Gd.　　daz selbe sper *d*.　　20. thaurian *G*, Turian *g*.　　22. Funthalp *g*,
Suntehalp *G*.　　23. 24. *nach* 25. 26 *G*.　　24. hœrn *g*.　　25. Ame dem
saltir las er im gar. *G*.　　26. gar] ouch *G*.　　27. di *D*.　　28. Alrerste *G*.
29. wislos *Dg*.

461, 1. Parzival sprach *G*.　　mir ist *alle*.　　　　　troume *G*.
4. oder *G*.　　6. dehein *DG*.　　10. 30. Wan *G*.　　siner *G*.　　tôte *G*.
14. die *G*.　　16. manliche *G*.　　17. Ode *G*.　　vor *Dgg*, von *Gdgg*.
20. ampt *D*.　　erestreit *G*.　　25. danne *G*.　　26. holfe *G*.　　27. er-
sufte *Gg*, ersiufzet *D*, erseufzt *g*.　　29. sult *alle aufser D*.　　gote *G*.
30. hilfet *DG*, helfe *g*.

(ruochet alrêrst sitzen*)*,
sagt mir mit kiuschen witzen,
5 wie der zorn sich an gevienc,
dâ von got iwern haz enpfienc.
durch iwer zuht gedolt
vernemt von mir sîn unscholt,
ê daz ir mir von im iht klagt.
10 sîn helfe ist immer unverzagt.
    doch ich ein leie wære,
der wâren buoche mære
kund ich lesen unde schrîben,
wie der mensche sol belîben
15 mit dienste gein des helfe grôz,
den der stæten helfe nie verdrôz
für der sêle senken.
sît getriwe ân allez wenken,
sît got selbe ein triuwe ist:
20 dem was unmære ie falscher list.
wir suln in des geniezen lân:
er hât vil durch uns getân,
sît sîn edel hôher art
durch uns ze menschen bilde wart.
25 got heizt und ist diu wârheit:
dem was ie falschiu fuore leit.
daz sult ir gar bedenken.
ern kan an niemen wenken.
nu lêret iwer gedanke,
hüet iuch gein im an wanke.
463 Irn megt im ab erzürnen niht:
swer iuch gein im in hazze siht,
der hât iuch an den witzen kranc.
nu prüevt wie Lucifern gelanc
5 unt sînen nôtgestallen.
si wârn doch âne gallen:
jâ hêr, wâ nâmen si den nît,
dâ von ir endelôser strît

zer helle enpfâhet sûren lôn?
10 Astiroth und Belcimôn,
Bêlet und Radamant
unt ander diech dâ hân erkant,
diu liehte himelische schar
wart durch nît nâch helle var.
15 dô Lucifer fuor die hellevart,
mit schâr ein mensche nâch im wart.
got worhte ûz der erden
Adâmen den werden:
von Adâms verhe er Even brach,
20 diu uns gap an daz ungemach,
dazs ir schepfære überhôrte
unt unser freude stôrte.
von in zwein kom gebürte fruht:
einem riet sîn ungenuht
25 daz er durch gîteclîchen ruom
sîner anen nam den magetuom.
nu beginnt genuoge des gezemen,
ê si diz mære vernemen,
daz si freischen wie daz möhte sîn:
ez wart iedoch mit sünden schîn.'
464 Parzivâl hin zim dô sprach
'hêrre, ich wæn daz ie geschach.
vom wem was der man erborn,
von dem sîn ane hât verlorn
5 den magetuom, als ir mir sagt?
daz möht ir gerne hân verdagt.'
der wirt sprach aber wider zim
'von dem zwîvel ich iuch nim.
sag ich niht wâr die wârheit,
10 sô lât iu sîn mîn triegen leit.
diu erde Adâmes muoter was:
von erden fruht Adâm genas.
dannoch was diu erde ein magt:
noch hân ich iu niht gesagt

462, 3. alrêrst *D,* alrerste *G,* alrest *gg.*
tetes û). 7. zuhte *G,* zühte *g.*
11. leige *G.* 14. mennsch *D, fehlt G.*
fehlt gg. wechen *G.* 19. selbe *fehlt G.*
25. heizet *G,* heizzet *D.* diu] ein *D.*
Hucten *gg.*

4. chûschen *G (nie iu für umgelau-*
gedult-unschult *alle aufser DGg.*
18. getriu *G.* allez *DGdg,*
triwe *DG.* 20. umm. *D.*
29. lert *G.* 30. huetet iuch *D,*

463, 1. muoget *G.* 2. gegem im *G.*
7. herre *alle.* 9. enpfæhet *Dgg, mit* a *G.*
roth *g.* beleimon *G,* Belcunon *g.*
D, die ich *G.* 13. Die *G.* liehtiu *D.*
hellewart? 16. schâr *mit* â *G: hingegen Dg interpungieren nach* schar.
mennsche *D,* mensch *g,* mennicsch *G.* 17. worht *Gg.* 19. adams *g,* Ada-
mes *DG.* verhen er *G.* 21. dass *D,* daz *gg,* Daz si *Gdgg.* schep-
pfære *D.* 24. Einen verriet *G,* geriet *gg.* 25. gîtlichen *G.* 27. begin-
net *DG.* gnuoge *Dg.* 28. ditze *G.* 30. mit] min *D.*

4. pruevet *DG.* Lutzifer *dg.*
füren *g,* fiurinen *G.* 10. Asta-
11. Beleth *G,* Bylet *g.* 12. di ich
14. nâch *fehlt Gg.* 15. fuor

464, 3. = geborn *Ggg.* 4. an *G.* 5. 15. Dem *G.* 9. iu niht *gg.*
war *Dg,* ware *G, fehlt dgg.* 14. niht gar *G.*

15 wer ir den magetuom benam.
Kâins vater was Adâm:
der sluoc Abeln umb krankez guot.
dô ûf die reinen erdenz bluot
viel, ir magetuom was vervarn:
20 den nam ir Adâmes barn.
dô huop sich êrst der menschen nît:
alsô wert er immer sît.
in der werlt doch niht sô rei-
nes ist,
sô diu magt ân valschen list.
25 nu prüevt wie rein die meide sint:
got was selbe der meide kint.
von meiden sint zwei mennisch
komn.
got selbe antlütze hât genomn
nâch der êrsten meide fruht:
daz was sînr hôhen art ein zuht.
465 Von Adâmes künne
huop sich riwe und wünne,
sît er uns sippe lougent niht,
den ieslîch engel ob im siht,
5 unt daz diu sippe ist sünden wagen,
sô daz wir sünde müezen tragen.
dar über erbarme sich des kraft,
dem erbarme gît geselleschaft,
sît sîn getriuwiu mennischeit
10 mit triwen gein untriwe streit.
ir sult ûf in verkiesen,
welt ir sælde niht verliesen.
lât wandel iu für sünde bî.
sît rede und werke niht sô frî:
15 wan der sîn leit sô richet
daz er unkiusche sprichet,
von des lône tuon i'u kunt,
in urteilt sîn selbes munt.

nemt altiu mær für niuwe,
20 op si iuch lêren triuwe.
der pareliure Plâtô
sprach bî sînen zîten dô,
unt Sibill diu prophêtisse,
sunder fâlierens misse
25 si sagten dâ vor manec jâr,
uns solde komen al für wâr
für die hôhsten schulde pfant.
zer helle uns nam diu hôhste hant
mit der gotlîchen minne:
die unkiuschen liez er dinne.
466 Von dem wâren minnære
sagent disiu süezen mære.
der ist ein durchliuhtec lieht,
und wenket sîner minne nieht.
5 swem er minne erzeigen sol,
dem wirt mit sîner minne wol.
die selben sint geteilet:
al der werlde ist geveilet
bêdiu sîn minne und ouch sîn haz.
10 nu prüevet wederz helfe baz.
der schuldige âne riuwe
fliuht die gotlîchen triuwe:
swer ab wandelt sünden schulde,
der dient nâch werder hulde.
15 die treit der durch gedanke vert.
gedanc sich sunnen blickes wert:
gedanc ist âne slôz bespart,
vor aller crêatiure bewart:
gedanc ist vinster âne schîn.
20 diu gotheit kan lûter sîn,
si glestet durch der vinster want,
und hât den heleden sprunc gerant,
der endiuzet noch enklinget,
sô er vom herzen springet.

---

17. er sluoch *D.*   abel *G.*   18. erden dz *D,* erde daz *Gdg.*   21. erste *G.*
mennschen *D,* mennischen *G.*   23. noch *G.*   reins *G.*   25. pruevet *DG.*
reine *DG.*   27. mennisch *G,* mennsche *D,* mensche *gg,* menschen *dgg.*
30. siner *DG.*

465, 5. ist] is *G.*   6. sunden *G.*   7. des] sin *G,* die *g.*   8. erbærmde
Gdg, erbarmede *g,* erbermede *g.*   geschelleschaft *G.*   9. siniu *G.*   menn-
scheit *D.*   10. untriwe *Dg,* untriuwen *Gdgg.*   12. selbe *g,* solt *G.*
15. swer *Gdgg.*   17. ich iu *alle.*   18. verteilt *Ggg.*   sins *G.*   19. mær *G.*
niuwen *G.*   21. parelûre *DGgg,* pavelúre *d.* parlûre *gg.*   23. Sibille *DG.*
24. valierens *G,* fall. *g,* fail. *g.*   25. do vor *G.*   26. geben *G.*   28. die *G.*
29. gotel. *G.*   · 30. drinne *Gdgg.*

466, 2. süezen *fehlt gg.*   3. durluhtich *G.*   4. Der sinne minne wenchet
niht *G.*   niht *alle.*   6. sinen minnen *G.*   7. 8. geteilt-geveilt *G.*
8. aller w. *Dg.*   9. Beidiu *G.*   min haz *D.*   11. der] du *G.* die?   an *Gg.*
12. Fluht *G,* fliuhet *D.*   gotel. *G.*   13. aber *alle.*   sünden *fehlt g.*
16. Gedanche *G.*   sint sunne bliches wert *gg.*   17. 19. an *G.*   17. be-
spart *dgg,* gesprat *D,* verspart *g,* biwart *G.*   18. *fehlt G.*   creature *D,*
creatur *gg.*   22. heleden *G,* helden *d,* helnden *Dgg,* ellenden *g.*   24. 26. vom
g, vome *D.* von dem-vome *G.*

25 ez ist dechein gedanc sô snel,
ê er vom herzen für dez vel
küm, ern sî versuochet:
des kiuschen got geruochet.
sît .got gedanke speht sô wol,
ôwê der brœden werke dol!
467 Swâ werc verwurkent sînen gruoz.
daz gotheit sich schamen muoz,
wem lât den menschlîchiu zuht?
war hât diu arme sêle fluht?
5 welt ir nu gote füegen leit,
der ze bêden sîten ist bereit,
zer minne und gein dem zorne,
sô sît ir der verlorne.
nu kêret iwer gemüete,
10 daz er iu danke güete.'
   Parzivâl sprach zim dô
'hêrre, ich bin des immer frô,
daz ir mich von dem bescheiden hât,
der nihtes ungelônet lât,
15 der missewende noch der tugent.
ich hân mit sorgen mîne jugent
alsus brâht an disen tac,
daz ich durch triwe kumbers pflac.'
   der wirt sprach aber wider zim
20 'nimts iuch niht hæl, gern ich
      vernim
vaz ir kumbers unde sünden hât.
ⱶb ir mich diu prüeven lât,
dar zuo gib ich iu lîhte rât,
des ir selbe niht enhât.'
25 dô sprach aber Parzivâl
'mîn hôhstiu nôt ist umben grâl;
dâ nâch umb mîn selbes wîp:
ûf erde nie schœner lîp
gesouc an keiner muoter brust.
nâch den beiden sent sich mîn
      gelust.'

468 Der wirt sprach 'hêrre, ir spre-
      chet wol.
ir sît in rehter kumbers dol,
sît ir nâch iwer selbes wîbe
sorgen pflihte gebt dem lîbe.
5 wert ir erfundn an rehter ê,
iu mac zer helle werden wê,
diu nôt sol schiere ein ende hân,
und wert von bandn aldâ verlân
mit der gotes helfe al sunder twâl.
10 ir jeht, ir sent iuch umben grâl:
ir tumber man, daz muoz ich klagn.
jane mac den grâl nieman be-
      jagn,
wan der ze himel ist sô bekant
daz er zem grâle sî benant.
15 des muoz ich vome grâle jehn:
ich weizz und hânz für wâr ge-
      sehn.'
   Parzivâl sprach 'wârt ir dâ?'
der wirt sprach gein im 'hêrre, jâ.'
Parzivâl versweic in gar
20 daz ouch er was komen dar:
er frâgte in von der küende,
wiez umben grâl dâ stüende.
   der wirt sprach 'mir ist wol be-
      kant,
ez wont manc werlîchiu hant
25 ze Munsalvæsche bîme grâl.
durch âventiur die alle mâl
rîtent manege reise:
die selben templeise,
swâ si kumbr od prîs bejagent,
für ir sünde si daz tragent.
469 Dâ wont ein werlîchiu schar.
ich wil iu künden umb ir nar.
si lebent von einem steine:
des geslähte ist vil reine.

---

26. furz *Dgg.* wurze *G.*   27. chuom *D*, Chom *G.*   29. siht *G.*

467, 1. werche *G.*   2. daz diu *Ggg.*   3. mennischl. *G.*   4. warte hat *D.*
7. Zeder *G.*   zorn *G.*   9. chert *DG.*   14. Der *dgg*, daz *Dg*, Des *G.*
die? nihts *D.*   18. iamers *G.*   19. abe *g.*   widr *D, fehlt G.*
20. Nemets *G*, Nempt es *d.*   hæle *alle.*   26. umb den *G.*   27. umb *D.*
29. deheiner *DG.*

468, 5. 8. Wert *g*, werdet *DG.*   erfunden *D*, sunden *G*, funden *die übrigen.*
6. ze helle *Ggg*, in witze *d.*   7. schier sol *G.*   8. banden *alle.*
al *fehlt gg.*   9. als wider twal *G.*   10. Ir gehet ir senet *G.*   umbn *D,*
umbe den *G.*   12. niemen *DG.*   15. muoze ih von dem *G.*   16. weiz
ez *DG.*   17. Parzival sprach zedem wirt. wart ir da *G.*   waret *D.*
21. fragit *G.*   chûnde-stúnde *D*, chunde-stuende *G.*   25. Zemuntsalfatsch
bime grale *G.*   26. alle male *Gg.*   27. ritten *D.*   28. tepleise *G.*
29. chumber ode *DG.*

469, 2. umb *DG.*   4. geslahte is *G.*

5 hât ir des niht erkennet,
der wirt iu hie genennet.
er heizet lapsit exillîs.
von des steines kraft der fênîs
verbrinnet, daz er zaschen wirt:
10 diu asche im aber leben birt.
sus rêrt der fênîs mûze sîn
unt gît dar nâch vil liehten schîn,
daz er schœne wirt als ê.
ouch wart nie menschen sô wê,
15 swelhes tages ez den stein gesiht,
die wochen mac ez sterben niht,
diu aller schierst dar nâch gestêt.
sîn varwe im nimmer ouch zergêt:
man muoz im sölher varwe jehn,
20 dâ mit ez hât den stein gesehn,
ez sî maget ode man,
als dô sîn bestiu zît huop an,
sæh ez den stein zwei hundert jâr,
im enwurde denne grâ sîn hâr.
25 selhe kraft dem menschen gît der
                      stein,
daz im fleisch unde bein
jugent enpfæht al sunder twâl.
der stein ist ouch genant der grâl.
    dar ûf kumt hiute ein botschaft,
    dar an doch lît sîn hôhste kraft.
470 Ez ist hiute der karfrîtac,
daz man für wâr dâ warten mac,
ein tûb von himel swinget:
ûf den stein diu bringet
5 ein kleine wîze oblât.
ûf dem steine si die lât:
diu tûbe ist durchliuhtec blanc,

ze himel tuot si widerwanc.
immer alle karfrîtage
10 bringet se ûf den, als i'u sage,
dâ von der stein enpfæhet
swaz guots ûf erden dræhet
von trinken unt von spîse,
als den wunsch von pardîse:
15 ich mein swaz d'erde mac gebern.
der stein si fürbaz mêr sol wern
swaz wildes underm lufte lebt,
ez fliege od louffe, unt daz swebt.
der rîterlîchen bruoderschaft,
20 die pfrüende in gît des grâles kraft.
    die aber zem grâle sint benant,
hœrt wie die werdent bekant.
zende an des steines drum
von karacten ein epitafum
25 sagt sînen namen und sînen art,
swer dar tuon sol die sælden vart.
ez sî von meiden ode von knaben,
die schrift darf niemen danne
                   schaben:
sô man den namen gelesen hât,
vor ir ougen si zergât.
471 Si kômen alle dar für kint,
die nu dâ grôze liute sint.
wol die muoter diu daz kint gebar
daz sol ze dienste hœren dar!
5 der arme unt der rîche
fröunt sich al gelîche,
ob man ir kint eischet' dar,
daz siz suln senden an die schar:
man holt se in manegen landen.
10 vor sündebæren schanden

---

5. Habit *G*.   7. lapsit *GDg*, iaspis *gg*, lapis *d*.   exillis *Dg*, erillis *G*, exilis *g*, exillix *g*, exilix *dg*.   8. steines *fehlt gg*.   der fenis *g*; der fenix *Gdgg*, vil gewis *und dann vor z*. 9 der fenix *D*.   10. Der asche *g*. 11 fenix *alle*.   muozze *D*.   14. newart *Gg*.   mennschen *D*, mensche *g*. we *G*.   15. = siht *Ggg*.   16. mag iz *G*.   17. schierste *G*.   18. nimer *G* (*sonst* mm).   19. sehen *G*.   21. magt *D*, magit *G*.   24. Im wurde danne *Ggg*.   25. selhe *Dg*, Solhe *Gg*.   mennschen *D*, mennischen *G*. 26. und *D*.   27. enpfæhet al *D*, enphahet al *G*, enpfæhet *gg*, enphahen *gg*. 30. leit sin hohestiu *G*.

470, 3. tube *DG*.   4. si *Gg*.   5. eine *Dgg*.   chlein *G*.   wiz *DG allein*. obelat *G*.   6. stein *G*.   7. Die *G*.   durhluhtich *G*.   9. Imer an dem *Gd*.   10. si *DG*.   den stein *alle aufser G*.   ih iu *G*, ich iu *Ddgg*, ich *g*. 12. guotes *alle*.   14. wunsche *G*.   15. mein *G*.   diu *alle*.   17. undirm *G*, underem *D*.   18. ode *DG*, oder *g*.   20. *fehlt G*.   Grals *D*.   21. zedem grâl *G*.   23. steins *G*.   24. karachten *G*, karachtern *g*.   24. epitafium *DGgg*, epytafrum *g*, epyscasuom *d*.   26. sol tuon *Ggg*.   28. schrifte *G*. dannen *Gg*, ab *g*.

471, 1. chomn *D*, choment *g*.   2. da nu *G*.   3. Wol der *Gd*.   4. zedienste sol *Gdg*.   6. friunt *D*.   8. siez *G*.   sulen *D*.   9. si *DG*.   10. Von *G*.

sint si immer mêr behuot,
und wirt ir lôn ze himel guot.
swenne in erstirbet hie daz lebn,
sô wirt in dort der wunsch gegebn.
15 di newederhalp gestuonden,
dô strîten beguonden
Lucifer unt Trinitas,
swaz der selben engel was,
die edelen unt die werden
20 muosen ûf die erden
zuo dem selben steine.
der stein ist immer reine.
ich enweiz op got ûf si verkôs,
ode ob ers fürbaz verlôs.
25 was daz sîn reht, er nam se wider.
des steines pfligt iemer sider
die got derzuo benande
unt in sîn engel sande.
hêr, sus stêt ez umben grâl.'
dô sprach aber Parzivâl
472 'Mac rîterschaft des lîbes prîs
unt doch der' sêle pardîs
bejagen mit schilt und ouch mit
    sper,
sô was ie rîterschaft mîn ger.
5 ich streit ie swâ ich strîten vant,
sô daz mîn werlîchiu hant
sich næhert dem prîse.
ist got an strîte wîse,
der sol mich dar benennen,
10 daz si mich dâ bekennen:
mîn hant dâ strîtes niht verbirt.'
dô sprach aber sîn kiuscher wirt
'ir müest aldâ vor hôchvart
mit senften willen sîn bewart.
15 iuch verleit lîht iwer jugent
daz ir der kiusche bræchet tugent.
hôchvart ie seic unde viel,'

sprach der wirt: ieweder ouge im
    wiel,
dô er an diz mære dâhte,
20 daz er dâ mit rede volbrâhte.
dô sprach er 'hêrre, ein künec
    dâ was:
der hiez und heizt noch Anfortas.
daz sol iuch und mich armen
immer mêr erbarmen,
25 umb sîn herzebære nôt,
die hôchvart im ze lône bôt.
sîn jugent unt sîn rîcheit
der werlde an im fuogte leit,
unt daz er gerte minne
ûzerhalp der kiusche sinne.
473 Der site ist niht dem grâle reht:
dâ muoz der rîter unt der kneht
bewart sîn vor lôsheit.
diemüet ie hôchvart überstreit.
5 dâ wont ein werdiu bruoder-
    schaft:
die hânt mit werlîcher kraft
erwert mit ir handen
der diet von al den landen,
daz der grâl ist unerkennet,
10 wan die dar sint benennet
ze Munsalvæsche ans grâles schar.
wan einr kom unbenennet dar:
der selbe was ein tumber man
und fuorte ouch sünde mit im dan,
15 daz er niht zem wirte sprach
umben kumber den er an im sach.
ich ensol niemen schelten:
doch muoz er sünde engelten,
daz er niht frâgte des wirtes schaden.
20 er was mit kumber sô geladen,
ez enwart nie'rkant sô hôher pîn.
dâ vor kom roys Lähelîn

11. me *G*.   15. neweder h. *G*, newederth. *D*, entwederh. *dg*, twederhalb *gg*. gestunden-begûnden *D*, gestuenden-begunden *G*.   20. Muese *G*.   22. *fehlt G*. 23. Ihne weiz *G*.   26. phlegent *G*.   îemr *D*, yemer *g*, imer *G*, immer *die übrigen*.   27. da zuo *G*.   28. sinen *alle*.   29. so *G*.   umbe engrâl *G*.

472, 1. Nach *G*. ₐ   2. Unde ouch *G*.   paradis *alle aufser D*.   5. ich] man *gg*, min *G*.   6. mîn *fehlt G*.   7. nahete *Ggg*, nahet *g*.   8. strit *D*. 11. strites *D*, striten *g*, dienst *Gdgg*.   13. mueset *DG*, mueste *d*, muozet *gg*. von *G*.   14. senftem *alle aufser DG*.   15. verleit *g*, virleite *Gdg*, verleitet *Dgg*. liht *g*.   16. ir tugent *Ggg*.   18. ietw. *G*.   19. daz *Gdg*.   22. heizt *g*. 25. umb *D*.   sine *DGg*.   28. werlte fuegte an im *G*.

473, 4. ie *dgg*, die *Gg*, di *D*, *fehlt g*.   5. wont] von *D*.   9. unbechennet *G*. 12. einer *DG*.   ungenant *gg*.   18. sunden engeltin *G*.   19. fragit *G*. 20. Der *d*.   21. erkant *DG*.   22. Da von *Dgg*.   Boys *D*.   lohe-line *hier G*, *sonst* lehelin.

15*

ze Brumbâne an den sê geriten.
durch tjoste het sîn dâ gebiten
23 Lybbêâls der werde helt,
des tôt mit tjoste was erwelt.
er was erborn von Prienlascors.
Lähelîn des heldes ors
dannen zôch mit sîner hant:
dâ wart der rêroup bekant.
474 Hêrre, sît irz Lähelîn?
sô stêt in dem stalle mîn
den orsn ein ors gelîch gevar,
diu dâ hœrnt ans grâles schar.
5 ame satel ein turteltûbe stêt:
daz ors von Munsalvæsche gêt.
diu wâpen gap in Anfortas,
dô er der freuden hêrre was.
ir schilte sint von alter sô:
10 Tyturel si brâhte dô
an sînen sun rois Frimutel:
dar unde vlôs der degen snel
von einer tjoste ouch sînen lîp.
der minnet sîn selbes wîp,
15 daz nie von manne mêre
wîp geminnet wart sô sêre;
ich mein mit rehten triuwen.
sîne site sult ir niuwen,
und minnt von herzen iwer ko-
    nen.
20 sîner site sult ir wonen:
iwer varwe im treit gelîchiu mâl.
der was ouch hêrre übern grâl.
ôwî hêr, wanne ist iwer vart?
nu ruocht mir prüeven iwern art.'
25   ieweder vaste ann andern sach.
Parzivâl zem wirte sprach
'ich bin von einem man erborn,

der mit tjost hât den lîp verlorn,
unt durch rîterlîch gemüete.
hêr, durch iwer güete
475 Sult ir in nemen in iwer gebet.
mîn vater der hiez Gahmuret,
er was von arde ein Anschevîn.
hêrre, in binz niht Lähelîn.
5 genam ich ie den rêroup,
sô was ich an den witzen toup,
ez ist iedoch von mir geschehn:
der selben sünde muoz ich jehn.
Ithêrn von Cucûmerlant
10 den sluoc mîn sündebæriu hant:
ich leit in tôten ûffez gras,
unt nam swaz dâ ze nemen was.'
'ôwê werlt, wie tuostu sô?'
sprach der wirt: der was des mærs
    unfrô.
15 'du gîst den liuten herzesêr
unt riwebæres kumbers mêr
dan der freud. wie stêt dîn lôn!
sus endet sich dîns mæres dôn.'
dô sprach er 'lieber swester suon,
20 waz râtes möht ich dir nu tuon?
du hâst dîn eigen verch erslagn.
wiltu für got die schulde tragn,
sît daz ir bêde wârt ein bluot,
ob got dâ reht gerihte tuot,
25 sô giltet im dîn eigen leben.
waz wilte in dâ ze gelte geben,
Ithêrn von Kaheviez?
der rehten werdekeit geniez,
des diu werlt was gereinet,
het got an im erscheinet.
476 Missewende was sîn riuwe,
er balsem ob der triuwe.

23. brumbane *d*, Brumbanie *D*, brunbanie *G*.   25. Liebe als *G*.   27. Prien-
laiors *g*, Brienlayörs *g*, prienlacors *G*.   29. dannen doch mit *D*.
474, 3. orsen *DG*.   geliche var *g*.   4. horent *alle, nur D* horen.   ins *G*.
Grals *DG*.   5. eine *G*.   8. wâs *G*.   9. schilde *G*.   11. roy *Gg*.
12. Dar under *alle aufser D*.   14. minnete *G*, minte *g*.   sines *G*.
18. Sinen *d*.   19. minnet *DG*.   21. treit im gelicheu *G*.   22. Er *G*.
23. Owe *Gdg*, Awi *g*.   wanne *D*, von wanne *g*, wannen *die übrigen*.
24. ruochet *D*, ruechet *G*.   25. Ietweder *G*.   an den andern *alle, nur g*
an ein ander.   27. ainen *G*.   28. tioste *Dd*.
475, 3. Anshevin *D*.   4. îhen binz *G*, ich enbin ez *Dg*, ichn binz *g*, ich binz
dg, ich enbin *g*.   5. ih hie *G*.   8. sunden *Ggg*.   9. Itheren *G*,
Cunchumerl. *g und mit nachgetragenem* n *D*, kamurlant *G*.   10. sunde-
bærhiu *G*, sündenbere *g*.   16. kumbers *fehlt D*.   17. Dane *G*, denne *D*.
freude *DGyg*, freuden *dgg*.   wi stet *D*.   18. mærs *DG*.   20. ich] ir *G*.
22. wil du *DG*.   vor *gg*.   23. wart *G*.   24. rehte *Gg*.   25. giltet *Gd*,
gilt *die übrigen*.   26. wilde *G*, wil du *D*, wiltu *die übrigen*.   dâ *fehlt gg*.
27. kahaviez *G*.   30. Eh got *G*.
476, 2. balsent *G*.

al werltlîchiu schande in flôch:
werdekeit sich in sîn herze zôch.
5 dich solden hazzen werdiu wîp
durch sînen minneclîchen lîp:
sîn dienst was gein in sô ganz,
ez machte wîbes ougen glanz,
dien gesâhn, von sîner süeze.
10 got daz erbarmen müeze
daz de ie gefrumtest selhe nôt!
mîn swester lac ouch nâch dir tôt,
Herzelpyd dîn muoter.'
'neinâ hêrre guoter,
15 waz sagt ir nu?' sprach Parzivâl.
'wær ich dan hêrre übern grâl,
der möhte mich ergetzen niht
des mærs mir iwer munt vergiht.
bin ich iwer swester kint,
20 sô tuot als die mit triwen sint,
und sagt mir sunder wankes vâr,
sint disiu mære beidiu wâr?'
    dô sprach aber der guote man
'ich enbinz niht der dâ triegen kan:
25 dîner muoter daz ir triwe erwarp,
dô du von ir schiet, zehant si starp.
du wær daz tier daz si dâ souc,
unt der trache der von ir dâ flouc.
ez widerfuor in slâfe ir gar,
ê daz diu süeze dich gebar.
477 Mînre geswistrede zwei noch sint.
mîn swester Tschoysîâne ein kint
gebar: der frühte lac si tôt.
der herzoge Kyôt
5 von Katelange was ir man:
dern wolde ouch sît niht freude hân.

Sigûn, des selben töhterlîn,
bevalch man der muoter dîn.
Tschoysîânen tôt mich smerzen
10 muoz enmitten ime herzen:
ir wîplîch herze was sô guot,
ein arke für unkiusche fluot.
ein magt, mîn swester, pfligt
    noch site
sô daz ir volget kiusche mite.
15 Repanse de schoye pfligt
des grâles, der sô swære wigt
daz in diu falschlîch menscheit
nimmer von der stat getreit.
ir bruodr und mîn ist Anfortas,
20 der bêdiu ist unde was
von art des grâles hêrre.
dem ist leider freude verre:
wan daz er hât gedingen,
in sül sîn kumber bringen
25 zem endelôsme gemache.
mit wunderlîcher sache
ist ez im komen an riwen zil,
als ich dir, neve, künden wil.
pfligstu denne triuwe,
so erbarmet dich sîn riuwe.
478 Dô Frimutel den lîp verlôs,
mîn vater, nâch im man dô kôs
sînen eltsten sun ze künege dar,
ze vogte dem grâl unts grâles
    schar.
5 daz was mîn bruoder Anfortas,
der krône und rîcheit wirdec was.
dannoch wir wênec wâren.
dô mîn bruoder gein den jâren

---

7. gein im *G.*   8. machet *Ggg,* maht *g.*   9. di in *D,* Die in *G.*   gesa-
hen *DG.*   11. de *G*; du *D.*   solhe *G immer.*   16. Wær *gg.*   danne
G, denne *D.*   ubir den *G.*   18. mir *Ddg,* des mir *gg,* des *Gg.*   21. sun-
ders *G.*   valscher var *g,* valschen var *g.*   25. triuwe warp *G.*   26. schiet
Gg, schiede *Ddgg.*   27. wær *Gg.*   29. ir in slaffe gar *Gg.*

477, 1. Miner *alle.*   geswisterde *Ddg,* geswistergide *Gg,* geswistreide *g,* ge-
schwistere *g.*   noch zwei *dg,* noch zewei noh *G,* der noch zwei *g.*   2. scoy-
siane *g,* Tschosiane *gg,* Schosiane *g,* iosyane *g.* scosyan *d.*   3. Gebær *G.*
5. Chatel. *D,* katal. *D,* kathel. *dgg,* katl. *g.*   6. Derne *G,* der en *D.*   niht
fehlt D.   7. Sigunen *Gd,* Sygunen *Dgg,* Sygune *gg.*   tôht. *mit* δ *Dg.*
9. Scoys. *G.*   11. wipplich *G.*   13. Ein magit phliget min swester noch
site *G.*   14. chusche volget *G.*   15. Repanse *Gdg,* Repansse *D,* Urre-
panse *g,* Urrepansa *g,* Urepans *g.*   Shôie *Dg,* scoye *d,* tschoie *gg.*
16. 21. Grâls *DG.*   17. mennscheit *D.*   18. stete treit *G.*
19. Unser bruoder Anfortas *g.*   bruoder *DG.*   und der min *g.*   20. bei-
diu *G.*   21. arte *G.*   22. is *G.*   25. endelosem *Dg,* endelosen *die
übrigen.*   27. in *G.*

478, 3. eldesten *D,* eltesten *gg,* entesten *G,* elsten *g.*   4. vn̄ des Grals (grâles
G) schar *DGgg,* unde der (siner *d*) schar *dg.*   6. des *D.*   Wande er sich
ie sêre Vleiz ûf triuwe und êre *d.*

kom für der gransprunge zît,
10 mit selher jugent hât minne ir strît:
sô twingts ir friunt sô sêre,
man mages ir jehn zunêre.
swelch grâles hêrre ab minne gert
anders dan diu schrift in wert,
15 der muoz es komen ze arbeit
und in siufzebæriu herzeleit.
mîn hêrre und der bruoder mîn
kôs im eine friundîn,
des in dûht, mit guotem site.
20 swer diu was, daz sî dâ mite.
in dir dienst er sich zôch,
sô daz diu zageheit in flôch.
des wart von sîner clâren hant
verdürkelt manec schildes rant.
25 da bejagte an âventiure
der süeze unt der gehiure,
wart ie hôher prîs erkant
über elliu rîterlîchiu lant,
von dem mær was er der frîe.
Amor was sîn krîe.
479 Der ruoft ist zer dêmuot
iedoch niht volleclîchen guot.
eins tages der künec al eine reit
(daz was gar den sînen leit)
5 ûz durch âventiure,
durch freude an minnen stiure:
des twanc in der minnen ger.
mit einem gelupten sper
wart er ze tjostieren wunt,
10 sô daz er nimmer mêr gesunt
wart, der süeze œheim dîn,
durch die heidruose sîn.
ez was ein heiden der dâ streit
unt der die selben tjoste reit,

15 geborn von Ethnîse,
dâ ûzzem pardîse
rinnet diu Tigris.
der selbe heiden was gewis,
sîn ellen solde den grâl behaben.
20 inme sper was sîn nam ergraben:
er suocht die verren ritterschaft,
niht wan durch des grâles kraft
streich er wazzer unde lant.
von sîme strîte uns freude swant.
25 dîns œheims strît man prîsen
muoz: des spers îsen
fuort er in sîme lîbe dan.
dô der junge werde man
kom heim zuo den sînen,
dâ sach man jâmer schînen.
480 Den heiden het er dort erslagn:
den sul ouch wir ze mâze klagn.
dô uns der künec kom sô bleich,
unt im sîn kraft gar gesweich,
5 in de wunden greif eins arztes hant,
unz er des spers îsen vant:
der trunzûn was rœrîn,
ein teil in den wunden sîn:
diu gewan der arzet beidiu wider.
10 mîne venje viel ich nider:
dâ lobet ich der gotes kraft,
daz ich deheine rîterschaft
getæte nimmer mêre,
daz got durch sîn êre
15 mînem bruoder hulfe von der nôt.
ich verswuor ouch fleisch, wîn unde
brôt,
unt dar nâch al daz trüege bluot,
daz ichs nimmer mêr gewünne
muot.

9. gran sprünge *g.*   11. twingts *g,* twinget si *DG.*   12. mages *G,* mags *g,* mach es *D.*   13. Grals *DG.*   aber *D,* abir *G.*   14. danne *G,* denne *D.* 15. des *G,* sin *g.*   inarbeit *Ggg.*   16. suftebæriu *G.* 19. duhte *DG.*   in *gg.*   20. Das truwe und zucht ime wonte mitte *d.* 21. dienste *G.*   22. zagh. *G.*   24. maniges *Ggg.*   25. beiagit *G.* 27. ie] so *G.*   28. riterlichen *G.*   29. Vor *alle aufser DG.*   der *fehlt G,* do *g.*

479, 1. ruofet *G,* ruof *dgg.*   diemuot *Gg.*   3. reit al ein *G.*   4. gar leit den sin *G.*   5. durch] der *G.*   6. stûre *G.*   7. gêr *G.*   8. gelupten *gg,* geluptem *D,* geluppetem *G.*   9. ze tyostierne *G,* zder tyost *g.*   12. heidruse *G.*   13. Er *G.*   16. paradise *G.*   17. tygrîs *G.*   20. Imme *g,* In dem *G.*   name *G.*   21. suochte *D,* suehte *G.*   27. fuortr *D.* 30. Do *Gg.*

480, 2. Den suln wir ouch zæmazen chlagin *G.*   4. gar. *Dg,* so gar *Gdg,* noch *g, fehlt g.*   5. inde *D,* Indie *G.*   eines arzates *G.*   9. wan *g.*   arzet *G,* arzt *gg,* Arlt *D,* artzat *dgg.*   12. dehein *G.*   13. nimer *D.*   18. nimmer *ohne* mêr *dg.* nimêr?

daz was der diet ander klage,
20 lieber neve, als ich dir sage,
daz ich schiet von dem swerte mîn.
si sprâchen 'wer sol schirmer sîn
über des grâles tougen?'
dô weinden liehtiu ougen.
25 si truogenn künec sunder twâl
durch die gotes helfe für den grâl.
dô der künec den grâl gesach,
daz was sîn ander ungemach,
daz er niht sterben mohte,
wand im sterben dô niht dohte,
481 Sît daz ich mich het ergebn
in alsus ärmeclîchez lebn,
unt des edelen ardes hêrschaft
was komen an sô swache kraft.
5 des küneges wunde geitert was.
swaz man der arzetbuoche las,
diene gâben keiner helfe lôn.
gein aspîs, ecidemon,
ehcontîus unt lisîs,
10 jêcîs unt mêatrîs
(die argen slangenz eiter heiz
tragent), swaz iemen dâ für weiz,
unt für ander würm diez eiter
tragent,
swaz die wîsen arzt dâ für be-
jagent
15 mit fisiken liste an würzen,
(lâ dir die rede kürzen)
der keinz gehelfen kunde:
got selbe uns des verbunde.
wir gewunnen Gêon
20 ze helfe unde Fîsôn,

Eufrâtes unde Tigrîs,
diu vier wazzer ûzem pardîs,
sô nâhn hin zuo ir süezer smac
dennoch niht sîn verrochen mac,
25 ob kein wurz dinne quæme,
diu unser trûren næme.
daz was verlorniu arbeit:
dô niwet sich unser herzeleit.
doch versuochte wirz in man-
gen wîs.
do gewunne wir daz selbe rîs
482 Dar ûf Sibille jach
Enêas für hellesch ungemach
und für den Flegetônen rouch,
für ander flüzze die drin fliezent
ouch.
5 des nâmen wir uns muoze
unt gewunn daz rîs ze buoze,
ob daz sper ungehiure
in dem helschen fiure
wær gelüppet ode gelœtet,
10 daz uns an freuden tœtet.
dô was dem sper niht alsus.
ein vogel heizt pellicânus:
swenne der fruht gewinnet,
alze sêre er die minnet:
15 in twinget sîner triwe gelust
daz er bîzet durch sîn selbes
brust,
unt lætz bluot den jungen in den
munt:
er stirbet an der selben stunt.
do gewunnen wir des vogels bluot,
20 ob uns sîn triwe wære guot,

---

22. schirmer *dgg*, schermer *g*, schirmær *G*, schirmære *D*, schirmare *g*.　24. *fehlt G.*
weiden liehtiu *D*.　　25. trugen den *D*, truogen der *G*.　　30. Wan *G*.

481, 2. amerlichez *G*, iamerliches *g*.　6. arzat buoch *D*.　7. dech. *D*, deh. *G*.
9. Ehcuntius *D*, Ehcontinus *G*, Ehconcius *gg*, Ehtoncius *g*, Enchoncius *d*, Echon-
tius *g*.　　Lysis *D*, lesis *d*.　10. Lecis *Gg*, Jocis *d*, Leatris *g*.　11. armen *D*,
alten *g*.　　z] dez *D*, daz *G*, die es *d*.　　13. wrme *Dg*, würme *G*.
14. arzt *D*, erzt *g*, arzat *Gdg*, artzet *g*, artzte *g*.　15. fisiche *g*.　17. dech-
einez *D*, deheinez *G*, in keines *d*.　18. erbunde *Gg*.　19. gewinnen *Gd*.
20. fision *Ggg*.　　22. uz dem bardis *G*.　23. nahe *D*, nahen *G*.　swzzer *D*.
25. dehein wrz *D*, deheine wurze *G*.　　chom *G*.　29. virsuehte *G*.　　in
fehlt gg.　　mangen *Ggg*, manege *Ddgg*.　30. gewunnen *Gdgg*.

482, 1. 2. Dar ûf Enêase jach Sibill für hellesch ungemach?　　1. iac *G*.
2. helsch *G*, helle *g*.　　3. den *Gd*, der *Dg*, des *gg*.　flegetanen *gg*, fleige-
tanen *G*.　4. für d'ander flüzz drin fliezent ouch?　alder *g*.　drin *Gdg*,
drinne *Dgg*.　　5. wir unmuoze *g*.　6. 27. gewunnen *G*, gewnnen *D*, so
auch 483, 6.　　8. helschen *G*, helleschen *dg*, hellischen *gg*, hellischem *D*.
9. 10. gelœtet-tœtet *dgg*, gelœt-tœt *Dg*, geluet-toet *G*.　12. 24. heizzet
DG.　　Pelic. *D*.　13. fruhte *G*.　14. di *D*, diu *G*.
15. triuwen *Ggg*. 16. durch sines brust *G*.　17. læt dz *D*, lat daz *G*.　bluot
fehlt g.　19. gewunne *Ggg*.

unt strichens an die wunden
sô wir beste kunden.
    daz moht uns niht gehelfen sus.
ein tier heizt monîcirus:
25 daz erkennt der meide rein sô
         grôz
daz ez slæfet ûf der meide schôz.
wir gewunn des tieres herzen
über des küneges smerzen.
wir nâmen den karfunkelstein
ûf des selben tieres hirnbein,
483 Der dâ wehset under sîme horn.
wir bestrichen die wunden vorn,
und besouften den stein drinne gar:
diu wunde was et lüppec var.
5   daz tet uns mit dem künege wê.
wir gewunn ein wurz heizt tra-
         chontê
(wir hœren von der würze sagen,
swâ ein trache werde erslagen,
si wahse von dem bluote.
10 der würze ist sô ze muote,
si hât al des luftes art),
ob uns des trachen umbevart
dar zuo möhte iht gefromen,
für der sterne wider komen
15 unt für des mânen wandeltac,
dar an der wunden smerze lac.
der [würze] edel hôch geslehte
kom uns dâ für niht rehte.
    unser venje viel wir für den grâl.
20 dar an gesâh wir zeinem mâl
geschriben, dar solde ein rîter
         komn:
wurd des frâge aldâ vernomn,
sô solde der kumber ende hân:
ez wære kint magt ode man,

25 daz in der frâge warnet iht,
sone solt diu frâge helfen niht,
wan daz der schade stüende als ê
und herzelîcher tæte wê.
diu schrift sprach 'habt ir daz ver-
         nomn?
iwer warnen mac ze schaden komn.
484 Frâgt er niht bî der êrsten naht,
sô zergêt sîner frâge maht.
wirt sîn frâge an rehter zît getân,
sô sol erz künecrîche hân,
5 unt hât der kumber ende
von der hôhsten hende.
dâ mit ist Anfortas genesen,
ern sol ab niemer künec wesen.'
    sus lâsen wir am grâle
10 daz Anfortases quâle
dâ mit ein ende næme,
swenne im diu frâge quæme.
wir strichen an die wunden
swâ wir senften kunden,
15 die guoten salben nardas,
unt swaz gedrîakelt was,
unt den rouch von lign alôê.
im was et zallen zîten wê.
dô zôch ich mich dâ her:
20 swachiu wünne ist mîner jâre wer.
sît kom ein rîter dar geriten:
der möhtez gerne hân vermiten;
von dem ich dir ê sagte,
unprîs der dâ bejagte,
25 sît er den rehten kumber sach,
daz er niht zuo dem wirte sprach
'hêrre, wie stêt iwer nôt?'
sît im sîn tumpheit daz gebôt
daz er aldâ niht vrâgte,
grôzer sælde in dô betrâgte.'

21. strichens *Dg*, strichenz *Gd*, strichen *g*.   23. ne mohte *G*.   24. Monîc. *D*.
25. erchennet *DG*.   rein *g*, reine *DG*.   26. slaffet *G*.   27. 30. tiers *DG*.
30. selben *fehlt Ggg*.   hirenbein *D*.

483,   1. 2. horn-vorn *d*, horne-vorne *DG*.   3. drin *G*.   6. eine wrzen *D*.
heizt *g*, heizet *D*, diu heizzet *Gg*, *fehlt g*.   trachente *G*, draconte *g*.
9. wachse *D*.   11. hate *G*.   13. zuo *fehlt G*.   moht *D*.   17. wrzen *g*,
wünsche *g*.   hohe *G*.   geslæhte *D*, geslahte *G*.   19. viel *g*, vieln *Gg*,
vielen *Ddg*.   20. gesahe *G*, gesahen *Ddg*, sahen *gg*.   21. rite komin *G*.
22. wrde *DG*.   fragin *G*.   al *fehlt dg*.   24. magit olde *G*.   25. warnt
Gg.   26. solt *g*, solde *DG*.   28. herzerlicher *G*, herzenlichen *gg*.
29. schrif *G*.   30. waren *G*.

484,   1. Sagit *G*.   8. aber *D*, abir *G*.   niemer *D*, nimer *G*, niht mer *dgg*.
9. las wir an dem *g*.   ame *DG*.   10. Anfortas *DG und fast alle. so*
auch 487, 30. 488, 30.   12. Svvene im frage quame *G*.   16. gedriachelt
G, getriachet *g*.   17. ligna loe *G*, lingn aloê *g*.   20. is *G*.   22. moh-
tiz *G*.   24. er *Gd*.   dran *G*.   29. nih fragite *G*.   30. sælden *Ggg*.
da *G*, *fehlt gg*.   bitragite *G*.

485　Si bêde wârn mit herzen klage·
　　dô nâht ez dem mittem tage.
　　der wirt sprach 'gê wir nâch
　　　　der nar.
　　dîn ors ist unberâten gar:
5　ich mac uns selben niht gespîsen,
　　esne welle uns got bewîsen.
　　mîn küche riuchet selten:
　　des muostu hiute enkelten,
　　unt al die wîl du bî mir bist.
10　ich solt dich hiute lêren list
　　an den würzen, lieze uns der snê.
　　got gebe daz der schier zergê.
　　nu brechen die wîl îwîn graz.
　　ich wæn dîn ors dicke gaz
15　ze Munsalvæsche baz dan hie.
　　du noch ez ze wirte nie
　　kômt, der iwer gerner pflæge,
　　ob ez hie bereitez læge.'
　　　si giengen ûz umb ir bejac.
20　Parzivâl des fuoters pflac.
　　der wirt gruop im würzelîn:
　　daz muose ir beste spîse sîn.
　　der wirt sînr orden niht vergaz:
　　swie vil er gruop, decheine er az
25　der würze vor der nône:
　　an die stûden schône
　　hienc ers und suochte mêre.
　　durch die gotes êre
　　manegen tac ungâz er gienc,
　　so er vermiste dâ sîn spîse hienc.
486　Die zwêne gesellen niht verdrôz,
　　si giengen dâ der brunne flôz,
　　si wuoschen würze unde ir krût.
　　ir munt wart selten lachens lût.

5　ieweder sîne hende
　　twuoc. an eime gebende
　　truoc Parzivâl îwîn loup
　　fürz ors. ûf ir ramschoup
　　giengens wider zuo den koln.
10　man dorfte in niht mêr spîse holn:
　　dane was gesoten noch gebrâten,
　　unt ir küchen unberâten.
　　Parzivâl mit sinne,
　　durch die getriwe minne
13　dier gein sînem wirte truoc,
　　in dûhte er hete baz genuoc
　　dan dô sîn pflac Gurnemanz,
　　und dô sô maneger frouwen varwe
　　　　glanz
　　ze Munsalvæsche für in gienc,
20　da er wirtschaft vome grâle en-
　　　　pfienc.
　　der wirt mit triwen wîse
　　sprach 'neve, disiu spîse
　　sol dir niht versmâhen.
　　dune fündst in allen gâhen
25　dehein wirt der dir gunde baz
　　guoter wirtschaft âne haz.'
　　Parzivâl sprach 'hêrre,
　　der gotes gruoz mir verre,
　　op mich ie baz gezæme
　　swes ich von wirte næme.'
487　Swaz dâ was spîse für getragen,
　　beliben si dâ nâch ungetwagen,
　　daz enschadet in an den ougen
　　　　niht,
　　als man fischegen handen giht.
5　ich wil für mich geheizen,
　　man möhte mit mir beizen,

485, 1. waren *D*, ware *G*.　　5. Ihne mac *G*.　　selben *fehlt g.*　　6. es en-
welle *D*, Es welle *g.*　　wisen *G*.　　7. kuchen *dgg*.　　8. eng. *G.*　　9. wile
DG.　　10. solde *DG*, sol *g*.　　13. Nu brechen wir die wile gras *g*, Nu bre-
chent die ewerm ross gras *g.*　　wile *DG*.　　Iwin *Dd*, win *G*, üch ein *g*,
nüwen *g.*　　14. wæne *DG immer.*　　15. dane *G*, denne *D*.　　17. chomet
DG.　　21. in *G*, do *d.*　　22. bestiu *G*.　　23. siner *DG*.　　24. dehein
Ggg.　　26. stuoden *D*.　　27. Hienge ers unde suehte mer *G*.　　29. er
ungaz *G*.　　30. wa *Gdgg*.

486, 3. wuschen *G*.　　wurz *G*, wrzen *g.*　　5. iweder *D*, Ietweder *G.*　　sin *G.*
6. Tewⁿch *G*.　　einem *DG.*　　7. winloup *G*.　　9. giengen si *DG.*　　den
Gdgg, den ir *D*, ir *g.*　　10. nimer *G*.　　12. küchin *g*, chuche *g.*　　14. di
getriŵe *Dd*, getriuwe *Ggg*, die getrewen *g.*　　16. baz] haz *G.*　　17. Danne *G*,
denne *D*.　　Gurnom. *G*.　　18. und *fehlt G.*　　manich frowen *dg*, manich
frowe *gg.*　　varwe *D*, farwe *G*, *fehlt den übrigen.*　　20. Do *Gg.*　　vonem
G, vomme *g.*　　24. fundest *Dgg*, vindest *Gdg.*　　en *g.*　　25. Deheine
G, deheinen *D.*　　günne *d.*　　baz gunde *G.*　　29. mih hie *G.*
30. Swaz *Gg.*

487, 3. enschat *Gg*.　　4. fischigen *D*, vische an den *G*.

wær ich für vederspil erkant,
ich swunge al gernde von der haut,
bî selhen kröpfelînen
10 tæte ich fliegen schînen.
wes spotte ich der getriwen diet?
mîn alt unfuoge mir daz riet.
ir hât doch wol gehœret
waz in rîcheit hât gestœret,
13 war umb si wâren freuden arm,
dicke kalt unt selten warm.
si dolten herzeп riuwe
niht wan durch rehte triuwe,
ân alle missewende.
20 von der hôhsten hende
enpfiengens umb ir kumber solt:
got was und wart in bêden holt.
si stuonden ûf und giengen dan,
Parzivâl unt der guote man,
25 zem orse gein dem stalle.
mit kranker freuden schalle
der wirt zem ors sprach 'mir ist leit
dîn hungerbæriu arbeit
durch den satel der ûf dir ligt,
der Anfortases wâpen pfligt.'
488 Dô si daz ors begiengen,
niwe klage si an geviengen.
Parzivâl zem wirte sîn
sprach 'hêrre und lieber œheim mîn,
5 getorst ichz iu vor scham gesagn,
mîn ungelücke ich solde klagn.
daz verkiest durch iwer selbes
       zuht:
mîn triwe hât doch gein iu fluht.
ich hân sô sêre missetân,
10 welt ir michs engelten lân,
sô scheide ich von dem trôste
unt bin der unerlôste
immer mêr von riuwe.
ir sult mit râtes triuwe
15 klagen mîne tumpheit.

der ûf Munsalvæsche reit,
unt der den rehten kumber sach,
unt der deheine vrâge sprach,
daz bin ich unsælec barn:
20 sus hân ich, hêrre, missevarn.'
der wirt sprach 'neve, waz sagestu
       nuo?
wir sulen bêde samt zuo
herzenlîcher klage grîfen
unt die freude lâzen slîfen,
25 sît dîn kunst sich sælden sus ver-
       zêch.
dô dir got fünf sinne lêch,
die hânt ir rât dir vor bespart.
wie was dîn triwe von in bewart
an den selben stunden
bî Anfortases wunden?
489 Doch wil ich râtes niht ver-
       zagn:
dune solt och niht ze sêre klagn.
du solt in rehten mâzen
klagen und klagen lâzen.
5 diu menscheit hât wilden art.
etswâ wil jugent an witze vart:
wil dennez alter tumpheit üeben
unde lûter site trüeben,
dâ von wirt daz wîze sal
10 unt diu grüene tugent val,
dâ von beklîben möhte
daz der werdekeit töhte.
möht ich dirz wol begrüenen
unt dîn herze alsô erküenen
15 daz du den prîs bejagtes
unt an got niht verzagtes,
so gestüende noch dîn linge
an sô werdeclîchem dinge,
daz wol ergetzet hieze.
20 got selbe dich niht lieze:
ich bin von gote dîn râtes wer.
nu sag mir, sæhe du daz sper

---

7. rechant *D.*   8. gernde *Dgg,* gerne *Gdgg.*   11. guoten *G.*   12. Min
alter ungefuege *G.*   13. habit iedoch *G.*   14. zestoret *Ggy.*   16. unt
fehlt Gg.   17. herze *Gg.*   18. dur *G.*   22. beiden *G.*   25. gen *g.*
27. orse *DG.*   mirs leit *G.*

488, 4. Sprach liebir herre uñ oheim min *G.*   5. schame sagin *G.*   6. ich
iu *g.*   7. verchieset *DG.*   selbs *Dg.*   15. min *DG.*   22. sament *G.*
25. dih *Ggg.*   so *G.*   26. vunfe *G.*   27. gespart *gg,* virspart *G.*
28. im *dgg.*

489, 2. Du solt *G.*   4. chlage lazen *dgg.*   5. mennscheit *D.*   6. etteswa *D.*
8. sinne *G.*   13. dir wol ergruenen *G.*   14. erchuelen *G.*   15. 16. beiagi-
test-virzagist *G,* beiagste-verzagste *g.*   17. gedinge *gg.*   18 werdelichen *G.*
21. got *Ggg.*

ze Munsalvæsche ûf dem hûs?
dô der sterne Sâturnus
25 wider an sîn zil gestuont,
daz wart uns bî der wunden kuont,
unt bî dem sumerlîchen snê.
im getet der frost nie sô wê,
dem süezen œheime dîn.
daz sper muos in die wunden sîn:
490 Dâ half ein nôt für d'andern nôt:
des wart daz sper bluotec rôt.
    etslîcher sterne komende tage
die diet dâ lêret jâmers klage,
5 die sô hôhe ob ein ander stênt
und ungelîche wider gênt:
unt des mânen wandelkêre
schadet ouch zer wunden sêre.
dise zît diech hie benennet hân,
10 sô muoz der künec ruowe lân:
sô tuot im grôzer frost sô wê,
sîn fleisch wirt kelter denne der snê.
sît man daz gelüppe heiz
an dem spers îsen weiz,
15 die zît manz ûf die wunden leit:
den frost ez ûzem lîbe treit,
al umbez sper glas var als îs.
dazne moht ab keinen wîs
vome sper niemen bringen dan:
20 wan Trebuchet der wîse man
der worht zwei mezzer, diu ez
        sniten,
ûz silber, diu ez niht vermiten.
den list tet im ein segen kuont,
der an des küneges swerte stuont,
25 maneger ist der gerne giht,
aspindê dez holz enbrinne niht:

sô dises glases drûf iht spranc,
fiuwers lohen dâ nâch swanc:
aspindê dâ von verbran.
was wunders diz gelüppe kan!
491 Er mac gerîten noch gegên,
der künec, noch geligen noch ge-
        stên:
er lent, âne sitzen,
mit siufzebæren witzen.
5 gein des mânen wandel ist im wê.
Brumbâne ist genant ein sê:
dâ treit mann ûf durch süezen luft,
durch sîner sûren wunden gruft.
daz heizt er sînen weidetac:
10 swaz er aldâ gevâhen mac
bî sô smerzlîchem sêre,
er bedarf dâ heime mêre.
dâ von kom ûz ein mære,
er wær ein fischære.
15 daz mære muoser lîden:
salmen, lamprîden,
hât er doch lützel veile,
der trûrege, niht der geile.'
    Parzivâl sprach al zehant
20 'in dem sê den künec ich vant
gankert ûf dem wâge,
ich wæn durch vische lâge
od durch ander kurzewîle.
ich hete manege mîle
25 des tages dar gestrichen.
Pelrapeire ich was entwichen
reht umbe den mitten morgen.
des âbents pflac ich sorgen,
wâ diu herberge möhte sîn:
der beriet mich der œheim mîn.'

---

27. sumerlichem *DG allein.*   29. œheim *oder* oheim *alle.*   30. muese *D,*
muoste *G,* must *g,* muosz *dgg.*
490, 1. Ia (I *roth) G.*   di andern *D,* die andern *G,* ander *g.*   3. chômende *g*
chumende *G,* komenden *d.*   4. lert *g,* lerte *G.*   5. hoch bi *g.*   7. na-
men *Dg.*   8. Schat *G.*   9. di ich *D,* die ih *Gg.*   hie *fehlt dgg.*
18. dazn moht *D.*   aber *D,* abir *G.*   keinen *g,* deheinen *g,* decheine *Ddg,*
dehein *Gg.*   19. Von me *G.*   20. Trebucher *G.*   21. worht *g.*   zewei *G.*
26. 29. Aspende *Ggg.*   enbrene *G.*   27. disses *D.*   glas *Dgg.*
28. Fiurs *gg,* fiwers *D.*   dar nah *G.*
491, 2. 3. noch geligen noch gestên, der künec: er lent, ân sitzen?   2. der
künec *fehlt g.*   noch *fehlt Gdg.*   ligen *g.*   3. leinet *gg,* lenet gar *d.*
4. sufteb. *G.*   5. Gegen *G.*   namen *D.*   6. Brumbane *d,* Brunbanie *G,*
Brumbange *D.*   7. man in *alle.*   9. heizet *G,* heizzet *D.*   r *G.*
10. da *Gg.*   11. smerzel. *G,* smertzecl. *dg.*   13. do von *D.*   ûz *fehlt G.*
14. = Ez *Ggg.*   16. lantpriden *Gg,* lantfriden *d.*   18. trurige *DG.*
20. Uf *G.*   21. Geanchert *Gdgg.*   23. ode *D,* Olde *G.*   churz-
wile *Dg.*   25. Dæs *G.*   26. Peilr. *G.*   27. Reht *gg.*   28. abin-
des phlag *G.*

492 'Du rite ein angestlîche vart,'
　sprach der wirt, 'durch warte wol
　　　　bewart.
　ieslîchiu sô besetzet ist
　mit rotte, selten iemens list
5 in hilfet gein der reise:
　er kêrte ie gein der freise,
　swer jenen her dâ zuo zin reit.
　si nement niemens sicherheit,
　si wâgnt ir lebn gein jenes lebn:
10 daz ist für sünde in dâ gegebn.'
　'nu kom ich âne strîten
　an den selben zîten
　geriten dâ der künec was,'
　sprach Parzivâl. 'des palas
15 sach ich des âbents jâmers vol.
　wie tet in jâmer dô sô wol?
　ein knappe aldâ zer tür în spranc,
　dâ von der palas jâmers klanc.
　der truoc in sînen henden
20 einen schaft zen vier wenden,
　dar inne ein sper bluotec rôt.
　des kom diu diet in jâmers nôt.'
　　der wirt sprach 'neve. sît noch ê
　wart dem künige niht sô wê,
25 wan dô sîn komen zeigte sus
　der sterne Sâturnus:
　der kan mit grôzem froste komn.
　drûf legen moht uns niht ge-
　　　　fromn,
　als manz ê drûffe ligen sach:
　daz sper man in die wunden stach.
493 Sâturnus louft sô hôhe enbor,
　daz ez diu wunde wesse vor,
　ê der ander frost kœm her nâch.
　dem snê was ninder als gâch,

5 er viel alrêrst an dr andern naht
　in der sumerlîchen maht.
　dô mans küneges frost sus werte,
　die diet ez freuden herte.'
　dô sprach der kiusche Trevriz-
　　　　zent
10 'si enpfiengen jâmers soldiment:
　daz sper in freude enpfuorte,
　daz ir herzen verch sus ruorte.
　dô machte ir jâmers triuwe
　des toufes lêre al niuwe.'
15 Parzivâl zem wirte sprach
　'fünf und zweinzec meide ich dâ
　　　　sach,
　die vor dem künege stuonden
　und wol mit zühten kuonden.'
　der wirt sprach 'es suln meide pflegn
20 (des hât sich got gein im bewegn),
　des grâls, dem si dâ dienden für.
　der grâl ist mit hôher kür.
　sô suln sîn rîter hüeten
　mit kiuscheclîchen güeten.
25 der hôhen sterne komendiu zît
　der diet aldâ grôz jâmer gît,
　den jungen unt den alten.
　got hât zorn behalten
　gein in alze lange dâ:
　wenne suln si freude sprechen jâ?
494 Neve, nu wil ich sagen dir
　daz du maht wol gelouben mir.
　ein tschanze dicke stêt vor in,
　si gebent unde nement gewin.
5 si enpfâhent kleiniu kinder dar
　von hôher art unt wol gevar.
　wirt iender hêrrenlôs ein lant,
　erkennt si dâ die gotes hant,

492, 1. ritte *D.*　2. durch wart *G.*　3. Iegesl. *G.*　4. rote *Gg.*　iemens *g,* ie-
　mans *D,* ie mannes *G.*　7. ennen *Gg.*　zin *Dg,* in *Gg,* im *dg.*　8. nie-
　mes *G.*　9. wagent *DG,* wegent *g.*　iens *DGgg, fehlt d.*　10. is *G.*
　15. des amendes *G.*　21. bluote *G.*　23. ê] hie *D, und z.* 21 *endigt*
　bei nie.　25. sine *G.*　zeigete *D,* zeicte *d.*　alsus *G.*　28. gefrum *G.*
493, 1. louffet *DG.*　3. chœm *g,* chome *Dgg,* keme *d,* chom *G,* quam *g.*
　5. alrest *Dgg.*　an der *alle.*　9. trefrizent *Gdg.*　10. jâmers *fehlt G.*
　soldmint *g,* soldemente *G.*　12. herren *dg.*　16. zeweinzch *G,* zwein-
　zech *D.*　19. es *D,* sin *g,* ez *G.*　20. im *Dg,* in *Gdgg.*　21. den sú
　do brochten für d.　21. chuschecl. *Dd,* chusl. *G.* cheusl. *gg,* küschl. *gg.*
　25. Etslicher sterne *gg.*　chomen diu *Dd.*
494, 2. wol macht *d,* wohl moht *G.*　3. tschansze *G.*　stet von ir. *D. dann auf*
　dem rande von anderer hand So einer stirbet under in.　4. Si enpfahent
　und gebent *gg, dann z.* 5 nement.　gwin *D.*　5. cleniu *G.*　7. herrelos
　Ggg.　8. Erchennet si *Gg,* erchennēt si *Ddg,* Erchennet man (*z.* 9 *ohne daz,*
　z. 10 si, *z.* 11 Die muozen sin) *gg.*　daz *G.*　di *D.*

sô daz diu diet eins hêrren gert
10 vons grâles schar, die sint gewert.
des müezn och si mit zühten
    pflegn:
sîn hüet aldâ der gotes segn.
   got schaft verholne dan die man,
offenlîch gît man meide dan.
15 du solt des sîn vil gewis
daz der künec Castis
Herzeloyden gerte,
der man in schône werte:
dîne muoter gap man im ze konen.
20 er solt ab niht ir minne wonen:
der tôt in ê leit in daz grap.
dâ vor er dîner muoter gap
Wâleis unt Norgâls,
Kanvoleis und Kingrivâls,
25 daz ir mit sale wart gegebn.
der künec niht lenger solde lebn.
diz was ûf sîner reise wider:
der künec sich leite sterbens nider.
dô truoc si krône über zwei lant:
da erwarp si Gahmuretes hant.
495 Sus gît man vome grâle dan
offenlîch meide, verholn die man,
durch fruht ze dienste wider dar,
ob ir kint des grâles schar
5 mit dienste suln mêren:
daz kan si got wol lêren.
   swer sich diens geim grâle hât
    bewegn,
gein wîben minne er muoz verpflegn.
wan der künec sol haben eine

10 ze rehte ein konen reine,
unt ander die got hât gesant
ze hêrrn in hêrrenlôsiu lant.
über daz gebot ich mich bewac
daz ich nâch minnen dienstes pflac.
15 mir geriet mîn flæteclîchiu jugent
unde eins werden wîbes tugent,
daz ich in ir dienste reit,
da ich dicke herteclîchen streit.
die wilden âventiure
20 mich dûhten sô gehiure
daz ich selten turnierte.
ir minne condwierte
mir freude in daz herze mîn:
durch si tet ich vil strîtes schîn.
25 des twanc mich ir minnen kraft
gein der wilden verren rîterschaft.
ir minne ich alsus koufte:
der heidn unt der getoufte
wârn mir strîtes al gelîch.
si dûhte mich lônes rîch.
496 Sus pflac ichs durch die werden
ûf den drîn teiln der erden,
ze Eurôpâ unt in Asîâ
unde verre in Affricâ.
5 so ich rîche tjoste wolde tuon,
sô reit ich für Gariûon.
ich hân ouch manege tjoste getân
vor dem berc ze Fâmorgân.
ich tet vil rîcher tjoste schîn
10 vor dem berc ze Agremontîn.
swer einhalp wil ir tjoste hân,
dâ koment ûz fiurige man:

---

10. Vones *G.*   di sin *D.*   11. muezen oh *G*, muozzen ouch *D.*   12. huetet
DG.   13. schaffet *D.*   virholn *G.*   14. Offenlich *dgg*, offenliche *Dgg*,
Offenlichen *G.*   git man meide *D*, die meide git man *g*, git man die meide
oder magde *die übrigen.*   17. Herzeloyde *G.*   19. Din *g.*   20. solt abir *G*,
solde aber *D.*   21. leite inz grap *D.*   24. kanrivals *G.*   26. langer *Gdg.*
27. Daz *Ggg.*   28. leite *fehlt Gg.*   sterben *gg.*   29. chrôn *G.*
30. gahmures *G.*

         man
495, 1. wan vonem *G.*   2. Offenlich *dgg*, Offenliche *Ggg*, offenlichen *D.*   die
meide *Ggg.*   verholne di *D.*   6. sì *D.*   7. dienstes *alle.*   gein me *D*,
gein dem *g*, dem *die übrigen.*   8. Gein wibe *Gg*, Wibe *d.*   er minne *Ggg.*
9. wan *fehlt G.*   10. ze rehte *fehlt G.*   eine *Ddgg.*   11. hât *fehlt D.*
12. herren *DG.*   herrelosiu *DGdgg.*   14. = nach minne *Ggg*, durch
minne *gg.*   15. flætigiu *gg*, flætiget *G.*   16. eines werdes wibes *G*, eines
wibes werdiu *g.*   17. dienst *D.*   18. ditche hertklichen *G.*   22. condu-
wierte *G.*   23. inz *Dg.*   24. stritens *D.*   25. mich] in *G.*   27. chou-
fete *D.*   28. heiden *DG.*   29. geliche *G.*

496, 1. phlag ihes *G.*   2. teil *G.*   3. Europa *D*, erupe *d*, europia *g*, aropie *G*,
arabia *g*, Arabie *g.*   4. unt *DG.*   hin in *d.*   6. couriun *g*, Gaurian *G.*
7. ouh mange tyoste *G.*   8. berge *Gdg.*   ze *fehlt dg.*   10. berge *dgg.*
agram. *g*, agrom. *g.*   12. do chomen *D.*   fiurine *gg.*

anderhalp si brinnent niht,
swaz man dâ tjostiure siht.
15 und dô ich für den Rôhas
durch âventiure gestrichen was,
dâ kom ein werdiu windisch diet
ûz durch tjoste gegenbiet.
ich fuor von Sibilje
20 daz mer alumb gein Zilje,
durch Frîûl ûz für Aglei.
ôwê unde heiâ hei
daz ich dînen vater ie gesach,
der mir ze sehen aldâ geschach.
25 do ich ze Sibilje zogte în,
dô het der werde Anschevîn
vor mir geherberget ê.
sîn vart tuot mir iemer wê,
die er fuor ze Baldac:
ze tjostiern er dâ tôt lac.
497 Daz was ê von im dîn sage:
es ist imêr mîns herzen klage.
mîn bruodr ist guotes rîche:
verholne rîterlîche
5 er mich dicke von im sande.
sô ich von Munsalvæsche wande,
sîn insigel nam ich dâ
und fuort ez ze Karchobrâ,
dâ sich sewet der Plimizœl,
10 in dem bistuom ze Barbigœl.
der burcgrâve mich dâ beriet
ûfez insigl, ê ich von im schiet,
knappn und ander koste
gein der wilden tjoste
15 und ûf ander rîterlîche vart:
des wart vil wênc von im gespart.
ich muose al eine komen dar:
an der widerreise liez ich gar
bî im swaz ich gesindes pflac:
20 ich reit dâ Munsalvæsche lac.
nu hœre, lieber neve mîn.
dô mich der werde vater dîn

ze Sibilje alrêste sach,
balde er mîn ze bruoder jach
25 Herzeloyden sînem wîbe,
doch wart von sîme lîbe
mîn antlütze nie mêr gesehn.
man muose ouch mir für wär dâ
    jehn
daz nie schœner mannes bilde wart:
dannoch was ich âne bart.
498 In mîne herberge er fuor.
für dise rede ich dicke swuor
manegen ungestabten eit.
dô er mich sô vil an gestreit,
5 verholn ichz im dô sagte;
des er freude vil bejagte.
er gap sîn kleinœte mir:
swaz ich im gap daz was sîn gir.
mîne kefsen, die du sæhe ê,
10 (diu ist noch grüener denne der klê)
hiez ich wurken ûz eim steine
den mir gap der reine.
sînen neven er mir ze knehte liez,
Ithêrn, den sîn herze hiez
15 daz aller valsch an im verswant,
den künec von Kucûmerlant.
wir mohten vart niht lenger sparn,
wir muosen von ein ander varn.
er kêrte dâ der bâruc was,
20 und ich fuor für den Rôhas.
ûz Zilje ich für den Rôhas reit,
drî mæntage ich dâ vil gestreit.
mich dûhte ich het dâ wol ge-
    striten:
dar nâch ich schierste kom geriten
25 in die wîten Gandîne,
dâ nâch der ane dîne
Gandîn wart genennet.
dâ wart Ithêr bekennet.
diu selbe stat lît aldâ
dâ diu Greian in die Trâ,

---

14. tiostiure *mit* iu *G*, tyostiern *gg*.   15. dô *fehlt G*.   Rohas *Dg*, roas *die*
übrigen.   17. Do *Gg*.   windesch *Gdg*, windich *g*.   18. gein biet *D*.
21. für] durch *G*, gein *g*.   22. Awi *y*.   24. zesehenne *G*.   28. immer *G*.
497, 1. Ez *G*.   2. immer *DG*.   3. bruoder *D*, bruodir *G*.   8. zecharoch bra
G, ze karchapra *g*.   9. swet der blimezol *G*.   12. uffez *DG*.   insigel
DG.   13. knappen *DG*.   anderre *D*.   15. ander *fehlt Gg*.   16. we-
nech *D*, wenic *G*.   17. muese *D*, mues *G*.   ein *G*.   18. In *g*, Uf *G*.
20-23 *fehlen G*.   25. Herzeloude *g*.
498, 2. ditke *G*.   6. beiaget *G*.   7. sine *G*.   cleinœte *d*, chleinode *DG*.
10. is *G*.   11. Geworht uz *und* 12. Die gab mir *gg*.   eime *D*, einem *G*.
13. chenehte *G*.   14. Itheren der *G*.   16. kucumerlant
dgg,   Chunchumerl. *DGg*.   19. chert *G*.   barôch *G*.   20. 21. roas
Ggg, rohas-roas *d*.   21. den *fehlt Gg*.   22. mentage *G*.   26. Ân *D*, æn *g*.
28. Ither da wart *G*.   30. Greian *D*, gran *g*.

499 Mit golde ein wazzer, rinnet.
dâ wart Ithêr geminnet.
dîne basen er dâ vant:
diu was frouwe überz lant:
5 Gandîn von Anschouwe
hiez si dâ wesen frouwe.
si heizet Lammîre:
so istz lant genennet Stîre.
swer schildes ambet üeben wil,
10 der muoz durchstrîchen lande vil.
nu riwet mich mîn knappe rôt,
durch den si mir grôz êre bôt.
von Ithêr du bist erborn:
dîn hant die sippe hât verkorn:
15 got hât ir niht vergezzen doch,
er kan si wol geprüeven noch.
wilt du gein got mit triwen lebn,
sô solte im wandel drumbe gebn.
mit riwe ich dir daz künde,
20 du treist zwuo grôze sünde:
Ithêrn du hâst erslagen,
du solt ouch dîne muoter klagen.
ir grôziu triwe daz geriet,
dîn vart si vome leben schiet,
25 die du jungest von ir tæte.
nu volge mîner ræte,
nim buoz für missewende,
unt sorge et umb dîn ende,
daz dir dîn arbeit hie erhol
daz dort diu sêle ruowe dol.'
500 Der wirt ân allez bâgen
begunde in fürbaz frâgen
'neve, noch hân ich niht vernomen
wannen dir diz ors sî komen.'
5 'hêrre, daz ors ich erstreit,
dô ich von Sigûnen reit.
vor einer klôsen ich die sprach:
dar nâch ich flügelingen stach

einen rîter drabe und zôch ez dan.
10 von Munsalvæsche was der man.'
der wirt sprach 'ist ab der genesen,
des ez von rehte solde wesen?'
'hêrre, ich sach in vor mir gên,
unt vant daz ors bî mir stên.'
15 'wilt dus grâls folc sus rouben,
unt dâ bî des gelouben,
du gewinnest ir noch minne,
sô zweient sich die sinne.'
'hêrre, ich namz in eime strît.
20 swer mir dar umbe sünde gît,
der prüeve alrêrste wie diu stê.
mîn ors het ich verlorn ê.'
dô sprach aber Parzivâl
'wer was ein maget diu den grâl
25 truoc? ir mantel lêch man mir.'
der wirt sprach 'neve, was er ir
(diu selbe ist dîn muome),
sine lêch dirs niht ze ruome:
si wând du soltst dâ hêrre sîn
des grâls unt ir, dar zuo mîn.
501 Dîn œheim gap dir ouch ein swert,
dâ mit du sünden bist gewert,
sît daz dîn wol redender munt
dâ leider niht tet frâge kunt.
5 die sünde lâ bî dn andern stên:
wir suln ouch tâlanc ruowen gên.'
wênc wart in bette und kulter brâht:
si giengn et ligen ûf ein bâht.
daz leger was ir hôhen art
10 gelîche ninder dâ bewart.
sus was er dâ fünfzehen tage.
der wirt sîn pflac als ich iu sage.
krût unde würzelîn
daz muose ir bestiu spîse sîn.
15 Parzivâl die swære
truoc durch süeziu mære,

499, 1. *nach* golde *interpungiert* D. 3. dise D. 7. Diu hiez (5. 6. *fehlen*) *gg.*
8. ist ez *g,* ist daz G. 9. ambit G, ampt D. 12. grôz] vil G, 13. von
Ithern Dgg. 14. erchorn G, verlorn *gg.* 15. din *gg.* niht *fehlt* D.
18. Du solt im drumbe w. g. *gg.* soltu DG. 19. triuwen Gg, truwe *d.*
khunde D. 20. zû G, zwo D. 23. ir daz *g.* 24. voneme lebenne G.
27. buz *g,* buoze G, buozze D. 28. umb D.
500, 3. enhan G. 5. ditze Ggg. 7. Von G. = sah Gg, gesprach *gg,* be-
sprach *g.* 8. flugl. D. 10. muntsalvatsch G. 11. Er sprach *d.* aber
der D, abir der Gg, aber er *gg,* aber der man *d.* 12. sol D. 13. sahe G.
vor Dgg, von Gdgg. 15. wil DG. grales G. 17. ir noch DGgg,
sin noch *d,* noch ir *gg.* 18. zeweient G. din Gdg. 21. alrest D.
geste Ggg. 23. Eins tags fragt in Barcifal *und* 501, 19 Aber sprach do *gg.*
25. mandel Gg. 29. wande. du soldest DG.
501, 4. fragin G. 5. den *alle.* 6. suln *fehlt* DG. talangen G.
7. wenech D, Wenic G. bete unde gulter G. 8. giengen DG. ûf] in Gg.
bocht *d.* 9. hoher *d.* 10. niender G. 15. diu *g,* din G. 16. suezze D.

wand in der wirt von sünden schiet
unt im doch rîterlîchen riet.
   eins tages frâgt in Parzivâl
20 'wer was ein man lac vorme grâl?
der was al grâ bî liehtem vel.'
der wirt sprach 'daz was Titurel.
der selbe ist dîner muoter an.
dem wart alrêrst des grâles van
25 bevolhen durch schermens rât.
ein siechtuom heizet pôgrât
treit er, die leme helfelôs.
sîne varwe er iedoch nie verlôs,
wand er den grâl sô dicke siht:
dâ von mager ersterben niht.
502 Durch rât si hânt den betterisen.
in sîner jugent fürt unde wisen
reit er vil durch tjostieren.
wilt du dîn leben zieren
5 und rehte werdeclîchen varn,
sô muostu haz gein wîben sparn.
wîp und pfaffen sint erkant,
die tragent unwerlîche hant:

sô reicht übr pfaffen gotes segen.
10 der sol dîn dienst mit triwen pflegen,
dar umbe, ob wirt dîn ende guot:
du muost zen pfaffen haben muot.
swaz dîn ouge ûf erden siht,
daz glîchet sich dem priester niht.
15 sîn munt die marter sprichet,
diu unser flust zebrichet:
ouch grîfet sîn gewîhtiu hant
an daz hœheste pfant
daz ie für schult gesetzet wart:
20 swelch priester sich hât sô bewart
daz er dem kiusche kan gegebn,
wie möht der heileclîcher lebn?'
diz was ir zweier scheidens tac.
Trevrizent sich des bewac,
25 er sprach 'gip mir dîn sünde her:
vor gote ich bin dîn wandels wer.
und leist als ich dir hân gesagt:
belîp des willen unverzagt.'
von ein ander schieden sie:
ob ir welt, sô prüevet wie.

17. 29. Wan *G.*   23. was *G.* ane-vane *Gdg.*   24. alrest *D.*   25. be-
volhens *D.*   schermens *D,* schirmens *g,* schermes *Gg,* schirmes *dgg.*   26. sieh-
tuom *Gg.*   27. leme *dg,* lem *DGg.*   29. sihte *G.*   30. er mach *D.*

502, 1. Bêttrisen *D.*   2. fürt *dgg,* fûrt *G,* furt *D.*   4. wil *DG.*   5. werdecliche
D allein.   9. reichet *DG.*   uber *D,* ubir *G,* uber die *gg.*   11. obe *G,*
so *d, fehlt gg.* dine *G.*   12. zephaphen *Ggg,* zdem pfaffen *g.*   14. glichet *g.*
brister *G.*   17. gerifet *G.*   18. hœhste *Dgg,* aller hohste *gg.*   19. wart
gesetzet *G.*   20. Swelch priester 'sih hat so biwart *G.*   so hat *g.*   21. dem.
D, der g.   22. heiliger lebin *G.*   23. ir beider *Gg.*   25. nu gib mir *G.*
26. got *G.*   waldels *g.*   29. 30. sî-pruefet wî *D.*

X.

503 Ez næht nu wilden mæren,
diu freuden kunnen læren
und diu hôchgemüete bringent:
mit den bêden si ringent.
5 nu wasez ouch über des jâres zît.
gescheiden was des kampfes strît,
den der lantgrâve zem Plimizœl
erwarp. der was ze Barbigœl
von Tschanfanzûn gesprochen:
10 da beleip ungerochen
der künec Kingrisîn.
Vergulaht der sun sîn
kom gein Gâwâne dar:
dô nam diu werlt ir sippe war,
15 und schiet den kampf ir sippe
      maht;
wand ouch der grâve Ehcunaht
ûf im die grôzen schulde truoc,
der man Gâwân zêch genuoc.
des verkôs Kingrimursel
20 ûf Gâwân den degen snel.

si fuoren beide sunder dan,
Vergulaht unt Gâwân,
an dem selben mâle,
durch vorschen nâch dem grâle,
25 aldâ si mit ir henden
mange tjoste muosen senden.
wan swers grâles gerte,
der muose mit dem swerte
sich dem prîse nâhen.
sus sol man prîses gâhen.
504 Wiez Gâwâne komen sî,

der ie was missewende frî,
sît er von Tschanfanzûn geschiet,
op sîn reise ûf strît geriet,
5 des jehen diez dâ sâhen:
er muoz nu strîte nâhen.
eins morgens kom hêr Gâwân
geriten ûf einen grüenen plân.
dâ sach er blicken einen schilt:
10 dâ was ein tjoste durch gezilt;
und ein pfert daz frowen gereite
      truoc:
des zoum unt satel was tiur genuoc.
ez was gebunden vaste
zuome schilte an einem aste.
15 dô dâhter 'wer mac sîn diz wîp,
diu alsus werlîchen lîp
hât, daz si schildes pfligt?
op si sich strîts gein mir bewigt,
wie sol ich mich ir danne wern?
20 ze fuoz trûw ich mich wol ernern.
wil si die lenge ringen,
si mac mich nider bringen,
ich erwerbes haz ode gruoz,
sol dâ ein tjost ergên ze fuoz.
25 ob ez halt frou Kamille wære,
diu mit rîterlîchem mære
vor Laurente prîs erstreit,
wær si gesunt als si dort reit,
ez wurde iedoch versuocht an sie,
op si mir strîten büte alhie.'
505 Der schilt was ouch verhouwen:
Gâwân begunde in schouwen,

503, 1. næht *D*, nehet *g*, nahent *Gg*. 2. 3. di *D*, die *G*. 4. beiden *G*.
5. was ouch *dg*. ubers *g*, uber *g*. iars *DG*. 6. Daz gesch. *Gg*.
kampfs *D*, camphes *G*. 7. blimzol *G*. -ol *auch D*. 11. Der werde k. k. *d*.
15. champhe *G*. 18. 20. Gawan *g*. 19. Do (*aus* Des *gemacht*) *G*, Daz *g*.
21. fuerin bede *G*. 23. selbem *D*. mâl *G*. 27. Grals *DG*.
28. der] do *D*.

504, 3. tschanfanzune *G*. schiet *Gdgg*. 7. min her *DGg*. 9. blecken *d*.
10. ein *fehlt G*. 11. pharit *G*. gereit *Gg*. 12. *fehlt G*. 14. By
G, *fehlt D*. 15. daz wip₀ *Ggg*. 18. strites *DG*. 19. danne *vor* ir
den schilt zuo *d*. 20. fuozze trwe *D*, fueze trouwe *G*. 24. gen *Gg*.
25. frouwe *G*. 26. komille *G*. 26. redelichem *gg*. 27. lorente *G*, Laurenti *g*.
29. versuoht *gg*, versuochet *DG*. 30. butte *D*.

Wolfram von Eschenbach. Sechste Ausgabe. **16**

dô er derzuo kom geriten.
der tjoste venster was gesniten
5 mit der glâvîne wît.
alsus mâlet si der strît:
wer gults den schiltæren,
ob ir varwe alsus wæren?
der linden grôz was der stam.
10 och saz ein frouwe an freuden
       lam
derhinder ûf grüenem klê:
der tet grôz jâmer als wê,
daz si der freude gar vergaz.
er reit hin umbe gein ir baz.
15 ir lac ein rîter in der schôz,
dâ von ir jâmer was sô grôz.
Gâwân sîn grüezen niht versweic:
diu frouwe im dancte unde neic.
er vant ir stimme heise,
20 verschrît durch ir freise.
do erbeizte mîn hêr Gâwân.
dâ lac durchstochen ein man:
dem gienc dez bluot in den lîp.
dô frâgter des heldes wîp,
25 op der rîter lebte
ode mit dem tôde strebte.
dô sprach si 'hêrre, er lebet noch:
ich wæn daz ist unlenge doch.
got sande iuch mir ze trôste her:
nu rât nâch iwerre triwen ger.
506 Ir habt kumbers mêr dan ich ge-
       schn:
lât iwern trôst an mir geschehn,
daz ich iwer hilfe schouwe.'
'ich tuon,' sprach er, 'frouwe.
5 disem rîter wold ich sterben wern,
ich trûwt in harte wol ernern,

het ich eine rœren:
sehen unde hœren
möht ir in dicke noch gesunt.
10 wan er ist niht ze verhe wunt:
daz bluot ist sînes herzen last.'
er begreif der linden einen ast,
er sleiz ein louft drabe als ein rôr
(er was zer wunden niht ein tôr):
15 den schoup er zer tjost in den lîp.
dô bat er sûgen daz wîp,
unz daz bluot gein ir flôz.
des heldes kraft sich ûf entslôz,
daz er wol redte unde sprach.
20 do er Gâwânn ob im ersach,
dô dankte er im sêre,
und jach, er hetes êre
daz er in schied von unkraft,
und frâgt in ober durch rîterschaft
25 wær komen dar gein Lôgrois.
'ich streich ouch verr von Punturtois
und wolt hie âventiure bejagn.
von herzen sol ichz immer klagn
daz ich sô nâhe geriten bin.
ir sultz ouch mîden, habt ir sin.
507 Ich enwânde niht deiz kœm alsus.
Lishoys Gwelljus
hât mich sêre geletzet
und hinderz ors gesetzet
5 mit einer tjoste rîche:
diu ergienc sô hurteclîche
durch mînen schilt und durch den lîp,
dô half mir diz guote wîp
ûf ir pfert an diese stat.'
10 Gâwân er sêre belîben bat.
Gâwân sprach, er wolde sehn
wâ im der schade dâ wære geschehn.

505, 3. was *D.*   5. glevenie *gg.*   wite *G.*   6. malet *g*, malt *Dgg*, malte *Gg.*
    7. gultes *DGgg*, gúlte sú *d.*   schultaren (y *über* u) *G.*   15. in ir schoz
Gdg.   17. Gewan *G.*   si *gg.*   18. danchet *Ggg.*   20. Ver-
schriet *Ggg.*   21. h'er *D*, herre *G.*   gawein *G.*   22. durstochen *G.*
   23. dz *D*, daz *D.*   30. ratet *DG.*   iwer *G.*

506, 1. me *G.*   dan *g.*   ich muge gesehen *G.*   6. trẘet *D*, trouwete *G*,
    trewet *g.*   9. *über* ditche *setzt G* machen.   12. einen louft *D*, einen loyft
G, einen louf *g*, einen loft *g*, ein lust *gg*, ein loup *d.*   rôre *G.*   15. tiost
niht in *G.*   17. daz bluot *D*, daz daz bluot *gg*, daz bluot wider *Gdgg.*
   18. sich wider uf *G.*   19. reite *G*, redet *dg.*   20. gawanen *alle.*   sach *Gg.*
   21. danchet *g*, genadet *G.*   22. hetes *Ggg*, het sin *dyg*, het des *D.*
   23. schiet *g*, schiede *DG.*   26. verre *DG.*   usz *d.*   pŏntŏrteis *G.*
   27. wolde *DG.*   28. muoz *Gg.*   ihz *G*, ich *D.*   29. nahe *dg*,
    nahen *DG.*

507, 1. Ihne wande ouch niht *G.*   deiz] der *d*, daz ez *die übrigen.*   kœm *gg*,
    chôm *G*, chœme *D.*   6. Die *G.*   8. ditz *gg*, ditze *G.* dizze *D*, daz *dyg.*
   9. pharit *G*, pferde *dgg.*   10. Gawanen *alle au/ser d.*   sêre *fehlt dg.*

'lît Lôgroys sô nâhen,
mac i'n dervor ergâhen,
15 sô muoz er antwurten mir:
ich frâge in waz er ræche an dir.'
'des entuo niht,' sprach der wunde
man.
'der wârheit ich dir jehen kan.
dar engêt niht kinde reise:
20 ez mac wol heizen freise.'
Gâwân die wunden verbant
mit der frouwen houbtgewant,
er sprach zer wunden wunden segn,
er bat got man und wîbes pflegn.
25 er vant al bluotec ir slâ,
als ein hirze wære erschozzen dâ.
daz enliez niht irre in rîten:
er sach in kurzen zîten
Lôgroys die gehêrten.
vil liut mit lobe si êrten.
508 An der bürge lâgen lobes werc.
nâch trendeln mâze was ir berc:
swâ si verre sach der tumbe,
er wând si liefe alumbe.
5 der bürge man noch hiute giht
daz gein ir sturmes hôrte niht:
si forhte wênec selhe nôt,
swâ man hazzen gein ir bôt.
alumben berc lac ein hac,
10 des man mit edelen boumen pflac.
vîgen boum, grânât,
öle, wîn und ander rât,
des wuohs dâ ganziu rîcheit.
Gâwân die strâze al ûf hin reit:
15 da ersaher niderhalben sîn
freude und sîns herzen pîn.
ein brunne ûzem velse schôz:
dâ vander, des in niht verdrôz,
ein alsô clâre frouwen,

20 dier gerne muose schouwen,
aller wîbes varwe ein bêâ flûrs.
âne Condwîrn âmûrs
wart nie geborn sô schœner lîp.
mit clârheit süeze was daz wîp,
25 wol geschict unt kurtoys.
si hiez Orgelûse de Lôgroys.
och sagt uns d'âventiur von ir,
si wære ein reizel minnen gir,
ougen süeze ân smerzen,
unt ein spansenwe des herzen.
509 Gâwân bôt ir sînen gruoz.
er sprach 'ob ich erbeizen muoz
mit iweren hulden, frouwe,
ob ich iuch des willen schouwe
5 daz ir mich gerne bî iu hât,
grôz riwe mich bî freuden lât:
sone wart nie rîter mêr sô frô.
mîn lîp muoz ersterben sô
daz mir nimmer wîp gevellet baz.'
10 'deist et wol: nu weiz ich ouch
daz.'
selch was ir rede, dô se an in sach.
ir süezer munt mêr dannoch sprach
'nu enlobt mich niht ze sêre:
ir enpfâhtes lîhte unêre.
15 ichn wil niht daz ieslîch munt
gein mir tuo sîn prüeven kunt.
wær mîn lop gemeine,
daz hiez ein wirde kleine,
dem wîsen unt dem tumben,
20 dem slehten und dem krumben:
wâ riht ez sich danne für
nâch der werdekeite kür?
ich sol mîn lop behalten,
daz es die wîsen walten.
25 ichn weiz niht, hêrre, wer ir sît:
iwers rîtens wære von mir zît.

---

14. in G, ich in *die übrigen.*   ich inder vor D.   16. Ih fraget in G.
22. huopte gewant G.   24. mansz g.   26. hirze DGg, hirtz dgg.   erslagin G.   27. Daz liez in niht irre riten dg.   30. lute D, lûte G.
508, 1. burch lach g.   2. En tr. G.   trendeln Dg, trendel d, trentel g, trenelen G, trenel g, tremelen g.   4. wande DG.   6. horte sturmes G.
hurte d.   7. weniu solhe noht G.   9. Alumbe enberch G.   11. boume dg.
unde granat Gdg.   13. groziu Ggg.   17. Eine G.   18. Do vant er G.
19. alse G.   20. mohte Gdg.   21. wibe dgg und ohne varwe g.   ein fehlt Gg.
22. = condwiramurs Ggg.   23. sô fehlt gg.   24. clareheit G.   25. geschickt g, geschiht g, geschichet DG.   kurteis G.   27. seit G.   uns fehlt dgg.   diu D, die G.   29. ane D.   30. spannesenwe g, spansniuwe G.
509, 8. Ih muoz sterbin lihte also G.   9. gevallet G.   11. si DG.   13. Nune lobit G.   15. 25. Ihne G.   16. fehlt G.   18. hiezze D.   ein] ich gg.
22. werdecheit D.   26. Iwer varn wer van mir zit g.

16*

mîn prüeven lât iuch doch niht
　　frî:
ir sît mînem herzen bî,
verre ûzerhalp, niht drinne.
gert ir mîner minne,
510 Wie habt ir minne an mich erholt?
maneger sîniu ougen bolt,
er möhts ûf einer slingen
ze senfterm wurfe bringen,
5 ob er sehen niht vermîdet
daz im sîn herze snîdet.
lât walzen iwer kranken gir
ûf ander minne dan ze mir.
dient nâch minne iwer hant,
10 hât iuch âventiure gesant
nâch minne ûf rîterlîche tât,
des lônes ir an mir niht hât:
ir mugt wol laster hie bejagn,
muoz ich iu die wârheit sagn.'
15 dô sprach er 'frouwe, ir sagt
　　mir wâr.
mîn ougen sint des herzen vâr:
die hânt an iwerem lîbe ersehn,
daz ich mit wârheit des muoz jehn
daz ich iwer gevangen bin.
20 kêrt gein mir wîplîchen sin.
swies iuch habe verdrozzen,
ir habt mich în geslozzen:
nu lœset oder bindet.
des willen ir mich vindet,
25 het ich iuch swâ ich wolte,
den wunsch ich gerne dolte.'
si sprach 'nu füert mich mit iu
　　hin.
welt ir teilen den gewin,
den ir mit minne an mir bejagt,
mit laster irz dâ nâch beklagt.
511 Ich wiste gerne ob ir der sît,

der durch mich getorste lîden
　　strît.
daz verbert, bedurft ir êre.
solt ich iu râten mêre,
5 spræcht ir denne der volge jâ,
sô suocht ir minne anderswâ.
ob ir mîner minne gert,
minne und freude ir sît entwert.
ob ir mich hinnen füeret,
10 grôz sorge iuch dâ nâch rüeret.'
dô sprach mîn hêr Gâwân
'wer mac minne ungedienet hân?
muoz ich iu daz künden,
der treit si hin mit sünden.
15 swem ist ze werder minne gâch,
dâ hœret dienst vor unde nâch.'
si sprach 'welt ir mir dienst gebn,
sô müezt ir werlîche lebn,
unt megt doch laster wol bejagn.
20 mîn dienst bedarf decheines zagn.
vart jenen pfat (êst niht ein wec)
dort über jenen hôhen stec
in jenen boumgarten.
mîns pferts sult ir dâ warten.
25 dâ hœrt ir und seht manege diet,
die tanzent unde singent liet,
tambûren, floitieren.
swie si iuch condwieren,
gêt durch si dâ mîn pfärt dort stêt,
unt lœst ez ûf: nâch iu ez gêt.'
512 Gâwân von dem orse spranc.
dô het er mangen gedanc,
wie daz ors sîn erbite.
dem brunnen wonte ninder mite
5 dâ erz geheften möhte.
er dâhte, ob im daz töhte
daz siz ze behalten næme,
ob im diu bete gezæme.

---

27. pueven *D.*

510, 1. mir *G.*　　　verholt *g.*　　4. Ze senferen *G,* zesenftem *D.*　　7. chranche
Gdgg.　　8. dann *gg,* danne *DG.*　　17. di *D.*　　habint *G.*　　20. wippl. *G.*
22. mir *D.*　　23. olde *G.*　　25. 26. wolde-dolde *Gg.*　　27. mich *fehlt G.*
29. minnen *G.*　　30. der nach *G,* dar nach *gg.*

511, 1. wesse *G.*　　der *Dgg,* daz *Gdgg.*　　5. spræchet *DG.*　　der volge
fehlt G.　　6. suehte ir *G.*　　10. Groze *G.*　　11. Da *G.*　　herr *D,* herre *G.*
12. Swer *Gg.*　　mag *nach* minne *gg,* wil *nach* minne *g,* wil *vor* han *d.*
16. 20. dienste *G.*　　18. muzt *g.*　　werdechlichen *G.*　　19. muget *G.*
20. decheins *D,* neheins *G.*　　21. ez ist *alle, nur* ez enist *g.*　　23. ienen
D, den *g,* einen *die übrigen.*　　24. pfærdes *D,* pharides *G.*　　25. ir *fehlt G.*
und seht ir *D.*　　26. singent mænige liet *G.*　　27. unde floyt. *G.*　　28. con-
dew. *G.*　　29. sie *D.*　　pharit *G.*　　30. *fehlt G.*　　uf. *D.*

512, 3. sîn] fîner *G.*　　4. wonet niemer *G.*　　6. im *fehlt D.*　　dohte *G.*

'ich sihe wol wes ir angest hât,'
10 sprach si. 'diz ors mir stên hie lât:
daz behalt ich unz ir wider kumt.
mîn dienst iu doch vil kleine
    frumt.'
    dô nam mîn hêr Gâwân
den zügel von dem orse dan:
15 er sprach 'nu habt mirz, frouwe.'
'bî tumpheit ich iuch schouwe,'
sprach si: 'wan dâ lac iwer hant,
der grif sol mir sîn unbekant.'
dô sprach der minne gernde man
20 'frouwe, in greif nie vorn dran.'
'nu, dâ wil ichz enpfâhen,'
sprach si. 'nu sult ir gâhen,
und bringt mir balde mîn pfert.
mîner reise ir sît mit iu gewert.'
25 daz dûhte in freudehaft gewin:
dô gâht er balde von ir hin
über den stec zer porten în.
dâ saher manger frouwen schîn
und mangen rîter jungen,
die tanzten unde sungen.
513 Dô was mîn hêr Gâwân
sô gezimiert ein man,
daz ez si lêrte riuwe:
wan si heten triuwe,
5 die des boumgarten pflâgen.
si stuonden ode lâgen
ode sæzen in gezelten,
die vergâzen des vil selten,
sine klageten sînen kumber grôz.
10 man unt wîp des niht verdrôz,
genuoge sprâchen, denz was leit,
'mîner frowen trügeheit
wil disen man verleiten

ze grôzen arbeiten.
15 ôwê daz er ir volgen wil
ûf alsus riwebæriu zil.'
manec wert man dâ gein im
    gienc,
der in mit armen unbevienc
durch friwentlîch enpfâhen.
20 dar nâch begunder nâhen
einem ölboum: dâ stuont dez pfert:
ouch was maneger marke wert
der zoum unt sîn gereite.
mit einem barte breite,
25 wol geflohten unde grâ
stuont derbî ein rîter dâ
über eine krücken gleinet:
von dem wart ez beweinet
daz Gâwân zuo dem pfärde gienc.
mit süezer rede ern doch eupfienc.
514 Er sprach 'welt ir râtes pflegn,
ir sult diss pfärdes iuch bewegn.
ezn wert iu doch niemen hie.
getât ab ir dez wægest ie,
5 sô sult irz pfärt hie lâzen.
mîn frouwe sî verwâzen,
daz si sô manegen werden man
von dem lîbe scheiden kan.'
Gâwân sprach, ern liezes niht.
10 'ôwê des dâ nâch geschiht!'
sprach der grâwe rîter wert.
die halftern lôster vome pfert,
er sprach 'ir sult niht langer stên:
lât diz pfärt nâh iu gên:
15 des hant dez mer gesalzen hât,
der geb iu für kumber rât.
hüet daz iuch iht gehœne
mîner frouwen schœne:

---

11. chomet *G.*   12. iuch *G.*   doch *fehlt g.*   wenic *Gg.*   13. herre
G. so 513, 1.   14. ors san *G.*   16. ih iu *G.*   18. umb. *G.*   20. ine
greif *D*, ih engreif *G.*   voren *D.*   21. nu. da *D.*   23. bringt *g.*   balde
mir *Gg.*   pfært *D.*   25. froude hafte *G.*   26. vor ir *D.*   27. Ubir
den stek zeder borten in *G.*   28. Do *Gg.*   sager mangen *D.*   30. tan-
zeten *G.*   sprungen *Gg.*

513, 2. gezimierte *G.*   4. wande *D.*   6. stuoden *G.*   6. 7. oder *D.*
7. sæzen *Dg,* sæzzen *G,* sazen *die übrigen.*   in den *G.*   10. Wip unde
man *G.*   11. Gnuoge *D.*   den es *DG.*   15. ouwe *D.*   16. also *Ggg.*
riuwæriu (ba *über* wæ) *G,* riuberiu *g.*   19. friuntliche *G.*   21. ölboume *DG.*
dez *D,* daz *G,* ez *g.*   pharit *G.*   22. mæneger march *G.*   27. gel.
alle, geleint *G.*   29. pharit *G.*

514, 1. Der *D.*   ratis *G,* rats *D.*   2. disses *G.*   pfærds *D,* pharides *G.*
4. abir ir daz *G.*   wægeste *D,* wagist *G.*   5. pfært *Dg, fehlt den übrigen.*
6. sie *G.*   8. Vonem *G.*   9. er *Gdg.*   10. ouwe *D.*   = des danne da
nah *Ggg.*   12. halfteren lostr *D*   13. lenger *G.*   14. dize pharit *G.*
17. Huete *G.*

wan diu ist bî der süeze al sûr,
20 reht als ein sunnenblicker schûr.'
'nu waltes got,' sprach Gâwân.
urloup nam er zem grâwen man:
als tet er hie unde dort.
si sprâchen alle klagendiu wort.
25 daz pfärt gienc einen smalen wec
zer porte ûz nâch im ûf den stec.
sîns herzen voget er dâ vant:
diu was frouwe überz lant.
swie sîn herze gein ir flôch,
vil kumbers si im doch drîn zôch.
515   Si hete mit ir hende
underm kinne daz gebende
hin ûfez houbet geleit.
kampfbæriu lide treit
5 ein wîp die man vindet sô:
diu wær vil lîhte eins schimpfes vrô.
waz si anderr kleider trüege?
ob ich nu des gewüege,
daz ich prüeven solt ir wât,
10 ir liehter blic mich des erlât.
dô Gâwân zuo der frouwen gienc,
ir süezer munt in sus enpfienc.
si sprach 'west willekomn, ir gans.
nie man sô grôze tumpheit dans,
15 ob ir mich diens welt gewern.
ôwê wie gern irz möht verbern!'
er sprach 'ist iu nu zornes gâch,
dâ hœrt iedoch genâde nâch.
sît ir strâfet mich sô sêre,
20 ir habt ergetzens êre.
die wîl mîn hant iu dienst tuot,
unz ir gewinnet lônes muot.
welt ir, ich heb iuch ûf diz pfert.'
si sprach 'des hân ich niht gegert.
25 iwer unversichert hant
mac grîfen wol an smæher pfant.'

hin umbe von im si sich swanc,
von den bluomen ûfez pfärt si
    spranc.
si bat in daz er rite für.
'ez wære et schade ob ich verlür
516 Sus ahtbæren gesellen,'
sprach si: 'got müeze iuch vellen!'
swer nu des wil volgen mir,
der mîde valsche rede gein ir.
5 niemen sich verspreche,
ern wizze ê waz er reche,
unz· er gewinne küende
wiez umb ir herze stüende.
ich kunde ouch wol gerechen dar
10 gein der frouwen wol gevar:
swaz si hât gein Gâwân
in ir zorne missetân,
ode daz si noch getuot gein im,
die râche ich alle von ir nim.
15   Orgelûs diu rîche
fuor ungeselleclîche:
zuo Gâwân si kom geriten
mit alsô zornlîchen siten,
20 daz si mich von sorgen lôste.
si riten dannen beide,
ûf eine liehte heide.
ein krût Gâwân dâ stênde sach,
des würze er wunden helfe jach.
25 do rebeizte der werde
nider zuo der erde:
er gruop se, wider ûf er saz.
diu frouwe ir rede ouch niht
    vergaz,
si sprach 'kan der geselle mîn
arzet unde rîter sîn,
517 Er mac sich harte wol bejagn,
gelernt er bühsen veile tragn.'

---

19. 20. s̊wr-sc̊wr *D.*   20. sunne bliche *g*, sunnen bliche *g*.   21. walts *D.*
23. unt *D.*   24. chlagende *D.*   25. phert *G.*   gie *DG.*   ein smaln *D.*
26. Zeden borten *G.*   porten *D und fast alle.*   uf dem *G.*   27. vogit
G, vogt *D.*   28. ubirz *G*, uber daz *D.*   30. *über* chumbers *setzt G* tiu-
velsnezze *g.*   doch *DGg, fehlt den übrigen.*   gezoch *D.*
515, 2. Underm *g.*   3. huopt *G.*   6. champhes *Gdg.*   7. anderre *G.*
8. des nu *Gd.*   13. west *Dg*, weset *dg*, sit *Ggg.*   14. gedans *dgg.*
15. dienstes *alle aufser D.*   wern *Ggg.*   16. ouwe wi *D*, We wie *G*,
Owy wie *g*, Owie (*und* moht ichz) *g*, Eya wie *d.*   mohte *G.*   17. nu
fehlt D.   zorns *DG.*   19. strapfet mich *g*, mich strafet *G.*   24. pfert *G.*
516, 1. ahpærn *gg.*   4. mide *D*, mit *G.*   11. gein gewan *G.*   13. oder *D.*
swaz si noh (tuot *nachgetragen*) gein im *G.*   15. Orgeluse *DG immer.*
17. Gawane *DGg.*   23. da stende Gawan *D*, do *g.* st. *g.*   24. Des chrut er
G, *D*es kraft den *g.*   25. erbeizet *G.*   27. gruop si *G.*
517, 2. veil *Gdg.*

zer frouwen sprach Gâwânes munt
'ich reit für einen rîter wunt:
5 des dach ist ein linde.
ob ich den noch vinde,
disiu wurz sol in wol ernern
unt al sîn unkraft erwern.'
si sprach 'daz sih ich gerne.
10 waz ob ich kunst gelerne?'
dô fuor in balde ein knappe nâch:
dem was zer botschefte gâch,
die er werben solte.
Gâwân sîn beiten wolte:
15 dô dûht ern ungehiure.
Malcrêatiure
hiez der knappe fiere:
Cundrîe la surziere
was sîn swester wol getân:
20 er muose ir antlütze hân
gar, wan daz er was ein man.
im stuont ouch ietweder zan
als einem eber wilde,
unglîch menschen bilde.
25 im waz dez hâr ouch niht sô lanc
als ez Cundrien ûf den mûl dort
swanc:
kurz, scharf als igels hût ez was.
bî dem wazzer Ganjas
ime lant ze Trîbalibôt
wahsent liute alsus durch nôt.
518 Unser vater Adâm,
die kunst er von gote nam,
er gap allen dingen namn,
beidiu wilden unde zamn:
5 er rekant ouch ieslîches art,
dar zuo der sterne umbevart,
der siben plâneten,
waz die krefte hêten:

er rekant ouch aller würze maht,
10 und waz ieslîcher was geslaht.
dô siniu kint der jâre kraft
gewunnen, daz si berhaft
wurden menneschlîcher fruht,
er widerriet in ungenuht,
15 swâ sîner tohter keiniu truoc,
vil dicke er des gein in gewuoc,
den rât er selten gein in liez,
vil würze er se mîden hiez
die menschen fruht verkêrten
20 unt sîn geslähte unêrten,
'anders denne got uns maz,
dô er ze werke übr mich gesaz,'
sprach er. 'mîniu lieben kint,
nu sît an sælekeit niht blint.'
25 diu wîp tâten et als wîp:
etslîcher riet ir brœder lîp
daz si diu werc volbrâhte,
des ir herzen gir gedâhte.
sus wart verkêrt diu mennischeit:
daz was iedoch Adâme leit,
519 Doch engezwîvelt nie sîn wille.
diu küneginne Secundille,
die Feirefîz mit rîters hant
erwarp, ir lîp unt ir lant,
5 diu het in ir rîche
hart unlougenlîche
von alter dar der liute vil
mit verkêrtem antlützes zil:
si truogen vremdiu wilden mâl.
10 dô sagete man ir umben grâl,
daz ûf erde niht sô rîches was,
unt des pflæge ein künec hiez An-
fortas.
daz dûhte se wunderlîch genuoc:
wan vil wazzer in ir lant truoc

---

3. Gawans *DG.* 7. wrce *Dgg.* 11. im *D.* 15. ungehure *G.* 18. Gundrie
lansurziere *G.* 22. stuonde *D.* ietsweder *D,* ietwederre *G.* 21. ungelich
DG. menneschen *D.* 25. dz *D,* daz *G.* 26. gundrien *G,* kundrie *g.*
ufen *g,* uf dem *Ggg.* dort *fehlt gg.* 27. scharphe *G.* 28. waszer *G.*
29. lande *alle.* 29. 30. -ôt *und* nôt *G.*
518, 2. got *G.* 5. 9. erchande *G.* 6. stern *D,* sternen *dg.* 7. selben *D.*
9. wrzen *g.* 15. deh. *Gg,* eine *g.* 16. ditke *G.* 18. wurzen er si *Ggg.*
19. mennschen *D.* 20. sine *G,* si *D.* geslahte *G.* 22. uber *D,* ubir *G.*
uber uns saz *g.* 23. Do sprach er *g.* min liebiu chint *G.* 26. ge-
riet *D.* 28. des *Dg,* Der *Gdg,* Als *gg.* herze *G.* 29. mennscheit *D.*
30. doch adamen *g.* adam *G.*
519, 1. engezwivelte *D,* gezwifelt *dgg,* gezwischelte *G,* zwifelt *gg.* 2. Die chu-
negin segundille *G.* 3. ferefiz *g,* fetefiz *G.* 6. Harte *G.* unlogen-
liche *G,* ungelogenl. *g,* ungelugel. *g.* 7. do *G,* da *g.* 9. fromden *G.*
wilden *DG,* wilt *gg,* wilde *dg.* 11. erden *Gg.* 12. Unde es *G.* 13. se]
sih *G.* 14. lande *gg.*

15 für den griez edel gesteine:
grôz, niht ze kleine,
het si gebirge guldîn.
dô dâht diu edele künegîn
'wie gewinne ich künde dises man,
20 dem der grâl ist undertân?'
si sant ir kleinœte dar,
zwei mennesch wunderlîch gevar,
Cundrîen unde ir bruoder clâr.
si sante im mêr dennoch für wâr,
25 daz niemen möhte vergelten:
man fündez veile selten.
dô sande der süeze Anfortas,
wand er et ie vil milte was,
Orgelûsen de Lôgroys
disen knappen kurtoys.
520 Von wîbes gir ein underscheit
in schiet von der mennescheit.
der würze unt der sterne mâc
huop gein Gâwân grôzen bâc.
5 der hete sîn ûfem wege erbitn.
Malcrêatiure kom geritn
ûf eime runzîde kranc,
daz von leme an allen vieren hanc.
ez strûchte dicke ûf d'erde.
10 frou Jeschût diu werde
iedoch ein bezzer pfärt reit
des tages dô Parzivâl erstreit
ab Orilus die hulde:
die vlôs se ân alle ir schulde.
15 der knappe an Gâwânen sach:
Malcrêatiur mit zorne sprach
'hêr, sît ir von rîters art,
sô möht irz gerne hân bewart:
ir dunket mich ein tumber man,
20 daz ir mîne frouwen füeret dan:

och wert irs underwîset,
daz man iuch drumbe prîset,
op sichs erwert iwer hant.
sît ab ir ein sarjant,
25 sô wert ir gâlûnt mit stabn,
daz irs gern wandel möhtet habn.'
    Gâwân sprach 'mîn rîterschaft
erleit nie sölher zühte kraft.
sus sol man walken gampelher,
die niht sint mit manlîcher wer:
521 Ich pin noch ledec vor solhem pîn.
welt ab ir unt diu frouwe mîn
mir smæhe rede bieten,
ir müezt iuch eine nieten
5 daz ir wol meget für zürnen hân.
swie freislîche ir sît getân,
ich enbær doch sanfte iwer drô.'
Gâwân in bîme hâre dô
begreif und swang in underz pfert.
10 der knappe wîs unde wert
vorhtlîche wider sach.
sîn igelmæzec hâr sich rach:
daz versneit Gâwân sô die hant,
diu wart von bluote al rôt erkant.
15 des lachte diu frouwe:
si sprach 'vil gerne ich schouwe
iuch zwêne sus mit zornes site.'
si kêrten dan: dez pfärt lief mite.
si kômen dâ si funden
20 ligen den rîter wunden.
mit triwen Gâwânes hant
die wurz ûf die wunden bant.
der wunde sprach 'wie'rgienc ez dir,
sît daz du schiede hie von mir?
25 du hâst eine frouwen brâht,
diu dîns schaden hât gedâht.

---

18. daht *g.*   edil *G.*   19. gwnne *gg.*   diss *D,* disses *g.*   21. chleinode *DG.*   22. menschen *Gdg,* mensche *g.*   23. Gundr. *G.*   26. fundz *D,* vunden *G.*   28. Wan *G.*   29. Orgeluosen *D.*

520, 3. stern *g,* sternen *dg,* strenen *G.*   5. uf dem wege biten *G.*   8. lem *Ggg.*   uf *g.*   9. struchete *D,* struchet *G.*   uf der erde *G.*   10. Ie-scute *D,* Ieschute *G.*   11. pherit *G.*   13. Abe orillus *G.*   di *Dg,* ir die *die übrigen.*   14. vlos si *D,* virlos si *G,* si verlos *g.*   an alle ir *Dg,* ane *die übrigen.*   15. ane gewanen *G.*   16. Malcreature *DG immer.*   19. tum-pir *G.*   20. dar ir *D.*   fuerte *G.*   21. irz *D.*   24. aber *D,* abir *G.*   25. werdet *alle.*   ir *fehlt d.* Ir werdet galunet so *gg.*   galûnet *D,* gea-lunt *G.*   26. moht *G.*   29. campel hêr *G.*   30. sint mit *Dd,* sin mit *g,* mit *Ggg,* hant *g.*

521, 2. abir ir *G.*   4. muezet *G,* muozet *D.*   5. muget vur zurne *G.*   6. vreissam *D,* eislich *gg.*   7. ich enbære *D,* Ihne enbær *G.*   samfte *G,* iwerr *D.*   9. pfært *D.*   13. also *G.*   15. lachete *G.*   17. zorns *DG.*   18. daz pharit *G.*   21. Gäwans *DG oft.*   22. wrce *Ddg,* *D,* wie ergienc *G.*   24. daz *fehlt G.*   25. ein *G.*   23. wi ergie

von ir schuldn ist mir sô wê:
in Av'estroit mâvoiê
half si mir schärpfer tjoste
ûf lîbs und guotes koste.
522 Wellestu behalten dînen lîp,
sô lâ diz trügehafte wîp
rîten unde kêr von ir.
nu prüeve selbe ir rât an mir.
5 doch möht ich harte wol genesen,
ob ich bî ruowe solte wesen.
des hilf mir, getriwer man.'
dô sprach mîn hêr Gâwân
'nim aller mîner helfe wal.'
10 'hie nâhen stêt ein spitâl:
alsô sprach der rîter wunt:
'kœme ich dar in kurzer stunt,
dâ möht ich ruowen lange zît.
mîner friundîn runzît
15 hab wir noch stênde al starkez hie:
nu heb si drûf, mich hinder sie.'
dô bant der wol geborne gast
der frouwen pfärt von dem ast:
er woldez ziehen nâher ir.
20 der wunde sprach 'hin dan von mir!
wie ist iuch tretens mich sô gâch?'
er zôhz ir verr: diu frowe gienc
nâch,
sanfte unt doch niht drâte,
al nâch ir mannes râte.
25 Gâwân ûf daz pfärt si swanc.
innen des der wunde rîter spranc
ûf Gâwânes kastelân.
ich wæne daz was missetân.
er unt sîn frouwe riten hin:
daz was ein sündehaft gewin.
523 Gâwân daz klagete sêre:

diu frouwe es lachete mêre
denn inder schimpfes in gezam.
sît man im daz ors genam,
5 ir süezer munt hin zim dô sprach
'für einen rîter ich iuch sach:
dar nâch in kurzen stunden
wurdt ir arzet für die wunden:
nu müezet ir ein garzûn wesn.
10 sol iemen sîner kunst genesn,
sô trœst iuch iwerre sinne.
gert ir noch mîner minne?'
'jâ, frouwe,' sprach hêr Gâwân:
'möhte ich iwer minne hân,
15 diu wær mir lieber danne iht.
ez enwont ûf erde nihtes niht,
sunder krône und al die krône
tragent,
unt die freudehaften prîs bejagent:
der gein iu teilte ir gewin,
20 sô rætet mir mîns herzen sin
daz ichz in lâzen solte.
iwer minne ich haben wolte.
mag ich der niht erwerben,
sô muoz ein sûrez sterben
25 sich schiere an mir rezeigen.
ir wüestet iwer eigen.
ob ich vrîheit ie gewan,
ir sult mich doch für eigen hân:
daz dunct mich iwer ledec reht.
nu nennt mich rîter oder kneht,
524 Garzûn oder vilân.
swaz ir spottes hât gein mir getân,
dâ mite ir sünde enpfâhet,
ob ir mîn dienst smâhet.
5 solt ich diens geniezen,
iuch möhte spots verdriezen.

---

27. ir schulden *DGgg*, ir schulde *d*, der schult *gg*.   28. una stroyt viê (*ohne*
in) *D*.   29. scharpher *G*.   30. Gein mines verhes choste *gg*.   ûfz *D*.
lîbes *DG*.   unde uf *Gg*.

522,   3. ker *gg*.   4. ir rate *G*.   7. vil getriuwer *G*.   8. herre *G*, herre
her *d oft*.   14. friwendinne *DGg*.   17. wolgeborn *G*.   18. pherit *G*.
19. woltz *D*.   21. inc *Wackernagel*.   trettens *D*.   mich] noh *G*.   22. zohez
DG.   ir *DGg, fehlt den übrigen*.   verre *alle*.   23. unt *fehlt G*.   doh nih *G*.
25. phert sih *G*.   29. sin frôwe *D*, diu frouwe *Gdg*, sin wip *gg*.   30. scha-
dehaft *G*.

523,   3. den ninder *D*, Dane iender *G*.   schinphes *G*.   4. Sit daz *Ggg*.
5. munt mit frouden sprach *G*.   dô *fehlt dg*.   8. wrdet *DG*.   ir ein
arzt *gg*.   11. trœst *g*, trœstet *DG*.   iwer (*ohne* iuch) *Gg*.   15. dann *D*,
danne et *g*.   16. wonte *G*.   erden *Gdg*.   17. sunder] under *alle, nur g*
Und.   alle die *alle*.   20. retet *g*, ræt *D*, ratet *die übrigen*.   mins *DG*.
24. swerz *D*, swarez *G*.   25. erz. *G*.   26. wuoste *G*.   29. dunchet *DG*.
30. nennet *DG*.   cheneht *G*.

524,   2. habit *G*.   5. diens *D*, dienst *d*, dienstes *die übrigen*.   6. mohtes *G*.
spottes *DGdg*, spottens *g*, iedoch *gg*.   erdr. *g*.

ob ez mir nimmer wurde leit,
ez krenket doch iur werdekeit.'
wider zuo zin reit der wunde man
10 und sprach 'bistuz Gâwân?
hâstu iht geborget mir,
daz ist nu gar vergolten dir,
dô mich dîn manlîchiu kraft
vienc in herter rîterschaft,
15 und dô du bræhte mich ze hûs
dînem œheim Artûs.
vier wochen er des niht vergaz:
die zît ich mit den hunden az.'
dó sprach er 'bistuz Urjâns?
20 ob du mir nu schaden gans,
den trag ich âne schulde:
ich erwarp dir sküneges hulde.
ein swach sin half dir unde riet:
von schildes ambet man dich schiet
25 und sagte dich gar rehtlôs,
durch daz ein magt von dir verlôs
ir reht, dar zuo des landes vride.
der künec Artûs mit einer wide
woltz gerne hân gerochen,
het ich dich niht versprochen.'
525 'Swaz dort geschach, du stêst
nu hie.
du hôrtst och vor dir sprechen ie,
swer dem andern half daz er genas.
daz er sîn vîent dâ nâch was.
5 ich tuon als die bî witzen sint.
sich füeget paz ob weint ein kint
denn ein bartohter man.
ich wil diz ors al eine hân.'
mit sporn erz vaste von im reit:
10 daz was doch Gâwâne leit.
der sprach zer frowen 'ez kom
alsô.
der künec Artûs der was dô

in der stat ze Dîanazdrûn,
mit im dâ manec Bertûn.
15 dem was ein frouwe dar gesant
durch botschaft in sîn lant.
ouch was dirre ungehiure
ûz komn durch âventiure.
er was gast, unt si gestin.
20 do geriet im sîn kranker sin
daz er mit der frouwen ranc
nâch sînem willen ân ir danc.
hin ze hove kom daz geschrei:
der künec rief lûte heiâ hei.
25 diz geschach vor einem walde:
dar gâht wir alle balde.
ich fuor den andern verre vor
unt begreif des schuldehaften spor:
gevangen fuort ich wider dan
für den künec disen man.
526 Diu juncfrouwe reit uns mite:
riwebærec was ir site,
durch daz ir hête genomen
der nie was in ir dienst komen
5 ir kiuscheclîchen magetuom.
ouch bezalter dâ vil kleinen ruom
gein ir unwerlîchen hant.
mînen hêrren si mit zorne vant,
Artûsen den getriuwen.
10 er sprach 'die werlt sol riuwen
dirre vermaldîte mein.
ôwê daz ie der tag erschein,
bî des liehte disiu nôt geschach,
unt dâ man mir gerihtes jach,
15 unt dâ ich hiute rihter bin.'
er sprach zer frouwen 'habt ir sin,
nemt fürsprechen unde klagt.'
diu frouwe was des unverzagt,
si tet als ir der künec riet.
20 dâ stuont von rîtern grôziu diet.

---

7. niemer G.　9. Wide G.　10. Er sprach g, do sprach er D.　14. vie
Dgg.　16. Dinen G·　19. frians d hier, nachher vrians.　23. saget G.
rehtelos dgg.　27. rehte G.　29. woltez D, Wold ez G.
525, 2. hortest Gdgg, horest D.　4. = dar Ggg.　7. partohtr D, bartôhter g,
barhtohter G, berherter g, bartherter d.　10. gawanen Gdg.　11. der D,
Er Ggg.　17. der Dg.　21. mit den G.　22. sinen G.　25. Daz Gd.
26. gahte g, gahten DGdgg. Dannen cherten gg.　28. Ih G.　des rehtschul-
digen g.　29. ih fuorte G.
526, 2. Riuwebære Gg, Riubære g.　waren Gg.　4. dienste G.　5. chuschl.
Gddg, chûslichen g.　6. bizaltir G.　8. herrin G, herrn D.　9. Arth. G.
10. er sprach. di werelt sol immer riwen D.　11. Disz gg, Daz g, Dise d.
vermaldiete G, vermaledieten d, ver maledite g, verfluohte gg.　13. lieht G.
15. rihtær Dg, rihtare G.　17. vorsprechen Gdgg.　20. was Gddgg.

Urjâns der fürste ûz Punturtoys
der stuont dâ vor dem Bertenoys
ûf al sîn êre und ûf den lîp.
für gienc daz klagehafte wîp,
25 da ez rîche und arme hôrten.
si bat mit klagenden worten
den künec durch alle wîpheit,
daz er im lieze ir laster leit,
unt durch magtuomlîch êre.
si bat in fürbaz mêre
527 Durch der tavelrunder art,
und durch der botschefte vart,
als si wære an in gesant;
wær er ze rihtære erkant,
5 daz er denne riht ir swære
durch gerihtes mære.
si bat der tavelrunder schar
alle ir rehtes nemen war,
sît daz ir wære ein roup genomn,
10 der nimmer möhte wider komn,
ir magtuom kiusche reine,
daz si al gemeine
den künec gerihtes bæten
und an ir rede træten.
15 fürsprechen nam der schuldec
man,
dem ich nu kranker êren gan.
der wert in als er mohte.
diu wer im doch niht tohte:
man verteilte imz leben unt sînen
prîs,
20 unt daz man winden solt ein rîs,
dar an im sterben wurd erkant
âne bluotige hant.
er rief mich an (des twang in nôt)
unt mant mich des daz er mir bôt
25 sicherheit durch genesn.

ich vorhte ân al mîn êre wesn,
ob er verlür dâ sînen lîp.
ich bat daz klagehafte wîp,
sît si mit ir ougen sach
daz ich si manlîche rach,
528 Daz si durch wîbes güete
senfte ir gemüete,
sît daz si müese ir minne jehn
swaz ir dâ was von im geschehn,
5 unt ir clârem lîbe:
unt ob ie man von wîbe
mit dienste kœme in herzenôt,
ob sim dâ nâch ir helfe bôt,
'der helfe tuot ez zêren,
10 lât iuch von zorne kêren.'
ich bat den künec unt sîne man,
ob ich im hête getân
kein dienst, daz ers gedæhte,
daz er mir lasters æhte
15 mit eime site werte,
daz er den rîter nerte.
sîn wîp die küneginne
bat ich durch sippe minne,
wand mich der künec von kinde
zôch
20 und daz mîn triwe ie gein ir
vlôch,
daz si mir hulfe. daz geschach.
die juncfrowen si sunder sprach:
do genaser durch die künegîn,
er muose ab lîden hôhen pîn.
25 sus wart sîn lîp gereinet,
solch wandel im bescheinet:
ez wær vorlouft od leithunt,
ûz eime troge az sîn munt
mit in dâ vier wochen.
sus wart diu frouwe gerochen.

---

21. ponturtois *G.* 22. bertenois *d.* 23. alle sin *G.* 24. chlagh. *Dd.*
25. Daz reiche *d.* arme unde riche *Gg.* 28. lieze sin ir *d.* leit. Sin
D, sin leit *g.* Er lieze im sin ir laster leit *G*, Daz im were ir laster
(komber *d*) leit *dgg*, Daz im ir laster were leit *g.* 29. magtlich *G.*
527, 1. tavelrundn *Dddg*, tavelrunde *Gg.* 7. Do bat si *G.* tavelrunde *Ddgg.*
10. Der niht wider mohte chomen *G.* 14. Unde alle ir rede tætin *G.*
15. Forsprechen *Ggg.* 19. sine bris *G.* 22. an *D.* 24. mich *fehlt Gg.*
des daz *D*, des *d*, daz *Gdgg.* gebot *dg.* 26. alle min *alle.* 27. Ebe
er virlûr *G.* 30. manlichen *Ggg.*
528, 3. si *fehlt G.* si im *d.* im iehen *gg.* 4. von im *fehlt G.* von im
was *dgg.* 5. An *gg*, Von *d.* 6. ob *fehlt G.* 7. chom *gg.* 8. si im
DG. 12. in *G*, im ie *g*, in ie *g.* 13. Dehæin *gg*, cheinen *D*, Deheinen
G, Dekeinen *d.* dienste *G.* 19. wand *Dd.* kinden *d.* 22. diu
iunchfrouwe sî *D.* 23. gnaser durh *D.* 24. aber *D*, abir *G.*
27. vorlouf *dgg.* oder *D.* leite hunt *Gdg.* 29. sine munt *G.*

529 Frowe, daz ist sîn râche ûf
mich.'
si sprach 'sich twirhet sîn gerich.
ich enwirde iu lîhte nimmer holt:
doch enpfæht er drumbe alsolhen
solt,
5 ê er scheid von mîme lande,
des er jehen mac für schande.
sît ez der künec dort niht rach,
alda'z der frouwen dâ geschach,
und ez sich hât an mich gezogt,
10 ich pin nu iwer bêder vogt,
und enweiz doch wer ir bêdiu sît.
er muoz dar umbe enpfâhen strît,
durch die frouwen eine,
unt durch iuch harte kleine.
15 man sol unfuoge rechen
mit slahen unt mit stechen.'
Gâwân zuo dem pfärede gienc,
mit lîhtem sprunge erz doch ge-
vienc.
dâ was der knappe komen nâch,
20 ze dem diu frouwe heidensch sprach
al daz si wider ûf enbôt.
nu næhet och Gâwânes nôt.
Malcrêatiur ze fuoz fuor dan.
do gesah ouch mîn hêr Gâwân
25 des junchêrren runzît:
daz was ze kranc ûf einen strît.
ez hete der knappe dort genomn,
ê er von der halden wære komn,
einem vilâne:
do geschach ez Gâwâne
530 Für sîn ors ze behalten:
des geltes muoser walten.
si sprach hin zim, ich wæn
durch haz,

'sagt an, welt ir îht fürbaz?'
5 dô sprach mîn hêr Gâwân
'mîn vart von hinnen wirt getân
al nâch iwerm râte.'
si sprach 'der kumt iu spâte.'
'nu diene ich iu doch drumbe.'
10 'des dunct ir mich der tumbe.
welt ir daz niht vermîden,
sô müezt ir von den blîden
kêren gein der riuwe:
iwer kumber wirt al niuwe.'
15 dô sprach der minnen gernde
'ich pin iuch diens wernde,
ich enpfâhes freude ode nôt,
sît iwer minne mir gebôt
daz ich muoz ziwerm gebote stên,
20 ich mege rîten oder gên.'
al stênde bî der frouwen
daz marc begunder schouwen.
daz was ze dræter tjoste
ein harte krankiu koste,
25 diu stîcledr von baste.
dem edeln werden gaste
was etswenne gesatelt baz.
ûf sitzen meit er umbe daz,
er forht daz er zetræte
des sateles gewæte.
531 Dem pfärde was der rücke junc:
wær drûf ergangen dâ sîn sprunc,
im wære der rücke gar zevarn.
daz muoser allez dô bewarn.
5 es het in etswenne bevilt:
er zôhez unde truoc den schilt
unt eine glævîne
sîner scharpfen pîne
diu frouwe sêre lachte,
10 diu im vil kumbers machte.

529, 2. twirbet G. 3. Ihne w. G̃. nimer G. 4. Dohne G. enpfæhet
D, enphahet Gdgg. al fehlt Gdgg. 5. scheide DG. 6. iehn D.
9. Sit ez G. 10. beider G. 11. beidiu G: auch D, aber mit punctiertem i.
15. ungefuoge G, ungefuege d. 17. pharide G. 18. lihten G. 20. hei-
dens Gg. 22. nahent Gg. 23. fuere G. 24. herre G. 25. des her-
ren D. 26. uf einem G. 30. geschahz hern g.
530, 1. zbehalten g. 4. saget DG. 5. herre G. 6. varte G. 9. iu
fehlt G. 10. dunchet DG. 12. muezt g. von dem G. 13. gein]
von G. 15. minne Ggg. 16. dienstes alle aufser D. 17. Ihne enpha-
hes G. olde G, odr D. 19. muoze ze iuwerem bote G. 22. marche
bigunde er G. 24. chleiniu G. 25. diu fehlt Ggg. 26. edelem wer-
dem G, edelm werden g. 27. eteswenne gesatel G. 28. umb G.
29. forhte D, vorhte G. zertræte g. 30. satels DG.
531, 1. 2. Do waz daz pfærdelin so chranch. Daz er druf niht en spranch g.
1. pharide G. rucche G. jung d, chrump vñ iunch D, crump Gdgg.
4. da Gd, 5. etw. G. 7. clavine G. 8. scharfen G.

sînen schilt er ûfez pfärt pant.
si sprach 'füert ir krâmgewant
in mîme lande veile?
wer gap mir ze teile
15 einen arzet unde eins krâmes
　　pflege?
hüet iuch vor zolle ûfem wege:
eteslîch mîn zolnære
iuch sol machen fröuden lære.'
　ir scharpfiu salliure
20 in dûhte sô gehiure
daz ern ruochte waz si sprach:
wan immer swenner an si sach,
sô was sîn pfant ze riwe quît.
si was im reht ein meien zît,
25 vor allem blicke ein flôrî,
ougen süeze unt sûr dem her-
　　zen bî.
sît vlust unt vinden an ir was,
unt des siechiu freude wol genas,
daz frumt in zallen stunden
ledec unt sêre gebunden.
532　Manec mîn meister sprichet sô,
daz Amor unt Cupîdô
unt der zweier muoter Vênus
den liuten minne gebn alsus,
5 mit geschôze und mit fiure.
diu minne ist ungehiure.
swem herzenlîchiu triwe ist bî,
der wirt nimmer minne frî,
mit freude, etswenn mit riuwe.
10 reht minne ist wâriu triuwe.
Cupîdô, dîn strâle
mîn misset zallem mâle:
als tuot des hêrn Amores gêr.
sît îr zwêne ob minnen hêr,
15 unt Vênus mit ir vackeln heiz,
umb solhen kumber ich niht weiz.

sol ich der wâren minne jehn,
diu muoz durch triwe mir geschehn.
　hulfen mîne sinne
20 iemen iht für minne,
hêrn Gâwân bin ich wol sô holt,
dem wolt ich helfen âne solt.
er ist doch âne schande,
lît er in minnen bande;
25 ob in diu minne rüeret,
diu starke wer zefüeret.
er was doch ie sô werlîch,
der werden wer alsô gelîch.
daz niht twingen solt ein wîp
sînen werlîchen lîp.
533　Lât nâher gên, hêr minnen druc.
ir tuot der freude alsolhen zuc,
daz sich dürkelt freuden stat
unt bant sich der riwen pfat.
5 sus breitet sich der riwen slâ:
gienge ir reise anderswâ
dann in des herzen hôhen muot,
daz diuhte mich gein freuden guot.
ist minne ir unfuoge balt,
10 dar zuo dunket si mich zalt,
ode giht sis ûf ir kintheit,
swem si füeget herzeleit?
unfuoge gan ich paz ir jugent,
dan daz si ir alter bræche tugent.
15 vil dinges ist von ir geschehn:
wederhalp sol ich des jehen?
wil si mit jungen ræten
ir alten site unstæten,
sô wirt si schiere an prîse laz.
20 man sol sis underscheiden baz.
lûter minne ich prîse
unt alle die sint wîse,
ez sî wîp oder man:
von den ichs ganze volge hân.

---

11. uf daz pharit bant *G*.　　14. gab *G*.　　15. eins chrames *dg*, eins chrams
D, eines chramers *Gg*, einen cram *g* und (dann pflegen und z. 16. uf den
wegen) *d*.　　16. huetet *D*.　　vor moute *g*.　　17. etslich *D*.　　zollere *d*.
19. saliure *g*, tsalûre *G*.　　21. si *fehlt G*.　　24. eine *G*.　　28. gnas *G*.
30. Leidech *G*.

532, 2. 11. Cupîdo *mit* î *D*.　　4. gebent *g*, gæbin *Gg*.　　5. schoze *gg*, -zze
DG.　　8. minnen *D*.　　9. etswenne *DG*.　　10. = Rehtiu *Ggg*.　　13. Als
gg, also *DG*.　　herrin *Gg*.　　amoris *G*, amor *g*, amors *die übrigen*.
15. vachel *g*.　　16. Umb *G*.　　selhen *g*.　　18. muoze *G*.　　21. Minem her-
ren *Gg*.　　Gawane *DGg*.　　22. dienen *D*.　　27. ie doch *G*.

533, 2. frouden *Gg*, minne *gg*.　　al *fehlt gg*.　　3. Daz enget sich der und 4
meret *g*.　　der frouden *G*.　　4. triuwen *G*.　　6. Gene *G*.　　8. duhte *DG*.
9. ungefuoge *Gddgg*.　　11. odr *D*.　　13. Ungefuege *Gg*, Ungfuege *d*.
14. Danne *G*, denne *D*.　　sy im *g*, si dem *gg*, sú *d*.　　ir t. *dg*.　　15. Vil vil
dinges *G*.　　16. des nu *G*.　　18. sit *D*.　　23. Es *G*.　　ode *Gᵃ*.　　24. ich *Gᵃd*.

25 swâ liep gein liebe erhüebe
lûter âne trüebe,
da newederz des verdrüzze
daz minne ir herze slüzze
mit minne von der wanc ie flôch,
diu minne ist ob den andern hôch.
534 Swie gern ich in næme dan,
doch mac mîn hêr Gâwân
der minn des niht entwenken,
sine welle in freude krenken.
5 waz hilfet dan mîn underslac,
swaz ich dâ von gesprechen mac?
wert man sol sich niht minne wern:
wan den muoz minne helfen nern.
Gâwân durch minne arbeit en-
phienc.
10 sîn frouwe reit, ze fuoz er gienc.
Orgelûse unt der degen balt
die kômn in einen grôzen walt.
dennoch muoser gêns wonen.
er zôch dez pfärt zuo zeime ronen.
15 sîn schilt, der ê drûfe lac,
des er durch schildes ambet pflac,
nam er ze halse: ûfz pfärt er saz.
ez truog in kûme fürbaz,
anderhalp ûz in erbûwen lant.
20 eine burg er mit den ougen vant:
sîn herze unt diu ougen jâhen
daz si erkanten noch gesâhen
decheine burc nie der gelîch.
si was alumbe rîterlîch:
25 türne unde palas
manegez ûf der bürge was.
dar zuo muoser schouwen
in den venstern manege frouwen:
der was vier hundert ode mêr,

viere undr in von arde hêr.
535 Von passâschen ungeverte grôz
gienc an ein wazzer daz dâ flôz,
schefræhe, snel unde breit,
da engein er unt diu frouwe reit.
5 an dem urvar ein anger lac,
dar ûfe man vil tjoste pflac.
überz wazzer stuont dez kastel.
Gâwân der degen snel
sach einen rîter nâch im varn,
10 der schilt noch sper niht kunde
sparn.
Orgelûs diu rîche
sprach hôchverteclîche
'op mirs iwer munt vergiht,
sô brich ich mîner triwe niht:
15 ich hets iu ê sô vil gesagt,
daz ir vil lasters hie bejagt.
nu wert iuch, ob ir kunnet wern:
iuch enmac anders niht ernern.
der dort kumt, iuch sol sîn hant
20 sô vellen, ob iu ist zetrant
inder iwer niderkleit,
daz lât iu durch die frouwen leit,
die ob iu sitzent unde sehent.
waz op die iwer laster spehent?'
25 des schiffes meister über her
kom durch Orgelûsen ger.
vome lande inz schif si kêrte,
daz Gâwânen trûren lêrte.
diu rîche und wol geborne
sprach wider ûz mit zorne
536 'Ir enkomt niht zuo mir dâ her în.'
ir müezet pfant dort ûze sîn.'
er sprach ir trûreclîchen nâch
'frowe, wiest iu von mir sô gâch?

---

25. lieb gan liebe G.   27. nach 28 Gᵃ.   Da twederz gg, denne wederz D,
Der enwederz (entw.) GGᵃdg, Der deweders g. der Gᵃ.   29. Min minnen dg.
Mit minnen GGᵃg.   Mit minne ie der wanch do floch g.   wanche Gᵃ.   ih
floc G.   30. vil hoch Gᵃ.

534, 1. in nu G.   2. herre GGᵃ.   3. des fehlt gg.   4. im GGᵃdgg.   5. danne Gᵃ,
dane G, denne Dd.   7. ich Gᵃ.   minnen Gg.   9. arbeite D.   enpfie Gᵃ.
10. gie Gᵃ.   11. helt Gᵃ.   14. dz pfært D, daz pharit GGᵃ.   zuo einen G,
zuo einer Gᵃg, zainer d.   15. Sinen ddg.   16. ammiht d.   17. ufez pharit G.
18. truege G.   kumber Gᵃ.   19. anderhalbn Dd.   unz Gᵃ.   erbŵen (wie
geuȯhnlich) D, erbouwen GGᵃ.   21. di D.   24. allumbe G.   2ᴿ. vestern D.
29. oder D.   30. under alle.

535, 1. Passascên D, passashen GGᵃg, passas g, passanen d.   3. schef ræche D,
Schif ræhe Gᵃg, Schif rahe G, Schefrich d, Schifrich gg, Schiffrecht d.   4. Dar
Gᵃg.   engegen GGᵃdgg, gegen dg.   12. hinter Sprach übergeschrieben si G.
hochvertliche D.   14. triuwen Gᵃgg.   21. îndr D, Iener G, Iender Gᵃ.
22. lat DGᵃd und (sin leit) g, si Ggg, wirt g.   23. sin. di ob D.   24. iuvver
G.   27. indaz schife Gᵃ.   29. und hat nur g.

536, 1. Irn chomt niht da her in Gᵃg.   dà fehlt Gg.   4. wi ist D, wie ist GGᵃ.

5 sol ich iuch immer mêr gesehn?'
si sprach 'iu mac der prîs geschehn.
ich state iu sehens noch an mich.
ich wæn daz sêre lenget sich.'
diu frouwe schiet von im alsus:
10 hie kom Lischoys Gwelljus.
sagte ich iu nu daz der flüge,
mit der rede ich iuch betrüge:
er gâhte abe anders sêre,
daz es dez ors het êre
15 (wan daz erzeigte snelheit),
über den grüenen anger breit.
dô dâhte mîn hêr Gâwân
'wie sol ich beiten dises man?
wederz mac dez wæger sîn?
20 ze fuoz ode ûf dem pfärdelîn?
wil er vollîch an mich varn,
daz er den poinder niht kan sparn,
er sol mich nider rîten:
wes mac sîn ors dâ bîten,
25 ez enstrûche ouch über daz runzît?
wil er mir denne bieten strît
aldâ wir bêde sîn ze fuoz,
ob mir halt nimmer wurde ir gruoz,
diu mich diss strîtes hât gewert,
ich gib im strît, ob er des gert.'
537 Nu, diz was unwendec.
der komende was genendec:
als was ouch der dâ beite.
zer tjost er sich bereite.
5 dô sazter die glævîn
vorn ûf des satels vilzelîn,
des Gâwân vor het erdâht.
sus wart ir bêder tjoste brâht:
diu tjost ieweder sper zebrach,

10 daz man die helde ligen sach.
dô strûchte der baz geriten man,
daz er unt mîn hêr Gâwân
ûf den bluomen lâgen.
wes si dô bêde pflâgen?
15 ûf springens mit den swerten:
si bêde strîtes gerten.
die schilde wâren unvermiten:
die wurden alsô hin gesniten,
ir bleip in lützel vor der hant:
20 wan der schilt ist immer strîtes pfant.
man sach dâ blicke und helmes fiur.
ir megts im jehen für âventiur,
swen got den sic dan læzet tragn:
der muoz vil prîses ê bejagn.
25 sus tûrten si mit strîte
ûf des angers wîte:
es wæren müede zwêne smide,
op si halt heten starker lide,
von alsô manegem grôzem slage.
sus rungen si nâch prîss bejage.
538 Wer solte se drumbe prîsen,
daz di unwîsen
striten âne schulde,
niwan durch prîses hulde?
5 sine heten niht ze teilen,
ân nôt ir leben ze veilen.
ietweder ûf den andern jach,
daz er die schulde nie gesach.
Gâwân kunde ringen
10 unt mit dem swanke twingen:
swem er daz swert undergienc
unt in mit armen zim gevienc,
den twanger swes er wolde.
sît er sich weren solde,

---

5. iemmer Gᵃ, me G.　　7. statte DG.　　selhes Gᵃ.　　9. von im schiet Ggg.
10. chome G.　　Liscoys Dd = lishois GGᵃgg. so nun immer sc = sh: i und
y wechseln.　　gewellius Gdg, Gwellyus g.　　11. flug G.　　13. gahete D,
gahet Gᵃ.　　aber DGᵃ, abir G.　　14. daz orse Gᵃ.　　17. herre G oft.
18. disse Gᵃ, diss D, disses gg.　　19. der wægir G.　　20. ode Gᵃ, oder DG.
zedem G.　　pfærdelin Gᵃ, pfærdlin D, pharidin G.　　21. vollich D, vollech-
lich dgg, vollecliche g, vollechlichen GGᵃg.　　22. poynder GGᵃ.　　27. zefueze
G.　　28. nimer G.　　29. dises Gg, dits g, disse Gᵃ.

537, 2. gendech G.　　3. also D.　　5. satzer Gᵃ, sazete er G.　　glavin Gᵃ, cla-
vin G.　　6. Vor G.　　daz satel vizelin g.　　9. tioste G.　　iw. D, ietw. G.
11. struochte D, strufte G.　　15. sprunges G.　　18. also versnîten Gᵃ.
19. In beleip ir Gg, In bleip d.　　beleip DGᵃ.　　wenich gg.　　in der g.
21. 22. fiwer-Aventiwer D.　　22. mugts GGᵃ.　　ichn Gᵃ.　　23. da G.
lat Gᵃg.　　21. priss D, brises GGᵃ (G oft).　　23. twerten D.　　27. Es muede
warin G.　　28. stercher GGᵃgg.　　29. Von manigem also starchem (starcken)
slage gg.　　manigem grossem d, manegem grozem D, manigem grozen Gᵃ, man-
gen groszen g, grozzem manigem g, grozem G.　　30. prîses GGᵃ.

538, 1. solt Gᵃ.　　si DGGᵃ.　　4. Niuwen G, Niht wan dg, Neur g.　　7. lewer g.
an D.　　den ander Gᵃ.　　10. dem fehlt G.

15 do gebârter werlîche.
der werde muotes rîche
begreif den jungen ellenthaft,
der ouch het manlîche kraft.
er warf in balde under sich:
20 er sprach hin zim 'helt, nu gich,
wellestu genesen, sicherheit.'
der bete volge unbereit
was Lischoys der dâ unden lac,
wand er nie sicherheit gepflac.
25 daz dûht in wunderlîch genuoc,
daz ie man die hant getruoc,
diu in solte überkomen
daz nie wart von im genomen,
betwungenlîchiu sicherheit,
der sîn hant ê vil erstreit.
539 Swiez dâ was ergangen,
er hete vil enpfangen
des er niht fürbaz wolde gebn:
für sicherheit bôt er sîn lebn,
5 und jach, swaz im geschæhe,
daz er nimer verjæhe
sicherheit durch dwingen.
mit dem tôde wolder dingen.
dô sprach der unde ligende
10 'bistu nu der gesigende?
des pflag ich dô got wolte
und ich prîs haben solte:
nu hât mîn prîs ein ende
von dîner werden hende.
15 swâ vreischet man ode wîp
daz überkomen ist mîn lîp,
des prîs sô hôhe ê swebt enbor,
sô stêt mir baz ein sterben vor,
ê mîne friwent diz mære
20 sol machen freuden lære.'
Gâwân warp sicherheit an in:
dô stuont sîn gir und al sîn sin

niwan ûffes lîbs verderben
oder ûf ein gæhez sterben.
25 dô dâhte mîn hêr Gâwân
'durch waz tœte ich disen man?
wolt er sus ze mîme gebote stên,
gesunt lieze i'n hinnen gên.'
mit rede warb erz an in sô:
daz enwart niht gar geleistet dô.
540 Uf liez er doch den wîgant
âne gesicherte hant.
ietweder ûf die bluomen saz.
Gâwân sîns kumbers niht vergaz,
5 daz sîn phärt was sô kranc
den wîsen lêrte sîn gedanc
daz er daz ors mit sporn rite
unz er versuochte sînen site.
daz was gewâpent wol für strît:
10 pfellel unde samît
was sîn ander covertiur.
sît erz erwarp mit âventiur,
durch waz solt erz nu rîten niht,
sît ez ze rîten im geschiht?
15 er saz drûf: dô fuor ez sô,
sîner wîten sprunge er was al vrô.
dô sprach er 'bistuz Gringuljete?
daz Urjâns mit valscher bete,
er weiz wol wie, an mir rewarp:
20 dâ von iedoch sîn prîs verdarp.
wer hât dich sus gewâpent sider?
ob duz bist, got hât dich wider
mir schône gesendet,
der dicke kumber wendet.'
25 er rebeizte drab. ein marc er vant:
des grâles wâpen was gebrant,
ein turteltûbe, an sînen buoc.
Lähelîn zer tjoste sluoc
drûffe den von Prienlascors.
Oriluse wart ditze ors:

15. So *gg*.   18. hete *DG*.   22. bet *G*.   23. under *GG^a g*.
24. Wan *GG^a* (*G meistens*).   26. ie man *G*, ieman *G^a*, ìemn *D*.   28. gnom
G^a.   29. Betwungenlicher *G^a*.   30. Ouch sin *G^a*.   ie *G*.
539,   4. sine lebin *G*.   6. niemmer *G^a*, nimmer *G*.   virgæhe *G*.   7. twingen *GG^a*.
8. er wolde *G^a*, wolt er ê *dgg*.   9. do *fehlt G^a*.   unde *D*, under *GG^a dgg*,
unden *g*.   12. brise *G*.   15. swa man freischet *G^a*.   odr *D*.   17. Des
brise so hohe ie swebite enbor *G*.   so hôhe ê *Dg*, E so hohe *g*, so hohe *dgg*.
19. min *G*.   friunt *GG^a*.   20. Sol *d*, so *D = Sul Ggg*, Sus *g und* (*dann*
mache) *G^a g*.   21. erwarp sicherheit *G*.   22. alle *G*.   23. ûfez *D*.
libes *DG*.   24. gahez *GG^a g*.   26. tôete ih (tote ich *G^a*) den man *GG^a*.
27. ce minem *DG^a*, ze minen *G*.   gebot *D*.   28. ih in *G*, ich in *die übrigen.*
hin *Ggg*.
540,   6. lert̤ *G*.   8. *fehlt G*.   Unze er *G^a*.   sine *G^a g*.   10. Phelle *GG^a gg*.
11. 12. covertiwer-aventiwer *D*, chovirture-aventure *G*, covertiure-aventiure *G^a*.
13. Dur *G*.   17. Gringuliet *DG*, kring. *gg*.   19. erw. *G*.   22. bist got.
hat *D*.   25. erbeizte drabe *G*.   29. prienlatsors *G*, prienlatsiörs *g*, prien-
laiors *g*.   30. Oriluse *d*, Orilus *D*, Orillus *G*.   ditze *G*, diz *D*.

541 Der gabez Gâwâne
 ûf dem Plimizœls plâne.
  hie kom sîn trûrec güete
 aber wider in hôchgemüete;
5 wan daz in twang ein riuwe
 unt dienstbæriu triuwe,
 die er nâch sîner frouwen truoc,
 diu im doch smæhe erbôt genuoc:
 nâch der jaget in sîn gedanc.
10 innen des der stolze Lischoys spranc
 da er ligen sach sîn eigen swert,
 daz Gâwân der degen wert
 mit strîte ûz siner hende brach.
 manec frouwe ir ander strîten
    sach.
15 die schilde wâren sô gedigen,
 ieweder lie den sînen ligen
 und gâhten sus ze strîte.
 ietweder kom bezîte
 mit herzenlîcher mannes wer.
20 ob in saz frouwen ein her
 in den venstern ûf dem palas
 unt sâhen kampf der vor in was.
 dô huop sich êrste niwer zorn.
 ietweder was sô hôch geborn
25 daz sîn prîs unsanfte leit
 ob in der ander überstreit.
 helm unt ir swert liten nôt:
 diu wârn ir schilde für den tôt:
 swer dâ der helde strîten sach,
 ich wæne ers in für kumber jach.
542 Lischoys Gwelljus
 der junge süeze warb alsus:
 vrechheit und ellenthaftiu tât,
 daz was sîns hôhen herzen rât.
5 er frumte manegen snellen swanc:
 dicke er von Gâwâne spranc,
 und aber wider sêre ûf in.
 Gâwân truoc stætlîchen sin:
 er dâhte 'ergrîfe ich dich zuo mir,
10 ich sols vil gar gelônen dir.'

 man sach dâ fiwers blicke
 unt diu swert ûf werfen dicke
 ûz ellenthaften henden.
 si begundn ein ander wenden
15 neben, für unt hinder sich.
 âne nôt was ir gerich:
 si möhtenz âne strîten lân.
 do begreif in mîn hêr Gâwân,
 er warf in under sich mit kraft.
20 mit halsen solch geselleschaft
 müeze mich vermîden:
 ine möht ir niht erlîden.
  Gâwân bat sicherheite:
 der was als unbereite
25 Lischoys der dâ unde lac,
 als do er von êrste strîtes pflac.
 er sprach 'du sûmest dich ân nôt:
 für sicherheit gib ich den tôt.
 lâz enden dîne werden hant
 swaz mir ie prîses wart bekant.
543 Vor gote ich pin verfluochet,
 mîns prîss er nimmer ruochet.
 durch Orgelûsen minne,
 der edelen herzoginne,
5 muose mir manc werder man
 sînen prîs ze mînen handen lân:
 du maht vil prîses erben,
 ob du mich kanst ersterben.'
  dô dâht des künec Lôtes suon
10 'deiswâr in sol alsô niht tuon:
 so verlür ich prîses hulde,
 erslüege ich âne schulde
 disen küenen helt unverzagt.
 in hât ir minne ûf mich gejagt,
15 der minne mich ouch twinget
 und mir vil kumbers bringet:
 wan lâze ich in durch si ge-
    nesn?
 op mîn teil an ir sol wesn,
20 des enmager niht erwenden,
 sol mirz gelücke senden.

541, 1. Er *G.* 2. blimzols blane *G.* 3. chome *G.* 10. Inne *G.* Lytschoys
g. 14. Man frouwe *G.* 18. îetwedr *D.* 24. Ietwerder *g.* 27. Helme *D.*
swert *g,* swerte *D,* swert die *die übrigen.* 28. Die *Gg.*
542, 1... yshois gewellius *G.* 3. Vercheit *G.* 5. snelen *G.* 7. sere wi-
der *G.* 8. statel. *G.* sticl. *dgg.* 9. ergreif *G.* 10. soles *Gg.*
vil wol *Gdg.* 12. unt *fehlt G.* diu *fehlt gg.* 14. begunden *DG.*
16. an *D.* 17. Sine *G.* mohtens *D.* 20. solhe *Ggg,* selich *g.*
23. 24. sicherheit-unbereit *alle aufser D.* 25. unde *G,* unden *Ddgg,* un-
der *g.* 27. suomest *Dg.* annôt *G.* 29. Laze *G.*
543, 2. nimer *D.* enruechet *G.* 5. Muos mir manic man *G.* 10. Desw. *G.*
ine *D,* ihn *G.* 14. ich han ir *D.* 15. ouch mich *G,* mich da *gg.*
16. vil chumbir *G.* 19. Des mag er *G.*

wær unser strît von ir gesehn,
ich wæn si müese ouch mir des jehn
daz ich nâch minnen dienen kan.'
dô sprach mîn hêr Gâwân
25 'ich wil durch die herzogîn
dich bî dem leben lâzen sîn.'
grôzer müede se niht vergâzen:
er liez in ûf, si sâzen
von ein ander verre.
dô kom des schiffes hêrre
544 Von dem wazzer ûfez lant.
er gienc unt truog ûf sîner hant
ein mûzersprinzelîn al grâ.
ez was sîn reht lêhen dâ,
5 swer tjostierte ûf dem plân,
daz er daz ors solte hân
jenes der dâ læge:
unt disem der siges pflæge,
des hende solt er nîgen
10 und sîn prîs niht verswîgen.
sus zinste man im blüemîn velt:
daz was sîn beste huoben gelt,
ode ob sîn mûzersprinzelîn
ein galandern lêrte pîn.
15 von anders nihtiu gienc sîn pfluoc:
daz dûht in urbor genuoc.
er was geborn von rîters art,
mit guoten zühten wol bewart.
er gienc zuo Gâwâne,
20 den zins von dem plâne
den iesch er zühteclîche.
Gâwân der ellens rîche
sprach 'hêrre, in wart nie koufman:
ir megt mich zolles wol erlân.'
25 des schiffes hêrre wider sprach
'hêr, sô manec frouwe sach

daz iu der prîs ist hie geschehen:
ir sult mir mînes rehtes jehen.
hêrre, tuot mir reht bekant.
ze rehter tjost hât iwer hant
545 Mir diz ors erworben
mit prîse al unverdorben,
wand iwer hant in nider stach,
dem al diu werlt ie prîses jach
5 mit wârheit unz an disen tac.
iwer prîs, sînhalp der gotes slac,
im freude hât enpfüeret:
grôz sælde iuch hât gerüeret.'
Gâwân sprach 'er stach mich
nider:
10 des erholt ich mich sider.
sît man iu tjost verzinsen sol,
er mag iu zins geleisten wol.
hêr, dort stêt ein runzît:
daz erwarb an mir sîn strît:
15 daz nemt, ob ir gebietet.
der sich diss orses nietet,
daz pin ich: ez muoz mich hinnen
tragn,
solt halt ir niemer ors bejagn.
ir nennet reht: welt ir daz nemn,
20 sone darf iuch nimmer des gezemn
daz ich ze fuoz hinnen gê.
wan daz tæte mir ze wê,
solt diz ors iwer sîn:
daz was sô ledeclîche mîn
25 dennoch hiute morgen fruo.
wolt ir gemaches grîfen zuo,
sô ritet ir sanfter einen stap.
diz ors mir ledeclîchen gap
Orilus der Burgunjoys:
Urjâns der fürste ûz Punturtoys

---

22. doch mir viriehen *G.*　　　23. = minne *Ggg.*　　　2ʰ. lebn *D*, lebin *G.*
27. si *DG.*　　　30. sciffes *D*, schefes *G.*

544, 2. gie *D.*　　3. mûzsprinzelîn *G.*　　4. rehte *g.*　　lehn *D.*　　5. tiust. *D,*
toyst. *G.*　　7. ienes *D*, Iens *G.*　　8. dises der *G*, diseme dersz *g*, dem der *d,*
der des *gg.*　　10. und *fehlt G.*　　sinen *alle.*　　virsmigen *G.*　　11. zinst
G, zinsete *D*, zinset *die übrigen.*　　bluomen *alle aufser DG.*　　12. bester *g.*
huobn *D*, huobe *gg.*　　13. odr *D.*　　muozer spr. *D*, muozspr. *G*, muzze
spr. *g.*　　14. eine *D*, Einen *gg.*　　= galander *Ggg.*　　15. niht *Ggg.*
18. An guotir zuht *G.*　　2ɜ. ine *D*, ihne *G.*　　24. muget *G.*　　27. hie ist *G.*
2ⁿ. rehte *G.*

545, 2. umberdorben (v *über* b) *G.*　　5. unz] wen *d.*　　10. erholte *D.*　　15. ge-
bîet *DGg.*　　16. dises *D*, des *dg.*　　ors *D.*　　niet *DG*, geniet *G.*
18. 20. nimer *D.*　　19. Ir tuot reht *G.*　　21. zefuezen *Gddg.*　　hinne *Gd.*
23. Sol *Ggg.*　　diz *hier G.*　　24. 25. Daz so ledichlichen min. Was dannoch
hiut *Gdg,* Daz sol ledichlichen sin min Dannoch was es hiuten *d.*　　26. Welt
Ggg.　　29. Orilius *d*, Der herzoge orilus *Ggg.*　　der von *G*, de *gg.*　　Bur-
gunioysz *g*, Burgoniois *g*, burgônoys *g*, purgoniois *G*, burgunscoys *Dd*, bur-
ginidiois *d.*　　30. puntorteis *G.*

546 Eine wîl het mirz verstolen.
　　einer mûlinne volen
　　möht ir noch ê gewinnen.
　　ich kan iuch anders minnen:
5　sît er iuch dunket alsô wert,
　　für daz ors des ir hie gert
　　habt iu den man derz gein mir reit.
　　ist im daz liep ode leit,
　　dâ kêre ich mich wênec an.'
10　dô freute sich der schifman.
　　　mit lachendem munde er sprach
　　'sô rîche gâbe ich nie gesach,
　　swem si rehte wære
　　zenpfâhen gebære.
15　doch, hêrre, welt irs sîn mîn wer,
　　übergolten ist mîn ger.
　　für wâr sîn prîs was ie sô hel,
　　fünf hundert ors starc unde snel
　　ungern ich für in næme,
20　wand ez mir niht gezæme.
　　welt ir mich machen rîche,
　　sô werbet rîterlîche:
　　megt irs sô gewaldec sîn,
　　antwurten in den kocken mîn,
25　sô kunnt ir werdekeit wol tuon.'
　　dô sprach des künec Lôtes suon
　　'beidiu drîn unt derfür,
　　unz innerhalp iwer tür,
　　antwurte i'n iu gevangen.'
　　'sô wert ir wol enpfangen,'
547 Sprach der schifman: des grôzer
　　　danc
　　was mit nîgen niht ze kranc.
　　　dô sprach er 'lieber hêrre mîn,
　　dar zuo ruochet selbe sîn
5　mit mir hînte durch gemach.
　　grœzer êre nie geschach
　　decheinem verjen, mîmes genôz:

man prüevet mirz für sælde grôz,
behalt ich alsus werden man.'
10 dô sprach mîn hêr Gâwân
'des ir gert, des solt ich biten.
mich hât grôz müede überstriten,
daz mir ruowens wære nôt.
diu mir diz ungemach gebôt,
15 diu.kan wol süeze siuren
unt dem herzen freude tiuren
unt der sorgen machen rîche:
si lônet ungelîche.
ôwê vindenlîchiu flust,
20 du senkest mir die einen brust,
diu ê der hœhe gerte
dô mich got freuden werte.
dâ lag ein herze unden:
ich wæn daz ist verswunden.
25 wâ sol ich nu trœsten holn,
muoz ich âne helfe doln
nâch minne alsolhe riuwe?
pfligt si wîplîcher triuwe,
si sol mir freude mêren,
diu mich kan sus versêren.'
548 Der schifman hôrte daz er ranc
　　mit sorge und daz in minne
　　　twanc.
dô sprach er 'hêrre, ez ist hie reht,
ûfem plâne unt in dem fôreht
5 unt aldâ Clinschor hêrre ist:
zageheit noch manlîch list
füegentz anders niht wan sô,
hiute riwec, morgen vrô.
ez ist iu lîhte unbekant:
10 gar âventiure ist al diz lant:
sus wert ez naht und ouch den tac.
bî manheit sælde helfen mac.
diu sunne kan sô nider stên:
hêrre, ir sult ze schiffe gên.'

546, 1. wile DG.　　　hete D.　　　2. muolinne D, muelinnen d.　　　4. iuch fehlt G.
ander D.　　　5. ir dg.　　　als Gg.　　　6. diz Gg.　　　8. oder D.　　　9. vil we-
nic Gd.　　　10. sciffman D immer, schef man G.　　　13. reht Ddg.　　　14. zen-
pfahene D, Zem phahen G.　　　16. is G.　　　mir D.　　　18. starc fehlt D.
23. Mugit G.　　　24. Antwurte in in chuche min G.　　　Antwurtet dgg.
choken D.　　　25. chunnet DG.　　　26. der Gg.　　　lotis G. Lots D.　　　28. in-
rehalbn iwerr D.　　　29. ichen iu D, ih iun G.
547, 6. Gelichiu ere Gdgg.　　　12. Mih hate G.　　　15. suren G.
16. unt fehlt G.　　　tiwren D, tûren G.　　　18. so D.　　　19. vindch-
lichiu Ggg, vindelichiu g.　　　20. Diu senchet Gdgg.　　　27. alsolher G.
28. wibes g.　　　30. sus chan Ggg.
548, 4. Uffen G.　　　ynme g, dem G.　　　5. Clynscor D, clinsor d, klinshor gg,
Clinshors g, clintsor (so scheints) G, Clinisor g.　　　7. gefuegentz D, Wegntz g.
9. lihte iu G.　　　10. = al fehlt Ggg.　　　ditze G, dizze D.　　　11. vert D.
13. senne G.　　　14. zescheffe G.

15 des bat in der schifman.
Lischoysen fuorte Gâwân
mit im dannen ûf den wâc:
gedulteclîch ân allen bâc
man den helt des volgen sach.
20 der verje zôch daz ors hin nâch.
sus fuorens über an den stat.
der verje Gâwânen bat
'sît selbe wirt in mîme hûs.'
daz stuont alsô daz Artûs
25 ze Nantes, dâ er dicke saz,
niht dorfte hân gebûwet baz.
dâ fuort er Lischoysen în.
der wirt unt daz gesinde sîn
sich des underwunden.
an den selben stunden
549 Der wirt ze sîner tohter sprach
'du solt schaffen guot gemach
mîme hêrren der hie stêt.
ir zwei mit ein ander gêt.
5 nu diene im unverdrozzen:
wir hân sîn vil genozzen.'
sîme sune bevalher Gringuljeten.
des diu maget was gebeten,
mit grôzer zuht daz wart getân.
10 mit der meide Gâwân
ûf eine kemenâten gienc.
den estrîch al übervienc
niwer binz und bluomen wol gevar
wâren drûf gesniten dar.
15 do entwâppent in diu süeze.
'got iu des danken müeze,'
sprach Gâwân. 'frouwe, es ist mir
nôt:
wan daz manz iu von hove gebôt,
sô dient ir mir ze sêre.'
20 si sprach 'ich diene iu mêre,
hêr, nâch iweren hulden
dan von andern schulden.'
des wirtes sun, ein knappe, truoc
senfter bette dar genuoc

25 an der want gein der tür:
ein teppich wart geleit derfür.
dâ solte Gâwân sitzen.
der knappe truoc mit witzen
eine kultern sô gemâl
ûfz bet, von rôtem zindâl.
550 Dem wirte ein bette ouch wart
geleit.
dar nâch ein ander knappe treit
dar für tischlachen unde brôt.
der wirt den bêden daz gebôt:
5 dâ gienc diu hûsfrouwe nâch.
dô diu Gâwânen sach,
si enpfieng in herzenlîche.
si sprach 'ir hât uns rîche
nu alrêrst gemachet:
10 hêr, unser sælde wachet.'
der wirt kom, daz wazzer man
dar truoc.
dô sich Gâwân getwuoc,
eine bete er niht vermeit,
er bat den wirt gesellekeit,
15 'lât mit mir ezzen dise magt.'
'hêrre, ez ist si gar verdagt
daz si mit hêrren æze
ode in sô nâhe sæze:
si wurde lîhte mir ze hêr.
20 doch habe wir iwer genozzen
mêr.
tohter, leist al sîne ger:
des bin ich mit der volge wer.'
diu süeze wart von scheme rôt,
doch tet si daz der wirt gebôt:
25 zuo Gâwân saz frou Bêne.
starker süne zwêne
het der wirt ouch erzogn.
nu hete daz sprinzelîn erflogn
des âbents drî galander:
die hiez er mit ein ander
551 Gâwân tragen alle drî,
und eine salsen derbî.

---

15. schefman *G.*   16. Lishosien bat gawan *G.*   17. uf dem wâc *G.*
19. des *fehlt G.*   20. furtez ors *G.*   21. andaz *Gg.*   26. mohte *D.*
gebẘet *D,* gebouwet *G,* gebuowen *dg.*
549, 2. guote *G.*   8. diu] du *G.*   9. was *Gg.*   11. chominaten *G.*
13. binez *G,* bimz *g,* pinzen *gg.*   15. da entwapende *G.*   17. es is *G.*
21. iuwern hulde *G.*   22. Danne *G,* denne *D.*   29. Einen (Ein *dg*) kulter
(gultir *G*) *Gdgg.*   30. ufez *D,* Ubir *G.*   bette *D,* bete *G.*   mit rotem
zendal *G.*
550, 1. bet *G.*   2. dar naher *D.*   11. wirt *fehlt g.*   daz *fehlt gg.*
16. sìe *D.*   18. oder *D.*   = nahen *Ggg.*   19. mir lihte *G.*   23. scham
oder schame *alle aufser D.*   24. tet er *G.*   25. Gawane *DG.*   fro *G.*

diu juncfrouwe niht vermeit,
mit guoten zühten sie sneit
5 Gâwân süeziu mursel
ûf einem blanken wastel
mit ir clâren henden.
dô sprach si 'ir sult senden
dirre gebrâten vogel einen
10 (wan si hât enkeinen),
hêrre, mîner muoter dar.'
er sprach zer meide wol gevar,
daz er gern ir willen tæte
dar an ode swes si bæte.
15 ein galander wart gesant
der wirtîn. Gâwânes hant
wart mit zühten vil genigen
unt des wirtes danken niht ver-
　　swigen.
dô brâht ein des wirtes sun
20 purzeln unde lâtûn
gebrochen in den vînæger.
ze grôzer kraft daz unwæger
ist die lenge solhiu nar:
man wirt ir ouch niht wol gevar.
25 solch varwe tuot die wârheit kunt,
die man sloufet in den munt.
gestrichen varwe ûfez vel
ist selten worden lobes hel.
swelch wîplîch herze ist stæte
　　ganz,
ich wæn diu treit den besten glanz.

552 Kunde Gâwân guoten willen zern,
des möht er sich dâ wol nern:
nie muoter gunde ir kinde baz
denn im der wirt des brôt er az.
5 dô man den tisch hin dan enpfienc
unt dô diu wirtîn ûz gegienc,
vil bette man dar ûf dô treit:
diu wurden Gâwâne geleit.
einez was ein pflûmît,
10 des zieche ein grüener samît;
des niht von der hôhen art:
ez was ein samît pastart.
ein kulter wart des bettes dach,
niht wan durch Gâwâns gemach,
15 mit einem pfellel, sunder golt
verre in heidenschaft geholt,
gesteppet ûf palmât.
dar über zôch man linde wât,
zwei lîlachen snêvar.
20 man leit ein wanküssen dar,
unt der meide mantel einen,
härmîn niwe reinen.
　mit urloube erz undervienc,
der wirt. ê daz' er slâfen gienc.
25 Gâwân al eine, ist mir gesagt,
beleip aldâ, mit im diu magt.
het er iht hin zir gegert,
ich wæn si hetes in gewert.
er sol ouch slâfen, ob er mac.
got hüete sîn, sô kom der tac.

551, 4. si *DG.*　5. Gawane *D.*　6. einen *G.*　blanchem *D.*　7. blan-
chen *G.*　10. neh. *G.*　14. oder *D.*　16. wirtinne *DG.*　Gawans *D.*
20. Porceln *G*, Parceln *dg*, Buceln *g.*　21. Gebrochen in einem ezzich in
vineger *g.*　22. Gein *gg.*　23. al solhiu *Gg*, disiu *gg.*　25. Solhe *G.*
di *Dg.*　29. wibs *g.*　stæte ist *G.*
552, 2. erneren *Gg*, genern *d.*　4. Danne der wirt *G.*　7. truch. *G.*　8. ga-
wanen *G.*　9. pfumit *G*, plumit *d*, blumit *g.*　11. vor *D.*　12. bastart
Gg, basthart *dyg.*　13. golter *G.*　15. phelle *G.*　16. heindenschaft *G.*
17. uff den *g*, uz *gg.*　20. wanchusse *Gg*, banckusse *g.*　22. Hermin *G*,
Herminen *g.*　niuwen *Gdgg.*　25. is *G.*　27. ihtes an si *g.*　28. het in *G.*

XI.

553 Grôz müede im zôch diu ougen
    zuo:
sus slief er unze des morgens fruo.
do rewachete der wîgant.
einhalp der kemenâten want
5 vil venster hete, dâ vor glas.
der venster eines offen was
gein dem boumgarten:
dar în gienc er durch warten,
durch luft und durch der vogel
    sanc.
10 sîn sitzen wart dâ niht ze lanc,
er kôs ein burc, diers âbents sach,
dô im diu âventiure geschach;
vil frouwen ûf dem palas:
mangiu under in vil schœne was.
15 ez dûht in ein wunder grôz,
daz die frouwen niht verdrôz
ir wachens, daz si sliefen nieht.
dennoch der tac was niht ze lieht.
    er dâhte 'ich wil in zêren
20 mich an slâfen kêren.'
wider an sîn bette er gienc:
der meide mantel übervienc
in: daz was sîn decke.
op man in dâ iht wecke?
25 nein, daz wære dem wirte leit.
diu maget durch gesellekeit,
aldâ si vor ir muoter lac,
si brach ir slâf des si pflac,

unt gienc hin ûf zir gaste:
der slief dennoch al vaste.
554 Diu magt ir diens niht vergaz:
fürz bette ûfen teppech saz
diu clâre juncfrouwe.
bî mir ich selten schouwe
5 daz mir âbents oder fruo
sölch âventiure slîche zuo.
    bi einer wîl Gâwân erwachte:
er sach an si und lachte,
unt sprach 'got halde iuch, freuwelîn,
10 daz ir durch den willen mîn
iwern slâf sus brechet
und an iu selber rechet
des ich niht hân gedienet gar.'
dô sprach diu maget wol gevar
15 'iwers diens wil ich enbern:
ich ensol niwan hulde gern.
hêrre, gebietet über mich:
swaz ir gebiet, daz leist ich.
al die mit mînem vater sint,
20 beidiu mîn muoter unde ir kint
suln iuch ze hêrren immer hân:
sô liebe habt ir uns getân.'
    er sprach 'sît ir iht lange komn?
het ich iwer kunft ê vernomn,
25 daz wær mir liep durch vrâgen,
wolt iuch des niht betrâgen
daz ir mirz geruochet sagn.
ich hân in disen zwein tagn

vil frouwen obe mir gesehn:
von den sult ir mir verjehn
555 Durch iwer güete, wer die sîn.'
do erschrac daz juncfreuwelîn,
si sprach 'hêr, nu vrâgt es niht:
ich pin dius nimmer iu vergiht.
5 ichn kan iu nicht von in gesagn:
ob ichz halt weiz, ich solz verdagn.
lâtz iu von mir niht swære,
und vrâget ander mære:
daz rât ich, welt ir volgen mir.'
10 Gâwân sprach aber wider zir,
mit vrâge er gienc dem mære nâch
umb al die frouwen dier dâ sach
sitzende ûf dem palas.
diu magt wol sô getriwe was
15 daz si von herzen weinde
und grôze klage erscheinde.
dennoch was ez harte fruo:
innen des gienc ir vater zuo.
der liezez âne zürnen gar,
20 ob diu maget wol gevar
ihts dâ wære betwungen,
und ob dâ was gerungen:
dem gebârt se gelîche,
diu maget zühte rîche,
25 wand si dem bette nâhe saz.
daz liez ir vater âne haz.
dô sprach er 'tohter, wein et niht.
swaz in schimpfe alsus geschiht,
ob daz von êrste bringet zorn,
der ist schier dâ nâch verkorn.'
556 Gâwân sprach 'hiest niht ge-
        schehn,
wan des wir vor iu wellen jehn.
ich vrâgte dise magt ein teil:
daz dûhte si mîn unheil,

5 und bat mich daz ichz lieze.
ob iuch des niht verdrieze,
sô lât mîn dienst umb iuch bejagn,
wirt, daz ir mirz ruochet sagn,
umb die frouwen ob uns hie.
10 ich enfriesch in al den landen nie
dâ man möhte schouwen
sô manege clâre frouwen
mit sô liehtem gebende.'
der wirt want sîne hende:
15 dô sprach er 'vrâgets niht durch got:
hêr, dâ ist nôt ob aller nôt.'
'sô muoz ich doch ir kumber
        klagen,'
sprach Gâwân. 'wirt, ir sult mir sagen,
war umbe ist iu mîn vrâgen leit?'
20 'hêr, durch iwer manheit.
kunnt ir vrâgen niht verbern,
sô welt ir lîhte fürbaz gern:
daz lêrt iuch herzen swære
und macht uns freuden lære,
25 mich und elliu mîniu kint,
diu iu ze dienste erboren sint.'
Gâwân sprach 'ir sult mirz sagen.
welt ab ir michz gar verdagen,
daz iwer mære mich vergêt,
ich freische iedoch wol wiez dâ stêt.'
557 Der wirt sprach mit triuwen
'hêr, sô muoz mich riuwen
daz iuch des vrâgens niht bevilt.
ich wil iu lîhen einen schilt.
5 nu wâpent iuch ûf einen strît.
ze Terre marveile ir sît:
Lît marveile ist hie.
hêrre, ez wart versuochet nie
ûf Schastel marveil diu nôt.
10 iwer leben wil in den tôt.

ist iu âventiure bekant,
swaz ie gestreit iwer hant,
daz was noch gar ein kindes spil:
nu næhent iu riubæriu zil.'
15   Gâwân sprach 'mir wære leit,
op mîn gemach ân arbeit
von disen frouwen hinnen rite,
ichn versuocht ê baz ir site.
ich hân ouch ê von in vernomen:
20 sît ich sô nâhen nu bin komen,
mich ensol des niht betrâgen,
ich enwellez durch si wâgen.'
der wirt mit triwen klagete.
sîme gaste er dô sagete
25 'aller kumber ist ein niht,
wan dem ze lîden geschiht
disiu âventiure:
diu ist scharpf und ungehiure
für wâr und âne liegen.
hêrre, in kan niht triegen.'
558 Gâwân der prîss erkande
an die vorhte sich niht wande:
er sprach 'nu gebt mir strîtes rât.
ob ir gebietet, rîters tât
5 sol ich hie leisten, ruochets got.
iwern rât und iwer gebot
wil ich immer gerne hân.
hêr wirt, ez wære missetân,
solt ich sus hinnen scheiden:
10 die lieben unt die leiden
heten mich für einen zagen.'
alrêrst der wirt begunde klagen,
wand im sô leide nie geschach.
hin ze sîme gaste er sprach
15 'op daz got erzeige
daz ir niht sît veige,
sô wert ir hêr diss landes:
swaz frouwen hie stêt pfandes,

die starkez wunder her betwanc,
20 daz noch nie rîters prîs erranc,
manc sarjant, edeliu rîterschaft,
op die hie'rlœset iwer kraft,
sô sît ir prîss gehêret
und hât iuch got wol gêret:
25 ir muget mit freuden hêrre sîn
über manegen liehten schîn,
frowen von manegen landen.
wer jæhe iu des ze schanden,
ob ir hinnen schiet alsus?
sît Lischoys Gwelljus
559 Iu sînen prîs hie lâzen hât,
der manege rîterlîche tât
gefrümet hât, der süeze:
von rehte i'n alsus grüeze.
5 mit ellen ist sîn rîterschaft:
sô manege tugent diu gotes kraft
in mannes herze nie gestiez,
ân Ithêrn von Gahaviez.
der Ithêrn vor Nantes sluoc,
10 mîn schif in gestern über truoc.
er hât mir fünf ors gegebn
(got in mit sælden lâze lebn),
diu herzogen und künege riten.
swaz er hât ab in erstriten,
15 daz wirt ze Pelrapeire gesagt:
ir sicherheit hât er bejagt.
sîn schilt treit maneger tjoste mâl.
er reit hie vorschen umben grâl.'
Gâwân sprach 'war ist er komn?
20 saget mir, wirt, hât er vernomn,
dô er sô nâhe was hie bî,
waz disiu âventiure sî.'
'hêrre, ern hâtes niht ervarn.
ich kunde mich des wol bewarn
25 daz ichs im zuo gewüege:
unfuoge ich danne trüege.

---

14. nahent *Ggg*, nahet *dg*.   riuwebæriu *G*.   16. gemac ane *G*.   17. hin *G*.
18. Ichn *g*.   ich env. *D*, Ih en virsuehte *G*.   ê *fehlt Gg*.   20. nahe *D*.
23. wirte *G*.   24. dô *fehlt Ggg*.   25. enwiht *g*, ein wicht *d*.   26. ce
lidene *D*.   28. is *G*.   29. Fur ware *G*.   30. ine *D*, ihne *G*.
558, 1. brîse *G*.   erchant-want *D*.   2. er sich *dgg*.   3. sprac *G*.
4. gebiet *D*.   5. ruechet es *G*.   6. iuwern gebot *G*.   12. Alrest *D*.
17. werdet ir herre *alle*.   dises *G*.   22. hie *fehlt d*.   loset *G*, erlœset
die übrigen.   24. geeret *DG*.   25. mugit *G*, möht *d*, *fehlt D*.   29. scie-
det *D*.   schiedet hin *g*.   sus *dg*.   30. gew. *G*.
559, 3. gefrümt *D*, Gefrumet *G*.   4. ihen *G*, ich *g*, ich in *die übrigen*.
8. kahaviez *Gg*, Cahev. *yg*, gahev. *d*.   9. von *Gdg*.   Nates *D*, nantis *Gg*.
10. gester *Ggg*.   13. di *D*, Die *G*.   kunig und hertzoge *g*.
herzogin *Gd*.   14. abe den *G*.   gestriten *Gg*.   15. zepeilrap. *G*.   16. er
hat *Ggg*.   17. mangir *G*.   18. vorschende *Gd*.   umbe engral *G*.
21. nahen *Ggg*.   23. hats *Dgg*.   25. iches *D*, ihes *G*.   26. Un-
gefuoge *G*.

het ir selbe vrâgens niht erdâht,
nimmer wært irs innen brâht
von mir, waz hie mæres ist,
mit vorhten scharpf ein strenger
list.
560 Welt ir niht erwinden,
mir unt mînen kinden
geschach sô rehte leide nie,
ob ir den lîp verlieset hie.
5 sult ab ir prîs behalten
unt diss landes walten,
sô hât mîn armuot ende.
ich getrûw des iwerr hende,
si hœhe mich mit rîcheit.
10 mit freuden liep âne leit
mac iwer prîs hie'rwerben,
sult ir niht ersterben.
    nu wâpent iuch gein kumber
        grôz.'
dennoch was Gâwân al blôz:
15 er sprach 'tragt mir mîn harnasch
        her.'
der bete was der wirt sîn wer.
von fuoz ûf wâpent in dô gar
diu süeze maget wol gevar.
der wirt nâch dem orse gienc.
20 ein schilt an sîner wende hienc,
der dicke unt alsô herte was,
dâ von doch Gâwân sît genas.
schilt und ors im wâren brâht.
der wirt was alsô bedâht
25 daz er wider für in stuont:
dô sprach er 'hêrre, ich tuon iu
        kuont
wie ir sult gebâren
gein iwers verhes vâren.
    mînen schilt sult ir tragn.
dern ist durchstochen noch zerslagn:

561 Wande ich strîte selten:
wes möht er danne enkelten?
hêrre, swenn ir ûf hin kumt,
ein dinc iu zem orse frumt.
5 ein krâmer sitzet vor dem tor:
dem lât dez ors hie vor.
kouft umb in, enruochet waz:
er behalt iuz ors deste baz,
ob 'irz im versetzet.
10 wert ir niht geletzet,
ir mugt dez ors gerne hân.'
dô sprach mîn hêr Gâwân
'sol ich niht zorse rîten în?'
'nein, hêrre, al der frouwen schîn
15 ist vor iu verborgen:
sô næhet ez den sorgen.
    den palas vint ir eine:
weder grôz noch kleine
vint ir niht daz dâ lebe.
20 sô waldes diu gotes gebe,
so ir in die kemenâten gêt
dâ Lît marveile stêt.
daz bette und die stollen sîn
von Marroch der mahmumelîn,
25 des krône und al sîn rîcheit,
wære daz dar gegen geleit,
dâ mit ez wære vergolten niht.
dar an ze lîden iu geschiht
swaz got an iu wil meinen:
nâch freude erz müeze erscheinen.
562 Gedenket, hêrre, ob ir sît wert,
disen schilt unt iwer swert
lâzet ninder von iu komn.
so ir wænt daz ende habe genomn
5 iwer kumber grœzlîch,
alrêrst strîte ist er gelîch.'
    dô Gâwân ûf sîn ors gesaz,
diu maget wart an freuden laz.

---

28. wart G, wæret D.   29. mærs G.
560, 3. rehte *fehlt* G.   5. aber D, abir G, *fehlt d.*   6. dises G.   8. ge-
trowe D, getruowe G.   getrauwes g.   iuwerre G.   9. So hohet sih min
richeit G.   11. erw. G, rew. D.   14. stuont G, sas g.   15. minen Dd,
fehlt g.   16. Der wirt was der bete sin wer G.   17. wappint G, wapende D.
20. hende G.   21. als G.   23. 24. brahte-bidahte G.   29. schult ir G.
30. Der Gdg.
561, 5. kramer Ggg, chramære D, kremer d.   7. choufet DG.   8. bihalt G,
behaltet Ddg, behelt gg.   10. Wert g.   16. nahet *alle auſser* D.
17. 19. vindet *alle.*   20. diu gots phlege G.   21. kominaten G.   22. Lit
D, let Gg, lecte g, lot d.   marvale Dg.   24. der] de G.   25. Des ere G.
26. dar geine G.
562, 3. niener G.   4. went g.   5. Ivuver G.   6. Denne alrerst so hebet
er sich d.   alrest D.   dane (dem g) strite ist er Gg, danne ist er strite g,
ist er danne strite g.

al die dâ wâren klageten:
10 wênc si des verdageten.
er sprach zem wirte 'gan mirs got,
iwer getriulîch urbot,
daz ir mîn sus pflâget,
gelts mich niht betrâget.'
15 urloup er zer meide nam,
die grôzes jâmers wol gezam.
er reit hin, si klageten hie.
ob ir nu gerne hœret wie
Gâwâne dâ geschæhe,
20 deste gerner i'us verjæhe.
ich sag als ichz hân vernomn.
do er was für die porten komn,
er vant den krâmære,
unt des krâm niht lære.
25 dâ lac inne veile,
daz ichs wære der geile,
het ich alsô rîche habe.
Gâwân vor im erbeizte abe.
sô rîchen markt er nie gesach,
als im ze sehn aldâ geschach.
563 der krâm was ein samît,
vierecke, hôch unde wît.
waz dar inne veiles læge?
derz mit gelte widerwæge,
5 der bâruc von Baldac
vergulte niht daz drinne lac:
als tæte der katolicô
von Ranculât: dô Kriechen sô
stuont daz man hort dar inne
                vant,
10 da vergultez niht des keisers hant
mit jener zweier stiure.
daz krâmgewant was tiure.
Gâwân sîn grüezen sprach

zuo dem krâmer. do er gesach
15 waz wunders dâ lac veile,
nâch sîner mâze teile
bat im zeigen Gâwân
gürtelen ode fürspan.
der krâmer sprach 'ich hân für wâr
20 hie gesezzen manec jâr,
daz nie man getorste schouwen
(niht wan werde frouwen)
waz in mîme krâme ligt.
ob iwer herze manheit pfligt,
25 sô sît irs alles hêrre.
ez ist gefüeret verre.
habt ir den prîs an iuch genomn,
sît ir durch âventiure komn
her, sol iu gelingen,
lîhte ir megt gedingen
564 Um mich: swaz ich veiles hân,
daz ist iu gar dan undertân.
vart fürbaz, lâtes walten got.
hât iuch Plippalinôt
3 der verje her gewîset?
manec frouwe prîset
iwer komn in ditze lant,
ob si hie'rlœset iwer hant.
     welt ir nâch âventiure gên,
10 sô lât daz ors al stille stên:
des hüete ich, welt irz an mich
                lân.'
dô sprach mîn hêr Gâwân
'wærz in iwern mâzen,
ich woltz iu gerne lâzen.
15 nu entsitze ich iwer rîcheit:
sô rîchen marschalc ez erleit
nie, sît ich dar ûf gesaz.'
der krâmer sprach ân allen haz

---

9. Al *g*, alle *DG*.   12. getriuwelich *G*.   14. geltes *alle*.   17. chlagetn *D*.
20. ichs (ihes *G*) iu *DGdg*, ich euch *g*, ich euchs *g*.   gahe *Gg*.   23. dem *G*.
24. chrame *Gdg*.   *so* 563, ı.   28. erbeizet *D*.   29. markt *g*, market *G*.
marchet *D*.   30. zesehenne *G*.

563, 2. hoh und *D*.   5. barŏch *G*.   7. also *Dd*.   kath. *dgg*, katulato *G*.
     8. dô] die *G*.   10. da *D*, Doch *g*, So *dgg*, Sone *G*.   vergultz *D*.   des
keiser *g*.   12. chramgwant *D*, chrame gewant *G*.   14. 19. 564, 18. chra-
mære *DG*.   15. lac] was *G*.   18. oder *D*.   21. nie man *g*, nieman *D*.
niemen *G*.   22. Niuwan *G*.   23. minen chramen *G*.   25. alle *D*.
26. gefuert *G*.   29. Herre *gg*.   so sol iu *G*.   30. muget *G*.

564, 1. Umb *G*, umbe *D*.   veils *G*.   2. dan *D*, danne *Ggg*, denne *d*.
3. lats *D*.   4. iuch *fehlt G*.   plipal. *g*, pliplalinot *G*.   5. verge *D*.
7. diz *G*, dizze *D*.   8. hie *fehlt dgg*.   erloset *alle*.   9. aventiuren *D*.
10. = diz *Ggg*.   13. wærez *DG*.   14. Ih woldez gerne iu lazen *G*.
15. Nune ensitze ih *G*.   16. marscalch *D*, marschalc *G*.   17. ih druf *G*.
18. kremer *gg*.

'hêrre ich selbe und al mîn habe
20 (waz möht ich mêr nu sprechen
       drabe?)
ist iwer, sult ir hie genesn.
wes möht ich pillîcher wesn?'
   Gâwân sîn ellen lêrte,
ze fuozer fürbaz kêrte
25 manlîche und unverzagt.
als ich iu ê hân gesagt,
er vant der bürge wîte,
daz ieslîch ir sîte
stuont mit bûwenlîcher wer.
für allen sturm niht ein ber
565 Gæb si ze drîzec jâren,
op man ir wolte vâren.
enmitten drûf ein anger:
daz Lechvelt ist langer.
5 vil türne ob den zinnen stuont.
uns tuot diu âventiure kuont,
dô Gâwân den palas sach,
dem was alumbe sîn dach
reht als pfâwîn gevider gar,
10 lieht gemâl unt sô gevar,
weder regen noch der snê
entet des daches blicke wê.
   innen er was gezieret
unt wol gefeitieret,
15 der venster siule wol ergrabn,
dar ûf gewelbe hôhe erhabn.
dar inne bette ein wunder
lac her hunt dar besunder:
kultern maneger slahte
20 lâgen drûf von rîcher ahte.
dâ wârn die frowen gesezzen.
dine heten niht vergezzen,
sine wæren dan gegangen.
von in wart niht enpfangen
25 ir freuden kunft, ir sælden tac,
der gar an Gâwâne lac.

müesen sin doch hân gesehn,
waz möhte in liebers sîn ge-
       schehn?
ir neheiniu daz tuon solte,
swie er in dienen wolte.
566 Dâ wârn si doch unschuldec an.
dô gienc mîn hêr Gâwân
beidiu her unde dar,
er nam des palases war.
5 er sach an einer wende,
ine weiz ze wederr hende,
eine tür wît offen stên,
dâ inrehalp im solte ergên
hôhes prîss erwerben
10 ode nâch dem prîse ersterben.
er gienc zer kemenâten în.
der was ir estrîches schîn
lûter, hæle, als ein glas,
dâ Lît marveile was.
15 daz bette von dem wunder.
vier schîben liefen drunder,
von rubbîn lieht sinewel,
daz der wint wart nie sô snel:
dâ wârn die stollen ûf geklobn.
20 den estrîch muoz ich iu lobn:
von jaspis, von crisolte,
von sardîn, als er wolte,
Clinschor, der des erdâhte,
ûz manegem lande brâhte
25 sîn listeclîchiu wîsheit
werc daz hier an was geleit.
   der estrîch was gar sô sleif,
daz Gâwân kûme aldâ begreif
mit den fuozen stiure.
er gienc nâch âventiure.
567 Immer, als dicke er trat,
daz bette fuor von sîner stat,
daz ê was gestanden.
Gâwâne wart enblanden

---

19. alle *G.*   20. mere brechen drabe *G.*   21. iuer *G.*   22. solt ih *G,*
súllent ir *d.*   24. Zefueze er *G,* ce fuoz (*ohne* er) *D.*   29. buowelicher *G,*
buwel. *dg,* bul. *g.*
565, 1. gæbe si *Ddgg*, Sy geb *g*, Gæbin si *G.*   3. Mitten *D.*   druffe *Ggg.*
8. allumbe *G.*   9. phawen *Gdgg.*   14. geweitieret *G.*   16. wol *G,* schon *g.*
19. Kulter *gg,* Gultir *G.*   20. drufe *G.*   25. chumfte *G.*   27. si in *D,*
si *Gg.*   29. deheiniu *Gdg.*
566, 3. unt *D.*   4. palas *alle.*   8. innerhalp *G.*   10. oder *D.*   11. cho-
minatin *G.*   14. let *Gdg̊,* lecte *g.*   Marvale *Dg,* marvæle (*so scheints*) *G.*
17. Rubbinen *D*, rubinen *die übrigen.*   sinwel *D.*   20. iu *fehlt d.*
21. iaspe *g.*   von *D,* unde *Gd,* und von *gg, fehlt g.*   Crisôlte *D.*
22. sardine *Ggg.*   23. Clinscor *D,* Clinshor *gg,* Clinsor *Gd,* Clinisor *g.*
24. manigen landen *alle ausfer Dg.*   25. listlichiu *G.*   28. aldâ *fehlt G,*
29. suezen *G.*

5 daz er den swæren schilt getruoc,
den im sîn wirt bevalch genuoc.
er dâhte 'wie kum ich ze dir?
wiltu wenken sus vor mir?
ich sol dich innen bringen,
10 ob ich dich mege erspringen.'
do gestuont im daz bette vor:
er huop sich zem sprunge enbor,
und spranc rehte enmitten dran.
die snelheit vreischet niemer man,
15 wie daz bette her unt dar sich stiez.
der vier wende deheine'z liez,
mit hurte an ieslîche'z swanc,
daz al diu burc dâ von erklanc.
　　sus reit er manegen poynder
　　　grôz.
20 swaz der doner ie gedôz,
und al die pusûnære,
op der êrste wære
bî dem jungesten dinne
und bliesen nâch gewinne,
25 ezn dorft niht mêr dâ krachen.
Gâwân muose wachen,
swier an dem bette læge.
wes der helt dô pflæge?
des galmes het in sô bevilt
daz er zucte über sich den schilt:
568 Er lac, unde liez es walten
den der helfe hât behalten,
und den der helfe nie verdrôz,
swer in sînem kumber grôz
5 helfe an in versuochen kan.
der wîse herzehafte man,
swâ dem kumber wirt bekant,
der rüefet an die hôhsten hant:
wan diu treit helfe rîche
10 und hilft im helfeclîche.
daz selbe ouch Gâwân dâ ge-
　　schach.
dem er ie sîns prîses jach,

sînen krefteclîchen güeten,
den bat er sich behüeten.
15 nu gewan daz krachen ende,
sô daz die vier wende
gelîche wârn gemezzen dar
aldâ daz bette wol gevar
an dem estrîche enmitten stuont.
20 dâ wart im grœzer angest kuont.
fünf hundert stabeslingen
mit listeclîchen dingen
zem swanke wârn bereite.
der swanc gab in geleite
25 ûf daz bette aldâ er lac.
der schilt alsolher herte pflac,
daz ers enpfant vil kleine.
ez wâren wazzersteine
sinewel unde hart:
etswâ der schilt doch dürkel wart.
569 Die steine wâren ouch verbolt.
er hete selten ê gedolt
sô swinde würfe ûf in geflogn.
nu was zem schuzze ûf gezogn
5 fünf hundert armbrust ode mêr.
die heten algelîchen kêr
reht ûf daz bette aldâ er lac.
swer ie solher nœte gepflac,
der mag erkennen pfîle,
10 daz werte kurze wîle,
unz daz si wârn versnurret gar.
swer wil gemaches nemen war,
dern kum an solch bette niht:
gemaches im dâ niemen giht.
15 es möhte jugent werden grâ,
des gemaches alsô dâ
Gâwân an dem bette vant.
dannoch sîn herze und ouch sîn hant
der zagheit lâgen eine.
20 die pfîle und ouch die steine
heten in niht gar vermiten:
zequaschiert und ouch versniten

567, 8. Wil du G.　　　10. muge G.　　　13. mitten D.　　　14. gefreischet G.
niemer Ggg, nie mer D, nie kein g, do kein (d. i. dechein) d.　　16. decheine
ez D.　　17. isliche ez G.　　20. donrr D, donr g, donre g.　　ie groz G.
21. busunare Gdgg.　　23. iungiste G.　　25. ezen dorfte DG.　　me G.
568, 1. und D.　　4. Der G.　　10. hilfet DG.　　11. Gawane DGg.
dâ fehlt Gd.　　17. Gelichen G.　　18. gewar D.　　20. Do G.　　21. stab
slingen D allein.　　22. listlichen G.　　23. zuome D.　　bereit-geleit Gdg.
29. sinwel D.　　und herter art?
569, 5. arembrust oder D.　　6. alle gelichen dgg, alle geliche g.　　7. al fehlt
gg, dar G.　　8. pflach D.　　9. moht G.　　11. unze DG.　　virsnuort g.
13. Derne chome G.　　18. Danch G.　　19. lagen D, lach er g, lac al Gdg,
lag er all g.　　22. Zerquatschiuret G.

was er durch die ringe.
  dô het er gedinge,
23 sîns kumbers wære ein ende:
dannoch mit sîner hende
muoser prîs erstrîten.
an den selben zîten
tet sich gein im ûf ein tür.
ein starker gebûr gienc dar für:
570 Der was freislîch getân.
von vischcs hiute truoger an
ein surkôt unt ein bônît,
und des selben zwuo hosen wît.
5 einen kolbn er in der hende truoc,
des kiule grœzer denne ein kruoc.
  er gienc gein Gâwâne her:
daz enwas doch ninder sîn ger,
wande in sîns kumens dâ verdrôz.
10 Gâwân dâhte 'dirre ist blôz:
sîn wer ist gein mir harte laz.'
er riht sich ûf unde saz,
als ob in swære ninder lit.
jener trat hinder einen trit,
15 als ob er wolde entwîchen,
und sprach doch zornlîchen
'irn durfet mich entsitzen niht:
ich füege ab wol daz iu geschiht
dâ von irn lîp ze pfande gebt.
20 vons tiuvels kreften ir noch lebt:
sol iuch der hie hân ernert,
ir sît doch sterbens unerwert.
des bringe ich iuch wol innen,
als ich nu scheide hinnen.'
23 der vilân trat wider în.
Gâwân mit dem swerte sîn
vome schilde sluoc die zeine.
die pfîle algemeine
wârn hin durch gedrungen,
daz se in den ringen klungen.
571 Dô hôrter ein gebrummen,
als der wol zweinzec trummen

slüege hie ze tanze.
sîn vester muot der ganze,
5 den diu wâre zageheit
nie verscherte noch versneit,
dâhte 'waz sol mir geschehn?
ich möhte nu wol kumbers jehn:
wil sich mîn kumber mêren?
10 ze wer sol ich mich kêren.'
nu sah er geins gebûres tür.
ein starker lewe spranc derfür:
der was als ein ors sô hôch.
Gâwân der ie ungerne vlôch,
15 den schilt er mit den riemen nam,
er tet als ez der wer gezam,
er spranc ûf den estrîch.
durch hunger was 'vreislîch
dirre starke lewe grôz,
20 des er doch wênec dâ genôz.
mit zorne lief er an den man:
ze wer stuont hêr Gâwân.
  er hetem den schilt nâch genomn:
sîn êrster grif was alsô komn,
23 durch den schilt mit al den klân.
von tiere ist selten ê getân
sîn grif durch solhe herte.
Gâwân sich zuckes werte:
ein bein hin ab er im swanc.
der lewe ûf drîen füezen spranc:
572 Ime schilde beleip der vierde fuoz.
mit bluote gaber solhen guoz
daz Gâwân mohte vaste stên.
her unt dar begundez gên.
5 der lewe spranc dicke an den gast:
durch die nasen manegen pfnâst
tet er mit pleckenden zenen.
wolt man in solher spîse wenen
daz er guote liute gæze,
10 ungern ich pî im sæze.
ez was ouch Gâwâne leit,
der ûf den lîp dâ mit im streit.

---

28. dem *D.*   30. grozir *G.*   starc? gebůr *D,* gebûre *G,* bure *d.*   her für *gg.*
570, 1. Er *Gg.*   vreissam *D.*   2. Von fischen hute truoge er an *G.*
  3. boit *G.*   4. zwo *DG,* zü *g.*   5. cholben *D,* cholbin *G.*   er] si *G.*
  6. Des kule waz *gg.*   7. was. er giench *D.*   8. en *fehlt G.*   gêr *G.*
  9. sines chomens dar *G.*   12. rihte *DG.*   16. zorenliche *D.*   18. aber *D,*
  abir *G.*   19. irn *g,* ir den *DG.*   20. von des *Ddg,* Von *Ggg.*

571, 2. drummen *G.*   11. geines *G.*   gebůrs *D,* geburen *gg.*   12. grozir *G.*
  her fur *Gdgg.*   13. sô] als *G.*   15. er *fehlt D.*   23. hete im *D,*
  het im *G.*   25. al *fehlt Gg.*   27. Ein *d.*   29. hin abe si im swanc *G.*
  30. drin *Gdgg.*

572, 1. Anme (A *roth*) *G.*   2. guz *DG.*   3. begunde *G.*   6. nase *Gd.*

er het in sô geletzet,
mit bluote wart benetzet
15 al diu kemenâte gar.
mit zorne spranc der lewe dar
und wolt in zucken under sich.
Gâwân tet im einen stich
durch die brust unz an die hant,
29 dâ von des lewen zorn verswant:
wander strûchte nider tôt.
Gâwân het die grôze nôt
mit strîte überwunden.
in den selben stunden
25 dâhter 'waz ist mir nu guot?
ich sitze ungern in ditze bluot.
och sol ich mich des wol bewarn:
diz bette kan sô umbe varn;
daz ich dran sitze oder lige,
ob ich rehter wîsheit pflige.'
573 Nu was im sîn houbet
mit würfen sô betoubet,
unt dô sîne wunden
sô bluoten begunden,
5 daz in sîn snellîchiu kraft
gar liez mit ir geselleschaft:
durch swindeln er strûchens pflac.
daz houbt im ûf dem lewen lac,
der schilt viel nider under in.
10 gewan er ie kraft ode sin,
diu wârn im beide enpfüeret:
unsanfter was gerüeret.
aller sin tet im entwîch.
sîn wanküssen ungelîch
15 was dem daz Gymêle
von Monte Rybêle,
diu süeze und diu wîse,
legete Kahenîse,
dar ûffe er sînen prîs verslief.
20 der prîs gein disem manne lief:
wande ir habt daz wol vernomn,

wâ mit er was von witzen komn,
daz er lac unversunnen,
wie des wart begunnen.
25 verholne ez wart beschouwet,
daz mit bluote was betouwet
der kemenâten estrîch.
si bêde dem tôde wârn gelîch,
der lewe unde Gâwân.
ein juncfrowe wol getân
574 Mit vorhten luogete oben în:
des wart vil bleich ir liehter schîn.
diu junge sô verzagete
daz ez diu alte klagete,
5 Arnîve diu wîse.
dar umbe ich si noch prîse,
daz si den rîter nerte
unt im dô sterben werte.
si gienc ouch dar durch schouwen.
10 dô wart von der frouwen
zem venster oben în gesehen
daz si neweders mohte jehen,
ir künfteclîcher freuden tage
ode immer herzenlîcher klage.
15 si vorhte, der rîter wære tôt:
des lêrten si gedanke nôt;
wand er sus ûf dem lewen lac
unt anders keines bettes pflac.
si sprach 'mir ist von herzen leit,
20 op dîn getriuwiu manheit
dîn werdez leben hât verlorn.
hâstu den tôt alhie rekorn
durch uns vil ellenden diet,
sît dir dîn triwe daz geriet,
25 mich erbarmet immer dîn tugent,
du habest alter ode jugent.'
hin zal den frouwen si dô sprach,
wand si den helt sus ligen sach,
'ir frouwen die des toufes pflegn,
rüeft alle an got umb sînen segn.'

---

15. chominate *G.*   21. Wan er struchete *G.*   22. = grozin *Ggg.*   24. An
Gg.   25. was is *G.*   30. witze *dg*, sinne *G.*

573, 5. snelliche *g*, snelchlich *G*, snellich *die übrigen.*   7. Durch swindelns er
struchens plac *G.*   10. oder *D.*   11. in *G.*   beidiu *DG.*   13. aller
sîn *D*, Al sin sin *gg.*   entwic *G.*   14. wanchusse *G.*   15. gimmele *Gdg,*
giminele *g. den circumflex hat D.*   16. Ribbele *dgg*, rippele *G.*   18. Leite
keinise *G.*   19. Dar uf *Ggg.*   pris *fehlt G.*   20. Der brise *G.*
21. Wan *G.*   27. cheminaten *G.*   29. unt *D.*

574, 1. ob in. *G.*   2. liehter *fehlt G.*   9. gie *D.*   dur *G.*   11. ob in *D.*
13. kunftichlien *Gdgg.*   14. 26. oder *D.*   14. herzecliche *ddg.*   18. de-
heines *DG.*   22. erchorn *G.*   23. ellenden *D*, ellendiu *Gd*, ellende *die*
übrigen.   25. immer me *Gg*, immer *die übrigen.*   27. Hinze allen den *Gg.*
= dô *fehlt Ggg.*   28. Wan *G.*   30. ruefet *D*, Ruofet *G.*   an den gotis
segin *G.*   umbe *D.*

575 Si sande zwuo juncfrouwen dar,
 und bat si rehte nemen war
 daz si sanfte slichen,
 ê daz si dan entwichen,
5 daz si ir bræhten mære,
 ob er bî leben wære
 ode ob er wære verscheiden.
 daz gebôt si den beiden.
 die süezen meide reine,
10 ob ir dewedriu weine?
 jâ si beide sêre,
 durch rehtes jâmers lêre,
 dô sin sus ligen funden,
 daz von sînen wunden
15 der schilt mit bluote swebete.
 si besâhen ob er lebete.
  einiu mit ir clâren hant
 den helm von sîme houbte bant,
 und ouch die fintâlen sîn.
20 dâ lag ein kleinez schiumelîn
 vor sîme rôten munde.
 ze warten si begunde,
 ob er den âtem inder züge
 od ober si des lebens trüge:
25 daz lac dannoch in strîte.
 ûf sîme kursîte
 von zobele wârn zwei gampilûn,
 als Ilynôt·der Bertûn
 mit grôzem prîse wâpen truoc:
 der brâhte werdekeit genuoc
576 In der jugende an sîn ende.
 diu maget mit ir hende
 des zobels roufte und habt in dar
 für sîne nasen: dô nam si war,
5 ob der âtemz hâr sô regete
 daz er sich inder wegete.

 der âtem wart dâ funden.
 an den selben stunden
 hiez si balde springen,
10 ein lûter wazzer bringen :
 ir gespil wol gevar
 brâht ir daz snellîche dar.
 diu maget schoub ir vingerlîn
 zwischen die zene sîn:
15 mit grôzen fuogen daz geschach.
 dô gôz si daz wazzer nâch,
 sanfte, und aber mêre.
 sine gôz iedoch niht sêre,
 unz daz er d'ougen ûf swanc.
20 er bôt in dienst und sagt in danc,
 den zwein süezen kinden.
 'daz ir mich soldet vinden
 sus ungezogenlîche ligen!
 ob daz wirt von iu verswigen,
25 daz prüeve ich iu für güete.
 iur zuht iuch dran behüete.'
  si jâhn 'ir lâget unde liget
 als der des hôhsten prîses pfliget.
 ir habt den prîs alhie bezalt,
 des ir mit freuden werdet alt:
577 Der sig ist iwer hiute.
 nu trœst uns armen liute,
 ob iwern wunden sî alsô
 daz wir mit iu wesen vrô.'
5 er sprach 'sæht ir mich gerne lebn,
 sô sult ir mir helfe gebn.'
 des bat er die frouwen.
 'lât mîne wunden schouwen
 etswen der dâ künne mite.
10 sol ich begên noch strîtes site,
 sô bint mirn helm ûf [und] gêt ir hin:
 den lîp ich gerne wernde bin.'

575, 1. zwo *DG.*   2. Daz si rehte namen war *G.*   nemen rehte *D.*   3. slîchen *D*, slischen *G.*   6. lebene *D*, lebin *G.*   7. 24. oder *D.*   10. ent-
wedere *g.*   14. wnden *D (meistens)*, vunden *G.*   19. fintailen *g*, fanta-
len *dd.*   20. ein vil *D.*   schuemelin (ue *durchstrichen, darüber* iv) *G.*
21. rotem *Ggg.*   23. indr *D*, iender *G. so* 576, 6.   24. = des *fehlt Ggg.*
27. Gampilun *d*, Gâmpilun *D*, camp. *g*, gunpelun *d*, gapilun *g*, gabelun *G.*
28. Ibnot *g*, ybilon *G.*   Bertun *Dd.*   30. Er *G.*

576, 1. Von *G.*   iugent *Gdgg.*   3. roufte] brach *G.*   habit *G*, huob *g*,
bracht *g.*   habeten dar *d.*   in dar] mit ir hende *G.*   4. Fur sinem munt *G.*
5. atem dez *D*, atem daz *G.*   6. er *Dg*, ez *Gddgg.*   12. snelliche *Dd*, snel-
leclich *d*, snellichen *Gg*, snelleclichen *gg.*   15. grozir fuege *Gg.*   fuegen *G.*
18. Si goz *G.*   19. unze daz-diu *DG*, Wen-die *d.*   20. Er sagit in genade
unde danch *G.*   sagete *D.*   23. ungezogelichen *Gdgg.*   26. Ivr *G*,
iẅer *D.*   zuhte *G.*   27. iahen *DG*, sprach *d.*   und *D.*   28. Alse *G.*

577, 1. sich *G.*   2. troestet *D*, trostet *G.*   arme *Ggg.*   5. sæhet *DG.*
8. wunde *G.*   9. Eteswenne *G.*   11. bindet *alle aufser D.*   mirn (mir
den *d*) helm uf *dg*, minen helm ûf *DG*, mir auff *g*, mir den helm *d*, mynen
helm *g.*

sî jâhn 'ir sît nu strîtes vrî:
hêr, lât uns iu wesen bî.
15 wan einiu sol gewinnen
an vier küneginnen
daz potenbrôt, ir lebet noch.
man sol iu bereiten och
gemach und erzenîe clâr,
20 unt wol mit triwen nemen war
mit salben sô gehiure,
diu für die quaschiure
unt für die wunden ein genist
mit senfte helfeclîchen ist.'
25   der meide einiu dannen spranc
sô balde daz si ninder hanc.
diu brâht ze hove mære
daz er bî lebne wære,
'unt alsô lebelîche,
daz er uns freuden rîche
578 mit freuden machet, ruochets got.
im ist ab guoter helfe nôt.'
Si sprâchen alle 'die merzîs.'
diu alte küniginne wîs
5 ein bette hiez bereiten,
dâ für ein teppech breiten,
bî einem guotem fiure.
salben harte tiure,
wol geworht mit sinne,
10 die gewan diu küneginne,
zer quaschiure unt ze wunden.
do gebôt si an den stunden
vier frouwen daz si giengen
unt sîn harnasch enpfiengen,
15 daz siz sanfte von im næmen,
unt daz si kunden ræmen
daz er sich des iht dorfte schemen.
'einen pfelle sult ir umbe iuch
nemen,

unde entwâpentn in dem schate.
20 op danne gên sî sîn state,
daz dolt, ode tragt in hin
aldâ ich pî dem bette bin:
ich warte aldâ der helt sol ligen.
op sîn kampf ist sô gedigen
25 daz er niht ist ze verhe wunt,
ich mache in schiere wol gesunt.
swelch sîn wunde stüent ze verhe,
daz wær diu freuden twerhe:
dâ mite wærn ouch wir reslagn
und müesen lebendec sterben tragn.'
579 Nu, diz wart alsô getân.
entwâpent wart hêr Gâwân
unt dannen geleitet
unde helfe bereitet
5 von den die helfen kunden.
dâ wâren sîner wunden
fünfzec ode mêre,
die pfîle iedoch niht sêre
durch die ringe [wârn] gedrucket:
10 der schilt was für gerucket.
dô nam diu alte künegîn
dictam und warmen wîn
unt einen blâwen zindâl:
do erstreich si diu bluotes mâl
15 ûz den wunden, swâ decheiniu
was,
unt bant in sô daz er genas.
swâ der helm was în gebogn,
da engein daz houbet was erzogn,
daz man die würfe erkande:
20 die quaschiur si verswande
mit der salben krefte
unt von ir meisterschefte.
si sprach 'ich senfte iu schiere.
Cundrîe la surziere

---

13. iahn. *D.*   17. beten brot *G*, bettenbrot daz *d.*   18. och *dg*, ouch *DGg.*
doch *dg.*   22. quatschiure *G immer*, quatsure *d.*   24. senften *d.*
27. brahte *DG.*

578, 2. aber *D*, abir *G.*   3. die *Dg*, diu *G*, den *dgg*, de *d.*   Marzìs *D.*
6. tepihc *G*, teppet *d.*   spreiten *d*, streiten *G.*   7. guoten *alle aufser DG.*
9. geworhte *G.*   11. quetsure *d.*   ce *Dg*, zen *G*, zer *ddgg.*   13. vier
iunchfrouwen *D.*   14. unt] Im *G.*   17. niht *D.*   durfe *G.*   19. Unde
entwappent in *G*, unt entwapenden *D.*   20. gens *D.*   stæte *G.*   21. oder *D.*
24. champhe *G.*   26. in *fehlt G.*   27. stuende *alle, doch* wunden stuôn-
den *d.*   28. diu freuden *DG*, unsz die vroude *g*, der freude *g*, der freuden
ddg.   entwerhe *Gg.*   29. erslagin *G.*

579, 6. da *Dd*, Do *Gg.*   7. oder *D.*   12. Dittamme *g*, Dittammen *G.*
13. plawen *D.*   14. streich *Gddgg.*   15. decheiniu *D*, keines *g*, der de-
heniu *Gd*, der cheine *dg*, die *g.*   16. band *D.*   18. engen *G.*   20. quat-
schiure *Gg*, quasiuren *d*, quasciuren *oder* quatschiuren *die übrigen.*
21. Gundriə *G.*

25 ruochet mich sô dicke sehn:
swaz von erzenîe mac geschehn,
des tuot si mich gewaltec wol.
sît Anfortas in jâmers dol
kom, daz man im helfe warp,
diu salbe im half, daz er niht starp:
580 Si ist von Munsalvæsche komn.'
dô Gâwân hête vernomn
Munsalvaesche nennen,
do begunder freude erkennen:
5 er wânde er wær dâ nâhe bî.
dô sprach der ie was valsches vrî,
Gâwân, zer küneginne
'frouwe, mîne sinne,
die mir wârn entrunnen,
10 die habt ir gewunnen
wider in mîn herze:
ouch senftet sich mîn smerze.
swaz ich krefte od sinne hân,
die hât iwer dienstman
15 gar von iwern schulden.'
si sprach 'hêr, iwern hulden
sul wir uns alle nâhen
unt des mit triwen gâhen.
nu volgt mir unt enredet niht vil.
20 eine wurz i'u geben wil,
dâ von ir slâfet: deist iu guot.
ezzens trinkens keinen muot
sult ir haben vor der naht.
sô kumt iu wider iwer maht:
25 sô trit ich iu mit spîse zuo,
daz ir wol bîtet unze fruo.'
eine wurz si leite in sînen munt:
dô slief er an der selben stunt.
wol si sîn mit decke pflaç.
alsus überslief den tac

581 Der êren rîche und lasters arm
lag al sanfte unt im was warm.
etswenne in doch in slâfe vrôs,
daz er heschte unde nôs,
5 allez von der salben kraft.
von frouwen grôz geselleschaft
giengen ûz, die andern în:
die truogen liehten werden schîn.
Arnîve diu alte
10 gebôt mit ir gewalte
daz ir enkeiniu riefe
die wîle der helt dâ sliefe.
si bat ouch den palas
besliezen: swaz dâ rîter was,
15 sarjande, burgære,
der necheiner disiu mære
vriesch vor dem andern tage.
dô kom den frouwen niwiu klage.
sus slief der helt unz an die naht.
20 diu künegîn was sô bedâht,
die wurz sim ûzem munde nam.
er rewachte: trinkens in gezam.
dô hiez dar tragen diu wîse
trinkn unt guote spîse.
25 er riht sich ûf unde saz,
mit guoten freuden er az.
vil manec frouwe vor im stuont.
im wart nie werder dienst kuont:
ir dienst mit zühten wart getân.
dô prüevete mîn hêr Gâwân
582 Dise, die, und aber jene:
er was et in der alten sene
nâch Orgelûse der clâren.
wande im in sînen jâren
5 kein wîp sô nâhe nie gegienc
etswâ dâ er minne enpfienc

26. erznîe *D*, arcedei *d*.   sol *G*.   27. mih wol gewaltich wol *G*.
28. sît *fehlt Gg.*
580, 2. hete gawan *G*.   5. nahen *Ggg*.   7. zechuneginne *G*.   13. ode *GGa*,
oder *D*.   15. hulden *G*.   19. volgt *Ga*, volget *die übrigen*.   unt *fehlt dg*.
en *haben nur DG*.   enreit *D*, reit *d*.   20. wrce *Dg*, wuorce *Ga*.   ich
(ih *G*) iu *alle*.   22. Ezens noh trinchens deheinen muot *G*.   25. wider zuo *G*.
26. unze] wenne *d*.   27. wrce *D*, wurze *Gg*, wuorce *Ga*.   legite *G*, leit *Ga*.
30. Als er *Ga*.
581, 1., rich *Ga*.   arem *D*.   2. Lach al samfte *G*.   warem *D*.   4. heschte *g*,
hessete *D*, hesschet *g*, gehsset *d*, heschet *GGa*, erheschet *g*, huostet *d*.
8. Hie *Ga*.   9. Arnave *G*.   11. deheiniu *GGag*, dekeiniu *dd*.
16. keiner *gg*, deheiner *Gdg*, decheiner *Gad*.   17. Friesche *Ga*, vries *D*.
anderm *G*.   18. nîwiu *Ga*, nîweiu *G*, niŵe *D*.   21. *wie* 580, 27.   22. Er
wachte *g*, Do er wachete *G*.   24. trinchen *DGGa*.   25. rihte *DGGa*.
26. Mit guetem willen er âz *G*.   28. Imme *G*.   enwart *Ga*.   30. pruovete
D, pruofte *Ga*, pruovet *G*, pruevet *d*, prufte *gg*.
582, 1. Didse die *G*.   3. orgelusen (orgilusen *Ga*) *alle*.   5. Nie wib *G*.
= nahen *GGagg*.

ode dâ im minne was versagt.
dô sprach der helt uuverzagt
zuo sîner meisterinne,
10 der alten küneginne.
   'frouwe, ez krenkt mir mîne zuht,
ir meget mirs jehn für ungenuht,
suln dise frouwen vor mir stên:
gebiet in daz si sitzen gên,
15 oder heizt si mit mir ezzen.'
'alhie wirt niht gesezzen
von ir enkeiner unz an mich.
hêr, si möhten schamen sich,

soltens iu niht dienen vil:
20 wande ir sît unser freuden zil.
doch, hêr, swaz ir gebietet in,
daz suln si leisten, hab wir sin.'
die edelen mit der hôhen art
wârn ir zühte des bewart,
25 wan siz mit willen tâten.
ir süezen munde in bâten
dâ stênes unz er gæze,
daz ir enkeiniu sæze.
dô daz geschach, si giengen wider:
Gâwân sich leite slâfen nider.

---

7. oder *D.*   9. Zesiner *Gd*, Cesiner *Gᵃ*.   11. ez chrenchet *alle*, *nur* ir cren-
ket *d.*   mir *fehlt ddg.*   min *Gg.*   12. mugt *Gᵃ*, mugit *G*   14. Gebietet
in *Gᵃgg.*   15. Olde *G,* ode *Gᵃ.*   heizet *DGᵃ.*   16. vergezen *Gᵃ.*
17. 28. dehein. *GGᵃg,* dekein. *dd,* kein. *gg.*   19. solten (Solden *GGᵃ*) si
DGGᵃ.   20. unsere *G,* unserre *g.*   21. gebietn *Gᵃ,* gebîet *DG.*   22. suln
wir *G.*   habe *GGᵃ.*   24. zuht *Gᵃ.*   25. wan *Gᵃ,* wande *DG.*   wille *G.*
26. suoze *Gᵃdg.*   27. stênes *G,* stens *DGᵃ,* stende *d.*

XII.

583 Swer im nu ruowe næme,
ob ruowens in gezæme,
ich wæn der hetes sünde.
nâch der âventiure urkünde
5 het er sich garbeitet,
gehœhet unt gebreitet
sînen prîs mit grôzer nôt.
swaz der werde Lanzilôt
ûf der swertbrücke erleit
10 unt sît mit Meljacanze streit,
daz was gein dirre nôt ein niht;
unt des man Gârelle giht,
dem stolzen künege rîche,
der alsô rîterlîche
15 den lewen von dem palas
warf, der dâ ze Nantes was.
Gârel ouchz mezzer holte,
dâ von er kumber dolte
in der marmelînen sûl.
20 trüege dise pfîle ein mûl,
er wær ze vil geladen dermite,
die Gâwân durch ellens site
gein sîme verhe snurren liez,
als in sîn manlîch herze hiez.
25 Li gweiz prelljûs der furt,
und Erek der Schoydelakurt

erstreit ab Mâbonagrîn,
der newederz gap sô hôhen pîn,
noch dô der stolze Iwân
sînen guz niht wolde lân
584 Uf der âventiure stein.
solten dise kumber sîn al ein,
Gâwâns kumber slüege für,
wæge iemen ungemaches kür.
5 welhen kumber mein ich nuo?
ob iuch des diuhte niht ze fruo,
ich solt in iu benennen gar.
Orgelûse kom aldar
in Gâwâns herzen gedanc,
10 der ie was zageheite kranc
unt gein dem wâren ellen starc.
wie kom daz sich dâ verbarc
sô grôz wîp in sô kleiner stat?
si kom einen engen pfat
15 in Gâwânes herze,
daz aller sîn smerze
von disem kumber gar verswant.
ez was iedoch ein kurziu want,
dâ sô lanc wîp inne saz,
20 der mit triwen nie vergaz
sîn dienstlîchez wachen.
niemen sol des lachen,

583. Die aventiure von dem Turchoiten *d.* 3. der] er *Ggg.* 5. Hiete *d.*
6. Gehuohet uñ gereitet *G.* 7. sin *D.* 8. Suvaz *G.* lanzelot *Gd.*
9. swert bruche *G*, bruke swære *Gᵃ.* 10. Ode *Gᵃ.* miliahkanze *G*, me-
liahk. *g*, Melianze *Gᵃ*, meliantz *dg*, valerine *g.* gestreit *Gᵃ.* 11. nôte *G.*
12. gar elle *d*, Garele *Dg*, charel *G*, karel *g*, Karl *g*, Karln *Gᵃ.* 13. stolzem
D, werden *GGᵃgg.* 15. Dem *G.* Leun *Gᵃ.* pas *G.* 16. warf *fehlt G.*
cenantis *Gᵃ.* 17. Karel (Karl *Gᵃ*, Karle *g*) daz (des *g*) mezzer holte (holde
Gᵃ) *GGᵃgg.* ᵒ9. marmlinen *D*, marmerin *d*, marmel *G.* sûl-mûl *Gᵃ*, suol-
mule *G*, sẘl-mẘl *D.* 21. Der *GGᵃgg.* mite *Gᵃ.* 23. snuoren *G*, snuor-
ren *Gᵃ.* 24. ellen *Ggg.* 25. 26. Ligis prillius de fuort. Unde erech ded-
schoydelachuvrt *G*, Lygois prillius de fuort. uñ erec de shoy delakurt *Gᵃ.*
27. abe mohonagrin *G*, abe Mubonagrin *Gᵃ.* 27. dew. *Ggg*, entw. *g*, ietweder
d, twederz *Gᵃ.* 29. dô *fehlt Gg.* 30. gruoz *G.*
584, 2. Suln *GGᵃg.* sîn *fehlt G.* 4. wæge iemn *D*, Wider iemen *g*, Ieneme *G*,
Vver iemenş *Gᵃ.* 6. Ob es (Obs *Gᵃ*) iuch duhte *GGᵃg*, ob üchsz duncke *g.*
duhte *D.* nihte zefruo *G.* 7. So wold ich in (ich *g*, *l.* i'n) iu *Gᵃgg.*
solten iu b. *D*, wolde iu nebenennen *G.* solt iun? 8. Orgillus diu kom *Gᵃ*,
Orglus diu chom *G*, Orgelyse die kom *g.* 10. zagheite *D*, zageheit *GGᵃ.*
11. dem] der *Gᵃ.* strac *G.* 13. lanc *GGᵃg.* kurce *Gᵃ*, churze *G*, kurtzer *g.*
14-18. Ez was iedoch ein engiz phat *GGᵃg.* 15. Gawans *D.* 20. = niht
GGᵃgg. 21. Sines dienstlichen wachen *G.* 22. sol des *G*, sol es *Gᵃgg*,
soldez *g*, soltes *Dd.*

daz alsus werlîchen man
ein wîp enschumpfieren kan.
25 wohrî woch, waz sol daz sîn?
dâ tuot frou minne ir zürnen schîn
an dem der prîs hât bejagt.
werlîch und unverzagt
hât sin iedoch funden.
gein dem siechen wunden
585 solte si gewalts verdriezen:
er möht doch des geniezen,
daz sin âne sînen danc
wol gesunden ê betwanc.
5 Frou minne, welt ir prîs bejagn,
möht ir iu doch lâzen sagn,
iu ist ân êre dirre strît.
Gâwân lebt ie sîne zît
als iwer hulde im gebôt:
10 daz tet ouch sîn vater Lôt.
muoterhalp al sîn geslehte
daz stuont iu gar ze rehte
sît her von Mazadâne,
den ze Fâmurgâne
15 Terdelaschoye fuorte,
den iwer kraft dô ruorte.
Mazadânes nâchkomn,
von den ist dicke sît vernomn
daz ir enkein iuch nie verliez.
20 Ithêr von Gaheviez

iwer insigel truoc:
swâ man vor wîben sîn gewuoc,
des wolte sich ir keiniu schamen,
swâ man nante sînen namen,
25 ob si der minne ir krefte jach.
nu prüevet denne diu in sach:
der wârn diu rehten mære komn.
an dem iu dienst wart benomn.
Nu tuot ouch Gâwân den tôt,
als sîme neven Ilynôt,
586 den iwer kraft dar zuo betwanc
daz der junge süeze ranc
nâch werder âmîen,
von Kanadic Flôrîen.
5 sîns vater lant von kinde er vlôch:
diu selbe küneginne in zôch:
ze Bertâne er was ein gast.
Flôrîe in luot mit minnen last,
daz sin verjagte für daz lant.
10 in ir dienste man in vant
tôt, als ir wol hât vernomn.
Gâwâns künne ist dicke komn
durch minne in herzebæriu sêr.
ich nenne iu sîner mâge mêr,
15 den ouch von minne ist worden wê.
wes twanc der bluotvarwe snê
Parzivâls getriwen lîp?
daz schuof diu künegîn sîn wîp.

23. daz sus *D.*　　21. entsch. *G.*　　25. wohri *D*, wochri *d* = Wohra *G*ᵃ*g*,
Wochra *gg*, Woch wa *G.*　　woch *fehlt d.*　　ditz *dgg.*　　26. zurne *G.*
27. habt *G*ᵃ.　　28. werliche *Dg*, Werlichen *g.*　　29. Hat si den helt sus
(*fehlt g*) funden (wunden *G*ᵃ) *GG*ᵃ*g.*　　30. = Gein den *GG*ᵃ*gg.*　　funden *G*ᵃ.

585, 1. solde gewaltis (Solte gwaltes *G*ᵃ) si *GG*ᵃ*gg.*　　2. moht *G*ᵃ*y.*　　iedoch
geniezen *GG*ᵃ*gg.*　　3. si in *DGG*ᵃ*gg*, si *G* (*allein?*).　　an *G.*　　4. gesunden
bidwanch *G*, gesunden twanc *G*ᵃ*g.*　　5. Frouwe *G*ᵃ.　　6. Mugt *G*ᵃ. Muget *Ggg.*
8. Wan gawan *GG*ᵃ*g.*　　lebt *G*ᵃ, lebte *D*, lebet *G.*　　sin *G.*　　10. Als *GG*ᵃ́. Also *gg.*
ouch *fehlt GG*ᵃ*g.*　　11. al *fehlt GG*ᵃ*g.*　　sine *G.*　　geslæhte *DG*ᵃ, geslahte *G.*
12. daz *fehlt GG*ᵃ*gg.*　　13. mazadan *GG*ᵃ*gg.*　　14. Den pfeimurgan *G.*　　fe-
morgan *G*ᵃ.　　14. 15. Den die reine (*l.* feine) murgan In terre do laschoie
fürte *d.*　　15. Terre delascoye *D*, Terre de latschoie *g*, Der delashoy *G*ᵃ, Der
delashoie *g*, Der do Latschoy *g*, Der deilatschǒy *G.*　　ge fuort *G.*　　17. Ma-
zadans *DGG*ᵃ.　　18. Da von so (Von den *g*) ditke (diche *G*ᵃ) ist vernomen
(kom̄ *G*ᵃ) *GG*ᵃ*gg.*　　19. encheiner *D*, deheiner *GG*ᵃ.　　iuch *fehlt GG*ᵃ*g*,
dann niht enliez *GG*ᵃ*g*, niene liesz *g.*　　20. kahaviez *Gg*, Kaheviez *G*ᵃ*gg.*
23. Desn wolt sich ir deheiniu *G*ᵃ.　　ir deheiniu sich *G.*　　24. *vor* 23, *und*
Da, *dann* 25. Der minne si ir *GG*ᵃ*gg.*　　26. Nu pruovet diu frouwe diu *GG*ᵃ*g.*
in do sach *G.*　　27. diu warin mære do komin *G*, diu waren mære kom̄ *G*ᵃ.
28. Als ir ę wol (wol ê *G*ᵃ, wol E *g*) habit virnomen (habt vernom̄ *G*ᵃ) *GG*ᵃ*g.*
29. Gawan *G*ᵃ, Gawane *DGgg.*　　30. Als sinem neven Linot *G*ᵃ.

586, 1. dwanc *G*, twanc *G*ᵃ*g.*　　2. ranc] reine *G.*　　4. kanedich *D*, Ganadic *G*ᵃ.
5. = *nach* 6 *GG*ᵃ*gg.*　　chine *G.*　　7. Zabritannie *G*, Ce Britanie *G*ᵃ.
8. Florine lut *G*ᵃ, Florie luot in *G.*　　minne *G*ᵃ*gg*, *fehlt G.*　　9. si in *DGG*ᵃ.
iagite *G*, iagt *G*ᵃ.　　furz *D*, in daz *G*ᵃ.　　10. dienst *GG*ᵃ.　　11. habit *G*,
habt *G*ᵃ.　　13. = Von *GG*ᵃ*gg.*　　14. magin *G.*　　16—18. Wie bedwanc
(betwanc *G*ᵃ)—Des werden parzivals (parzifals *G*ᵃ) lip.　　Durch die kunegin
(kuneginne *G*ᵃ) *GG*ᵃ*gg.*

Gâlôesen und Gamureten,
20 die habt ir bêde übertreten,
daz ir se gâbet an den rê.
diu junge werde Itonjê
truoc nâch roys Gramoflanz
mit triwen stæte minne ganz:
25 daz was Gâwâns swester clâr.
frou minne, ir teilt ouch iwern vâr
Sûrdâmûr durch Alexandern.
die eine unt die andern,
Swaz Gâwân künnes ie gewan,
frou minn, die wolt ir niht erlân,
587 sine müesen dienst gein iu tragen:
nu welt ir prîs an im bejagen.
    ir soltet kraft gein kreften gebn,
und liezet Gâwânen lebn
5 siech mit sînen wunden,
unt twunget die gesunden.
maneger hât von minnen sanc,
den nie diu minne alsô getwanc.
ich möhte nu wol stille dagen:
10 ez solten minnære klagen,
waz dem von Norwæge was,
dô er der âventiure genas,
daz in bestuont der minnen schûr
âne helfe gar ze sûr.
13   er sprach 'ôwê daz ich ie'rkôs
disiu bette ruowelôs.
einz hât mich versêret,
untz ander mir gemêret
gedanke nâch minne.

20 Orgelûs diu herzoginne
muoz genâde an mir begên,
ob ich bî freuden sol bestên.'
vor ungedolt er sich sô want
daz brast etslîch sîn wunden bant.
25 in solhem ungemache er lac.
nu seht, dô schein ûf in der tac:
des het er unsanfte erbiten.
er hete dâ vor dicke erliten
mit swerten manegen scharpfen
    strît
sanfter dan die ruowens zît.
588 Ob kumber sich gelîche dem,
swelch minnær den an sich genem,
der werde alrêrst wol gesunt
mit pfîlen alsus sêre wunt:
5 daz tuot im lîhte als wê
als sîn minnen kumber ê.
    Gâwân truoc minne und ander
    klage.
do begundez liuhten vome tage,
daz sîner grôzen kerzen schîn
10 unnâch sô virrec mohte sîn.
ûf rihte sich der wîgant.
dô was sîn lînîn gewant
nâch wunden unde harnaschvar.
zuo zim was geleget dar
13 hemde und bruoch von buckeram:
den wehsel er dô gerne nam,
unt eine garnasch mârderîn,
des selben ein kürsenlîn,

---

19. Galoèsen *D*, Galoes *GGᵃgg*. Gamurehten *G*, Gahmureten *Gᵃ*.   20. beide
getreten *Gᵃ*.   21. si *Gᵃ*.   Daz ir sighafte an den ie *G*.   22. junge *fehlt*
GGᵃgg.   Jtoniè *D*, tronie *G*.   23. = Leit ouch nach *GGᵃgg*.   dem ku-
nege *D*.   26. Vro *G*, Frowe *Gᵃ*.   teilte *d*, teilet *DGᵃg*.
iuwer *GGᵃ*.   war *Gᵃ*.   27. Sardomorde von vñ nah alexander *G*, Sardo-
mor de nach alexander *Gᵃ*.   -ander *GGᵃgg*.   28. einen *G*.   30. Frŏwe
minne *Gᵃ*.   diene welt *G*.
587, 1. gein in *G*.   2. Welt ir nu *GGᵃgg*.   prise *G*.   3. = lr moht *GGᵃgg*.
4. Unde liezt *G*.   6. wundet *GGᵃgg*.   8. den doch diu
(*fehlt g*) minne nie so (sus *g, fehlt G*) bedwanc *Ggg*.   getw. *Dd* = betw.
gg.   10. Unde liez min chlagin *Ggg*.   12. aventiwer *D*.   13. = minne
Ggg.   15. Do sprach er we *Ggg*.   ôwê *fehlt g*.   ie rechos *D*, verkos *g*,
erchos *Gdgg*.   16. Dise bete *G*.   riuwelos *G*, rŵenlos *D*.   17. einez *Dd*
= daz eine *Ggg*.   18. unt daz *Dg*, Daz *Gdgg*.   23. Von *Ggg*.   ungedult
alle aufser *D*.   sô *fehlt G*, do *dg*.   24. wunden bast *G*.   27. er nu samfte *G*.
28. Er het ouch da vor erliten *Ggg*.   29. = herten strit *Ggg*.   30. = Doch
(Nach *g*) senfter (senfte er *G*, samfter *g*) *Ggg*.   danne di *D*, denne diu *G*.
trurins *G*.
588, 1. deme *G*.   2. minnære *DG*.   neme *Gd*, nem *g*.   3. alrest *Dgg*.
4. also *Ggg*.   5. liht *G*.   al *g*, also *dg*, alsus *g*.   6. minne *Ggg*.   8. Nu
Ggg.   liehtin von dem *alle aufser G*.   10. wirrich *G*.   12. Nu *Ggg*.
13. und *D*, unde nach *gg*, unt daz *G*.   14. Zuo ime *G*.   geleit *DGg*.
15. bucgram *G*, buckram *g*.   17. ein *dg*.   garnatsch *g*, garnache *G*, gar-
nasce d, garnetsche *y*, karnascen *D*.   mærdarin *G*.   18. churselin *Ggg*.

ob den bêden schürbrant
20 von Arraze aldar gesant.
zwên stivâle ouch dâ lâgen,
die niht grôzer enge pflâgen.
　diu niwen kleider leiter an:
dô gienc mîn hêr Gâwân
25 ûz zer kemenâten tür.
sus gienc er wider unde für,
unz er den rîchen palas vant.
sînen ougen wart nie bekant
rîchheit diu dar zuo töhte
daz si dem glîchen möhte.
589 Uf durch den palas einesît
gienc ein gewelbe niht ze wît,
gegrêdet über den palas hôch:
sinwel sich daz umbe zôch.
5 dar ûffe stuont ein clâriu sûl:
diu was niht von holze fûl,
si was lieht unde starc,
sô grôz, froun Camillen sarc
wær drûffe wol gestanden.
10 ûz Feirefîzes landen
brâht ez der wîse Clinschor,
werc daz hie stuont enbor.
　sinwel als ein gezelt ez was.
der meister Jêometras,
15 solt ez geworht hân des hant,
diu kunst wære im unbekant.
ez was geworht mit liste.
adamas und amatiste

(diu âventiure uns wizzen lât),
20 thôpazje und grânât,
crisolte, rubbîne,
smârâde, sardîne,
sus wârn diu venster rîche.
wît unt hôch gelîche
25 als man der venster siule sach,
der art was obene al daz dach.
　dechein sûl stuont dar unde
diu sich gelîchen kunde
der grôzen sûl dâ zwischen stuont.
uns tuot diu âventiure kuont
590 Waz diu wunders mohte hân.
durch schouwen gienc hêr Gâwân
ûf daz warthûs eine
zuo manegem tiwerem steine.
5 dâ vander solch wunder grôz,
des in ze sehen niht verdrôz.
in dûhte daz im al diu lant
in der grôzen siule wærn bekant,
unt daz diu lant umb giengen,
10 unt daz mit hurte enpfiengen
die grôzen berge ein ander.
in der siule vander
liute rîten unde gên,
disen loufen, jenen stên.
15 in ein venster er gesaz,
er wolt daz wunder prüeven baz.
　dô kom diu alte Arnîve,
und ir tohter Sangîve,

19 = den selben *g*, den zwein *Ggg*.　　Scurbrant *D.* ü *dgg*.　　20. arraz *g*,
arros *d*, arzeiz *G*, areis *g*, Aleriz *g*.　　al *fehlt Gg*.　　21. Zwen *G*.　　stivâle
mit à *D*, stifal *g*, stivel *g*, stifelen *d*.　　22. Die niht groze phlagen *Ggg*.
23. di *D*.　　niuwan *G*.　　25. Uz der *G*.　　26. gie *D*.　　28. den wart
nie *Gg*, nie wart *d*.　　29-589, 16 *fehlen d*.　　30. Die sich der *g*.　　dem *Ggg*,
da *D*.　　gel. *DG*.

589, 1. ein sit *Ggg*.　　2. gie *D*.　　3. uf *G*.　　4. daz ubir zoch *G*, dar uber
zoch Ein tach von richer achte Alz ez Clinisor erdachte *g*.　　7. groz *Gg*,
michel *g*.　　9. Wære druf gestanden *G*.　　10. ferafizes *Ggg*, ferefizes *g*.
11. Clinscor *D*, Clinshor *gg*, chlinsor *G*, Clinisor *g*.　　14. geometras *gg*, geome-
trias *Gg*.　　15. habin *G*.　　= sin hant *Ggg*.　　17. geworhte *G*.　　= listen
Ggg.　　18. Ametiste *D* = amatisten *Ggg*.　　20. = Topazien *Ggg*.　　21. Cri-
solte *D*, Crisolten *g*, Crisolite *dg*, Crisoliten *gg*.　　21. 22. unde *alle aufser G*.
21. rubin *Gg*.　　22. Smaraide *D*, Smareide *g*, Smaragde *Gg*, Smaragden *g*,
Smarag *d*.　　sardin *Gg*.　　25. sul *g*, swl *D*.　　26. obene] chenen *G*.
= als *gg*, *fehlt Gg*.　　27-29. Dehein sule (sul oben *g*) da entzwischen (dan
zwischen *g*) stuont *Gg*.　　27. 29. swel-swl *D*, súle *d*, seule-sul *g*, seúl *g*.
29. da *Dd* = die da *gg*.

59C, 2. Dur schwouwen gienc er gawan *G*.　　4. manegen *D*.　　= edelen *Ggg*.
5. vant er solich *G*.　　7. = wie im *Ggg*.　　8. 12. swl *D*.　　9. daz *fehlt G*.
umbe *G*, al umbe *D*.　　10. mit hort enphienge *G*.　　12. sule vant er *G*.
13. Lut *G*.　　14. Dise lufen iene *G*, Die louffen iene *g*.　　15. In einem venster
er do gesaz *G*.　　16. = Daz wunder wold er *Ggg*.　　brueven *D*.　　18. Unde
saide *G*.　　Seyve *gg*, sive *g*. saigwe *d*.

unde ir tohter tohter zwuo :
20 die giengen alle viere zuo.
Gâwân spranc ûf, dô er se sach.
diu küneginne Arnîve sprach
'hêrre, ir solt noch slâfes pflegn.
habt ir ruowens iuch bewegn,
25 dar zuo sît ir ze sêre wunt,
sol iu ander ungemach sîn kunt.'
dô sprach er 'frouwe und mei-
sterin,
mir hât kraft unde sin
iwer helfe alsô gegeben,
daz ich gediene, muoz ich leben.'
591 Diu künegin sprach 'muoz ich
sô spehn
daz ir mir, hêrre, habt verjehn,
daz ich iwer meisterinne sî,
sô küsset dise frouwen [alle] drî.
5 dâ sît ir lasters an bewart:
si sint erborn von küneges art.'
dirre bete was er vrô,
die clâren frouwen kuster dô,
Sangîven unde Itonjê
10 und die süezen Cundrîê.
Gâwân saz selbe fünfte nider.
dô saher für unde wider
an der clâren meide lîp:
iedoch twang in des ein wîp
15 diu in sîme herzen lac,
dirre meide blic ein nebeltac
was bî Orgelûsen gar.
diu dûht et in sô wol gevar,

von Lôgroys diu herzogin :
20 dâ jagete in sîn herze hin.
nu, diz was ergangen,
daz Gâwân was enpfangen
von den frouwen allen drîn.
die truogen sô liehten schîn,
25 des lîht ein herze wære versniten,
daz ê niht kumbers het erliten.
zuo sîner meisterinne er sprach
umb die sûl die er dâ sach,
daz si im sagete mære,
von welher art diu wære.
592 Dô sprach si 'hêrre, dirre stein
bî tage und alle nähte schein,
sît er mir êrste wart erkant,
alumbe sehs mîl in daz lant.
5 swaz in dem zil geschiht,
in dirre siule man daz siht,
in wazzer und ûf velde :
des ist er wâriu melde.
ez sî vogel oder tier,
10 der gast unt der forehtier,
die vremden unt die kunden,
die hât man drinne funden.
über sehs mîle gêt sîn glanz :
er ist sô veste und ouch sô ganz
15 daz in mit starken sinnen
kunde nie gewinnen
weder hamer noch der smit.
er wart verstolen ze Thabronit
der künegîn Secundillen,
20 ich wæn des, ân ir willen.'

---

19. = Unde (*so* Gg, Dar zuo g, Unde mit der g) ir tohter zwo (töhter zwu
gg) Ggg. 20. fier G. 21. = Er spranch uf do er si chomin sach
Ggg. 23. soltet Dgg, sult Gdg. 30. Daz ichz y. sol ich *alle*
aufser DG.
591, 3. 27. meistrinne D. 4. die d. alle *fehlt* Gg. 6. = geborn Ggg.
von hoher art Ggg. 9. Saîven G, Seiven gg, Sangwen d. unt D.
Jtonîe D. itonien Gg. 10. Cundrîe D, Kundrien g, gundrien G. 11. funf-
ter D, vierde Gg. 14. dwanc G. 16. nebels tach Gg. 18. so Ddg,
vil Ggg. 20. Dar iagite in sins herzin sin Gyg. 22. daz *fehlt* Ggg.
24. liechten d, liehten suezen D = liehten werden Ggg, werden liehten g.
26. chumbers niht G. 27 = Hinze Ggg. 28. Umb G. sul Gg,
swl (*so auch* 592, 6. 22. 593, 9) D, seul g, sûle d, seûle g. dà *fehlt* Gg.
30. diu sule ware G.
592, 2. alle *fehlt* G. næhte D, nahte Ggg, nacht dg. 3 = nach 4 Ggg.
mir *fehlt* G. 4. vier Ggg, mîle *alle.* daz D, dis d = diu Ggg.
5. = in dem selben zil gg, im dem selbe zil G. 6. Inder sule Ggg.
8. sie ware gg, disiu varwe G. 12. = die *fehlt* Ggg. 13. fier Gg.
14. 15. 18. Si Gg. 14. ouch so D, also d = so Ggg. 15. = deheinen
Ggg. 16. Nie mohte Ggg. 17. hammer D. 18. zuo Tabrunit gg, ze-
taburnit G. 20. Des gihe ih an G.

Gâwân an den zîten
sach in der siule rîten
ein rîter und ein frouwen
moht er dâ beidiu schouwen.
25 dô dûht in diu frouwe clâr,
man und ors gewâpent gar,
unt der helm gezimieret.
si kômen geheistieret
durch die passâschen ûf den plân.
nâch im diu reise wart getân.
593 Si kômn die strâzen durch taz
      muor,
als Lischoys der stolze fuor,
den er entschumpfierte.
diu frouwe condwierte
5 den rîter mit dem zoume her:
tjostieren was sîn ger.
Gâwân sich umbe kêrte,
sînen kumber er gemêrte.
in dûht diu sûl het in betrogn:
10 dô sach er für ungelogn
Orgelûsen de Lôgroys
und einen rîter kurtoys
gein dem urvar ûf den wasn.
ist diu nieswurz in der nasn
15 dræte unde strenge,
durch sîn herze enge
kom alsus diu herzogîn,
durch sîniu ougen oben în.
gein minne helfelôs ein man,
20 ôwê daz ist hêr Gâwân.
zuo sîner meisterinne er sprach,
dô er den rîter komen sach,

'frowe, dort vert ein rîter her
mit ûf gerihtem sper:
25 der wil suochens niht erwinden,
ouch sol sîn suochen vinden.
sît er rîterschefte gert,
strîts ist er von mir gewert.
sagt mir, wer mac diu frouwe
      sîn?'
si sprach 'daz ist diu herzogîn
594 Von Lôgroys, diu clâre.
wem kumt si sus ze vâre?
der turkoyte ist mit ir komn,
von dem sô dicke ist vernomn
5 daz sîn herze ist unverzagt.
er hât mit speren prîs bejagt,
es wærn gehêret driu lant.
gein sîner werlîchen hant
sult ir strîten mîden nuo.
10 strîten ist iu gar ze fruo:
ir sît ûf strît ze sêre wunt.
ob ir halt wæret wol gesunt,
ir solt doch strîten gein im lân.'
dô sprach mîn hêr Gâwân
15 'ir jeht, ich sül hie hêrre sîn:
swer denne ûf al die êre mîn
rîterschaft sô nâhe suochet,
sît er strîtes geruochet,
frouwe, ich sol mîn harnasch hân.'
20 des wart grôz weinen dâ getân
von den frouwen allen vieren.
si sprâchen 'welt ir zieren
iwer sælde und iwern prîs,
sô strîtet niht decheinen wîs.

22. ſul *g*, sûlen *d*.   23. Ein *d*.   eine *Dg*.   24. beidiu] selbe *G*.
26. ros *G*.   27. den *G*.   28. gehaistiert *G*.   29. passaschen *g*, passascen
Dd, passasse *g*, passahe *G*, passaie *g*.

593, 1. chomen *D*, chom *Ggg*.   = straze *Ggg*.   2. Also lishois *Gg*.   3. en-
schunchierte *G*.   4. chundewierte *G*.   5. Einen *G*.   6. Diostieren *gg*,
tiust. (*sehr oft*) *D*.   9. duhte *G*, duohte *D*.   seul *gg*.   10. saher *D*. ᵥ
13. urvar] fuor er *G*.   = uf dem *Ggg*.   14. Ist iu *G*.   nieswrce *Dd*, nius
wurz *Gg*.   16. In *Ggg*.   19. helflos *D*.   20. ouwe *D*.   ist *fehlt G*.
er (*davor* h *übergeschrieben*) *G*.   21. Hinze *Gg*.   meistrinne *D*.
23. rîter *fehlt D*.   24. Mit wol uf *g*.   26. Er sol *Ggg*.   29. mir *fehlt*
Ggg.   die *G*.

594, 3. turchoit *G*, Turkoit *gg*, torkeit *d*.   4. Da von so *Ggg*.   5. sin hant
Ggg.   7. Ez *G*.   gehert *DG*.   11. uf striten *g*, strite *G*.   12. halt
fehlt G, ouch *g*, ioch *d*.   wært *G*.   16. = al *fehlt Ggg*.   erde *d*.
17. Riterscheft *G*.   nahen *Gdgg*.   18. = Ob *Ggg*.   der *Ggg*.   strîts *D*.
ruechet *Gg*.   *dann* Oder riterschefte gert. Des wirt er von mir gewert *G*,
Er wirt es von mir gewert Die wile mich der lip wert *g*.   23. = Iuwer leben
Ggg.   iwer prîs *Dg*.   24. deheine *Gdgg*.   gwîs *D*.

25 læget ir dâ vor im tôt,
alrêrst wüehse unser nôt.
sult ab ir vor im genesn,
welt ir in harnasche wesn,
iu nement iur êrsten wundenz lebṇ:
sô sîn wir an den tôt gegebn.'
595 Gâwân sus mit kumber ranc:
ir mugt wol hœren waz in twanc.
für schande heter an sich genomn
des werden turkoyten komn:
5 in twungen ouch wunden sêre,
unt diu minne michels mêre,
unt der vier frouwen riuwe:
wand er sach an in triuwe.
er bat se weinen verbern:
10 sîn munt dar zuo begunde gern
harnasch, ors unde swert.
die frouwen clâr unde wert
fuorten Gâwânen wider.
er bat se vor im gên dar nider,
15 dâ die andern frouwen wâren,
die süezen und die clâren.
Gâwân ûf sîns strîtes vart
balde aldâ gewâpent wart
bî weinden liehten ougen:
20 si tâtenz alsô tougen
daz niemen vriesch diu mære,
niwan der kamerære,
der hiez sîn ors erstrîchen.
Gâwân begunde slîchen
25 aldâ Gringuljete stuont.
doch was er sô sêre wuont,

den schilt er kûme dar getruoc:
der was dürkel ouch genuoc.
Ufz ors saz hêr Gâwân.
dô kêrter von der burc her dan
596 gein sîme getriwen wirte,
der in vil wênec irte
alles des sîn wille gerte.
eines spers er in gewerte:
5 daz was starc und unbeschabn.
er het ir manegez ûf erhabn
dort anderhalp ûf sînem plân.
dô bat in mîn hêr Gâwân
überverte schiere.
10 in einem ussiere
fuort ern über an daz lant,
dâ er den turkoyten vant
wert unde hôchgemuot.
er was vor schanden sô behuot
15 daz missewende an im verswant.
sîn prîs was sô hôh erkant,
swer gein im tjostierens pflac,
daz der hinderm orse lac
von sîner tjoste valle.
20 sus het er si alle,
die gein im ie durch prîs geriten,
mit tjostieren überstriten.
ouch tet sich ûz der degen wert,
daz er mit spern sunder swert
25 hôhen prîs wolt erben,
oder sînen prîs verderben:
swer den prîs bezalte
daz ern mit tjoste valte,

---

26. alrest *D*, Alrerste *G*.   27. aber *D*, abir *G*.   28. Daz muoz an grozim
gluche wesin. Wande liebir berre min. Welt ir in harnasche sin *G*.   29. nimet
Ggg.   iwer *alle*.   erst wunden daz *g*, erste daz *g*, wunden daz *Gd*.

595, 2. dwanc *G*.   3. 4 *fehlen Ggg*.   4. Turkoten *D*, *so nun oft*.   5. dwun-
gen *G*.   ouch *fehlt Ggg*.   7. Unde der *(fehlt G)* iunchfrouwen riuwe
Ggg.   8. Wan er erschein in triuwe *G*.   9. = gar v. *Ggg*.   10. = Dar
zuo sin munt *Ggg*.   11. = Orss (Orses *G*) harnasch *Ggg*.   12. clare *G*.
und *D*.   19. mit *D*.   weinden *g*.   21. vriensch die *G*.   22. = Wan *Ggg*.
kramere *alle aufser DG*.   25. Gringuliet *Dgg*, gringulier *G*.   gringulet *d*, krin-
gulet *g*.   27. Daz er den schilt kume trüch *dg*.   truoch *G*.   29. Ufez
D, Uff das *d* = Uf sin *Ggg*.

596, 1. = Zuo *Ggg*.   sinem *alle*.   2. vil] = des *Ggg*.   3. = Swes sin
Ggg.   4. eins *DG*.   5. umbescabn *D*.   7 = dort *fehlt Ggg*.   andert-
halbn *D*.   uf den plan *G*.   8. in *fehlt Gd*.   9. Ubir varn *G*.   10. ve-
siere *G*, ursiere *g*.   11. anz *D*.   13. Vert *G*.   unt *D*.   hohe ge-
muot *G*.   14. = Der *Gg*.   also *Dg*.   16. = was *(fehlt Gg)* da fur
erchant *Ggg*.   17. dyostierns *G*.   18. er *G*.   gelac *Gdgg*.
19. dyoste *G*.   20. Sus uberreit ers alle *G*.   21. pris *Ddg*, strit *gg*, strite *G*.
22. diostiern *G*.   24. sundr = ane *Ggg*.   25. erbn *D*, erwerben *die
übrigen*.   26. lan virderbin *G*.   27. aber den *d*, *fehlt g*.   = pris an im
bezalte *Ggg*.   28. ern *g*.   mit diostierne *G*.

dâ wurder âne wer gesehn,
dem wolter sicherheit verjehn.
597 Gâwân vriesch diu mære
von der tjoste pfandære.
Plippalinôt nam alsô pfant:
swelch tjoste wart aldâ bekant,
5 daz einer viel, der ander saz,
so enpfienger ân ir beider haz
dises flust unt jens gewin:
ich mein daz ors: daz zôher hin.
ern ruochte, striten si genuoc:
10 swer prîs oder laster truoc,
des liez er jehn die frouwen:
si mohtenz dicke schouwen.
Gâwânn er vaste sitzen bat.
er zôch imz ors an den stat,
15 er bôt im schilt unde sper.
hie kom der turkoyte her,
kalopierende als ein man
der sîne tjoste mezzen kan
weder ze hôch noch ze nider.
20 Gâwân kom gein im hin wider.
von Munsalvæsche Gringuljete
tet nâch Gâwânes bete
als ez der zoum gelêrte.
ûf den plân er kêrte.
25 hurtâ, lât die tjoste tuon.
hie kom des künec Lôtes suon
manlîch unde ân herzen schric.
wâ hât diu helmsnuor ir stric?
des turkoyten tjost in traf aldâ.
Gâwân ruort in anderswâ,
598 Durch die barbiere.

man wart wol innen schiere,
wer dâ gevelles was sîn wer.
an dem kurzen starken sper
5 den helm enpfienc hêr Gâwân:
hin reit der helm, hie lac der man,
der werdekeit ein bluome ie was,
unz er verdacte alsus daz gras
mit valle von der tjoste.
10 sîner zimierde koste
ime touwe mit den bluomen striten.
Gâwân kom ûf in geriten,
unz er im sicherheit verjach.
der verje nâch dem orse sprach.
15 daz was sîn reht: wer lougent des?
'ir vröut iuch gerne, west ir wes,'
sprach Orgelûs diu clâre
Gâwâne aber ze vâre,
'durch taz des starken lewen fuoz
20 in iwerem schilde iu volgen muoz.
nu wænt ir iu sî prîs geschehn,
sît dise frouwen hânt gesehn
iwer tjost alsô getân.
wir müezen iuch bî fröuden lân,
25 sît ir des der geile,
ob Lît marveile
sô klein sich hât gerochen.
iu ist doch der schilt zerbrochen,
als ob iu strît sül wesen kunt.
ir sît ouch lîht ze sêre wunt
599 Uf strîtes gedense:
daz tæte iu wê zer gense.
iu mac durch rüemen wesen liep
der schilt dürkel als ein siep,

---

29. Wurde er da sigelos ersehen *Ggg.* 30. = iehen *Ggg.*

597, 2. 4. 18. dioste *G.* 3. Pliplalinon *G.* pp *hat immer nur D.* also diu
phant *G.* 4. da fur wurde (*so Gg,* wart *gg*) erchant *Ggg.* al *fehlt d.*
5. geviel *Gg.* = gesaz *Ggg.* 6. beder *G.* 7. diss *D,* Dise *G.* ienes
G, eins *D.* 8. Wan daz ors fuort er hin *G.* 9. ruohte *G.* 11. 12. Des
liez er die frouwen iehen. Die (*so auch gg*) mohtenz ditche da wol sehen *G.*
13. = nach 14 *Ggg.* 14. den *D,* daz *Gg,* die *dgg.* 15. im in die hant
ein sper *Gg.* 16. = Nu *Ggg.* 17. = Galop. *Ggg.* 18. sîne] wol *gg,*
wolde die *G.* 20. hin] = her *g,* der *G,* dar *g,* do *g.* 21. 22. Gringuliet-
bet *DG.* 22. = Vuor *Ggg.* 23. lerte *Ggg.* 25. 26 *fehlen Gg.*
26. komet *dg.* Lots *D.* 27. und *fehlt Gdgg.* 28. hât] nim *Gg.*
ir stric] den strit *G.* 29. diost *G.* traf in *Ggg.* 30. = in ruorte *Ggg.*

598, 4. = Von *Ggg.* churcem *D.* 7. Der werdecheite ie ein bluome was *G.*
ie *fehlt dg.* 8. = bedahte *Ggg.* 14. vêrie *D.* 16. frouwet *G.*
gern *D.* west *Ggg,* weste *g,* wesset *D.* 17. Orgeluse *D,* orguluse *G.*
20. Iuwerm schilte volgen muoz *Ggg.* 21. wænt *G.* 22. habint *G.*
23. Iuwern strit (strite *G*) *Ggg.* 26. leit *g,* liht *g,* let *d,* lete *G,* lecte *g.*
27. = Sich so chleine hat *Ggg.* chleine *D.* grochen *G.* 28. doch *fehlt*
Ggg. zerbr. *G.* 29. sule wesn *D.* 30. lihte *Ddg, fehlt Ggg.*

599, 2. = tuot *Ggg.* 3. = ruom *gg,* ruom wol *G.* lip *Dg.* 4. sip *DGg,*
sipp *d,* schiep *g,* sieb *g.*

5 den iu sô manec pfîl zebrach.
an disen zîten ungemach
muget ir gerne vliehen:
lât iu den vinger ziehen.
rîtet wider ûf zen frouwen.
10 wie getörstet ir geschouwen
strît, den ich werben solde,
ob iwer herze wolde
mir dienen nâch minne.'
er sprach zer herzoginne
15 'frouwe, hân ich wunden,
die hânt hie helfe funden.
ob iwer helfe kan gezemn
daz ir mîn dienst ruochet nemn,
sô wart nie nôt sô hert erkant,
20 ine sî ze dienste iu dar benant.'
si sprach 'ich lâz iuch rîten,
mêr nâch prîse strîten,
mit mir gesellenclîche.'
des wart an freuden rîche
25 der stolze werde Gâwân.
den turkoyten santer dan
mit sînem wirt Plippalinôt:
ûf die burg er enbôt
daz sîn mit wirde næmen war
al die frouwen wol gevar.
600 Gâwâns sper was ganz belibn,
swie bêdiu ors wærn getribn
mit sporn ûf tjoste huorte:
in sîner hant erz fuorte
5 von der liehten ouwe.
des weinde manec frouwe,
daz sîn reise aldâ von in ge-
        schach.

diu künegîn Arnîve sprach
'unser trôst hât im erkorn
10 sîner ougen senfte, sherzen dorn.
ôwê daz er nu volget sus
gein Li gweiz prelljûs
Orgelûse der herzogin!
deist sîner wunden ungewin.'
15 vier hundert frouwen wârn in klage:
er reit von in nâch prîss bejage.
    swaz im an sînen wunden war,
die nôt het erwendet gar
Orgelûsen varwe glanz.
20 si sprach 'ir sult mir einen kranz
von eines boumes rîse
gewinn, dar umbe ich prîse
iwer tât, welt ir michs wern:
sô muget ir mîner minne gern.'
25 dô sprach er 'frouwe, swâ daz rîs
stêt, daz alsô hôhen prîs
mir ze sælden mac bejagn,
daz ich iu, frouwe, müeze klagn
nâch iwern hulden mîne nôt,
daz brich ich, ob mich læt der tôt.'
601 Swaz dâ stuonden bluomen lieht,
die wârn gein dirre varwe ein
        nieht,
die Orgelûse brâhte.
Gâwân an si gedâhte
5 sô daz sîn êrste ungemach
im deheines kumbers jach.
sus reit si mit ir gaste
von der burc wol ein raste,
ein strâzen wît unde sleht,
10 für ein clârez fôreht.

5. brach *G.*   7. Daz muget *Gg.*   veliehen *G.*   9. widr *D.*   10. Sagit
wie *Ggg.*   getorst *DGgg.*   schouwen *Ggg.*   14. zeder küneginne *Gg.*
15. ih han funden *G.*   16. = hie *fehlt Ggg.*   wunden *G.*   17. Ob
iuch *Ggg.*   helfe *fehlt G.*   18. dienste *G.*   geruochet *Ggg.*   19. Sone
Gg.   20. ze dieneste dar *Ggg.*   22. = Unde mer (me *g*) *Ggg.*
26. Lyshoisen sande er san *Gg.*   27. = Bi sineme *Ggg.*   wirte *DG.*
pliplalinot *G.*   29. = *nach* 30 *Gyg.*   = Daz sis *Ggg.*   wirden *G.*
30 = Al den *gg,* Nach den *G.*

600, 2. beidiu *G.*   3. uf der dioste *Ggg.*   4. fuerte *G.*   5. = Gein *Ggg.*
6. mænic *G.*   7. = aldâ *fehlt Ggg.*   9. Untrost het in erchorn *G.*
het *g.*   in *g.*   10. sueze *Ggg.*   schercen *D,* scharpffen *d,* des herzen *g,*
unde herzen *Gg,* unde des hertzen *g.*   11. Ouwe *G.*   12. Gein lishoys
prillius *G.*   13—16. Orgelusen der herzogin daz ist siner wunden.
         Vunf hundert frouwen warin in clagen begunnen.
         Er reit von in nach pris beiagin. *G.*   13. Orgelusen *alle.*
14. Dest *g,* daz ist *die übrigen.*   15. Fünfhundert *g.*   19. Orgeluse *G.*
21. = Ab *Ggg.*   22. gewinnen *alle.*   26. so *D.*   27. = an frouden *Ggg.*
28. muese *D.*   30 = oder mih enlat (lat *g*) der tot *Ggg.*

601, 1. Swaz stuont bluomen lieht *G.*   2. ein *DG, fehlt den übrigen.*   niht
G, entnicht *g.*   4. dahte *D.*   5. erste *g,* erst *D,* erster *Gg,* erstes *dg.*
8. burge *G.*   eine *Dg.*

der art des boume muosen sîn,
tämris unt prisîn.
daz was der Clinschores walt.
Gâwân der degen balt
15 sprach 'frouwe, wâ brich ich den
    kranz,
des mîn dürkel freude werde
    ganz?'
er solts et hân gediuhet nider,
als dicke ist geschehen sider
maneger clâren frouwen.
20 si sprach 'ich lâz iuch schouwen
aldâ ir prîs megt behabn.'
über velt gein eime grabn
riten si sô nâhen,
des kranzes poum si sâhen.
25 dô sprach si 'hêrre, jenen stam
den heiet der mir freude nam:
bringet ir mir drab ein rîs,
nie rîter alsô hôhen prîs
mit dienst erwarp durch minne.'
sus sprach diu herzoginne.
602 'Hie wil ich mîne reise sparn.
got waldes, welt ir fürbaz varn:
sone durfet irz niht lengen,
ellenthafte sprengen
5 müezet ir zorse alsus
über Li gweiz prelljûs.'
    si habet al stille ûf dem plân:
fürbaz reit hêr Gâwân.
er rehôrte eins dræten wazzers val:

10 daz het durchbrochen wît ein tal,
tief, ungeverteclîche.
Gâwân der ellens rîche
nam daz ors mit den sporn:
ez treip der degen wol geborn,
15 daz ez mit zwein füezen trat
hin über an den andern stat.
der sprunc mit valle muoste sîn.
des weinde iedoch diu herzogîn.
der wâc was snel unde grôz.
20 Gâwân sîner kraft genôz:
doch truoger harnasches last.
dô was eines boumes ast
gewahsen in des wazzers trân:
den begreif der starke man,
25 wander dennoch gerne lebte.
sîn sper dâ bî im swebte:
daz begreif der wîgant.
er steic hin ûf an daz lant.
    Gringuljet swam ob und unde,
dem er helfen dô begunde.
603 Daz ors sô verr hin nider vlôz:
des loufens in dernâch verdrôz:
wander swære harnas truoc:
er hete wunden ouch genuoc.
5 nu treib ez ein werve her,
daz erz erreichte mit dem sper,
aldâ der regen unt des guz
erbrochen hete wîten vluz
an einer tiefen halden:
10 daz uover was gespalden;

---

11. Do die boume muosen sin G.   des *Dd*, die *gg*, der (*und* muoste, *wie auch d*) *g*.   12. Tempris *g*, Tempreis *g*, Ten pris G, Tampris *g*.   brisin G.   13. Sus was der cleine (cleine *übergeschriebenn G*) walt *Gg*.   Clinscors *D*, clinsors *d*, klinshors *g*, Clingores *g*.   14. der helt balt G.   15. frouwe *fehlt Ggg*.   16. herze *Ggg*.   17. solde si han *alle aufser D*.   gedühet *dg*, geduhet *g*, geduohet *D*, geduht G.   21. Wa ir *Ggg*.   muget G.   22. daz velt G.   24. si do G.   25. iener *Ggg*, einen *d*.   26. den heget *d*, Heizet *Gg*.   27. drabe *d*, dar ab *D*, dar abe *Gd*.   29. = nach minne *Ggg*. 30. = Do *Gg*, So *gg*.

602, 1. min G.   2. walt es G.   3. sone sult *D*.   4. ellenthaftez *Dddg*. 5. Muozet irz ors tuon alsus G.   6. lishoys prillius G. prillius *gg öfter*. 9. = Er hort *Ggg*.   iens *d*.   trætin G.   wal *d*.   11. Tief unde *Ggg*. ungevertilich *G*, unfurtichiche *g*.   14. = Daz treip *ga*, Do sprach G. 15. er *D*.   mit *fehlt G*.   16. daz ander *alle aufser D*.   17. mit alle muose *D*.   19. unt *D*.   20. chrafte G, crefte *g*.   21. harnasch *D*. 22. = Nu was ouch *Ggg*.   23. gewachsen in dem *D*.   den *d*.   24. der starcher G.   25. gerne dannoch *Ggg*.   26. im *fehlt Gg*.   geswebite G. 28. hin] in G.   uf an daz *Gd*, ûf anz *D*, uf daz *g*, uz uffes *gg*.   29. Chingruniel G.

603, 1. verre *alle*.   hin *fehlt Ggg*.   3. Swarin harnasch er truoch *Ggg*. 4. = het ouch wunden *Ggg*.   5. ein werve *D*, ein werbe *Ggg*, also do *d*. 7. = Da *Ggg*.   des *Dg*, der *dgg*, *fehlt G*.   goz-floz G.   8. = Gebrochen hetin *Ggg*.   10. Daz ufer *g*, Das over *d*, Daz (Dar G, Do es *g*) uf her *Ggg*.

daz· Gringuljeten nerte.
mit dem sper erz kêrte
sô nâhe her zuo an daz lant,
den zoum ergreif er mit der hant.
15 sus zôch mîn hêr Gâwân
daz ors hin ûz ûf den plân.
ez schutte sich. dô ez genas,
der schilt dâ niht bestanden was:
er gurt dem orse unt nam den schilt.
20 swen sîns kumbers niht bevilt,
daz lâz ich sîn: er het doch nôt,
sît ez diu minne im gebôt.
Orgelûs diu glanze
in jagete nâch dem kranze:
25 daz was ein ellenthaftiu vart.
der boum was alsô bewart,
wærn Gâwâns zwên, die müesn ir lebn
umb den kranz hân gegebn:
des pflac der künec Gramoflanz.
Gâwân brach iedoch den kranz.
604 Daz wazzer hiez Sabîns.
Gâwân holt unsenften zins,
dô er untz ors drîn bleste.
swie Orgelûse gleste,
5 ich wolt ir minne alsô niht nemn:
ich weiz wol wes mich sol gezemn.
dô Gâwân daz rîs gebrach
unt der kranz wart sîns helmes dach,
ez reit zuo zim ein rîter clâr.
10 dem wâren sîner zîte jâr
weder ze kurz noch ze lanc.
sîn muot durch hôchvart in twanc,
swie vil im ein man tet leit,

daz er doch mit dem niht streit,
15 irn wæren zwêne oder mêr.
sîn hôhez herze was sô hêr,
swaz im tet ein man,
den wolter âne strît doch lân.
fil li roy Irôt
20 Gâwân guoten morgen bôt:
daz was der künec Gramoflanz.
dô sprach er 'hêrre, umb disen
     kranz
hân ich doch niht gar verzigen.
mîn grüezen wær noch gar ver-
     swigen.
25 ob iwer zwêne wæren,
die daz niht verbæren
sine holten hie durch hôhen prîs
ab mîme boume alsus ein rîs,
die müesen strît enpfâhen:
daz sol mir sus versmâhen.'
605 Ungern ouch Gâwân mit im
     streit:
der künec unwerlîche reit.
doch fuort der degen mære
einen mûzersperwære:
5 der stuont ûf sîner clâren hant.
Itonjê het in im gesant,
Gâwâns süeziu swester.
phæwîn von Sinzester
ein huot ûf sîme houbte was.
10 von samît grüene als ein gras
der künec ein mantel fuorte,
daz vaste ûf d'erden ruorte
iewederthalb die orte sîn:
diu veder was lieht härmîn.

---

11. chring. *G.*   12. zoume *Ggg.*   13. = nahen zuo im an *Ggg.*   anz *D.*
14. = Daz erz ergreif mit *Ggg.*   15. Sus czoch *G.*   25. was *fehlt G.*
26. In braht zedem boume der was bewart *G.*   27. muosen *D*, muesin *G.*
29. Gramôlanz *D nun bis* 613, 29.

604, 2. holt iedoch den zins *G.*   3. unz *D*, unt daz *G.*   drîn] dem *G.*
bletschete *d*, platste *g.*   5. Ihne *G.*   8. Und *G.*   sins] des *D.*   9. im *G.*
10. Deme *G.*   11. churze *G.*   12. in durch hohvart *Gg.*   bedwanc *Gd.*
13. tate *g*, dete *d.*   14. enstreit *G.*   18. Daz wolde er *Gg.*   = ane strit
g, ane striten *Gg*, ungerochen *g*, *ohne* doch.   19. Fillu roy *D*, Fil roys *G*,
Filliroys *gg*, Fyz Lu Roys *g*, Fili roys *d.*   Gyrot *gg*, chyrot *G.*   20. Ga-
wanen guotem *G.*   21. grimoflanz *G.*   22. dise *G.*   23. doch *Dg*, lu
G, üch *gg*, úch doch *d.*   verligen *G.*   24. gruezen *D*, groze *G*, gruz
die übrigen.   noch gar *D*, noch un *d* = eu (üch) gar *gg*, iuch doch *G.*
26. *fehlt G.*   27. holte *G.*

605, 1. Ungerne gawane ouch *G.*   2. Wenne der helt *d*, Do er *gg*, Der *G.*
unwerlich *G.*   3. Do *G*, Ouch *gg.*   4. muozer sp. *DG.*   sparwære *G.*
6. Itonîe *D.*   heten im *D*, het im in *G.*   8. pfawin *Dg.*   9. Eine *G.*
huopte *G.*   10. = gruener denne ein gras *Ggg.*   11. einen *DG.*   12. die
erde *Ggg.*   13. Ietw. *G.*   die (di *D*) orte *Dd*, die örter *gg*, mit den or-
ten *g*, diu ende *G.*   14. harmin *G.*

15 niht ze grôz, doch starc genuoc
was ein pfärt daz den künec
truoc,
an pfärdes schœne niht betrogn,
von Tenemarken dar gezogn
oder brâht ûf dem mer.
20 der künec reit ân alle wer:
wander fuorte swertes niht.
'iwer schilt iu strîtes giht,'
sprach der künec Gramoflanz.
'iwers schildes ist sô wênec ganz:
25 Lît marveile
ist worden iu ze teile.
ir habt die âventiure erliten,
diu mîn solte hân erbiten,
wan daz der wîse Clinschor
mir mit vriden gieng ie vor,
606 Unt daz ich gein ir krieges pflige,
diu den wâren minnen sige
mit clârheit hât behalden.
si kan noch zornes walden
5 gein mir. ouch twinget si des nôt:
Cidegasten sluog ich tôt,
in selbe vierdn, ir werden man.
Orgelûsen fuort ich dan,
ich bôt ir krône und al mîn lant:
10 swaz ir diens bôt mîn hant,
dâ kêrt si gegen ir herzen vâr.
mit vlêhen hêt ich se ein jâr:
ine kunde ir minne nie bejagen.
ich muoz iu herzenlîche klagen.
15 ich weiz wol dazs iu minne bôt,

sît ir hie werbet mînen tôt.
wært ir nu selbe ander komn,
ir möht mirz leben hân benomn,
ode ir wært bêde erstorben:
20 daz het ir drumbe erworben.
mîn herz nâch ander minne gêt,
dâ helfe an iwern genâden stêt,
sît ir ze Terr marveile sît
worden hêrre. iwer strît
25 hât iu den prîs behalden:
welt ir nu güete walden,
sô helfet mir umb eine magt,
nâch der mîn herze kumber klagt.
diu ist des künec Lôtes kint.
alle die ûf erden sint,
607 Die getwungen mich sô sêre nie.
ich hân ir kleinœte alhie:
nu gelobet ouch mîn dienst dar
gein der meide wol gevar.
5 ouch trûwe ich wol, si sî mir holt:
wand ich hân nôt durch si ge-
dolt.
sît Orgelûs diu rîche
mit worten herzenlîche
ir minne mir versagete,
10 ob ich sît prîs bejagete,
mir wurde wol ode wê,
daz schuof diu werde Itonjê.
ine hân ir leider niht gesehn.
wil iwer trôst mir helfe jehn,
15 sô bringt diz kleine vingerlîn
der clâren süezen frouwen mîn.

16. daz phærit *Gg.*   = daz in truoch *Ggg.*   17. phærides *G.*   18. = te-
nemarche *Ggg*, Tennemarc *g.*   19. ûf] vone *Ggg.*   20. was *Ggg.*
21. Wan ern *G.*   23. sus sprach *D.*   25. Liht *g*, Leit *g*, Let *G*, Lecte *g.*
26. iu *fehlt G.* üch worden *gg.*   29. Clinscor *D immer*, glinshor *G*, klin-
gezor *g.*   30. vriden *Dg*, freiden (*d. h.* frouden) *d*, fride *Ggg.*
606, 1. chreges *G.*   2. = der waren minne *Ggg.*   3. charcheit *G.*   4. zorns
DG.   5. dwinget *G.*   6. Cidgasten *D*, Citegasten *dg*, Cidegast *G*, Cy-
tegast *g.*   zetode *G.*   7. = in *fehlt Ggg.*   vierde *d*, vierden *die*
übrigen.   = ir vil liebin man *Ggg.*   9. = unde lant *Ggg.*   10. = Swa
(Swie *G*) ir dienest *Ggg.*   dienstes *d.*   11. Daz *G.*   cherte *DG.*
gegen *d*, engegen *D* = gein *Ggg.*   12. vlegen het ih si *G.*   13. Ihcne *G.*
14. herzenlîchen *Gg*, herzeclichen *dg.*   15. daz siu *G*, daz si iu *D.*   17. selb-
ander *D.*   18. wol han *G.*   19. oder *DG.*   wir warin *Ggg.*
21. herze *DG.*   anderr *D.*   22. Diu *Ggg.*   gnaden *D.*   23. terre *alle.*
marvale *D*, marveil *g*, marveil worden *D.*   24. herre worden *D.*   25. den *fehlt D.*
30. erde *Ggg.*
607, 1. Die *fehlt d*, Sine *D.*   getwngen *D*, bedwungen *Gdg*, twungen *gg.*
2. chleinode *DG.*   al *D*, nuo *d* = *fehlt Ggg.*   3. Gelobt (Geholt *G*)
unt (euch *g*) min (mynen *g*) dienst dar *Ggg.*   gelobt (*und* minen) *g*, geloubet
D, dringet *d.*   5 nach 6 *D.*   trouwe *G* = getrŵe *Dd.*   si sie *D.*
8. häzlîche *Wackernagel. vergl.* 680, 14. doch *s.* W. 217, 12.   10. sît *fehlt*
Ggg.   11. oder *G.*   14. = iuwer guete *Ggg.*   15. bringet *DG.*   chlein *G.*

ir sît hie strîtes ledec gar,
ezn wær dan græzer iwer schar,
zwêne oder mêre.
20 wer jæh mir des für êre,
ob i'uch slüege od sicherheit
twung? den strît mîn hant ie meit.'
dô sprach mîn hêr Gâwân
'ich pin doch werlîch ein man.
25 wolt ir des niht prîs bejagn,
wurd ich von iwerr hant erslagn,
sone hân ouch ichs decheinen prîs
daz ich gebrochen hân diz rîs.
wer jæhe mirs für êre grôz,
ob i'uch slüege alsus blôz?
608 Ich wil iwer bote sîn:
gebt mir her daz vingerlîn,
und lât mich iwern diens sagen
und iwern kumber niht verdagen.'
5 der künec des dancte sêre.
Gâwân vrâgte in mêre
'sît iu versmâhet gein mir strît,
nu sagt mir, hêrre, wer ir sît.'
'irn sult ez niht für laster doln,'
10 sprach der künec, 'mîn name ist
unverholn.
mîn vater der hiez Irôt:
den ersluoc der künec Lôt.
ich pinz der künec Gramoflanz.
mîn hôhez herze ie was sô ganz
15 daz ich ze keinen zîten
nimmer wil gestrîten,
swaz mir tæte ein man;
wan einer, heizet Gâwân,
von dem ich prîs hân vernomn,

20 daz ich gerne gein im wolte komn
ûf strît durch mîne riuwe.
sîn vater der brach triuwe,
ime gruoze er mînen vater sluoc.
ich hân ze sprechen dar genuoc.
25 nu ist Lôt erstorben,
und hât Gâwân erworben
solhen prîs vor ûz besunder
daz ob der tavelrunder
im prîses niemen glîchen mac:
ich geleb noch gein im strîtes tac.'
609 Dô sprach des werden Lôtes
suon
'welt ir daz ze liebe tuon
iwer friundîn, ob ez diu ist,
daz ir sus valschlîchen list
5 von ir vater kunnet sagn
unt dar zuo gerne het erslagn
ir bruoder, so ist se ein übel magt,
daz si den site an iu niht klagt.
kund si tohter unde swester sîn,
10 sô wær se ir beider vogetîn,
daz ir verbæret disen haz.
wie stüende iwerem sweher daz,
het er triwe zebrochen?
habt ir des niht gerochen,
15 daz ir in tôt gein valsche sagt?
sîn sun ist des unverzagt,
in sol des niht verdriezen,
mager niht geniezen
sîner swester wol gevar,
20 ze pfande er gît sich selben dar.
hêrre, ich heize Gâwân.
swaz iu mîn vater hât getân,

---

17. strîts *D.*   18. ez enwære *DGg*, Ez wer *dgg.*   danne *fehlt D.*
20. iæhe *D,* iahe *G.*   21. ih iu *G,* ich iuch *die übrigen.*   oder *DG.*
22. twnge *Dd* = Bedwunge *Ggg.*   hant ie meit] manheit *G.*   25. Welt *Gg.*
26. wrde *DG.*   geslagin *G.*   27. ichs *D,* ich *dgg, fehlt G.*   28. daz ris
Gdgg.   30. iuch *G,* ich iuch *die übrigen.*

608, 2. ditze *G.*   3. diens *D,* dienste *G,* dienst *die übrigen.*   5. danchet *G.*
6. = in fragit *Ggg,* der fragte *g.*   7. mir] min *G.*   8. = So *Ggg.*
9. iren sultz *D.*   nih *G.*   10. Do sprach *G.*   unverholnen *G,* unver-
stolen *g* = iu verholn *D,* verholen *d.*   11. der *fehlt G.*   gyrot *Ggg.*
12. sluoc *G.*   13. grim. *G.*   14. = was ie *Ggg.*   15. zeheinen *G.*
16. striten *G.*   19. ich *fehlt D.*   20. gerne *fehlt G.*   21. Uf strite *g,*
Uf champhe *G,* Uf kampf *g.*   min *G.*   22. 23. Sin vatir brach sinen triuwe.
Imme groze minen vatir sluoch *G.*   29. priss *D,* bris *G.*   gelichen *DG.*

609, 1. der werde *d* = des kunic *Gg,* der kunic *g,* kunig *g.*   2. Welt ir ge-
triuwelichen tuon *Gg.*   3. friwendinne *D.*   ob diu daz ist *G.*   4. Dar *G.*
valschen *Gg.*   7. so ist si *D,* sist *G.*   9. Chunde *DG.*   10. so wære
si *Dd* = Si wære *Ggg.*   ir bruodir *Gg.*   vogtin *D.*   13. Hete sine
triuwe gebrochen *Ggg.*   18. des niht *Gg.*   20. git sin lebin dar *Ggg.*
22. hât *fehlt G.*

daz rechet an mir: er ist tôt.
ich sol für sîn lasters nôt,
25 hân ich werdeclîchez lebn,
ûf kampf für in ze gîsel gebn.'
dô sprach der künec 'sît ir daz,
dar ich trage unverkornen haz,
sô tuot mir iwer werdekeit
beidiu liep unde leit.
610 Ein dinc tuot mir an iu wol,
daz ich mit iu strîten sol.
ouch ist iu hôher prîs geschehn,
daz ich iu einem hân verjehn
5 gein iu ze kampfe kumende.
uns ist ze prîse frumende
ob wir werde frouwen
den kampf lâzen schouwen.
fünfzehen hundert bringe ich dar:
10 ir habt ouch eine clâre schar
ûf Schastel marveile.
iu bringet ziwerm teile
iwer œheim Artûs
von eime lande daz alsus,
15 Löver, ist genennet;
habt ir die stat erkennet,
Bems bî der Korchâ?
diu massenîe ist elliu dâ:
von hiute übern ahten tac
20 mit grôzer joye er komen mac.
von hiute am sehzehenden tage
kum ich durch mîn alte klage
ûf den plân ze Jôflanze

nâch gelte disem kranze.'
25 der künec Gâwânn mit im bat
ze Rosche Sabbîns in die stat:
'irn mugt niht anderr brücken hân.'
dô sprach mîn hêr Gâwân
'ich wil hin wider alse her:
anders leiste ich iwer ger.'
611 Si gâben fîanze,
daz si ze Jôflanze
mit rîtern und mit frouwen her
kœmen durch ir zweier wer,
5 als was benant daz teidinc,
si zwêne al ein ûf einen rinc.
sus schiet mîn hêr Gâwân
dannen von dem werden man.
mit freuden er leischierte : ·
10 der kranz in zimierte:
er wolt daz ors niht ûf enthabn,
mit sporn treib erz an den grabn.
Gringuljet nam bezîte
sînen sprunc sô wîte
15 daz Gâwân vallen gar vermeit.
zuo zim diu herzoginne reit,
aldâ der helt erbeizet was
von dem orse ûf daz gras
und er dem orse gurte.
20 ze sîner antwurte
erbeizte snellîche
diu herzoginne rîche.
gein sînen fuozen si sich bôt:
dô sprach si 'hêrre, solher nôt

---

24. = sines *Ggg.*   **26.** für inz?   28. ich] ir *G.*   unverchornn *D*, unver-
chorn *G.*   30. liebe *D.*

610,   1. mir doch *G.*   3. gescehn *D.*   5. Gein iu einem zechamphe cho-
mende *G.*   6. ist uns *D.*   vromede *G.*   8. champhe *G.*   9. Funf *Ggg.*
= hundert frouwen *Ggg.*   11. Scastel *D*, kastel *dgg*, tschatel *G*, tschahtel *g.*
16. Habet et ir *G.*   17. Bems *D*, Beras *g*, Reines beines
d, Zesabins *Gg*, Zu Gabins *g.*   Korcha *g*, Chorcha *g*, çhôrcha *D*, kortha *g*,
quercka *d*, chronica *G.*   18. mæssenide *D.*   alliu *G.*   20. = tschoie *g*,
schoye *g,* schouge *g.*   21. Dar nach an dem anderm tage *G.*   ame sehzen-
dem *D*, über sechzehen *d*, über den sechtzehenden (*und doch* tage) *g.*
23. Schoflanze *gg*, tschofflanze *g*, choflanz *d*, tscheffanze *G.*   25. Gramoflanz
(Der kunig gromoflanz *g*) in mit im bat *Gg.*   26. Rosce Sabbins *D*, rotsce
sabbins *d*, Rotteschesabins *g*, roytschesabins *g*, rois sabins *G*, Roysabinsz *g.*
durh *g.*   27. iren *D*, Ir *G.*   ander bruke *G.*   29. wider *fehlt Ggg.*
= als *Ggg.*   30. tæte ih *G.*

611,   2. zetschofanze *G.*   4. zeweier *G.*   5. also *Dd* = Sus *Ggg.*   'was
fehlt G.   teindinc *G*, tage dinch *g*, tegeding *d.*   6. = Si bede *Ggg.*
aleine *D.*   8. werdem *G.*   9. freude *D.*   leiscîerte *Dd*, leisierte *Ggg,*
lesierte *g.*   10. condwierte *Gg.*   11. er wolte daz *D*, Ern mohtz *Ggg.*
12. = erz treip *Ggg.*   13. 14. bezit-wit *Ggg.*   14. sînn *D.*   so *Dg,*
also *d*, wol so *gg*, wol also *G.*   16. Zuo ime *G.*   18. rosse *G.*   ûf ein
gras *D.*   19. = Unze er dem örsse (er daz *G*) gegurte *Ggg.*   20. Zuo *G.*
23. sinem fuoze *G.*   bote *G.*

25 als ich hân an iuch gegert,
der wart nie mîn wirde wert.
für wâr mir iwer arbeit
füeget sölich herzeleit,
diu enpfâhen sol getriwez wîp
umb ir lieben friundes lîp.'
612 Dô sprach er 'frouwe, ist daz wâr
daz ir mich grüezet âne vâr,
sô nâhet ir dem prîse.
ich pin doch wol sô wîse:
5 ob der schilt sîn reht sol hân,
an dem hât ir missetân.
des schildes ambet ist sô hôch,
daz er von spotte ie sich gezôch,
swer rîterschaft ze rehte pflac.
10 frouwe, ob ich sô sprechen mac,
swer mich derbî hât gesehn,
der muoz mir rîterschefte jehn.
etswenne irs anders jâhet,
sît ir mich êrest sâhet.
15 daz lâz ich sîn: nemt hin den
    kranz.
ir sult durch iwer varwe glanz
neheime rîter mêre
erbieten solh unêre.
solt iwer spot wesen mîn,
20 ich wolt ê âne minne sîn.'
diu clâre unt diu rîche
sprach weinde herzenlîche
'hêrre, als i'u nôt gesage,
waz ich der im herzen trage,
25 sô gebt ir jâmers mir gewin.
gein swem sich krenket mîn sin,
der solz durch zuht verkiesen.
ine mac nimêr verliesen
freuden, denne ich hân verlorn

an Cidegast dem ûz erkorn.
613 Mîn clâre süeze beâs âmîs,
sô durchliuhtic was sîn prîs
mit rehter werdekeite ger,
ez wære dirre oder der,
5 die muoter ie gebâren
bî sîner zîte jâren,
die muosn im jehen werdekeit
die ander prîs nie überstreit.
er was ein quecprunne der tu-
    gent,
10 mit alsô berhafter jugent
bewart vor valscher pfliehte.
ûz der vinster gein dem liehte
het er sich enblecket,
sînen prîs sô hôch gestecket,
15 daz in niemen kunde erreichen,
den valscheit möhte erweichen.
sîn prîs hôch wahsen kunde,
daz d'andern wâren drunde,
ûz sînes herzen kernen.
20 wie louft ob al den sternen
der snelle Sâturnus?
der triuwe ein monîzirus,
sît ich die wârheit sprechen kan,
sus was mîn erwünschet man.
25 daz tier die meide solten klagn:
ez wirt durch reinekeit erslagn.
ich was sîn herze, er was mîn lîp:
den vlôs ich flüstebæriz wîp.
in sluoc der künec Gramoflanz,
von dem ir füeret disen kranz.
614 Hêrre, ob ich iu leide sprach,
von den schulden daz geschach,
daz ich versuochen wolde
ob ich iu minne solde

26. Des *G*, Des en *g*.   min wirde nie *G*.   28. solhiu *D*.   29. di *D*,
Die *G*.   30. Unde ir lebin *G*.   friwendes *D*.

612, 3. so næhert *D*, Sahet *G*.   6. Anders habit ir *Ggg*.   7. ist] = was ie
Ggg.   8. = Daz der spot sich da von zoch *Ggg*.   9. ie phlach *Ggg*.
14. erste *d* = von erste *Ggg*, zuom ersten *g*.   16. Irn *Gg*.   17. Dehei-
nem *G*.   18. Erbiten solhe *G*.   19. Sult *G*.   22. weinende *DG*.
23. i'u] ih *G*, ich iu *die übrigen*.   geclage *G*.   24. = der *fehlt Ggg*.
ime *D*, in minem *die übrigen*.   27. zuhte *G*. ·   28. nimere *D*, niemer *dg*,
niht mer *g*, niht mere *Gg*.   29. Froude *Gdg*, Mere *g*.   dan *G*.
30. Cidegaste *D*.

615, 1. Ein *G*.   beus *D*, beaus *g*.   7. muosen *D*, muosin *G*.   der wer-
decheit *G*.   9. quech brunne *G*.   der der tugent *D*.   11. Gar bewart *G*.
valscer pflihte *Dd* = valscher phliht *G*, valschlicher pfliht *gg*.   12. ôz *G*.
= in daz lieht *Ggg*.   13. erblechet *G*.   14. hohe *Gg*.   gestrechet *g*.
16. Amor was sin herzeichen *G*.   17. pris so hohe waschen *G*.   18. *di*
D, die *G*.   20. loufet *DG*, loufte *g*.   allen st. *alle aufser D*.   22. = triu-
wen *Ggg*.   moncyrus *G*.   24. erwunschetir *G*.   25. Daz tierde (de *viel-*
leicht durchstrichen) meide solden chlagin *G*.   28. ih unflustebæriz wip *G*.

614, 4. minnen *Gg*.

5 bieten durch iur werdekeit.
ich weiz wol, hêrre, ich sprach iu
　　leit:
daz was durch ein versuochen.
nu sult ir des geruochen
daz ir zorn verlieset
10 unt gar ûf mich verkieset.
ir sîtz der ellensrîche.
dem golde· ich iuch gelîche,
daz man liutert in der gluot:
als ist geliutert iwer muot.
15 dem ich iuch ze schaden brâhte,
als ich denke unt dô gedâhte,
der hât mir herzeleit getân.'
dô sprach mîn hêr Gâwân
　'frouwe, esn wende mich der tôt,
20 ich lêre den künec sôlhe nôt
diu sîne hôchvart letzet.
mîne triwe ich hân versetzet
gein im ûf kampf ze rîten
in kurzlîchen zîten:
25 dâ sul wir manheit urborn.
frouwe, ich hân ûf iuch ver-
　　korn.
ob ir iu mînen tumben rât
durch zuht niht versmâhen lât,
ich riet iu wîplîch êre
und werdekeite lêre:
615 Nun ist hie niemen denne wir:
frouwe, tuot genâde an mir.'
　si sprach 'an gîsertem arm
bin ich selten worden warm.
5 dâ gein ich niht wil strîten,
irn megt wol zandern zîten
diens lôn an mir bejagn.
ich wil iwer arbeit klagn,

unz ir werdet wol gesunt
10 über al swâ ir sît wunt,
unz daz der schade geheile.
ûf Schastel marveile
wil ich mit iu kêren.'
'ir welt mir freude mêren,'
15 sus sprach der minnen gernde man.
er huop die frouwen wol getân
mit drucke an sich ûf ir pfert.
des dûht er si dâ vor niht wert,
do er si ob dem brunnen sach
20 unt si sô twirhlingen sprach.
　Gâwân reit dan mit freude siten:
doch wart ir weinen niht vermiten,
unz er mit ir klagete.
er sprach daz si sagete
25 war umbe ir weinen wære,
daz siz durch got verbære.
si sprach 'hêrre, ich muoz iu klagn
von dem der mir hât erslagn
den werden Cidegasten.
des muoz mir jâmer tasten
616 Inz herze, dâ diu freude lac
do ich Cidegastes minne pflac.
ine bin sô niht verdorben,
ine habe doch sît geworben
5 des küneges schaden mit koste
unt manege schärpfe tjoste
gein sîme verhe gefrümt.
waz ob mir an iu helfe kümt,
diu mich richet unt ergetzet
10 daz mir jâmerz herze wetzet.
　ûf Gramoflanzes tôt
enpfieng ich dienst, daz mir bôt
ein künec ders wunsches hêrre was.
hêr, der heizet Amfortas.

5. Beiten *G.*　　iv̊er *D,* iv̊er *G.*　　11. sit *alle aufser D.*　　16. gedenche *alle*
aufser D.　　19. esen *D,* desen *Ggg.*　　20. gelere *Ggg.*　　23. uf champhes
riten (striten *g*) *Ggg.*　　24. In vil kurzelichen *G.*　　25. sule *D,* sül *g.*
26. erchorn *G.*　　27. iu *fehlt G.*

615, 1. Nune ist *G,* . . u nist *D.*　　2. frouwe. nu tuot *D.*　　3. ge서tem *alle*
aufser D, geserigtem *g.*　　arem-warem *D.*　　4. worden selten *G.*　　5. Da
gegen *G,* Da engegen *gg.*　　wil ih niht *G,* wil ich *g.*　　6. iren *D,* Ir *Ggg.*
muget ze andern *G.*　　7. Dienstes *alle aufser D.*　　10. Ob ir anderswa sit
worden (*fehlt g*) wunt *Gg.*　　11. unze *D.*　　12. schahteil *d,* tschahtel *g,*
teschastil *G.*　　13. 14. chern-meren *D.*　　15. sus *Dd* (*allein?*), *fehlt Ggg.*
minne *Gdg.*　　17. = uf daz pharit *Ggg.*　　18. enduht er *Ggg.*　　sich *Gg.*
nih *G.*　　20. twirhl. *G,* twirhel. *g,* twerhel. *dgg,* dewerhelingen *G.*　　21. frou-
den *Gdgg.*　　22. enwart *G.*　　24. dagite *G.*　　29. zid. *G,* Cit. *gg.*
30. stasten *D.*

616, 2. minne *fehlt G.*　　6. scharphe dioste *G.*　　8. = helfe
von iu *Ggg.*　　10. iamer zeherce *D,* iamers herze *die übrigen.*　　11. Gra-
moflanzs *D.*　　12. Enphienge *G.*　　mir *fehlt Ggg.*　　13. = der wunsches
Ggg.　　14. hiez *Ggg.*

15 durch minne ich nam von sîner hant
von Thabronit daz krâmgewant,
daz noch vor iwerr porten stêt,
dâ tiwerz gelt engegen gêt.
der künec in mîme dienst erwarp
20 dâ von mîn freude gar verdarp.
dô ich in minne solte wern,
dô muos ich niwes jâmers gern.
in mîme dienste erwarb er sêr.
glîchen jâmer oder mêr,
25 als Cidegast geben kunde,
gab mir Anfortases wunde.
nu jeht, wie solt ich armez wîp,
sît ich hân getriwen lîp,
alsolher nôt bî sinne sîn?
etswenn sich krenket ouch der mîn,
617 Sît daz er lît sô helfelôs,
den ich nâch Cidegaste erkôs
zergetzen unt durch rechen.
hêr, nu hœret sprechen,
5 wâ mit erwarp Clinschor
den rîchen krâm vor iwerm tor.
  dô der clâre Amfortas
minne und freude erwendet was,
der mir die gâbe sande,
10 dô forht ich die schande.
Clinschore ist stæteclîchen bî
der list von nigrômanzî,
daz er mit zouber twingen kan
beidiu wîb under man.
15 swaz er werder diet gesiht,
dien læt er âne kumber niht.
durch vride ich Clinschore dar
gap mînen krâm nâch rîcheit var:
swenn diu âventiur wurde erliten,
20 swer den prîs het erstriten,

an den solt ich minne suochen:
wolt er minne niht geruochen,
der krâm wær anderstunde mîn.
der sol sus unser zweier sîn.
25 des swuoren die dâ wâren.
dâ mite ich wolde vâren
Gramoflanzes durch den list
der leider noch ungendet ist.
het er die âventiure geholt,
sô müeser sterben hân gedolt.
618 Clinschor ist hövesch unde wîs:
der reloubet mir durch sînen prîs
von mîner massenîe erkant
rîterschaft übr al sîn lant
5 mit manegem stiche unde slage.
die ganzen wochen, alle ir tage,
al die wochen in dem jâr,
sunderrotte ich hân ze vâr,
dise den tac und jene de naht:
10 mit koste ich schaden hân gedâht
Gramoflanz dem hôchgemuot.
manegen strît er mit in tuot.
waz bewart in ie drunde?
sîns verhs ich vâren kunde.
15 die wârn ze rîch in mînen solt,
wart mir der keiner anders holt,
nâch minne ich manegen dienen liez,
dem ich doch lônes niht gehiez.
mînen lîp gesach nie man;
20 ine möhte wol sîn diens hân;
wan einer, der truoc wâpen rôt:
mîn gesinde er brâht in nôt:
für Lôgroys er kom geritn:
da entworht ers mit solhen sitn,
25 sîn hant se nider streute,
daz ich michs wênec vreute.

---

15. nam ih *Gg*.   16. tabrunit *Ggg*.   kramgwant *D*. chramegewant *G*.
18. tiefez *G*.   gelten gegen *D*.   21. in *fehlt G*.   24. ja-
mer] *lücke oder ausgekratzt in G*, emer *von neuerer hand*.   26. Amfortassez *g*,
Anfortas *DG*.   28. getruowen *G*.   30. etswenne *DG*.
617, 1. er *fehlt D*.   5. clinshor *G*.   7. anf. *G*.   10. worht *D*.   11. Chlin-
shor *G*, Clingezor *g*, Clinisor *g*.   stæteclich *G*.   13. dwingen *G*.
15. werdecheit gesihet *G*, werdekeite syht *g*.   16. diene *DG*.   lat *alle
aufser D*.   17. 18. Dur fride ich chlinshor. Dar gap minen chranz. Nach
richeit wurde ganz *G*.   18. rîchheite *D*.   19. swenne *DG*.   erbiten *G*.
21. helfe *Gg*.   22. minne *g*, min *die übrigen*.   23. chranz *G*.
618, 1. höfsch *D*.   2. reloubte *D*, erloubt *G*.   3. mæssenide *D*.   4. uber
DG.   7. iare *Ggg*.   8. rotin *G*.   zeware *Ggg*.   9. = und *fehlt Ggg*.
die *G*.   11. Gramoflanze *D*.   12. in] mir *Ggg*.   13. dar unde *D*.
14. verhes *DG*.   15. zeriche *G*.   16. der decheiner *D*, ir dehein *G*, deh-
einer *dgg*.   17. manegem *G*.   20. Ih enmoht *G*.   sinen
alle aufser G.   diens *D*, dienste *G*, dienst *die übrigen*.   21. treit *G*.
23. Vor ligois *G*.   24. ers *g*, erse *D*, er si *die übrigen*.

19*

zwischen Lôgroys unde iurm urvar,
mîner rîtr im volgeten fünfe dar:
die enschumpfierter ûf dem plân
und gap diu ors dem schifman.
619 Dô er die mîne überstreit,
nâch dem helde ich selbe reit.
ich bôt im lant unt mînen lîp:
er sprach, er hete ein schœner wîp,
5 unt diu im lieber wære.
diu rede was mir swære:
ich vrâgete wer diu möhte sîn.
'von Pelrapeir diu künegîn,
sus ist genant diu lieht gemâl:
10 sô heize ich selbe Parzivâl.
ichn wil iwer minne niht:
der grâl mir anders kumbers giht.'
sus sprach der helt mit zorne:
hin reit der ûz erkorne.
15 hân ich dar an missetân,
welt ir mich daz wizzen lân,
ob ich durch mîne herzenôt
dem werden rîter minne bôt,
sô krenket sich mîn minne.'
20 Gâwân zer herzoginne
sprach 'frouwe, ih erkenne in alsô
wert,
an dem ir minne hât gegert,
het er iuch ze minne erkorn,
iwer prîs wær an im unverlorn.'
25 Gâwân der kurtoys
und de herzoginne von Lôgroys
vast an ein ander sâhen.
dô riten si sô nâhen,
daz man se von der burg ersach,
dâ im diu âventiure geschach.
620 Dô sprach er 'frouwe, tuot sô
wol,
ob ich iuch des biten sol,
lât mînen namen unrekant,

als mich der rîter hât genant,
5 der mir entreit Gringuljeten.
leist des ich iuch hân gebeten:
swer iuch des vrâgen welle,
sô sprecht ir 'mîn geselle
ist mir des unerkennet,
10 er wart mir nie genennet.'
si sprach 'vil gern ich siz verdage,
sît ir niht welt daz ichz in sage.'
er unt diu frouwe wol gevar
kêrten gein der bürge dar.
15 die rîter heten dâ vernomn
daz dar ein rîter wære komn,
der het die âventiur erlitn
unt den lewen überstritn
unt den turkoyten sider
20 ze rehter tjost gevellet nider.
innen des reit Gâwân
gein dem urvar ûf den plân,
daz sin von zinnen sâhen.
si begunden vaste gâhen
25 ûz der burc mit schalle.
dô fuorten sie alle
rîche baniere:
sus kômen sie schiere
ûf snellen râvîten.
er wânde se wolden strîten.
621 Do er se verre komen sach,
hin zer herzoginne er sprach
'kumt jenez volc gein uns ze wer?'
si sprach 'ez ist Clinschores her,
5 die iwer kûme hânt erbiten.
mit freuden koment si nu geriten
unt wellent iuch enpfâhen.
daz endarf iu niht versmâhen,
sît ez diu freude in gebôt.'
10 nu was ouch Plippalinôt
mit sîner clâren tohter fier
komen in einem ussier.

---

27. iwerm *D*, iuwerm *G*.   ûrvar *D*.   28. riter *DG*.   volgeten im *Gg*.
funver *G*.   29. uf den *G*.

619,   1. min *G*. minen *gg*.   4. ih han *Ggg*.   5. ime *G*.   6. = wart *Ggg*.
7. fraget *G*.   10. hiez *G*.   11. Ichne *G*, Ich en *gg*, Und (*d. i.* ine) *d*,
ich *Dg*.   17. = mins hercen not *Ggg*.   19. = Chrenchet sich dar an
[min *Gg*] minne *Ggg*.   10. Gawa *G*.   21. frouwe *fehlt Ggg*, als *G*.
22. An den *alle aufser DG*.   habit *G*.   23. ze minnen *G*.   24. verlorn *D*,
niht virlorn *Gg*.   27. vaste *DG*.   \ 29. = burge sach *Ggg*.

620,   3. 9. unerch. *G*.   5. grig. *G*.   6. leistet *D*.   8. sprechet ir *DG*.
9. des] der *G*.   10. Erne *Ggg*.   11. iz (ichs *gg*, ich *d*) verdage *dgg*.
12. wellet *Ggg*.   = daz ih ez (ichz *gg*) sage *Ggg*.   16. dar *fehlt Ggg*.
20. dyost *G*.   26. Da *G*.   26. 28. si *DG*.   30. si *DG*.

621,   2. Zeder *G*.   4. Clinscors *D*, chlinshor *G*, klingezores *g*.   6. mit freude si
choment *D*.   nu *fehlt Gg*.   8. darf *D*.   10. pliplal. *G*.   11. 12. tohtir.
Fier chomen uf *G*.   ursier *g*, urfier *G*.

verre ûf den plân si gein im gienc:
diu maget in mit freude enpfienc.
15 Gâwân bôt ir sînen gruoz:
si kust im stegreif unde fuoz,
und enpfienc ouch die herzogîn.
si nam in bî dem zoume sîn
und bat erbeizen den man.
20 diu frouwe unde Gâwân
giengen an des schiffes ort.
ein teppich unt ein kulter dort
lâgen: an der selben stete
diu herzogîn durch sîne bete
25 zuo Gâwâne nider saz.
des verjen tohter niht vergaz,
si entwâpente in. sus hôrt ich sagn.
ir mantel hete si dar getragn,
der des nahtes ob im lac,
do er ir herberge pflac:
622 Des was im nôt an der zît.
ir mantel unt sîn kursît
leit an sich hêr Gâwân.
si truogez harnasch her dan.
5 alrêrst diu herzoginne clâr
nam sîns antlützes war,
dâ si sâzen bî ein ander.
zwêne gebrâten gâlander,
mit wîn ein glesîn barel
10 unt zwei blankiu wastel
diu süeze maget dar nâher truoc
ûf einer tweheln wîz genuoc.
die spîse ervloug ein sprinzelîn.
Gâwân unt diu herzogîn
15 mohtenz wazzer selbe nemn,
ob twahens wolde si gezemn;
daz si doch bêdiu tâten.
mit freude er was berâten,
daz er mit ir ezzen solde,

20 durch die er lîden wolde
beidiu freude unde nôt.
swenn siz parel im gebôt,
daz gerüeret het ir munt,
sô wart im niwe freude kunt
25 daz er dâ nâch solt trinken.
sîn riwe begunde hinken,
und wart sîn hôchgemüete snel.
ir süezer munt, ir liehtez vel
in sô von kumber jagete,
daz er kein wunden klagete.
623 Von der burc die frouwen
dise wirtschaft mohten schouwen.
anderhalp anz urvar,
manec wert ritter kom aldar:
5 ir buhurt mit kunst wart getân.
disehalb hêr Gâwân
danctem verjen unt der tohter sîn
(als tet ouch diu herzogîn)
ir güetlîchen spîse.
10 diu herzoginne wîse
sprach ʻwar ist der rîter komn,
von dem diu tjoste wart genomn
gester dô ich hinnen reit?
ob den iemen überstreit,
15 weder schiet daz leben oder tôt?'
dô sprach Plippalinôt
ʻfrouwe, ich sah in hiute lebn.
er wart mir für ein ors gegebn:
welt ir ledegen den man,
20 dar umbe sol ich swalwen hân,
diu der künegîn Secundillen was,
und die iu sante Anfortas.
mac diu härpfe wesen mîn,
ledec ist duc de Gôwerzîn.'
25 ʻdie härpfn untz ander krâmgewant,'
sprach si, ʻwil er, mit sîner hant

---

14. in mit freude *D.* in mit frouden *G*, mit freuden in *dgg.* 16. den ste-
gireif uñ **den fuoz** *G.*　　und *D.*　　17. In-diu *G.*　　18. namen in ouch *G.*
19. = disen man *Ggg.*　　20. = Orgeluse unde gawan *Ggg.*　　21. scheffes *G.*
22. gulter *G.*　　23. stet *G.*　　24. sin **bet** *G.*　　27. Sin *G.*　　hore *D.*
28. Ir mandel hiez man ir dar tragen *Gg.*
622, 2. sîn] ir *G.*　　4. truoch daz *G.*　　5. allerst *D.*　　8. Dri *Ggg.*　　gebra-
tene *D.*　　11. sueziu *G.*　　= dar nah *Ggg*　　12. twehln wiz *D*, wizzen
dwehelen *Gg.*　　13. dise *D.*　　16. Ob si dwahens wolde zemen *G.*　　17. = do
Gg, daz *g*, *fehlt g.*　　beidiu *G.*　　22. swenne si dez (daz *G*) Parel *DG.*
24. niuwan *G.*　　25. dar nach *Cgg.*　　solde *DG.*　　30. dehein *G*,
neheine *D.*
623, 2. wirtschafte *G.*　　5. **wart mit kunst** *dg.*　　7. danchte (Dancte *G*) dem
DG.　　verigen *G.*　　12. diost *G.*　　13. Gestern *alle aufser G.*
16. pliplal. *G.*　　18. ein] diz *Gg*, daz *g.*　　19. ledigen *D*, ledegin *G.*
23. hærpfe *D*, herphe *G*, harpfe *dgg.*　　24. duc de *g*, ouch do *d*, der herzoge
von *D*, der von *Ggg.*　　goverzin *G.*　　25. In vie der helt wert erchant *G.*
hærpfen *D*, harpfen *dg*, harpfe *gg.*　　26. si die wile er *gg*, die wile er *G.*

mac geben unt behalden
der hie sitzet: lâts in walden.
ob ich im sô liep wart ie,
er lœset mir Lischoysen hie,
624 Den herzogen von Gôwerzîn,
und ouch den andern fürsten mîn,
Flôranden von Itolac,
der nahtes mîner wahte pflac:
5 er was mîn turkoyte alsô,
sîns trûren wirde ich nimmer vrô.'
Gâwân sprach zer frouwen
'ir muget se bêde schouwen
ledec ê daz uns kom diu naht.'
10 dô heten si sich des bedâht
und fuoren über an daz lant.
die herzoginne lieht erkant
huop Gâwân aber ûf ir pfert.
manec edel rîter wert
15 enpfiengn in unt die herzogin.
si kêrten gein der bürge hin.
dâ wart mit freuden geritn,
von in diu kunst niht vermitn,
deis der buhurt het êre.
20 waz mag ich sprechen mêre?
wan daz der werde Gâwân
und diu herzoginne wol getân
von frouwen wart enpfangen sô,
si mohtens bêdiu wesen vrô,
25 ûf Schastel marveile.
ir mugts im jehen ze heile,
daz im diu sælde ie geschach.
dô fuort in an sîn gemach
Arnîve: und die daz kunden,
die bewarten sîne wunden.
625 ZArnîven sprach Gâwân

'frouwe, ich sol ein boten hân.'
ein juncfrouwe wart gesant:
diu brâhte einen sarjant,
5 manlîch, mit zühten wîse,
in sarjandes prîse.
der knappe swuor des einen eit,
er wurbe lieb oder leit,
daz er des niemen dâ
10 gewüege noch anderswâ,
wan dâ erz werben solte.
er bat daz man im holte
tincten unde permint.
Gâwân des künec Lôtes kint
15 schreib gefuoge mit der hant.
er enbôt ze Löver in daz lant
Artûse unt des wîbe
dienst von sîme lîbe
mit triwen unverschertet:
20 und het er prîs behertet,
der wære an werdekeite tôt,
sine hulfen im ze sîner nôt,
daz si beide an triwe dæhten
unt ze Jôflanze bræhten
25 die massenî mit frouwen schar:
und er kœme ouch selbe gein in dar
durch kampf ûf al sîn êre.
ernbôt in dennoch mêre,
der kampf wære alsô genomn
daz er werdeclîche müese komn.
626 Do enbôt ouch hêr Gâwân,
ez wære frouwe oder man,
al der massenîe gar,
daz si ir triwe næmen war
5 und daz sim künege rieten kumn:
daz möhte an werdekeit in frumn.

27. gegebin *Gdg.*　　28. lat sin *G.*
624, 1. geverzen *G.*　　3. Florianden *G.*　　4. wahtere *Ggg.*　　5. = Der-so
Ggg.　　6. truns *G.*　　8. si gerne *gg,* gerne *G.*　　11. anz *Dg.*　　13. aber
fehlt G.　　= ufez phærit *Ggg.*　　15. enpfiengen *DG.*　　17. Do *G.*
18. Unt diu chunst *Gdgg.*　　19. daz es der *Dd,* Daz er der ̄ *G,* Das es die *g,*
Daz sin *g,* Daz *g.*　　22. volgetan *D.*　　23. M:t frouden *G.*　　24. beidiu *G.*
25. thahtesel *G.*　　26. mugets in gehen *G.*　　28. = fuorten in *gg,* fuertin si
in *Gg.*　　29. Anive *G.*　　30. = Si bewartin im sine wunden *Ggg.*
625, 2. einen *DG.*　　4. braht im *Ggg.*　　5. zuhte *G.*　　10. Zuo geẘge *Ggg.*
11. solde *Gg.*　　12. Gawan bat *D.*　　holde *Gg.*　　13. tincten *D,* Tinchten *g,*
Tinten *Ggg,* Dinden *d.*　　19. unvirschert *G.*　　20. vñ het ir bris behert *G.*
21. werdecheit *G.*　　22. im *fehlt G.*　　24. zeschanfenzune *G.*　　25. mas-
senie *G,* mæssenide *D.*　　26. = er *fehlt Ggg.*　　chomin ouch selbe gein
im dar *Ggg.*　　27. Durch champh al si ere *G.*　　28. im *D.*　　30. weltlich *d.*
626, 1. ouch *fehlt G.*　　herre *G.*　　2. wær *G.*　　= wip *Ggg.*　　3. Al die *G.*
3. 21. massenide *D.*　　4. triuwen *Gdgg.*　　5. vñ dem chu-
nige *Ggg.*　　sime *D.*　　chomin *Gdgg.*　　6. in fromen *d,* in gefrumn *D* =
sie fromen *g,* sy gefromen *G,* gefrumen *g.*

al den werden er enbôt
sîn dienst unt sînes kampfes nôt.
  der brief niht insigels truoc:
10 er schreib in sus erkant genuoc
mit wârzeichen ungelogen.
'nu ensoltuz niht langer zogen,'
sprach Gâwân zem knappen sîn.
'der künec unt diu künegîn
15 sint ze Bems bî der Korcâ.
die küneginne soltu dâ
sprechen eines morgens fruo:
swaz si dir râte, daz tuo.

unt lâz dir eine witze bî,
20 verswîc daz ich hie hêrre sî.
daz du hie massenîe sîs,
daz ensage in niht decheinen wîs.'
  dem knappen was dannen gâch.
Arnîve sleich im sanfte nâch:
25 diu vrâgte in war er wolde
und waz er werben solde.
dô sprach er 'frouwe, in sags iu niht,
ob mir mîn eit rehte giht.
got hüete iur, ich wil hinnen varn.'
er reit nâch werdeclîchen scharn.

7. Al der *G.*   8. sînes *fehlt G*, sine *D.*   10. = bekant *Ggg.*   11. worzeichen *G*, wortzeichen *dgg.*   12. Nune solt duz *G.*   15. **Bems** *D*, beems *d*, benis *gg*, sabins *Gg.*   korcha *g*, **Chorcha** *Dg*, Chorca *g*, thorka *d*, chronica *G.*   17. = Gesprechen *Gg*, Besprechen *gg.*   eins *DG*.   18. rat *G.*
19. laze *D*, la *G.*   ein *G.*   22. ensag *G.*   in *Dg*, ouch *G, fehlt dgg.*
niht *fehlt G.*   dehein *G.*   gwis *D.*   23. = wart *Ggg.*   25. vrâgete *D*,
fragite *G.*   27. ine sages *D.*   29. hiut *G.*

XIII.

627 Arnîve zorn bejagete,
daz der knappe ir niht ensagete
alsus getâniu mære,
war er gesendet wære.
5 si bat den der der porten pflac
'ez sî naht oder tac,
so der knappe wider rîte,
füeg daz er mîn bîte
unz daz ich in gespreche:
10 mit dîner kunst daz zeche.'
doch truoc si ûfen knappen haz.
wider în durch vrâgen baz
gienc si zer herzoginne.
diu pflac ouch der sinne,
15 daz ir munt des niht gewuoc,
welhen namen Gâwân truoc.
sîn bete hete an ir bewart,
si versweic sîn namen unt sî-
nen art.
pusîne unt ander schal
20 ûf dem palas erhal
mit vrœlîchen sachen.
manec rückelachen
in dem palas wart gehangen.
aldâ wart niht gegangen
25 wan ûf tepchen wol geworht.
ez het ein armer wirt ervorht.
alumbe an allen sîten
mit senften plûmîten
manec gesiz dâ wart geleit,
dar ûf man tiure kultern treit.

628 Gâwân nâch arbeite pflac
slâfens den mitten tac.
im wâren sîne wunden
mit kunst alsô gebunden,
5 ob friundîn wær bî im gelegen,
het er minne gepflegen,
daz wære im senfte unde guot.
er het ouch bezzern slâfes muot,
dan des nahtes dô diu herzogin
10 an ungemache im gap gewin.
er erwachte gein der vesper zît.
doch het er in slâfe strît
gestriten mit der minne
abe mit der herzoginne.
15 ein sîn kamerære
mit tiurem golde swære
brâht im kleider dar getragen
von liehtem pfelle, hôrt ich sagen.
dô sprach mîn hêr Gâwân
20 'wir suln der kleider mêr noch
hân,
diu al gelîche tiure sîn;
dem herzogen von Gôwerzîn,
unt dem clâren Flôrande,
der in manegem lande
25 hât gedienet werdekeit.
nu schaffet daz diu sîn bereit.'
bî eime knappen er enbôt
sîme wirt Plippalinôt
daz er im sant Lischoysen dar.
bî sîner tohter wol gevar

627, 2. en *hat nur* D.   4. Ware er G.   5. der dir **Porten** D.   8. fuege D,
Vuoge G.   9. Unde G.   daz *fehlt* D.   12. vrage G.   17. = Sin
bete wart dar ane bewart Ggg.   18. sinen namen DG.   sinen art Dg,
sin nart G, sin art dgg.   19. Pusîne D, Busin d = Busunen g, Busunær
Ggg.   20. 23. **Palase** D.   25. tepichen g, tepechen g, teppichen D, tep-
pich G.   26. wunt G.   27. ze Ggg.   28. pfluomîten D.   29. gesiz
Dg, sitz dg, gesez G, geseez g.   30. Dar uf manic tiur chultir breit G.
kulter gg.

628, 1. nâch *fehlt* G.   2. Slaffes Gg.   4. virbunden Ggg.   6. er ir Gg.
7. und D *oft.*   8. beszers g.   9. Danne G, denne D.   11. Ern wa-
chete G.   14. Abe g, aber *die übrigen.*   20. Wir süllent me kleider han d.
mer noch D, noch mer g, mere gg, *fehlt* G.   21. Die G.   22. goverzin G.
23. floriande G.   26. schaftet G. schaff et?   27. ern bot G.   28. wirte DG.
pliplalinon G.   29. im sande dgg, sande im D, sande Gg.

629 Wart Lischoys dar ûf gesant.
　frou Bêne brâht in an der hant,
　durch Gâwânes hulde;
　und ouch durch die schulde:
5 Gâwân ir vater wol gehiez,
　dô er si sêre weinde liez,
　des tages dô er von ir reit
　dâ prîs erwarp sîn manheit.
　der turkoyte was ouch komn.
10 an den bêden wart vernomn
　Gâwâns enpfâhen âne haz.
　iewederr nider zuo zim saz,
　unz man in kleider dar getruoc:
　diu wâren kostlîch genuoc,
15 daz si niht bezzer möhten sîn.
　diu brâhte man in allen drîn.
　ein meister hiez Sârant,
　nâch dem Sêres wart genant:
　der was von Trîande.
20 in Secundillen lande
　stêt ein stat heizet Thasmê:
　diu ist grœzer danne Ninnivê
　oder dan diu wîte Acratôn.
　Sârant durch prîses lôn
25 eins pfelles dâ gedâhte
　(sîn werc vil spæhe brâhte):
　der heizet saranthasmê.
　ob der iht rîlîchen stê?
　daz muget ir âne vrâgen lân:
　wand er muoz grôze koste hân.
630　Diu selben kleider leiten an
　die zwêne unde Gâwân.
　si giengen ûf den palas,
　dâ einhalp manec rîter was,
5 anderhalp die clâren frouwen.
　swer rehte kunde schouwen,
　von Lôgroys diu herzogîn
　truoc vor ûz den besten schîn.

　der wirt unt die geste
10 stuonden für si diu dâ gleste,
　diu Orgelûse was genant.
　der turkoyte Flôrant
　und Lischoys der clâre
　wurden ledec âne vâre,
15 die zwêne fürsten kurtoys,
　durch die herzogin von Lôgroys.
　si dancte Gâwân drumbe,
　gein valscheit diu tumbe
　unt diu herzelîche wîse
20 gein wîplîchem prîse.
　dô disiu rede geschach,
　Gâwân vier küneginne sach
　bî der herzoginne stên.
　er bat die zwêne nâher gên
25 durch sîne kurtôsîe:
　die jungeren drîe
　hiez er küssen dise zwêne.
　nu was ouch frouwe Bêne
　mit Gâwân dar gegangen:
　diu wart dâ wol enpfangen.
631　Der wirt niht langer wolde stên:
　er bat die zwêne sitzen gên
　zuo den frouwen swâ si wolden.
　dô si sô tuon solden,
5 diu bete tet in niht ze wê.
　'welhez ist Itonjê?'
　sus sprach die werde Gâwân:
　'diu sol mich bî ir sitzen lân.'
　des vrâgter Bênen stille.
10 sît ez was sîn wille,
　si zeigete im die maget clâr.
　'diu den rôten munt, daz prûne hâr
　dort treit bî liehten ougen.
　welt ir si sprechen tougen,
15 daz tuot gefuoclîche,'
　sprach frou Bên diu zühte rîche.

629, 2. Vrouwe *G.*　　6. weinende *alle, nur D* weinen.　　9. Turkote *D,* turchot-
ten *G.*　　11. Gawans an phahen an haz *G.*　　12. Ietweder *G.*　　= zuo
im nider *Ggg.*　　13. unze *DG.*　　im *D.*　　dar *fehlt G.*　　14. 16. Die *G.*
14. chostenlich *D.*　　16. braht *G.*　　17. der hiez *Gd, fehlt g.*　　18. Serês
D = sarez *Ggg.*　　20. Von *Ggg.*　　21. = stêt *fehlt Ggg.*　　thasnie *G,*
Tasine *gg.*　　22. dann *D,* dan *g.*　　23. denne *DG.*　　acreton *G.*　　27. =
hiez *Ggg.*　　28. ieht rilich *G.*　　29. wol ane *G.*　　frage *Ggg.*

630, 1. leit an *G.*　　4. iene halp *G.*　　5. clâren *fehlt G,* klare (*ohne* die) *gg.*
8. Truoch da vor den *G.*　　12. Von turchoite florant *G.*　　15. zwêne *fehlt*
G, dry *g.*　　17. 29. Gawane *DG.*　　19. unt *fehlt Gg.*　　20. wipplichen *G.*
21. also geschach *G.*　　24. Er bat naher zime gen *G.*　　25. kurtoisie *y,*
chursoisie *G.*　　26. Die iungen arnive *G,* Die jungen Jotonien *g.*　　iungern
Dg.　　2 . Die zwene *Gg.*　　28. frou *D.*

631, 4. Da *G.*　　5. bet tet *G.*　　6. = Welhiu *Ggg.*　　7. sus *fehlt Gdg.*
die] diu *G,* der *die übrigen.*　　8. Die *G.*　　11. zeigit *G,* zeigt *g.*　　14. ge-
sprechen *Gg.*　　16. vro *G, fehlt dg.*　　bene *alle.*

diu wesse Itonjè minnen nôt,
und daz ir herze dienst bôt
der werde künec Gramoflanz
20 mit rîterlîchen triwen ganz.
　Gâwân saz nider zuo der magt
(ich sag iu daz mir wart gesagt):
sîner rede er dâ begunde
mit fuoge, wand erz kunde.
25 ouch kunde si gebâren,
daz von sô kurzen jâren
als Itonjê diu junge truoc,
den hete si zühte gar genuoc.
er hete sich vrâgns gein ir bewegn,
ob si noch minne kunde pflegn.
632 Dô sprach diu magt mit sinnen
'hêr, wen solt ich minnen?
sît mir mîn êrster tag erschein,
sô wart rîter nie dechein
5 ze dem ich ie gespræche wort,
wan als ir hiute hât gehôrt.'
　'sô möhten iu doch mære komn,
wâ ir mit manheit hât vernomn
bejagten prîs mit rîterschaft,
10 und wer mit herzenlîcher kraft
nâch minnen dienst bieten kan.'
sus sprach mîn hêr Gâwân:
des antwurt im diu clâre magt
'nâch minne ist diens mich verdagt.
15 wan der herzoginne von Lôgroys
dient manc rîter kurtoys,
beidiu nâch minne und umb ir solt.
der hât maneger hie geholt
tjostieren dâ wirz sâhen.
20 ir keiner nie sô nâhen
kom als ir uns komen sît.
den prîs ûf hœhet iwer strît.'
er sprach zer meide wol gevar

'war kriegt der herzoginne schar,
25 sus manec rîter ûz erkorn?
wer hât ir hulde verlorn?'
si sprach 'daz hât roys Gramoflanz,
der der werdekeite kranz
treit, als im diu volge giht.
hêr, des erkenne ich anders niht.'
633 Dô sprach mîn hêr Gâwân
'ir sult sîn fürbaz künde hân,
sît er sich prîse nâhet
unt des mit willen gâhet.
5 von sînem munde ich hân vernomn,
daz er herzenlîche ist komn
mit dienst, ob irs geruochet,
sô daz er helfe suochet
durch trôst an iwer minne.
10 künec durch küneginne
sol billîche enpfâhen nôt.
frouwe, hiez iur vater Lôt,
sô sît irz die er meinet,
nâch der sîn herze weinet:
15 unde heizt ir Itonjê,
sô tuot ir im von herzen wê.
　ob ir triwe kunnet tragn,
sô sult ir wenden im sîn klagn.
beidenthalp wil ich des bote sîn.
20 frouwe, nemt diz vingerlîn:
daz sant, iu der clâre.
ouch wirb ichz âne vâre:
frowe, daz lât al balde an mich.'
si begunde al rôt värwen sich:
25 als ê was gevar ir munt,
wart al dem antlütze kunt:
dar nâch schier wart si anders var.
si greif al blûweclîche dar:
daz vingerlîn wart schier erkant:
si enpfiengez mit ir clâren hant.

---

17. west itonien minne *Gdg.*　　18. herzen *gg.*　　2ᴏ. riterlicher triuwe *Ggg.*
24. fuogen *D.*　　26. sô *fehlt Gd.*　　28. Diu het zuht *Gg.*　　29. fragens
Ggg, vragen *D,* frage *dg.*

632, 4. Sone *Ggg.*　　5. Zuo *G.*　　6. hiut habit *G.*　　7. moht *g,* maht *G.*
8. = warheit *Ggg.*　　habit *G,* het *d.*　　9. Beiagitipris *G.*　　11. = minne
Ggg.　　dienste *G.*　　13. antwrte *DG.*　　14. diens *D,* dienst *Gdgg,* dien-
stes *g.*　　15. herzogin *G.*　　16. manech *D,* manic *G.*　　18. gedolt *Ggg.*
19. tiust. *D,* Diost. *G.*　　= daz wir ez *Ggg.*　　20. decheiner *D,* deheine *G,*
keinen *g.*　　22. = Der pris-iuwern *Ggg.*　　24. chrieget *DG.*　　27. roys]
künig *g,* der kunec *Dg, fehlt Gdg.*　　28. werdecheit *G.*　　29. also diu *Ggg.*
29. anders *fehlt g.*

633, 3. nabet *G.*　　4. = mit triuwen *Ggg.*　　6. herzeliche *Gg.*　　11. bil-
lichen *G.*　　13. minnet *G.*　　15. heizet *DG.*　　18. im wenden *G.*　　19. Bedent-
halben *G.*　　22. Ob wirbe ih (ich *gg*) an vare *G.*　　24. varwen *G.*
25. = Also was *Ggg.*　　27. sciere *D, fehlt G.*　　28. blᵂechliche *D,* bluochech
lichen *G,* bluchliche *g,* blodclichen *dgg.*　　30. enphienge ez *G.*

634 Dô sprach si 'hêrre, ich sihe
   nu wol,
  ob ich sô vor iu sprechen sol,
  daz ir von im rîtet,
  nâch dem mîn herze strîtet.
5 ob ir der zuht ir reht nu tuot,
  hêr, diu lêrt iuch helenden muot.
  disiu gâbe ist mir ouch ê gesant
  von des werden küneges hant.
  von im sagt wâr diz vingerlîn:
10 er enpfiengez von der hende mîn.
  swaz er kumbers ie gewan,
  dâ bin ich gar unschuldec an:
  wan sînen lîp hân ich gewert
  mit gedanken swes er an mich gert.
15 er hete schiere daz vernomn,
  möht ich iemmer fürbaz komn.
   Orgelûsen ich geküsset hân,
  diu sînen tôt sus werben kan.
  daz was ein kus den Jûdas truoc,
20 dâ von man sprichet noch genuoc.
  elliu triwe an mir verswant,
  daz der turkoite Flôrant
  unt der herzoge von Gôwerzîn
  von mir geküsset solden sîn.
25 mîn suon wirt in doch nimmer
     ganz,
  die gein dem künege Gramoflanz
  mit stæte ir hazzen kunnen tragn.
  mîn muoter sult ir daz verdagn,
  und mîn swester Cundrîê.'
  des bat Gâwân Itonjê.
635 'Hêrre, ir bâtet mich alsus,
  daz ich enpfâhen müese ir kus,
  doch unverkorn, an mînen munt:
  des ist mîn herze ungesunt.

5 wirt uns zwein immer freude er-
    kant,
  diu helfe stêt in iwer hant.
  für wâr der künec mînen lîp
  minnet für elliu wîp.
  des wil ich in geniezen lân:
10 ich pin im holt für alle man.
  got lêre iuch helfe unde rât,
  sô daz ir uns bî freuden lât.'
   dô sprach er 'frowe, nu lêrt
    mich wie.
  er hât iuch dort, ir habt in hie,
15 unt sît doch underscheiden:
  möht ich nu wol iu beiden
  mit triwen solhen rât gegebn,
  des iwer werdeclîchez lebn
  genüzze, ich woldez werben:
20 des enlieze ich niht verderben.'
  si sprach 'ir sult gewaldec sîn
  des werden küneges unde mîn.
  iwer helfe unt der gotes segn
  müeze unser zweier minne pflegn,
25 sô daz ich ellende
  im sînen kumber wende.
  sît al sîn freude stêt an mir,
  swenne ich untriwe enbir,
  so ist immer mînes herzen ger
  daz ich in mîner minne wer.'
636 Gâwân hôrt an dem frouwelîn,
  daz si bî minne wolde sîn:
  dar zuo was ouch niht ze laz
  gein der herzoginne ir haz.
5 sus truoc si minne unde haz.
  ouch het er sich gesündet baz
  gein der einvaltigen magt
  diu im ir kumber hât geklagt;

634, 1. ih sih *G.*   5. Obe ir der zuhte nu ir rehte tuot *G.*   6. helende *G*,
heldes *gg.*   7. is *G.*   10. enphienc von *G.*   14. des *G.*   15-19 *sind*
von F *abgeschnitten.*   16. immer *G.*   17. gechuset *G.*   22. turkoite
G, Turkote *D*, Tyrkoyte *F.*   floriant *G.*   25. solde *Gd.*   25. suone
DFG.   26. Gramoflantz *F.*   27. tragn *DF (so* F *fast immer in kurzen*
silben), tragin *G.*   28. 29. Min *Fd*, mine *Dg*, Mine-min *G*, Miner *g.*
29. Cundrîe *D*, kundrie *F.*   30. Sus bat Gawanen *F.*   Itonîe *D*, ytonie *G*,
ytonye *F.*
635, 2. muese *Dd* = solde *Ggg*, solt *F.*   3. 4. Des ist min herze ungesunt.
Daz ich kust ir beider munt *F.*   3. Doh (Auch *g*, Ez *g*) is virchorn *Ggg.*
10. bin *FG.*   11. gebe iu *G.*   13. Er sprach frowe *F.*   mich *fehlt Gg.*
18. Daz *G.*   19. 20. werbn-verderbn *D.*   20. Desn lieze *F.*   ih nih *G.*
21. gewaltic *G*, gewaltich *F.*   23. der *fehlt G.*   segen-pflegen *F*, segin-
phlegin *G.*   25-29 *abgeschnitten F.*   26. im *fehlt Ggg.*   27. stêt] =
lit *Ggg.*   29. mins *D.*
636, 1. hort *Fg*, horte *DG.*   frouwenlin *D.*   2. minnen *Gg.*   4. herzogin *G.*
8. kumber *fehlt G.*

wander ir niht zuo gewuoc
10 daz in unt si ein muoter truoc:
ouch was ir bêder vater Lôt.
der meide er sîne helfe bôt:
da engein si tougenlîchen neic,
daz er si trœsten niht versweic.
15   nu was ouch zît daz man dar
truoc
tischlachen manegez wîz genuoc
untz prôt ûf den palas,
dâ manec clâriu frouwe was.
daz het ein underscheit erkant,
20 daz die rîter eine want
heten sunder dort hin dan.
den sedel schuof hêr Gâwân.
der turkoyte zuo zim saz,
Lischoys mit Gâwâns muoter az,
25 der clâren Sangîven.
mit der küneginne Arnîven
az diu herzoginne clâr.
sîn swester bêde wol gevar
Gâwân zuo zim sitzen liez:
iewedriu tet als er si hiez.
637   Mîn kunst mir des niht halbes
giht,
ine bin solch küchenmeister niht,
daz ich die spîse künne sagn,
diu dâ mit zuht wart für getragn.
5 dem wirte unt den frouwen gar
dienden meide wol gevar:
anderhalp den rîtern an ir want
diende manec sarjant.

ein vorhtlîch zuht si des betwanc,
10 daz sich der knappen keiner dranc
mit den juncfrouwen:
man muoste se sunder schouwen,
si trüegen spîse oder wîn:
sus muosen si mit zühten sîn.
15   si mohten dô wol wirtschaft jehn.
ez was in selten ê geschehn,
den frouwen unt der rîterschaft,
sît si Clinschores kraft
mit sînen listen überwant.
20 si wârn ein ander unbekant,
unt beslôz se doch ein porte,
daz si ze gegenworte
nie kômen, frouwen noch die man.
dô schuof mîn hêr Gâwân
25 daz diz volc ein ander sach;
dar an in liebes vil geschach.
Gâwân was ouch liep geschehen:
doch muoser tougenlîchen sehen
an die clâren herzoginne:
diu twanc sîns herzen sinne.
638   Nu begunde ouch strûchen der tac,
daz sîn schîn vil nâch gelac,
unt daz man durch diu wolken sach
des man der naht ze boten jach,
5 manegen stern, der balde gienc,
wand er der naht herberge vienc.
nâch der naht baniere
kom si selbe schiere.
manec tiuriu krône
10 was gehangen schône

9. Wan er *FG*.   geẘch *DFG*.   11. beider *G*, bæider *F*.   12. sin *G*.
13. engegen *FG*.   si im *Gg*.   tuogelichen *G*.   14. = trostens *gg*, tro-
stes *FGg*.   15. ouch zit *fehlt G*.   16. Tislachen manigez *FG*.   17. Unde
enbot uf *FGgg*.   20. ritter *F*.   22. = Daz sedel *FGgg*.   min herre *G*.
23. Turkoyte *F*, Turkote *D*, turzot *G*.   zuo im *F*, zu im *F*.   24. Liscoys
D, Lishois *G*. Lyshoys *F*.   25. der] = Mit der *gg*, Der mit *G*, Er mit *F*.
Sangîven *D*, sagiven *G*, sagiwen *d*, Sayven *F*, Seyven *gg*, Segiven *g*.   26. Mit
der clarin chunegin *G*.   Aanyven *F*.   28. Sin *F*, sine *DG*.   bêde *fehlt G*.
29. zuo im *F*.   30. Ietwedriu *G*, Ietwerdriu *F*.
637,   2. Ihn bin *F*.   Ich enbin solhe *G*.   4. zuhten *Fg*, zuhtin *G*.   5-9 ab-
geschnitten *F*.   7. Ander halben *G*.   ir] der *Gg*.   8. den diende *D*.
9. wertlich *Gg*.   sie *D*.   10. sich *fehlt FGg*.   deheiner *FGg*.   12. muose
si *FG*.   13. ode *F*.   15. mohte *F*.   da *FGg*.   gehen *G*.   16. ez
was in *fehlt G*.   17. der frouwen *D*.   ritterschaft *F, so immer*.   18. Sit
daz si *G*.   Clinscors *D*, Clinshors *F*, chlinshors *G*, Clingesores *g*, Clinisors *g*.
20. waren *DF*, warin *G*.   umbekant *F*.   21. si *FG*.   23. chomin *G*,
chomn *D*, koem *F*.   25. Daz daz *Fg*.   27. Gawane *D*. geschehn-sehn *F*.
29. 30. herzogin-sin *FGgg*.   30. sines *Ggg*.
638,   1. Do *G*.   struochen *D*, sigen *F*.   2. vil nahen *F*.   3. di *D*.   sac-
iac *G*.   4. zi *G*.   5. sternen der vil *G*.   gie-vie *F*.   6. Wand er *G*,
wandr *D*, Wan er *F*.   der nach *F*.   7. nahte *D*, *fehlt dg*.   8. tiuwer *G*,
ti . . . . e *F*.

alumbe ûf den palas,
diu schiere wol bekerzet was.
ûf al die tische sunder
truoc man kerzen dar ein wunder.
15 dar zuo diu âventiure gieht,
diu herzoginne wær sô lieht,
wære der kerzen keiniu brâht,
dâ wær doch ninder bî ir naht:
ir blic wol selbe kunde tagn.
20 sus hôrt ich von der süezen sagn.
man welle im unrehtes jehen,
sô habt ir selten ê gesehen
decheinen wirt sô freuden rîch.
ez was den freuden dâ gelîch.
25 alsus mit freudehafter ger,
die rîter dar, die frouwen her,
dicke an ein ander blicten.
die von der vremde erschricten,
werdents iemmer heinlîcher baz,
daz sol ich lâzen âne haz.
639 Ezn sî denne gar ein vrâz,
welt ir, si habent genuoc dâ gâz.
man truoc die tische gar her dan.
dô vrâgte mîn hêr Gâwân
5 umb guote videlære,
op der dâ keiner wære.
dâ was werder knappen vil,
wol gelêrt ûf seitspil.
irnkeines kunst was doch sô ganz,
10 sine müesten strîchen alten tanz:
niwer tänze was dâ wênc vernomn,

der uns von Dürngen vil ist komn.
nu danct es dem wirte:
ir freude er si niht irte.
15 manec frouwe wol gevar
giengen für in tanzen dar.
sus wart ir tanz gezieret,
wol underparrieret
die rîter underz frouwen her:
20 gein der riwe kômen si ze wer.
och mohte man dâ schouwen
ie zwischen zwein frouwen
einen clâren rîter gên:
man mohte freude an in verstên.
25 swelch rîter pflac der sinne,
daz er dienst bôt nâch minne,
diu bete was urlouplîch.
die sorgen arm und freuden rîch
mit rede vertribn die stunde
gein manegem süezem munde.
640 Gâwân und Sangîve
unt diu künegîn Arnîve
sâzen stille bî des tanzes schar.
diu herzoginne wol gevar
5 her umb zuo Gâwân sitzen ĝienc.
ir hant er in die sîne enpfienc:
si sprâchen sus unde sô.
ir komens was er zuo zim vrô.
sîn riwe smal, sîn vreude breit
10 wart dô: sus swant im al sîn leit.
was ir freude am tanze grôz,
Gâwân noch minre hie verdrôz.

---

11. dem *Gg*.   12. schier *FG*.   gecherzet *G*, gekerzet *Fg*.   13. Al uf
die *G*.   suonder *F*.   14. Truoch man [der *F*] kertzen wunder *Fg*.
15-19 *abgeschnitten F*.   15. die *G*.   giht *alle*.   17. den cherzen deh-
einiu *G*.   18. Dane ware dach *G*.   19. 20. *fehlen D*.   20. hort *FGgg*,
hœre *dg*.   21. unrehte *Fgg*, unreht *G*.   23. Deheinen *FG, auch F nie* dech.
24. do *F*.   26. da *Gg*.   27. 28. blihten-erschrihten *F*.   28. der *fehlt G*.
fremede *F*, fromede *G*.   29. Werdent si immer *FG*.   heinlich *Fg*, heinlih *G*.

639, 1. Ez ensi *D*.   danne *FG*.   2. habnt *F*.   gnuoch *D*.   dà *fehlt FGg*.
gâz *mit* à *D*, *fehlt F*.   4. fragte *F*, vragete *D*, fragit *G*.   5. umbe *DFG*.
6. ob *DF*.   cheiner *D*, deheiner *FG*.   9. iren cheins *D*,
Irne heins *G*, Ir deheins *F*.   doch *fehlt FGg*.   10. Sinen *G*.   muosin *G*,
muese *D*.   11. niwer *D*.   tanze *G*.   wench *D*, wenich *F*, wenic *G*.
12. Duringen *DF*.   13. danchtes *D*, danchen *FGgg*.   14. erse *D*.
16. Gienc *Gg*.   zetanze *Gg*.   17. der tantz *Fgg*, der tanze *G*.   20. der
riuwen *G*.   . kom *F*, chomn *D*, warin *G*.   21. ouch *DF*.   moht *FGdgg*,
muoste *D*.   22. ie *fehlt Fg*.   Zischen *F*.   24. moht *FG*.   an im *Fdg*.
25-30 *abgeschnitten F*.   28. arem. *D*.   und] vñ die *DGg*, die *Fdg*.
Die rittér unde auch die frawen rich *g*.   29. di *Dg*, ir *Gdgg*.

640, 1. Sangìve *D*, sangwine *d*, sagive *G*, Sayve *F*, Seyve *gg*, Segive *g*.   2. ku-
neginne Arnyve *F*.   3. stille *fehlt F*.   5. umbe *DFG*, ze gawane gienc
G, zeGawane gie *Fg*.   6. enphie *Fg*. vienc *G*.   8. zuo (zu *F*) im *FG*.
9. unt sin vreude *D*.   10. verswant *Fgg*, virswant *G*.   im al *DGg*, im *dy*,
al *g*, *fehlt F*.   11. ame *D*, an *FGy*.   12. minner *Gg*.

diu künegîn Arnîve sprach
'hêr, nu prüevet iwer gemach.
15 ir solt an disen stunden
ruowen ziwern wunden.
hât sich diu herzogîn bewegn
daz se iwer wil mit decke pflegn
noch hînte geselleclîche,
20 diu ist helfe und râtes rîche.'
Gâwân sprach 'des vrâget sie.
in iwer bêdr gebot ich hie
bin.' sus sprach diu herzogîn
'er sol in mîner pflege sîn.
25 lât ditz volc slâfen varn:
ich sol in hînte sô bewarn
daz sîn nie friundîn baz gepflac.
Flôranden von Itolac
und den herzogen von Gôwerzîn
lât in der rîter pflege sîn.'
641   Gar schiere ein ende nam der tanz.
juncfrowen mit varwen glanz
sâzen dort unde hie:
die rîter sâzen zwischen sie.
5 des freude sich an sorgen rach,
swer dâ nâch werder minne sprach,
ob er vant süeziu gegenwort.
von dem wirte wart gehôrt,
man soltez trinken für in tragn.
10 daz mohten werbære klagn.
der wirt warp, mit den gesten:
in kund och minne lesten.
ir sitzen dûht in gar ze lanc:
sîn herze ouch werdiu minne twanc.

15 daz trinken gab in urloup.
manegen kerzînen schoup
truogen knappen vor den rîtern dan.
do bevalch mîn hêr Gâwân
dise zwêne geste in allen:
20 daz muose in wol gevallen.
Lyschoys unt Flôrant
fuoren slâfen al zehant.
diu herzogîn was sô bedâht,
si sprach si gunde in guoter naht.
25 dô fuor och al der frouwen schar
dâ si gemaches nâmen war:
ir nîgens si begunden
mit zuht die si wol kunden.
Sangîve und Itonjê
fuoren dan: als tet ouch Cundrîê.
642   Bêne und Arnîve dô
schuofen daz ez stuont alsô,
dâ von der wirt gemach erleit:
diu herzogîn daz niht vermeit,
5 dane wære ir helfe nâhe bî.
Gâwân fuorten dise drî
mit in dan durch sîn gemach.
in einer kemenâte er sach
zwei bette sunder lign.
10 nu wirt iuch gar von mir verswign
wie diu gehêret wæren:
ez næhet andern mæren.
Arnîve zer herzoginne sprach
'nu sult ir schaffen guot gemach
15 disem rîter den ir brâhtet her.
op der helfe an iu ger,

iwerr helfe habt ir êre.
ine sage iu nu niht mêre,
wan daz sîne wunden
20 mit kunst sô sint gebunden,
er möhte nu wol wâpen tragn.
doch sult ir sînen kumber klagn:
ob ir im senftet, daz ist guot.
lêret ir in hôhen muot,
25 des muge wir alle geniezen:
nu lâts iuch niht verdriezen.'
diu künegîn Arnîve gienc,
dô si ze hove urloub enpfienc:
Bêne ein lieht vor ir truoc dan.
die tür beslôz hêr Gâwân.
643 Kunn si zwei nu minne steln,
daz mag ich unsanfte heln.
ich sage vil lîht waz dâ geschach,
wan daz man dem unfuoge ie jach,
5 der verholniu mære machte breit.
ez ist ouch noch den höfschen leit:
och unsæliget er sich dermite.
zuht sî dez slôz ob minne site.
nu fuogt diu strenge minne
10 unt diu clâre herzoginne
daz Gâwâns freude was verzert:
er wær immer unernert
sunder âmîen.
die philosophîen

15 und al die ie gesâzen
dâ si starke liste mâzen,
Kancor unt Thêbit,
uhde Trebuchet der smit,
der Frimutels swert ergruop,
20 dâ von sich starkez wunder huop,
dar zuo al der arzte kunst,
ob si im trüegen guote gunst
mit temperîe ûz würze kraft,
âne wîplîch geselleschaft
25 sô müeser sîne schärpfe nôt
hân brâht unz an den sûren tôt.
ich wil iuz mære machen kurz.
er vant die rehten hirzwurz,
diu im half daz er genas
sô daz im arges niht enwas:
644 Diu wurz was bî dem blanken brûn.
muoterhalp der Bertûn,
Gâwân fil li roy Lôt,
süezer senft für sûre nôt
5 er mit werder helfe pflac
helfeclîche unz an den tac.
sîn helfe was doch sô gedigen
deiz al daz volc was verswigen.
sît nam er mit freuden war
10 al der rîter unt der frouwen gar,
sô daz ir trûrn vil nâch verdarp.
nu hœrt ouch wie der knappe warp,

18. Ichn *G*.   21. moht *G*.   ⸌ wappen *F*, wappin *G*.   22. chumbir *G*.
23. ir in *FGg*.   24. Lert *Ggg*   = in nu *Ggg*, nu *F*.   23. mug wir
alle wol *F*.   27. 28. gie-enphie *F*.   28. uorloup *F*.   29. lieh *G*.
vor in truoch dan *G*, truoch vor ir (in *F*) dan *Fgg*.   truog tan *d*.
30. = min her *FGgg*.

643, 1. Cunnen *G*, Bunnen *D*, Chunnen *F*.   2. unsamfte *G*.   3. sagiu liht
Fgg.   lihte *DG*.   daz da *D*.   4. unfuog ie *Fdgg*, ie ungefuoge *G*, die
unfuge *g*, unfuoge *D*.   5. Die verholniu mær machent breit *F*.   virholne mær *G*.
mære ie *D*.   = machet *Ggg*.   6. ouch *fehlt FGg*: dann hovischærn *G*,
hovescharen *g*, h . . . schbæren *F*.   7. Oh *G*, ouch *DF*.   8. zuht sî *fehlt G*.
des *D*, das *dg*, *fehlt FGgg*.   op *G*.   9. fuogit *G*, fuogete *D*, *nicht les-*
bar in F.   11. sorge *G*.   wart *FGg*.   12. wære *D*.   unrewert *D*.
14. Philosopfien *D*.   15. alle *DFG*.   17. Chanchor *D*, Chancor *g und (so*
scheints) F, Kanchor *dg*, Crancor *g*, Charncor *G*.   Tebit *gg und vermutlich*
F, bebit *G*.   18. unt *D*.   19. Frimutelles?   20. starches *G*.   21. ar-
zate *D*, arzet *Ggg*, arzt *F*, artzat *dg*.   23. temperie *gg*, temprîe *D*,
temperi *Fd*, tempre *G*.   ûz] unde mit *FGg*.   25-30 *abgeschnitten F*.
25. siner swære not *G*.   26. unze an sinen tot *Gdgg*.   27. iu daz *G*.
30. niene was *G*.

644, 1. wurze *Gg*, wuorze *F*, wrce *D*.   blanch bruon *D*.   2. bertuon *D*, bri-
tun *G*, brytun *F*.   3. fillu roy *D*, filioroys *G*, fyllyroys *F*, fillurois *g*, fily roy
d, fiz Lu Roys *g*, filli roys *g*.   4. senfte *DFG*.   suor *F*.   5. froude
FGgg.   6. Helflich *FGgg*.   7. wart *G*.   doch so *Dd* = echt so *g*, also
FGgg.   8. Daz *alle aufser D*.   was gar *gg*, wart gar *FG*.   gedign-
verswigun *F*.   10. Al der frouwen uñ der riter schar *G*.   11. trurin *G*,
truoren *D*, truoren *F*.   12. hort *G*, hœret *F*, horet *D*.

den Gâwân hête gesant
hin ze Löver in daz lant,
15 ze Bems bî der Korcâ.
der künec Artûs was aldâ,
unt des wîp diu künegîn,
und maneger liehten frouwen schîn,
und der massenîe ein fluot.
20 nu hœrt och wie der knappe tuot.
diz was eines morgens fruo:
sîner botschefte greif er zuo.
diu künegîn zer kappeln was,
an ir venje si den salter las.
25 der knappe für si kniete,
er bôt ir freuden miete:
einen brief si nam ûz sîner hant,
dar an si geschriben vant
schrift, die si bekante
ê sînen hêrren nante
645 Der knappe den si knien dâ sach.
diu künegîn zem brieve sprach
'ôwol der hant diu dich schreip!
âne sorge ich nie beleip
5 sît des tages daz ich sach
die hant von der diu schrift geschach.'
si weinde sêre und was doch vrô:
hin zem knappen sprach si dô
'du bist Gâwânes kneht.'
10 'jâ, frowe. dernbiutet iu sîn reht,
dienstlîch triwe ân allen wanc,
und dâ bî sîne freude kranc,
irn welt im freude machen hôch.
sô kumberlîch ez sich gezôch
15 nie umb al sîn êre.
frouwe, ernbiut iu mêre,

daz er mit werden freuden lebe,
und vreischer iwers trôstes gebe.
ir mugt wol an dem brieve sehn
20 mêre denne i'us künne jehn.'
si sprach 'ich hân für wâr erkant
durch waz du zuo mir bist gesant.
ich tuon im werden dienst dar
mit wünneclîcher frouwen schar,
25 die für wâr bî mîner zît
an prîse vor ûz hânt den strît.
âne Parzivâles wîp
unt ân Orgelûsen lîp
sone erkenne ich ûf der erde
bî toufe kein sô werde.
646 Daz Gâwân von Artûse reit,
sît hât sorge unde leit
mit krache ûf mich geleit ir vlîz.
mir sagete Meljanz von Lîz,
5 er sæhe in sît ze Barbigœl.
ôwê,' sprach si, 'Plimizœl,
daz dich mîn ouge ie gesach!
waz mir doch leides dâ geschach!
Cunnewâre de Lâlant
10 wart mir nimmer mêr bekant,
mîn süeziu werdiu gespil.
tavelrunder wart dâ vil
mit rede ir reht gebrochen.
fünftehalp jâr und sehs wochen
15 ist daz der werde Parzivâl
von dem Plimizœl nâch dem grâl
reit. dô kêrt och Gâwân
gein Ascalûn, der werde man.
Jeschûte und Eckubâ
20 schieden sich von mir aldâ.

---

12. het *F.*   14. Lover *FG.*   inz *g.*   15. ce Bems *D,* Zebeins *G,* Zuo
beems *d,* Zuo benis *gg,* ZeRabins *F,* Zü Sabins *g.*   Chorcha *DGg,* korcha
Fg, corhta *g,* karco *d.*   18. maneger frouwen liehter *D,* maniger (manig *d*)
liechter frawen *dg.*   19. der *D,* ouch der *G,* der werden *die übrigen.*
mæssenie *F,* mæssenide *D.*   20. hœret *F,* horet *DG.*   ouch *DF.*   21. Ditz
F, Daz *G.*   eins *DFG.*   22. botschaft *F.*   23. kappel *F.*   24. vênie *D.*
26. froude *Fdgg,* fromede *D.*   27. Einem *G.*   28. scriben *G.*   29. Schrifte *G.*
bechande *G.* bekande *Fgg.*   30. sinen herrn *Dd,* sinen herren *F,* si sin
herze *G,* er sinen herren *gg,* sy der knappe *g.*   nande *Fgg.*
645,   1. Den sy da vor ir knien sach *g.*   knien da *D,* knien *F,* da knien *Gdgg.*
2. Die *G.*   3. Wol *FGgg.*   10. der enbiutet *D,* ern biut *Gg,* er enbütet *g.*
11. dienstliche *D.*   13. iren *D,* Irne *G.*   wellet *D.*   15. nie al umbe sin
ere *Gd.*   16. er enbiut *D,* er nebiut *G.*   18. = und *fehlt Ggg.*
vreischer] vreiscet *D,* freischet er *die übrigen.*   iwer *D.*   20. dane *G.*
i'us] ichs iu *D,* ichs *d,* ich uch *dg,* ih *Gg.*   23. werdiu *D.*   21. werdech-
licher *G.*   26. Hant vor uz den besten strit *G.*   27. Parcifals *D.*   28. Unde
an *G.*   30. cheine *D,* deheine *G.*
646,   3. chrache *D,* roch (râche?) *d* = chraft *G.*   5. sah *G.*   = Parbig. *Dd.*
6. owi *D.*   blimzol *G.*   9. Kuneware *G.*   10. nimer me *G.*   11. sueze
werde *G.*   12. Tavelrunde *Dd.*   14. iare unde sehse *G.*   16. blimzol *G.*
18. aschalun *G.*   19. Êckuba *D,* trebuca *G.*

grôz jâmer nâch der werden diet
mich sît von stæten fröuden schiet.'
  diu künegîn trûrens vil verjach:
hin zem knappen si dô sprach
25 'nu volge mîner lêre.
verholne von mir kêre,
unz sich erhebe hôch der tac,
deiz volc ze hove wesen mac,
rîter, sarjande
diu grôze mahinande,
647 Uf den hof du balde trabe.
enruoch dîn runzît iemen habe:
dâ von soltu balde gên
aldâ die werden rîter stên.
5 die vrâgnt dich âventiure:
als du gâhest ûzem fiure
gebâr mit rede und ouch mit siten.
von in vil kûme wirt erbiten
waz du mære bringest
10 waz wirrt ob du dich dringest
durchz volc unz an den rehten wirt,
der gein dir grüezen niht verbirt?
disen brief gib im in die hant,
dar an er schiere hât erkant
15 dîniu mære und dîns hêrren. ger:
des ist er mit der volge wer.
  noch mêre wil ich lêren dich.
offenlîche soltu sprechen mich,
dâ ich und ander frouwen
20 dich hœren unde schouwen.
dâ wirb umb uns als du wol kanst,
ob du dîm hêrren guotes ganst.

und sage mir, wâ ist Gâwân?'
  der knappe sprach 'daz wirt verlân:
25 ich sage niht wâ mîn hêrre sî.
welt ir, er blîbet freuden bî.'
  der knappe was ir râtes vrô:
von der küneginne er dô
schiet als ir wol habt vernomn,
und kom ouch als er solde komn.
648 Reht umbe den mitten morgen
offenlîche und unverborgen
ûf den hof der knappe reit.
die höfschen prüeveten sîniu kleit
5 wol nâch knappelîchen siten.
ze bêden sîten was versniten
daz ors mit sporn sêre.
nâch der künegîn lêre
er balde von dem orse spranc.
10 umb in huop sich grôz gedranc.
kappe swert unde sporn
untz ors, wurden diu verlorn,
dâ kêrt er sich wênec an.
der knappe huop sich balde dan,
15 dâ die werden rîter stuonden,
die vrâgen in beguonden
von âventiure mære.
si jehent daz reht dâ wære,
ze hove az weder wîp noch man,
20 ê der hof sîn reht gewan,
âventiur sô werdeclîch,
diu âventiure wære gelîch.
  der knappe sprach 'in sag iu niht.
mîn unmuoze mir des giht:

---

22. sît *fehlt Gg.*   27. unze *DG.*   28. daz dz *D,* Da dez *G,* Das das *d,*
Da daz *gg,* So daz *g.*   29. unde sariant *Gd.*   30. = Unde diu *Ggg.*
guote *Ggg.*   mahinante *D,* machinande *g,* mahenande *Gg.* machenande *g,*
machemant *d.*

647, 1. drabe *G.*   2. enruoche *DG.*   ob din *alle, nur g* ob daz.   = nie-
men *Ggg.*   4. Da *Gdg.*   5. vragent *D,* fragint *G.*   6. Alse *G.*   uoz eime
D, uz einem die übrigen.   7. Gebar *d,* gebare *DG.*   unt mit *Gdgg.*
8. gebiten *D.*   10. wirret *alle.*   dich *fehlt d.*   11. Durch daz, *ohne*
rehten, *Gdgg.*   13. Den *Gdg.*   14. Dar er schier *G.*   15. herzen *alle*
aufser D.   17. Mere wil ih noch *Ggg.*   mer *D.*   18. Offenlich *d,* Offen-
lichen *Ggg.*   21. wirbe umbe *G.*   22. dime *D.*   wol guotes *G.*
23. So sag *Gg.*   24. Frouwe diz mære *(fehlt g)* wirt virlan *Ggg.*
25. = Ich ensag *Ggg.*   dann iu *alle aufser g.*   wa er sy *dg.*   26. be-
libet *DG.*   27. chanappe *G.*   = wart *Ggg.*   29 *fehlt G.*   30. Unde
chome als *G.*

648, 3. = Der chnappe uf den hof reit *Ggg.*   4. pruovente *G.*   5. knapp-
lichen *g,* knappechlichen *D.*   7. sporin *G.*   9. = Balde er *Ggg.*
10. = wart da groz *Ggg.*   11. = Sin swert kappe *Ggg.*   uñ de sporen *G.*
12. = Unde daz ors werdent diu *Ggg.*   13. cherte *G.*   15. die werde *G.*
stûnden *D.*   16. begunden *alle.*   18. Die *G.*   iahen *Gdg.*   19. az]
da *G.*   20. Ę daz *Gdgg.*   dir hof *G.*   21. werdelich *G.*   23. ine
sag *D,* ih ensage *G.*

25 daz sult ir mir durch zuht ver-
tragn,
und ruocht mir vome künege sagn.
den het ich gern gesprochen ê:
mir tuot mîn unmuoze wê.
ir vreischt wol waz ich mære sage:
got lêre iuch helfe und kumbers
klage.'
649 Diu botschaft den knappen twanc
daz ern ruochte wer in dranc,
unz in der künec selbe sach,
der sîn grüezen gein im sprach.
5 der knappe gab im einen brief,
der Artûs in sîn herze rief,
dô er von im wart gelesn,
dô muoser bî beiden wesn,
daz ein was freude untz ander
klage.
10 er sprach 'wol disem süezem tage,
bî des liehte ich hân vernomen,
mir sint diu wâren mære komen
um mînen werden swestersuon.
kan ich manlîch dienst tuon,
15 durch sippe und durch geselleschaft,
ob triwe an mir gewan ie kraft,
sô leist ich daz mir Gâwân
hât enboten, ob ich kan.'
hin zem knappen sprach er dô
20 'nu sage mir, ist Gâwân vrô?'
'jâ, hêrre, ob ir wellet,
zer freude er sich gesellet:'
sus sprach der knappe wîse.
'er schiede gar von prîse,
25 ob ir in liezet under wegen:
wer solt ouch dâ bî freuden pflegen?

iwer trôst im zucket freude enbor:
unz ûzerhalb der riwe tor
von sîme herzen kumber jagt
daz ir an im iht sît verzagt.
650 Sîn herze enbôt sîn dienst dâ her
der küneginne: ouch ist sîn ger,
daz al der tavelrunder schar
sînes diens nemen war,
5 daz si an triwe denken
und im freude niht verkrenken,
sô daz si iu komen râten.'
al die werden des dâ bâten.
Artûs sprach 'trûtgeselle mîn,
10 trac disen brief der künegîn,
lâz si dran lesen unde sagn,
wes wir uns frewen und waz wir
klagn.
daz der künec Gramoflanz
hôchvart mit lôsheite ganz
15 gein mîme künne bieten kan!
er wænt, mîn neve Gâwân
sî Cidegast, den er sluoc,
dâ von er kumbers hât genuoc.
ich sol im kumber mêren
20 und niwen site lêren.'
der knappe kom gegangen
dâ er wart wol enpfangen.
er gap der küneginne den brief,
des manec ouge über lief,
25 dô ir süezer munt gelas
al daz dran geschriben was,
Gâwâns klage und sîn werben.
dône liez och niht verderben
der knappe zal den frouwen warp
dar an sîn kunst niht verdarp.

26. ruochet *DG,* geruht *gg.*   von dem *G.*   27. = Den wolde ich *(fehlt G)*
gerne sprechen *̨ Ggg.*   29. = Ir freischet schiere waz ih sage *Ggg.*
649, 3. der wirt *Ggg.*   = ersach *Ggg.*   4. = sinen gruoz *Ggg.*   5. In
die hant gab er im *Ggg.*   6. Artuse *D.*   sine *G.*   7. = was *Ggg.*
8. bi den beiden *Gdgg.*   9. untz *D,* daz *die übrigen.*   13. miner *D.*
14. manlichen *Gdg.*   16. gewan an mir ie *gg,* gewan ie an mir *G.*
20. Sag an ist *Ggg.*   22. = Ze frouden *Ggg.*   23. = sus *fehlt Ggg.*
24. = ouh gar *Ggg.*   26. froude *Gd.*   28. riuwen *Ggg.*   29. Uz *Gg.*
sorge *Ggg.*   30. = niht *Ggg.*
650, 1. Min *D* und *(dann* herre) *dg.*   = enbiut, *ohne* dà, *Ggg.*   3. Tafel-
runde *Dd.*   4. dienstes *alle aufser D.*   neme *dg.*   5. = Daz si ir triuwe
an im gedenchen *Ggg.*   7. iu *fehlt G.*   8. dâ *fehlt Gg.*   9. = Der
kunic sprach geselle min *Gg.*   11. daz si dran *Dg,* Das su do *(und* lese) *d,*
Bit si den *Ggg.*   12. freuwen *D,* frouwen *G.*   14. = Mit hohvart losheit
ganz *Ggg.*   16. ̃ænet *DG.*   17. Sit zidestat *G.*   18. Von dem er *Ggg.*
22. Al da er *G.*   23. = Der kunegin er gap *Ggg.*   26. dar an *alle*
aufser D.   27. chlagin *Ggg.*   sîn *fehlt D.*   28. Do enliez *G.*   29. = zen
frouwen allen warp *Ggg.*

651 Gâwâns mâc der rîche
　Artûs warp herzenlîche
　zer messenîe dise vart.
　vor sûmen het ouch sich bewart
5 Gynovêr diu kurteise
　warp zen frouwen dise stolzen reise.
　Keie sprach in sîme zorn
　'wart abe ie sô werder man ge-
　　　　born,
　getorst ich des gelouben hân,
10 sô von Norwæge Gâwân,
　ziu dar nâher! holt in dâ!
　sô ist er lîhte anderswâ.
　wil er wenken als ein eichorn,
　ir mugt in schiere hân verlorn.'
15 　der knappe sprach zer künegîn
　'frouwe, gein dem hêrren mîn
　muoz ich balde kêren:
　werbt sîn dinc nâch iweren êren.'
　zeime ir kameræer si sprach
20 'schaffe disem knappen guot ge-
　　　　mach.
　sîn ors sult du schouwen:
　sî daz mit sporn verhouwen,
　gib imz beste daz hie veile sî.
　won im ander kumber bî,
25 ez sî pfantlôse oder kleit,
　des sol er alles sîn bereit.'
　si sprach 'nu sage Gâwân,
　im sî mîn dienst undertân.
　urloup ich dir zem künege nim:
　dîme hêrren sag och dienst von im.'
652　Nu warp der künec sîne vart.
　des wart der tavelrunder art
　des tages dâ volrecket.

　ez het in freude erwecket,
5 daz der werde Gâwân
　dennoch sîn leben solte hân:
　des wâren se innen worden.
　der tavelrunder orden
　wart dâ begangen âne haz.
10 der künec ob tavelrunder az,
　unt die dâ sitzen solten,
　die prîs mit arbeit holten.
　al die tavelrunderære
　genuzzen dirre mære.
15 　nu lât den knappen wider komn,
　von dem diu botschaft sî vernomn.
　der huop sich dan ze rehter zît.
　der künegîn kameræere im gît
　pfantlôse, ors unt ander kleit.
20 der knappe dan mit freuden reit,
　wand er an Artûse erwarp
　dâ von sîns hêrren sorge erstarp.
　er kom wider, in solhen tagen,
　des ich für wâr niht kan gesagen,
25 ûf Schastel marveile.
　Arnîve wart diu geile,
　wand ir der portenære enbôt,
　der knappe wær mits orses nôt
　balde wider gestrichen:
　gein dem si kom geslichen,
653 Aldâ der în verlâzen wart.
　si vrâgt in umbe sîne vart,
　war nâch er ûz wære geritn.
　der knappe sprach 'daz wirt ver-
　　　　mitn,
5 frouwe, in tars iu niht gesagen:
　ich muozz durch mînen eit ver-
　　　　dagen.

651, 2. hofsliche *Gg.* 3. massenide *D.* 4. Ouch was vor sumen gar bewart
Ggg. soumen *D.* 5. Kynover diu korteise *G.* 6. Sú warb *d.* die *gg.*
stolzen *fehlt Gd.* 7. Kai *G*, Key *gg.* 8. abe ie *G*, aber ie *D.* so wert
man ie geborn *G.* 9. gloubin *G.* 11. ziu *D*, Zuo *d* = Zehû *G*, Ze
heu *g*, Zahiu *g*, Ziecht *g.* dar naher *Dd* = da (nu *g*) hin nu *Ggg.*
18. werbet *DG.* dienc *G.* 19. Zeinem *DG.* 20. Schaffen *G*, Schaffet *gg.*
guetin *G.* 27. 28. Geselle sage gawan. Ih si im an dienste under tan *Ggg.*
29. dir von dem *G.*
652. 1. schuof *Ggg.* 2. = Ouch *Ggg.* wart *fehlt G.* tavelunrunder *G*,
Tafelrunder (r *in* n *verändert, wohl von andrer Hand*) *D.* 3. al da *D.*
5. der] de *G.* 6. denoch *D.* Dannoch *G.* lebn *D*, lebin *G.* 7. si *DG.*
8. 10. Tavelrunden *Dd.* 10. tavelunrunder *G.* saz *Gg.* 11. 12. solden-
holden *Gg.* 13. Al der *G.* tavelrundære *alle aufser D.* 17. ze] an
Ggg. 19. Phandelose *G.* 21. Wan erz *G.* = da ze artuse *Ggg.*
22. herrn *D* = herzen *Ggg.* 25. Ze *Ggg.* Scastel *D*, tschastel *G*, ka-
stel *gg*, tschahtel *g*, schathel *d.* 26. wart *fehlt G.* 27. Wan *G.* borte-
nare *G.* 30. Zuo dem *Ggg.*
653, 1. er *Gg.* 2. Unt *Ggg.* vragete *D.* fragit *G.* 5. frouwe. ine tars
D, Frowe ih engetar es *G*, 6. muoz *Gdg*, muoz ez *Dg*, muosz úchs *g.*
vil virdagen *G.*

20*

ez wære ouch mîme hêrren leit,
bræch ich mit mæren mînen eit:
des diuhte ich in der tumbe.
10 frouwe, vrâgt in selben drumbe.'
si spiltz mit vrâge an manegen ort:
der knappe sprach et disiu wort,
'frouwe, ir sûmet mich ân nôt:
ich leist daz mir der eit gebôt.'
15   er gienc da er sînen hêrren vant.
der turkoite Flôrant
und der herzoge von Gôwerzîn
und von Lôgroys diu herzogîn
saz dâ mit grôzer frouwen schar.
20 der knappe gienc ouch zuo zin dar.
ûf stuont mîn hêr Gâwân:
er nam den knappen sunder dan
unt bat in willekomen sîn.
er sprach 'sag an, geselle mîn,
25 eintweder freude oder nôt,
oder swaz man mir von hove enbôt.
funde du den künec dâ?'
der knappe sprach 'hêrre, jâ,
ich vant den künec unt des wîp,
untd manegen werdeclîchen lîp.
654 Si enbietent iu dienst unde ir
      komn.
iwer botschaft wart von in ver-
      nomn
alsô werdeclîche,
daz arme unde rîche
5 sich freuten: wand ich tet in kunt

daz ir noch wæret wol gesunt.
ich vant dâ hers ein wunder:
ouch wart diu tavelrunder
besetzet durch iur botschaft.
10 ob rîters prîs gewan ie kraft,
ich meine an werdekeite,
die lenge und ouch die breite
treit iwer prîs die krône
ob anderen prîsen schône.'
15   er sagte im ouch wie daz geschach
daz er die küneginne sprach,
und waz im diu mit triwen riet.
er sagte im ouch von al der diet,
von rîtern und von frouwen,
20 daz er se möhte schouwen
ze Jôflanze vor der zît
ê wurde sînes kampfes strît.
Gâwâns sorge gar verswant:
niht wan freud er im herzen vant.
25 Gâwân ûz sorge in fröude trat.
den knappen erz verswîgen bat.
al sîner sorge er gar vergaz,
er gienc hin wider unde saz,
und was mit freuden dâ ze hûs,
unz daz der künec Artûs
655 mit her in sîne helfe reit.
nu hœret lieb unde leit.
Gâwân was zallen zîten vrô.
eins morgens fuogtez sich alsô
5 daz ûf dem rîchen palas
manec rîter unde frouwe was.

7. ez wære ouch *D*, Es were *d*, Daz were *g*, Ouch ware *Gg*, Auch were es *g*.
8. bræche *D*, Brache *G*,   9. dûhte *D*, dùhte *G*.   in *Ggg*, iuch *Ddg*.
tûmbe *G*.   10. vrâget *D*, fraget *G*.   selbe *Gg*.ᵗ   11—14 *fehlen Gg*.
14. leiste *Ddg*.   15. er gawanen vant *Ggg*.   1ᶜ. tûrkoite *G*, Turkote *D*.
floriant *G*.   18. und *fehlt G*.   lorgrois *G*.   19. = Da saz *Ggg*.
unde ander frouwen schar *Gg*.   20. gie *D*.   zuo in *G*.   21. mîn *fehlt*
Ggg.   23. = Er hiez in *Ggg*.   24. nu sage *Ggg*.   an *fehlt Gg*.
25. Einweder *G*.   2ᴎ. Unde *Gg*.   29. = unde sin wip *Ggg*.   30. = Unde
dar zuo manigen werden lip *Ggg*.
654,   1. komē *G*.   4. Also gar *Gd*.   4. Der arme unde der *G*.   5. wan ih *G*.
ᴎ. noh wâret *G*.   Ih sah da *Ggg*.   9. iᵘwer *D*, iwer *G*.   10. Obe
riters bris gwan *G*.   11-11. Ih meine an langer werdecheit. Die sint in alle
da bereit *Ggg*.   15. seìt *Dd*.   16. chûninginne *G* (*so die dritte hand
oft, auch* chùningin, *aber* chûnich chûnige).   gesprach *Gg*, besprach *g*.
19. Von den ritern unde von den frouwen *Gg*.   20. = die *Ggg*.   môhte *G*.
21. tschofflanze *Gg*.   von *D*, in *g*.   22. kanphes *G*.   23-26 *hat g und
hatte wohl F (angenommen dafs ihr* 653, 11-14 *fehlten: denn die verlorenen seiten
blätter enthielten* 960 *verse):* 23. 24 *fehlen Gg*, 25. 26 *fehlen Ddg*.   24: freude
er ime *D*.   25. sorgen *alle*.   27. sorde *D*, sorgen *Ggg*, not *g*.   gar *Dd*
= da *Gg*, *fehlt gg*.   30. unze *DG*.
655, 1. hêr *G*.   2. Nû hôret *G*.   4. vuochte iz sih *G*.   5. richem *D*.

in ein venster gein dem pflûm
nam er im sunder einen rûm,
dâ er und Arnîve saz,
10 diu vremder mære niht vergaz.
Gâwân sprach zer künegîn
'ôwê liebiu frouwe mîn,
wolt iuch des niht beträgen,
daz ich iuch müeste vrâgen
15 von sus getânen mæren,
diu mich verswîget wæren!
wan daz ich von iur helfe gebe
alsus mit werden freuden lebe:
getruoc mîn herze ie mannes sin,
20 den het diu edele herzogin
mit ir gewalt beslozzen:
nu hân ich iwer genozzen,
daz mir gesenftet ist diu nôt.
minne und wunden wære ich tôt,
25 wan daz iur helfeclîcher trôst
mich ûz banden hât erlôst.
von iwerr schult hân ich den lîp.
nu sagt mir, sældehaftez wîp,
um wunder daz hie was unt ist,
durch waz sô strengeclîchen list
656 der wîse Clinschor het erkorn:
wan ir, ich hets den lîp verlorn.'
Diu herzenlîche wîse
(mit sô wîplîchem prîse
5 kom jugent in daz alter nie)
sprach 'hêrre, sîniu wunder hie
sint da engein kleiniu wunderlîn,
wider den starken wundern sîn

dier hât in manegen landen.
10 swer uns des giht ze schanden,
der wirbet niht wan sünde mite.
hêrre, ich sage iu sînen site:
der ist maneger diete worden sûr.
sîn lant heizt Terre de Lâbûr:
15 von des nâchkomn er ist erborn,
der ouch vil wunders het erkorn,
von Nâpels Virgilîus.
Clinschor des neve warp alsus.
Câps was sîn houbetstat.
20 er trat in prîs sô hôhen pfat,
an prîse was er unbetrogen.
von Clinschor dem herzogen
sprâchen wîb unde man,
unz er schaden sus gewan.
25 Sicilje het ein künec wert:
der was geheizen Ibert,
Iblis hiez sîn wîp.
diu truoc den minneclîchsten lîp
der ie von brüste wart genomn.
in der dienst was er komn,
657 unz sis mit minnen lônde;
dar umbe der künec in hônde.
Muoz ich iu sîniu tougen sagn,
des sol ich iwern urloup tragn:
5 doch sint diu selben mære
mir ze sagen ungebære,
wâ mit er kom in zoubers site.
zeim kapûn mit eime snite
wart Clinschor gemachet.'
10 des wart aldâ gelachet

---

7. Indem *G,* In einem *d,* In den fenstern *g.*   gen einem *g.*   pfluom *D,* flûm
die übrigen.   8. = Chos *Ggg.*   er *fehlt G.*   ruom *D.*   10. Diu
suozer mâre *Gg.*   11. Do sprah er zer chûningin *Gyg.*   12. owi *D.*
13. = Woldes iuch *Ggg,* Wold euch sin *g.*   14. muose (*mit* ŏ, *welches die*
dritte hand immer für ou, uo, üe *gebraucht) G*   15. 16. Alsus getaner mâre.
Daz ich (Daz ez *g,* Der ich *g*) verswigen wâre *Ggg.*   16. mich *Dd,* wenic *g.*
verswiget *D,* verswigen *die übrigen.*   17. iŵer *D,* iwere *G.*   18. frouwen *G.*
21. gwalt *G immer.*   25. iwer helfchliher *G.*   26. von sorgen *Ggg.*
27. = Von iwern schulden *Ggg.*   29. umbe *DG.*   uñ *D,* unde *G.*
30. strengechlihen *G.*

656, 1. wîse *fehlt G.*   clinsor *G immer.*   3. bescheidenlibe *Gg,* hertzoginne *g.*
4. wiblihen brise *G.*   5. inz *D* = an daz *Ggg.*   6. Si sprah *Ggg.*   7. en-
gein *Dg,* gein *dgg,* wider *G.*   8. = Gein *Ggg.*   9. di er *D,* Die er *G.*
11. newirbet *Gg,* erwirbet *dg.*   = der mite *g,* da mite *Ggg.*   12. iu
fehlt G.   14. heizet *DG.*   Terre de Labuor *D* = terra labûr *Ggg.*
15. ist er *alle aufser D.*   geborn *alle aufser DG.*   16. vvnders *G.*
19. Châps *D.*   ist *Gg.*   ein *G.*   20. prise *D,* brise *G.*   hohez *Gqg.*
24. Unzer sûs schaden gwan *G.*   25. Sicylie *D,* Secilie *Ggg.*   26. Gibert *D.*
27. Iblis *D* = Ibilis *Ggg.*   28. minnichlihsten *G,* minnechlisten *D.*   30. An
G.   dienste *D.*

657, 1. unze *DG oft.*   lonte-honte *G.*   3. = Sol *Ggg.*   sine *D.*   4. = muoz *Ggg.*
7. Wo von *d* = Durh waz *Ggg.*   8. zeime *D,* Zeinem *G.*   kapune *D,* chappen *G.*

von Gâwâne sêre.
si sagte im dennoch mêre
'ûf Kalot enbolot
erwarber der wcrlde spot:
15 daz ist ein burc vest erkant.
der künec bî sînem wîbe in vaut:
Clinschor slief an ir arme.
lager dâ iht warme,
daz muoser sus verpfenden:
20 er wart mit küneges henden
zwiscbenn beinn gemachet sleht.
des dûhte den wirt, ez wær sîn reht.
der besneit iu an dem lîbe,
daz er decheinem wîbe
25 mac ze schimpfe niht gefrumn.
des ist vil liute in kumber kumn.
ez ist niht daz lant ze Persîâ:
ein stat heizet Persidâ,
dâ êrste zouber wart erdâht.
dâ fuor er hin und hât dan brâht
658 daz er wol schaffet swaz er wil,
mit listen zouberlîchiu zil.
Durch die scham an sîme lîbe
wart er man noch wîbe
5 guotes willen nimmer mêr bereit;
ich mein die tragent werdekeit.
swaz er den freuden mac genemn,
des kan von herzen in gezemn.
ein künec der hiez Irôt,
10 der ervorht im die selben nôt,
von Rosche Sabînes.
der bôt im des sînes
ze gebenne swaz er wolde,
daz er vride haben solde.

15 Clinschor enpfienc von sîner hant
disen berc vest erkant
und an der selben zîle
alumbe aht mîle.
Clinschor dô worhte ûf disen berc,
20 als ir wol seht, diz spæhe werc.
aller rîcheit sunder
sint hie ûf starkiu wunder.
wolt man der bürge vâren,
spîs ze drîzec jâren
25 wær hie ûffe manecvalt.
er hât ouch aller der gewalt,
mal unde bêâ schent,
die zwischen dem firmament
wonent unt der erden zil;
niht wan die got beschermen wil.
659 hêr, sît iwer starkiu nôt
ist worden wendec âne tôt,
Sîn gâbe stêt in iwer hant:
dise burc unt diz gemezzen lant,
5 ern kêrt sich nimmer mêr nu dran.
er solt ouch vride von im hân,
des jaher offenbâre
(er ist mit rede der wâre),
swer dise âventiure erlite,
10 daz dem sîn gâbe wonte mite.
swaz er gesach der werden
ûf kristenlîcher erden,
ez wære magt wîp oder man,
der ist iu hie vil undertân:
15 manc heiden unde heidenîn
muose ouch bî uns hie ûf sîn.
nu lât daz volc wider komn
dâ nâch uns sorge sî vernomn.

12. = fûrbaz *Ggg.*   13. kalot enbolot *d*, kalot Bolot *D* = kalotenpolot *gg*,
kalotempolot *G.*   17. Er slief *G.*   21. zwiscen den beinen *DG.*   22. kü-
nich *G.*   er hetes reht *Gd.*   26. Des is vil lûte in kumber in chomen *G.*
27. niht ein *G*, ein *g.*   Pêrsia *D.*   28. = persita *gg*, presita *G.*
29. = alrerste *Ggg.*   zoubers *Ggg.*   gedaht *g.*   30. Dar, *ohne* hin *gg.*
dan *D*, *fehlt d*, dannen *die übrigen.*

658, 1. wol] = nu *Ggg.*   2. spil *G.*   4. = Sone wart *G.*   ▪mann *D*,
manne *dgg.*   5. nimermer *D*, nimmir me *G.*   7. den] der *D.*   frouwen
Gg.   9. = der *fehlt Ggg.*   heizet *G.*   Jrot *Dg*, Gyrot *dgg*, Cyrot *G.*
10. = vorhte *Ggg.*   in *G.*   11. roisabins *G.*   12. Der bot im des sinen
zins *gg.*   13. gebene *D.*   15. enphie *G.*   18. ahte *G.*   20. diz] daz
Gdg.   21. richeîte *D.*   22. uffe *DG.*   23. = Swer der bûrch wolde va-
ren *Ggg.*   wolte *D.*   24. spise *DG.*   25. wære *D*, Wert *G.*   27. bea-
scent *D*, beahzent *G*, beagent *gg.*   28. enzwischen *Ggg.*   29. unde under
der *Ggg.*   erde *Gg.*   30. beschirmen *Gdg.*

659, 1. = scharpfe *gg*, scharhiu *G.*   2. = wendich worden *Ggg.*   4. Disiu *G.*
ditze *G.*   5. Erne *G*, eren *D.*   nimermer *D*, nimmir me *G.*   6. Ir solt
d = Ir sûlt *Ggg*, von im fride *G.*   7. offembare *D*, offenbere *gg.*
8. = gewâre *Gg*, gewere *gg.*   11. gesech *d.*   12. christenlihen *G*
14. iu *fehlt G.*   15. manech *D*, Manich *G.*   unt *D.*   16. = Muosen
[ouch *g*] hie uffe bi uns sin *Ggg.*   uffe *D.*   17. diz *D.*   18. ist *gg*, is *G*,

ellende frumt mirz herze kalt.
20 der die sterne hât gezalt,
der müeze iuch helfe lêren
und uns gein freuden kêren.
   ein muoter ir fruht gebirt:
diu fruht sînr muoter muoter wirt.
25 von dem wazzer kumt daz îs:
daz læt dan niht decheinen wîs,
daz wazzer kum ouch wider von im.
swenne ich gedanke an mich nim
daz ich ûz freuden bin erborn,
wirt freude noch an mir erkorn,
660 dâ gît ein fruht die andern fruht.
diz sult ir füegen, habt ir zuht.
   Ez ist lanc daz mir freude enpfiel.
von segel balde gêt der kiel:
5 der man ist sneller der drûf gêt.
ob ir diz bîspel verstêt,
iwer prîs wirt hôch unde snel.
ir mugt uns freude machen hel,
daz wir freude füern in manegiu
       lant,
10 dâ nâch uns sorge wart erkant.
etswenne ich freuden pflac ge-
       nuoc.
ich was ein wîp diu krône truoc:
ouch truoc mîn tohter krône
vor ir landes fürsten schône.
15 wir heten bêde wedekeit.
hêr, ichn geriet nie mannes leit,
beidiu wîb unde man
kund ich wol nâh ir rehte hân:
erkennen unde schouwen
20 zeiner rehten volkes frouwen

muose man mich, ruochtes got,
wand ich nie manne missebôt.
nu sol ein ieslîch sælec wîp,
ob si wil tragen werden lîp,
25 erbietenz guoten liuten wol:
si kumt vil lîhte in kumbers dol,
daz ir ein swacher garzûn
enger freude gæbe wîten rûn.
hêr, ich hân lange hie gebitn:
nie geloufen noch geritn
661 kom her der mich erkande,
der mir sorgen wande.'
   Dô sprach mîn hêr Gâwân
'frowe, muoz ich mîn leben hân,
5 sô wirt noch freude an iu vernomn.'
des selben tages solt ouch komn
mit her Artûs der Bertûn,
der klagenden Arnîven sun,
durch sippe unt durch triuwe.
10 manege banier niuwe
sach Gâwân gein im trecken,
mit rotte'z velt verdecken,
von Lôgroys die strâzen her,
mit manegem lieht gemâlem sper.
15 Gâwâne tet ir komen wol.
swer samnunge warten sol,
den lêret sûmen den gedanc:
er fürht sîn helfe werde kranc.
Artûs Gâwâne den zwîvel brach.
20 âvoy wie man den komen sach!
Gâwân sich hal des tougen,
daz sîniu liehten ougen
weinen muosen lernen.
zeiner zisternen

19. vriunt *Ggg.*   min *Ggg.*   24. Die frücht zü sîner müter wirt *g.*   siner]
ir *g.* der?   muoter *nur einmahl G.*   26. enlat *G,* enlet *gg.*   danne *G,*
denne *D.*   niht *fehlt G.*   decheinen *D,* keinen *g,* deheine *Gg,* do keine *d,*
keine *g.*   gwis *D.*   27. chom *Gd,* enchum *D.*   28. genim *G.*   29. ze
frouden *G.*   = geborn *Ggg.*   30. = Wirt imer froude an mir erkorn *Ggg.*

660, 2. Do *d* = Daz *Ggg.*   3. Es *G.*   4. Von dem segel get balde *Ggg.*
khiel *D.*   5. druffe *Ddgg.*   6. ditze *G.*   7. = ist *Ggg.*   8. frouden *Gg.*
9. fueren *DG.*   10. Da nah *G,* danach *Dg,* Dar nach *dgg.*   iamer *Gg.*
11. froude *Gdg.*   gnuoch *G.*   16. ich engeriet *Dgg,* ih geriet *Gd.*
18. kund *gg.*   19. Hören *Ggg.*   21. = mich han *gg,* mih haben *G.*
ruochts *D,* ruohtes *G.*   22. Wan ih *G.*   23. = Ez sol *Ggg.*   sælec *fehlt*
d = sinnich *Ggg.*   24. = haben *Ggg.*   25. erbieten ez *D* = Erbieten
Ggg.   27. garzuon *D.*   28. ruon *D,* rûm *Gdg.*   29. hie *fehlt Ggg.*
30. Niemen *alle aufser D.*

661, 1. = Her chom *Ggg.*   her *fehlt d.*   2. Oder der *d,* Und *gg,* mir sorge
erwande *d,* minen chumber wande *Ggg.*   3. = Do sprah der werde gawan
Ggg.   9. Durch chlage *Gg.*   10. baniere niwe *D.*   12. rottez (z *aus* n ge-
macht) *D,* rotes *d,* rotte das *g,* rotten *g,* ritern *Gg.*   verdecchet *G.*   13. strazze
Ggg.   14. = gemaltem *Ggg.*   15. 19. Gawan *G.*   17. lert *D.*   sümen
den] sunder *Gg.*   18. fûrht *G,* furhtet *D.*   23. muose *G.*

25 wârn si beidiu dô enwiht:
wan si habtens wazzers niht.
von der liebe was daz weinen,
daz Artûs kunde erscheinen.
von kinde het er in erzogen:
ir bêder triuwe unerlogen
662 stuont gein ein ander âne wanc,
daz si nie valsch underswanc.
Arnîve wart des weinens innen.
si sprach 'hêrre, ir sult beginnen
5 vreud mit vreuden schalle:
hêr, daz trœst uns alle.
gein der riwe sult ir sîn ze wer.
hie kumt der herzoginne her:
daz trœst iuch fürbaz schiere.'
10 herberge, baniere,
sah Arnîve und Gâwân
manege füeren ûf den plân,
bî den allen niht wan einen schilt:
des wâpen wâren sus gezilt,
15 daz in Arnîve erkande,
Isâjesen si nande;
des marschalc, Utepandragûn.
den fuort ein ander Bertûn,
mit den schœnen schenkeln Maurîn,
20 der marschalc der künegîn.
Arnîve wesse wênec des:
Utepandragûn und Isâjes
wâren bêde erstorben:
Maurîn het erworben
25 sîns vater ambet: daz was reht.
gein dem urvar ûf den anger sleht
reit diu grôze mahinante.

der frouwen sarjante
herberge nâmen,
die frouwen wol gezâmen,
663 bî einem clâren snellen bach,
dâ man schier ûf geslagen sach
Manec gezelt wol getân.
dem künege sunder dort hin dan
5 wart manc wîter rinc genomn,
und rîtern die dâ wâren komn.
die heten âne vrâge
ûf ir reise grôze slâge.
Gâwân bî Bên hin ab enbôt
10 sîme wirt Plippalinôt,
kocken, ussiere,
daz er die slüzze schiere,
sô daz vor sîner übervart
daz her des tages wære bewart.
15 frou Bêne ûz Gâwâns hende nam
d'êrsten gâbe ûz sîme rîchen krâm,
swalweu, diu noch zEngellant
zeiner tiwern härpfen ist erkant.
Bêne fuor mit freuden dan.
20 dô hiez mîn hêr Gâwân
besliezen d'ûzern porten:
alt und junge hôrten
wes er si zühteclîchen bat.
'dâ derhalben an den stat
25 sich leget ein alsô grôzez her,
weder ûf lant noch in dem mer
gesach ich rotte nie gevarn
mit alsus krefteclîchen scharn.
wellents uns hie suochen mit ir kraft,
helft mir, ich gib in rîterschaft.'

---

26. sine *G.*   habtens *D*, behabtens *dgg*, behielten des *G.*
662, 3. weines *G.*   4. herre *g*, *fehlt den übrigen.*   5. vreude *D*, Frouden
Ggg.   6. Her. *g.*   = so trost ir uns alle *Ggg.*   8. herzôginne *G oft.*
9. trôst *G*, trœstet *D.*   10. H. manige baniere *Ggg.*   13. einen *Dd* = ein
Ggg.   15. niht erchande *D allein.*   16. Ysagesen *Gg.*   si in *Gdg.*
nande *DG.*   17. Des *Gg*, den *die übrigen.*   17. 22. Uotep. *D*, utp. *Ggg*,
uterp. *g.*   19. Maûrin *G.*   22. Jsaiês *D.* ysagês *Ggg.*
27. mahinante *D*, mahenande *Gg*, machamante *d*, machenande *g*, machenante *g.*
28. frouw *D.*   scariante *D*, sariande *Ggg.*
663, 1. clarem snellem *D.*   2. schiere *G*, sciere *D.*   3. zelt *D.*   5. manech
D, manich *G.*   6. Von *Ggg.*   riteren *D.*   7. di hete *D.*   an *G.*
vrâge-slâge *mit* â *D.*   9. bene *d*, bênen *die übrigen.*   10. Sinen *G.*
wirte *D.*   pliplalinot *G*, *aber* 667, 28 plipalinot.   11. = Chochen unde
Ggg.   visiere *G.*   12. diu *G.*   13. So daz da *G.*   von *Ggg.*
14. tage *D.*   15. Fro *G.*   gawanes *G.*   16. 21. di *G*, Die *G.*   sîme
richen *D*, siner *Ggg.*   17. noh ze Engelle. *G.*   18. harphen *Gdgg.*
19. Fro bene *Ggg.*   22. Alte *alle aufser D.*   da horten *Ggg.*   24. Do
Gg. der halbn *D*, ienhalp *d* = anderhalben *Ggg.*   25. groz hêr *Ggg*
26. Daz uf *Gg.*   lande *D*, dem lande *die übrigen.*   mere *G.*   27. roten
Ggg.   28. = also *Ggg.*   kreftclihen *G.*   29. wellent si *DG.*   = hie
fehlt Ggg.   ir] = hers *Ggg.*   30. helfet *DG.*

664   Daz lobten se al gelîche.
      die herzoginne rîche
      si vrâgten, ob daz her wær ir.
      diu sprach 'ir sult gelouben mir,
5   ich erkenn da weder schilt noch man.
      der mir ê schaden hât getân,
      derst lîhte in mîn lant geriten
      und hât vor Lôgroys gestriten.
      ich wæn die vant er doch ze wer:
10   si heten strît wol disem her
      an zingeln unde an barbigân.
      hât dâ rîterschaft getân
      der zornege künec Gramoflanz,
      sô suochter gelt für sînen kranz:
15   oder swer si sint, die muosen sper
      ûf geriht sehn durch tjoste ger.'
      ir munt in louc dâ wênec an.
      Artûs schaden vil gewan,
      ê daz er kœme für Lôgroys.
20   des wart etslîch Bertenoys
      ze rehter tjost ab gevalt.
      Artûs her ouch wider galt
      market den man in dâ bôt.
      si kômn ze bêder sît in nôt.
25   man sach die strîtmüeden komn,
      von den sô dicke ist vernomn
      daz se ir kotzen gerne werten:
      si wârn gein strît die herten.
      beidenthalbz mit schaden stêt.
      Gârel unt Gaherjêt
665   Und rois Meljanz de Barbigœl
      unde Jofreit fîz Idœl
      die sint hin ûf gevangen,
      ê der buhurt wære ergangen.

5   och viengen si von Lôgroys
      duc Frîam de Vermendoys,
      und kuns Ritschart de Nâvers.
      der vertet niwan eines spers:
      gein swem ouch daz sîn hant gebôt,
10   der viel vor im durch tjoste nôt.
      Artûs mit sîn selbes hant
      vienc den degen wert erkant.
      dâ wurden unverdrozzen
      die poinder sô geslozzen,
15   dês möhte swenden sich der walt.
      manec tjoste ungezalt
      rêrten trunzûne.
      die werden Bertûne
      wârn ouch manlîch ze wer
20   gein der herzoginne her.
      Artûs nâchhuote
      muose strîtes sîn ze muote.
      man hardierte si den tac
      unz dar diu fluot des hers lac.
25   och solte mîn hêr Gâwân
      der herzogîn gekündet hân
      daz ein sîn helfære
      in ir lande wære:
      sô wære des strîtes niht geschehn,
      done wolters ir noch niemen jehn
666   E siz selbe sehen mohte.
      er warp als ez im tohte,
      unde schuof ouch sîne reise
      gein Artûse dem Berteneise
5   mit tiuren gezelten.
      nieman dâ moht enkelten,
      ob er im was unrekant:
      des milten Gâwânes hant

664, 1. si DG.   3. wære D, wâre G.   4. Si Gdgg.   sult glouben G.
      5. erchenne DG.   noh sper. G.   7. Ders G, der ist D.   9. wæne D,
      wâne G.   11. Ane-ane G.   Barbegan D.   13. zornige DG.   14. suohte
      er G.   15. di Dgg, si Gdg.   16. gerihtiu Ggg.   strites G.   17. we-
      nech D, wenich G.   20. britanoys G.   22. ouch Dd = in Ggg, hin g.
      24. chomen G, chomens D.   26. Da von. Ggg.   sô] = vil Ggg.   28. ge-
      gen D.   strite DG.   29. Beidenthalp ez D, Bedenthalbe iz G.   30. Ga-
      heriêt D, Gaharet G.

665, 1. rins G, der kunec D, fehlt d.   de Ggg, von Ddg.   = Parb. Dd.
      2. tschfreit G.   fisidol Ggg.   5. Ouch vie man der von g, Do vingen su
      aber die von d.   si Dg, die Gg.   6. den herzogen Ddg.   firmam G,
      firman g, firam g.   de Gg, von Dg, und d, fehlt g.   = fermendois g,
      fimendois g, frimidois G, frymedoys g.   7. küns gg, Kunsz g, Runs unde G,
      den graven Dd.   novers d, Nivers g, Nivevers g. ninivers G.   8. fuorte Gg.
      ouch niwan Ggg.   eins DG.   12. degen fehlt G.   14. poinder D, poyn-
      der G.   15. möhte G.   16. tyost G.   17. Do rerte d, Rert ir Ggg.
      19. ouch] = da Ggg.   manlih G, manliche D.   22. 29. strits D.   23. hær-
      dierte g, barrierte g, parrierte Gg.   sie D.   24. = E daz diu-gelach Ggg.
      29. Sone Ggg.   30. Done wolders (er irs g) niht vergehen Ggg.

666, 1. siz D.   2. warb als iz G.   4. britanyse G.   6. Niemen moht engel-
      ten Ggg.   7. unbechant Ggg.   8. Gawans DG oft.

begunde in sô mit willen gebn
10 als er niht langer wolde lebn.
sarjande, rîter, frouwen,
muosn enpfâhn und schouwen
sîne gâbe sô grœzlîche,
daz si sprâchen al gelîche,
15 in wær diu wâre hilfe komn.
dô wart ouch freude an in ver-
    nomn.
dô hiez gewinn der degen wert
starker soumær, schœniu frouwen
    pfert,
und harnasch al der rîterschaft.
20 sarjande zîser grôze kraft
aldâ bereit wâren.
dô kunder sus gebâren:
dô nam mîn hêr Gâwân
vier werde rîter sunder dan,
25 daz einer kamerære
und der ander schenke wære,
und der dritte truhsæze,
und daz der vierde niht vergæze,
ern wære marschalc. sus warp er:
dise viere leisten sîne ger.
667 Nu lât Artûsen stille ligen.
Gâwâns grüezen wart verswigen
in den tac: unsanfte erz meit.
des morgens fruo mit krache reit
5 gein Jôflanze Artûses her.
sîn nâchhuot schuof er ze wer:
dô die niht strîtes funden dâ,
si kêrten nâch im ûf die slâ.
dô nam mîn hêr Gâwân
10 sîn ambetliute sunder dan.
niht langr er wolde bîten,

er hiez den marschalc rîten
ze Jôflanze ûf den plân.
'sunderleger wil ich hân.
15 du sihst daz grôze her dâ ligen:
ez ist et nu alsô gedigen,
ir hêrren muoz i'u nennen,
daz ir den müget erkennen.
ez ist mîn œheim Artûs,
20 in des hove und in des hûs
ich von kinde bin erzogn.
nu schaffet mir für unbetrogn
mîn reise alsô mit koste dar,
daz mans für rîchheit neme war,
25 und lât hie ûffe unvernomn
daz Artûs her durch mich sî komn.'
si leisten swaz er in gebôt.
des wart Plippalinôt
dar nâch unmüezic schiere.
kocken, ussiere,
668 Seytiez und snecken,
mit rotte der quecken
beidiu zorse und ze fuoz
mit dem marschalc über muoz
5 sarjande, garzûne.
hin nâch dem Bertûne
si kêrten her unde dâ
mit Gâwâns marschalc ûf die slâ.
si fuorten ouch, des sît gewis,
10 ein gezelt daz Iblis
Clinschore durch minne sande,
dâ von man êrste erkande
ir zweier tougen über lût:
si wâren bêde ein ander trût.
15 dem gezelt was koste niht vermiten:
mit schær nie bezzerz wart gesniten,

---

9. in *fehlt Ggg.*   ·11. riter unde *Ggg.*   12. Muosen enpfahen uñ *DG.*
14. algliche *G.*   15. helfe *Gdgg.*   16. Nu *Ggg.*   17. Nu *G.*   gewin-
nen *D,* gwinnen *G.*   18. soumære *D,* soumâre *G.*   frouwen *D, fehlt den*
übrigen.   22. = so *Ggg.*   28. = daz *fehlt Ggg.*   29. Erne *G,* er en *D.*
warb *DG.*   30. Die *Gdg.*   wrben *G.*

667, 3. in. den *D,* Den gantzen *d* = Al den *Ggg.*   5. tschofflanze *G.*   Artus
DG allein.   6. sine *D.*   nach huote *DG.*   7. dise *Ggg.*   8. nah in
Gg, nach *g.*   uf ir sla *Gg.*   11. langer *DG.*   wolt er *g.*   12. = Sinen
marschalc hiez er riten *Ggg.*   13. = Gein tschofflanz *Ggg.*   14. Sunder
lenger wile wil ih han *G.*   15. dâ] wol *D.*   16. = Daz *Ggg.*   17. = wil
Ggg.   ich iu *Ddg,* ih *Ggg.*   18. ir ruochet in *Gg,* irn ruchet *g.*
bechennen *G.*   23. = so *Ggg.*   30. *wie* 663, 11.

668, 1. 2 *fehlen G.*   2. rotten *g.*   der *Dd* = die *gg.*   3. Didiu ze ôrse
unde ze fuozzen *G.*   uñ ouch *D.*   4. 8. marschalche *G.*   7. hin *Gg,*
hie *g.*   unt *,D.*   8. Hin nah *g. G.*   marscalche *D.*   di *Dd* = ir *Ggg.*
10. Ibilis *G allein.*   11. Gawan *Gg.*   12. = Da bi *Ggg.*   13. Ir vil
tougen *G,* Ir tougen vil *g.*   14. beidiu *D.*   15. gezelte *DG.*   16. scære
D, schære *G.*   bezzer *G,*

wan einz daz Isenhartes was.
bî Artûs sunder ûf ein gras
wart daz gezelt ûf geslagen.
20 manec zelt, hôrt ich sagen,
sluoc man drumbe an wîten rinc:
daz dûhten rîlîchiu dinc.
　vor Artûse wart vernomn,
Gâwâns marschalc wære komn:
23 der herberget ûf den plân;
unt daz der werde Gâwân
solt ouch komen bî dem tage.
daz wart ein gemeiniu sage
von al der mässenîe.
Gâwân der valsches vrîe
669 Von hûs sich rottierte:
sîne reise er alsus zierte,
dâ von möhte i'u wunder sagn.
manec soumær muose tragn
5 kappeln unde kamergewant.
manec soum mit harnasche erkant
giengen ouch dar unden,
helm oben drûf gebunden
bî manegem schilde wol getân.
10 manec schœne kastelân
man bî den soumen ziehen sach.
rîtr und frouwen hinden nâch
riten an ein ander vaste.
daz gezoc wol eine raste
15 an der lenge was gemezzen.
done wart dâ niht vergezzen,
Gâwân ein rîter wol gevar
immer schuof zeiner frouwen clâr.

daz wâren kranke sinne,
20 op die sprâchen iht von minne.
der turkoite Flôrant
zeime gesellen wart erkant
Sangîven von Norwæge.
Lyschoys der gar untræge
25 reit bî der süezen Cundrîê.
sîn swester Itonjê
bî Gâwân solde rîten.
an den selben zîten
Arnîve unt diu herzogîn
och gesellen wolden sîn.
670　Nu, diz was et alsus komn:
Gâwâns rinc was genomn
durch Artûs her, aldâ der lac.
waz man schouwens dâ gepflac!
5 ê diz volc durch si gerite,
Gâwân durch hoflîchen site
und ouch durch werdeclîchiu dinc
hiez an Artûses rinc
die êrsten frouwen halden.
10 sîn marschalc muose walden
daz einiu nâhe zuo der reit.
der andern keiniu dâ vermeit,
sine habten sus alumbe,
hie diu wîse, dort diu tumbe;
15 bi ieslîchr ein rîter, der ir pflac
unt der sich diens dar bewac.
Artûs rinc den wîten
man sach an allen sîten
mit frouwen umbevangen.
20 dô wart alrêrst enpfangen

---

19. ditze *Ggg.*　　20. gezelt *alle aufser D.*　　22. waren rih lihiu *G.*　　24. = Daz
gawans *Ggg.*　　　solde *Gg.*　　25. herbergete *D.*　　27. Solde chomen *Ggg.*
28. Do *Gg.*　　29. von *fehlt Gg.*　　messenie *G.*

669, 1. Von hûse sih rotierte *G.*　　2. susz *d* = also *Ggg.*　　vierte *Gg,* wierte *g.*
3. = Da von ich wnder môhte sagen *Ggg.*　　ich iu *Dd.*　　5. Chapeln *G.*
kamergwant *D,* chamer gwant *G.*　　9. mangen *g.*　　11. dem soume *G,*
den zoumen *d.*　　12. riter *DG.*　　hinden *Dgg, fehlt Gddg.*　　15. wart *D.*
16. dâ *fehlt Gdgg.*　　17. ein *g.*　　einen riter dar *G.*　　18. Imer schuof
G, Schuof imber *d.*　　zuo einer *G.*　　dar *g.*　　20. Sprachen die niht *dd.*
niht (iht *g*) sprachen *Gg.*　　niht *g.*　　21. tuorkoite floriant *G.*　　23. San-
gîve *D.* Sanginen *d,* Sangwen *d.* Sagîven *Gg,* Seyven *gg.*　　25. Cundrîe *D;*
gundrîe *G,* Gundrye *d.*　　26. Itonîe *D,* ythonye *d.*　　27. Gawane *DG.*
30. = Och da *Ggg.*

670, 1. = Nu (Du *G*) ditze also was chomen *Ggg;* Nuu was dis als komen *g*　　et *D,*
aber *d, fehlt d.*　　2. wart *G.*　　3. der *Dd,* er *Gdgg.*　　4. pflach *G.*
6. hofslichen *D,* hóssliche *G,* hofeliche *g,* hoveliche *d,* hobisliche *d,* howesliche *g,*
hüffelichen *g.*　　8. an *fehlt Gd,* in *d,* er umbe *g,* bei *g.*　　Artus *DG.*
11. = nahen zer (nach der *g*) andern reit *Ggg.*　　12. deheiniu *DG,* nehein *d.*
dâ *fehlt Gg.*　　13. habtn *D* = hielde *Ggg,* hielten *g.*　　14. vñ dort *D.*
15. ieslicher *DG.* icglicher *d.*　　der] die *d.*　　16. = unt *fehlt Ggg.*
dienstes *alle aufser D.*　　18. iu *G und* (dann ziten) *d.*　　20. alrest *Ddg;*

Gâwân der sælden rîche,
ich wæn des, minneclîche.
Arnîve, ir tohter unde ir kint
mit Gâwâne erbeizet sint.
25 und von Lôgroys diu herzogîn,
und der herzoge von Gôwerzîn,
und der turkoite Flôrant.
gein disen liuten wert erkant
Artûs ûz dem poulûn gienc,
der si dâ friwentlîche enpfienc.
671 Als tet diu künegin sîn wîp.
diu enpfienc Gâwânes lîp
und ander sîne geselleschaft
mit getriulîcher liebe kraft.
5 dâ wart manec kus getân
von maneger frouwen wol getân.
Artûs sprach zem neven sîn
'wer sint die gesellen dîn?'
Gâwân sprach 'mîne frouwen
10 sol ich si küssen schouwen.
daz wære unsanfte bewart:
si sint wol bêde von der art.'
der turkoite Flôrant
wart dâ geküsset al zehant,
15 unt der herzoge von Gôwerzîn,
von Ginovêrn der künegîn.
si giengen wider inz gezelt.
mangen dûhte daz daz wîte velt
vollez frouwen wære.
20 dô warp niht sô der swære
Artûs spranc ûf ein kastelân.
al dise frouwen wol getân
und al die rîter neben in,
er reit den rinc alumbe hin.

23 mit zühten Artûses munt
si enpfienc an der selben stunt.
daz was Gâwâns wille,
daz si alle habten stille,
unz daz er mit in dannen rite:
daz was ein höfschlîcher site.
672 Artûs erbeizte und gienc dar în.
er saz zuo dem neven sîn:
den bestuont er sus mit mæren,
wer die fünf frouwen wæren.
3 dô huop mîn hêr Gâwân
an der eldesten zem êrsten an.
sus sprach er zuo dem Bertûn
'erkant ir Utepandragûn.
so ist diz Arnîve sîn wîp:
10 von den zwein kom iwer lîp.
sô ist diz diu muoter mîn,
von Norwæge de künegîn.
dise zwuo mîn swester sint,
nu seht wie flætigiu kint.'
15 ein ander küssen dâ geschach.
freude unde jâmer sach
al die daz sehen wolten:
von der liebe si daz dolten.
beidiu lachen unde weinen
20 kunde ir munt vil wol bescheinen:
von grôzer liebe daz geschach.
Artûs ze Gâwâne sprach
'neve, ich pin des mærs noch vrî,
wer diu clâre fünfte frouwe sî.'
25 dô sprach Gâwân der kurtoys
'ez ist de herzogîn von Lôgroys:
in der genâden bin ich hie.
mirst gesagt, ir habt gesuochet sie

---

14. erbeizt *G.*   25. und *fehlt D.*   29. pavelun *g,* pavilun *gg.* bavelun *G,*
paulune *d,* pavelune (*ohne* dem) *g,* gezelte *D).*   30. = frôliche *Ggg.*
671, 1. Also *Gd.*   kuneginne *Dg.*   2. = Si enphiengen *Ggg.*   Gawans *DGgg.*
4. getruwer *g,* zühtliher *G.*   5. chuss *D,* chos *G.*   10. si *fehlt Gg.*
chüsen *G.*   14. = Wart gechüsset sa zehant *Ggg.*   16. von] uñ *D.*
Cinoveren *G,* Gynoveren *dd.*   17. in daz *Gdgg.*   18. manegen duohte *D,*
Manigen dûhte *G.*   wîte *fehlt Gdgg.*   19. riter *Ggg.*   23. = benebn
Ddd.   25. Artus *DGg.*   28. daz *fehlt Gg.*   29. unze *DG.*   dannē *g.*
30. hofscl. *D,* höveschl. *g,* hofsl. *G,* hovesl. *g,* hobisl. *d,* hofl. *g,* höffel. *d.*
672, 1. gie *G.*   4. = vier *Ggg.*   6. eldesten *Dd,* eltisten *Gg,* eltesten *g,*
aldesten *d.*   zem êrsten *fehlt g.* ersten *d,* alrerst *G.*   8. Erchandet *Gg.*
Uotep. *D,* utp. *Ggg,* uterp. *ddg.*   10. iu der lip *Ggg.*   12. diu *DG.*
13. zwuo *d,* zw *D,* zwo *G.*   min *g.*   swestere *d.*   17. Alle *Gdgg.*
wolden-dolden *Gg.*   19. beidiu *fehlt Ggg.*   und *D.*   20. Si chunden
wol erscheinen *Ggg.*   vil *D, fehlt dg.*   23. frô *G.*   24. clare funfte *dg,*
clare furste *D,* vumfte *d,* clare *Ggg.*   26. diu *G.*   herzoginne *D allein.*
27. gnaden *DGd* gnade *gg.*   28. mir ist *alle.*   geseit *G.*   ir suochtet
sie *d.*   si *G.*

swaz ir des habt genozzen,
daz zeiget unverdrozzen.
673 Ir möht zeinr witwen wol tuon.'
Artûs sprach 'dîner muomen suon
Gaherjêten si dort hât,
unt Gâreln der rîters tât
5 in manegem poynder worhte.
mir wart der unrevorhte
an mîner sîten genomn.
ein unser poynder was sô komn
mit hurte unz an ir barbigân.
10 hurtâ wiez dâ wart getân
von dem werden Meljanz von Lîz!
undr eine baniere wîz
ist er hin ûf gevangen.
diu banier hât enpfangen
15 von zoble ein swarze strâle
mit herzen bluotes mâle
nâch mannes kumber gevar.
Lirivoyn rief al diu schar,
die under der durch strîten riten:
20 die hânt den prîs hin ûf erstriten.
mirst ouch mîn neve Jofreit
hin ûf gevangen: deist mir leit.
diu nâchhuot was gestern mîn:
dâ von gedêch mir dirre pîn.'
25 der künec sîns schaden vil ver-
jach:
diu herzogîn mit zühten sprach
'hêrre, ich sage iuchs lasters buoz.
irn het mîn decheinen gruoz:
ir mugt mir schaden hân getân,
den ich doch ungedienet hân.
674 Sît ir mich gesuochet hât,
nu lêre iuch got ergetzens rât.
in des helfe ir sît geritn,

op der hât mit mir gestritn,
5 dâ wart ich âne wer bekant
unt zer blôzen sîten an gerant.
op der noch strîtes gein mir gert,
der wirt wol gendet âne swert.'
zArtûse sprach dô Gâwân
10 'waz rât irs, ob wir disen plân
baz mit rîtern überlegn,
sît wirz wol getuon megn?
ich erwirb wol an der herzogîn
daz die iwern ledec sulen sîn
15 und daz ir rîterschaft dâ her
kumt mit manegem niwen sper.'
'des volge ich,' sprach Artûs.
diu herzogîn dô hin zir hûs
sande nâch den werden.
20 ich wæne ûf der erden
nie schœner samnunge wart.
gein herbergen sîner vart
Gâwân urloubes gerte,
des in der künec gewerte.
25 die man mit im komen sach,
fuoren dan mit im an ir gemach.
sîn herberge rîche
stuont sô rîterlîche
daz si was kostebære
unt der armüete lære.
675 In sîne herberge reit
maneger dem von herzen leit
was sîn langez ûz wesn.
nu was ouch Keye genesn
5 bî dem Plimizœl der tjoste:
der prüevete Gâwâns koste,
er sprach 'mîns hêrren swâger
Lôt,
von dem was uns dehein nôt

673, 1. Er *G.*   möht] mohte *G*, mochtet *g*, mohtz *Dd*, mohtez *g*. möchtens *g*,
möchten daz *d*.   zeinr] einer *alle*.   3. Gaherîeten *D*, Gahereten *Gg*, Ga-
harieen *d*.   4. Gárelen *Dd*, garellen *d*, Karlin *g*.   5. manigeu *G.*
6. unerv. *G.*   7. *fehlt G.*   e. unser] langer *G.*   so genomen *G.*
9. barbegan *D.*   10. Nuta *G.*   11. Melianze *DGdgg*, Melyanze *d.*
12. under *alle.*   eine *Dg*, einer *Gddgg.*   14. Die banier het *Ggg.*
15. zobel *Ggg.*   swarziu *Gg.*   16. herze *Ggg.*   17. Nah manns *G.*
18. Lyrwoyn *d*, Lyravoin *gg*, Logrois *G.*   19. under der durch *Dd*, von der
burch *d* = drunder durh *Ggg.*   20. den strit *Gg.*   21. mir ist *DG.*
yofreit *d.*   22. dazst *d*, daz ist *D.*   23. nach (nah *Gd*) huote *DGddgg.*
= gester *Ggg.*   24. gedeh *Dg.*   27. iuch des *DG*, u des *d.*

674, 2. So *Gd*.   5. Do *G*, So *g.*   erchant *Gg.*   7. gein mir *Dd*, ane mih
Gdgg.   9. Ze Artus sprah *G.*   13. erwirbe (wirbe *d*) wol an der *Ddd* =
erwirbez wol [da *Gg*] zer *Ggg.*   14. sûlen ledich *Gg.*   17. ih gerne *G.*
1ᵉ. hinze ir *G*, hin ce *D*, zirme *d.*   20. erde *G.*   21. ie *D, fehlt (dafür
20. ie uf) *d.*   30. unt *fehlt G.*

675, 1. An *G.*   4. kei wol genesen *G.*   5. blimzol *G*, Plymizole *d.*   = tiost-
chost *Ggg.*   e. bruovet *G.*

ebenhiuz noch sunderringes.'
10 dô dâhter noch des dinges,
wand in Gâwân dort niht rach,
dâ im sîn zeswer arm zebrach.
'got mit den liuten wunder tuot.
wer gap Gâwân die frouwen luot?'
15 sus sprach Keye in sîme schimpf.
daz was gein friunde ein swach
    gelimpf.
der getriwe ist friundes êren
    vrô:
der ungetriwe wâfenô
rüefet, swenne ein liep gescbiht
20 sînem friunde und er daz siht.
Gâwân pflac sælde und êre:
gert iemen fürbaz mêre,
war wil er mit gedanken?
sô sint die muotes kranken
25 gîtes unde hazzes vol.
sô tuot dem ellenthaften wol,
swâ sînes friundes prîs gestêt,
daz schande flühtec von im gêt.
Gâwân âne valschen haz
manlîcher·triwen nie vergaz:
676 Kein unbilde dran geschach,
swâ man in bî sælden sach.
    wie der von Norwæge
sînes volkes pflæge,
5 der rîter unt der frouwen?
dâ mohten rîchheit schouwen
Artûs unt sîn gesinde
von des werden Lôtes kinde.
si sulen ouch slâfen, dô man gaz:
10 ir ruowens hân ich selten haz.
    smorgens kom vor tage geritn
volc mit werlîchen sitn,
der herzoginne rîter gar.

man nam ir zimierde war
15 al bî des mânen schîne,
dâ Artûs und die sîne
lâgen: durch die zogten sie,
unz anderhalp dâ Gâwân hie
lac mit wîtem ringe.
20 swer solhe helfe ertwinge
mit sîner ellenthaften hant,
den mac man hân für prîs erkant.
Gâwân sînen marschalc bat
in zeigen herberge stat.
25 als der herzoginne marschalc riet,
von Lôgroys diu werde diet
mangen rinc wol sunder zierten.
ê si geloschierten,
ez waz wol mitter morgen.
hie næht ez niwen sorgen.
677 Artûs der prîss erkande
sîne boten sande
ze Rosche Sabîns in die stat:
den künec Gramoflanz er bat,
5 'sît daz unwendec nu sol sîn,
daz er gein dem neven mîn
sînen kampf niht wil verbern,
des sol in mîn neve wern.
bit in gein uns schiere komn,
10 sît sîn gewalt ist sus vernomn
daz erz niht vermîden wil.
es wære eim andern man ze vil.'
    Artûss boten fuoren dan.
dô nam mîn hêr Gâwân
15 Lischoysen unt Flôranden:
die von manegen landen,
minnen soldiere,
bat er im zeigen schiere,
die der herzogîn ûf hôhen solt
20 wârn sô dienstlîchen holt.

---

9. Ebenhûze *Gg*, Ebenheuzze *gg*, ebenhiuozen *D*, Eben hitz *d*.   noch *Dd* = unde *Ggg*.   11. wand *D*, Wan *G*, Daz *die übrigen*.   12. Do *G*.   arem *D*.
14. wer *fehlt G*.   Gawane *D*.   den *g*.   flut *g*.   15. = sus *fehlt Ggg*.
kei *G*, Gawan *D*.   sinen *G*.   16. friwnde *D*, *so auch* 17. 20.   18. waffeno *Gdg*, waffen io *g*.   19. ein *Dg*, eim *dg*, im *Gg*, sin *g*.   20. Sine *Gg*.
unde er da sihet *G*.   24. muots *DG*.   25. gîts *D*, Grites *d*, Gütes *g*, Nides *Gg*.   27. Swaz *G*.   friwnts *D*.   strit gestet *Gg*.   28. flôtch *G*.
29. = Sit *g*. *Ggg*, Herr *g. g*.   falchen *G*.   30. Stâte mit triwen *G*.
676, 1. chein *Dd*, Dehein *g*, Enehein *G*, Ein *gg*.   6. mohten *D*, mohte *Ggg*, moht man *dg*.   11. Morgens *d* = Des morgens *Ggg*.   14. ir ze unwirde *G*, ir zü wirde *g*.   15. = dem *Ggg*.   mâne schine *Gg*.   17. dur *G*.
18. = unz *fehlt Ggg*.   20. sólhe *G*.   21. ellenthafter *D*.   22. sol *G*.
26. lógroys *G*.   27. manegen *D*, Manigen *G*.   rinc *fehlt Gg*.   28. geleisierten *Gg*, geloisierten *g*.   30. Nu *Gg*.   næhet *D*, nahet *die übrigen*.
677, 1. bris *G*.   2. Sinen *Gg*, Einen *g*.   3. roisabins *Ggg*.   8. = ouch in *Ggg*.   9-14. *abgeschnitten F*.   12. einem *alle*.   18. Bat in zeigen *FGg*.
19. herzoginne *Gg*.   20. dienstliche *D*.

er reit zin unde enpfienc se sô
daz se al gelîche sprâchen dô
daz der werde Gâwân
wære ein manlîch höfsch man.
25 dâ mite kêrter von in wider.
sus warber tougenlîche sider.
in sîne kameren er gienc,
mit harnasche er übervienc
den lîp zen selben stunden,
durch daz, op sîne wunden
678 sô geheilet wæren
daz die mâsen in niht swæren.
Er wolte baneken den lîp,
sît sô manec man unde wîp
5 sînen kampf solden sehn,
dâ die wîsen rîter möhten spehn
op sîn unverzagtiu hant
des tages gein prîse wurde erkant.
einen knappen het er des gebetn
10 daz er im bræhte Gringuljetn.

daz begunder leischieren:
er wolde sich môvieren,
daz er untz ors wærn bereit.
mir wart sîn reise nie sô leit:
15 al ein reit mîn hêr Gâwân
von dem her verre ûf den plân.
gelücke müezes walden!
er sah ein rîter halden
bî dem wazzer Sabîns,
20 den wir wol möhten heizen flins
der manlîchen krefte.
er schûr der rîterschefte,
sîn herze valsch nie underswanc.
er was des lîbes wol sô kranc,
25 swaz man heizet unprîs,
daz entruoger nie decheinen wîs
halbes vingers lanc noch spanne.
von dem selben werden manne
mugt ir wol ê hân vernomn:
an den rehten'stam diz mære ist komn.

21. zuo in *FG*, zuo zin *D*.   enpfie si *FG*.   22. Dazs *F*, daz si *D*.   alle *F*.
glîche *G*.   24. Wær ein mænlich *F*.   hofsch *DF*, hovisch *gg*, *fehlt G*.
25. Da mit *FG*.   chumt er *G*, kumt er *F*, kom er *g*.   26. warp er *FG*.
tougenlichen *F*.   27. = kamer *Fgg*, chamer *G*.   gie *F*.   28. harnasch *F*.
umbe viench *Gg*, umbe vie *Fg*.   29. = Sinen *FGgg*.   ze den *F*.   30. ob *DF*.
678,   1. geheilt wâren *G*.   2. mâsen *mit* â *G*, mosen *d*.   3. baneken *D*, ba-
nechen *F*, banchen *G*.   4. manich *FG*.   magt *Fgg*, maget *G*.   unt *D*.
5. solde *G*.   6. Daz *alle aufser D*.   8. tags *F*.   10. brähte *DGg*.
kringulieten *FGg*.   11. Do *FGg*.   leisicieren *D*, laschieren *d*, loysieren *FG*,
leisieren *gg*, lesieren *g*.   12. sich *fehlt G*.   mᵒvieren *G*.   13. unde daz
FG.   14. Mirn *F*, Mirne *G*.   was *G*.   15. Al ein *Fd*, Al eine *Ggg*, Als
eine. *D*.   17. muoses *F*.   18. einen *DFG*.   19-24. *abge-
schnitten F*.   20. wol *fehlt G*.   22. der] an *Ggg*.   23. nie
verswanc *G*.   26. = getruoch er *FGgg*.   decheinen *D*, deheinen *F*, kei-
nen *g*, neheine *G*, deheine *dg*, keine *g*.   gᵂis *D*.   28. selbm *D*.   werdem *F*.
29. ê wol *Ggg*.   30. daz mær ist *F*, ist ditze mâre *G*.

XIV.

679 Ob von dem werden Gâwân
   werlîche ein tjost dâ wirt getân,
   so gevorht ich sîner êre
   an strîte nie sô sêre.
5 ich solt ouch sandern angest hân:
   daz wil ich ûz den sorgen lân.
   der was in strîte eins mannes her.
   ûz heidenschaft verr über mer
   was brâht diu zimierde sîn.
10 noch rœter denn ein rubbîn
   was sîn kursît unt sîns orses kleit.
   der helt nâch âventiure reit:
   sîn schilt was gar durchstochen.
   er hêt ouch gebrochen
15 von dem boum, des Gramoflanz
   huote, ein sô liehten kranz
   daz Gâwânz rîs erkande.
   dô vorht er die schande,
   op sîn der künec dâ het erbitn:
20 wær der durch strît gein im geritn,
   sô müese ouch strîten dâ geschehn,
   und solt ez nimmer frouwe ersehn.
      von Munsalvæsche wâren sie,
   beidiu ors, diu alsus hie

25 liezen nâher strîchen
   ûfen poinder hurteclîchen:
   mit sporn si wurden des ermant.
   al grüene klê, niht stoubec sant,
   stuont touwec dâ diu tjost geschach.
   mich müet ir beider ungemach.
680 Si tâtn ir poynder rehte:
   ûz der tjoste geslehte
   wârn si bêde samt erborn.
   wênc gewunnen, vil verlorn
5 hât swer behaldet dâ den prîs:
   der klagtz doch immer, ist er wîs.
   gein ein ander stuont ir triwe,
   der enweder alt noch niwe
   dürkel scharten nie enpfienc.
10 nu hœret wie diu tjost ergienc.
   hurteclîche, unt doch alsô,
   si möhtens bêde sîn unvrô.
   erkantiu sippe unt hôch geselleschaft
   was dâ mit hazlîcher kraft
15 durch scharpfen strît zein ander
      komen.
   von swem der prîs dâ wirt ge-
      nomen,

679, 2. Werlichiu (Werlihiu *G*) tyost *FGgg*.   wirt *DFgg*, wart *Gdg*.   3. sone
DGg.   gevorht *DGdg*, forhte *Fgg*.   4. an prise *D*.   5. des andern *alle*
aufser D.   7. Er *FGgg*.   eins] in *G*.   8. heidenschefte *FG*.   verre
alle.   mêre *G*.   9. = Wart *Ggg*.   zimiere *Fg*, zimier *G*.   10. danne
FG.   Rubin *F*, rûbin *G*.   11. sins *Gd*, sin *D*, des *Fgg*.   orses *F*, rosses
dgg, ors *D*, ôrs *G*, orss *g*.   12. Aventiuoren *D*.   13. durst. *G*.   14. ge-
brozen *F*.   15. boume *DFG*.   16. Hutte *F*.   einen *DFGdg*.   so *Ddg*
und (nachgetragen) F, als *G*, also *gg*,   krancz *G*.   17. gawan dez *G*,
gawan daz *die übrigen*.   19. hiet *G*.   erbiten-geriten *FG*.   20. Wær *F*.
21. ouch *fehlt FGgg*.   strit da geschen *G*.   22. = und *fehlt FGgg*.
gesehn *Fdg*.   23. Muntsalvatsche *F*, muntsalfasche *G*.   24. = also *FGgg*.
25. = Naher liezen *FGgg*.   26. Ufen *F*, ûf den *DG*.   huorttechl. *F*,
hûrtchl. *G*.   27. wuorden *F*.   28. al *fehlt FGgg*.   29–680, 4 *abge-
schnitten F*.   3. Mih mœet ir beder ungemach *G*.
680, 1. taten *DG*.   2. tyost *G*.   geslæhte *D*, geslâhte *G*.   3. Wrden *G*.
sament *G*.   = geborn *Ggg*.   4. wenech *D*, Wenich *G*.   gewinnen *D*.
unde vil *Ggg*.   5. behaltet *Fdg*, behalt *G*, beheldet *g*.   6. klagt *FGgg*.
8. Dern wederiu *F*, der newederiu *G*, Daz entwedere *g*, Der ein weder *d*.
9. scharte *F*, schart *g*.   enphie-ergie *FG*.   10. tioste *D*.   11. Huorttech-
lich *F*, Hûrtelich *G*.   12. beide sin fro *F*.   14. hæzlicher *Fg*, hassecl. *d*,
hercenlicher *D*.   15. strît] bris *G*.   16. = Von swedern *FGgg*, Von dem *g*.

des freude ist drumbe sorgen pfant.
die tjoste brâhte iewedriu hant,
daz die mâge unt die gesellen
20 ein ander muosen vellen
mit orse mit alle nider.
alsus wurben si dô sider.
ez wart aldâ verzwicket,
mit swerten verbicket.
25 schildes schirben und daz grüene gras
ein glîchiu temperîe was,
sît si begunden strîten.
si muosen scheidens bîten
alze lange: si begundens fruo.
dane greif et niemen scheidens zuo.
681 Dane was dennoch nieman wan sie.
welt ir nu hœren fürbaz wie
an den selben stunden
Artûss boten funden
5 den künec Gramoflanz mit her?
ûf einem plâne bî dem mer.
einhalp vlôz der Sabbîns
und anderhalb der Poynzaclîns:
diu zwei wazzer seuten dâ.
10 der plân was vester anderswâ:
Rosche Sabbîns dort
diu houbetstat den vierden ort
begreif mit mûren und mit grabn
und mit manegem turne hôhe erhabn.
15 des hers loschieren was getân
wol mîle lanc ûf den plân,
und och wol halber mîle breit.

Artûs boten widerreit
manc rîter in gar unbekant,
20 turkople, manec sarjant
zîser unt mit lanzen.
dar nâch begunde swanzen
under manger banier
manec grôziu rotte schier.
25 von pusînen was dâ krach.
daz her man gar sich regen sach:
si wolden an den zîten
gein Jôflanze rîten.
von frouwen zoumen klingâ klinc.
des künec Gramoflanzes rinc
682 Was mit frouwen umbehalden.
kan ich nu mære walden,
ich sage iu wer durch in dâ was
geherberget ûffez gras
5 an sîne samenunge komn.
habt ir des ê niht vernomn,
sô lât michz iu machen kunt.
ûz der wazzervesten stat von Punt
brâht im der werde œheim sîn,
10 der künec Brandelidelîn,
sehs hundert clâre frouwen,
der ieslîchiu moht schouwen
gewâpent dâ ir âmîs
durch rîterschaft unt durch prîs.
15 die werden Punturteise
wârn wol an dirre reise.
dâ was, welt ir glouben miers,
der clâre Bernout de Riviers:

17. umbe sorgen *G*, umbe sorge *Fgg*.   18. tyost *FG*. ietweders *FGdgg*.
21. orse. *D*, ors *Gg*, orsen *F*.   24. verblicchet *Ggg*.   25. Schiltes *FG*.
schirben *Gdg*, scirben *D*, scherben *gg*, schermen *F*.   26. gelichiu *F*. temprîe
DG.   30. Done *FGg*.

681, 1. Dane was dennoch (dannoch *g*, *fehlt g.* och?) niemen wan (dan *g*) sîe
Dgg, Wenne do was nit wenne sye *d*, Dane was niemen der schiede si (sie *F*)
FGg.   2. vurbaz hôren *G*.   4. Artus *G*, Artuses *F*.   6. = Uf dem *Ggg*.
Uf em *F*.   plan *DFg*.   7. sabins *G*, Sabyns *F*.   8. poinsacl. *Gg*, poyn-
saclyns *F*.   9-14 *abgeschnitten F*.   9. swebeten *d* = fluzzen *Ggg*.
10. ist *G*.   11. Rors sabins *G*, Roysabins *g*.   12. den viern ort *G*.
13. muoren vñ ouch mit *D*.   14. Unde mangen turn hoh (hohen turn *d*)
erhaben *Gdgg*.   15. loysiern *Ggg*, leisieren *Fg*.   16. milen *Dd*.   den
DGg, dem *dgg*, em *F*.   17. och *fehlt F*.   milen *d*.   18. Artuses *Fd*.
19. in gar *fehlt FGg*.   umbekant *F*.   20. Turkopel *F*, Tuorchopel *G*.
= unde manich *FGgg*.   21. Ze yser *F*, Zuo yser *G*.   22. = Dar begunden
FGgg.   23. 24. baniere-sciere *alle*.   25. busin *g*, busunen *Fg*, bûsune *G*.
26. sich gar *FGgg*.   regn *F*.   27. = Die *FGgg*.   28. Tschoflantze *FG*.
29. zoume *F*.   chlina chlinch *G*.

682, 1. = alumbe halden *Ggg*, alumbe behalden *F*.   2. walde *F*.   3. sag *F*.
4. ûf daz *DF*.   5. = Unde an *FGgg*.   samn. *D*.   7. sô *fehlt FGgg*.
8. wazzer *fehlt FGgg*.   9. brahte *DG*.   10. Brandlyd. *F*.   11. Vier
FGgg.   12. der *fehlt D*.   etslichiu *G*, yegelich *d*.   mohte *DFG*.
13. Gewappent *F*.   15. pontureise *G*.   17. gelouben *DF*.   mirs *alle*.
18. 29. Gernout *FGg*.   = von *FGgg*.   Rivirs *alle aufser D*.

des rîcher vater Nârant
20 het im lâzen Uckerlant.
der brâhte in kocken ûf dem mer
ein alsô clârez frouwen her,
den man dâ liehter varwe jach
und anders niht dâ von in sprach.
25 der wâreu zwei hundert
ze magden ûz gesundert:
zwei hundert heten dâ ir man.
ob ichz geprüevet rehte hân,
Bernout fîz cons Nârant,
fünf hundert rîter wert erkant
683 mit im dâ komen wâren,
die vînde kunden vâren.
   Sus wolte der künec Gramoflanz
mit kampfe rechen sînen kranz,
5 daz ez vil liute sæhe,
wem man dâ prîses jæhe.
die fürsten ûz sîm rîche
mit rîtern werlîche
wârn dâ und ouch mit frouwen
      schar.
10 man sach dâ liute wol gevar.
Artûss poten kômen hie:
die fundenn künec, nu hœret wie.
palmâts ein dicke matraz
lac underm künege aldâ er saz,
13 dar ûf gestept ein pfelle breit.
juncfrouwen clâr und gemeit

schuohten îsrîn kolzen
an den künec stolzen.
ein pfelle gap kostlîchen prîs,
20 geworht in Ecidemonîs,
beidiu breit unde lanc,
hôhe ob im durch schate swanc,
an zwelf schefte genomn.
Artûs boten wârcn komn:
25 gein dem der hôchverte hort
truoc si sprâchen disiu wort.
   'hêrre, uns hât dâ her gesant
Artûs, der dâ für erkant
was daz er prîs etswenne truoc.
er het ouch werdekeit genuoc:
684 Die welt ir im verkrenken.
wie megt ir des erdenken,
daz ir gein sîner swester suon
solch ungenâde wellet tuon?
5 het iu der werde Gâwân
grœzer herzeleit getân,
er möht der tavelrunder
doch geniezen sunder,
wand in geselleschefte wernt
10 al die drüber pflihte gernt.'
der künec sprach 'den gelobten
      strît
mîn unverzagtiu hant sô gît
daz ich Gâwân bî disem tage
gein prîse oder in laster jage.

19-23 abgeschnitten F.   20. Ducherlant G.   21. in Ddg, im Ggg.
über mere G.   22. Ein clare suoze frouwen her G.   23. rehter Gg.
25. vier FGgg.   26. magden F, mageden Gg, megden dgg, meiden D.
uz Gdg, da uz Fgg, fehlt D.   besundert D.   27. Vier FGgd.   2*. = ge-
pruofen (gepruoven G) rehte kan FGgg.   29. cons D, kans d, kuns F, Runs
G, küns gg, kunz g.   Narrant FG.
683, 2. viende DFG.   3. wolde G, wolt F.   5. liute D, lûte G, lute F.
6. dâ] des G.   priss D, brises G.   7. die fehlt FGgg.   sime D, sinem
FG.   8. = werdechliche FGgg.   9. = Da waren FGgg.   und fehlt G.
ouch fehlt FGgg.   10. sah FG.   11. Artus G, Artuses F.   boten FG.
12. funden den alle.   nu fehlt dgg.   hort G.   13. = Von palmat diche
(dicche G) ein matraz FGgg.   Balmats D.   14. lag DF.   underm Fg.
= al fehlt FGgg.   der Fgg.   15. gesteppet DFG.   16. clare Dd.
vñ ouch D.   17. = Die FGgg.   ysrîne D, yserin d, isen Fg, ysen Gg,
eyser g.   golzen G.   19. chostchlihen G.   20. ezyd. F, ezzid. gg, ez-
zed. G.   21. = beidiu fehlt FGgg.   und da zu gg.   22. Hoh G.
schat F.   23. zwelf] die FGgg.   24. Artuses F.   25. = Zuo FGgg.
hochferte F, hohferte G.   27. dâ her] der kunich FGG^b g.   28. da vor G^b.
29-684, 4 abgeschnitten F.
684, 1. Wie G.   2. muget G, mugit G^b.   gedenchen GG^b g.   4. Solhe FG^b,
Sôlhe G.   = ungefuoge F (ob uo oder ue ist nicht zu sehn) G, unfuoge G^b gg.
welt FGG^b.   5. Hiet G.   6. = Noch grozer Fgg, noh grozir G^b, Noh grôzer
G.   7. moht F, mohte DG^b, môhte G.   Taf. D.   8. = Iedoch FGG^b gg.
9. Sit FGG^b gg.   10. alle DFGG^b.   11. der gelobite G^b, den gelopten F.
13. Gawann D, Gawanen G^b.   14. In pris (bris G, prise G^b g) FGG^b gg.
odir G^b, ode F.   = sage FGG^b gg.

15 ich hân mit wârheit vernomn,
Artûs sî mit· storje komn,
unt des wîp diu künegîn.
diu sol willekomen sîn.
op diu arge herzoginne
20 im gein mir ræt unminne,
ir kint, daz sult ir understên.
dane mac niht anders an ergên,
wan daz ich den kampf leisten wil.
ich hân rîter wol sô vil
25 daz ich gewalt entsitze niht.
swaz mir von einer hant geschiht,
die nôt wil ich lîden.
solt ich nu vermîden
des ich mich vermezzen hân,
sô wolt ich dienst nâch minnen lân.
685 In der genâde ich hân ergebn
al mîn freude und mîn lebn,
got weiz wol daz er ir genôz;
wande mich des ie verdrôz,
5 strîtes gein einem man;
wan daz der werde Gâwân
den lîp hât gurboret sô,
kampfes bin ich gein im vrô.
sus nidert sich mîn manheit:
10 sô swachen strît ich nie gestreit.
ich hân gestriten, giht man mir
(ob ir gebiet, des vrâget ir),
gein liuten, die des mîner hant
jâhn, si wær für prîs erkant.

15 ine bestuont nie einen lîp.
ez ensulen ouch loben niht diu wîp,
ob ich den sige hiute erhol.
mir tuot ime herzen wol,
mirst gesagt si sî ûz banden lân,
20 durch die der kampf nu wirt getân.
Artûs derrkante verre,
sô manec vremdiu terre
zuo sîme gebote ist vernomn:
sist lîhte her mit im komn,
25 durch die ich freude unde nôt
in ir gebot unz an den tôt
sol dienstlîchen bringen.
wâ möht mir baz gelingen,
op mir diu sælde sol geschehn
daz si mîn dienst ruochet sehn?'
686 Bêne unders küneges armen saz:
diu liez den kampf gar âne haz.
si het des künges manheit
sô vil gesehen dâ er streit,
5 daz siz wolt ûzen ·sorgen lân.
wiste ab si daz Gâwân
ir frouwen bruoder wære
unt daz disiu strengen mære
ûf ir hêrren wærn gezogn,
10 si wære an freuden dâ betrogn.
si brâht dem künege ein vingerlîn
daz Itonjê diu junge künegîn
hete durch minne im gesant,
daz ir bruoder wert erkant

---

15. Ich hat *F.* 16. = Der kunich si *FGG^b gg.* storie *d*, storî *D*, sturie *Gg*,
stiur *Fg*, strite *G^b*, stosse *g.* 17. sin wip *Gd*. kûngin *G, nun öfter.*
18. suln *F. dann* hie *FGG^b gg* =· uns *d, fehlt D.* 20. ræt *D*, rætet *Fd*,
rate *GG^b gg.* minne *Fd.* 21. solt *FGg.* 22. Hie ne *FGG^b gg.* arges
G. 23. i'n kampf? 24. han *D*, han hie *d* = han doch *FGG^b gg.*
25. gwalt *G^b*. 26. han *F.* 30. dienist, *ohne* nach, *G^b*. minnen *DF,*
minne *die übrigen.*

685, 1. gnade ich *G*, gnadich *G^b*. = gegebn *FGG^b gg.* 2. mine *DG^b*. vn̄
ouch *D*, un̄ al *G^b*. 3. gnoz *G^b*. 4. Wan *FG.* 5. wider einen *D.*
7. gurbort *DFg*, geurbort *GG^b dgg.* also *F.* 9-13 *abgeschnitten F.*
13. die *fehlt G^b*. 14. iahen *DFG*, iahin *G^b*. wær fur *F*, wæhen si vur *G.*
15. hân b. *F*, Ih enb. *G*, ich enb. *G^b*. 16. ez ensuln *G^b*. Ezn suln *F.*
= ouch *fehlt FGG^b gg.* 17. sig *D*, sick *F*, sic *G^b g*, sich *g*, strit *G.*
18. in dem *GG^b,·* in den *F.* 19. Mirst *F.* = von banden *FGG^b gg.*
20. dur *G^b*. nu *Dg, fehlt FGG^b dgg.* 21. der rechante verre (herre *g*) *D dgg.*
der herre *FGG^b g.* 22. fremediu *F*, frômdiu *G*, fromdiu *G^b*. 23. Zesinem
(zisinem *G^b*) gebot *FGG^b*. 24. sist *F*, un̄ *G^b*. mit ime her *G^b*. 26. den]
minen *FGG^b gg.* 27. Dienstlich (Diensliche *G*, dienstliche *G^b*) wil bringen
FGG^b gg. 28. moht *F*, móhte *G*, mohte *DG^b*. 30. dienist *G^b*. geruochet *Fgg.*

686, 1. = Frou (. . rowe *G^b*) Bene *FGG^b gg.* kúnges *G.* = arme *GG^b g*, arm
Fgg. 2. lie *FGG^b*. 3. kúnges *G.* 4. So wol *F.* da der *D.* 5. wolt *F.*
uz den *FGG^b*. 6. Wesse *GG^b*, Weste *F.* ab *D*, aber *FG*, abir *G^b*. 9. herrn *D.*
waren *Fg*, wâren *G.* 10. wær *F*, wâre *G.* 12. chûnigin *G.* 13. = Im
durch (ime dur *G^b*) minne het (hete *G^b*, hat *G*) gesant *FGG^b gg.*

21*

15 holte über den Sabbîns.
Bêne ûf dem Poynzaclîns
kom in eime seytiez.
disiu mære si niht liez,
'von Schastel marveile gevarn
20 ist mîn frowe mit frouwen scharn.'
si mant in triwe unt êre
von ir frouwen mêre
denne ie kint manne enbôt,
und daz er dæhte an ir nôt,
25 sît si für alle gewinne
dienst büte nâch sîner minne.
daz machte den künec hôchgemuot.
unreht er Gâwân doch tuot.
solt i'nkelten sus der swester mîn,
ich wolte ê âne swester sîn.
687 Man truog im zimierde dar
von tiwerre koste alsô gevar,
swen diu minne ie des betwanc
daz er nâch wîbe lône ranc,
5 ez wær Gahmuret od Gâlôes
ode der künec Kyllicrates,
der decheiner dorfte sînen lîp
nie baz gezieren durch diu wîp.
von Ipopotiticôn
10 oder ûz der wîten Acratôn
oder von Kalomidente
oder von Agatyrsjente
wart nie bezzer pfelle brâht

dan dâ zer zimier wart erdâht.
15 dô kuster daz vingerlîn
daz Itonjê diu junge künegîn
im durch minne sande.
ir triwe er sô bekande,
swâ im kumbers wære bevilt,
20 dâ was ir minne für ein schilt.
der künec was gewâpent nuo.
zwelf juncfrouwen griffen zuo
ûf schœnen runzîden:
diene solden daz niht mîden,
25 diu clâre geselleschaft,
ieslîchiu het an einen schaft
den tiwern pfelle genomn,
dar unde der künec wolde komn:
den fuorten si durch schate dan
ob dem strîtgernden man.
688 Niht ze kranc zwei fröwelîn
(diu truogn et dâ den besten schîn)
unders künges starken armen riten.
done wart niht langer dâ gebiten,
5 Artûs poten fuoren dan
und kômen dar dâ Gâwân
ûf ir widerreise streit.
dô wart den kinden nie sô leit:
si schrîten lûte umb sîne nôt,
10 wande in ir triwe daz gebôt.
ez was vil nâch alsô komn
daz den sig hete aldâ genomn

---

15. Holt *FG*.   den *fehlt D*.   sabins *GGᵇ*, Sabyns *F*.   16. den *GGᵇ*.
poinsaclins *GGᵇ*, poynsaclins *F*.   17. einem *FG*, einim *Gᵇ*.   18. niht en-
liez *G*, niene Liez *F*.   19-23 *abgeschnitten F*.   19. Von *fehlt G*.   Tschastel
GGᵇ.   marvale *D*.   24. dæht *F*.   25. fuor *F*.   gwinne *GGᵇ*.   26. but *F*.
27. machet *FG*, machit *Gᵇ*.   28. unrehter *Gᵇ*.   doch Gawane *D*.   29. solt
ich enkelten *DF*, solt ich eng. *G*, soldich engeltin *Gʰ*.   sus *fehlt FGGᵇgg*.
30. wolde ê an (ane *Gᵇ*) *GGᵇ*.

687, 1. zimier *GGᵇ*.   2. tîwerre *D*, diser *d* = richer *FGgg*, richir *Gᵇ*.   chost *GGᵇ*.
= unde so *FGGᵇgg*.   3. swem *D*, Wan *d*.   = ie *vor* diu *FGGᵇgg*.
4. wibs *Fg*.   5. wær *F*.   ode *F*, alde *Gᵇ*, olde *G*, oder *D*.   Galoês *D*.
6. Ode *F*, oder *DG*, odr *Gᵇ*.   kyllicratês *D*, kylicr. *g*, Galicr. *GGᵇg*, Galycr.
F, kalicr. *g*.   8. nie *fehlt FGGᵇgg*.   gezieret sin *F*.   .9. Ipopotiticon *GGᵇg*,
Ipopotyt. *F*, Ipoptiticon *D*, Ipipotiticon *g*, hippipoticion *g*, patiticon *d*.
10. 11. 12. Noch von *FGGᵇgg*.   11. kalomident *d*, kalcomidente *g*, kaloytu-
dênte *D*, kalimodente *GGᵇgg*, Kalymod. *F*.   12. Accratirs. *GGᵇgg*, Accratyrs. *D*.
14. Danne *GGᵇ*, denne *DF*.   zimier *g*, zimiere *GGᵇg*, zimierde *DF*.   15. kert
(cherte *G*) er *FG*, cherter *Gᵇ*.   16. Itonîe *DG*, Jtonye *F*.   18. er wol *GGᵇ*.
erkande *G*.   19. = Het iender kumbers in bevilt *FGGᵇgg*.   im *D*, in *d*.
20. = Da engegine (engein *FGᵇ*) was ir minne ein schilt *FGGᵇgg*.   21. chûnc
G oft.   gewæpint *Gᵇ*.   nuo *DFGGᵇ*.   22. zwelf frouwen *D*.   23. schônen
Gᵇ, starchen *D*.   24. Do en *d*, sine *D*.   des *FGᵇgg*.   26. iegelichiu *Gʰ*.
27. Einen tiuren (turen *Gʰ*) *GGᵇ*.   28. Dar under der *FGGᵇgg*.

688, 1. zwei juncfrowelin *Gᵇ*, zwei iuncherrelin *Gg*.   2. truogen *DG*, truogin *Gʰ*.
et *DGg*, eht *Gᵇ*, *fehlt dgg*.   den *fehlt dgg*.   4. do gebitten *Gᵇ*.   6. dar]
= hin *GGᵇgg*.   Done *GGᵇgg*.   9. Die *GGᵇgg*.   uber sin *g*, siner *GGᵇ*.
10. Wan *GGᵇ*.   11. was et (eht *Gᵇ*) vil *GGᵇg*.   12. = sic da hete ge-
nomen *GGᵇgg*.

Gâwânes kampfgenôz.
des kraft was über in sô grôz,
15 daz Gâwân der werde degen
des siges hete nâch verpflegen;
wan daz in klagende nanten
kint diu in bekanten,
der ê des was sîns strîtes wer,
20 verbar dô gein im strîtes ger.
verre ûz der hant er warf daz swert:
'unsælec unde unwert
bin ich,' sprach der weinde gast.
'aller sælden mir gebrast,
25 daz mîner gunêrten hant
dirre strît ie wart bekant.
des was mit unfuoge ir ze vil.
schuldec ich mich geben wil.
hie trat mîn ungelücke für
unt schiet mich von der sælden kür.
689 Sus sint diu alten wâpen mîn
ê dicke und aber worden schîn.
daz ich gein dem werden Gâwân
alhîe mîn strîten hân getân!
5 ich hân mich selben überstriten
und ungelückes hie erbiten.
do des strîtes wart begunnen,
dô was mir sælde entrunnen.'
Gâwân die klage hôrt unde sach:
10 zuo sîme kampfgenôze er sprach
'ôwî hêrre, wer sît ir?
ir sprecht genædeclîch gein mir.
wan wære diu rede ê geschehn,

die wîle ich krefte mohte jehn!
15 sone wære ich niht von prîse komn.
ir habt den prîs alhie genomn.
ich hete iur gerne künde,
wâ ich her nâch fünde
mînen prîs, ob ich den suochte.
20 die wîle es mîn sælde ruochte,
so gestreit ich ie wol einer hant.'
'neve, ich tuon mich dir bekant
dienstlîch nu unt elliu mâl.
ich pinz dîn neve Parzivâl.'
25 Gâwân sprach 'sô was ez reht:
hiest krumbiu tumpheit worden sleht.
hie hânt zwei herzen einvalt
mit hazze erzeiget ir gewalt.
dîn hant uns bêde überstreit:
nu lâ dirz durch uns bêde leit.
690 Du hâst dir selben an gesigt,
ob dîn herze triwen phligt.'
dô disiu rede was getân,
done moht ouch mîn hêr Gâwân
5 vor unkraft niht langer stên.
er begunde al swindelde gên,
wand imz houbt erschellet was:
er strûchte nider an dez gras.
Artûss junchêrrelîn
10 spranc einez underz houbet sîn:
dô bant im daz süeze kint
ab den helm, unt swanc den wint
mit eime huote pfæwîn wîz
under d'ougen. dirre kindes vlîz

13. Gawans DGGᵇ.   kanph genoz G.   15. Do GGᵇgg.   16. = nah (nach
Gᵇ) hete GGᵇgg.   vephlegen G.   18. = Chint do sin erkanden (er chandin
Gᵇ) GGᵇgg.   19. = des fehlt GGᵇgg.   sînes GGᵇ, sin D.   20. = Der
verbar GGᵇgg.   gein im do G.   21. = Uz der hende er (fehlt g, nach
warf g) verre (fehlt g) warf daz swert GGᵇgg.   23. weinde D. werde GGᵇ,
fremde dgg.   25. sigelosen GGᵇg.   27. Des (Da GGᵇ, Das g) was miner
unfuge (ungefuoge G) ze (fehlt Gᵇ) vil GGᵇgg.   29. treit Gᵇ.
689, 2. Ie ditche (diche Gᵇ) GGᵇ.   3. ich fehlt GGbg.   4. min strit Gᵇ, mit
strite Ggg.   ist GGᵇg.   6. und fehlt GGᵇg.   ungelutches Gᵇ.   9. die
rede Gg.   horte DGGᵇ.   und D.   10. Ze sinem G, zisime Gᵇ.   champf-
gnoze DG.   11. Owe alle aufser DG.   12. ir fehlt Gᵇ.   sprechet DG,
sprechit Gᵇ.   gnædechlich Dg, genedeclich nu g, gnade nu GGᵇ, nu gnade g,
so frintlich d.   13. wan fehlt GGᵇgg.   17. hiet G.   iwer DGGᵇ.
chûnde G.   19. 20. suohte-ruohte G.   20. des Gᵇ.   22. erkant
G.   23. dienstliche D, dienstlichin Gᵇ.   nu fehlt GGᵇgg.   unt fehlt GGᵇ.
24. bin GGᵇgg.   25. do D.   = ist GGᵇgg.   26. hie ist alle. 'tumbiu
GGᵇgg.   27. habent D.   herze GGᵇgg.   29. 30. beide Gᵇ.   30. nu
fehlt, dann dirz sin, GGᵇgg.   lâ] si d.   sin leit Dg.
690, 3. diu Gᵇ.   4. = mohte min GGᵇgg.   herre Gᵇ.   5. von Gᵇ.   6. be-
gonde Gᵇ.   al fehlt GGᵇgg.   swindelnde y, swindelen dgg, sweiblende G,
sweibilende Gᵇ.   7. Wan im sin G.   houbet DG, houbit Gᵇ.   8. Si sazen
(sazin Gᵇ) nider GGᵇgg.   an daz Gᵇd, anz D, uf dez Ggg.   9. iunchernlin D.
10. Sprah G.   einz GGᵇ.   = an den rucke (ruche Gᵇ) sin Gᵇgg, an dem
ruche sin G.   12. = Den helm abe GGᵇgg.   13. phawin Ggg.   14. = Un-
der sin ougen (sinen ougin Gᵇ) dirre chinde fliz (vliz Gᵇ) GGᵇgg.

15 lêrte Gâwânn niwe kraft.
ûz beiden hern geselleschaft
mit storje kômen hie unt dort,
ieweder her an sînen ort.
dâ ir zil wârn gestôzen
20 mit gespieglten ronen grôzen.
    Gramoflanz die koste gap
durch sîns kampfes urhap.
der boume hundert wâren
mit liehten blicken clâren.
25 dane solte niemen zwischen komn.
si stuonden (sus hân ichz vernomn)
vierzec poynder von ein ander,
mit gevärweteñ blicken glander,
fünfzec iewedersît.
dâ zwischen solt ergên der strît:
691 Daz her solt ûzerhalben habn,
als ez schiede mûre od tiefe grabn.
des heten hantvride getân
Gramoflanz und Gâwân.
5   gegen dem ungelobten strîte
manec rotte kom bezîte
ûz beiden hern, die sæhen
wem si dâ prîses jæhen.
die nam ouch wunder wer dâ strite
10 mit alsô strîteclîchem site,
ode wem des strîts dâ wære ge-
      dâht.
neweder her hête brâht
sînen kempfen in den rinc:
ez dûhte se wunderlîchiu dinc.
15   dô dirre kampf was getân

ûf dem bluomvarwen plân,
dô kom der künec Gramoflanz:
der wolde ouch rechen sînen kranz.
der vriesch wol daz dâ was ge-
      schehn
20 ein kampf, daz nie wart gesehn
herter strît mit swerten.
die des ein ander werten,
si tâtenz âne schulde gar.
Gramoflanz ûz sîner schar
25 zuo den kampfmüeden reit,
herzenlîcher klagt ir arbeit.
    Gâwân was ûf gesprungen:
dem wârn die lide erswungen.
hie stuonden dise zwêne.
nu was ouch frou Bêne
692 Mit dem künege in den rinc ge-
      riten,
aldâ der kampf was erliten.
diu sach Gâwânn kreftelôs
den si für al die werlt erkôs
5 zir hôhsten freuden krône.
nâch herzen jamers dône
si schrînde von dem pfärde spranc:
mit armen sin vast unbeswanc,
si sprach 'verfluochet sî diu hant,
10 diu disen kumber hât erkant
gemacht an iwerm lîbe clâr,
bî allen mannen. daz ist wâr,
iwer varwe ein manlîch spiegel
      was.'
si satzt in nider ûffez gras:

1*u*. Von *GG^b gg.*   beden *G^b*.   herren *Gg*.   17. storie *g*, storien *G*, stoiren *g*,
stiuren *g*, sturierin *G^b*, rore *d*, rotte *D*.   chomn *D*.   18. iewederr *D*, let-
weder *dgg*, letweders (-irs *G^h*) *GG^b g*.   sin *G^b*   20. gespiegelten *D*, gespielten
G, gespalten *G^b*, spiegelinen *ſ*.   23. boube *G*.   24. spâhen (spæhin *G^b*) varwen
GG^b gg.   25. niemin *G^b*.   26. = Die *GG^b gg*.   *nach* sus *interpungiert D*.
ich *gg*.   27-692, 9 *sind die enden* 692, 10-693, 21 *die anfänge der zeilen aus*
G^b weggeschnitten.   27. gein *G^b*   2*s*. = liehten blichen *G*, liehtim (lichten *g*)
blicche *G^b gg*.   29. ietwedir sit *G^b*, ietwedere sit *G*.   30. Da enzwischen
(inzw. *Gb*) solde *GG^b gg*.

691, 1. solte *D*, solde *GG^b*.   uzzerhalbe *G*.   2. mur *Ggg*.   oder tiefe *Dg*,
oder *d*, unde *Ggg*.   3. hete den *D*, hette ein *d*, hette *g*.   5. = Gein di-
sen (disime *G^h*) *GG^b gg*.   gelobten *Ggg*, gelobitsn *G^b*.   6. Manch (mænic *G^b*)
rote *GG^b*.   7. = Von beden (-in *G^b*) *GG^b gg*.   sahen-iahen *alle*.   8. wen
G^h.   priss *D*, bris *G*, pris *G^b*.   9. = Si wndert ouch (da *G*, doch *G^h*) sere
wer da strite *GG^b gg*.   10. als *G^b*.   11. oder *D*, odir *G^b*.   wem] wie *GG^b gg*.
12. Wan ieweder (ietwedir *G^b*) her (*fehlt GG^b*) het (hete *G^h*) brâht *GG^b gg*.
13. sin chemphin *G^b*, Si chemphin *G*.   14. dûhte si (sie *G^b*) *GG^b dgg*, duohten
si *D*, dühten *g*.   16. bluomenvarw ... *G^b*, bluomen varwem *D*, pluemefarwen *d*.
17. dô *fehlt GG^b gg*.   19. er *G^b*.   23. die *G^b*.   26. chlagct *G*, clagit *G^b*,
chlagete *D*.   2*s*. *fehlt G^h*.   di lide *D*, diu lit *G*.

692, 4. vor alder werlde *GG^b gg*.   5. zi der *G^b*.   hohisten *G*, hohistin *G^h*, hüb-
schen *d*, besten *D*.   freude *D*.   6. = Mit *GG^b gg*.   7. scriende *DGG^h*.
phârde *G*.   8. vaste *DG*.   10. chumbr *G^b*.   11. gemachet *DG*.   iurem *G*,
iuwerme *G^h*.   12. Vor *Ggg*.   14. sazten *D*.   uf daz *G^b*, anz *D*.

15 ir weinens wênec wart verdagt.
dô streich im diu süeze magt
aben ougen bluot unde sweiz.
in harnasche was im heiz.
der künec Gramoflanz dô sprach
20 'Gâwân, mirst leit dîn ungemach,
ezn wær von mîner hant getân.
wiltu morgen wider ûf den plân
gein mir komn durch strîten,
des wil ich gerne bîten.
25 ich bestüende gerner nu ein wîp
dan dîneu kreftelôsen lîp.
waz prîss möht ich an dir bejagn,
ine hôrt dich baz gein kreften
　　sagn?
nu ruowe hînt: des wirt dir nôt,
wiltu fürstên den künec Lôt.'
693 Dô truoc der starke Parzivâl
ninder müede lit noh erblichen mâl.
er het an den stunden
sînen helm ab gebunden,
5 dâ in der werde künec sach,
zuo dem er zühteclîchen sprach
'hêr, swaz mîn neve Gâwân
gein iwern hulden hât getân,
des lât mich für in wesen pfant.
10 ich trage noch werlîche hant:
welt ir zürnen gein im kêrn,
daz sol ich iu mit swerten wern.'
der wirt ûz Rosche Sabbîns
sprach 'hêrre, er gît mir morgen
　　zins:

13 der stêt ze gelt für mînen kranz,
des sîn prîs wirt hôch unde ganz,
oder daz er jaget mich an die stat
aldâ ich trit ûf lasters pfat.
ir muget wol anders sîn ein helt:
20 dirre kampf ist iu doch niht er-
　　welt.'
dô sprach Bênen süezer munt
zem künege 'ir ungetriwer hunt!
iwer herze in sîner hende ligt,
dar iwer herze hazzes pfligt.
23 war habt ir iuch durch minne er-
　　gebn?
diu muoz doch sînre genâden lebn.
ir sagt iuch selben sigelôs.
diu minne ir reht an iu verlôs:
getruoget ir ie minne,
diu was mit valschem sinne.'
694 Dô des zornes vil geschach.
der künec Bênen sunder sprach.
er bat si 'frouwe, zürne niht
daz der kamph von mir geschiht.
5 belîp hie bî dem hêrren dîn:
sage Itonjê der swester sîn,
ich sî für wâr ir dienstman
und ich welle ir dienen swaz ich
　　kan.'
dô Bêne daz gehôrte
10 mit wærlîchem worte,
daz ir hêrre ir frouwen bruoder
　　was,
der dâ solde strîten ûfme gras,

---

17. = Von den *Ggg.*　18. In dem *GGb dgg.*　harnas *Gb*.　20. mirs *G,*
mir ist *DGb*.　21. ez enwære *D*, Ez ne wâre *G.*　= mit *GGb gg.*　22. Wil
du *Gg.*　22. 23. = morgen gein mir uf den plan. Her wider chomen *GGb gg.*
24. = Ih wil din *GGb gg.*　gernir biten *Gb*.　28. hort *gg.*　bi chreften *G,*
bi creftin *Gb*.　30. Wildu *G.*　fur sten *D*, ver sten *dg*, rechen *GGb g.*
entschülden *g.*

693, 1. = der iunge *GGb gg.*　2. Niener *G.*　lide *GGb gg.*　4. ab] von im *GGb g.*
5. Do *Gg.*　6. Zedem der zühtchlihen sprach *G.*　8. hat missetan *GGb g.*
9. = Da vur lat mih wesen phant *GGb gg.*　11. 12. Sol er geiu iu ze kamphe
sten. Herre den lat an mir ergen *GGb gg*, Welt ir zorn gegen ime han Das sol
min hant under stan *d.*　chêren-weren *Dg.*　13. Roscê Sabbins *D*, roisabins
GGb g.　15. gelte *DGGb*.　16. und ganz *D*, unganz *g.*　17. Oder der min
geiaget (geneiget *GGb*) an die stat *GGb gg.*　er iaget mich *D*, er mich iaget *d,*
geiagt mich *g.*　18. = Da *Ggg*, Daz *g.*　uz *yg*, an *g.*　21. = Do sprah
froun benen munt *GGb gg.*　23. = sinen handen *GGb gg.*　24. Dar *Ggg,*
daz *Ddg.*　26. siner gnaden *DGGb*.　27. Ich saget *G.*　siglos *D.*
29. Truoget *GGb g.*　30. vælschem *Gb*.

694, 1. dis zorns *D.*　2. Der künich ze froun benen (sunder *Gb*) sprah *GGb g.*
3. = Die bat er *GGb gg.*　zurnit *Gb d.*　5. Unde belip *GGb gg.*　hie *fehlt*
D.　6. Unde sage *GGb gg.*　Jtonîen *DGGb gg.*　7. diensman *G.*　8. ich
Dg, fehlt den übrigen.　wil *D.*　9. = Do frou bene *GGb gg.*　daz *fehlt g,*
do *GGb g.*　10. Von *GGb gg.*　wêrlichem *G*, werlihen *Gb*.　11. ir herre]
er *GGb*.　12. ùfem *DGb*.

dô zugen jâmers ruoder
in ir herzen wol ein fuoder
15 der herzenlîchen riuwe:
wan sie pflac herzen triuwe.
si sprach 'vart hin, verfluochet man!
ir sît der triwe nie gewan.'
der künec reit dan, und al die sîn.
20 Artûss junchêrrelîn
viengen d'ors disen zwein:
an den orsen sunder kampf ouch
schein.
Gâwân und Parzivâl
unt Bêne diu lieht gemâl
25 riten dannen gein ir her.
Parzivâl mit mannes wer
het den prîs behalden sô,
si wâren sîner künfte vrô.
die in dâ komen sâhen,
hôhes prîss sim alle jâhen.
695 Ich sage iu mêre, ob ich kan.
dô sprach von disem einem man
in bêden hern die wîsen,
daz si begunden prîsen
5 sîne rîterlîche tât,
der dâ den prîs genomen hât.
welt irs jehn, deist Parzivâl.
der was ouch sô lieht gemâl,
ezn wart nie rîter baz getân:
10 des jâhen wîb unde man,
dô in Gâwân brâhte,
der des hin zim gedâhte
daz er iu hiez kleiden.
dô truoc man dar in beiden
15 von tiwerr koste glîch gewant.
über al diz mære wart erkant,
daz Parzivâl dâ wære komn,
von dem sô dicke was vernomn
daz er hôhen prîs bejagte.
20 für wâr daz manger sagte.
Gâwân sprach 'wiltu schouwen

dîns künnes vier frouwen
und ander frouwen wol gevar,
sô gên ich gerne mit dir dar.'
25 dô sprach Gahmuretes kint
'op hie werde frouwen sint,
den soltu mich unmæren niht.
ein ieslîch [frouwe] mich ungerne
siht,
diu bî dem Plimizœl gehôrt
hât von mir valschlîchiu wort.
696 Got müeze ir wîplîch êre sehn!
ich wil immer frouwen sælden jehn:
ich scham mich noch sô sêre,
ungern ich gein in kêre.'
5 'ez muoz doch sîn,' sprach Gâwân.
er fuorte Parzivâlen dan,
da in kusten vier künegîn.
die herzogin ez lêrte pîn,
daz si den küssen solde,
10 der ir gruozes dô niht wolde
dô si minne unde ir lant im bôt
(des kom si hie von scham in nôt),
dô er vor Lôgroys gestreit
unt si sô verre nâch im reit.
15 Parzivâl der clâre
wart des âne vâre
überparlieret,
daz wart gecondwieret
elliu scham ûz sîme herzen dô
20 âne blûkeit wart er vrô.
Gâwân von rehten schulden
gebôt bî sînen hulden
froun Bênen, daz ir süezer munt
Itonjê des niht tæte kunt,
25 'daz mich der künec Gramoflanz
sus hazzet umbe sînen kranz,
unt daz wir morgn ein ander strît
sulen gebn ze rehter kampfes zît.
mîner swester soltu des niht sagn,
unt sult dîn weinen gar verdagn.'

---

13. zugen si G, zugen sie Gᵇ.   14. = An GGᵇgg.   15. herzelichin Gᵇ.
16. wande D.   18. gwan GGᵇ.   19. Hin reit der künich gein den sin GGᵇgg.
20. iuncherrnlin D.   21. diu ors GGᵇ.   22. ors G.   ouch fehlt Gg.
24. = Unde frou GGᵇgg.   25. ritten D.   dannen] wider GGᵇgg.   27. behalten GGᵇ.   28. chufte Gᵇ.   30. = Des brises (prisis Gᵇ) GGᵇgg.
695, 1. mere G, mer gg, mære DGᵇ.   2. Nu GGᵇgg.   3. beiden GGᵇ.   7. Parcifal DG oft.   8. = ouch fehlt g, et Ggg.   9. ezen w. D, Ez ne w. G.
13. hieze Ggg.   21. wil du G.   25. Gahmuretes G, Gahmurets D.   28. Etslich frouwe G, Etsliche g.   ungern D.   29. blimzol G.
696, 2. immer Ddg, minr G, miner gg.   selde alle aufser D.   3. sò fehlt G.
6. der D.   Parcifaln DG.   10. Der doh ir gruozes niene wolde Ggg.
11. = Do sir lant unde ir minue im bot Ggg.   12. = Des 'wart sie hie von (vor Gg) schame rot Ggg.   18. = Ez Ggg.   kondewiert G.   20. blŵecheit D.
23. süezer fehlt Ggg.   24. Iconie g, Itonîen DGdgg.   27. morgen DG,
morne d.   28. kanph zit Gdg, kampfe zit g.   29. swester fehlt G.

697 Si sprach 'ich mac wol weinen
und immer klage erscheinen:
wan sweder iwer dâ beligt,
nâch dem mîn frouwe jâmers
    pfligt.
5 diu ist ze bêder sît erslagn.
mîn frowen und mich muoz ich
    wol klagn.
waz hilft daz ir ir bruoder sît?
mit ir herzen welt ir vehten strît.'
daz her was gar gezoget în.
10 Gâwân unt den gesellen sîn
was ir ezzen al bereit.
mit der herzogîn gemeit
Parzivâl solt ezzen.
dane wart des niht vergezzen,
15 Gâwân dern befülhe in ir.
si sprach 'welt ir bevelhen mir
den der frouwen spotten kan?
wie sol ich pflegen dises man?
doch diene ich im durch iwer ge-
    bot:
20 ich enruoche ob er daz nimt für
    spot.'
dô sprach Gahmuretes suon
'frouwe, ir welt gewalt mir tuon.
sô wîse êrkenne ich mînen lîp:
der mîdet spottes elliu wîp.'
25 ob ez dâ was, man gap genuoc:
mit grôzer zuht manz für si truoc.
magt wîb und man mit freuden az.
Itonjê des doch niht vergaz,
sine warte an Bênen ougen
daz diu weinden tougen:
698 Dô wart ouch si nâch jâmer var,
ir süezer munt meit ezzen gar.
si dâhte 'waz tuot Bêne hie?

ich hete iedoch gesendet sie
5 ze dem der dort mîn herze tregt,
daz mich hie gar unsanfte regt.
waz ist an mir gerochen?
hât der künc widersprochen
mîn dienst unt mîne minne?
10 sîn getriwe manlîch sinne
mugen hie niht mêr erwerben,
wan dar umbe muoz ersterben
mîn armer lîp den ich hie trage
nâch im mit herzenlîcher klage.'
15 dô man ezzens dâ verpflac,
dô wasez ouch über den mitten tac.
Artûs unt daz wîp sîn,
frou Gynovêr diu künegîn,
mit rîtern unt mit frouwen schar
20 riten dâ der wol gevar
saz bî werder frouwen diet.
Parzivâls antfanc dô geriet,
manege clâre frouwen
muos er sich küssen schouwen.
25 Artûs bôt im êre
unt dancte im des sêre,
daz sîn hôhiu werdekeit
wær sô lanc und ouch sô breit,
daz er den prîs für alle man
von rehten schulden solte hân.
699 Der Wâleis zArtûse sprach
'hêrre, do ich iuch jungest sach,
dô wart ûf d'êre mir gerant:
von prîse ich gap sô hôhiu pfant
5 daz ich von prîse nâch was komn.
nu hân ich, hêr, von iu vernomn,
ob ir mirz saget âne vâr,
daz prîs ein teil an mir hât wâr.
swie unsanfte ich daz lerne,
10 ich geloubtez iu doch gerne,

697, 2. immer] mine *Ggg.*   3. iuer *G.*   = geliget *Ggg.*   5. site *G.*
6. = Ih muoz mich unde (musz umb *g*) mine (min *gg*) frouwen klagen *Ggy.*
mine frouwen vñ mich *D*, Mich und sů *d*.   7. hilfet *DG.*   9. gar *fehlt G.*
alles *g*.   13. Parcifal solde *DG*.   14. := Andem wart niht *Ggg*.   15. dern
befulhen ir *D*, der enbefulhe in ir *G*.   17. spoten *G*.   18. diss *Dg*, disses *g*.
22. mir] = nu *Ggg*.   24. spoten *Ggg*.   25. gnuoch *G*.   26. grozen zühten *Gg*.
27. Maget wip man *Ggg*.   28. Itonîe *G*.   des doch *D*, des ouch *g*, auch
des *g*, des *G*, doch *d*, och *g*.   30. du *D*.
698, 4. = Nu het ih doh *Ggg*.   5. 6. treit-reit *Gg*.   6. mih doh hie uns.
Ggg.   8. kunec *D*, künich *G*.   = versprochen *Ggg*.   10. Sin *g*. man-
lich *d*.   11. me *G*.   12. dar umbe *D*, das dar umb *d* = daz *Ggg*.
15. = des ezzens *Ggg*.   da *Dg*, *fehlt Gdgg*.   18. kinover *G*.   22. Par-
cifal *G*.   = enpahen *Ggg*.   26. danchet *D*.   = des vil *Ggg*.
27. 28. *nach* 29. 30: 27. Unde daz, 28. Was, *Ggg*.   28. ouch *fehlt Gdgg*.
699, 2. iungist *G*.   3. di *D*, *fehlt G*.   5. von prise nach was *D*, noch was *d* =
was nah von brise *Ggg*, nach was von prise *g*.   6. herre *fehlt d*.   = an
iu *Ggg*.   8. an mir ein teil *D*.   9-12 *fehlen Gg*.   10. geloubez *D*.

wold ez gelouben ander diet,
von den ich mich dô schamende
　　schiet.'
die dâ sâzen jâhen siner hant,
si het den prîs übr mangiu lant
15 mit sô hôhem prîse erworben
daz sîn prîs wær unverdorben.
der herzoginne rîter gar
ouch kômen dâ der wol gevar
Parzivâl bî Artûse saz.
20 der werde künec des niht vergaz,
er enpfienge se in des wirtes hûs.
der höfsche wîse Artûs,
swie wît wær Gâwâns gezelt,
er saz derfür ûfez velt:
25 si sâzen umb in an den rinc.
sich samenten unkundiu dinc.
wer dirre unt jener wære,
daz wurden wîtiu mære,
solt der kristen und der Sarrazîn
kuntlîche dâ genennet sîn.
700 Wer was Clinschores her?
wer wâren die sô wol ze wer
von Lôgroys vil dicke riten,
dâ si durch Orgelûsen striten?
5 wer wâren die brâht Artûs?
der ir aller lant unt ir hûs
kuntlîche solte nennen,
müelîch si wârn zerkennen.
die jâhen al gemeine,
10 daz Parzivâl al eine
vor ûz trüeg sô clâren lîp,
den gerne minnen möhten wîp;
unt swaz ze hôhem prîse züge,
daz in des werdekeit niht trüge.
15 ûf stuont Gahmuretes kint.

der sprach 'alle die hie sint,
sitzen stille unt helfen mir
des ich gar unsanfte enbir.
mich schiet von tavelrunder
20 ein verholnbærez wunder:
die mir ê gâben geselleschaft,
helfen mir geselleclîcher kraft
noch drüber.' des er gerte
Artûs in schône werte.
25 einer andern betè er dô bat
(mit wênec liutn er sunder trat),
daz Gâwân gæbe im den strît
den er ze rehter kampfes zît
des morgens solde strîten.
'ich wil sîn gern dâ bîten,
701 Der dâ heizt rois Gramoflanz.
von sînem boume ich einen kranz
brach hiute morgen fruo,
daz er mir strîten fuorte zuo.
5 ich kom durch strîten in sîn lant,
niwan durch strît gein sîner hant.
neve, ich solt dîn wênec trûwen
　　hie:
mirn geschach sô rehte leide nie:
ich wând ez der künec wære.
10 der mich strîtes niht verbære.
neve, noch lâz mich in bestên:
sol immer sîn unprîs ergên,
mîn hant im schaden füeget,
des in für wâr genüeget.
15 mir ist mîn reht hie wider gegebn:
ich mac geselleclîche lebn,
lieber neve, nu gein dir.
gedenke erkanter sippe an mir,
und lâz en kampf wesen mîn:
20 dâ tuon ich manlîch ellen schîn.'

---

12. do *D*, doch *g*, *fehlt dg*.　13. = die iahen *Ggg*.　14. uber *D*, über *G*.
menegiu *D*.　16. Daz si brises *Ggg*.　18. = ouch *fehlt Ggg*.　chom *D*,
kome *d*.　20. des *fehlt d* = do *Ggg*.　21. Er enphiench in in *G*.　22. = Der
stolze kûnc artus *Ggg*.　25. umb in] nider *G*.　26. samneten *D*, samten *dg*.
28. witiu wâre *G*.　29. sarazin *D*.
700, 1. clinsores *G*, Clinscors *D*.　3. = so ditche *Ggg*.　4. = Daz *Ggg*.
Orgelûse *Gg*.　6. lant] namen *Ggg*.　8. mueliche *D*.　9. = sprachen
Ggg.　10. Daz parcifal der reine *Ggg*.　11. truege *DG*.　12. môhte ein wip
G.　15. stuont do *Ggg*.　Gahmurets *DG*.　16. = Er *Ggg*.
17. = Sitzet-helfet *Ggg*.　18. gar] = harte *Ggg*.　20. Ein verholn herze
wnder *Gg*.　21. ê] = drüber *Ggg*.　22. = Helfet *Ggg*.　25. bet *G*.
26. liuten *D*, lûten *G*.　28. kamph zit *Gg*, kamppfe zit *d*.
701, 1. heizet *DG*.　rois] kunech *Dgg*, *fehlt Gdg*.　3. Brah ouch *Gg*.
huten morgen *g*.　4. striten fure zu *g*, streites vorchte zuo *g*,
strites vorhten tuo *Gg*.　5. strit *Gg*, in *g*.　6. gein *D*, zuo *d* = von *Ggg*.
7. = neve *fehlt Ggg*.　solte *Dd* = mohte *Ggg*.　8. mir eng. *DG*.
10. strits *D*.　11. laze mich *D*, wil ih *Gg*.　12. imer *G*.　16. gesellic-
lihen *Gdgg*.　18. denche *D*, Nu ged. *gg*.　19. la den kanph *G*.
20. = Ih tuon im *Ggg*.

dô sprach mîn hêr Gâwân
'mâge und bruoder ich hie hân
bîme künege von Bretâne vil:
iwer keinem ich gestaten wil
25 daz er für mich vehte.
ich getrûwe des mîm rehte,
süles gelücke walden,
ich müge'n prîs behalden.
got lôn dir daz du biutes strît:
es ist ab für mich noh niht zît.'
702 Artûs die bete hôrte:
daz gespræche er zestôrte,
mit in widr an den rinc er saz.
Gâwâns schenke niht vergaz,
5 dar entrüegen junchêrrelîn
mangen tiwern kopf guldîn
mit edelem gesteine.
der schenke gienc niht eine.
dô daz schenken geschach,
10 daz folc fuor gar an sîn gemach.
do begundz ouch nâhen der naht.
Parzivâl was sô bedâht,
al sîn harnasch er besach.
op dem iht riemen gebrach,
15 daz hiez er wol bereiten
unt wünneclîchen feiten,
unt ein niwen schilt gewinnen:
der sîn was ûze unt innen
zerhurtiert und ouch zerslagn:
20 man muose im einen starken tragn.
daz tâten sarjande,
die vil wênc er bekande:
etslîcher was ein Franzeys.
sîn ors daz der templeys
25 gein im zer tjoste brâhte,

ein knappe des gedâhte,
ez wart nie baz erstrichen sît.
dô was ez naht unt slâfes zît.
Parzivâl ouch slâfes pflac:
sîn harnasch gar vor im dâ lac.
703 Ouch rou den künec Gramoflanz
daz ein ander man für sînen kranz
des tages hete gevohten:
da getorsten noch enmohten
5 die sîn daz niht gescheiden.
er begundez sêre leiden
daz er sich versûmet hæte.
waz der helt dô tæte?
wand er ê prîs bejagte,
10 reht indes dô ez tagte
was sîn ors gewâpent und sîn lîp.
ob gæben rîchlôsiu wîp
sîner zimierde stiure?
si was sus als tiure.
15 er zierte'n lîp durch eine magt:
der was er diens unverzagt.
er reit ein ûf die warte.
den künec daz müete harte,
daz der werde Gâwân
20 niht schiere kom ûf den plân.
nu het ouch sich vil gar verholn
Parzivâl her ûz verstoln.
ûz einer banier er nam
ein starkez sper von Angram:
25 er het ouch al sîn harnasch an.
der helt reit al eine dan
gein den ronen spiegelîn,
aldâ der kampf solde sîn.
er sach den künec halden dort.
ê daz deweder ie wort

23. = Mit dem künige *Ggg.*   Und miner œheim vil *d.*   britanie *Ggg.*
24. neheinem *G.*   gestatten *D.*   25. = er da *Ggg.*   26. = gefrwes *Ggg.*
mime *D*, minne *G.*   27. Sol es *alle aufser D.*   28. Ih müge den bris *G.*
30. = Des *gg.*   Vur mih es enist aber noh niht zit *G.*   aber *alle.*
702, 2. = er gar *Ggg.*   3. = Mit in er wider an (in *G*) den rinch saz *Ggg.*
wider *D.*   5. en *Dg, fehlt Gdgg.*   iuncherrenlin *D.*   8. gie *G.*   11. = Nu
begunde ouch nahen diu naht *Ggg.*   begundez *D.*   nohen ouch *d.*
12. was *fehlt G.*   13. = Daz er sin harnasch besah *Ggg.*   14. iht] = deheins
Ggg.   15. er *fehlt D.*   17. einen *alle.*   18. = Wan der sin *Ggg.*
sine *Dg.*   uzzen *G*, uozen *D.*   19. Zer hûrtiert *G.*   = ouch *fehlt Ggg.*
20. einen niwen *G.*   22. = vil *fehlt Ggg.*   23. franzois *G.*   27. = Ez ne
Ggg.   28. = Nu *Ggg.*   slafens *dgg.*   29. ouch] = do *Ggg.*   30. do *G.*
703, 1. Doh *G,* Durch *g.*   4. Done *G.*   noh ne mohten *G.*   5. sine *DG.*
scheiden *G.*   7. 8. hete-tâte *G.*   9. = Wan er bris *Ggg.*   10. = reht
fehlt Ggg.   indes *D,* innen *d,* Innen (Inne *g*) des *Ggg.*   11. Wan *G.*
sin selbes lip *D.*   12. rih losen *G.*   14. si] ez *D.*   15. = durh die maget
Ggg.   16. Er was ir dienstes *d* = Der was sin (der *G*) dienst *Ggg,* Er was
seinem dienst *g.*   17. ein *g,* eine *DG.*   18. künec *fehlt Gg.*
21. vil *fehlt G.*   22. gestolen *G.*   27. ronne *G,* roren *g.*   30. É ir
dewederre *G.*

704 Zem andern gespræche,
man giht iewederr stæche
den andern durch des schildes rant,
daz die sprîzen von der hant
5 ûf durch den luft sich wunden.
mit der tjost si bêde kunden,
unt sus mit anderm strîte.
ûf des angers wîte
wart daz tou zerfüeret,
10 unt die helme gerüeret
mit scharpfen eken die wol sniten.
unverzagetlîch si bêde striten.
dâ wart der anger getret,
an maneger stat daz tou gewet.
15 des riwent mich die bluomen rôt,
unt mêr die helde die dâ nôt
dolten âne zageheit.
wem wær daz liep âne leit,
dem si niht hêten getân?
20 do bereite ouch sich hêr Gâwân
gein sînes kampfes sorgen.
ez was wol mitter morgen,
ê man vriesch daz mære
daz dâ vermisset wære
25 Parzivâls des küenen.
ob erz welle süenen?
dem gebârt er ungelîche:
er streit sô manlîche
mit dem der ouch strîtes pflac.
nu was ez hôch ûf den tac.
705 Gâwâne ein bischof messe sanc.
von storje wart dâ grôz gedranc:
ritter unde frouwen
man mohte zorse schouwen
5 an Artûses ringe,
ê daz man dâ gesinge.
der künec Artûs selbe stuont,
dâ die pfaffenz ambet tuont.
dô der benditz wart getân,
10 dô wâpent sich hêr Gâwân:
man sah ê tragen den stolzen

sîn îserîne kolzen
an wol geschicten beinen.
do begunden frouwen weinen.
15 daz her zogte ûz über al,
dâ si mit swerten hôrten schal
und fiwer ûz helmen swingen
unt slege mit kreften bringen.
der künec Gramoflanz pflac site,
20 im versmâhte sêre daz er strite
mit einem man: dô dûhte in nuo
daz hie sehse griffen strîtes zuo.
ez was doch Parzivâl al ein,
der gein im werlîche schein.
25 er het in underwîset
einer zuht die man noch prîset:
ern genam sît nimmer mêre
mit rede an sich die êre
daz er zwein mannen büte strît,
wan einers im ze vil dâ gît.
706 Daz her was komn ze bêder sît
ûf den grüenen anger wît
iewederhalp an sîniu zil.
si prüeveten diz nîtspil.
5 den küenen wîganden
diu ors wârn gestanden:
dô striten sus die werden
ze fuoz ûf der erden
einen herten strît scharpf erkant.
10 diu swert ûf hôhe ûz der hant
wurfen dicke die recken:
si wandelten die ecken.
sus enpfienc der künec Gramoflanz
sûren zins für sînen kranz.
15 sîner vriwendinne künne
leit ouch bî im swache wünne.
sus enkalt der werde Parzivâl
Itonjê der lieht gemâl,
der er geniezen solde,
20 ob reht ze rehte wolde.
nâch prîs die vil gevarnen
mit strîte muosen arnen,

704, 2. daz iewederre G. 3. Dem Gdgg. 4. spriezzen Gdg. 14. gewêt G.
16. me G. 18. âne] olde G, oder g. 20. ouch fehlt G. 23. friesche Gg,
freische dg. 27. ungliche G. 30. = Nu was ouh hohe uf der tach Ggg.
705, 2. storie D, sturie Ggg, stör d, storien g. do G. 5. Artuss D, artus G.
8. pfaffen daz alle. ambt G. 9. bendiz D, benediz g, benedig dg,
segen g. 11. ê] = dar Ggg. den Dg, dem Ggg, des d. 12. ŷsrine D.
16. Do G. 17. helme G. = springen Ggg. 18. = dringen Ggg,
ringen g. 24. werlihen Gg. 26. noch Dd, hoch g, fehlt Ggg. 27. er
eng. D, Er g. G. 28. rede fehlt G. 29. bute Dd = hiet Ggg, gebe g.
30. einer sim D, einer yme d = einer ims Ggg. dâ fehlt Gg.
706, 1. zeber sit G. 3. îweder h. D, Ietweder h. G. 4. Sit pruoveten daz
nit spil G. 6. dors D. 9. scharf G. 10. ûf D, fehlt den übrigen.
hô G. 11. dicke fehlt g, do d. dise D. 13. enphie G. 17. eng. G.
18. Itonîen alle. 21. prise DG. die wol gevarn G.

einer streit für friundes nôt,
dem andern minne daz gebôt
25 daz er was minne undertân.
dô kom ouch mîn hêr Gâwân,
do ez vil nâch alsus was komn
daz den sig het aldâ genomn
der stolze küene Wâleis.
Brandelidelîn von Punturteis,
707 Unde Bernout de Riviers,
und Affinamus von Clitiers,
mit blôzen houpten dise drî
riten dem strîte nâher bî:
5 Artûs und Gâwân
riten anderhalp ûf den plân
zuo den kampfmüeden zwein.
die fünve wurden des enein,
si wolden scheiden disen strît.
10 scheidens dûhte rehtiu zît
Gramoflanzen, der sô sprach
daz er dem siges jach,
den man gein im dâ het ersebn.
des muose ouch mêre liute jehn.
15 dô sprach des künec Lôtes suon
'hêr künec, ich wil iu hiute tuon
als ir mir gestern tâtet,
dô ir mich ruowen bâtet.
nu ruowet hînt: des wirt iu nôt.
20 swer iu disen strît gebôt,
der het iu swache kraft erkant
gein mîner werlîchen hant.
ich bestüende iuch nu wol ein:
nu veht ab ir niwan mit zwein.
25 ich wilz morgen wâgen eine:
got ez ze rehte erscheine.'
der künec reit dannen zuo den sîn.
er tet ê fîanze schîn,

daz er smorgens gein Gâwân
durch strîten kœme ûf den plân.
708 Artûs ze Parzivâle sprach
'neve, sît dir sus geschach
daz du des kampfes bæte
und manlîche tæte
5 unt Gâwân dirz versagte,
daz dîn munt dô sêre klagete,
nu hâste den kamph idoch gestriten
gein im der sîn dâ het erbiten,
ez wære uns leit ode liep.
10 du sliche von uns als ein diep:
wir heten anders dîne hant
disses kampfes wol erwant.
nu darf Gâwân des zürnen niht,
swaz man dir drumbe prîses giht.'
15 Gâwân sprach 'mir ist niht leit
mîns neven hôhiu werdekeit.
mirst dennoch morgen alze fruo,
sol ich kampfes grîfen zuo.
wolt michs der künec erlâzen,
20 des jæhe ich im gein mâzen.'
daz her reit în mit maneger schar.
man sach dâ frouwen wol gevar,
und manegen gezimierten man,
daz nie dechein her mêr gewan
25 solher zimierde wunder.
die von der tavelrunder
und diu mässenîe der herzogîn,
ir wâpenrocke gâben schîn
mit pfell von Cynidunte
und brâht von Pelpîunte:
709 Lieht wârn ir kovertiure.
Parzivâl der gehiure
wart in bêden hern geprîset sô,
sîne friwent des mohten wesen vrô.

27. alsus vil nach *D.* sûs *G.* 28. sik *G.* also hette *d* = hete *Ggg.*
30. ponturteis *G.*

707, 1. Gernout *Gg.* von *Ggg.* rivirs *G.* 2. Affinamûs *D.* = de *Ggg.*
= Cletiers *gg*, cletirs *G.* 4. Dem strite riten *G.* naher *D*, nahe *dg*,
nahen *Ggg.* 6. anderthalben *D.* 8. = fünve *fehlt Ggg.* 9. = den
strit *Ggg.* 11. Gramoflanz *Ggg.* 13. Dem *Gg.* da *setzt d nach im*
= es *fehlt Ggg.* = gesehen *Ggg.* 14. ouch *fehlt G.* 16. iu *fehlt*
D. ioch wil ich úch *g.* 17. = gester *Ggg.* 21. = hat *Ggg.* 24. aber
DG. 27. dannen *fehlt Gg.* = gein den sinen *Ggg.* 28. ê] = ouch
Ggg. schinen *gg.*

708, 4. manlîcher? 7. Unde *G.* hastu *alle.* 9. oder *D.* 10. = Do
ersliche dun (Du ersliche unsen *g*) als einen diep *Ggg.* 12. diss *D.*
13. = Nune *Ggg.* daz *Ggg.* zûrne *G.* 14. = bris drumbe *Ggg.*
priss *D.* 15. mirn *Gg.* 17. mir ist *DG.* 19. wolte *D*, Wolde *G.*
20. gein] = ze *Ggg.* 23. zimierten *D.* 24. me gwan *G.* 27. mæsse-
nide *D*, messen *G.* 28. wapen rôche *G.* ö *dg.* 29. Von *G.* pfelle *D*,
phelle unde von *G.* zundunte *d* = zinidunt *g*, zundunt *g*, Cindont *g*, zidi-
dunt *G.* 30. = pelpiunt *gg*, pelimunt *G*, Belimunt *g.*

709, 4. vriunt es *G.*

5 si jâhn in Gramoflanzes her
daz ze keiner zît sô wol ze wer
nie kœme rîter dechein,
den diu sunne ie überschein:
swaz ze bêden sîten dâ wære getân,
10 den prîs mües er al eine hân.
dennoch si sîn erkanten niht,
dem ieslîch munt dâ prîses giht.
   Gramoflanz si rieten,
er möhte wol enbieten
15 Artûse, daz er næme war
daz kein ander man ûz sîner schar
gein im kœm durch vehten,
daz er im sande den rehten:
Gâwân des künec Lôtes suon,
20 mit dem wolt er den kampf tuon.
die boten wurden dan gesant,
zwei wîsiu kint höfsch erkant.
der künec sprach 'nu sult ir spehn,
wem ir dâ prîses wellet jehn
25 under al den clâren frouwen.
ir sult ouch sunder schouwen,
bî welher Bêne sitze.
nemt daz in iwer witze,
in welhen bærden diu sî.
won ir freude od trûren bî,
710 Daz sult ir prüeven tougen.
ir seht wol an ir ougen,
op si nâch friunde kumber hât.
seht daz ir des niht enlât,
5 Bênen mîner friundîn
gebt den brief unt diz vingerlîn:
diu weiz wol wem daz fürbaz sol.
werbt gefuog: sô tuot ir wol.'
   nu wasez ouch anderhalp sô
komn,
10 Itonjê het aldâ vernomn

daz ir bruoder unt der liebste
man,
den magt inz herze ie gewan,
mit ein ander vehten solden
unt des niht lâzen wolden.
15 dô brast ir jâmer durch die schem.
swen ir kumbers nu gezem,
der tuot ez âne mînen rât,
sît siz ungedienet hât.
   Bêde ir muoter und ir ane
20 die maget fuorten sunder dane
in ein wênc gezelt sîdîn.
Arnîve weiz ir disen pîn,
si strâfte se umb ir missetât.
des was et dô kein ander rât:
25 si verjach aldâ unverholn
daz si lange in hete vor verstoln.
dô sprach diu maget wert erkant
'sol mir nu mîns bruoder hant
mîns herzen verch versnîden,
daz möht er gerne mîden.'
711 Arnîve zeim junchêrrelîn
sprach 'nu sage dem sune mîn,
daz er mich balde spreche
unt daz al eine zeche.'
5 der knappe Artûsen brâhte.
Arnîve des gedâhte,
si woltz in lâzen hœren,
ob er möht zestœren,
nâch wem der clâren Itonjê
10 was sô herzenlîche wê.
   des künec Gramoflanzes kint
nâch Artûse komen sint.
die erbeizten ûf dem velde.
vor dem kleinn gezelde
15 einer Bênen sitzen sach
bî der diu zArtûse sprach

---

5. iahen *DG.*   6. zuo deheiner *G.*   7. chom *D.*   9. Swie iz ze beden
tagen da *Ggg.* ze bêder sît?   10. Den sbris *G.*   12. dâ] des *G.*   priss *D*,
bris *G*, *öfter.*   14. môht *G.*   15. Artus *Gg.*   16. dechein *D*, dehein *G.*
= ander *fehlt Ggg.*   17. chœme *D*, chôme *G.*   19. Lots *DG.*   20. Gein
G.   23. ir ouch *G.*   24. = Welher ir da bris welt iehen *Ggg.*   29. In
welhcr gebare (geberde *dg*) si (die *g*) si *Gdg.*   gebærden *Dgg.*   30. oder *DG.*
710,   4. Nu seht *G.*   = des iht lat *Ggg.*   6. disen *Gd.*   7. daz] = iz *Ggg.*
8. werbet gefuoge *DG.*   9. = ouch *fehlt Ggg.*   anderthalbn *D.*   12. in
herze *G*, in hertzen *g*, ir hertzen *g.*   17. tuotz *D.*   19. Beidiu *G.*
20. Fuorten die maget sunder dane *G.*   23. straftese *D*, strafet si *G.*
24. Des ne *Gg.*   do kein *dgg*, doch ein *D*, do dehein *Gg.*   26. = Daz
si in lange [vor *g*] het [vor *g*] verstoln *Ggg.*
711,   1. 2. Arnive sprah zeinē iuncherrelin. Sage dem lieben sune min *G.*
1. zeime iuncherrnlin *D*, zu einem iuncherlin *gg.*   5. knabe *D.*   = ze
artuse gahte *Ggg.*   7. woldez *Dd* = wolde *Ggg.*   8. ers *d.*   mohte *DG.*
9. 10. Daz der-Tet so *G.*   14. chleinem *D*, chleinen *die übrigen.*

'giht des diu herzogîn für prîs,
ob mîn bruoder mir mîn âmîs
sleht durch ir lôsen rât?
20 des möht er jehen für missetât.
waz hât der künec îm getân?
er solt in mîn geniezen lân.
treit mîn bruoder sinne,
er weiz unser zweier minne
25 sô lûter âne truopheit,
pfligt er triwe, ez wirt im leit.
sol mir sîn hant erwerben
nâch dem künge ein sûrez sterben,
hêrre, daz sî iu geklagt,'
sprach zArtûs diu süeze magt.
712 'Nu denct ob ir mîn œheim sît:
durch triwe scheidet disen strît.'
    Artûs ûz wîsem munde
sprach an der selben stunde
5 'ôwê, liebiu niftel mîn,
daz dîn jugent sô hôher minne
                            schîn
tuot! daz muoz dir werden sûr.
als tet dîn swester Sûrdâmûr
durch der Kriechen lampriure.
10 süeziu magt gehiure,
den kampf möht ich wol scheiden,
wesse ich daz an iu beiden,
op sîn herze untz dîn gesamnet
                            sint.
Gramoflanz Irôtes kint
15 vert mit sô manlîchen siten,
daz der kampf wirt gestriten,
ezn nnderstê diu minne dîn.
gesaher dînen liehten schîn
bî friunden ie ze keiner stunt,
20 unt dînen rôten süezen munt?'
si sprach 'desn ist niht geschehn:

wir minu ein ander âne sehn.
er hât ab mir durch liebe kraft
unt durch rehte geselleschaft
25 sîns kleinœtes vil gesant:
er enpfienc ouch von mîner hant
daz zer wâren liebe hôrte
und uns beiden zwîvel stôrte.
der künec ist an mir stæte,
ân valsches herzen ræte.'
713 Do erkante wol frou Bêne
dise knappen zwêne,
des künec Gramoflanzes kint,
die nâch Artûse komen sint.
5 si sprach 'hie solte niemen stên.
welt ir, ich heize fürder gên
daz volc ûzen snüeren.
wil mîne frouwen rüeren
solch ungenâde umb ir trût,
10 daz mær kumt schiere über lût.'
frou Bêne her ûz wart gesant.
der kinde einez in ir hant
smucte den brief untz vingerlîn.
si heten ouch den hôhen pîn
15 von ir frouwen wol vernomn,
und jâhen des, si wæren komn
und woltn Artûsen sprechen,
op si daz ruochte zechen.
si sprach 'stêt verre dort hin dan
20 unz ich iuch gêns zuo mir man.'
    von Bênen der süezen maget
ime gezelde wart gesaget,
daz Gramoflanzes boten dâ
wæren unde vrâgten wâ
25 Artûs der künec wære.
'daz dûht mich ungebære,
ob i'n zeigete an diz gespræche.
seht denne waz ich ræche

18. = mir *fehlt Ggg.*   20. moht ir gehen *Gg.*   21. = *naeh* 22 *Ggg.*
22. Ir sûlt *G.*   24. rechte sinne *g.*   25. = falscheit *G.*   28. swerz *D.*
30. zArtuse *D,* ze ·artuse *G.*
712, 1. denchet *DG.*   5. Owi *D.*   6. sô] uz *G.*   8. Also *G.*   9. den *Gg*
und (*dann* kryeschen) *g.*   Lampruore *D,* lanpriure *G.*   10. gehiuore *D.*
13. vñ daz dine *D,*   unde din *G.*   gesament *G.*   14. Irots *Dg,* gyrotes
Gdgg.   17. ezen *DG.*   19. vrowen *g,* freude *G,* freuden *die übrigen.*
deh. *G.*   21. des enist *DG.*   22. minnen *DG.*   = ungesehen *Ggg.*
23. aber *DG.*   25. chleinodes *DG.*   26. enpfieg *D.*   27. ze warem *G.*
28. beiden] den *G.*   30. ane *DG.*
713, 2. zwêne] bede *G.*   4. di *D.*   5. sol *Gg.*   stan-gan *G.*   6. = Welt
(muget *gg*) ir heizen (heizet *g*) fûrder (fûder *g*) *Ggg.*   8. = min frouwe *Ggg.*
9. Scholc ungnade umbe *G.*   12. einz *G.*   13. Schoup *d* = Stiez *Ggg.*
unde daz *G.*   17. wolten *D,* wolden *G.*   artus *g.*   21. Froun benen *Gg.*
22. In dem gezelte *G.*   23. daz *fehlt Gg.*   26. duhte *DG.*   27. i'n]
ih iu *G,* ich in *die übrigen.*   28. dane *G.*

an mîner frouwen, ob si sie
alsus sæhen weinen hie.'
714 Artûs sprach 'sint ez die knabn,
diech an den rinc nâch mir sach
drabn?
daz sint von hôher art zwei kint:
waz op si sô gefüege sint,
5 gar bewart vor missetât,
daz si wol gênt an disen rât?
eintweder pfligt der sinne,
daz er sîns hêrren minne
an mîner nifteln wol siht.'
10 Bêne sprach 'desn weiz ich niht.
hêrre, magez mit hulden sîn,
der künec hât diz vingerlîn
dâ her gesant unt disen brief:
dô ich nu fürz poulûn lief,
15 der kinde einez gab in mir:
frouwe, sêt, den nemet ir.'
dô wart der brief vil gekust:
Itonjê druct in an ir brust.
dô sprach si 'hêr, nu seht hie an,
20 ob mich der künec minne man.'
Artûs nam den brief in die hant,
dar an er geschrieben vant
von dem der minnen kunde,
waz ûz sîn selbes munde
25 Gramoflanz der stæte sprach.
Artûs an dem brieve sach,
daz er mit sîme sinne
sô endehafte minne
bî sînen zîten nie vernam.
dâ stuont daz minne wol gezam.
715 'Ich grüeze die ich grüezen sol,
dâ ich mit dienste grüezen hol.
frouwelîn, ich meine dich,
sît du mit trôste trœstes mich.

5 unser minne gebent geselleschaft:
daz ist wurzel mîner freuden kraft.
dîn trôst für ander trôste wigt,
sît dîn herze gein mir triwen pfligt.
du bist slôz ob mîner triwe
10 unde ein flust mîns herzen riwe.
dîn minne gît mir helfe rât,
daz deheiner slahte untât
an mir nimmer wirt gesehn.
ich mac wol dîner güete jehn
15 stæte âne wenken sus,
alz pôlus artanticus
gein dem tremuntâne stêt,
der neweder von der stete gêt:
unser minne sol in triwen stên
20 unt niht von ein ander gên.
nu gedenke ane mir, werdiu magt,
waz ich dir kumbers hân ge-
klagt:
wis dîner helfe an mir niht laz.
ob dich ie man durch mînen haz
25 von mir welle scheiden,
so gedenke daz uns beiden
diu minn mac wol gelônen.
du solt froun êren schônen,
und lâz mich sîn dîn dienstman:
ich wil dir dienen swaz ich kan.'
716 Artûs sprach 'niftel, du hâst wâr,
der künec dich grüezet âne vâr.
dirre brief tuot mir mære kunt
daz ich sô wunderlîchen funt
5 gein minne nie gemezzen sach.
du solt im sîn ungemach
wenden: alsô sol er dir.
lât ir daz peidiu her ze mir:
ich wil den kampf undervarn.
10 die wîle soltu weinen sparn.

30. = Sehent (Sahen *gg*) alsus *Ggg.*
714, 2. die ich *alle.*　　sach *vor* drabn *Dg*, *vor* nah *die übrigen.*　　7. Ein we-
der *G*, Eintwerre *g.*　　10. des enw. *D*, des new. *G.*　　14. vur daz pavelun *G.*
15. einz *G.*　　gaben mir *D.*　　16. Frouwe nemt *G.*　　set *D*, sent *d* =
seht *Ggg.*　　nemt *DG.*　　18. Si druchte in [vaste *gg*] an *Ggg.*　　19. herre
fehlt Gg, oheim (*ohne* nu) *g.*　　21. den brief nam *alle aufser Dg.*
26. brive *D*, brieve *G.*　　28. = Endehafter minne *Ggg.*　　29. siner zite *G.*
30. minnen *G.*
715, 2. daz ich *D.*　　3. Frouwe min *G.*　　4. trostes *Dg*, trostest *G.*
6. freude *D.*　　7. vur alle *Gg.*　　12. slähte *G.*　　13. gescehn *D.*　　16. Pôlus
D, der *G.*　　artânticus *D.*　　17. der *G.*　　Trimuntane *D*, Trehm. *gg.*
stat-gat *G.*　　18. deweder *G.*　　state *G*, stet *g*, stat *gg.*　　19. 20. stan-
gan *G.*　　21. ane *DG.*　　= mih *Ggg.*　　22. habe *G.*　　24. îemen *DG.*
26. Nu *G.*　　denche *D.*　　27. minne *alle.*　　wol *fehlt dg.*　　lonen *D.*
28. frouwen *D.*　　29. laze *Dd* = la *Ggg.*　　dinen *Ggg.*
716, 2. gruozt *G.*　　3. mir *fehlt Ggg.*　　mere *G.*　　4. = werdeclihen *Ggg*,
wunnigliche *g.*　　7. als *G.*

nu wær du doch gevangen:
sage mir, wiest daz ergangen
daz ir ein ander wurdet holt?
du solt im dîner minne solt
15 teiln: dâ wil er dienen nâch.'
Itonjê Artûs niftel sprach
'sist hie diu daz zesamne truoc.
unser enwedrius nie gewuoc.
welt ir, si füegt wol daz i'n sihe,
20 dem ich mînes herzen gihe.'
Artûs sprach 'die zeige mir.
mac ich, sô füege ich im unt dir,
daz iwer wille dran gestêt
und iwer beider freude ergêt.'
25 Itonjê sprach 'ez ist Bêne.
ouch sint sîner knappen zwêne
alhie. mugt ir versuochen,
welt ir mîns leben ruochen,
op mich der künec welle sehn,
dem ich muoz mîner freuden jehn?'
717　Artûs der wîse höfsche man
gienc her ûz zuo den kinden sân:
er gruozte si, dô er si sach.
der kinde einez zim dô sprach
5 'hêrre, der künec Gramoflanz
iuch bitet daz ir machet ganz
gelübde, diu dâ sî getân
zwischen im unt Gâwân,
durch iwer selbes êre.
10 hêrre, er bitet iuch mêre,
daz kein ander man im füere
strît.
iwer her ist sô wît,
solt ers alle übervehten,
daz englîchte niht dem rehten.
15 ir sult Gâwânn lâzen komn,

gein dem der kampf dâ sî genomn.'
der künec sprach zen kinden
'ich wil uns des enbinden.
mîme neven geschach nie grœzer
leit,
20 daz er selbe dâ niht streit.
der mit iwerm hêrren vaht,
dem was der sig wol geslaht:
er ist Gahmuretes kint.
al die in drîen heren sint
25 komn von allen sîten,
dine vrieschen nie gein strîten
deheinen helt sô manlîch:
sîn tât dem prîse ist gar gelîch.
ez ist mîn neve Parzivâl.
ir sult in sehn, den lieht gemâl.
718 Durch Gâwânes triwe nôt
leist ich daz mir der künec enbôt.'
Artûs und Bêne
unt dise knappen zwêne
5 riten her unde dar.
er liez diu kint nemen war
liehter blicke an manger frouwen.
si mohten ouch dâ schouwen
ûf den helmen manec gesnürre.
10 wênec daz noch würre
eim man der wære rîche,
gebârter geselleclîche.
si kômen niht von pferden.
Artûs liez die werden
15 über al daz her diu kinder sehn,
dâ si den wunsch mohten spehn,
ritter, magde unde wîp,
mangen vlætigen lîp.
des hers wârn driu stücke,
20 dâ zwischen zwuo lücke:

---

11. wære *DG.*　　12. wie ist *DG.*　　15. teilen *DG.*　　16. Itonîe ze artuse
sprach *Gd.*　17. si ist *DG.*　　diu iz *G.*　18. enwedriu es *D,* yetweders *d,*
deweriu es *G.*　　= nie me *Ggg.*　19. fueget *D,* vuoget *G.*　　ih in *G,*
ich in *die übrigen.*　21. beder *G.*　26. sinr *G.*　27. muget *D,* mûget *G.*
30. froude *Gg.*

717, 2. her *fehlt Ggg.*　　3. gruoztese *D,* gruozt si *G.*　　6. bittet *D.*　　daz er
macht *G.*　　10. bittet *D,* bit *G,* enbut *g.*　　　　11. dehein *DG.*
man vur in strite *Gg.*　　12. wite *Gg.*　　13. erse *D.*　　alle *fehlt G.*
14. Daz glichet *alle aufser D.*　16. = dâ *fehlt Ggg.*　　ist *dgg.*　20. = Dane
daz *Ggg,* Wan daz *g.*　　dâ *fehlt Gg.*　22. des siges *GGbg.*　23. ez *D.*
24. alle *DGGb.*　　drin *GGb.*　　hern *DG.*　26. Die gefr. *GGb dgg,* Die fr. *g.*
von *GGb.gg.*　　27. man *D.*　　28. gar *fehlt Gb d.*　30. den helt gemal *Gb.*

718, 1. Gawans *DGGb g.*　　triwen *GGb dgg.*　　2. swaz *GGb.*　　chunc *Gb.*
gebot *GGb gg.*　　3. unt *DGb,* unde ouch *G.*　　5. unt *D.*　　6. 14. lie *GGb.*
7. Lieht *G,* liehte *Gb.*　　mæniger *Gb.*　　8. = Ouch mohten si (mohtin sie *Gb*)
GGb gg.　　9. dem helme *GGb g.*　10. noch daz *Gb.*　11. Ein *GGb g,* einem
die übrigen.　　13. Sine *GGb gy.*　　von den *alle aufser D.*　　pfærden *D,*
15. = chint *GGb gg.*　　gesehen *GGb gg.*　16. daz sie *Gb gg.*　17. maget *Gg,*
megde *dgg,* meide. *D,* mage *Gb.*　18. den wol gezierit was ir lip *G.*
20. = enzwischen *GGb gg.*　　zwo *DGGb.*

Artûs reit mit den kinden dan
von dem her verre ûf den plân.
er sprach 'Bêne, süeziu magt,
du hœrs wol waz mir hât geklagt
25 Itonjê mîner swester barn:
diu kan ir weinen wênec sparn.
daz glouben mîne gesellen,
die hie habent, op si wellen:
Itonjê hât Gramoflanz
verleschet nâch ir liehten glanz.
719 Nu helfet mir, ir zwêne,
und ouch du, friundîn Bêne,
daz der künc her zuo mir rîte
unt den kampf doch morgen strîte.
5 mînen neven Gâwân
bringe ich gein im ûf den plân.
rît der künc hiut in mîn her,
er ist morgen deste baz ze wer.
hie gît diu minne im einen schilt,
10 des sînen kampfgenôz bevilt:
ich mein gein minne hôhen muot,
der bî den vînden schaden tuot.
er sol höfsche liute bringen:
ich wil hie teidingen
15 zwischen im und der herzogîn.
nu werbetz, trûtgeselle mîn,
mit fuog: des habt ir êre.
ich sol iu klagen mêre,
waz hân ich unsælic man
20 dem künege Gramoflanz getân,
sît er gein mîme künne pfligt,
daz in lîhte unhôhe wigt,
minne und unminne grôz?

ein ieslîch künec mîn genôz
25 mîn gerne möhte schônen.
wil er nu mit hazze lônen
ir bruoder, diu in minnet,
ob er sich versinnet,
sîn herze tuot von minnen wanc,
swenn ez in lêret den gedanc.'
720 Der kinde einz zem künege
        sprach
'hêr, swes ir für ungemach
jeht, daz sol mîn hêrre lân,
wil er rehte fuoge hân.
5 ir wizt wol umb den alten haz:
mîme hêrren stêt belîben baz,
dan daz er dâ her zuo ziu rite.
diu herzoginne pfligt noch site,
daz sim ir hulde hât versagt
10 und manegem man ab im geklagt.'
'er sol mit wênec liuten komn,'
sprach Artûs. 'die wîl hân ich ge-
        nomn
vride für den selben zorn
von der herzoginne wol geborn.
15 ich wil im guot geleite tuon:
Bêâkurs mîner swester suon
nimt in dort an halbem wege.
er sol varn in mîns geleites pflege:
des darf er niht für laster jehn.
20 ich lâze in werde liute sehn.'
    mit urloube si fuoren dan:
Artûs hielt eine ûf dem plân.
Bêne unt diu zwei kindelîn
ze Rosche Sabbîns riten în,

---

22. Verre hin uz uf den plan *GG*ᵇ.   23. Do sprach er *D*.   24. hores *g*, hô-
rest *Gdg*, horist *G*ᵇ, hotes *D*, hortest *g*.   wol *fehlt G*ᵇ.   = mir *fehlt GG*ᵇ*gg*.
26. = Diu wenich kan ir weinen sparn *GG*ᵇ*gg*.   29. Itonie *g*, Itonîen *DGG*ᵇ.
30. = Erleschet *GG*ᵇ*gg*.   liehten *fehlt G*, minnen *G*ᵇ.

719,   3. her *fehlt g*, doh *G*, doch *G*ᵇ.   6. bringich *G*ᵇ.   7. Rit *gg*, Ritte *d*, rîtet
*DG*ᵇ*g*, Riter *G*.   = aber der *GG*ᵇ*gg*.   8. al deste *D*.   11. meine *DGG*ᵇ.
12. vienden *DGG*ᵇ.   13. höfsce *D*, hofsche *G*, hovische *G*ᵇ.   16. werbet ez
*GG*ᵇ, werbtetz *D*.   trut (truot *D*) geselle *DGG*ᵇ*g*, trut (trauten *g*) gesellen *dgg*.
17. fuoge *DGG*ᵇ.   18. = solde *GG*ᵇ*gg*.   21. Daz *GG*ᵇ*gg*.   22. = doh lihte
*GG*ᵇ*gg*.   24. ein ieschlich *G*ᵇ.   25. = Môhte min gerne schonen *GG*ᵇ*gg*.
26. nu *fehlt G*ᵇ*d*.   28. = Swenne er *Ggg*, swanner *G*ᵇ.   sichs *D*.
29. minne *GG*ᵇ*gg*.   30. = Obez *GG*ᵇ*gg*, lert *GG*ᵇ*g*.

720,   3. herze *G*.   5. wizzet *DGG*ᵇ.   wl *G*.   6. herren *fehlt G*ᵇ.   7. Danne
*GG*ᵇ*dgg*, denne *D*.   = er zuo iu rite *GG*ᵇ*gg*.   8. *fehlt G*.   hat *G*ᵇ*gg*.
9. ir *fehlt GG*ᵇ*gg*.   10. mænigem *G*ᵇ, manegē *D*, mangen *G*.   = über (uf *g*)
in *Ggg*, von im *G*ᵇ.   klaget *G*.   11. wenc *GG*ᵇ.   12. sprach Artus *Ddg*.
Sprach der kunic *GG*ᵇ*gg*, *fehlt g*.   wile *DGG*ᵇ.   13. = Einen fride *GG*ᵇ*gg*.
16. Beachcors *D*, beachors *G*ᵇ.   17. = Sende ih im ze (sendich ime zi *G*ᵇ)
halbem (halben *g*) wege *GG*ᵇ*gg*.   19. endarf *GG*ᵇ.   21. urlobe *G*ᵇ.
= schieden *GG*ᵇ*gg*.   22. Der kunc *Ogg*, Der *G*ᵇ.   = beleip eine *GG*ᵇ*gg*.
23. zwei *fehlt GG*ᵇ*gg*.   chunigin *G*ᵇ.   24. Roitschesabins *gg*, roisabins *Ggg*,
roisabin *G*ᵇ.   ritens *G*ᵇ.

25 anderhalp ûz da'z her lac.
done gelebte nie sô lieben tac
Gramoflanz, dô in gesprach
Bêne unt diu kint. sîn herze jach,
im wære alsolhiu mære brâht,
der sælde gein im het erdâht.
721 Er sprach, er wolte gerne komn.
dâ wart geselleschaft genomn:
sînes landes fürsten drî
riten dem künege dannen bî.
5 als tet ouch der œheim sîn,
der künec Brandelidelîn.
Bernout de Riviers
und Affinamus von Clitiers,
ieweder einen gesellen nam,
10 der ûf die reise wol gezam:
zwelve wârn ir über al.
junchêrren vil âne zal
und manec starker sarjant
ûf die reise wart benant.
15 welch der rîter kleider möhten sîn?
pfellel, der vil liehten schîn
gap von des goldes swære.
des küneges valkenære
mit im dan durch peizen ritn.
20 nu het ouch Artûs niht vermitn,
·Bêâkurs den lieht gevar
sand er ze halbem wege aldar
dem künege zeime geleite.
über des gevildes breite,

25 ez wære tîch ode bach,
swâ er die passâschen sach,
dâ reit der künec peizen her,
und mêre durch der minne ger.
Bêâkurs in dâ enphienc
sô daz ez mit freude ergienc.
722 Mit Bêâkurs komen sint
mêr danne fünfzec clâriu kint,
die von art gâben liehten schîn,
herzogen unde grævelîn:
5 dâ reit ouch etslîch küneges suon.
dô sah man grôz enpfâhen tuon
von den kinden ze bêder sît:
si enphiengn ein ander âne nît.
Bêâkurs pflac varwe lieht:
10 der künec sich vrâgens sûmte nieht,
Bêne im sagete mære,
wer der clâre rîter wære,
'ez ist Bêâkurs Lôtes kint.'
dô dâhter 'herze, nuo vint
15 si diu dem gelîche,
der hie rît sô minneclîche,
si ist für wâr sîn swester,
diu geworht in Sinzester
mit ir spärwær sande mir den huot.
20 op si mir mêr genâde tuot,
al irdischiu rîcheit,
op d'erde wær noch alsô breit,
dâ für næm ich si einen.
si solz mit triwen meinen.

25. anderthalbn *D*, Unde anderhalb *GG^b dgg*.   ûz *fehlt* *GG^b dg*.   da dez *D*,
da daz *GG^b*.   26. Do *dgg*.   lebte *g*.   2c. die chint *G*.   herz *G^b*.
29. = Im waren sólhiu *Ggg*, im wærn so liebiu *G^b*.   30. sælde] si *GG^b g*.
721, 1. Der *G*.   2. Do *GG^b*.   selleschaft *g*.   3. sins *DGG^b*.   4. = Die riten
GG^b gy.   dannen *D*, da *g*, nohe *d*, fehlt *GG^b gg*.   5. alsus *D*, Ouch *d*, Also *G*.
tet] fuor *D*.   6. brænd. *G^b*.   7. Gernout *GG^b g*, Gernot *g*.   8. Affinamùs *D*.
de *GG^b gg*.   Kliciers *g*, cletiers *Ggg*, cleitiers *G^b*.   9. letw. *GG^b*.
12. iuncherrnlin *D*.   vil *Ddgg*, vil gar *GG^b*, gar *g*, fehlt *g*.
13. manc starch *Ggg*, mænc starc *G^b*.   14. gesant *GG^b g*.   15. welch diu
cleidir *G^b*.   môhte *G*.   16. Phele *G*, pfelle *G^b*.   18. valchnâre *G*.
20. nu enhet *G*, nune hete *G^b*.   ouch *fehlt Gg*, nach artus *G^b g*.   21. Beakûrs
G, beachurs *G^b*, Beahcursen *D*.   22. zi halbime *G^b*.   24. zeinime *G^b*.
25. oder *D*, alder *G^b*.   bac *G*.   26. Swa man *GG^b gg*.   den vasan gesah *GG^b*.
27. Dar *GG^b*.   = durh beizen *GG^b gg*.   29. Beahcors *D*.   30. Also *Ggg*,
als *G^b*.   deiz *g*, daz *G^b*.   frouden *GG^b dg*.
722, 1. Beahcurse *D*, beachur *G^b*.   2. Me *GG^b*.   dane funfch *G*.   clâriu *fehlt d*,
cleiniu *G^b*.   3. = von ir art *Dd*.   arde *Gg*, arte *G^b*.   6. = Man sah
da *GG^b gg*.   8. = Die *Ggg*, diu *G^b*.   enphiengen *DGG^b*.   âne *fehlt Gg*.
9. 13. Beahcurs *D*.   9. = truog *Ggg*, truoc *G^b*, mit *g*.   10. = frage *Ggg*,
fragen *gg*, varwe *G^b*.   sunde niet *G^b*.   11. = Im (nu *G_b*) sagte bene mære
GG^b gg, Unde vragte benen mere *g*.   13. Lots *DG*.   14. nuo *g*, nu *DGG^b*.
16. rìtet *DGG^b*.   17. Sist *g*.   benamen *Ggg*.   18. von *G^b*.   sincester *Gg*,
sincestir *G^b*.   19. spærwære *DG^b*, sparwâre *G*.   mir *fehlt GG^b g*.   den] = ir
GG^b gg.   20. = mêr *fehlt GG^b gg*.   21. nach 22 *GG^b gg*.   = Alle irde-
schen *GG^b gg*.   An erdescher *g*.   22. noch als *D*, so *GG^b g*.   23. næme *DG*.

22*

25 ûf ir genâde kum ich hie:
si hât mich sô getrœstet ie,
ich getrûwe ir wol daz si mir tuot
dâ von sich hœhert baz mîn muot.'
in nam ir clâren bruoder hant
in die sîn: diu was ouch lieht erkant.
723 Nu wasez ouch ime her sô komn,
Artûs hete aldâ genomn
vride von der herzogin.
der was ergetzens gewin
5 komen nâch Cidegaste,
den si ê klaget sô vaste.
ir zorn was nâch verdecket:
wan si het erwecket
von Gâwân etslîch umbevanc:
10 dâ von ir zürnen was sô kranc.
Artûs der Bertenoys
nam die clâren frouwen kurtoys,
beide magde unde wîp,
die truogen flæteclîchen lîp.
15 er hete der werden hundert
in ein gezelt gesundert.
niht lieber möht ir sîn geschehn,
wan daz se den künec solde sehn,
Itonjê, diu ouch dâ saz.
20 stæter freude se niht vergaz:
doch kôs man an ir ougen schîn,
daz si diu minne lêrte pîn.
dâ saz manc rîter lieht gemâl:
doch truoc der werde Parzivâl

23 den prîs vor ander clârheit.
Gramoflanz an die snüere reit.
dô fuorte der künec unervorht
in Gampfassâsche geworht
einen pfell mit golde vesten:
der begunde verre glesten.
724 Si erbeizten, die dâ komen sint.
des künec Gramoflanzes kint
mangiu vor im sprungen,
inz poulûn si sich drungen.
5 die kamerære wider strît
rûmten eine strâze wît
gein der Berteneyse künegîn.
sîn œheim Brandelidelîn
vorem künege inz poulûn gienc:
10 Ginovêr den mit kusse enpfienc.
der künec wart ouch enpfangen sus.
Bernouten unde Affinamus
die künegîn man ouch küssen sach.
Artûs ze Gramoflanze sprach
15 'ê ir sitzens beginnet,
seht ob ir keine minnet
dirre frouwen, und küsset sie.
iu beiden siz erloubet hie.'
im sagte, wer sîn friundin was,
20 ein brief den er ze velde las:
ich mein daz er ir bruoder sach,
diu im vor al der werlde jach
ir werden minne tougen.
Gramoflanzes ougen

26. so *Dd*, also *g*, doh *GG*b*gg.*   27. getri*v*we *G*b*g.*   28. hohert *D*, hoher *d* =
hóhet (hohit *G*b) *GG*b*gg.*   29. er nam *G*b.   30. sine *DGG*b.   ouch was *GG*b.
723, 2. Das artus *d.*   al da *D*, da *GG*b*gg, fehlt d.*   3. = Einen fride *GG*b*gg.*
6. si *fehlt G*b.   chlagete *D*, clagite *G*b, chlagte *G*.   sô *fehlt GG*b*g.*   7. nâch
*fehlt G*b.   verdecht *G*.   8. wan *fehlt D*.   gewechet *G*.   9. etslich] manc *G*,
manic *G*b.   10. zurn *D*.   11. britonoeis *G*, chunic britaneis *G*b.   12. 13. *ab-
gerissen G*b.   12. clâren *fehlt Ggg.*   kurteis *G*.   13. maget *Ggg*, megde
dg, meide *Dg*.   14. = flâtigen *GG*b*gg.*   16. = Under e. g. *Ggg*, an hohem
prise uz *G*b.   18. wan *Dg*, Denne *d*, *fehlt GG*b*gg.*   daz si den *DGG*b, dazs
en *g.*   19. Itonien *D allein.*   och da saz so lieht gemal. (*z.* 23: *alles mittlere
fehlt*) *G*b.   20. = Unde stâter froude niht vergaz *Ggg.*   si *D.*   21. 24. = Do
Ggg, nu *G*b.   25. fur *G*b*gg.*   27. forhte *G*, cherte *G*b.   degen *GG*b*gg.*
28. Ganpfassasce *D*, ganfassasc *d*, kanfassashe *g*, kamfassatsche *g*, Tscho-
flanze *g*, tschoffanze *G*, tschofanz *G*b, kankasas *g.*   29. pfelle *DGG*b.   von
*GG*b*g.*   30. begonde *DG*b.

724, 1. Sirbeizten *g.*   2. Gramofranzs *D.*   4. dur daz *G*b.   paulun *d*, pavelun
*GG*b.   = sich *fehlt GG*b*gg.*   5. wider strit *D*, in wider strit *dg*, ze beider
(zeber *GG*b) sit *GG*b*gg.*   6. Runden *GG*b.   einē *G*.   strazen *D.*   7. der
*fehlt GG*b*g.*   bertenoyse *D*, brituneise *d* = brituneiser *gg*, Brittanoyser *g*,
britteneyser *g*, pritaneischer *G*b, britanischer *G*.   8. sin neven br. *G*b.
9. 10. Hiez er vor im gen dar in. Den kûste Ginover diu kûnigin *GG*b*gg.*
11. ouch *fehlt d.*   12. = Bernuot *g*, Gernot *g*, Beakûrs *GG*b*gg.*   13. = ouch
*fehlt GG*b*gg.*   für 15 *leeren platz G*b.   = sitzen *Ggg.*   16. dech. *D*,
deh. *G*, dih. *G*b.   17. vroun *G*b.   unde *G*b.   die *GG*b*gg.*   18. siz *GG*b*g*,
si daz *die übrigen.*   geloubint *G*b.   19. friundin *G*b, friwndinne *D*, vriun-
dinne *G*.   20. Einen *G*.   21. ir bruoder] si da *G*b.   22. Dem si vor *GG*b*gg.*

25 si erkanten, diu im minne truoc.
sîn freude hôch was genuoc.
sît Artûs het erloubet daz,
daz si beide ein ander âne haz
mit gruoze enphâhen tæten kunt,
er kuste Itonjê an den munt.
725 Der künec Brandelidelîn
saz zuo Ginovêrn der künegîn.
ouch saz der künec Gramoflanz
zuo der diu ir liehten glanz
5 mit weinen hete begozzen.
daz hete si sîn genozzen:
ern welle unschulde rechen,
sus muoser hin zir sprechen,
sîn dienst nâch minnen bieten.
10 si kunde ouch sich des nieten,
daz se im dancte umb sîn komn.
ir rede von niemen wart vernomn:
si sâhn ein ander gerne.
swenne ich nu rede gelerne,
15 sô prüeve ich waz si spræchen dâ,
eintweder nein oder jâ.
Artûs ze Brandelidelîn
sprach 'ir habt dem wîbe mîn
iwer mære nu genuoc gesagt.'
20 er fuorte den helt unverzagt
in ein minre gezelt
kurzen wec überz velt.
Gramoflanz saz stille
(daz was Artûss wille),
25 und ander die gesellen sîn.
dâ gâben frouwen clâren schîn,

daz die rîter wênec dâ verdrôz.
ir kurzewîle was sô grôz,
si möhte ein man noch gerne dolen,
der nâch sorgen freude wolt er-
holen.
726 Für die küngîn man dô truoc
daz trinken. trunken si genuoc,
die rîter unt die frouwen gar,
si wurden deste baz gevar.
5 man truog ouch trinken dort hin în
Artûs und Brandelidelîn.
der schenke gienc her wider dan:
Artûs sîn rede alsus huop an.
'hêr künec, nu lât siz alsô tuon,
10 daz der künec, iur swester suon,
mîner swester sun mir het erslagn:
wolt er denne minne tragn
gein mîner niftel, der magt
diu im ir kumber ouch dort klagt
15 dâ wir se liezen sitzen,
füer si dan mit witzen,
si wurde im nimmer drumbe holt,
unt teilte im solhen hazzes solt,
dês den künc möht erdriezen,
20 wolt er ir iht geniezen.
swâ haz die minne undervert,
dem stæten herzen freude er wert.'
dô sprach der künec von Pun-
turtoys
zArtûse dem Bertenoys
25 'hêr, si sint unserr swester kint,
die gein ein andr in hazze sint:

---

25. = Erchanden (Erkande *gg*) si diu (dim *g*) *GGᵇgg*.   26. = Do
(Des *G*, si *Gᵇ*) was sin froude hoh genuoch (genuoc *Gᵇ*) *GGᵇgg*.   was hoch *d*.
27. = Sit artus erloubte (erloubete *Gᵇ*) daz *GGᵇgg*.   28. beidiu *G*.   29. taten
DGdg.   29-726, 15 *sind von Gᵇ die enden der zeilen weggeschnitten*.
30. yconie *g*, Itônîen *G*, itonien *die übrigen*.

725, 1. 2. = Da saz der kûnc brandelidelin. Zuo Ginovern (schinoveren *Gᵇ*) der
kûnigin *GGᵇgg*.   7. Eren *D*, Er ne *GGᵇ*.   wolte *d*.   8. müsz er *gg*.
9-14. *fehlen Gᵇ*.   13. sahen *DG*.   14. reden *Gg*.   15. so frouwe ich weiz
si sp .... *Gᵇ*.   swaz *G*.   sprachen *Gdgg*.   16. Einweder *G*.   19. iwerre
Gᵇ.   nu *fehlt GGᵇ*.   gnuoch *DGGᵇ*.   21. minner *Ggg*.   22. uber *GGᵇgg*.
26. liehten *GGᵇgg*.   27. = wenc bi in (im *GGᵇ*) verdroz *GGᵇgg*.   28. churz-
wile *Dgg*.   29. = noch *fehlt GGᵇgg*.   30. sorgen freude *D*, sorgen froude *gg*,
sorge *d*, froude sorge *GGᵇ*, freuden sorgen *g*.

726, 1. die *fehlt Gᵇ*.   = dô *fehlt GGᵇgg*.   5. dort *fehlt Ggg*.   6. unde *DG*.
brandil. *G*.   7. gienc *fehlt G*, gie *Gᵇ*.   8. huob *D*.   10. iwer *G*, iwerre *DGᵇ*.
11. m. s. s. *fehlt Gᵇ*.   12. = Unde wolde er (wolder *Gᵇ*) dane *GGᵇgg*.
13. Gein siner (miner *Gᵇ*) swester *GGᵇgg*.   niftel *D*, nifftelen *dg*.   dirre *Gᵇ*.
14. diu mir *Gᵇ*.   16. *abgerissen, nebst den ersten hälften der folgenden zeilen*
bis 727, 27, *Gᵇ*.   füere *DG*.   dane *G*, denne *D*.   17. = Sine *Ggg*.
drumbe nimmir *GGᵇg*.   18. sôlhen *G*.   19. Deis *G*, Daz ez *gg*.   22. stætem
D.   freude erwert *D*, freide es wert *d* = ez froude wert *GGᵇgg*.   23. uz
GGᵇgg.   ponturteis *GGᵇ*.   24. Ze Artus dem britanoeis *G*.   pritanoeis *Gᵇ*.
25. unser *G*, unsir *Gᵇ*.   26. di *D*.   ander *DGGᵇ*.

wir sulen den kampf understên.
dane mac niht anders an ergên,
wan daz se ein ander minnen
mit herzenlîchen sinnen.
727 Iwer niftel Itonjê
sol mîme neven gebieten ê,
daz er den kampf durch si verber,
sî daz er ir minne ger.
5 sô wirt für wâr der kampf vermitn
gar mit strîteclîchen sitn.
und helfet ouch dem neven mîn
hulde dâ zer herzogîn.'
Artûs sprach 'daz wil ich tuon.
10 Gâwân mîner swester suon
ist wol sô gewaldec ir,
daz si beidiu im unde mir
durch ir zuht die schulde gît.
sô scheidt ir disehalp den strît.'
15 'ich tuon,' sprach Brandelidelîn.
si giengen beide wider în.
dô saz der künec von Punturtoys
zuo Ginovern: diu was kurtoys.
anderhalb ir saz Parzivâl:
20 der was ouch sô lieht gemâl,
nie ouge ersach sô schœnen man.
Artûs der künec huop sich dan
zuo sîme neven Gâwân.
dem was ze wizzen getân,
25 rois Gramoflanz wære komn.
dô wart ouch schier vor im vernomn,
Artûs erbeizte vorem gezelt:

gein dem spranger ûfez velt.
si truogen daz ze samne dâ,
daz diu herzogîn sprach suone jâ,
728 Abe anders niht decheinen wîs,
wan op Gâwân ir âmîs
wolte den kampf durch si verbern,
sô wolt ouch si der suone wern:
5 diu suone wurd von ir getân,
op der künec wolde lân
bîziht ûf ir sweher Lôt.
bî Artûs si daz dan enbôt.
Artûs der wîse höfsche man
10 disiu mære brâhte dan.
dô muose der künec Gramoflanz
verkiesen umbe sînen kranz:
und swaz er hazzes pflæge
gein Lôt von Norwæge.
15 der zergienc, als in der sunnen snê,
durch die clâren Itonjê
lûterlîche ân allen haz.
daz ergienc die wîle er bî ir saz:
alle ir bete er volge jach.
20 Gâwânn man dort komen sach
mit clârlîchen liuten:
in möht iu niht gar bediuten
ir namn und wan si wârn erborn.
dâ wart durch liebe leit verkorn.
25 Orgelûs diu fiere,
und ir werden soldiere,
und ouch diu Clinschores schar,
ir ein teil (sin wârnz niht gar)

30. = Mit herzen unde mit sinnen *GG^b gg.*

727,   6. stritlichin sitten *G^b g.*   11. Ist so gwaltech ir *G,* .... waltic ir *G^b*.
12. = beidiu *fehlt GG^b gg.*   unde *GG^b,* vñ ouch *D.*   14. sceidet *DG.*
16. bede *GG^b*.   17. ponturteis *GG^b*.   18. was ouch *GG^b g.*   kurtoeis *G,*
churtoeis *G^b*.   19. anderthalbn *D.*   = ir *fehlt GG^b gg.*   21. = Ez ne wart
nie riter baz getan *GG^b gg.*   22. der künec *fehlt d.*   huop sich her *d,* der
huop sich *D.*   sich an *G^b*.   23. = Gein sinem *Ggg.*   24. wizzene *D,*
wizzinne *G^b*.   25. Der kunec *alle.*   wer *g.*   26. sciere *DGG^b*.   von *GG^bg.*
27. daz Artus *D.*   erbeizt vor dem *G,* erb .... vor dem *G^b*.   28. *abgerissen G^b*.
spranch er uf dez *G.*

728,   1. aber *Dd* = Unde aber (abir *G^b,* abe *G*) *GG^b gg,* Unde *g.*   deheine *GG^b dgg.*
gwis *D.*   3. Den kamph wolde *G.*   wolde *G^b*.   4. wol *D,* wolde *GG^b*.
= ouch *fehlt GG^b gg.*   5. = So wrde diu suone von ir getan *GG^b gg.*
wrde von ir *D,* wurde aber nit (*und z.* 6 Denne obe) *d.*   6. = Unde op
GG^b gg.   7. bîziht *D,* Bericht *d* = Die ziht *GG^bgg,* Die in zyht *g.*   loht *G^b*,
auch 11.   8. dan] hin *GG^b d.*   11. muoser der *G^b*.   14. Lote vor *D.*
15. zergie *GG^b*.   17. luoterliche *D,* Luterlih (-ch *G^b*) *GG^b*.   18. ergiench
D, zergieng *d* = geschah *GG^b gg.*   die wiler *G^b*.   19. Al *g,* Aller *G^b*.
20. = do *GG^b gg.*   22. ine *DG^b,* Ihne *G.*   = mag *GG^b gg.*   iu *fehlt g.*
23. Umbe ir *GG^b gg.*   wan *g,* wannen *DGG^b*.   wærin *G^b,* wern *dg,* sin *G.*
= geborn *GG^b gg.*   24. lieb *Gg,* liep *G^b g.*   *nach* 24 uñ ouch allirslahte
zorn. *G^b*.   25. 26. Orgillusie (orgeluse *G^b*) diu phiere (here *G^b*).   Unde ir
soldeniere *GG^b*.   27. Clinscors *D,* clinsors *GG^b,* Clingshors *g.*   schare *G,*
28. sine *DGG^b*.   warenz *D,* warns *G,* was *G^b*.

sach man mit Gâwâne komn.
Artûs gezelde was genomn
729 Diu winde von dem huote.
Arnîve diu guote,
Sangîve unt Cundrîê,
die hete Artûs gebeten ê
5 an dirre suone teidinc.
swer prüevet daz für kleiniu dinc,
der grœze swaz er welle.
Jofreit Gâwâns geselle
fuort die herzoginne lieht erkant
10 underz poulûn an sîner hant.
diu pflac durch zuht der sinne,
die drî küneginne
lie si vor ir gên dar în.
die kuste Brandelidelîn:
15 Orgelûse in ouch mit kusse en-
pfienc.
Gramoflanz durch suone gienc
und ûf genâde gein ir dar.
ir süezer munt rôt gevar
den künec durch suone kuste,
20 dar umb si weinens luste.
si dâhte an Cidegastes tôt:
dô twanc si wîplîchiu nôt
nâch im dennoch ir riuwe.
welt ir, des jeht für triuwe.
25   Gâwân unt Gramoflanz
mit kusse ir suone ouch machten
ganz.
Artûs gab Itonjê
Gramoflanz ze rehter ê.
dâ het er vil gedienet nâch:
Bên was frô, dô daz geschach.
730 Den ouch ir minne lêrte pîn,
den herzogen von Gôwerzîn,
Lischoys wart Cundrîê gegebn:

âne freude stuont sîn lebn,
5 unz er ir werden minne enpfant.
dem turkoiten Flôrant
Sangîven Artûs ze wîbe bôt:
die het dâ vor der künec Lôt.
der fürste ouch si vil gerne nam:
10 diu gâbe minne wol gezam.
Artûs was frouwen milte:
sölher gâbe in niht bevilte.
des was mit râte vor erdâht.
nu disiu rede wart volbrâht,
15 dô sprach diu herzoginne
daz Gâwân het ir minne
gedient mit prîse hôch erkant,
daz er ir lîbs und über ir lant
von rehte hêrre wære.
20 diu rede dûhte swære
ir soldier, die manec sper
ê brâchen durch ir minne ger.
Gâwân unt die gesellen sîn,
Arnîve und diu herzogîn,
25 und manec frouwe lieht gemâl,
und ouch der werde Parzivâl,
Sangîve und Cundrîê
nâmen urloup: Itonjê
beleip bî Artûse dâ.
nu darf niemen sprechen wâ
731 Schœner hôchgezît ergienc.
Ginovêr in ir pflege enpfienc
Itonjê und ir âmîs,
den werden künec, der manegen prîs
5 mit rîterschefte ê dicke erranc,
des in Itonjê minne twanc.
ze herbergen maneger reit,
dem hôhiu minne fuogte leit.
des nahtes umb ir ezzen
10 muge wir mære wol vergezzen.

---

29. Die waren mit *GGᵇgg*.   30. gezelt *alle aufser D*.   wart *D*.

729, 3. Seive *GGᵇ*.   unde *Gᵇ*.   4. heten *GGᵇgg*.   6. = pruove *Ggg, fehlt Gᵇ*.
7. grvze *Gᵇ*.   8. Jofrit *Gᵇ*.   9. fuorte *DG*.   15. Orgillusie *G*.
18. ditcher *Ggg*.   20. = Des si doh wenc lûste *Ggg*.   dar umbe *D*.
21. Citegastes *Gdgg*.   22. Da *Gg*.   23. = Dannoh in ir riwe *Ggg*.   24. ieht
gg, iht *D*, iht iehen *G*, iehen *dg*.   26. = ouch *fehlt Ggg*.   macheten *G*.
27. Itonîe *DG*.   29. gedient nah *G*.   30. Bene *DG*.

730, 2. Dem *dg*.   3. Liscoyse *D*, Lishoise *G*.   6. Der *G*.   floriant *g*.
7. ze wibe Artûs Sangîven bôt?   = Artus sagiven *Gg*, Artus Sey-
ven *gg*.   14. = Do *Ggg*.   17. = Mit prise gedient so hoh erkant *Ggg*.
18. libes *DG*.   22. = ê *fehlt Ggg*.   21-26. = Arnive diu künigin. Unde
der werde parcifal. Unde diu herzoginne lieht gemal *Ggg*.   27. Sagive Unde
kundrię *G*.   28. nam *D*.   30. = Nune darf mih (*fehlt g*) niemen
fragen wa *Ggg*.

731, 1. hohzit *G*.   5. An *Ggg*.   ê diche *Dd* = er dicke *g*, dicke *g*, wol *g*, *fehlt G*.
eranch *G*.   6. Itonien *Gg*.   7. do maniger *Ggg*.   8. = Den-lerte *Ggg*.
9. = abendes *Ggg*, abens *g*.   10. Mûgen *G*.   wol mere *g*.

swer dâ werder minne pflac,
der wunscht der naht für den tac.
der künec Gramoflanz enbôt
(des twang in hôchverte nôt)
15 ze Rosch Sabbîns den sînen,
si solten sich des pînen
daz se abe bræchen bî dem mer
und vor tage kœmn mit sîme her,
unt daz sîn marschalc næme
20 stat diu her gezæme.
'mir selben prüevet hôhiu dinc,
ieslîchem fürsten sunderrinc.'
des wart durch hôhe kost erdâht.
die boten fuorn: dô was ez naht.
25 man sach dâ mangen trûrgen lîp,
den daz gelêret heten wîp:
wan swem sîn dienst verswindet,
daz er niht lônes vindet,
dem muoz gein sorgen wesen gâch,
dane reiche wîbe helfe nâch.
732 Nu dâhte aber Parzivâl
an sîn wîp die lieht gemâl
und an ir kiuschen süeze.
ob er kein ander grüeze,
5 daz er dienst nâch minne biete
und sich unstæte niete?
solch minne wirt von im gespart.
grôz triwe het im sô bewart
sîn manlîch herze und ouch den lîp,
10 daz für wâr nie ander wîp
wart gewaldec sîner minne,
niwan diu küneginne
Condwîr âmûrs,
diu geflôrierte bêâ flûrs.
15 er dâhte 'sît ich minnen kan,

wie hât diu minne an mir getân?
nu bin ich doch ûz minne erborn:
wie hân ich minne alsus verlorn?
sol ich nâch dem grâle ringen,
20 sô muoz mich immer twingen
ir kiuschlîcher umbevanc,
von der ich schiet, des ist ze lanc.
sol ich mit den ougen freude sehn
und muoz mîn herze jâmers jehn,
25 diu werc stênt ungelîche.
hôhes muotes rîche
wirt niemen solher pflihte.
gelücke mich berihte,
waz mirz wægest drumbe sî.'
im lac sîn harnasch nâhe bî.
733 Er dâhte 'sît ich mangel hân
daz den sældehaften undertân
ist (ich mein die minne,
diu manges trûrgen sinne
5 mit freuden helfe ergeilet),
sît ich des pin verteilet,
ich enruoche nu waz mir geschiht.
got wil mîner freude niht.
diu mich twinget minnen gir,
10 stüend unser minne, mîn unt ir,
daz scheiden dar zuo hôrte
sô daz uns zwîvel stôrte,
ich möht wol zanderr minne komn:
nu hât ir minne mir benomn
15 ander minne und freudebæren trôst.
ich pin trûrens unerlôst.
gelücke müeze freude wern
die endehafter freude gern:
got gebe freude al disen scharn.'
20 ich wil ûz disen freuden varn.'

---

12. wnscte (wünste *g*) der *Ddg*, wnschet et *G*, wunschet *g*, wúnsche echt *g*.
15. Rosce Sabbins *D*, roi sabins *G*.   17. si ab *D*.   mere *G*.   18. vor
tages *Ggg*.   chœmen *DG*, kom *g*.   20. = her wol zâme *Ggg*.   21. sel-
bem *G*.   23. durch (diu *D*) hohe chost *Dd* = durh hohvart *Ggg*.   24. fuo-
ren *DG*.   ez *fehlt Ggg*.   25. trurigen *G*, truorigen *D*.   30. wibes *G*.
732, 3. = kusche *Ggg*.   4. deheine *G*.   5. Der er *d*.   minnen *D*.
7. gesprat *D*.   8. in *Gg*.   9. ouch den *D*, ouch sin *d* = sinen *Ggg*.
10. 11. = Ez enwart fur war nie (*ohne* fur war *g*, Vur war ez ne wart *ohne*
nie *G*) ander wip. Gwalte siner minne *Ggg*.   14. gefloierte *G*.   15. = Do
dahter *Ggg*.   16. hat] dah (*unterstrichen*) *G*.   17. erkorn *Gg*.
18. = al *fehlt Ggg*.   19-22. *fehlen D*.   19. Sol *d* = Muoz *Ggg*.
Nach dem gral muz ich ringen *g*.   20. So *d* = Doh *Ggg*.   muosz *dg*,
sol *Ggg*.   21. kuschlicher *dg*, kussenlicher *gg*, minncliher *G*.   22. des
gg, das *d*, es *Gg*.   so lang *d*.   29. wâgest *G*, wægeste *D*.
30. nahen *Ggg*.

733, 1. = Do dahter *Ggg*.   3. die *fehlt G*.   4. truorigen *DG*.   5. froude *Gg*.
geilt *G*.   6. = der bin verteilt *Ggg*.   7. nu *fehlt D*, niht *G*.   8. frouden
Ggg.   9. minne *Ggg*.   10. Stuend *g*.   uñ *D*, unde *G*.   13. mohte *DG*.
ze andere *G*.   15. = Ander minne unde aller frouden trost *Ggg* Frœde
und ander minne trost *g*.

er greif dâ sîn harnasch lac,
des er dicke al eine pflac,
daz er sich palde wâpnde drîn.
nu wil er werben niwen pîn.
25 dô der freudenflühtec man
het al sîn harnasch an,

er sateltz ors mit sîner hant:
schilt unt sper bereit er vant.
man hôrt sîn reise smorgens
    klagn.
do er dannen schiet, do begundez
    tagn.

---

21. == hin da *Ggg.*   23. wapende *D,* wapent *Ggg,* woppen *d.*   24. == Er
wil nu *Ggg.*   27. satlte ors *G.*   28. Schilte *G.*   29. horte *DG.*   sine *D.*
des m. *G.*   30. danne *Ggg.* dan?

XV.

734 Vil liute des hât verdrozzen,
den diz mær was vor beslozzen:
genuoge kundenz nie ervarn.
nu wil ich daz niht langer sparn,
5 ich tuonz iu kunt mit rehter sage,
wande ich in dem munde trage
daz slôz dirre âventiure,
wie der süeze unt der gehiure
Anfortas wart wol gesunt.
10 uns tuot diu âventiure kunt,
wie von Pelrapeir diu künegin
ir kiuschen wîplîchen sin
behielt unz an ir lônes stat,
dâ si in hôhe sælde trat.
15 Parzivâl daz wirbet,
ob mîn kunst niht verdirbet.
ich sage alrêst sîn arbeit.
swaz sîn hant ie gestreit,
daz was mit kinden her getân.
20 möht ich diss mæres wandel hân,
ungerne wolt i'n wâgen:
des kunde ouch mich betrâgen.
nu bevilh ich sîn gelücke
sîm herze, der sælden stücke,
25 dâ diu vrävel bî der kiusche lac,
wand ez nie zageheit gepflac.
daz müeze im vestenunge gebn,
daz er behalde nu sîn lebn;
sît ez sich hât an den gezogt,
in bestêt ob allem strîte ein vogt

735 Uf sînr unverzagten reise.
der selbe kurteise
was ein heidenischer man,
der toufes künde nie gewan.
5 Parzivâl reit balde
gein eime grôzen walde
ûf einer liehten waste
gein eime rîchen gaste.
ez ist wunder, ob ich armer man
10 die rîcheit iu gesagen kan,
die der heiden für zimierde truoc.
sage ich des mêre denne genuoc,
dennoch mac ichs iu mêr wol sagn,
wil ich sîner rîcheit niht gedagn.
15 swaz diende Artûses hant
ze Bertâne unde in Engellant,
daz vergulte niht die steine
die mit edelem arde reine
lâgen ûf des heldes wâpenroc.
20 der was tiure ân al getroc:
rubbîne, calcidône,
wârn dâ ze swachem lône.
der wâpenroc gap planken schîn,
ime berge zAgremuntîn
25 die würme salamander
in worhten zein ander
in dem heizen fiure.
die wâren steine tiure
lâgen drûf tunkel unde lieht:
ir art mac ich benennen nieht.

734, 1. lút disz *d.*   2. ditze *G.*   vor *fehlt Gg.*   verslozzen *Gg.*
3. Gnuoge *DG.*   4. Nune *G.*   5. Ih entuo iz *Gg*, Ichn tun *g*, Ich duo es *d.*
11. peilrapeire *G.*   13. lons *DG.*   14. = Daz *Ggg.*   17. lhn *Gg.*
alreste *G.*   20. mohte *D*, Môhte *G.*   des mârs *Gg.*   21. ungern wolt
ich in *Dd* = Ih wolde (wolge *G*) in ungerne *Ggg.*   23. sinem glücke *g.*
24. sime hercen *Dd* = Sin herze *Ggg.*   25. diu ubel *Gg.*   27. vestunge *gg.*
29. gezogen *G.*

735, 1. sinr *G.*   3. heidniscer *D*, heidenisch *G.*   4. Der touffe (Des toufes *g*)
er künde *Gg.*   6. grozem *Dg.*   10. = Dise *Ggg.*   iu *fehlt Gg.*   11. zi-
miere *G.*   12. gnuoch *DG.*   13. ih *Gg.*   me *G.*   14. verdagen *G.*
15. dient *Gg.*   Ârtus *DG.*   16. ze *und* in *fehlen Ggg.*   britanie *G.*
17. Die vergulten *Ggg.*   19. heldes *Dg*, heiden *Ggg*, *fehlt d.*   20. = Die
waren *Ggg.*   21. Rûbine Galcidone *G.*   23. waperoch *D.*   gap lieh-
ten *G.*   24. in dem *alle.*   ze agementin *G*, zuo agremontin *dgg.*
29. drûfe *G.*   30. = genennen *Ggg.*   niht *DG.*

736 Sîn gir stuont nâch minne
unt nâch prîss gewinne:
daz gâbn ouch allez meistec wîp,
dâ mite der heiden sînen lîp
5 kostlîche zimierte.
diu minne condwierte
iu sîn manlîch herze hôhen muot,
als si noch dem minne gernden tuot.
er truog ouch durch prîses lôn
10 ûf dem helme ein ecidemôn:
swelhe würm sint eiterhaft,
von des selben tierlînes kraft
hânt si lebens decheine vrist,
swenn ez von in ersmecket ist.
15 Thopedissimonte
unt Assigarzîonte,
Thasmê und Arâbî
sint vor solhem pfelle vrî
als sîn ors truoc covertiure.
20 der ungetoufte gehiure
ranc nâch wîbe lône:
des zimiert er sich sus schône.
sîn hôhez herze in des betwanc,
daz er nâch werder minne ranc.
25 der selbe werlîche knabe
het in einer wilden habe
zem fôreht gankert ûf dem mer.
er hete fünf und zweinzec her,
der neheinez sandern rede vernam,
als sîner rîcheit wol gezam:
737 Alsus manec sunder lant
diende sîner werden hant,
Môr und ander Sarrazîne
mit ungelîchem schîne.
5 in sînem wît gesamenten her
was manc wunderlîchiu wer.

och reit nâch âventiure dan
von sîme her dirre eine man
durch paneken in daz fôreht.
10 sît si selbe nâmen in daz reht,
die künge ich lâze rîten,
al ein nâch prîse strîten.
Parzivâl reit niht eine:
dâ was mit im gemeine
15 er selbe und ouch sîn hôher muot,
der sô manlîch wer dâ tuot,
daz ez diu wîp solden lobn,
sine wolten dan durch lôsheit tobn.
hie wellnt ein ander wâren
20 die mit kiusche lember wâren
und lewen an der vrechheit.
ôwê, sît d'erde was sô breit,
daz si ein ander niht vermiten,
die dâ umb unschulde striten!
25 ich sorge des den ich hân brâht,
wan daz ich trôstes hân gedâht,
in süle des grâles kraft ernern.
in sol ouch diu minne wern.
den was er beiden diensthaft
âne wanc mit dienstlîcher kraft.
738 Mîn kunst mir des niht witze gît,
daz ich gesage disen strît
bescheidenlîch als er regieuc.
ieweders ouge blic enpfienc,
5 daz er den andern komen sach.
sweders herze drumbe freuden jach,
dâ stuont ein trûren nâhe bî.
die lûtern truopheite vrî,
ieweder des andern herze truoc:
10 ir vremde was heinlîch genuoc.
nune mac ich disen heiden
vom getouften niht gescheiden,

736, 3. gaben *DG.*   allez meistech *D*, meistig alle *d* = al meistch *Ggg*, al
meiste *g.*   5. chostenliche *D.*   6. kondew. *G.*   9. priss *D*, pris *G.*
10. ezid. *G.*   11. Swelch *G.*   wrme *DG.*   12. tierlins *Ggg.*   13. Ha-
bent *G.*   chleinen list *Gg.*   15. 16. = *fehlen Ggg.*   ònte *D.*   18. sôlhem
G.   20. gehure *G.*   21. = wibes *Ggg.*   22. = sus *fehlt Ggg.*   23. 24. =
fehlen Ggg.   27. Zuo dem voreht *G.*   gankert *g*, geankert *dgg*, geanche-
ret *G*, gænchert *D.*   29. deheinz des andern *G.*

737, 1. Als manc *Gg.*   3. More *D*, Môre *G*, Mœre *dg.*   ander *fehlt Ggg.*
5. Mit *G.*   gesamntem *D*, gesamten *dg*, gesamtem *g.*   6. wnderliu *G.*
9. banchen *G.*   inz *D.*   vorehet *G.*   10. selbe in namez (inz namen *g)*
zereht *Gg.*   11. laze si *G.*   12. al eine *DG.*   16. manlihe *G.*
17. = ez *fehlt Ggg.*   18. dane *G*, denne *D.*   19. wellent *DG.*
21. leun *G.*   kuonheit *Ggg.*   25. ih sorge *D.*   26. tros *D.*   27. Grals
DG.   30. dienstes *Ggg.*

738, 2. sage *G.*   3. ergiench *G.*   4. 9. 16. Ietw. *G.*   4. ougen *Gdg.*
6. swederz *D*, Ietweders *dgg.*   dar umbe *Ddgg*, *fehlt Gg.*   froude *Gdgg.*
7. ein trost nahen *Gg.*   8. tumpheit *Ggg.*   10. frómde *G.*   11. Nûne *G*,
12. von dem *DG.*

sine wellen haz erzeigen.
daz solt in freude neigen,
15 die sint erkant für guotiu wîp.
ieweder durch friwendinne lîp
sîn verch gein der herte bôt.
gelücke scheidez âne tôt.
    den lewen sîn muoter tôt gebirt:
20 von sîns vater galme er lebendec
        wirt.
    dise zwêne wârn ûz krache er-
        born,
    von maneger tjost ûz prîse erkorn:
    si kunden ouch mit tjoste,
    mit sper zernder koste.
25 leischiernde si die zoume
    kurzten, unde tâten goume,
    swenne si punierten,
    daz si niht failierten.
    si pflâgens unvergezzen:
    dâ wart vaste gesezzen
739 Unt gein der tjost geschicket
    unt d'ors mit sporn gezwicket.
    hie wart diu tjost alsô geriten,
    bêdiu collier versniten
5 mit starken spern diu sich niht
        pugen:
    die sprîzen von der tjoste vlugen.
    ez het der heiden gar für haz,
    daz dirre man vor im gesaz;
    wand es nie man vor im gepflac,
10 gein dem er strîtes sich bewac.
    op si iht swerte fuorten,
    dâ si zein ander ruorten?
    diu wâren dâ scharph unde al
        breit.
    ir kunst unde ir manheit

15 wart dâ erzeiget schiere.
    ecidemôn dem tiere
    wart etslîch wunde geslagen,
    ez moht der helm dar under klagen.
    diu ors vor müede wurden heiz:
20 si versuochten manegen niwen kreiz.
    si bêde ab orsen sprungen:
    alrêrst diu swert erklungen.
    der heiden tet em getouften wê.
    des krîe was Thasmê:
25 und swenn er schrîte Thabronit,
    sô trat er fürbaz einen trit.
    werlîch was der getoufte
    ûf manegem dræten loufte,
    den si zein ander tâten.
    ir strît was sô gerâten,
740 Daz ich die rede mac niht ver-
        dagen,
    ich muoz ir strît mit triwen klagen,
    sît ein verch und ein bluot
    solch ungenâde ein ander tuot.
5 si wârn doch bêde eins mannes
        kint,
    der geliutrten triwe fundamint.
    den heiden minne nie verdrôz:
    des was sîn herze in strîte grôz.
    gein prîse truoger willen
10 durch die künegîn Secundillen,
    diu daz lant ze Tribalibôt
    im gap: diu was sîn schilt in nôt.
    der heiden nam an strîte zuo:
    wie tuon ich dem getouften nuo?
15 ern welle an minne denken,
    sone mager niht entwenken,
    dirre strît müez im erwerben
    vors heidens hant ein sterben.

---

17. herten *D*, hurte *d*.   18. scheide si *Ggg*.   an den tot *Ggg*.   20. le-
bende *Ggg*.   21. zwêne *fehlt Gg*.   22. ûz] nach *D*.   24. zerender *D*,
ze ender *G*.   25. Leiscierende *D*, Lassierende *d*, Lesiernde *g*; Leisierten
Ggg.   26. Churztense *Ggg*.   unt *D*.   28. iht *G*.   falierten *G*, fal-
lierten *gg*.   29. = phlagen *Ggg*.
739, 4. Beidiu *G*.   collir *D*, colier *G*, koller *g*.   5. von *D*.   di *D*.
bûgen *G*.   6. spriezzen *G*.   tiost *G*.   9. wandes *D*, Wan des *die*
übrigen.   niemen *G*.   11. iht swerte] = diu swert iht *Ggg*.   12. = Daz
si *Ggg*.   13. breit *dgg*, bereit *DG*.   16. Ezid. *G*.   17. = wnde da *Ggg*.
18. drunder *Ggg*.   19. von *Ggg*.   20. suchten-leiz *g*, liezen — sweiz *G*.
22. alrerst *G*.   23. dem *alle*.   getouftem *D*, kristen *g*.   25. = Ta-
brunit *Ggg immer*.   26. vur sih *Gg*.   28. Uf manigen trit er loufte *Gg*.
drætem *D*.
740, 2. ine mueze *D*.   5. Si waren doh eins manns chint *G*.   6. geliuterten
D, gelûterten *G*.   7. minnen *D*.   11. ze *fehlt Ggg*.   14. = Waz *Ggg*.
17. = Im ne muoze dirre strît erwerben *Ggg*.   mueze *D*.   18. vors *D*,
Von des *d* = Vor *g*, Von *Ggg*.   handen sterben *Ggg*.

daz wende, tugenthafter grâl:
20 Condwîr âmûrs diu lieht gemâl:
hie stêt iur beider dienstman
in der grœsten nôt dier ie gewan.
der heiden warf daz swert ûf
　　hôch.
manec sîn slac sich sus gezôch,
25 daz Parzivâl kom ûf diu knie.
man mac wol jehn, sus striten sie,
der se bêde nennen wil ze zwein.
si wârn doch bêde niht wan ein.
mîn bruodr und ich daz ist ein lîp,
als ist guot man unt des guot wîp.
741 Der heiden　tet　em getouf-
　　　ten　wê.
des schilt was holz, hiez aspindê:
daz fûlet noch enbrinnet.
er was von ir geminnet,
5 diun im gap, des sît gewis.
turkoyse, crisoprassis,
smârâde und rubbîne,
vil stein mit sunderschîne
wârn verwiert durch kostlîchen prîs
10 alumbe ûf diu buckelrîs.
ûf dem buckelhûse stuont
ein stein, des namn tuon ich iu
　　kuont;
antrax dort genennet,
karfunkel hie bekennet.
15 durch der minne condwier
ecidêmôn daz reine tier
het im ze wâpen gegebn
in der genâde er wolde lebn,
diu küngîn Secundille:

20 diz wâpen was ir wille.
dâ streit der triwen lûterheit:
grôz triwe aldâ mit triwen streit.
durch minne heten si gegeben
mit kampfe ûf urteil bêde ir lebn:
25 ieweders hant was sicherbote.
der getoufte wol getrûwet gote
sît er von Trevrizende schiet,
der im sô herzenlîchen riet,
er solte helfe an den gern,
der in sorge freude kunde wern.
742 Der heiden truog et starkiu lit.
swenner schrîte Thabronit,
da de küngîn Secundille was,
vor der muntâne Kaukasas,
5 so gewan er niwen hôhen muot
gein dem der ie was behuot
vor solhem strîtes überlast:
er was schumpfentiure ein gast,
daz er se nie gedolte,
10 doch si manger zim erholte.
mit kunst si de arme erswun-
　　　gen:
fiurs blicke ûz helmen sprungen,
von ir swerten gienc der sûre wint.
got ner dâ Gahmuretes kint.
15 der wunsch wirt in beiden,
dem getouften unt dem heiden:
die nante ich ê für einen.
sus begunden siz ouch meinen,
wærn se ein ander baz bekant:
20 sine satzten niht sô hôhiu pfant,
ir strît galt niht mêre,
wan freude, sælde und êre.

---

20. Kŏndw. *G.*　　21. diensman *G.*　　22. grôzisten *G.*　　gwan *G.*
2ŏ. = sprechen *Ggg.*　　28. = niwan *Ggg*, neur *g.*　　29. bruoder *DG.*
30. des guot *Dg*, des *Ggg*, sin *d.*

741, 1. dem *alle.*　　2. Der *Gg.*　　3. enfûlet *Gyg.*　　noh nebrinnet *G.*
5. diu en *D*, Die in *G.*　　gwis *G.*　　6. chrisoprasis *G.*　　7. Smaraide *D,*
Smareide *g*, Smaragde *dgg*, Smarage *G.*　　und *fehlt D.*　　Rubine *alle*
aufser D.　　8. steine *DG.*　　9. kostlichen *dgg*, chostelihen *G*, chosten-
lichen *D*, koste *g*, hohen *g.*　　10. Ze loben uf *Ggg.*　　12. iu *fehlt g.*
13. Antrox *G.*　　15. durch *fehlt G.*　　17. wapene *Dg.*　　18. An *gy.*
gnade *Gg*, genaden *D.*　　23. = si ir leben *Ggg.*　　24. = uf urteil ge-
geben *Ggg.*　　25. Ietw. *G.*　　sicherbot - got *G.*　　26. getrwete *D*, ge-
truwet *Gdgg*, getrouwet *g.*　　27. Trevriscende *D*, Trevrizzent *Gg.*　　28. her-
cenliche *D.*　　29. = an in gern *Ggg.*　　30. = sorgen *Ggg*, *fehlt g.*

742, 1. = et *fehlt Ggg*, zu *g.*　　3. = daz der k. secundillen was *Ggg.*
4. Von *Ggg.*　　muntanie *d*, muntâne ce *D*, montanie *Gg*, montane in *gg*,
minne *g.* vergl. 71, 18.　　kauchasas *G*, koukesas *D.*　　7. = sôlhes *Ggg.*
8. tschûnphetûre *G.*　　9. = se *fehlt Ggg*, die *g.*　　10. manges zimierde
(manich zimier *g*) holte *Gg.*　　11. die *alle.*　　swngen *Ggg.*　　12. Feurs *g,*
Fiures *G*, fîwers *D.*　　13. gie *G.*　　15. Daz wnschen *Ggg.*　　wir *g.*
17. ie *G.*　　19. wæren si *DG.*　　ê *vor* ein *G*, *statt* baz *g.*　　baz *fehlt Ggg.*

swer dâ den prîs gewinnet,
op er triwe minnet,
25 werltlîch freude er hât verlorn
und immer herzen riwe erkorn.
  wes sûmestu dich, Parzivâl,
daz du an die kiuschen lieht gemâl
niht denkest (ich mein dîn wîp),
wiltu behalten hie den lîp?
743Der heiden truoc zwuo geselleschaft,
dar an doch lac sîn meistiu kraft;
einiu daz er minne pflac,
diu mit stæte in sîme herzen lac:
5 daz ander wâren steine,
die mit edelem arde reine
in hôchgemüete lêrten
und sîne kraft gemêrten.
mich müet daz der getoufte
10 an strîte und an loufte
sus müedet unde an starken slegen.
ob im nu niht gehelfen megen
Condwîr âmûrs noch der grâl,
werlîcher Parzivâl,
15 sô müezest einen trôst doch habn,
daz die clâren süezen knabn
sus fruo niht verweiset sîn,
Kardeiz unt Loherangrîn;
die bêde lebendec truoc sîn wîp,
20 do er jungest umbevieng ir lîp.
mit rehter kiusche erworben kint,
ich wæn diu smannes sælde sint.
  der getoufte nam an kreften zuo.
er dâht (des was im niht ze fruo)
25 an sîn wîp die küneginne
unt an ir werden minne,
die er mit swertes schimpfe erranc,

dâ fiwer von slegen ûz helmen
spranc,
vor Pelrapeire an Clâmidê.
Thabronit und Thasmê,
744Den wart hie widerruoft gewegn:
Parzivâl begunde ouch pflegn
daz er Pelrapeire schrîte.
Condwîr âmûrs bezîte
5 durch vier künecrîche aldar
sîn nam mit minnen kreften war.
dô sprungen (des ich wæne)
von des heidens schilde spæne,
etslîcher hundert marke wert.
10 von Gaheviez daz starke swert
mit slage ûfs heidens helme brast,
sô daz der küene rîche gast
mit strûche venje suochte.
got des niht langer ruochte,
15 daz Parzivâl daz rê nemen
in sîner hende solde zemen:
daz swert er Ithêre nam,
als sîner tumpheit dô wol zam.
der ê nie geseic durch swertes
swanc,
20 der heiden snellîche ûf dô spranc.
ez ist noch ungescheiden,
zurteile stêtz in beiden
vor der hôhsten hende:
daz diu ir sterben wende!
25   der heiden [was] muotes rîche
der sprach dô höfschlîche,
en franzois daz er kunde,
ûz heidenischem munde
'ich sihe wol, werlîcher man,
dîn strît wurde ân swert getân:

---

25. Wertlich *Gg*, Werlich *g*, werltliche *D*.   26. herze *Ggg*.   29. gedenchest
Gdgg.   ich mein *dgg*, ich meine *D*, an *Ggg*.   30. Wil du hie behalten* *G*.
743, 1. zwô *D*, *fehlt Ggg*.   2. ouch *gg*.   4. phlac *G*.   6. die *fehlt Ggg*.
8. merten *Ggg*.   9. Mir mut *g*.   11. sus *fehlt Gg*.   15. Nu muostu
Ggg.   17. *fehlt G*.   = So *gg*.   18. Karadeiz *Ggg*, Karedeiz *g*.   lohran-
grin *g*, lohangrin *G*, lohangin *G*, lohol. *d*, lohel. *g*.   19. lebende *g*, lebene *D*.
21. 22. *fehlen G*.   23. krefte *G*.   24. dahte. *DG*.   des *Dg*. das *dg*, ez
Ggg.   26. werde *Ggg*.   27. eranc *G*.   28. Daz fiur *Ggg*.   von slegen
fehlt dg.   = uz helmen von slegen *Ggg*.   29. Von peilr. *G*.   an *fehlt*
Ggg.   30. unde *DG*.

744, 1. wider ruof *alle aufser DG*.   gegeben *gg*, getan *G*.   3. peilr. *G*.
4. Kondwiramurs chom bezite *Ggg*.   5. niun *Ggg*.   6. = Si nam *Ggg*.
7. dô] Dar *D*.   10. = kahaviez *Ggg*, Kaheviez *g*.   11. slegen *Ggg*.
uf des *alle*.   helm *Ggg*.   13. struchen *gg*.   13. 14. suohte-ruohte *G*.
14. niht langer] niene *D*.   17. ither *Gdgg*.   18. tumpheit *D*.   do gezam
G, wol gezam *dg*, zam *g*.   20. snelle uf spranc *G*, snel do (da *g*) uf
spranch *gg*.   22. Ze urteil *alle aufser D*.   stez *D*, ste ez *G*, ez stet *g*,
stet ez *die übrigen*.   23. Von *Gg*.   25. was *fehlt (nebst der z.* 26) *g*.
28. heidenschen *G*.   30. wrde ane *DG*.

745 Waz prîss bejagete ich danne an dir?
　　stant stille, unde sage mir,
　　werlîcher helt, wer du sîs.
　　für wâr du hetes mînen prîs
5　behabt, der lange ist mich gewert,
　　wær dir zebrosten niht dîn swert.
　　nu sî von uns bêden vride,
　　unz uns geruowen baz diu lide.'
　　si sâzen nider ûfez gras:
10　manheit bî zuht an beiden was,
　　unt ir bêder jâr von solher zît,
　　zalt noch ze junc si bêde ûf strît.
　　　der heiden zem getouften sprach
　　'nu geloube, helt, daz ich gesach
15　bî mînen zîten noch nie man,
　　der baz den prîs möhte hân,
　　den man in strîte sol bejagen.
　　nu ruoche, helt, mir beidiu sagen,
　　dînen namen unt dînen art:
20　so ist wol bewendet her mîn vart.'
　　dô sprach Herzeloyden suon
　　'sol ich daz durch vorhte tuon,
　　sone darf es niemen an mich gern,
　　·sol ichs betwungenlîche wern.'
25　der heiden von Thasmê
　　sprach 'ich wil mich nennen ê,
　　und lâ daz laster wesen mîn.
　　ich pin Feirefîz Anschevîn,
　　sô rîche wol daz mîner hant
　　mit zinse dienet manec lant.'
746　Dô disiu rede von im geschach,
　　Parzivâl zem heiden sprach
　　'wâ von sît ir ein Anschevîn?
　　Anschouwe ist von erbe mîn,
5　bürge, lant unde stete.
　　hêrre, ir sult durch mîne bete
　　einen andern namen kiesen.
　　solt ich mîn lant verliesen,
　　unt die werden stat Bêalzenân,

10　sô het ir mir gewalt getân.
　　ist unser dweder ein Anschevîn,
　　daz sol ich von arde sîn.
　　doch ist mir für wâr gesagt,
　　daz ein helt unverzagt
15　won in der heidenschaft:
　　der habe mit rîterlîcher kraft
　　minne unt prîs behalten,
　　daz er muoz beider walten.
　　der ist ze bruoder mir benant:
20　si hânt in dâ für prîs erkant.'
　　　aber sprach dô Parzivâl
　　'hêr, iwers antlützes mâl,
　　het ich diu kuntlîche ersehn,
　　sô wurde iu schier von mir verjehn,
25　als er mir kunt ist getân.
　　hêrre, welt irs an mich lân,
　　so enblœzet iwer houbet.
　　ob ir mirz geloubet,
　　mîn hant iuch strîtes gar verbirt,
　　unz ez anderstunt gewâpent wirt.'
747　Dô sprach der heidenische man
　　'dîns strîts ich wênec angest hân.
　　stüend ich gar blôz, sît ich hân
　　　　swert,
　　du wærst doch schumpfentiure ge-
　　　　wert,
5　sît dîn swert zebrosten ist.
　　al dîn werlîcher list
　　mac dich vor tôde niht bewarn,
　　ine well dich anders gernè sparn.
　　ê du begundest ringen,
10　mîr swert lieze ich klingen
　　beidiu durch îser unt durch vel.'
　　der heiden starc unde snel
　　tet manlîche site schîn,
　　'diz swert sol unser dwedœrs sîn:'
15　ez warf der küene degen balt
　　verre von im in den walt.

745, 4. hætes g, heist G.　　5. mih gwert G.　　6. zebrochen alle aufser Dg.
7. beiden G.　　11. beider G.　　12. = ze iunch noh ze alt Ggg.　　13. = Bi
miner zit noh nie den man Ggg.　　16. den strit D.　　19. dine art g, din art
die übrigen aufser DG.　　21. der herz. Gd.　　herzeloyde G.　　23. nim-
mer D.　　24. betwngenlihen Gdgg.　　28. feirafiz G, ferrefiz g. ferefiz gg.
Anscivin D, auch 746,3.　　30. dient manc G.

746, 4. is G.　　5. unt D.　　7. = Iu einen Ggg.　　8. Sol Ggg.　　9. Unde
werden G.　　belzanan G, ze belzenan g.　　11. Unde ist Ggg.　　deweder
DG, tweder gg.　　16. Unde habe Ggg.　　18. muoze Ggg.　　beder G.
19. genant alle aufser DG (eine tilgt ze).　　23. küntlich gg.　　24. sciere
DG.　　27. enblozet DG.　　29. iu g.

747, 4. Stund g, Stunt g, stuende DG.　　gar fehlt g, al G.　　4. scumpfentiwer D,
tschûmphentûre G, entschumphentiure g.　　gwert G.　　5. zebrochen alle aufser
D.　　8. welle DG.　　10. = dringen Ggg.　　11. isen Gdgg.　　durh DG.
13. manlichen D.　　14. dewedars DG, tweders gg, entweders d.

er sprach 'sol nu hie strît ergên.
dâ muoz glîchiu schanze stên.'
dô sprach der rîche Feirefîz
20 'helt, durch dîner zühte vlîz,
sît du bruoder megest hân,
sô sage mir, wie ist er getân?
tuo mir sîn antlütze erkant,
wie dir sîn varwe sî genant.'
25 dô sprach Herzeloyden kint
'als ein geschriben permint,
swarz und blanc her unde dâ,
sus nante mirn Eckubâ.'
der heiden sprach 'der bin ich.'
si bêde wênc dô sûmten sich,
748 Ieweder sîn houbet schier
von helme unt von hersenier
enblôzte an der selben stunt.
Parzivâl vant hôhen funt,
5 unt den liebsten den er ie vant.
der heiden schiere wart erkant:
wander truoc agelstern mâl.
Feirefîz unt Parzivâl
mit kusse understuonden haz:
10 in zam ouch bêden friuntschaft baz
dan gein ein ander herzen nît.
triwe und liebe schiet ir strît.
der heiden dô mit freuden sprach
'ôwol mich daz ich ie gesach
15 des werden Gahmuretes kint!
al mîne gote des gêret sint.
mîn gotinne Jûnô
dis prîses mac wol wesen vrô.

mîn kreftec got Jupiter
20 dirre sælden was mîn wer.
gote unt gotinne,
iwer kraft ich immer minne.
geêrt sî des plânêten schîn,
dar inne diu reise mîn
25 nâch âventiure wart getân
gein dir, vorhtlîch süezer man,
daz mich von dîner hant gerou.
geêrt sî luft unde tou,
daz hiute morgen ûf mich reis.
minnen slüzzel kurteis!
749 Owol diu wîp dich sulen sehn!
waz den doch sælden ist geschehn!'
'ir sprechet wol: ich spræche baz,
ob ich daz kunde, ân allen haz.
5 nu bin ich leider niht sô wîs,
des iwer werdeclîcher prîs
mit worten mege gehœhet sîn:
got weiz ab wol den willen mîn.
swaz herze und ougen künste hât
10 an mir, diu beidiu niht erlât
iwer prîs sagt vor, si volgent
nâch.
daz nie von rîters hant geschach
mir grœzer nôt, für wâr ichz weiz,
dan von iu,' sprach der von Kan-
voleiz.
15 dô sprach der rîche Feirefîz
'Jupiter hât sînen vlîz,
werder helt, geleit an dich.
du solt niht mêre irzen mich:

---

17. nu hie strit *D*, hie strit *G*, me strit *d*, hie nu strit *gg*, hie strit nu *g*, nu
strit hie *g*.   18. Der muoz gelich (zû glicher *g*) tschanze sten *Gg*, Daz muoz
geliche tschanze sten *gg*.   19. feyrafiz *g*.   21. mûgest *G*.   22. = mir
fehlt Ggg, an *g*.   26. bermint *G*.   27. = Swartz blanch *Ggg*.   unt da *D*.
28. = Also nande (Alsus nant *g*) mirn *Ggg*.   miren *D*.   29. daz bin ịh
Ggg.   30. wenech do *Dgg*, do wenc *G*, wenig *dg*.
748, 1. Ietwederre *G*.   sciere-herseniere *alle*.   2. Unde helme *G*.   3. En-
blozten *g*.   5. liebsten *gg*, liebesten *D*, liebisten *G*.   7. Wan er *G oft*.
aglastern *g*, agellastern *g*, aglester *d*, egelstern *g*.   10. = zâme *Ggg*.
friwentscaft *D*.   11. = herze *G*, herzer *g*, herten *g*, baz und *g*.   14. Wol *G*.
15. Gahmûretes *G*, Gahmurets *D*.   16. des *fehlt G*.   geert *G*, ge êrt *D*.
17. 21. gottinne *D*, gûtinne *G*.   18. dis (Des *dg*) priss mach wol (wol mag *g*)
Ddg, Disses wol mac *g*, Dis wol mach *G*, Mach dises wol *g*.   19. Ein *G*.   Iuppi-
ter *G*.   21. got *DG*.   27. vor *D*.   28. geért *D*, Gert *G*.   unt *D*
749, 1. Wol *Gg*]   dich] di dich *D*, diu dih *G*, so *alle*.   suln *gg*.   2. is *G*.
3. Ir seht wol *Gg*]   spræche *D*, sprâche *Gg*, spriche *dgg*.   5. nih so *G*.
6. Daz *Ggg*.   7. mûge *G*.   gehoht *D*, geholen *G*.   8. aber *DG*.
9. ouge *G*.   9. 10. hant-erlant *alle*.   10. beide euch *gg*.   11. = Iwern
Ggg.   saget *Dd* = sag ich *gg*, sagt sy *g*, si *G*.   14. Dane *G*, denne *D*.
der kanvoleiz *G*.   15. firefiz *G*.   16. Got hat [rehte *G*] sinen fliz *Gg*.
18. = Dune *Ggg*.   ircen *G*.

wir heten bêd doch einen vater.'
20 mit brüederlîchen triwen bater
daz er irzens in erlieze
und in duzenlîche hieze.
diu rede was Parzivâle leit.
der sprach 'bruodr, iur rîcheit
25 glîchet wol dem bâruc sich:
sô sît ir elter ouch dan ich.
mîn jugent unt mîn armuot
sol sôlher lôsheit sîn behuot,
daz ich iu duzen biete,
swenn ich mich zühte niete.'
750 Der von Trîbalibot
Jupiter sînen got
mit worten êrte manegen wîs.
er gap ouch vil hôhen prîs
5 sîner gotîn Jûnô,
daz si daz weter fuogte sô,
dâ mit er und al sîn her
gein dem lande ûz dem mer
lantveste nâmen,
10 dâ si zein ander quâmen.
anderstunt si nider sâzen,
die bêde des niht vergâzen,
sine büten einander êre.
der heiden sprach dô mêre
15 'ich wil lâzen dir zwei rîchiu lant,
dienstlîche immer dîner hant,
diu mîn vater und der dîne erwarp,
do der künec Isenhart erstarp,
Zazamanc und Azagouc.
20 sîn manheit dâ niemen trouc,
wan daz er lie verweiset mich.
gein mînem vater der gerich
ist mînhalp noch unverkorn.

sîn wîp, von der ich wart geborn,
25 durh minne ein sterben nâch im kôs,
dô si minne an im verlôs.
ich sæh doch gern den selben man:
mir ist ze wizzen getân
daz nie bezzer rîter wart:
nâh im ist kostenlîch mîn vart.'
751 Parzivâl hin zim dô sprach
'ich pin ouch der in nie gesach.
man sagt mir guotiu werc von im
(an maneger stat ich diu vernim),
5 daz er wol kunde in strîten
sînen prîs gewîten
und werdekeit gemachen hôch.
elliu missewende in vlôch.
er was wîben undertân:
10 op die triwe kunden hân,
si lôndens âne valschen list.
dâ von der touf noch gêret ist
pflager, triwe ân wenken:
er kunde ouch wol verkrenken
15 alle valschlîche tât:
herzen stæte im gap den rât.
daz ruochten si mich wizzen lân,
den kündec was der selbe man,
den ir sô gerne sæhet.
20 ich wæne ir prîses jæhet
im, ob er noch lebte,
wand er nâch prîse strebte.
sîn dienst twanc der wîbe lôn,
daz der künec Ipomidôn
25 gein im tjostierens pflac.
diu tjost ergienc vor Baldac:
dâ wart sîn werdeclîchez lebn
durh minne an den rê gegebn.

19. haben G.   bede DG, fehlt g.   doch beide dg.   20. triwen doh ba-
ter G.   22. duzzenliche D, duzchlihen G, dutzlichen gg, dutzlich d.
23. parzifal G, parcifaln g.   24. Er Gd.   bruoder iwer DG.   25. Geli-
het G.   baruch Ggg, Baruche D.   26. ouch fehlt G.   dan gg, dane G,
danne g, denn D.   28. sôlher G, solher D.   29. duzen G, dutzen g,
duozen D.

750, 2. Jupitern dg, Iuppitern G.   5. gûtinne G, gottinne D, und so oder gö-
tinne die übrigen.   8. uz dem g, ûf dem D, und uff dem d, uf daz G, von
dem gg.   10. Daz dg.   zuo ein G.   12. Si G.   des fehlt Gd.   Beide
sy niht vergaszen g.   15. lazen dir D, dir lazen Gdg, dir lan (ohne rîchiu)
g, lan g.   16. Dienslihe G, Dienstlich gg, dienstlichen D.   17. di D.
vatr D.   20. dâ fehlt Ggg, und dann betrouch g.   27. sæhe DG.   28. wiz-
zene D.   29. enwart D.   30. chostelih G, kostlich die übrigen aufser D.

751, 5. 6. chunde striten. Sin pris der gie (get g) witen Gg.   7. gemachet gg,
machen G.   11. = Die lontens Ggg.   12. noch fehlt Ggg.   geéret D,
gert G.   13. ane DG.   14. ouch fehlt G.   verdenchen Ggg.
16. = Sines herzen Ggg.   gap im Ggg.   18. = chunt Ggg.   20. priss
D, pris G.   21. noch fehlt Ggg.   25. tiustierens D, tiostiers G.
26. ergie G.   27. werdechlih G.   28. der minne Ggg.

wir hânn ze rehter tjost verlorn,
von dem wir bêde sîn erborn.'
752 'Owê der unregezten nôt!'
  sprach der heiden, 'ist mîn vater
    tôt?
ich mac wol freuden vlüste jehn
und freuden funt mit wârheit
    spehn.
5 ich hân an disen stunden
freude vlorn und freude funden.
wil ich der wârheit grîfen zuo,
beidiu mîn vater unde ouch duo
und ich, wir wâren gar al ein,
10 doch ez an drîen stücken schein.
swâ man siht den wîsen man,
dern zelt decheine sippe dan,
zwischen vater unt des kinden,
wil er die wârheit vinden.
15 mit dir selben hâstu hie gestritn.
gein mir selbn ich kom ûf strît
    geritn,
mich selben het ich gern erslagn:
done kundestu des niht verzagn,
dune wertest mir mîn selbes lîp.
20 Jupiter, diz wunder schrîp:
dîn kraft tet uns helfe kuont,
daz se unser sterben understuont.'
  er lachte und weinde tougen.
sîn heidenschiu ougen
25 begunden wazzer rêren
al nâch des toufes êren.
der touf sol lêren triuwe,
sît unser ê diu niuwe
nâch Kriste wart genennet:
an Kriste ist triuwe erkennet.
753 Der heiden sprach, ich sag iu wie.
'wir sulen niht langer sitzen hie.

rît mit mir niht ze verre.
loschieren ûf die terre,
5 durh dîn schouwen, von dem mer
heiz ichz rîcheste her
dem Jûnô ie gap segels luft.
mit wârheit âne triegens guft
zeige ich dir mangen werden man
10 der mir ist diens undertân.
dar soltu rîten hin mit mir.'
Parzivâl sprach zim 'sît ir
so gewaldec iwerr liute,
daz se iwer bîten hiute
15 und al die wîle ir von in sît?'
der heiden sprach 'âne strît.
wære ich von in halbez jâr,
mîn biten rîche und arme gar:
sine getorsten ninder kêren.
20 gespîset wol nâch êren
sint ir schif in der habe:
ors noch man niht dorften drabe,
ezn wære durch fontâne
unt durch luft gein dem plâne.'
25   Parzivâl zem bruoder sîn
sprach 'sô sult ir frouwen schîn
sehen unt grôze wünne,
von iwerm werden künne
mangen rîter kurtoys.
  Artûs der Bertenoys
754 Lît hie bî mit werder diet,
von den ich mich hiute schiet,
mit grôzer minneclîcher schar:
wir sehen dâ frouwen wol gevar.'
5   do der heiden hôrte nennen
    wîp
(diu wâren et sîn selbes lîp),
er sprach 'dar füere mich mit dir.
dar zuo soltu sagen mir

29. han in *Dd* = han *Ggg.*   30. Da von *G.*   = geborn *Ggg.*
752, 1. unergetzeten *G,* unergatzten *g.*   2. is *G.*   3. = froude unde fluste
Ggg.   8. ouch *fehlt Ggg.*   du *alle.*   9. = wir *fehlt Ggg.*   gar *fehlt*
Gg, doch *g.*   10. = endrin *G,* in drin *gg.*   12. der enz. *D,* Der nez. *G.*
neheine *G.*   13. des] = den *Ggg, fehlt g.*   15. 16. 17. selbn *D,* sel-
ben *G.*   17. ih hete *Gg.*   20. Iuppiter *Gd.*   = daz *Ggg.*   schript *dg.*
23. lachete *DG.*   24. Sin *d,* siniu *DG.*   27. Der tôffe [pfligt *g*] solher
triuwe *Gg.*   28. sint *D.*   29. christen *Ggg.*
753, 2. Wirn sûln *G.*   4. Leisiern *G,* Loysieren *gg.*   die] dirre *D.*
6. Het ihz *Gg.*   7. den *D.*   10. dienstes *alle aufser D.*   12. hinze im *Ggg.*
13. So gwâltc iwer lûte *G* (*aber* hiute).   17. = ein halbez *Ggg.*   19. nie-
ner *G.*   21. ir *D,* elliu iriu *G,* alle ir *dgg,* gar ir *g.*   23. ezen *D,* Ez ne *G.*
funtanię *G,* funtane *d.*   24. = Ode *Ggg.*   = durch den luft *Dd.*
= von dem planię *Ggg.*   28. iwern *G,* mime *D.*   29. kûrteis *G.*
30. britaneis *G.*
754, 2. Von dem *Gg.*   6. Die *G.*   7. da *D.*   mich hin *D* (*und g?*).

mær der ich dich vrâge.
10 sehe wir unser mâge,
sô wir zArtûse komn?
von des fuore ich hân vernomn,
daz er sî prîses rîche,
und er var ouch werdeclîche.'
15 dô sprach aber Parzivâl
'wir sehen dâ frouwen lieht gemâl.
sich failiert niht unser vart:
wir vinden unsern rehten art,
liut von den wir sîn erborn,
20 etslîches houbt zer krône erkorn.'
ir deweder dô niht langer saz.
Parzivâl des niht vergaz,
ern holte sînes bruoder swert:
daz stiez er dem degen wert
25 wider in die scheiden.
dâ wart von in beiden
zornlîcher haz vermiten
unt geselleclîche dan geriten.
ê si zArtûse wâren komn,
dâ was ouch mær von in vernomn.
755 Dô was bî dem selben tage
über al daz her gemeiniu klage,
daz Parzivâl der werde man
von in was sus gescheiden dan.
5 Artûs mit râte sich bewac
daz er unz an den ahten tac
Parzivâls dâ wolt bîten
unt von der stat niht rîten.
Gramoflanzs her was ouch komn:
10 dem was manc wîter rinc genomn,
mit zelten wol gezieret.
dâ was geloschieret
den stolzen werden liuten.
man möhtez den vier briuten

15 niht baz erbietn mit freude siten.
von Schastel marveile geriten
kom ein man zer selben zît:
der seite alsus, ez wære ein strît
ûfem warthûs in der sûl gesehn,
20 swaz ie mit swerten wære geschehn,
'daz ist gein disem strîte ein niht.'
vor Gâwân er des mæres giht,
dâ er bî Artûse saz.
manc rîter dâ mit rede maz,
25 von wem der strît dâ wære getân.
Artûs der künec sprach dô sân
'den strît ich einhalp wol weiz:
in streit mîn neve von Kanvoleiz,
der von uns scheit hiute frno.'
dô riten ouch dise zwêne zuo.
756 Wol nach strîtes êre
helm unt ir schilde sêre
wârn mit swerten an gerant.
ieweder wol gelêrte hant
5 truoc, der diu strîtes mâl entwarf.
in strîte man ouch kunst bedarf.
bî Artûses ringe hin
si riten. dâ wart vil nâch in
geschouwet, dâ der heiden reit:
10 der fuort et solhe rîcheit.
wol beherberget was daz velt.
si kêrten für daz hôchgezelt
an Gâwânes ringe.
op mans iht innen bringe
15 daz man se gerne sæhe?
ich wæn daz dâ geschæhe.
Gâwân kom snellîche nâch,
wander vor Artûse sach
daz si gein sîme gezelte riten.
20 der enpfienc se dâ mit freude siten.

9. des *gg.*   dich *fehlt Dg.*   13. pris *D,* bris *G.*   14. er *fehlt dg.*
ouch *fehlt G.*   15. = Aber sprah do *Ggg.*   17. valiert *G,* falieret *d,*
falliert *gg.*   18. winden *D.*   da unsern *G.*   19. liute *D,* Lûte *G.*
= geborn *Ggg.*   20. = Etslih *Ggg.*   houbet *DG.*   = ze *Ggg.*
21. langer *D.*   23. sins *DG.*   24. dem *und* wert *fehlen G.*

755, 4. sus *fehlt D* = Sûs was von in *Ggg.*   5. sih *DG.*   6. = vierden
Ggg.   7. wolde *DG.*   9. Gramoflanzs (Gramoflanzes *gg*) her was
ouch *Dgg,* Gramoflantz was ouch here *g,* Gramoflanzes (Gramoflantz *d*) her was
Gd.   10. wite rinc *G,* wit rinc *g,* rinch wit *g.*   benomen *G.*
11. = gezelten *Ggg.*   12. geloisiert *Ggg.*   14. der *D.*   15. nit baz er-
bieten *Ddgg,* Baz erbieten niht *Ggg.*   frouden *Ggg.*   16. schastel mar-
veile *g,* Scastelmaryâle *D,* kastel marveile *g,* tschastel marveile G.   19. Uf dem
warthuse *G.*   swel *D.*   20. von *Gg.*   was *d,* ist *g.*   22. mârs *G.*

756, 2. helme *D.*   4. Ietwederre *G.*   5. Truoch diu (des *g*) strites mal er
warf *Gg.*   6. och wol *gg,* wol *G.*   7. Artuse *D,* artus *G.*   8. do *G.*
nah *DG.*   10. et an sólh chleit *G,* ot an tiuriu cleit *g,* ein solich kleit *g,*
riliche cleit *g.*   13. = Gein *Ggg.*   16. Ich wâne ouch daz da (*fehlt Gg*)
geschähe *Ggg.*   17. snellichen *G.*   20. frouden *Gdgg.*

si hetenz harnasch dennoch an:
Gâwân der höfsche man
hiez se entwâpen schiere.
ecidemôn dem tiere
25 was geteilet mit der strît.
der heiden truog ein kursît:
dem was von slegen ouch wor-
den wê.
daz was ein saranthasmê:
dar an stuont manc tiwer stein.
dar unde ein wâpenroc erschein,
757 Rûch gebildet, snêvar.
dar an stuont her unde dar
tiwer steine gein ein ander.
die würme salamander
5 in worhten in dem fiure.
si liez in âventiure
ir minne, ir lant unde ir lîp:
dise zimierde im gab ein wîp
(er leist ouch gerne ir gebot
10 beidiu in freude und in nôt),
diu küngîn Secundille.
ez waz ir herzen wille,
daz se im gab ir rîcheit:
sîn hôher prîs ir minne erstreit.
15 Gâwân bat des nemen war,
daz diu zimierde wol gevar
iender wurde verrucket
oder iht dervon gezucket,
kursît helm oder schilt.
20 es het ein armez wîp bevilt
an dem wâpenrocke al eine:
sô tiwer wârn die steine
an den stücken allen vieren.
hôch minne kan wol zieren,
25 swâ rîchheit bî dem willen ist

unt ander werdeclîcher list.
der stolze rîche Feirefîz
truoc mit dienste grôzen vlîz
nâch wîbe hulde: umbe daz
einiu ir lôns im niht vergaz.
758　Dez harnasch was von in getân.
dô schouweten disen bunten man
al die wunders kunden jehn,
die mohtenz dâ mit wârheit spehn:
5 Feirefîz truoc vremdiu mâl.
Gâwân sprach ze Parzivâl
'neve, tuo den gesellen dîn
mir kunt: er treit sô wæhen schîn,
dem ich gelîchez nie gesach.'
10 Parzivâl zuo sîm wirte sprach
'bin ich dîn mâc, daz ist ouch er:
des sî Gahmuret dîn wer.
diz ist der künec von Zazamanc.
mîn vater dort mit prîse erranc
15 Belakân, diu disen rîter truoc.'
Gâwân den heiden dô genuoc
kuste: der rîche Feirafîz
was beidiu swarz unde wîz
über al sîn vel, wan daz der munt
20 gein halbem zil tet rœte kunt.
man brâht in beiden samt ge-
want:
daz was für tiwer kost erkant:
ûz Gâwâns kamer truoc manz dar.
dô kômen frouwen lieht gevar.
25 diu herzogîn liez Cundrîê
unt Sangîven küssen ê:
si selbe unt Arnîve in dô
kusten. Feirefîz was vrô,
daz er sô clâre frouwen sach:
ich wæne im liebe dran geschach.

---

22. der stolze hofsche man *G.*　　24. Ez. *G.*　　25. geteilt *G.*　　27. ouch
fehlt Gg.　29. manech *D.*　　30. Dar under *alle aufser D.*
757, 1. Ruoch *D*, Rich *d*, Hoh *G*, Ouch *gg*, Durch *g.*　2. unt *D.*　3. tiuore *D.*
6. liez] cherten *Gg*, kerte *g.*　8. Die die zimierde gap ein wip *d.*　gap im *G.*
9. gern *D.*　　10. frouden *Gdgg.*　　11. der kuneginne *D.*　　16. di *D*,
fehlt Gg.　17. îendr *D.*　　veruchet *G.*　　18. Olde iht da von *G.*
19. unde *G.*　　21. wapen roch *G.*　　22. = sô *fehlt Ggg.*　　23. = den
fehlt Ggg.　24. Hohiu *Ggg.*　　29. wibes *Gg.*　　30. = Daz einiu lons im
gg, Daz im lones einiu *Ggg.*　　　Ein *d.*
758, 1. = von im *Ggg.*　　2. puntten *d*, puncten *g*, *fehlt Gg.*　　3. Alle die
werdes *Gg.*　　3. 4. wunder-spehen-mohtens-iehen *g.*　　4. Daz mohtens *Ggg.*
warheite *D.*　　5. Feirafiz *G.*　　9. glihes *G.*　　10. ze *G.*　　sime *D*,
sinem *G.*　　12. gewer *Dg.*　　14. eranch *G.*　　15. Belakanen *G*, Bel-
canen *G*, Belicanen *g*, Belekanen *d.*　　17. den richen *Gdg.*　　firafiz *G.*
18. Er was *G*, Wan er waś *g.*　　19. sîn] si *G.*　　20. Gein blanchen teil
tet roete chunt *Gg.*　　21. beiden *fehlt G.*　　sament *Gg.*　　23. ka-
mern *D.*　　man *Gg.*　　25. gundrie *G.*　　26. sagiven *Gg.*　　27. = in *fehlt*
Ggg.　　28. feirafiz *G.*

759 Gâwân zuo Parzivâle sprach
'neve, dîn niwez ungemach
sagt mir dîn helm und ouch der
    schilt.
iu ist bêden strîtes mit gespilt,
5 dir und dem bruoder dîn:
gein wem erholt ir disen pîn?'
'ez wart nie herter strît erkant,'
sprach Parzivâl. 'mîns bruoder hant
twanc mich wer in grôzer nôt.
10 wer ist ein segen für den tôt.
ûf disen heinlîchen gast
von slage mîn starkez swert ze-
    brast.
dô tet er kranker vorhte schîn:
er warf verr ûz der hant daz sîn.
15 er vorhte et an mir sünde,
ê wir gerechenten ze künde.
nu hân ich sîne hulde wol,
die ich mit dienste gern erhol.'
Gâwân sprach 'mir wart gesagt
20 von eime strîte unverzagt.
ûf Schastel marveil man siht
swaz inre sehs mîln geschiht,
in der sûl ûf mîme warthûs.
dô sprach mîn œheim Artûs,
25 der dâ strite des selben mâls,
daz wærstu, neve von Kingrivâls.
du hâst diu wâren mære brâht:
dir was des strîts doch vor gedâht.
nu geloube mir daz ich dir sage:
dîn wære gebiten hie aht tage
760 Mit grôzer rîcher hôchgezît.
mich müet iwer beider strît:
dâ sult ir bî mir ruowen nâch.
sît aber strît von iu geschach,

5 ir erkennt eiu ander deste baz.
nu kieset friwentschaft für den haz.'
Gâwân des âbents az dest ê,
daz sîn neve von Thasmê,
Feirefîz Anschevîn,
10 dennoch vaste, und der bruoder sîn.
matraze dicke unde lanc,
der wart ein wîter umbevanc.
kultern maneger künne
von palmât niht ze dünne
15 wurden dô der matraze dach.
tiwer pfell man drûf gesteppet
    sach,
beidiu lanc unde breit.
diu Clinscbores rîcheit
wart dâ ze schouwen für getragen.
20 dô sluoc man ûf (sus hôrt ich
    sagen)
von pfell vier ruclachen
mit rîlîchen sachen,
gein ein ander viersîte;
darunde senfte plumîte,
25 mit kultern verdecket,
ruclachen drüber gestecket.
    der rinc begreif sô wît ein velt,
dâ wærn gestanden sehs gezelt
âne gedrenge der snüere.
(unbescheidenlîche ich füere,
761 Wolt ich d'âventiur fürbaz lân.)
dô enbôt mîn hêr Gâwân
ze hove Artûse mære,
wer dâ komen wære:
5 der rîche heiden wære dâ,
den diu heidnîn Eckubâ
sô prîste bî dem Plimizœl.
Jofreit fîz Ydœl

759, 1. ze *G.*   2. din niwer *G*, dinen newen *g.*   5. dem neven min *Ggg.*
7. = Ezne *Ggg.*   bris *G.*   9. = ze wer *Ggg.*   12. slegen *G*, slege *g.*
13. chranch *G*, kranche *dgg.*   14. werre *D.*   16. gerehten *dg*, gereche-
ten *gg.*   ze *fehlt d.*   21. tschaster *G.*   marveil *g*, Marveile *G*, marvale *D.*
22. inner *Gg*, in *gg.*   vier *Ggg.*   milen *DG.*   26. werstu *g.*   nef *g.*
28. strits *D*, strites *G.*   29. gl. *G.*   30. = vier *gg*, zwene *G.*
760, 1. richen *D.*   hohzit *Ggg.*   2. beder *G.*   3. Da sûlt ir sin mit triwen
nah *Gg.*   5. erchennt *G.*   7. des tages *G.*   dest *D*, deste *Gg*, dester *dgg.*
8. = Do *Ggg.*   11. Matraze *D*, Matraz *dgg*, Von palmat *Ggg.*   dicke]
wit *G.*   12. Dar *G.*   = wit *Ggg.*   umbehanch *Gg.*   13. = Chulter
Ggg.   14. Balmate *D.*   15. da *G.*   Matraze *Dg*, matraz *die übrigen.*
16. Tiuer *G*, tiwern *D.*   16. 21. pfelle *alle.*   18. Clinscors *D*, herlihe *Gg.*
21. 23. vier] niwe *Gg.*   21. 26. ruckl. *D*, ruch l. *Gg*, ruckel. *g*, rückel. *dg*,
ruggel. *g.*   22. rihlichen *Gg.*   24. Dar under *alle aufser D.*   phumite *G.*
26. gestrechet *Gg.*   28. gestan *D.*   = vier *Ggg.*
761, 1. = dise *Ggg.*   han *Ggg.*   6. heidenin *D*, heideninne *Ggg*, haidinne *gg*,
heiden *d.* Ekúba *G.*   7. plimitzol *g*, Primizœl *D*, blimzol *G.*   8. fis
idol *G.*

Artûs daz mære sagte,
10 des er freude vil bejagte.
  Jofreit bat in ezzen fruo,
unt clârlîche grîfen zuo
mit rîtern und mit frouwen schar,
unt höfschlîche komen dar,
15 daz siz sô ane geviengen
und werdeclîche enpfiengen
des stolzen Gahmuretes kint.
'swaz hie werder liute sint,
die bringe ich,' sprach der Bertenoys.
20 Jofreit sprach 'erst sô kurtoys,
ir muget in alle gerne sehn:
wan ir sult wunder an im spehn.
er vert ûz grôzer rîcheit:
sîniu wâpenlîchiu kleit
25 nie man vergelten möhte:
deheiner hant daz töhte.
Löver, Bertâne, Engellant,
von Pârîs unz an Wîzsant,
der dergein ieit al die terre,
ez wærem gelte verre.'
762   Jofreit was wider komn.
von dem het Artûs vernomn,
wie er werben solde,
ob er enpfâhen wolde
5 sînen neven den heiden.
daz sitzen wart bescheiden
an Gâwânes ringe
mit höfschlîchem dinge.
diu messenîe der herzogin
10 unt die gesellen under in
ze Gâwânes zeswen saz.
anderhalb mit freuden az
ritter, Clinschores diet.

der frouwen sitzen man beschiet
15 über gein Gâwân an den ort
sâzen Clinschors frouwen dort:
des was manegiu lieht gemâl.
Feirefîz unt Parzivâl
sâzen mitten zwischenn frouwen:
20 man moht dâ clârheit schouwen.
  der turkoyte Flôrant
unt Sangîve diu wert erkant
unt der herzoge von Gôwerzîn
unt Cundrîê daz wîp sîn
25 über gein ein ander sâzen.
ich wæn des, niht vergâzen
Gâwân und Jofreit
ir alten gesellekeit:
si âzen mit ein ander.
die herzogîn mit blicken glander
763 Mit der küneginne Arnîven az:
ir enwedriu dâ niht vergaz,
ir gesellekeite
wârns ein ander vil bereite.
5 bî Gâwâne saz sîn ane,
Orgelûse ûzerhalp her dane.
da rezeigt diu rehte unzuht
von dem ringe ir snellen fluht.
man truoc bescheidenlîche dar
10 den rîtern und den frouwen gar
ir spîse zühteclîche.
Feirefîz der rîche
sprach ze Parzivâl dem bruoder sîn
'Jupiter die reise mîn
15 mir ze sælden het erdâht,
daz mich sîn helfe her hât braht,
da ich mîne werden mâge sihe.
von rehter schult ich prîses gihe

9. = do *Ggg*, die *gg*.   12. clarlihen *Ggg*.   17. Gahmurets *D*, Gahmure-
ten *Gg*.   19. britaneis *G*.   20. er ist *D*, er is *G*.   kûrteis *G*.
21. sult *g*.   22. sult *Dg*, mûget *Gddgg*.   23. wert *D*.   25. niemen *DG*.
27. Lover britânie *G*.   28. wizen sant *g*.   29. der drigein leite *D*.   alle
die *G*.   30. wærem *D*, wer dem *g*, wâre ienem *Ggg*.
762, 6. beiden *G*.   8. hofslichem *G*.   9. mæssenide *D*.   11. 12. = sazen-
azen *Ggg*.   12. anderthalbn si (*l.* sîn) mit *D*.   13. Clinscors *D*, unde
chleine *G*, unde clare *g*.   15. Uber gawan *G*, Gein Gawan über *g*.   16. klin-
schors *g*, clare *gg*, chleine *G*.   17. menegiu *D*.   18. Feiraf. *G*.   19. zwi-
schen (zwisscen *D*) den *DGdgg*, zwischen die *dg*.   20. dâ *fehlt Gg*.
21. Turkoyte *nun wieder auch D*.   22. sagive *Ggg*.   26. Iht des iht verg. *g*.
des *fehlt g*.   niht *Dd*, iht *Gdgg*.   30. mit blick *dd*, *fehlt g*.
763, 1. arnive *Gdd*.   2. Itonie do niht *Gg*.   3. 4. gesellcheit-bereit *alle*
aufser Dg.   Si waren gesellikeit Ein ander vil bereit *dd*.   4. Warnz *g*,
Warens *g*.   vil *fehlt Ggg*.   5. sîn] si sin *G*.   c. Orgillûsie *G*.
7. Do *Gg*.   rezeigte *D*, erzeigte *G*.   reht *D*.   8. snelle *Gdgg*.
10. = der frouwen schar *Ggg*.   14. Iupp. *Gd*.   der *dgg*.   15. het *Dg*,
hete *G*, hat *ddgg*.   braht *G*.   17. Daz *Gg*.   werde *Ggg*.   18. 22. 28. priss
D, 18. 22. bris, 28. pris *G*.

mînem vater, den ich hân verlorn:
20 der was ûz rehtem prîs erborn.'
der Wâleis sprach 'ir sult noch
    sehn
liut den ir prîses müezet jehn,
bî Artûs dem houbetman,
mangen rîter manlîch getân.
25 swie schier diz ezzen nu zergêt,
unlange'z dâ nâch gestêt,
unz ir die werden sehet komn,
an den vil prîses ist vernomn.
swaz tavelrunder kreft ist bî,
dern sizt hie niwan rîter drî;
764 Der wirt unde Jofreit:
etswenne ich ouch den prîs er-
    streit,
daz man mîn drüber gerte,
des ich si dô gewerte.'
5   si nâmn diu tischlachen dan
vor al den frowen und vor den
    man:
des was zît, dô man gaz.
Gâwân der wirt niht langer saz:
die herzogîn und ouch sîn anen
10 begunder biten unde manen,
daz si Sangîven ê
unt die süezen Cundrîê
næmen unde giengen dar
aldâ der heiden bunt gevar
15 saz, unt daz si pflægen sîn.
Feirefîz Anschevîn
sach dise frouwen gein im gên:
gein den begunder ûf dô stên.
als tet sîn bruoder Parzivâl.
20 diu herzoginne lieht gemâl
nam Feirefîzen mit der hant:

swaz si frowen und rîter stên dâ
    vant,
die bat si sitzen alle.
dô reit dar zuo mit schalle
25 Artûs mit den sînen.
man hôrt dâ pusînen,
tambûrn, floitiern, stîven.
der suon Arnîven
reit dar zuo mit krache.
dirre frœlîchen sache
765 Der heiden jach für werdiu dinc.
sus reit an Gâwânes rinc
Artûs mit sînem wîbe
und mit manegem clâren lîbe,
5 mit rîtern und mit frouwen.
der heiden mohte schouwen
daz ouch dâ liute wâren
junc mit solhen jâren
daz si pflâgen varwe glanz.
10 dô was der künec Gramoflanz
dennoch in Artûses pflege:
dâ reit och ûf dem selben wege
Itonjê sîn âmîe,
diu süeze valsches vrîe.
15   do rebeizte der tavelrunder schar
mit manger frouwen wol gevar.
Ginovêr liez Itonjê
ir neven den heiden küssen ê:
si selbe dô dar nâher gienc,
20 Feirefîzen si mit kusse enpfienc.
Artûs und Gramoflanz
mit getriulîcher liebe ganz
enpfiengen disen heiden.
dâ wart im von in beiden
25 mit dienst erboten êre,
und sîner mâge mêre

---

20. = erchorn Ggg.   21. Parcifal sprach D.   22. liute D, Lûte G.
25. sciere DG.   = erget Ggg.   26. = dar nah Ggg.   27. seht DG.
29. Tafelrunde D.   kraft Gdgg.   30. Dern g, der en Dg, Der Gddg.
sizzet D, sitzent die übrigen.
764, 1. Der wirt sprah ze Iofreit Gg.   unt D.   4. gwerte G.   5. namen DG.
die tische dan G.   6. al fehlt Gdg.   vor den fehlt dd, vor dem G.
10. begunden bitten und manen D.   12. sagive (ohne ê) Gg.   14. Da
ddgg.   heiden fehlt G.   wunt d, blanch Gg, vech g.   16. 21. Fei-
raf. G.   16. Anscivin D.   18. dô fehlt Gddgg.   21. der] ir D.
22. sten da D, sten dd = fehlt Ggg.   23. = Sten die Gg, Sten da. die g,
Da sten. die g.   baten D.   26. businen alle aufser D.   27. Tamburn y,
Tambuoren D.   Floytieren D, floyten dg.   28. sun DG, werde sun dd.
Der broder Sagiven g.
765, 1. = richiu Ggg.   4. vn̄ mit D, Und d, Mit Gdgg.   mangen G.
clarem D.   11. Artus DG.   12. Do Ggg.   15. Dor b. g, Do erb. G.
Tafelrunde D.   16. lieht gevar G.   17. Ginôver D, Kinover G.   20. Fei-
rafiz Ggg.   21. vn̄ ouch D.   22. truwelicher g.   24. Do G.

im tâten guoten willen schîn.
Feirefîz Anschevîn
was dâ ze guoten friunden komn:
daz het er schiere an in ver-
        nomn.
766 Nider sâzen wîp unde man
und manec maget wol getân.
wolt er sichs underwinden,
etslîch rîter moht dâ vinden
5 süeziu wort von süezem munde,
ob er minne werben kunde.
die bete liez gar âne haz
manc clâriu frouwe diu dâ saz.
guot wîp man nie gezürnen sach,
10 ob wert man nâch ir helfe sprach:
si hât versagen unt wern bevor.
giht man freude iht urbor,
den zins muoz wâriu minne gebn.
sus sah ich ie die werden lebn.
15 dâ saz dienst unde lôn.
ez ist ein helfeclîcher dôn,
swâ friundîn rede wirt vernomn,
diu friunde mac ze staten komn.
Artûs zuo Feirefîze saz.
20 ir deweder dô vergaz,
sine tæten bêde ir vrâge reht
mit süezer gegenrede sleht.
Artûs sprach 'nu lob ichs got,
daz er dise êre uns erbôt,
25 daz wir dich hie gesehen hân.
ûz heidenschaft gefuor nie man
ûf toufpflegenden landen,
den mit dienstlîchen handen
ich gerner diens werte,
swar des dîn wille gerte.'
767 Feirefîz zArtûse sprach

'al mîn ungelücke brach,
dô diu gotinne Jûnô
mîn segelweter fuogte sô
5 in disiu westerrîche.
du gebârest vil gelîche
einem man des werdekeit
ist mit mæren harte breit:
bistu Artûs genant,
10 sô ist dîn name verre erkant.'
Artûs sprach 'er êrte sich,
der mich geprîset wider dich
und gein andern liuten hât.
sîn selbes zuht gap im den rât
15 mêr dan ichz gedienet hân:
er hâtz durch höfscheit getân.
ich pin Artûs genennet,
und hete gern erkennet
wie du sîst komn in ditze lant.
20 hât dich friwendîn ûz gesant,
diu muoz sîn vil gehiure,
op du durh âventiure
alsus verre bist gestrichen.
ist si ir lônes ungeswichen,
25 daz hœhet wîbe dienst noch paz.
ein ieslîch wîp enpfienge haz
von ir dienstbietære,
op dir ungelônet wære.'
'ez wirt al anders vernomn,'
sprach der heiden: 'nu hœr ouch
        mîn komn.
768 Ich füer sô kreftigez her,
Troyære lantwer
unt jene die si besâzen
müesen rûmen mir die strâzen,
5 op si beidenthalp noch lebten
und strîtes gein mir strebten,

---

28. Anscivin D.   29. do D.

766, 1. wib und D.   5. und suzze munde g.   suozen G.   6. münde er-
werben g.   7. = bet lie Ggg.   11. versagt D.   wern] wert d, gwern G,
gewern Ddgg.   12. frouden Gd, frowen g, fehlt g.   14. Sol werder man
mit frouden leben Gdg.   16. hofsliher Gdg.   17. fründin dd, vriundinne
Ggg, friwendinne D.   19. ze G.   20. dewedere G, tweder g.   21. = bede
vrage ir reht Ggg.   22. gein rede G.   27. touf Ddd = toufe Ggg.
phlegen den G.   28. Den ddg, dem DGg.   29. dienstes alle aufser D.
30. = Swaz Ggg.

767, 3. gottinne D, gûtinne G.   4. Minem gg.   wetter D.   fuochte G.
11. eret Gdg, ert g.   12. = Swer Ggg.   gepriste G.   13. vñ ouch D.
15. mere DG.   dan dg.   gedient DG.   18. hiete gerne G.   19. = cho-
men sist G, komen bist g, kumest g.   22. = Als Gg, So g.   26. ein
fehlt Gdgg.   27. dienstes gebietâre Ggg.   29. Ez wâre G.   30. hœr g,
hœre D, hôre G.

768, 1. fuere D, vuore G.   2. Daz tr. Gdd.   troiâre G.   5. bedeith (für
das ende des wortes leerer platz) G.

si möhten siges niht erholn,
si müesen schumpfentiure doln
von mir und von den mînen.
10 ich hên in manegen pînen
bejagt mit rîterlîcher tât
daz mîn nu genâde hât
diu küngîn Secundille.
swes diu gert, deist mîn wille.
15 si hât gesetzet mir mîn lebn:
si hiez mich miltclîche gebn
unt guote rîter an mich nemen:
des solte mich durch si gezemen.
daz ist alsô ergangen:
20 mit schilde bevangen
ist zingesinde mir benant
manec rîter wert erkant.
da engein ir minne ist mîn lôn.
ich trage ein ecidemôn
25 ûf dem schilde, als si mir gebôt.
swâ ich sider kom in nôt,
zehant so ich an si dâhte,
ir minne helfe brâhte.
diu was mir bezzer trôstes wer
denne mîn got Jupiter.'
769 Artûs sprach 'von dem vater dîn,
Gahmurete, dem neven mîn,
ist ez dîn volleclîcher art,
in wîbe dienst dîn verriu vart.
5 ich wil dich diens wizzen lân,
daz selten grœzer ist getân
ûf erde decheinem wîbe,
ir wünneclîchem lîbe.
ich mein die herzoginne,
10 diu hie sitzet. nâch ir minne
ist waldes vil verswendet:
ir minne hât gepfendet

an freuden manegen rîter guot
und in erwendet hôhen muot.'
15 er sagt ir urliuge gar,
und ouch von [der] Clinschores
schar,
die dâ sâzen en allen sîten,
unt von den zwein strîten
die Parzivâl sîn bruoder streit
20 ze Jôflanze ûf dem anger breit.
'und swaz er anders hât ervaren
da er den lîp niht kunde sparen,
er sol dirz selbe machen kunt.
er suochet einen hôhen funt.
25 nâch dem grâle wirbet er.
von iu beiden samt ist daz mîn ger,
ir saget mir liute unde lant.'
die iu mit strîte sîn bekant.'
der heiden sprach 'ich nenne sie,
die mir die rîter füerent hie.
770 Der künec Papirîs von Trogo-
djente,
und der grâve Behantîns von Ka-
lomidente,
der herzoge Farjelastis von Affricke,
und der künec Liddamus von
Agrippe,
5 der künec Tridanz von Tinodonte,
und der künec Amaspartîns von
Schipelpjonte,
der herzoge Lippidîns von Agre-
muntîn,
und der künec Milôn von Noma-
djentesîn,
von Assigarzîonte der grâve Gabarîns,
10 und von Rivigitas der künec Trans-
lapîns,

---

7. = Sine *Ggg.*   14. daz ist *D*, daz is *G*.   15. 16. Si hiez mih riterlihe
leben. Unde hat gesetzet mir min leben. Si hiez mih miltclichen geben *G*.
23. engene *G*.   is *G*.   24. ezid. *G*.   27. gedahte *alle aufser D.*
28. minne *Dd*, minne mir *Gdgg*.   29. tros *D* = strites *Ggg*.   30. Iupp.
G, Jubiter *d*.

769, 4. wibes *Gdgg*.   5. dienst *Gdgg*.   6. grœzers *D*.   8. = minnchlihem
Ggg.   15. saget *Gdd*, sagete *D*.   = im ane lougen gar *Ggg*.   16. clin-
sores *G*, Clinscors *D*.   17. Si sazen *G*.   en] in *Ggg* = an *Ddd*.
20. Tschofflanz (*ohne* ze) *G*.   21. het *Gdg*.   24. suohte *G*.   25. suchet
er *g*, suohter *G*.   26. beden *G*.   sampt *D*, sament *G*, *fehlt dd und (nebst*
daz) *g*.   27. Das ir mir sagent *dd* = Nu saget mir *Ggg*.   28. di iu *D*.
mit stâte *Gg*.   sint *ddgg*.   benant *g*.

770, 1. Papirîs *D*, papirs *d*, papirus *Gdg*, paparus *g*.   tagrod. *dd* = Trage-
diente *Ggg*.   2. = Kalomidient *g*, Ralomidiente *Gg*.   3. = Alfriche *g*,
Alfre *G*, Alfke *g*.   4. Liddamûs *D*, lidamus *Gd*.   Agrippe *D*, agippe *G*,
agappe *g*.   5-30. = *fehlen Ggg*.   6. arimaspis *d*, oraspis *d*.   Scip. *D*.
7. lipidrius *dd*.   8. milion *dd*.   10. Rivigitâs *D*.

von Hiberborticôn der grâve Filones,
und von Centriûn der künec Kil-
　licrates,
der grâve Lysander von Ipopóti-
　ticôn,
und der herzoge Tiridê von Elixo-
　djôn,
15 von Orastegentesîn der künec Thô-
　arîs,
und von Satarchjonte der herzoge
　Alamîs,
der künec Amincas von Sotofeititôn,
und der herzoge von Duscunte-
　medôn,
von Arâbîe der künec Zarôastêr,
20 und der grâve Possizonjus von
　Thilêr,
der herzoge Sennes von Narjoclîn,
und der grâve Edissôn von Lan-
　zesardîn,
von Janfûse der grâve Fristines,
und von Atropfagente der herzoge
　Meiones,
25 von Nourjente der herzoge Ar-
　cheinor,
und von Panfatis der grâve Astor,
die von Azagouc und Zazamanc,
und von Gampfassâsche der künec
　Jetakranc,
der grâve Jûrâns von Blemunzîn,
unt der herzoge Affinamus von
　Amantasîn.
771 Ich hete ein dinc für schande,
man jach in mîme lande,
kein bezzer rîter möhte sîn
dan Gahmuret Anschevîn,

5 der ie ors überschrite.
ez was mîn wille und och mîn site,
daz ich füere unz ich in fünde:
sît gewan ich strîtes künde.
von mînen zwein landen her
10 fuort ich kreftec ûfez mer.
gein rîterschefte het ich muot:
swelch lant was werlîch unde guot,
daz twang ich mîner hende,
unz verre inz ellende.
15 dâ werten mich ir minne
zwuo rîche küneginne,
Olimpîe und Clauditte.
Secundille ist nu diu dritte.
ich hân durch wîp vil getân:
20 hiute alrêst ich künde hân
daz mîn vater Gahmuret ist tôt.
mîn bruoder sage ouch sîne nôt.'
dô sprach der werde Parzivâl
'sît ich schiet vonme grâl,
25 sô hât mîn hant mit strîte
in der enge unt an der wîte
vil rîterschefte erzeiget,
etslîches prîs geneiget,
der des was ungewenet ie.
die wil ich iu nennen hie,
772 Von Lirivoyn den künec Schir-
　nîel,
und von Avendroyn sîn bruoder
　Mirabel,
den künec Serabil von Rozokarz,
und den künec Piblesûn von Lor-
　neparz,
5 von Sirnegunz den künec Senil-
　gorz,
und von Villegarunz Strangedorz,

11. Filonês *D.*　　12. killicratês *D.*　　13. ipopoticon *dd.*　　15. Orastæg. *D.*
17. Amincâŝ *D,* amintas *d,* amyneis *d.*　　19. zoroaster *d,* zocraster *d.*　　20. chiler
d, zyler *d.*　　23. fustines *dd.*　　24. und *fehlt dd.*　　25. norrente *dd.*
archinor *dd.*　　27. die *fehlt D.*　　vn̄ von Z. *D.*　　28. und *fehlt dd.*
itrokang *d,* etra trang *d.*　　29. bleminzin *d,* weinelzin *d.*　　30. amantin *d,*
amatin *d.*
771, 3. nehein *D,* Dehein *g,* Dein *d,* Daz dehein *G,* Daz kein *dg.*　　riter bez-
zer *D,* ritter *d.*　　4. Danne *G,* denne *D.*　　Anscivin *D.*　　7. füere] = in
suohte *Ggg.*　　8. gwan *G.*　　12. swelech *D.*　　14. unze *DG.*　　16. Zŏ̌
G, zwo *D.*　　17. Polimpie *G* = Olimpia *Ddd.*　　claudite-drite *G.*
21. Gahmuret *fehlt G.*　　22. saget ouch *Gg.*　　26. = In (An *g*) gedrenge
Ggg.　　29. = Der des vil ungewent was ie *Ggg.*　　ungewent *D.*　　30. Der
wil ich ein teil nennen hie *dd,* Ein teil ich der benenne (der bekenne ich *g*)
hie *Ggg.*
772, 1. lyravoin *dgg.*　　der kúnig *dd* = *fehlt Ggg.*　　Scirniel *D,* tschirniel
Ggg, schirmel *d,* lirmel *d.*　　2. sinen *D.*　　= miradel *Ggg.*　　3-22. = *feh-*
len Ggg.　　3. Der *dd, und so durchaus nominative.*　　4. piblisim von lor-
partz *dd.*　　5. selvigorz *d,* semgartz *d.*　　9. villegrane *dd.*

von Mirnetalle den grâven Ro-
gedâl,
und von Pleyedunze Laudunâl,
den künec Oniprîz von Itolac,
10 und den künec Zyrolan von Sem-
blidac,
von Jeroplîs den herzogn Jerne-
ganz,
und von Zambrôn den braven Pli-
neschanz,
von Tutelêunz den graven Lon-
gefiez,
und von Privegarz den herzogen
Marangliez,
15 von Pictacôn den herzogen Stren-
nolas,
und von Lampregûn den grâven Par-
foyas,
von Ascalûn den künec Vergulaht,
nnd von Pranzîle den grâven Bo-
gudaht,
Postefar von Laudundrehte,
20 und den herzogn Leidebrôn von
Redunzehte,
von Leterbe Collevâl,
und Jovedast von Arl ein Pro-
venzâl,
von Tripparûn den grâven Kar-
fodyas.
diz ergienc dâ turnieren was,
25 die wîle ich nâch dem grâle reit.
solt ich gar nennen dâ ich streit,
daz wæren unkundiu zil:
durch nôt ichs muoz verswîgen vil.
swaz ir mir kunt ist getân,
die wæne ich genennet hân.'

773 Der heiden was von herzen vrô,
daz sîns pruoder prîs alsô
stuont, daz sîn hant erstreit
sô manege hôhe werdekeit.
5 des dancter im sêre:
er hetes selbe och êre.
innen des hiez tragen Gâwân,
als ez unwizzende wære getân,
des heidens zimierde in den rinc.
10 si prüevetenz dâ für hôhiu dinc.
rîter unde frouwen
begunden alle schouwen
[den] wâpenroc, [den] schilt, [daz]
kursît.
der helm was zenge noch ze wît.
15 si prîsten al gemeine
die tiwern edeln steine
die dran verwieret lâgen.
niemen darf mich vrâgen
von ir arde, wie sie wæren,
20 die lîhten unt die swæren:
iuch hete baz bescheiden des
Eraclîus ode Ercules
unt der Krieche Alexander,
unt dennoch ein ander,
25 der wîse Pictagoras,
der ein astronomierre was,
unt sô wîse âne strît,
niemen sît Adâmes zît
möhte im glîchen sin getragen.
der kunde wol von steinen sagen.
774 Die frouwen rûnten dâ, swelch
wîp
dâ mite zierte sînen lîp,
het er gein in gewenket,
sô wær sîn prîs verkrenket.

7. mirnetals d, myrmedals d.   8. und fehlt dd.   pleyduntz (pleigduntz) lau-
dimal dd.   9. compries d (d fehlt die zeile).   10. fehlt dd.   12. tam-
bron dd.   14. profegartz d, prefragrantz d. vergl. 354, 17.   15. stren-
las d, syroloyas d.   18. praveile-rohudacht d (d fehlt die zeile).   19. lan-
drudacht d, landridacht d.   22. Und von arl (arle) iovedast dd.   Arel D.
23. = Der grave Minadas G, Der grave Fallarastias g, Der grefe saz g.
carfoyas d, carfrias d.   26. =' daz ih Ggg.   28. ichs muoz D, ih muoz
Ggg, muosz ich dd.   29. ir mir Dd, ie mir d, mir yr g, mir Gg.   30. Die
ih wenc hie benennet han G.

773, 2. dinc Gg.   5. danchter D, danchet er G.   6. hets G.   10. pruove-
tense da G.   groziu Gdgg.   13. den-den-daz fehlen g.   nach wapenroch.
fügt G hinzu den helm.   20. liehten Gdd.   22. Eraculis G.   oder D,
olde G.   hercules ddgg.   25. pitagoras Gg.   26. Astronomirre Dd,
astronomire g, astronimiere G, astronomie g, astronimus d.   27. so D, ouch
so dd = sus so Ggg.   wis D.   30. Er G.   wol] = baz Ggg.
steinen D, sternen Gg.

774, 3. Het der Gg.   ir DGg, der dd, fehlt g.   4. sîn] in ir G, ez
in ir g.

5 etslîchiu was im doch sô holt,
  si hete sîn dienst wol gedolt,
  ich wæn durch sîniu fremdiu mâl
  Gramoflanz, Artûs und Parzivâl
  unt der wirt Gâwân,
10 die viere giengen sunder dan.
  den frouwen wart bescheiden
  in ir pflege der rîche heiden.
  Artûs warp ein hôchgezît,
  daz diu des morgens âne strît
15 ûf dem velde ergienge,
  daz man dâ mite enpfienge
  sînen neven Feirefîz.
  'an den gewerp kêrt iwern vlîz
  und iwer besten witze,
20 daz er mit uns besitze
  ob der tavelrunder.'
  si lobten al besunder,
  si wurbenz, wærez im niht leit.
  dô lobte in gesellekeit
25 Feirefîz der rîche.
  daz volc fuor al gelîche,
  dô man geschancte, an ir gemach.
  manges freude aldâ geschach
  smorgens, ob ich sô sprechen mac,
  do erschein der süeze mære tac.
775 Utepandragûns suon
  Artûsen sah man alsus tuon.
  er prüevete kostenlîche
  ein tavelrunder rîche
5 ûz eime drîanthasmê.
  ir habet wol gehœret ê,
  wie ûf dem Plimizœles plân
  einer tavelrunder wart getân:
  nâch der disiu wart gesniten,

10 sinewel, mit solhen siten,
  si erzeigte rîlîchiu dinc.
  sinwel man drumbe nam den rinc
  ûf einem touwec grüenen gras,
  daz wol ein poynder landes was
15 vome sedel an tavelrunder:
  diu stuont dâ mitten sunder,
  niht durch den nutz, et durh den
    namn.
  sich moht ein bœse man wol schamn,
  ob er dâ bî den werden saz:
20 die spîs sîn munt mit sünden az.
  der rinc wart bî der schœnen
    naht
  gemezzen unde vor bedâht
  wol nâch rîlîchen ziln.
  es möhte ein armen künec beviln,
25 als man den rinc gezieret vant,
  da der mitte morgen wart erkant.
  Gramoflanz unt Gâwân,
  von in diu koste wart getân.
  Artûs was des landes gast:
  sîner koste iedoch dâ niht gebrast.
776 Ez ist selten worden naht,
  wan deiz der sunnen ist geslaht,
  sine bræhte ie den tac dernâch.
  al daz selbe ouch dâ geschach:
5 er schein in süeze lûter clâr.
  dâ streich manc ritter wol sîn hâr,
  dar ûf bluomîniu schapel.
  manc ungevelschet frouwen vel
  man dâ bî rôten münden sach,
10 ob Kyôt die wârheit sprach.
  rittr und frouwen truogn gewant,
  niht gesniten in eime lant;

---

7. sine werdiu mal *D.*   13. ein *gg.*   hoh zit *G.*   18. kêrt] = leget *Ggg.*
iuren *G.*   19. beste *Gdgg.*   22. = lobtenz alle *Ggg.*   23. wâre iz *G.*
27. ir] = sin *Ggg.*   29. Des morgens *alle aufser D.*   ob ich es *d,* ob ich
daz *g,* als ich *d (ohne* sô).   30. suzzen *g.*   mære *fehlt g,* sumer *G,* meye *d.*
775,   1. Utp. *Ggg (in dd z.* 1. 2 *verändert*).   2. Artus *Ggg.*   sprah man sol
sus tuon *G.*   3. pruovet *G.*   chostechliche *Gdg,* kostl. *dgg.*   4. Tavel-
runde *G.*   5. trianth. *dgg,* dianth. *G,* Sarantasme *g.*   6. gehort *D.*
7. plimzoles *G,* Plimizœls *D.*   8. einer *Dgg,* Ein *Gddg.*   Tafelrunde *D.*
9. = Da wart disiu nah gesniten *Ggg.*   11. rihlihiu *Ggg.*   12. man] nam *G.*
13. = ein *Ggg.*   touwec *fehlt dd.*   gruenem *D* = gruone *Ggg,* grunz *g.*
14. daz *Dd,* Da *Gdgg.*   15. von sedel (gesidel *g*) ein tavelrunder *Gg.*
16. Da enmitten stuont besunder *G.*   17. nuzz. *D.*   et durh *D,* durch *dg,*
unde durch *g,* noch durch *d,* er *Gg.*   20. speis *g,* spise *DG.*   22. Wol
gemezzen *G.*   unt *D.*   23. rihlihen *Ggg,* ritterlichen *g.*   21. einen *DG.*
arm man bevilen *G.*   25. Alse *G.*   geziert *G.*   26. mitter *G und (ohne*
der) *g.*   bechant *Gdgg.*   30. Sinr *G.*   doch *Gg, fehlt dd.*
776,   2. deiz *D,* ez *die übrigen.*   sunne *Gg.*   7. bluemine *g,* Blumein *g,* bluo-
men *Gg,* ein bluemin *d,* ein bluomen *d.*   tschapel *G.*   9. rotem mûnde
Gddg.   11. Ritter *D,* Riter *G.*   truogen *DG.*   gwant *G.*

wîbe gebende, nider, hôch,
als ez nâch ir lantwîse zôch.
15 dâ was ein wît gesamentiu diet:
durch daz ir site sich underschiet.
swelch frowe was sunder âmîs,
diu getorste niht decheinen wîs
über tavelrunder komn.
20 het si dienst ûf ir lôn genomn
und gap si lônes sicherheit,
an tavelrunder rinc si reit.
die andern muosenz lâzen:
in ir herberge se sâzen.
25   Dô Artûs messe hete vernomn,
man sach Gramoflanzen komn,
unt den herzogen von Gôwerzîn,
und Flôranden den gesellen sîn.
die drî gerten sunder
pfliht über tavelrunder.
777 Artûs werte si des sân.
vrâge iuch wîb oder man,
wer trüege die rîchsten hant,
der ie von deheime lant
5 über tavelrunder gesaz,
irn mugt sis niht bescheiden baz,
ez was Feirefîz Anschevîn.
dâ mite lât die rede sîn.
si zogten gein dem ringe
10 mit werdeclîchem dinge.
etslîch frouwe wart gehurt,
wære ir pfert niht wol gegurt,
si wære gevallen schiere.
manc rîche baniere
15 sah man zallen sîten komn.
dâ wart der buhurt wît genomn

alumbe der tavelrunder rinc.
ez wâren höfschlîchiu dinc,
daz ir keiner in den rinc gereit:
20 daz velt was ûzerhalp sô breit,
si mohten d'ors ersprengen
unt sich mit hurte mengen
und ouch mit künste rîten sô,
dês diu wîp ze sehen wâren vrô.
25   si kômn och dâ si sâzen,
aldâ die werden âzen.
kamerær, truhsæzen, schenken,
muosen daz bedenken,
wie manz mit zuht dâ für getruoc.
ich wæn man gab in dâ genuoc.
778 Ieslîch frouwe hete prîs,
diu dâ saz bî ir âmîs.
manger durch gerndes herzen rât
gedient was mit hôher tât.
5 Feirefîz unt Parzivâl
mit prüeven heten süeze wal
jene frouwen unde dise.
man gesach ûf acker noch ûf wise
liehter vel noch rœter munt
10 sô manegen nie ze keiner stunt,
alsô man an dem ringe vant.
des wart dem heiden freude erkant.
wol dem künfteclîchen tage!
gêrt sî ir süezen mære sage,
15 als von ir munde wart vernomn!
man sach ein juncfrouwen komn,
ir kleider tiwer und wol gesniten,
kostbære nâch Franzoyser siten.
ir kappe ein rîcher samît
20 noch swerzer denn ein gênît.

---

13. = Frouwen gebende *Ggg.*   15. Ez *Gg.*   gesament *Gddg.*   16. Dur *G.*
18. decheinen *D*, dheinen *g*, keinen *g*, deheine *Gg*, do keine *d*, keine *d.*
gwis *D.*   19. 22. Tafelrunde *D.* so 777, 17.   20. ûf] = nah *Ggg.*   21. si
Ddd = si ir *gg*, ir *Ggg.*   22. rinc *fehlt Gg.*   23. di andern *D.*   24. her-
bergen *D und* (sy aszen) *g.*   si *DG.*   26. Gramoflanze *G*, Gramoflanz *gg.*
29. = Die zwene *Ggg.*

777,   2. olde *G.*   5. Tafelrunt *D.*   gesaz *DG*, saz *ddgg.*   6. iren *D*, Jrne *G.*
mûgets in *G.*   12. pfert *ddg*, pfærde *D*, pharde *G.*   14. Manege *Dddg.*
19. deh. *DG.*   an *G.*   reit *Gdgg.*   22. hŏrte *G*, hurten *D.*   23. ouch]
= doch *g*, iedoh *G.*   chunst also *G*, kunste so *g.*   24. Daz ez *g*, Das *dd.*
27. kameræra. *DG.*   29. zuht *D*, züchte *d*, zühten *Gdgg.*   dâ *fehlt G*,
dar *D.*   truoch *Gddg.*

778,   1. = Etslich *Ggg.*   3. maneger *D* = Mangiu *Ggg.*   4. = wart *Ggg.*
6. wal *Gddg*, mal *Dg.*   7. unt *D.*   8. sah *Gd.*   unde *G.*   9. Lieht vel noch
roten munt *G.*   10. ze deh. *G.*   11. Als *Gdgg.*   13. Wol der chûnftc-
lichen sage *Gg.*   chunftechlichem *Dg.*   14. geért *D.*   sin *g*, sit *G.*
ir suozen sumer tage *Gg.*   16. eine *DGg.*   17. ir chleider waren *Dd* =
In chleidern *Ggg.*   18. chostebære *D*, Chôstbâre *G.*   20. swarzer *G.*
ein *fehlt Gg.*   Jenit *g*, gennit *g*, timit *Gg.*

arâbesch golt gap drûffe schîn,
wol geworht manc turteltiubelîn
nâch dem insigel des grâles.
si wart des selben mâles
25 beschouwet vil durch wunders ger.
nu lât si heistieren her.
ir gebende was hôh unde blanc:
mit manegem dicken umbevanc
was ir antlütze verdecket
und niht ze sehen enblecket.
779 Senfteclîche und doch in vollen
      zelt
kom si rîtende über velt.
ir zoum, ir satel, ir runzît,
was rîche und tiure ân allen strît.
5 man liez se an den zîten
in den rinc rîten.
diu wîse, niht diu tumbe,
reit den rinc alumbe.
man zeigete ir wâ Artûs saz,
10 gein dem si grüezens niht vergaz.
en franzoys was ir sprâche:
si warp daz ein râche
ûf si verkorn wære
unt daz man hôrt ir mære.
15 den künec unt die künegîn
bat si helfe und an ir rede sîn.
si kêrte von in al zehant
dâ si Parzivâlen sitzen vant
bî Artûse nâhen.
20 si begunde ir sprunges gâhen
von dem pfärde ûfez gras.
si viel mit zuht, diu an ir was,
Parzivâle an sînen fuoz,
si warp al weinde umb sînen
      gruoz,
25 sô daz er zorn gein ir verlür
und âne kus ûf si verkür.

Artûs unt Feirefîz
an den gewerp leiten vlîz.
Parzivâl truoc ûf si haz:
durch friunde bet er des vergaz
780 Mit triwen âne vâre.
diu werde, niht diu clâre,
snellîche wider ûf spranc:
si neig in unde sagte in danc,
5 die ir nâch grôzer schulde
geholfen heten hulde.
si want mit ir hende
wider ab ir houbtgebende:
ez wær bezel oder snürrinc,
10 daz warf si von ir an den rinc.
Cundrîe la surziere
wart dô bekennet schiere,
und des grâls wâpen daz si truoc,
daz wart beschouwet dô genuoc.
15 si fuorte och noch den selben lîp,
den sô manc man unde wîp
sach zuo dem Plimizœle komn.
ir antlütze ir habt vernomn:
ir ougen stuonden dennoch sus,
20 gel als ein thopazîus,
ir zene lanc: ir munt gap schîn
als ein vîol weitîn.
wan daz si truoc gein prîse muot,
si fuorte ân nôt den tiuren huot
25 ûf dem Plimizœles plân:
diu sunne het ir niht getân.
diune moht ir vel durch daz hâr
niht verselwen mit ir blickes vâr.
si stuont mit zühten unde sprach
des man für hôhiu mære jach.
781 An der selben stunde
ir rede si sus begunde.
'ôwol dich, Gahmuretes suon!
got wil genâde an dir nu tuon.

21. Arabensch *G.*   22. türteltûbelin *G.*   23. 24. Grals — mals *DGdgg.*
25. = Vil geschouwet (beschouwet *g*) *Ggg.*   28. dichem *D.*   umbehanch *G.*
29. = bedecht *Ggg.*

779, 1. en *G.*   vollem *D, fehlt dd.*   2. riten *dd* = geriten *Ggg.*   3. rûn-
zit *G.*   5. lieze *D,* liesz si *dd* = lie si *Ggg.*   6. = An *Ggg.*   9. zeigte *G.*
= da *Ggg.*   10. gruzzens *gg,* gruezen *D,* gruozes *Gdd.*   11. In *Ggg.*
12. warte *G.*   18. sitzen *fehlt Gg.*   21. Von ir pheride uffez gras *G.*
22. zuhten *D.*   24. weinde *G.*   umbe *fehlt Gg.*   25. = Sô *fehlt Ggg.*
26. Unde alle wis *Gg,* Und allen has *d.*   28. legten si ir fliz *G.*   29. =
gein ir *Ggg.*

780, 3. ûf do *D.*   8. wider *Dyg, fehlt Gdd.*   houbet gebende *Dd,* houbet daz
gebende *Gdgg.*   9. beckel *g,* besser *d,* vessel *d.*   snürrinch *G, mit* ü *ddg,*
nur mit einem r *dd.*   10. an] in *Gg.*   13. Von des *G.*   17. zem blimzol *G.*
18. Ir habet ir antlûtze wol vernomen *G.*   19. Iriu *G.*   stuonden *D.*
sus] da *Gg.*   20. topazia *Gg.*   21. zen *Gg.*   25. Plimizœls *D,* blimzo-
les *G.*   27. durchz *Dg.*   29. zuht *D.*

781, 3. dir *Gdgg.*   4. gnade *DG.*

5 ich mein den Herzeloyde bar.
Feirefîz der vêch gevar
muoz mir willekomen sîn
durch Secundilln die frouwen mîn
und durch manege hôhe werdekeit,
10 die von kindes jugent sîn prîs er-
streit.'
zuo Parzivâle sprach si dô
'nu wis kiusche unt dâ bî vrô.
wol dich des hôhen teiles,
du krône menschen heiles!
15 daz epitafjum ist gelesen:
du solt des grâles hêrre wesen.
Condwîr âmûrs daz wîp dîn
und dîn sun Loherangrîn
sint beidiu mit dir dar benant.
20 dô du rûmdes Brôbarz daz lant,
zwên süne si lebendec dô truoc.
Kardeiz hât och dort genuoc.
wær dir niht mêr sælden kunt,
wan daz dîn wârhafter munt
25 den werden unt den süezen
mit rede nu sol grüezen:
den künec Anfortas nu nert
dîns mundes vrâge, diu im wert
siufzebæren jâmer grôz:
wâ wart an sælde ie dîn genôz?'
782 Siben sterne si dô nante
heidensch. die namen bekante
der rîche werde Feirafîz,
der vor ir saz swarz unde wîz.
5 si sprach 'nu prüeve, Parzivâl.
der hôhste plânête Zvâl,
und der snelle Almustrî,

Almaret, [und] der liehte Samsî,
erzeigent sælekeit an dir.
10 der fünfte heizt Alligafir,
unde der sehste Alkitêr,
und uns der næhste Alkamêr.
ich ensprichez niht ûz eine troum:
die sint des firmamentes zoum,
15 die enthalden sîne snelheit:
ir kriec gein sîme loufte ie streit.
sorge ist dînhalp nu weise.
swaz der plânêten reise
umblouft, [und] ir schîn bedecket,
20 des sint dir zil gestecket
ze reichen und zerwerben.
dîn riwe muoz verderben.
wan ungenuht al eine,
dern gît dir niht gemeine
25 der grâl und des grâles kraft
verbietent valschlîch geselleschaft.
du hetes junge sorge erzogn:
die hât kumendiu freude an dir be-
trogn.
du hâst der sêle ruowe erstriten
und des lîbes freude in sorge er-
biten.'
783 Parzivâlu ir mæres niht ver-
drôz.
durch liebe ûz sînen ougen vlôz
wazzer, sherzen ursprinc.
dô sprach er 'frouwe, solhiu dinc
5 als ir hie habt genennet,
bin ich vor gote erkennet
sô daz mîn sündehafter lîp,
und hân ich kint, dar zuo mîn wîp,

---

7. Sol *G.*   8. secundillen *alle.*   11. Ze parcifal sprah *G.*   13. hôhesten
Gg.   14. du *D*, Du hast die *dd* = Diu *Ggg.*   mennschen *G*, mennescen *D.*
16. solts Gr. *D.*   17. Kŏndw. *G.*   18. Loachrin *g*, lohel. *d*, lehel. *g.*
28. rundest *G.*   briubarz *G*, brubars *gg.*   21. lebende *Gg.*   22. = Kar-
diez gwinnet oh dort gnuoch *G.*   23. me *Gd.*   29. Sûftebâren *G.*
30. selde *dgg*, sælden *DGd.*

782, 1. stern *D*, sternen *ddg.*   4. und *D.*   6. hôhisten planeten *Gg.*   = zal
Ggg.   7. amustri *dd* = almusteri *Ggg.*   8. = Almûret *Ggg.*   der *fehlt*
Gg.   9. = Die *Ggg.*   erzeigten *Ggg.*   10. vierde *G.*   heizet *DG, fehlt g.*
aliasir *d* = Aligofir *g*, gôfir *Ggg.*   11. Uñ *dd*, under den *D* = So heizt *Ggy.*
vunfte (*ohne* der) *G.*   = Alchumer *Ggg.*   12. Unde uns nâhest *G.*
= alchater *Ggg.*   13. ûz eime] in *gg.*   = troume *Ggg.*   14. firma-
ments *D.*   = zoume *Ggg.*   13. Die enthaltent *Gg*, Sú enthabent *d.*
snellekeit *ddg.*   16. loufe *ddg*, lûfte *Gg.*   19. umbe loufet.*DG*, Umbelouf *g.*
24. Der en *Ggg* = dane *Ddd.*   25. unts *D.*   26. valsliche *G.*   27. Du
het *Gg.*   28. chûnchlih *Gg.*   29. sælden *Gdg.*   30. in sorge *fehlt dd,*
in not *Gg.*   erliten *Gg.*

783, 1. Parcival *Gddg.*   = mâre *Ggg.*   2. = Vor *Ggg.*   3. = herzen *Ggg.*
4. solh *Gddg.*   5. gennet *G.*   8. uñ *D, fehlt den übrigen.*   Het kint *dd.*
dar zuo min *Dg*, darzü *g*, unde dar zuo *Gdd.*

daz diu des pflihte sulen hân,
10 sô hât got wol zuo mir getân.
swar an ir mich ergetzen meget,
dâ mite ir iwer triwe reget.
iedoch het ich niht missetân,
ir het mich zorns etswenne erlân.
15 done wasez et dennoch niht mîn heil:
nu gebt ir mir sô hôhen teil,
dâ von mîn trûren ende hât.
die wârheit sagt mir iwer wât.
dô ich ze Munsalvæsche was
20 bî dem trûrgen Anfortas,
swaz ich dâ schilde hangen vant,
die wârn gemâl als iwer gewant:
vil turteltûben tragt ir hie.
frowe, nu sagt, wenn ode wie
25 ich süle gein mînen freuden varn,
und lât mich daz niht lange sparn.'
dô sprach si 'lieber hêrre mîn,
ein man sol dîn geselle sîn.
den wel: geleites wart an mich.
durch helf niht lange sûme dich.'
784 Uber al den rinc wart vernomn
'Cundrîe la surziere ist komn,'
und waz ir mære meinde.
Orgelûs durh liebe weinde,
5 daz diu vrâg von Parzivâle
die Anfortases quâle
solde machen wendec.
Artûs der prîss genendec
ze Cundrîen mit zühten sprach
10 'frouwe, rîtt an iwer gemach,

lât íwer pflegn, lêrt selbe wie.'
si sprach 'ist Arnîve hie,
swelch gemach mir diu gît,
des wil ich leben dise zît,
15 unz daz mîn hêrre hinnen vert.
ist ir gevancnisse erwert,
so erloubet daz ich müeze schouwen
si unt ander frouwen
den Clinschor teilte sînen vâr
20 mit gevancnisse nu manec jâr.'
zwên rîter huoben se ûf ir pfert:
zArnîven reit diu maget wert.
nu wasez ouch zît daz man dâ gaz.
Parzivâl bî sîm bruoder saz:
25 den bat er gesellekeit.
Feirefîz was im al bereit
gein Munsalvæsch ze rîten.
an den selben zîten
si stuonden ûf übr al den rinc.
Feirefîz warp hôhiu dinc:
785 Er frâgte den kûnec Gramoflanz,
op diu liebe wære ganz
zwischen im unt der nifteln sîn,
daz er daz tæte an im schîn.
5 'helft ir unt mîn neve Gâwân,
swaz wir hie künge und fürsten hân,
barûne und arme rîter gar,
daz der decheiner hinnen var
ê si mîn kleinœte ersehn.
10 mir wære ein laster hie geschehn,
schied ich vor gâbe hinnen vrî.
swaz hie varndes volkes sî,

9. Die des grales pflicht süllen han *dd* = Sûlen die (sie *g*) des mit mir phlihte
han *Ggg.*   suln *D.*   10. ze *G*, an *dd.*   11. = Swa mit *Ggg.*   12. Dar
an *gg.*   15. = Nune *Ggg.*   ez et *D*, ez *g*, ouch *dd, fehlt Gg.*   18. seit *G.*
20. trurigen *G*, truorigem *D.*   21. = Swaz schilt ich do (*fehlt g*) da han-
gen (hangende *g*) vant *Ggg.*   23. tûrt. *G*, -tuoben *D.*   24. = Frouwe
fehlt Ggg.   saget mir *Gg.*   wenne *DG.*   oder *D.*   25. Ich sol *dd* =
Sol ih *Gg.*   26. lange *D*, langer *dg*, lenger *Gdg.*   28. geleitte *G*, geverte *dd.*
29. den wel *Dg*, Der wölle (*und* warten) *g*, Die wile *dd*, Gote unde *G.*
geleites warte ane mih *G.*   30. = Dune darft niht lenger (langer *g*, mere *G*)
sumen dih *Ggg.*   helfe *D.*

784, 1. = daz her *G*, daz mer *g*, dis *g.*   2. Kûndrîe *G*, Daz kundrie *g.*   = la
surziere *fehlt Ggg.*   ist *D*, wâre *Gddg*, wer da her *g.*   4. Orgilluse *G.*
= vor *Ggg.*   5. vrage *DG.*   6. Anfortass *D*, Amfortasses *g*, anfortas *G.*
10. rîtet *Ddd* = nu ritt *g*, nu ritet *Gg.*   11. lert *g.*   15. unze *DG.*
16. ir *fehlt G.*   gevænchnisse *D*, gevanchnûsse *G.*   17. 18. schouwen müeze si?
18. andere *D.*   20. Mit vanchnûsse manc iar *G.*   21. uffez phert *Gdgg.*
pfært *D.*   22. Zuo arn. *G.*   23. ez ouch *D*, es *d*, ouh *Gdg.*   24. si-
nem *alle.*   26. = al *fehlt Gg*, vil *g.*   27. = nach 28 *Ggg.*   muntsal-
vatsch *g*, Munsalvæsce *D*, muntsalfatsche *G.*   ze *fehlt G.*   30. Feirafiz *G.*

785, 2. diu suone *Gg.*   3. niftel *ddgg.*   4. im nu *D.*   5. = mîn neve *fehlt*
Ggg.   6. = hie *fehlt Ggg.*   = ode *Ggg.*   7. britun unde ander fürsten
gar *Gg.*   arme *D*, armer *dd* = die andern *g.*   9. chleinode *DG.*
10. hie] = dran *Gg.*   11. Schied *g.*

die warten alle gâbe an mich.
Artûs, nu wil ich biten dich,
15 deiz den hôhen niht versmâhe,
des gewerbes gein in gâhe,
und wis des lasters für si pfant:
si rekanten nie sô rîche hant.
und gib mir boten in mîne habe,
20 dâ der prêsent sol komen abe.'
dô lobten si dem heiden,
sine wolten sich niht scheiden
von dem velde in vier tagen.
der heidn wart vrô: sus hôrt ich sagn.
25 Artûs im wîse boten gap,
dier solde senden an daz hap.
Feirefîz Gahmuretes kint
nam tincten unde permint.
sîn schrift wârzeichens niht verdarp:
ich wæne ie brief sô vil erwarp.
786 Die boten fuorn endehafte dan:
Parzivâl sîn rede alsus huop an.
en franzoys er zin allen sprach
als Trevrizent dort vorne jach,
5 daz den grâl ze keinen zîten
niemen möht erstrîten,

wan der von gote ist dar benant.
daz mære kom übr elliu lant,
kein strît möht in erwerben:
10 vil liut liez dô verderben
nâch dem grâle gewerbes list,
dâ von er noch verborgen ist.
Parzivâl unt Feirefîz
diu wîp lêrten jâmers vlîz.
15 si hetenz ungern vermiten:
in diu vier stücke shers si riten,
si nâmen urloup zal der diet.
ieweder dan mit freuden schiet,
gewâpent wol gein strîtes wer.
20 ame dritten tage ûzs heidens her
wart ze Jôflanze brâht,
sô grôzer gâb wart nie gedâht.
swelch künec dâ sîner gâbe enpfant,
daz half immer mêr des lant.
25 ieslîchem man nâh mâze sîn
wart nie sô tiuriu gâbe schîn,
al den frouwen rîche prêsent
von Trîande und von Nourîent.
ine weiz wiez her sich schiede hie:
Cundrî, die zwên, hin riten sie.

14. bitten D.   15. deiz D, Das es dd = Daz g.   Daz den hohen niht versmahe (versmahen G).   Mins gewerbedes (gewerbes) gabe. Gg.   16. gein im iahe g.   18. Sine erchanten nie so rihiu lant G.   20. der presentê D, die presente g.   21. Do enbuten si Gg, si lobten D.   23. inner G.
24. Des wart er fro g.   heiden alle.   = sus fehlt Ggg.   der heiden warp sus, hôrt ich sagen?   26. anz D, in daz G, in den d.   27. 28. = Do nam Gahmurets chint.   Tinten (Tinchten g) unde bermint (permint g) Ggg.
27. Gahmurets D.   28. unt D.   29. = Siner schrift warzeichen (wortz. g) niht verdarp Ggg.   wortz. d.
786, 1. fuoren DG.   mit ende dan G.   2. huob D.   3. = Mit zúhten er Ggg.   4. Alse trevrizzent G.   dor vorn D.   5. zenheinen G.   7. wander vor D.   bechant D.   8. diz D.   uber alle.   9. deh. DG.
10. liute D, lûte G.   lie G.   11. gewerbides G.   14. = da lerten gg, da lerte G.   15. heten ungerne Gdgg.   18. Ietw. G.   20. = Anme vierden Ggg.   uozs D, us dd, uz des Ggg.   21. tschoffl. G.   22. Das græsser gab nie wart gedacht d = Daz nie grozer gabe wart erdaht Gg, Daz nie wart groszer gabe erdaht g.   gabe D.   23. sine Dd.   24. imir mere G. des Dg, sin dd, daz Gg.   26. sô tiuriu] = grozer Ggg.   27. = al fehlt Ggg.   richiu D, rich dd.   presente-Nouriente DGdd.   28. Triant gg, triend G.   29. wie daz hêr. G, wi des her. D.   30. Cundrîe unt alle. die Ggg = dise Dd, sy d.

XVI.

787Anfortas unt die sîn
noch vor jâmer dolten pîn.
ir triwe liez in in der nôt.
dick er warb umb si den tôt:
5 der wære och schiere an im ge-
schehn,
wan daz sin dicke liezen sehn
den grâl und des grâles kraft.
er sprach zuo sîner rîterschaft
'ich weiz wol, pflægt ir triuwe,
10 so erbarmet iuch mîn riuwe.
wie lange sol diz an mir wern?
welt ir iu selben rehtes gern,
sô müezt ir gelten mich vor gote.
ich stuont ie gerne ziwerm gebote,
15 sît ich von êrste wâpen truoc.
ich hân enkolten des genuoc,
op mir ie unprîs geschach,
unt op daz iwer keiner sach.
sît ir vor untriwen bewart,
20 sô lœst mich durch des helmes art
unt durch des schildes orden.
ir sît dick innen worden,
ob ez iu niht versmâhte,
daz ich diu beidiu brâhte
25 unverzagt ûf rîterlîchiu werc.
ich hân tal unde berc
mit maneger tjost überzilt
unt mit dem swerte alsô gespilt,
daz es die vînde an mir verdrôz,

swie wênc ich des gein iu genôz.
788 Ich freuden ellende,
zem urteillîchem ende
beklage ich eine iuch alle:
sô næht ez iwerem valle,
5 irn lât mich von iu scheiden.
mîn kumber solt iu leiden.
ir habt gesehn und ouch vernomn,
wie mir diz ungelücke ist komn.
waz toug ich iu ze hêrren nuo?
10 ez ist iu leider alze vruo,
wirt iwer sêle an mir verlorn.
waz sites habt ir iu erkorn?'
si heten kumbers in erlôst,
wan der trœstenlîche trôst,
15 den Trevrizent dort vorne sprach,
als er am grâle geschriben sach.
si warten anderstunt des man
dem al sîn vreude aldâ entran,
und der helflîchen stunde
20 der vrâge vou sîm munde.
der künec sich dicke des be-
wac,
daz er blinzender ougen pflac
etswenne gein vier tagn.
sô wart er zuome grâle getragn,
25 ez wære im lieb ode leit:
sô twang in des diu siechheit,
daz er d'ougen ûf swanc:
sô muoser âne sînen danc

787, 1. 2. sine-pine *alle.* 2. noch vor *D,* Nach *g,* Vor *d,* Von *Gdg.* 4. = Vil
diche er warp datze in (warp er im *g*) den tot *Ggg.* 5. Daz *G.* an in *G.*
7. den Gral unts *D.* Grals *DG oft.* 8. ze *G.* 9. pflæget *D,* phlåget *G.*
12. rehts *DG.* 14. gern *D.* ze iurem *G.* 16. eng. *G.*
18. deh. *G.* 19. von *G.* untriwe *ddgg.* 20. lost *g.* himels *Gg.*
21. himels *Gg.* 22. diche *D,* wol *G.* 24. diu bede *G.* 26. und *D.*
30. wenech *Ddd* = chleine *Ggg.*

788, 2. urteillichen *Gdg.* 4. næhet *D,* nahet *die übrigen.* iwern *G.* 7. ouch
D, fehlt dd = wol *Ggg.* 12. ir *fehlt G.* 13. hieten *G.* = trurens
Ggg. 14. Wan daz der *G.* trostenl. *D,* trostl. *Gdgg,* trostlose *d.*
15. trevrezzent *G.* vor *D,* E vor *g,* vorne *G.* 16. ame *D,* an dem *G.*
18. da *Gdg,* dan *g.* 19. = und *fehlt Ggg* helfechlichen *D.* 20. si-
nem *DG.* 25. oder *D.* 26. in diu sicherheit *G.* 28. âne] under *G.*

lebn und niht ersterben.
sus kundens mit im werben
789 Unz an den tac daz Parzivâl
unt Feirefîz der vêch gemâl
mit freudn ûf Munsalvæsche riten.
nu hete diu wîle des erbiten,
5 daz Mars oder Jupiter
wâren komen wider her
al zornec mit ir loufte
(sô was er der verkoufte)
dar si sich von sprunge huoben ê.
10 daz tet an sîner wunden wê
Anfortase, der sô qual,
magede und rîter hôrten schal
von sîme geschreie dicke,
unt die jâmerlîchen blicke
15 tet er in mit den ougen kunt.
er was unhelfeclîche wunt:
si mohten im gehelfen niht.
iedoch diu âventiure giht,
im kom diu wâre helfe nuo.
20 si griffen herzen jâmers zuo.
swenn im diu scharphe sûre nôt
daz strenge ungemach gebôt,
sô wart der luft gesüezet,
der wunden smac gebüezet.
25 vor im ûfem teppech lac
pigment und zerbenzînen smac,
müzzel unt arômatâ.
durch süezen luft lag ouch dâ
drîakl und amber tiure:
der smac was gehiure.

790 Swâ man ûfen teppech trat,
cardemôm, jeroffel, muscât,
lac gebrochen undr ir füezen
durh den luft süezen:
5 sô daz mit triten wart gebert,
sô was dâ sûr smac erwert.
sîn fiwer was lign alôê:
daz hân ich iu gesaget ê.
ame spanbette die stollen sîn
10 wâren vipperhornîn.
durch ruowen fürz gelüppe
von würzen manec gestüppe
was ûf den kultern gesæt.
gesteppet unde niht genæt
15 was dâ er ûfe lente,
pfell von Nourîente,
unt palmât was sîn matraz.
sîn spanbette was noch paz
gehêrt mit edelen steinen,
20 unt anders enkeinen.
daz spanbette zôch zein ander
strangen von salamander:
daz wârn undr im diu ricseil.
er hete an freuden kranken teil.
25 ez waz rîche an allen sîten:
niemen darf des strîten
daz er bezzerz ie gesæhe.
ez was tiwer unde wæhe
von der edeln steine geslehte.
die hœrt hie nennen rehte.
791 Karfunkl unt silenîtes,
balax unt gagâtromes,

789, 2. feirafiz *G.* bunt *g.* 3. freuden *D*, froude *Gg.* muntschalftsche *G.*
5. Mârss *D.* oder *fehlt G*, unde *dg.* 8. Do *G.* 10. sinen *Gg.*
11. Anfortas *alle aufser D.* also *G.* 12. meide *D.* 13. geschrei *Gddg.*
16. unhelflihen *Gg*, unhelfelichen *dg.* 17. Sine *G.* 19. chom *Gg*, chœme
Dddg. 21. scarpf swêr *D.* 22. Ditze *Gg.* 25. uf dem tepch *G.*
26. Pigmente unde aberac. *G.* zerbenzinen *d*, zerbenznîen *D*, zerbentinen *d*,
zu robanzerin *g*, der susze *g. vergl. Wilh.* 451, 21. 27. Mûzzel *D*, Mùssel
Gdg, (*mit* ú *d*), Músel *d*, Muscel *g.* 29. Driakel *Dg*, Triachel *Gdd*, Ti-
riak *g.* ammer *g.*
790, 1. uf dem *G.* teppech *D*, tenne *G*, tennen *g*, estrich *dd*, ram *g.* 2. Car-
demome *Dddgg*, Kardemuome *G.* ierofel *Gd.* 3. 23. under *alle.*
5. = tretene *Ggg.* zebert *Gg.* 6. da swerr *D*, der sure *dg.* 7. Ling
aloê *D*, lingaloe *G.* 8. ouch ê *D.* 10. hornin *Dd*, hürnin *Gdgg.*
11. fürz] wrtz *G.* 12. stuppe *Gg.* 13. = kulter *gg*, gulter *G.* 14. Ge-
stepet *G.* unt *D.* 16. pfelle *DG.* 17. unt *fehlt Gg.* Balmat *D.*
20. = Unde mit *Ggg.* neheinen *G.* 22. Strange *Gg*, Strenge *dgg.*
23. rich seil *D*, rigeseil *g*, rih s. *G*, riche s. *dd*, richen s. *g.* 25. Er *Gd.*
29. geslæhte *DG.* 30. hort ich *G.* hie *fehlt Gddg.*
791, 1. ...arfunkel *D*, Karfunchel *G.* unt *fehlt g.* 2. Balax *D*, Celidonius *dd*,
Gelidomus *Ggg.* unt *fehlt G.*

ônix unt calcidôn,
coralîs unt bestîôn,
5 unjô unt optallîes,
ceráuns unt epistîtes,
jerachîtes unt eljotrôpîâ,
panthers unt antrodrâgmâ,
prasem unde saddâ,
10 emathîtes unt djonisîâ,
achâtes unt celidôn,
sardonîs unt calcofôn,
cornîol unt jaspîs,
echîtes unt îrîs,
15 gagâtes unt ligûrîus,
abestô unt cegôlitus,
galactîdâ unt jacinctus,
orîtes unt enîdrus,
absist unt alabandâ,
20 crisolecter unt hîennîâ,
smârât unt magnes,
sapfîr unt pirrîtes.
och stuont her unde dâ
turkoyse unt lipparêâ,
25 crisolte, rubîne,
paleise unt sardîne,
adamas unt crisoprassîs,
melochîtes unt dîadochîs,
pêanîtes unt mêdus,
berillus unt topazîus.
792   Etslîcher lêrte hôhen muot:
ze sælde unt ze erzenîe guot
was dâ maneges steines sunder art.
vil kraft man an in innen wart,
5 derz versuochen kund mit listen.

dâ mite si muosen vristen
Anfortas, der ir herze trucc:
sîme volke er jâmers gap genuoc.
doch wirt nu freude an im ver-
nomn.
10 in Terre de salvæsche ist komn,
von Jôflanze gestrichen,
dem sîn sorge was entwichen,
Parzivâl, sîn bruoder unde ein
magt.
mir ist niht für wâr gesagt,
15 wie verr dâ zwischen wære.
si erfüern nu strîtes mære:
wan Cundrîe ir geleite
schiet si von arbeite.
si riten gein einer warte.
20 dâ gâhte gein in harte
manc wol geriten templeis,
gewâpent. die wârn sô kurteis,
ame geleite si wol sâhen
daz in freude solte nâhen.
25 der selben rotte meister sprach,
dô er vil turteltûben sach
glesten ab Cundrîen wât,
'unser sorge ein ende hât:
mit des grâls insigel hie
kumt uns des wir gerten ie,
793 Sît uns der jâmerstric beslôz.
habt stille: uns næhet freude grôz.'
Feirefîz Anschevîn
mant Parzivâln den bruoder sîn
5 an der selben zîte,
und gâhte geime strîte.

---

3. Onichel *G.*   galcidon *Gg.*   4. Corallis *d,* Corallus *g,* Galralles *d,* Go-
zalis *Gg.*   5. Optâllies *D,* optalles *G.*   optallius, *dann* 6. Epistites Cerau-
nius *g.*   6. Gerauns *Gg,* Therauns *d,* Theamis *d.*   7. Ierachitis *G.*
8. *fehlt G.*   Panthers *D,* Pantres *ddgg.*   9. Parsm *G.*   10. Amachites *g.*
11. gelidon *Gg.*   12. Sârdonis *D.*   = gazcofon *G,* Gazgofon *g,* Jascofon *g.*
13. = Gorniol *Gg,* Garviol *g.*   14. Ethîtes *Dg.*   16. gegolitus *Gg,* Criso-
litus (25. Grisolitus) *g.*   20. Chrisoliter *G.*   Hiènnia *D.*   21. Smaraid *D,*
Smaragede *G,* Smaragde *g,* Smaragdus *ddg.*   23. unt *D.*   24. = Turkois
Ggg.   limpparea *G.*   25. Chrisolt *G.*   = unde *Ggg.*   26. = Paleis
Ggg.   27. 28. Melochites uñ Adamas Diadochis uñ Crisopras *g.*   27. Ado-
mas *G.*   30. Perillus *G.*   Thopatius *D.*

792, 3. mangnes steins *G.*   4. chrefte *Gdgg,* crefft *d.*   5. = Der si *Ggg.*
chunde *DG.*   7. Anfortasen *DGg,* Anfortassen *dg.*   9. an in *Gg.*   10. In-
terre demuntsalfatsche *G.*   nu chomen *Gdgg.*   11. tschofl. *G.*   14. = ist
oh niht *Ggg.*   15. verre *DG.*   da zwissen *D,* da enzwischen *Gdgg.*
16. erfueren *DG.*   24. in in *G.*   wolde *Gdgg.*   25. selbe *G.*   30. uns
haben nur DG.   wir da *D.*

793, 1. iamers stric *Gg.*   2. stille] = uf *Ggg.*   nahet *alle aufser D.*
3. Feirafiz *G.*   4. mante *DG.*   parcifalen *Gd,* Parcivale *D,* parcifal *g.*
6. und] er *D.*   = gahte ouh *Ggg.*

Cundrîe in mit dem zoume vienc,
daz sîner tjost dâ niht ergienc.
dô sprach diu maget rûch gemâl
10 bald zir hêrren Parzivâl
'schilde und baniere
möht ir rekennen schiere.
dort habt niht wans grâles schar:
die sint vil diensthaft iu gar.'
15 dô sprach der werde heiden
'sô sî der strît gescheiden.'
Parzivâl Cundrîen bat
gein in rîten ûf den pfat.
diu reit und sagt in mære,
20 waz in freuden komen wære.
swaz dâ templeise was,
die rebeizten nider ûfez gras.
an den selben stunden
manc helm wart ab gebunden.
25 Parzivâln enpfiengen si ze fuoz:
ein segen dûhte si sîn gruoz.
si enpfiengn och Feirefîzen
den swarzen unt den wîzen.
ûf Munsalvæsche wart geriten
al weinde und doch mit freude siten.
794 Si funden volkes ungezalt,
mangen wünneclîchen rîter alt,
edeliu kint, vil sarjante.
diu trûrge mahinante
5 dirre künfte vrô wol mohten sîn.
Feirefîz Anschevîn
unt Parzivâl, si bêde,
vor dem palas an der grêde
si wurden wol enpfangen.
10 in den palas wart gegangen.

dâ lac nâh ir gewonheit
hundert sinwel teppech breit,
ûf ieslîchem ein pflumît
und ein kulter lanc von samît.
15 fuorn die zwên mit witzen,
si mohtn etswâ dâ sitzen,
unz manz harnasch von in en-
pfienc.
ein kamerær dar nâher gienc:
der brâht in kleider rîche,
20 den beiden al gelîche.
si sâzen, swaz dâ rîter was.
man truoc von golde (ez was niht
glas)
für si manegen tiwern schâl.
Feirefîz unt Parzivâl
25 trunken unde giengen dan
zAnfortase dem trûrgen man.
ir habt wol ê vernomen daz
der lente, unt daz er selten saz,
unt wie sîn bette gehêret was.
dise zwêne enpfienc dô Anfortas
795 Vrœlîche unt doch mit jâmers siten.
er sprach 'ich hân unsanfte erbiten,
wirde ich immer von iu vrô.
ir schiet nu jungest von mir sô,
5 pflegt ir helflîcher triuwe,
man siht iuch drumbe in riuwe.
wurde ie prîs von iu gesagt,
hie sî rîter oder magt,
werbet mir dâ zin den tôt
10 unt lât sich enden mîne nôt.
sît ir genant Parzivâl,
sô wert mîn sehen an den grâl

---

7. gundrie *G.*   zorne *G.*   8. daz *fehlt D.*   tioste niht *G.*   9. ruoh *D*,
ruh *G.*   10. balde *DG.*   herrn *D.*   11. Schilt *Gg.*   12. erk. *G.*
13. = Hiene *Ggg.*   17. gundrien *G.*   17.-24. *fehlen g.*   19. sagete *D*,
seit *G.*   20. = froude *Gg.*   21. 22. = *fehlen Ggg.*   25. = Ir herren
enph. *Ggg.*   26. duohte sie *D.*   27. enpfiengen *DG.*   firafizzen *G.*
29. wart *D*, do ward *dd*, wart do *Ggg.*   30. frouden *Gdd.*

794, 1. = Da vunden si *Ggg.*   2. iunclichen *Gg.*   3. sariande *Ggg.*
4. Die trurige *g*, di truorigen *Dddg*, Die truogen *G.*   machinante *dd*, ma-
henande *Ggg.*   5. vro wol *D*, fro *dd* = wol fro *Ggg.*   mohte *G.*
6. 24. Feirafiz *G.*   10. *fehlt G.*   = Uf *gg.*   11. gwonheit *G.*
12. Hundert sinwel *dd*, hundert sinwelle *D* = Sinwel hundert *Ggg.*   tepech *G.*
13. pflumit *D*, phumit *G*, plumit *ddgg.*   15. fuoren *DG.*   16. mohten *DG.*
etswâ *fehlt G.*   da *Dg*, wol *Gg*, *fehlt dd.*   gesitzen *G.*   20. = Den
zwein *Ggg.*   22. iz enwas *G.*   23. mange tiure *Gdg*, manic teur *g.*
scâl *mit* â *D.*   26. trurigen *DG.*   27. wol (*fehlt D*) ê vernomen *Ddd* =
ouch (*fehlt G*) wol gehort *Ggg.*   28. = Daz er lente *Ggg.*   daz er *D*,
fehlt den übrigen.   selten] = niht en *Ggg.*   29. gehert *DG.*   30. ==
Die *Ggg.* Anforta *G.*

795, 4. schiet *g*, sciedet *DG.*   also *D.*   5. Phleget *G*, pfligt *D.*   hercen-
licher *D.*   9. = So werbet *Gg.*   datze in *G.*

siben naht und aht tage:
dâ mite ist wendec al mîn klage.
15 ine getar iuch anders warnen niht:
wol iu, op man iu helfe giht.
iwer geselle ist hie ein vremder
man:
sîns stêns ich im vor mir niht gan.
wan lât irn varn an sîn gemach?'
20 alweinde Parzivâl dô sprach
'saget mir wâ der grâl hie lige.
op diu gotes güete an mir gesige,
des wirt wol innen disiu schar.'
sîn venje er viel des endes dar
25 drîstunt zêrn der Trinitât:
er warp daz müese werden rât
des trûrgen mannes herzesêr.
er riht sich ûf und sprach dô mêr
'œheim, waz wirret dier?'
der durch sant Silvestern einen
stier
796 Von tôde lebendec dan hiez gên,
unt der Lazarum bat ûf stên,
der selbe half daz Anfortas
wart gesunt unt wol genas.
5 swaz der Franzoys heizt flôrî,
der glast kom sînem velle bî.
Parzivâls schœn was nu ein wint,
und Absalôn Dâvîdes kint,
von Ascalûn Vergulaht,
10 und al den schœne was geslaht,
unt des man Gahmurete jach
dô mann în zogen sach
ze Kanvoleiz sô wünneclîch,
ir decheins schœn was der gelîch,

15 die Anfortas ûz siechheit truoc.
got noch künste kan genuoc.
da ergienc dô dehein ander wal,
wan die diu schrift ame grâl
hete ze hêrren in benant:
20 Parzivâl wart schiere bekant
ze künige unt ze hêrren dâ.
ich wæne iemen anderswâ
funde zwêne als rîche man,
ob ich rîcheit prüeven kan,
25 als Parzivâl unt Feirefîz.
man bôt vil dienstlîchen vlîz
dem wirte unt sîme gaste.
ine weiz wie mange raste
Condwîr âmûrs dô was geriten
gein Munsalvæsch mit freude siten.
797 Si hete die wârheit ê vernomen:
solch botschaft was nâh ir komen,
daz wendec wære ir klagendiu nôt.
der herzoge Kyôt
5 und anders manec werder man
heten si gefüeret dan
ze Terre de salvæsche in den walt,
dâ mit der tjoste wart gevalt
Segramors unt dâ der snê
10 mit bluote sich ir glîcht ê.
dâ solte Parzivâl si holn:
die reise er gerne mohte doln.
disiu mær sagt im ein templeis,
'manec rîter kurteis
15 die küngîn hânt mit zühten brâht.'
Parzivâl was sô bedâht,
er nam ein teil des grâles schar
und reit für Trevrizenden dar.

15. anders] vurbaz *Gg.*   16. Wol iuch *G.*   19. = Nu *Ggg.*   irn *D*, in
die übrigen.   21. = Nu zeiget mir *Ggg.*   21. er viel *Gg*, viel er *Dddg.*
25. zeren *G*, zeeren *D.*   26. warf *G.*   28. = Do stuont er uf unde sprah
mer *Ggg.*   rihte *D.*   29. dir *alle.*   30. sande *D = fehlt Ggg.*   stîr *D.*
796, 1. lebende *Gg.*   hiesz dann *d*, hiez hine *G.*   2. = der *fehlt Ggg.*
uf bat *g*, hiez uf *G.*   5. Er was vor ungemache vri *G.*   heizet *D.*   7. Par-
cifal (-als *G*) schône (scone *D*) *DG.*   8. = und *fehlt Ggg.*   absolon *dgg*, apso-
lon *G*, absolons *d.*   9. = Unde von asch. *G.*   10. allen den *Gg.*
11. = .Olde *Gg.*   14. scœne *DG.*   18. die *fehlt dd*, den *g.*   20. = er-
kant *Ggg.*   24. *fehlt D.*   25. feirafiz *G.*   26. vil] in *G.*   27-29. Dem
wirt und ouch dem gaste sîn: Daz ist ouch der geloube mîn. Als si nu sint
gesezzen Und ir sorge hânt vergezzen, Dô sagte man in mære, Diu wâren
freudenbære, Wie Kundwîrâmurs kom geriten *dd.*   30. Ze *G.*   -æsce *G*,
-atsche *G.*   frouden *Gddgg.*
797, 1. = ê *fehlt Ggg.*   7. Ze terrd salvatsche *G.*   9. Segremors *G.*
10. sich ir *Ddd*, sih *Gg*, ir *g.*   gelîcht *D*, glichet *Gdd*, gelichet *gg.*
12. Die reise moht er gerne dolen *G.*   13. Dise *D.*   sagte *D*, seit *G.*
14-16. Parcifal was so bedaht unde kurteis *G*, Mit mangem ritter kurteis Fü-
ren sy dan bi der naht *g.*   15. Hant die kuniginne braht *g.*   kuneginne *D.*
18. Trevrizende *D*, trevezzenden *G.*

des herze wart der mære vrô,
20 daz Anfortases dinc alsô
stuont daz er der tjost niht starp
unt im diu vrâge ruowe erwarp.
dô sprach er 'got vil tougen hât.
wer gesaz ie an sînen rât,
25 ode wer weiz ende sîner kraft?
al die engel mit ir geselleschaft
bevindentz nimmer an den ort.
got ist mensch unt sîns vater wort,
got ist vater unde suon,
sîn geist mac grôze helfe tuon.'
798 Trevrizent ze Parzivâle sprach
'grœzer wunder selten ie geschach,
sît ir ab got erzürnet hât
daz sîn endelôsiu Trinitât
5 iwers willen werhaft worden ist.
ich louc durch ableitens list
vome grâl, wiez umb in stüende.
gebt mir wandel für die süende:
ich sol gehôrsam iu nu sîn,
10 swester sun unt der hêrre mîn.
daz die vertriben geiste
mit der gotes volleiste
bî dem grâle wæren,
kom iu von mir ze mæren,
15 unz daz si hulde dâ gebiten.
got ist stæt mit sölhen siten,
er strîtet iemmer wider sie,
die ich iu ze hulden nante hie.
swer sîns lônes iht wil tragn,
20 der muoz den selben widersagn.
êweclîch sint si verlorn:
die vlust si selbe hânt erkorn.
mich müet et iwer arbeit:
ez was ie ungewonheit,
25 daz den grâl ze keinen zîten
iemen möhte erstrîten:

ich het iuch gern dâ von genomn.
nu ist ez anders umb iuch komn:
sich hât gehœhet iwer gewin.
nu kêrt an diemuot iwern sin.'
799 Parzivâl zuo sîm œheim sprach
'ich wil si sehen, diech nie gesach
inre fünf jâren.
dô wir bi ein ander wâren,
5 si was mir liep: als ist se ouch
noch.
dînen rât wil ich haben doch,
die wîle uns scheidet niht der tôt:
du riet mir ê in grôzer nôt.
ich wil gein mîme wîbe komn,
10 der kunft ich gein mir hân ver-
nomn
bî dem Plimizœle an einer stat.'
urloup er im dô geben bat.
do bevalh in gote der guote man.
Parzivâl die naht streich dan:
15 sînen gesellen was der walt wol
kunt.
do ez tagt, dô vant er lieben funt,
manec gezelt ûf geslagen.
ûzem lant ze Brôbarz, hôrt ich
sagen,
was vil banier dâ gestecket,
20 manec schilt dernâch getrecket:
sîns landes fürsten lâgen dâ.
Parzivâl der vrâgte wâ
diu küngîn selbe læge.
op si sunderringes pflæge.
25 man zeigte im aldâ si lac
und wol gehêrtes ringes pflac,
mit gezelten umbevangen.
nu was von Katelangen
der herzog Kyôt smorgens vruo
ûf gestanden: dise riten zuo.

20. Anfortass D, Amfortasses g, anfortas Gddg.　　21. stuont fehlt D.
25. oder D.　　26. engele D.　　mit ir Dg, mit Gg, und ir d, und seiner d.
27. Bevundenz Gg, Fúndens d, Vol freischentz g.　　nimir G.　　28. mennsch
G, mennesc D.
798, 3. got fehlt G.　　4. endelos G.　　5. werscaft D.　　7. Grale DG.　　11. ver-
tribenen Gg, vertribene D.　　14. Chomen mir ze mâren G.　　15. unze DG.
16. stæte D, stâte G.　　17. Er strit imer G.　　= an sie Gg.　　18. iu] nu
G.　　19. lons DG.　　21. si sint G.　　25. deh. G.　　27. gerne der von G.
29. gwin G.
799, 1. ze G.　　sinem alle.　　2. di ich D, die ih G.　　3. Inner Ggg.
4. ensament g.　　5. ist si D, ise G.　　8. riet ddg, riete DGg.　　ê fehlt
gg, ie G.　　10. chumft D.　　11. Prim. D, blimzol G.　　12. dô fehlt G.
16. tagte G, tagete D.　　18. lande alle.　　briub. G, brub. gg.　　19. = dâ
fehlt Ggg.　　20. dernâch] da bi Ggg.　　23. kuneginne D.　　24. vñ ob D.
25. 26. fehlen D.　　27. celten D.　　28. vas D.　　von fehlt G.　　29. der
herzoge k. des morgens DG.

800   Des tages blic was dennoch grâ.
    Kyôt iedoch erkant aldâ
    des grâles wâpen an der schar:
    si fuorten turteltûben gar.
5 do ersiufte sîn alter lîp,
    wan Schoysîân sîn kiusche wîp
    ze Munsalvæsche im sælde erwarp,
    diu von Sigûn gebürte erstarp.
    Kyôt gein Parzivâle gienc,
10 in unt die sîne er wol enpfienc.
    er sant ein junchèrrelîn
    nâch dem marschalke der künegîn,
    und bat in schaffen guot gemach
    swaz er dâ rîter halden sach.
15 er fuort in selben mit der hant,
    dâ er der küngîn kamern vant,
    ein kleine gezelt von buckeram.
    dez harnasch man gar von im
          dâ nam.
    diu küngîn des noch niht en-
          weiz.
20 Loherangrîn unt Kardeiz
    vant Parzivâl bî ir ligen
    (dô muose freude an im gesigen)
    in eime gezelt hôh unde wît,
    dâ her unt dâ in alle sît
25 clârer frouwen lac genuoc.
    Kyôt ûfz declachen sluoc,
    er bat die küngîn wachen
    unt vrœlîche lachen.
    si blicte ûf und sah ir man.
    si hete niht wanz hemde an:
801 Umb sich siz deckelachen swanc,
    fürz pette ûfen teppech spranc
    Cundwîr âmûrs diu lieht gemâl.
    ouch umbevienc si Parzivâl:
5 man sagte mir, si kusten sich.

    si sprach 'mir hât gelücke dich
    gesendet, herzen freude mîn.'
    si bat in willekomen sîn,
    'nu solt ich zürnen: ine mac.
10 gêrt sî diu wîle unt dirre tac,
    der mir brâht disen umbevanc,
    dâ von mîn trûren wirdet kranc.
    ich hân nu des mîn herze gert:
    sorge ist an mir vil ungewert.'
15   nu erwachten ouch diu kindelîn,
    Kardeiz unt Loherangrîn:
    diu lâgen ûf dem bette al blôz.
    Parzivâln des niht enedrôz,
    ern kuste se minneclîche.
20 Kyôt der zühte rîche
    bat die knaben dannen tragn.
    er begunde och al den frouwen
          sagn
    daz se ûzme gezelte giengen.
    si tâtenz, dô si enpfiengen
25 ir hêrrn von langer reise.
    Kyôt der kurteise
    bevalch der künegîn ir man:
    al die juncfrowen er fuorte dan.
    dennoch was ez harte fruo:
    kamerære sluogn die winden zuo.
802   Gezucte im ie bluot unde snê
    geselleschaft an witzen ê
    (ûf der selben owe erz ligen vant),
    für solhen kumber gap nu pfant
5 Condwîr âmûrs: diu hetez dâ.
    sîn lîp enpfienc nie anderswâ
    minne helfe für der minne nôt:
    manc wert wîp im doch minne
          bôt.
    ich wæne er kurzwîle pflac
10 unz an den mitten morgens tac.

800,   6. scoysian *G*, tschoisiane *dgg*, Scoysianen *Dd*.   8. Da von *Gg*.   sigu-
nen *alle*.   geburt *alle aufser ·D*.   11. iunchherrnlin *D*.   15. = bi *Ggg*.
16. kamer *Gdg*.   17. buchgram *G*, bucgram *g*, bücgeram *g*.   18. man gar
(gar man *g*, man *d*) von im da (*fehlt G*) nam *DG̃dg*, man [do *g*] von im
nam *dg*.   19. noch *fehlt G*.   20. Loagrin *g*.   23. In ein *Gd*.   unt *D*.
24. da hèr *Dd*, Her *Gdgg*.   da *DGg*, dar *dg*, *fehlt d*.   allen *gg*.
25. Clare *G*.   26. ufez *D*, uffez *G*.   28. frŏlihen *G*.   30. Sine *Ğ*.
wan ez *G*.

801,   1. umbe *DG*.   dechlachen *G*.   2. Uf en tepech fur dez bette spranch *G*.
3. Kŏndw. *G*.   7. herzen (her zuo *d*) frouden *Gd*.   9. zurn *D*.
ihne mach *G*.   10. geert *D*, Sâlich *G*.   diu *fehlt G*.   wille (*das zweite*
l *nachgetragen*) *G*.   dirre *Dd*, der *dgg*, *fehlt G*.   14. an mir] min
halp *G*.   vil *fehlt Gdd*.   unwert *g*.   17. di *D*.   18. Parcifalen *DG*.
21. danne *G*.   23. uzem *D*, uzzem *G*.   28. = fuort er *Ggg*.   30. sluo-
gen *G*, slugen *D*.   die winden *fehlt Gg*.

802,   5. Kŏndwiramurs het er da *G*.   6. enphie *G*.

dez her übr al reit schouwen
dar:
si nâmen der templeise war.
die wâren gezimieret
unt wol zerhurtieret
15 ir schilt mit tjosten sêr durch-
riten,
dar zuo mit swerten och ver-
sniten.
ieslîcher truog ein kursît
von pfelle oder von samît.
îserkolzen heten se dennoch an:
20 dez ander harnasch was von in
getân.
dane mac niht mêr geslâfen sîn.
der künec unt diu künegîn
stuonden ûf. ein priester messe
sanc.
ûf dem ringe huop sich grôz ge-
dranc
25 von dem ellenthaften her,
die gên Clâmidê ê wârn ze wer.
dô der bendiz wart getân,
Parzivâln enpfiengen sîne man
mit triwen werdeclîche,
manec rîter ellens rîche.
803 Des gezeltes winden nam man
abe.
der künc sprach 'wederz ist der
knabe
der künc sol sîn übr iwer lant?'
al den fürsten tet er dâ bekant
5 'Wâls unde Norgâls,
Kanvoleiz unt Kyngrivâls
der selbe sol mit rehte hân,
Anschouwe und Bêalzenân.
kom er imer an mannes kraft,
10 dar leistet im geselleschaft.

Gahmuret mîn vater hiez,
der mirz mit rehtem erbe liez:
mit sælde ich gerbet hân den
grâl:
nu enpfâhet ir an disem mâl
15 iweriu lêhn von mîme kinde,
ob ich an iu triwe vinde.'
mit guotem willen daz geschach:
vil vanen man dort füeren sach.
dâ lihen zwuo kleine hende
20 wîter lande manec ende.
gekrœnet wart dô Kardeiz.
der betwang och sider Kanvoleiz
und vil des Gahmuretes was.
bî dem Plimizœl ûf ein gras
25 wart gesidel und wîter rinc ge-
nomn,
dâ si zem brôte solden komn.
snellîche dâ enbizzen wart.
daz her kêrt an die heimvart:
diu gezelt nam man elliu nider:
mit dem jungen künge se fuoren
wider.
804 Manec juncfrouwe unde ir ander
diet
sich von der küneginne schiet,
sô daz si tâten klage schîn.
dô nâmen Loherangrîn
5 und sîn muoter wol getân
die templeise und riten dan
gein Munsalvæsche balde.
'zeiner zît ûf disem walde,
sprach Parzivâl, 'dâ sah ich stên
10 eine klôsen, dâ durch balde gên
einen snellen brunnen clâr:
ob ir si wizt, sô wîst mich dar.'
von sînen geselln wart im gesagt,
si wisten ein: 'dâ wont ein magt

---

11. uber al reit *Dd*, reit uber al *Gdgg*. 12. templeis *Gdg*. 14. wol
fehlt G. 15. scilde *DG*. sere *DG*. 17. Iesl. *G*, Iegl. *dd*, etsl. *Dy*.
21. nimer *G*. 24. Uf den rinch *G*. 27. ellenthaftem *D*. 2⁶. ê hat
nur D. 27. beneditz *g*, benedig *dd*, segen *g*. 30. Manich ritr *G*.

803, 1. = Man nam des gezlts winden abe *Ggg*. 3. uber *DG*. 4. = al
fehlt Ggg. 5. Wâls *Dd*, Vvaleis *Gdgg*. = Nurgals *Ggg*. 6. kinkri-
vals *G*. 7. von *Gddg*. 8. z Anscowe vn in B. *D*. 9. Chum *Gg*.
immer *D*, iemer *G*. = in *Ggg*. 10. leist ih im *Gg*. 13. disen *G*.
15. Iwer *Gddg*. lehen *alle*. vom chinde *G*. 18. dort *Ddd*. = dar *G*,
da *g*. 19. zwo *DG*. 20. mang *G*. 21. Gechront *DG*. 24. Plimizol *D*,
blimzol *G*. ein *Dg*, daz *Gdd*, dem *g*. 27. Snellich *G*. 28. Daz er *g*,
Er *G*. kert *gg*. 30. si *DGg*, *fehlt ddg*. = cherten *Gg*, kertens *g*.

804, 1. ir *fehlt ddgg*. 4. nam *Gg*. 5. si *D*. 6. templeis *Gddg*.
7. Gen *G*. 10. Ene *G*. 11. Enen *G*. chlare *G*. 12. wizzet *D*,
wizent *G*. wîset *DG*. 13. sinem *G*. gesellen *DG*. 14. wessen *G*.

15 al klagende ûf friundes sarke:
diu ist rehter güete ein arke.
unser reise gêt ir nâhe bî.
man vint si selten jâmers vrî.'
der künec sprach 'wir sulen si
    sehn.'
20 dâ wart im volge an in verjehn.
si riten für sich drâte
und funden sâbents spâte
Sigûnen an ir venje tôt.
dâ sach diu künegîn jâmers nôt.
25 si brâchen zuo zir dar în.
Parzivâl durch die nifteln sîn
bat ûf wegen den sarkes stein.
Schîanatulander schein
unrefûlt schône balsemvar.
man leit si nâhe zuo zim dar,
805 Diu magtuomlîche minne im gap
dô si lebte, und sluogen zuo daz
    grap.
Condwîr âmûrs begunde klagn
ir vetern tohter, hôrt ich sagn,
5 und wart vil freuden êne,
wand si Schoysîâne
der tôten meide muoter zôch
kint wesnde, drumb si freude
    vlôch,
diu Parzivâles muome was,
10 op der Provenzâl die wârheit las.
der herzoge Kyôt
wesse wênc umb sîner tohter tôt,

des künec Kardeyzes magezoge.
ez ist niht krump alsô der boge,
15 diz mære ist wâr unde sleht.
si tâten dô der reise ir reht,
bî naht gein Munsalvæsch si riten.
dâ het ir Feirefîz gebiten
mit kurzwîle die stunde.
20 vil kerzen man do enzunde,
reht ob prünne gar der walt.
ein templeis von Patrigalt
gewâpent bî der küngîn reit.
der hof was wît unde breit:
25 dar ûffe stuont manc sunder schar.
si enpfiengn die küneginne gar,
unt den wirt unt den sun sîn.
dô truoc man Loherangrîn
gein sînem vetern Feirafîz.
dô der was swarz unde wîz,
806 Der knabe sîn wolde küssen niht.
werden kinden man noch vorhte
    giht.
des lachte der heiden.
do begunden si sich scheiden
5 ûf dem hove, unt dô diu künegin
erbeizet wɐs. in kom gewin
an ir mit freuden künfte aldar.
man fuorte si dâ werdiu schar
von maneger clâren frouwen was.
10 Feirefîz unt Anfortas
mit zühten stuonden bêde
bî der frouwen an der grêde.

---

15. = uf ir fr. *Ggg.*   sarch-arch *G.*   16. Ir hertze ist *G.*   17. = straze
get da n. *Ggg.*   nahen *Gg.*   18. vindet *G,* vindent *D.*   20. Des *Gddg.*
im] = ein *Ggg.*   an in *fehlt dd.* an?   21. für sich] = des endes *Ggg.*
22. des ab. *DG.*   abendes *Ggg.*   24. = Des chom diu kunginne in
not *Ggg.*   27. = Hiez *Ggg.*   des *Gdg.*   28. Dar uz der tote riter
schein *G.*   29. Unerfult *G,* unrefŵelt *D.*   palsem var *G.*   30. na-
hen *Ggg.*.

805, 1. = im *nach* Diu *Ggg.*   magtuomlich *D,* magetlich *dd.*   2. = Die wil
si lebet. *Gg.*   man sluoch zuo daz crap *G.*   3. Conw. *D,* Kundew. *G.*   4. vet-
teren *G.*   5. = Daz si wart (was *G*) frouden ane *Gg.*   6. wande *DG.*
8. dar umbe *D,* darunbe *G.*   9. parzivals *G,* Parcifals *D.*   12. umbe *DG.*
13. maget zoge *Gd,* magtzoge *Dd,* meitzoge *g.*   14. 15. = Ditze mare ist
niht so der boge. Iz ist war *Gg.*   15. unt *D.*   16. Der reise taten si do
reht *Gg.*   17. = Die naht *Ggg.*   si gein muntschalvatsch riten *Gdg.*
18. 19. = Mit frouden het ir (er *G*) da gebiten (erbiten *G*). Firaviz. die stunde
Ggg.   20. = do *fehlt Ggg.*   21. Recht als [ob] *dd* = Als obe *Ggg.*
22. von] der *G.*   23. kuneginne *D.*   25. = Da stuont uf *Ggg.*
manech *D,* manich *G.*   26. Die *Gg.*   enpfiengen *DG.*   kungin *Gdgg.*
27. Unt *fehlt Gddg.*   29. vetern *g,* vettren *G,* vettern *g,* veter *D,* vetter *dd.*
firaviz *G.*

806, 3. lachete *D,* lacht *G.*   5. hof *G.*   vñ do *D,* und *d,* da *G,* do *dg.*
6. = Erbeizt was unde giengen [dar *g*] in *Gg.*   7. freuden] werder *G.*
chunft *Gddg.*   10. veirafiz *G.*   12. = Bi den *Gg.*

Repanse de schoye
unt von Gruonlant Garschiloye,
15 Flôrîe von Lunel,
liehtiu ougn und clâriu vel
die truogn und magtuomlîchen prîs.
dâ stuont ouch swankel als ein rîs,
der schœne und güete niht ge-
    brach,
20 und der man im ze tohter jach,
von Ryl Jernîse:
diu maget hiez Ampflîse.
von Tenabroc, ist mir gesagt,
stuont dâ Clârischanze ein süeziu
    magt,
25 liehter var gar unverkrenket,
als ein âmeize gelenket.
Feirefîz gein der wirtîn trat:
diu künegîn den sich küssen bat.
si kust och Anfortasen vrô
und was sînr urlœsunge vrô.
807 Feirefîz si fuorte mit der hant,
dâ si des wirtes muomen vant,
Repansen de schoye, stên.
dâ muose küssens vil ergên.
5 dar zuo ir munt was ê sô rôt:
der leit vom küssen nu die nôt,
daz ez mich müet und ist mir leit
daz ich niht hân solch arbeit
für si: wand si kom müediu zin.
10 juncfrouwen fuortn ir frouwen hin.
die rîter in dem palas

belibn, der wol gekerzet was,
die harte liehte brunnen.
dô wart mit zuht begunnen
15 gereitschaft gein dem grâle.
den truoc man zallem mâle
der diet niht durch schouwen für,
niht wan ze hôchgezîte kür.
durch daz si trôstes wânden,
20 dô si sich freuden ânden
des âbents umb daz pluotec sper,
dô wart der grâl durch helfe ger
für getragen an der selben zît:
Parzivâl si liez in sorgen sît.
26 mit freude er wirt nu für getragen:
ir sorge ist under gar geslagen.
dô diu künegîn ir reisegewant
ab gezôch unt sich gebant,
si kom als ez ir wol gezam:
Feirefîz an einer tür si nam.
808 Nu, diz was et âne strît,
daz hôrt od spræch ze keiner zît
ie man von schœnrem wîbe.
si truog ouch an ir lîbe
5 pfellel den ein künstec hant
worhte als in Sârant
mit grôzem liste erdâht ê
in der stat ze Thasmê.
Feirefîz Anschevîn
10 si brâhte, diu gap liehten schîn,
mitten durch den palas.
driu grôziu fiwer gemachet was,

---

13. Rep. *Dd,* Urrepansa *g,* Urrenpanse. *G,* urepans *d.*　　　de scoyte *G.*
14. Fon gruonlanden *Gg.*　garfiloye *dd,* Gragiloie *g,* karziloyde *G.*　　15. Flo-
rie (Flori *G*) unde ionel (lymel *d*) *Gdg.*　　16. Clariu ougen unde lietiu vel *G.*
ougen *D.*　　17. truogen *DG.*　　vñ *Ddg, fehlt Gdg.*　　magtlichen *Gdd.*
18. stuond *G.*　　19. schon *G*: gebarch *G.*　　21. Ryl *D,* rile *Gddg.*
Iernîse *D,* gernise *dd* = scernise *Gg.*　　22. amflise *Gg.*　　23. Tenabroch
D, tenbroch *G,* tenebrog *dd.*　　24. Clarinscanze *D,* clorin schantz *d,* clarissanze
G, klarissante *d.*　　25. liehter varwe *Ddd* = An ir schone *Gg.*　　27. Feiraviz
gen der wirtinne trat *G.*　　28. den sich *D,* den *d,* sih den *Gdg.*　　30. siner
DG.　　losunge *g,* geniste *d,* gesunthait *d.*
807, 1. fuort *G.*　　2. do *D.*　　3. Repansen *Dd,* Urrepanse *G,* Urrepansa *g,* Ure-
pans *d.*　　scoyen *G.*　　4. = Vil chussens muose da ergen *Gy.*　　5. ê *Dd,*
ie *d* = *fehlt Gg.*　　8. solhe *D* = die *Ggg.*　　9. wan *G.*　　10. fuorten
DG.　　hin *fehlt G.*　　11. = uf *Ggg.*　　den *G.*　　12. geziereit *G.*
13. Die cherzen harte lieht brunnen *G.*　　14. Da *Gg.*　　zuhten *Ggg,* zuhte *g.*
15. gereitscaft *Dg,* Ber. *Gdd.*　　de geinm gral *G.*　　18 = Niun (Nuwan *g*)
durch hochzite chur *Gg.*　　19. tros *D.*　　21. umbe *DG.*　　pluote *G,* bluo-
tige *D.*　　22. Da *G.*　　24. lie *G.*　　sorgen *Ddd,* růwen *G.*　　25. wirt
Ddgg, wart *Gd.*　　26. = Ir riwe *Ggg.*　　28. sich] ir *Gg.*　　30. Feirafiz *G.*
808, 2. ode *G,* oder *D.*　　spræche *Ddg,* sprach *Gd,* sehe *g.*　　ze dheinr *G.*
3. iemen *DG.*　　4. = het *Ggg.*　　5. = Einen phelle *Gg.*　　7. = grozen
listen *Ggg.*　　endaht *Gd.*　　9. Feiraviz anschouwin *G.*　　Anscivin *D.*
11. = En mitten *Ggg.*

lign alôê des fiwers smac.
vierzec tepch, [und] gesitze mêr
    dâ lac,
15 dan zeiner zît dô Parzivâl
ouch dâ für sach tragn den grâl.
ein gesiz vor ûz gehêret was,
dâ Feirefîz unt Anfortas
bî dem wirte solde sitzen.
20 dô warp mit zühte witzen
swer dâ dienen wolde,
sô der grâl komen solde.
ir habt gehôrt ê des genuoc,
wie mann für Anfortasen truoc:
25 dem siht man nu gelîche tuon
für des werden Gahmuretes suon
und och für Tampenteires kint.
juncfrouwen nu niht laṅger sint:
ordenlîch si kômen über al,
fünf unt zweinzec an der zal.
809 Der êrsten blic den heiden clâr
dûhte und reideloht ir hâr,
die andern schœner aber dâ nâch,
die er dô schierest komen sach,
5 unde ir aller kleider tiwer.
süeze minneclîch gehiwer
was al der meide antlütze gar.
nâh in allen kom diu lieht gevar
Repanse de schoye, ein magt.
10 sich liez der grâl, ist mir gesagt,
die selben tragen eine,
und anders enkeine.
ir herzen was vil kiusche bî,
ir vel des blickes flôrî.
15 sage ich des diens urhap,
wie vil kamerær dâ wazzer gap,

und waz man tafeln für si truoc
mêr denn ichs iu ê gewuoc,
wie unfuoge den palas vlôch,
20 waz man dâ karrâschen zôch
mit tiuren goltvazen,
unt wie die rîter sâzen,
daz wurde ein alze langez spel:
ich wil der kürze wesen snel.
25 mit zuht man vorem grâle nam
spîse wilde unde zam,
disem den met und dem den wîn,
als ez ir site wolde sîn,
môraz, sinôpel, clâret.
fil li roy Gahmuret
810 Pelrapeire al anders vant,
dô sim zem êrsten wart erkant.
der heiden vrâgte mære,
wâ von diu goltvaz lære
5 vor der tafeln wurden vol.
daz wundr im tet ze sehen wol.
dô sprach der clâre· Anfortas,
der im ze geselln gegeben was,
'hêr, seht ir vor iu ligen den
    grâl?'
10 dô sprach der heiden vêch gemâl
'ich ensihe niht wan ein achmardî:
daz truoc mîn juncfrouwe uns bî,
diu dort mit krône vor uns stêt.
ir blic mir inz herze gêt.
15 ich wânde sô starc wær mîn lîp,
daz iemmer maget ode wîp
mir freuden kraft benæme.
mirst worden widerzæme,
ob ich ie werde minne enpfienc.
20 unzuht mir zuht undervienc,

---

13. Lingalwe *G.*   14. teppeche *D.*   gesizze mer *Dd*, gesitz *d*, me gesitz *g*,
me *G*, mer *g.*   15. Danne *G*, denne *D.*   = zeinen ziten *Ggg.*   17. ge-
siz *D*, gesitze *Gg*, sitze *d*, sitz *d*, gesesz *g.*   18. feiraviz *G.*   19. solden
Gdgg.   21. dien *G.*   23. = ê *fehlt Ggg.*   24. manen fur *D*, mangen
wis *G.*   26. Gahmurets *D*, gahmŏrets *G.*   27. tamputeirs sun. *G.*   28. len-
ger *G.*   29. = die *Ggg.*
809, 1. 2. den heiden gar Duhte lieht *Gg.*   3. dar nach *alle aufser D.*
4. schierst *Gg*, scieres *D.*   9. Ürrep. *G immer.*   10. Si *G.*   = wart
mir *Ggg.*   11. seben *G.*   12. dheine *G.*   13. = Wan ir *G.*   14. des]
was *G.*   15. dienstes *alle aufser D.*   17. Waz man da tweheln vur si
truoch *Ggg.*   18. Mer mer denne *G.*   19. fil iu *Gdgg.*   19. ungefuoge *G*,
ungefuege *dg.*   20. karratschen *G*, kartascen *D*, karatschen *ddg*, karrutschen *g.*
23. altez *Dg.*   26. spise. wilt. *D.*   27. = den-den *fehlt Ggg.*   mete *g.*
vñ *hat nur D.*   = ienem *Ggg.*   29. = siropel *gg*, sirophel *G.*
30. fillu roy *D*, Fil lu roys *g*, Fillurois *g*, Fili rois *dd*, Silirays *G.*
810, 1. Peilr. *G.*   2. si im *DG.*   = erst (*ohne* zem) *Ggg.*   3. fraget *G.*
5. tavelen *G.*   6. wnder *DG.*   8. gesellen *DG.*   12. iunchfrouw *G.*
13. vor uns mit chrone *D.*   15. war *G*, wære *D.*   16. = Daz weder *Ggg*,
oder *D.*   18. Mirs *G*, mir ist *D.*

daz ich iu künde mîne nôt,
sît ich iu dienst nie gebôt.
waz hilfet al mîn rîchheit,
und swaz ich ie durch wîp gestreit,
25 und op mîn hant iht hât vergeben,
muoz ich sus pîneclîche leben?
ein kreftec got Jupiter,
waz woltstu mîn zunsenfte her?'
minnen kraft mit freuden krenke
frumt in bleich an sîner blenke.
811 Cundwîr âmûrs diu lieht erkant
vil nâch nu ebenhiuze vant
an der clâren meide velles blic.
dô slôz sich in ir minnen stric
5 Feirefîz der ·werde gast.
sîner êrsten friuntschaft im gebrast
mit vergezzenlîchem willen.
waz half dô Secundillen
ir minne, ir lant Trîbalibôt?
10 im gab ein magt sô strenge nôt:
Clauditte unt Olimpîâ,
Secundille, unt wîten anderswâ
dâ wîb im diens lônden
' unt sîns prîses schônden,
15 Gahmurets sun von Zazamanc
den dûht ir aller minne kranc.
dô sach der clâre Anfortas
daz sîn geselle in pînen was,
des plankiu mâl gar wurden bleich,
20 sô daz im hôher muot gesweich.
dô sprach er 'hêr, diu swester mîn,
mirst leit ob iuch· diu lêret pîn,
den noch nie man durch si erleit.
nie rîter in ir dienst gereit:

25 dô nam och niemen lôn dâ zir.
si was mit jâmer grôz bî mir.
daz krenket och ir varwe ein teil,
daz man si sach sô selten geil.
iwer bruoder ist ir swester suon:
der mag iu dâ wol helfe ,tuon.'
812 'Sol diu magt .iur swester sîn,'
sprach Feirefîz Anschevîn,
'diu die krône ûf blôzem hâr dort
hât,
sô gebt mir umb ir minne rât.
5 nâch ir ist al mîns herzen ger.
ob ich ie prîs erwarp mit sper,
wan wær daz gar durch si ge-
schehn,
und wolt si danne ir lônes jehn!
fünf stiche mac turnieren hân:
10 die sint mit mîner hant getân.
einer ist zem puneiz:
ze triviers ich den andern weiz:
der dritte ist zentmuoten
ze rehter tjost den guoten:
15 hurteclîch ich hân geriten,
und den zer volge ouch niht ver-
miten.
sît der schilt von êrste wart mîn
dach,
hiut ist mîn hôhste ungemach.
ich stach vor Agremuntîn
20 gein eime rîter fiurîn:
wan mîn kursît salamander,
aspindê mîn schilt der ander,
ich wær verbrunnen von der tjost.
swa ich holt ie prîs ûfs lîbes kost,

---

21. min not *G.*   25, hât *fehlt G.*   26. alsus *G.*   pinchliche *D*, pinch-
lichen *G.*   27. Ein *Dd*, Min *Gdg.*   28. woldestu *DG.*   zunsenft *G.*
29. chrench *G.*   30. = im bleiche *Gg.*

811, 1. Kundewiram. *G.*   2. ebenhuzze *G.*   4. in ir] mir *D.*   5. Feiraviz *G.*
riche *D.*   7. vergezzenlichen *G.*   8. = nu *Ggg.*   9. = Ir lip *Ggg.*
10. = fuoget *Ggg.*   11. Chlauditte *D*, Claudite *G.*   13. Diu wip *Gdg.*
dienstes *alle aufser D.*   17. = Nu *Ggg.*   18. pine *Gdgg.*   19. Die *dd.*
blanchiu *Dg*, planchen *Gdd.*   22. mir ist leit *Dddg*, Mir leidet *Gg.*   lert *G.*
23. niemen *D.*   24. gestreit *G.*   25. daz ir *G.*   26. in iamer *G.*

812, 2. feirafiz anschvin *G.*   3. die *fehlt Gdd*, hie *g.*   obe *Gg.*   hare *DG.*
dort *fehlt Gg.*   6. ie *nach* erwarb *D.*   = gewan *Ggg.*   7. gescehn *D*,
geschen *G.*   8. wolde *DG.*   lons *DG.*   gehen *G.*   11. ze *Gdg.*
poneiz *G*, pungeiz *g.*   12. = Zetreviers *Ggg.*   13. Zentmuoten *D*, zu mu-
ten *g*, zü den müten *g*, zuo tnnüten *d*, zuo trinuoten *d*, zen *G.*   14. ze
fehlt G.   15. = Ich hurtchlichen han geriten *Ggg.*   16. ze *Gg.*   ouch
fehlt Gddg.   17. von erst *G*, erst *dg.*   18. hiute *D* = Hint *Ggg.*
hohstez *ddg*, erst *Gg.*   19. agremunein *G.*   22. = Unde aspinde *Ggg.*
mîn schilt *fehlt G.*   23. tioste-choste *D.*   24. holte ie pris *D*, holt *d*,
halt *d* = ie bris geholt *Ggg.*   uofes *D* = uf *Ggg.*

25 ôwî het mich gesendet dar
iwer swester minneclîch gevar!
ich wær gein strîte noch ir bote.
Jupiter mîme gote
wil ich iemmer hazzen tragn,
ern wende mir diz starke klagn.'
813 Ir bêder vater hiez Frimutel:
glîch antlütze und glîchez vel
Anfortas bî sîner swester truoc.
der heiden sach an si genuoc,
5 unde ab wider dicke an in.
swie vil man her ode hin
spîse truoc, sîn munt ir doch niht az:
ezzen er doch glîche saz.
Anfortas sprach ze Parzivâl
10 'hêr, iwer bruoder hât den grâl,
des ich wæn, noh niht gesehn.'
Feirefîz begundem wirte jehn
daz er des grâles niht ensæhe.
daz dûhte al die rîter spæhe.
15 diz mære och Titurel vernam,
der alte betterise lam.
der sprach 'ist ez ein heidensch
man,
sô darf er des niht willen hân
daz sîn ougn âns toufes kraft
20 bejagen die geselleschaft
daz si den grâl beschouwen:
da ist hâmît für gehouwen.'
daz enbôt er in den palas.
dô sprach der wirt und Anfortas,
25 daz Feirefîz næme war,

wes al daz volc lebte gar:
dâ wære ein ieslîch heiden
mit sehen von gescheiden.
si wurben daz er næme en touf
und endelôsn gewinnes kouf.
814 'Ob ich durch iuch ze toufe
kum,
ist mir der touf ze minnen frum?'
sprach der heiden, Gahmuretes
kint.
'ez was ie jenen her ein wint,
5 swaz mich strît od minne twanc.
des sî kurz ode lanc
daz mich êrster schilt übervienc,
sît ich nie grœzer nôt enpfienc.
durh zuht solt ich minne heln:
10 nune mag irz herze niht versteln.'
'wen meinstu?' sprach Parzivâl.
'et jene maget lieht gemâl,
mîns gesellen swester hie.
wiltu mir helfen umbe sie,
15 sô daz ir dienent wîtiu lant.'
'wiltu dich toufes lâzen wern,'
sprach der wirt, 'sô mahte ir minne
gern.
ich mac nu wol duzen dich:
20 unser rîchtuom nâch gelîchet sich,
mînhalp vons grâles krefte.'
'hilf mir geselleschefte,'
sprach Feirefîz Anschevîn,
'bruoder, umb die muomen dîn.

25. owi hete si *D*, Owe wan het (hat) *dd* = Wan het sie *g*, Wan hiet *G*, Wan het ich *g*.   gendet *G*.   gar *D*.   26. minneclîch] wol *G*.   27. wære gein *D*, war gen *G*.   bot-got *Gdgg*.   28. Iupitern *Dg*.   = minen *gg*, minnen *G*.   29. immer *D*.   30. = Sine wende (wenden *G*) mir min (mine *G*) groz klagen (chlag *G*) *Ggg*.

813, 1. beider *G*.   = was *Ggg*.   5. aber *D*.   wider dicke *gg*, diche wider (*mit zeichen, die* wider *vor* diche *weisen*) *D*, ditche wider *G*, [vil] dicke *dd*.   6. oder *D*.   7. ir doch *fehlt Gdgg*.   8. geliche *D*, gelih *G*.   12. Feirav. *G*.   begudem *D*, begunde dem *G*.   13. des Grals *D* = den gral *Ggg*. en *d, fehlt DGdgg*.   15. = Die rede *Ggg*,   16. alt *G*.   17. heidnisc *D*.   18. = Son *Ggg*.   19. ougen *D*, ouge *Gg*.   22. gehwen *G*.   23. ûf *D*. 24. 25. = Do sprach (Do sp *fehlt G*) Parzival unde anfortas. Ze feirafiz [do sprach *G*] daz er name war *Ggg*.   26. lebet *G*.   30. endelosen *Ddg*, unendelosen *G*, elosen *g*, endeloses *d*.   gwinnes *D*.

814, 1. ze] gein *D*.   touf *DG*.   4. ie ienen *D*, ie ennen *G*, ienne *g*, yenem *g*, ye jnnen *d*, ie meinem hertzen *d*.   5. mich] minne *Gg*.   ode *G*, oder *D*. 6. = Diu wil si churz *Ggg*.   oder *D*.   7. = Do der schilt von erst mih (mich von erst *gg*) uber vienc *Ggg*.   erst der *dd*.   8. Nie grozzer not ih sit enphiench *Gdgg*.   9. ih minne solde helen *G*.   12. jene] eine *G*. 14. 17. Wil du *G*.   18. mahtu *DG*, maht *g*.   19. = doh nu wol *Gg*, doch wol nu *g*.   duzzen *D*, ducen *g*.   20. richeit *Gdgg*.   23. Sprac feiraviz anschevin *G*.   Anscevin *D*.   24. umbe *DG*.

25 holt man den touf mit strîte,
dar schaffe mich bezîte
und lâz mich dienen umb ir lôn.
ich hôrte ie gerne solhen dôn,
dâ von tjoste sprîzen sprungen
unt dâ swert ûf helmen klungen.'
815 Der wirt des lachte sêre,
und Anfortas noch mêre.
'kanstu sus touf enpfâhen,'
sprach der wirt, 'ich wil si nâhen
5 durh rehten touf in dîn gebot.
Jupitern dînen got
muostu durch si verliesen
unt Secundilln verkiesen.
morgen fruo gib ich dir rât,
10 der fuoge an dîme gewerbe hât.'
Anfortas vor siechheit zît
sînen prîs gemachet hête wît
mit rîterschaft durch minne.
an sîns herzen sinne
15 was güete unde mildekeit:
sîn hant och mangen prîs erstreit.
dâ sâzen dem grâle bî
der aller besten rîter drî,
die dô der schilde pflâgen:
20 wan si getorstenz wâgen.
welt ir, si hânt dâ gâz genuoc.
mit zuht man von in allen truoc
tafeln, tischlachen.
mit dienstlîchen sachen
25 nigen al diu juncfrouwelîn.
Feirefîz Anschevîn
sach si von im kêren:
daz begunde im trûren mêren.
sîns herzen slôz truoc dan den
grâl.

urloup gab in Parzivâl.
816 Wie diu wirtîn selbe dan ge-
gienc,
unt wie manz dâ nâch an gevienc,
daz man sîn wol mit betten pflac,
der doch durch minne unsanfte lac,
5 wie al der templeise diet
mit senfte unsenfte von in schiet,
dâ von wurde ein langiu sage:
ich wil iu künden von dem tage.
dô der smorgens lieht erschein,
10 Parzivâl wart des enein
und Anfortas der guote,
mit endehaftem muote
si bâten den von Zazamanc
komen, den diu minne twanc,
15 in den tempel für den grâl.
er gebôt ouch an dem selben mâl
den wîsen templeisen dar.
sarjande, rîter, grôziu schar
dâ stuont. nu gienc der heiden în.
20 der toufnapf was ein rubbîn,
von jaspes ein grêde sinwel,
dar ûf er stuont: Titurel
het in mit kost erziuget sô.
Parzivâl zuo sîm bruoder dô
25 sprach 'wiltu die muomen mîn
haben, al die gote dîn
muostu durch si versprechen
unt immer gerne rechen
den widersatz des hôhsten gots
und mit triwen schônen sîns ge-
bots.'
817 'Swâ von ich sol die maget hân,'
sprach der heiden, 'daz wirt gar
getân

---

27. = La mich *Ggg.*   unbe *G.*   28. ie gern *G.*   29. 30. = Da swert
uf helm (helme *g*, helmen *g*) chlungen. Unde von tiost (tiosten *G*) spriezzen
(spryszen *g*) sprungen *Ggg.*

815, 1. lacht *G.*   3. su touffe *G.*   4. = ih sol *Ggg.*   6. Iupiter *G.*
7. muoste *D.*   veliesen *G.*   8. Secundillen *DG.*   12. het so wit *G.*
15. guot unde miltecheit *G.*   17. gral *G.*   20. wande *D.*   siz getorsten *g*,
si getorsten *G.*   21. habn *D.*   22. zuhten *Gdgg.*   23. Tavlen *G.*
26. Feirav. *G.*   Anscivin *D.*   28. truoren *D.*

816, 1. Swie *G.*   danne *gg*, dannen *d.*   giench *alle aufser D.*   2. danach
Dd, darnach *Gdgg.*   viench *Gdg.*   3. = mit triwen *Ggg.*   plach *G.*
4. unsanft *G.*   5. = Unde wie *Ggg.*   templeis *G.*   6. senft unsenft *G.*
7. = Daz wrde ein alze langiu sage *Ggg.*   9. ders m. *G*, der des m. *D*,
des m. *dgg*, der morgen *g.*   lieht] fruo *D.*   10. inein *G.*   16. selbem *D*,
selbe *g.*   17. dem wisem Templeise *D*, Dem wisen templeisen *d.*   19. Da
stuont do *d*, Da stunt hie *g*, Hie stuont do (da *G*) *Gg.*   20. rûbin *G.*
21. iaspis *ddg*, iaspide *g.*   22. Dar uffe *G.*   24. ze *G.*   sinem *DG.*
25. wil du *G.*   26. gôte *G*, göte *g.*   28. imir *G.*

817, 1. = Swa mit ih mac *Ggg.*   2. gar *hat nur D.*

und mit triwen an mir rezeiget.'
der toufnapf wart geneiget
5 ein wênec geinme grâle.
vol wazzers an dem mâle
wart er, ze warm noch ze kalt.
dâ stuont ein grâwer priester alt,
der ûz heidenschaft manc kindelîn
10 och gestôzen hête drîn.
der sprach 'ir sult gelouben,
iwerr sêle den tiuvel rouben,
an den hôhsten got al eine,
des drîvalt ist gemeine
15 und al gelîche gurbort.
got ist mensch und sîns vater wort.
sît er ist vater unde kint,
die al gelîche geêret sint,
eben hêre sîme geiste,
20 mit der drîer volleiste
wert iu diz wazzer heidenschaft,
mit der Trinitâte kraft.
ime wazzer er ze toufe gienc,
von dem Adâm antlütze enpfienc.
25 von wazzer boume sint gesaft.
wazzer frükt al die geschaft,
der man für crêatiure giht.
mit dem wazzer man gesiht.
wazzer gît maneger sêle schîn,
daz die engl niht liehter dorften
sîn.'
818 Feirefîz zem priester sprach
'ist ez mir guot für ungemach,
ich gloub swes ir gebietet.
op mich ir minne mietet,
5 sô leist ich gerne sîn gebot.

bruoder, hât dîn muome got,
an den geloube ich unt an sie
(sô grôze nôt enpfieng ich nie):
al mîne gote sint verkorn.
10 Secundill hab och verlorn
swaz si an mir ie gêrte sich.
durh dîner muomen got heiz tou-
fen mich.'
man begund sîn kristenlîche
pflegn
und sprach ob im den toufes segn.
15 dô der heiden touf enpfienc
unt diu westerlege ergienc,
des er unsanfte erbeite,
der magt man in bereite:
man gab im Frimutelles kint.
20 an den grâl was er ze sehen
blint,
ê der touf het in bedecket:
sît wart im vor enblecket
der grâl mit gesihte.
nâch der toufe geschihte
25 ame grâle man geschriben vant,
swelhen templeis die grâl gotes hant
gæb ze hêrren vremder diete,
daz er vrâgen widerriete
sînes namen od sîns geslehtes,
unt daz er in hulfe rehtes.
819 Sô diu vrâge wirt gein im getân,
sô mugen sis niht langer hân.
durch daz der süeze Anfortas
sô lange in sûren pînen was
5 und in diu vrâge lange meit,
in ist immer mêr nu vrâgen leit.

3. und *fehlt* D.   an mir *fehlt* G.   erz. G.   5. = Ein lützel Ggg.
6. Volliu G, Velle g.   7. Weder ze warm G.   8. stuon D.   10. het dar
in G.   12. Iwer sele dem Gddg.   tievel G.   13. hôhisten G.
16. mennsch G, mennsc D.   18. gehert Gg, geerbet g.   19. Eben her
Gdg, Ebener d.   23. = In wazzer Ggg.   24. = Nah dem Ggg.   26. fiuht
G, fruhtet g, fiuhtet Ddg, suochet d.   27. creatûre G, creature D.   30. en-
gel G, engele D.
818, 1. briester G.   3. gloube G, geloube D.   swaz Gg.   gebiet-miet Gg.
5. sin] = iwer Ggg.   7. gl. G.   8. = gwan ich Ggg.   9. Alle G.
= sin Ggg.   10. Secundille DG.   13. begunde DG, gunde g.   14. = Man
Ggg.   den DG, des ddgg.   15. toufe G.   16 westerleie dd.   17. = Der
er chume Ggg.   18. meide Gg, megede dg, magede g.   19. frymutelles g,
Frimutels DG.   20. An der gral er was G.   ce sehene DG.   21. in
het Gdgg.   verdechet Ggg.   27. gæbe ce herrn Ddd = Ze herren
gebe (gap Gg) Ggg.   diet-wider riet *alle aufser* D.   28. er Dddg, der
Ggg.   29. sins DG.   oder Ddd = unde Ggg.   geslæhtes D, ge-
slâhtes G.
819, 1. = Wirt [diu Ggg] frage da gein im (von in G) getan Ggg.   2. Sone G.
sis D, sie sin dg, sin Gdgg.   lenger G.   4. suren (surem .gg) pine Ggg.
5. nu lange G.   6. imir me G.   = frage Ggg.

al des grâles pflihtgesellen
von in vrâgens niht enwellen.
der getoufte Feirafîz
10 an sînen swâger leite vlîz
mit bete dan ze varne
und niemer niht ze sparne
vor im al sîner rîchen habe.
dô leite in mit zühten abe
15 Anfortas von dem gewerbe.
'ine wil niht daz verderbe
gein gote mîn dienstlîcher muot.
des grâles krône ist alsô guot:
die hât mir hôchvart verlorn:
20 nu hân ich diemuot mir rekorn.
rîchheit und wîbe minne
sich verret von mîm sinne.
ir füeret hinne ein edel wîp:
diu gît ze dienste iu kiuschen lîp
25 mit guoten wîplîchen siten.
mîn orden wirt hie niht vermiten:
ich wil vil tjoste rîten,
ins grâles dienste strîten.
durch wîp gestrîte ich niemer mêr:
ein wîp gab mir herzesêr.
820 Idoch ist iemmer al mîn haz
gein wîben vollèclîche laz:
hôch manlîch vreude kumt von in,
swie klein dâ wære mîn gewin.'
5 Anfortasen bat dô sêre
durch sîner swester êre
Feirefîz der danverte:
mit versagen er sich werte.
Feirefîz Anschevîn
10 warp daz Loherangrîn
mit im dannen solde varn.
sîn muoter kund daz wol bewarn:

och sprach der künec Parzivâl
'mîn sun ist gordent ûf den grâl:
15 dar muoz er dienstlîch herze tragn,
læt in got rehten sin bejagn.'
vreude unt kurzwîle pflac
Feirefîz aldâ den eilften tac:
ame zwelften schiet er dan.
20 gein sîme her der rîche man
sîn wîp wolde füeren.
des begunde ein trûren rüeren
Parzivâln durch triuwe:
diu rede in lêrte riuwe.
25 mit den sîn er sich beriet,
daz er von rîtern grôze diet
mit im sande für den walt.
Anfortas der süeze degen balt
mit im durch condwieren reit.
manc magt dâ weinen niht vermeit.
821 Si muosen machen niwe slâ
ûz gegen Carcobrâ.
dar enbôt der süeze Anfortas
dem der dâ burcgrâve was,
5 daz er wære der gemant,
ob er ie von sîner hant
enpfienge gâbe rîche,
daz er nu dienstlîche
sîne triwe an im geprîste
10 unt im sînen swâger wîste,
unt des wîp die swester sîn,
durch daz fôreht Læprisîn
in die wilden habe wît.
nu wasez och urloubes zît.
15 sine solten dô niht fürbaz komn.
Cundrî la surzier wart genomn
zuo dirre botschefte dan.
urloup zuo dem rîchen man

---

7. des] die *G*.   7. 18. Grals *DG*.   8. = Gein in *Ggg*.   niene wellen *G*.
envellen *D*.   12. nimir *G*.   14. = wiste in *Ggg*.   19. di *D*, Diu *G*.
20. = mir *fehlt Ggg*.   erch. *G*.   22. mime *D*, minem *G*.   23. fuort *G*.
hinnen *alle*.   25. = rehten *Ggg*.   26. = Min dienst *Ggg*.   27. = Ih
sol *Ggg*.   29. nimir *G*.

820, 1. = Doh *Ggg*.   imir *G*.   2. volliclichen *G*.   s. = lit an in *Ggg*.
7. 9. Feiraf. *G*.   7. = der dannen vert *Ggg*.   8. = sih des *Ggg*.
10. = do daz *Ggg*.   11. danne *G.*   12. chunde daz *DG*, kundez *g*.
16. læt *Dg*, Lat *Gddgg*.   17. = Minne *Ggg*.   18. Parcifal *G*.   alda *Dddg*,
uaze an *Gg*, *fehlt g*.   eilfften *ddg*, einlißten *Gg*, einleften *D*, eiliften *g*.
24. = Disiu *Ggg*.   reise *D*.   25. sinen *DG*.   28. = der clare *Gg*, der *g*.
29. condwiern *D* = geleitte *Ggg*.

821, 1. = Si begunden *Ggg*.   2. gein *DG*.   Charchobrâ *D*, korkobra *d*,
kukubra *d*, charcobra *g*, charchopra *Gg*.   4. dâ *fehlt G*.   5. des,
DGddg, daz *g*.   9. = briste *Ggg*.   10. im *fehlt ddg*.   11. sin wip
Gddg.   min *D*.   12. durchz *D* = Zem *Ggg*   voreist lo hprisin *G*.
14. was ez *D*, was *die übrigen*.   15. Si solden *G*.   = doh *Gg*, ouch *g*.
16. Cundrîe Lasurziere *Ddd* = Kundrie *gg*, Kundiz *G*.   17. 18. Ze *G*.

nâmen al die templeise:
20 hin reit der kurteise.
der burcgrâve dô niht liez
swaz in Cundrîe leisten hiez.
Feirefîz der rîche
wart dô rîterlîche
25 mit grôzer fuore enpfangen.
in dorft dâ niht erlangen:
man fuort in fürbaz schiere
mit werdem condwiere.
ine weiz wie manec lant er reit
unz ze Jôflanze ûf den anger
breit.
822 Liute ein teil si funden.
an den selben stunden
Feirefîz frâgete mære,
war daz her komen wære.
5 ieslîcher was in sîn lant,
dar im diu reise was bekant:
Artûs was gein Schamilôt.
der von Trîbalibôt
kunde an den selben zîten
10 gein sîme her wol rîten.
daz lag al trûrec in der habe,
daz ir hêrre was gescheiden
drabe.
sîn kunft dâ manegem rîter guot
brâhte niwen hôhen muot.
15 der burcgrâve von Carcobrâ
und al die sîne wurden dâ
mit rîcher gâbe heim gesant.
Cundrî dâ grôziu mære bevant:
boten wârn nâch dem here komn,
20 Secundillen het der tôt genomn.

Repanse de schoye mohte dô
alrêst ir verte wesen vrô.
diu gebar sît in Indyân
ein sun, der hiez Jôhan.
25 priester Jôhan man den hiez:
iemmer sît man dâ die künege liez
bî dem namn belîben.
Feirefîz hiez schrîben
ze Indyâ übr al daz lant,
wie kristen leben wart erkant:
823 Daz was ê niht sô kreftec dâ.
wir heizenz hie Indîâ:
dort heizet ez Trîbalibôt.
Feirefîz bî Cundrîn enbôt
5 sînem bruodr ûf Munsalvæsche wider,
wiez im was ergangen sider,
daz Secundille verscheiden was.
des freute sich dô Anfortas,
daz sîn swester âne strît
10 was frouwe übr manegiu lant sô wît.
diu rehten mære iu komen sint
umb diu fünf Frimutelles kint,
daz diu mit güeten wurben,
und wie ir zwei ersturben.
15 daz ein was Schoysîâne,
vor gote diu valsches âne:
diu ander Herzeloyde hiez,
diu valscheit ûz ir herzen stiez.
sîn swert und rîterlîchez lebn
20 hete Trevrizent ergebn
an die süezen gotes minne
und nâch endelôsme gewinne.
der werde clâre Anfortas
manlîch bî kiuschem herzen was.

---

19. alle die G.   21. liez Dg, enliez Gddg.   23. Feiraf. G.   24. = min-
niclihe Ggg.   25. freude G.   26. dorfte DG.   28. werdem Dd, frœlicher
d = grozzem g, groszer g, manger G.   29. er do reit Gg.   30. tschoflanz G.

822, 3. 28. Feiraf. G.   5. = Etslicher Ggg.   6. = Swar Ggg.   7. Sca-
mylot D, samilot dd = schambilot Gy, Scambelot g.   13. dâ] an Gg.
15. von fehlt G.   Charchobra Dd, Karcobra g, korkobra d, karchopra g,
chorchepra G.   18. hohiu Gdg.   vant Gdy.   19. her G.   20. = Se-
cundille het den Ggg.   21. Urrep. G.   21. 22. mohte setzen dd vor
do, Dg (moht) vor alrest, g vor ir ohne alrest, G vor wesen.   22. alreste
G.   23. Indiam G.   24. einen alle.   26. Imir G.   di kunege man
da D.   27. = In G, An gg.   28. = hiez do Ggg.   29. uber DG.
30. = wâre G, was gg.

823, 1. Daz ne G.   2. in India G.   3. heizt G.   4. Feiraf. G.   Cundien
D, kundrien G, kundrie g.   5. bruoder DG.   ze Gy.   8. 9. 10. = Des
wart al trurich anfortas. Swie-Wâre frouwe Ggg.   10. manigiu G, menegiu
D, manic ddyy.   12. frymutelles g, frimutels G, Frimittels D.   13. Waz G.
= guete G, guete gg.   15. ein dg, eine DG.   tschoysiane G.   16. = Diu
suoze falsches ane Ggg.   20. gegeben Gdg.   21. süezen] = wage in Ggg.
22. = und fehlt Ggg.   endelosem DG.   gwinne G.   23. = Der clare
süze Auf. Gyg.

25 ordenlîche er manege tjoste reit,
 durch den grâl, niht durch diu wîp
  er streit.
 Loherangrîn wuohs manlîch starc:
 diu zageheit sich an im barc.
 dô er sich rîterschaft versan,
 ins grâles dienste er prîs gewan.
824 Welt ir nu hœren fürbaz?
 sît über lant ein frouwe saz,
 vor aller valscheit bewart.
 rîchheit und hôher art
5 ûf si beidiu gerbet wâren.
 si kunde alsô gebâren,
 daz si mit rehter kiusche warp:
 al menschlîch gir an ir verdarp.
 werder liute warb umb si genuoc,
10 der etslîcher krône truoc,
 und manec fürste ir genôz:
 ir diemuot was sô grôz,
 daz si sich dran niht wande.
 vil grâven von ir lande
15 begundenz an si hazzen;
 wes si sich wolde lazzen,
 daz se einen man niht næme,
 der ir ze hêrren zæme.
 si hete sich gar an got verlân,
20 swaz zornes wart gein ir getân.
 unschulde manger an si rach.
 einen hof sir landes hêrren sprach.
 manc bote ûz verrem lande fuor
 hin zir: die man si gar verswuor;
25 wan den si got bewîste:
 des min si gerne prîste.
 si was fürstîn in Brâbant.
 von Munsalvæsche wart gesant
 der den der swane brâhte
 unt des ir got gedâhte.

825 ZAntwerp wart er ûz gezogn.
 si was an im vil unbetrogn.
 er kunde wol gebâren:
 man muose in für den clâren
5 und für den manlîchen
 habn in al den rîchen,
 swâ man sîn künde ie gewan.
 höfsch, mit zühten wîs ein man,
 mit triwen milte ân âderstôz,
10 was sîn lîp missewende blôz.
 des landes frouwe in schône
  enpfienc.
 nu hœret wie sîn rede ergienc.
 rîch und arme ez hôrten,
 die dâ stuonden an allen orten.
15 dô sprach er 'frouwe herzogîn,
 sol ich hie landes hêrre sîn,
 dar umbe lâz ich als vil.
 nu hœret wes i'uch biten wil.
 gevrâget nimmer wer ich sî:
20 sô mag ich iu belîben bî.
 bin ich ziwerr vrâge erkorn,
 sô habt ir minne an mir verlorn.
 ob ir niht sît gewarnet des,
 sô warnt mich got, er weiz wol wes.'
25 si sazte wîbes sicherheit,
 diu sît durch liebe wenken leit,
 si wolt ze sîme gebote stên
 unde nimmer übergên
 swaz er si leisten hieze,
 ob si got bî sinne lieze.
826 Die naht sîn lîp ir minne enpfant:
 dô wart er fürste in Brâbant.
 diu hôhzît rîlîche ergienc:
 manc hêrr von sîner hende enpfienc
5 ir lêhen, die daz solten hân.
 guot rihtær wart der selbe man:

---

27. ẘhs vast manlih *G.*

824, 2. lant *D*, lanch *die übrigen.*   3. = untat *Ggg.*   5. = Bede uf si
Ggg.   7. erwarp *Gg.*   8. mennesclich *D* = werltlih *Ggg.*   9. umbe
DG.   14. = in ir *Ggg.*   15. = Begunden [an *g*] si *Ggg.*   20. = gein
ir zornes wart *Ggg.*   21. an si] = hinze ir *Ggg.*   23. = verren landen
Ggg.   25. = des si *gg*, si des *G.*   27. wrstin *G.*

825, 1. Vze a. *G.*   warter *D* = er wart *Ggg.*   6. allen r. *alle aufser D.*
8. wiser man *g*, ein wise man *G.*   9. Getriu *Gg.*   ander stoz *D*, unde
stoz *g*, understosz *d.*   11. schône] = wol *Ggg.*   13. Daze (Daz sie *g*, Daz *g*)
riche unde arme horten *Ggg.*   14. in *Gg*, an *Dddg.*   16. Ih sol *G.*
18. hôrt *G.*   i'uch] ich iuch *Ddd* = ih *Ggg.*   19. nimir *G.*   21. = zuo
iwer frage erborn *Ggg.*   23. = Sit ir niht vor gewarnet des *Ggg.*   24. warnt
dgg.   25. satzete *G.*   27. wolde *DG.*

826, 3. hochgezit *D.*   rihlich *G.*   4. herre *DG.*   5. = Groz lehen daz si
Ggg.   6. rihtære *D*, rihtâre *G.*

er tet ouch dicke rîterschaft,
daz er den prîs behielt mit kraft.
si gewunnen samt schœniu kint.
10 vil liute in Brâbant noch sint,
die wol wizzen von in beiden,
ir enpfâhen, sîn dan scheiden,
daz in ir vrâge dan vertreip,
und wie lange er dâ beleip.
15 er schiet ouch ungerne dan:
nu brâht im aber sîn friunt der swan
ein kleine gefüege seitiez. *Nachen*
sîns kleinœtes er dâ liez
ein swert, ein horn, ein vingerlîn.
20 hin fuor Loherangrîn.
wel wir dem mære rehte tuon,
sô was er Parzivâles suon.
der fuor wazzer unde wege,
unz wider in des grâles pflege.
25 durch waz verlôs daz guote wîp
werdes friunts minneclîchen lîp?
er widerriet ir vrâgen ê,
do er für sie gienc vome sê.
hie solte Ereck nu sprechen:
der kund mit rede sich rechen.
827 Ob von Troys meister Cristjân
disem mære hât unreht getân,
daz mac wol zürnen Kyôt,

der uns diu rehten mære enbôt.
5 endehaft giht der Provenzâl,
wie Herzeloyden kint den grâl
erwarp, als im daz gordent was,
dô in verworhte Anfortas.
von Provenz in tiuschiu lant
10 diu rehten mære uns sint gesant,
und dirre âventiur endes zil.
niht mêr dâ von nu sprechen wil
ich Wolfram von Eschenbach,
wan als dort der meister sprach.
15 sîniu kint, sîn hôch geslehte
hân ich iu benennet rehte,
Parzivâls, den ich hân brâht
dar sîn doch sælde het erdâht.
swes lebn sich sô verendet,
20 daz got niht wirt gepfendet
der sêle durch des lîbes schulde,
und der doch der werlde hulde
behalten kan mit werdekeit,
daz ist ein nütziu arbeit.
25 guotiu wîp, hânt die sin,
deste werder ich in bin,
op mir decheiniu guotes gan,
sît ich diz mær volsprochen hân.
ist daz durh ein wîp geschehn,
diu muoz mir süezer worte jehn.

9. ensament *Gg*, mit samt *g*, *fehlt d.*   12. sin von dan *G.*   13. = fr. da v. *G.*
15. ouch *fehlt dd* = doh *Ggg.*   16. Do *G.*   18. chleinódes *G*, chleinodes *D.*
19. = Ein horn ein swert *Ggg.*   21. Welle *G.*   22. ez *Gdg.* Parcifals *DG.*
23. = fuor ist *Ggg.*   24. unz *fehlt G.*   ins *D.*   26. = Werdes mannes
Ggg.   27. = Er hete sis [doch *gg*] gewarnet ê *Ggg.*   29. sol *Gg.*
nu *fehlt g.*   30. chunde *DG.*   = si *Ggg.*
827, 1. = christan *G*, Cristan *gg.*   4. = diu mare rehte *Ggg.*   5. Ende-
hafte *g*, Ende hafet *G.*   6. herzeloyde *G.*   7. = Geerbet *G.*   daz *fehlt Gd.*
9. provenze *Gg.*   tútschiu *G.*   11. = ende zil *Gg*, zil *g.*   12. = Da von
ih (*fehlt g*) nimere [nu *gg*] sprechen wil *Ggg.*   13. Esscenbach *D.*   15. ge-
slæhte *D*, geslâhte *G.*   16. = genennet *gg*, gennet *G.*   21. Diu sele *Gg.*
durchs *D.*   22. = Unde er der werlde hulde *Ggg.*   23. = Gedienen *Ggg.*
25. unde hant *Gg.*   di *D*, den *dg.*   29. = Unde ist daz *Ggg.*   30. = suoz-
zer mâre *Ggg*, guter sprüche *g.*

TITUREL.

I.

1 Dô sich der starke Tyturel   mohte gerüeren,   V, 1. i.
   er getorste wol sich selben   unt die sîne in sturme gefüeren:
   sît sprach er in alter 'ich lerne
   daz ich schaft muoz lâzen: des phlac ich etwenne schône und gerne.
2 Möht ich getragen wâppen,'   sprach der genende,   2
   'des solt der luft sîn gêret   von spers krache ûz mîner hende:
   sprîzen gæben schate vor der sunnen.
   vil zimierde ist ûf helmen   von mînes swertes eke enbrunnen.
3 Obe ich von hôher minne   ie trôst enphienge,   86
   und op der minnen süeze   ie sælden kraft an mir begienge,
   wart mir ie gruoz von minneclîchem wîbe,
   daz ist nu gar verwildet   mînem seneden klagendem lîbe.
4 Mîn sælde, mîn kiusche,   mit sinnen mîn stæte,   VI, 17
   und op mîn hant mit gâbe   oder in sturme ie hôhen prîs getæte,
   daz mac niht mîn junger art verderben:
   jâ muoz al mîn geslähte   immer wâre minn mit triwen erben.
5 Ich weiz wol, swen wîplîchez   lachen enphæhet,   20

1, 1. Dô Titurel der starke sich moht hie vor gerüeren *I.*   moht et?   2. Uz
vorhtlîcher barke getorst er wol die sîne in sturme füeren *I.*   Do getorst er
wol *H.*   3. im *H.*   4. schaft *G,* den schilt *HI.*   etwenne *fehlt G.*

2, 1. Möhte ih *G.*   Wær noch mîn kraft gemêret, sprach aber (noch) der genende
und in der folgenden strophe Wær ich noch wâppen tragende, sô sprach der
unverzagte *I.*   sô sprach *H.*   2. Des mües *HI.*   geêret sîn?   3. Die *HI.*
spriezzen gaben *G.*   schaten *alle aufser G.*   4. zimier *HI.*   ûf helmen ist?
helme *H.*

3, 1. von minne grüeze ie werden trost *I.*   2. der süezen minnen clam ie genade
an *H.*   3. minnchlichen *G.*   4. nu verwildet vil gar?   clagenden *Hi.*

4, 1. Mîn sæld diu hôch gezilte *I.*   sælikeit *H.*   mîn kiusch, mîn sin der (mîn)
stæte *I,* mîn sin und al mîn stæte *H.*   2. hant durch milte *I.*   unde in
sturmen ie *G.*   3. Des *G.*   mîn hôhe art *H.*   4. geslahte *G.*   imer *G,*
durchaus.   minne *G immer.*

5, 1. Mir ist ze wizzen künde *I.*   wiplichez *G,* wîplich *H,* wîbes *I.*   lachen *G,*
grüezen *H,* gruoz *I,* hertz *i.*   enphahet *GHI.*

daz imêre kiusche   unde stætekeit dem herzen næhet.
diu zwei kunnen sich dâ niht gevirren,   VI, 19
wan mit dem tôde al eine: anders kan daz niemen verirren.
6 Dô ich den grâl enphienc   von der botschefte   V, 12
die mir der engel hêre .... enbôt mit sîner hôhen krefte,
dâ vant ich geschriben al mîn orden.
diu gâbe was vor mir   nie menneschlîcher hende worden.
7 Des grâles hêrre muoz sîn   kiusche unde reine.   VI, 23
ôwê, süezer sun   Frimutel, ich hân niht wan dich al eine
mîner kinde hie behabet dem grâle.
nu enphâch des grâles krône   und den grâl, mîn sun der lieht gemâle.
8 Sun, du hâst bî dînen   zîten schiltes ambet
geurbort hurteclîchen.   dîn rat was aldâ verklambet:
ûz der rîterschaft muos ich dich ziehen.   54
nu wer dich, sun, al eine: mîn kraft diu wil uns beiden enphliehen.
9 Got hât dich, sun, berâten   fünf werder kinde: 55
diu sint och hie dem grâle   ein vil sælec werdez ingesinde.
Anfortas und Trevrezent der snelle,
ich mac geleben daz ir prîs   wirt vor anderm prîse der helle.
10 Dîn tohter Schoysîâne   in ir herze besliuzet   56
sô vil der guoten dinge,   ðes diu werlt an sælden geniuzet:
Herzelöude hât den selben willen:
Urrepanse de schoyen   lop mac ander lop niht gestillen.'
11 Dise rede hôrten   rîter unde frouwen.   14
man mohte an templeisen   manges herzen jâmer schouwen,
die er dicke brâhte ûz manger herte,   14^b
swenn er den grâl mit sîner hant   und mit ir helfe rîterlîchen werte.
12 Sus was der starke Titurel   worden der swache,   15

2. Belîbt er âne sünde, daz im diu kiusche mit der stæte nâhet *I.*   imer *G,*
immer *nach* dem herzen *H.*   stæte *H.*   nahet *GH.*   3. sich nimer da ge-
irren *G.*   4. nieman dâ *HI.*   verirren *Gi,* geirren *HI.*

6, 1. Wan ich den grâl enpfienc von got mit sîner hôhen (grôzen› tugende)
krefte *I.*   von der corscheffte *H.*   2. Der [tugent] engel was des bot: der
sî gebenedîet der botschefte *I.*   3. Der tugent lêr dar an geschriben und
orden *I.*   allen mîn *H.*   4. Diu gâb mir wart durch tugende, und was
vor mir nie menschen hende worden *I.*   menschlîcher *G.*

7, 1. Des grâles herr sol lûter hel mit kiusche sîn gereinet *I.*   2. Owe *G,*
Ey *HI.*   lieber *I.*   sun *fehlt G.*   du bist mir hie leider gar vereinet *I.*
3. Al miner *I.*   behabet hie *H,* ûf erbeteil *I.*   4. den grâl und des grales
krône *HI.*

8 *nach* 10 *H.*   1. 2 *fehlen I.*   1. Sun *fehlt G.*   ziten *G,* teurn *H.*
2. Geurbort sô hurticlîchen, daz dîn manlîch tât was unverklampt *H.* swenne
dîn rat?   verchlamet *G.*   3. muose ih *G.*   mich *H.*   4. diu *fehlt G.*

9, 1. Sun, gotes gâb niht vâle dir gab (der hat, din aht) fünf werder kinde *I.*
Sun, got hât dich *H.*   vil werder *H.*   2. och hie *G,* hôch bî *HI,* bî *i.*
vil sælec *fehlt G.*   4. bris-prise *G, so oft.*   vor anderm *G,* ob allem *HI.*

10, 1. herzen *GH.*   2. des *G,* daz ir *HI.*   3. Herzelaude *G immer.*   4. de]
der *G.*   der andern *HI.*

11, 2. Den ez ir freude stôrte (Die sich ze jâmer bôrten), an witzen und an triuwen
gar verhouwen *I.*   si mohten an dem Tempheyse *H.*   tepleisen *G.*
mangen herzelîchen jâmer?   jâmer dicke schouwen *H.*   3. vil dicke *I,*
ofte *H.*   4. swenne *G.*   den grâl *nach* helfe *I.*   hant *G,* kraft *HI.*
ritterlîchen *H, fehlt GI.*

12, 1. Der starke mit der krefte was nu der swache worden *I.*

beidiu von grôzem alter   und von siecheite ungemache.
Frimutel besaz dâ werdeclîche   VI, 58
den grâl ûf Muntsalvâtsche :   daz was der wunsch ob irdeschem rîche.
13 Dem wâren sîner tohter   zwuo von den jâren,   59
daz si gein hôher minne   an vriundes arm volwahsen wâren.
Schoysîânen minne schône gerte
vil künge ûz mangen landen;   des si doch einen fürsten gewerte.
14 Kîôt ûz Katelangen   erwarp Schoysîânen.   64
schœner maget wart nie gesehen   sît noch ê bî sunnen noch bî mânen.
ouch het er manger tugende genozzen :
sîn herze was gein hôhem prîs   ie der kost und der tât unverdrozzen.
15 Si wart im schône brâht   und rîlîche enphangen.   65
der künec Tampunteire,   sîn bruoder, kom ouch ze Katelangen.
rîche fürsten ungezalt dâ wâren :
sô kosteclîche hôchgezît   gesach noch nie man bî mangen jâren.
16 Kîôt, des landes hêrre,   prîs het erworben   66
mit milte und ouch mit ellen :   sîn tât was vil unverdorben,
swâ man hurteclîche solte strîten
unde ouch durch der wîbe lôn   gezimieret gein der tjoste rîten.
17 Gẹwan ie fürste lieber   wîp, waz der dolte   67
der herzenlîchen wünne,   als ez diu minne an in bêden wolte!
ôwê des, nu nâhet im sîn trûren.
sus nimet diu werlt ein ende :   unser aller süeze am orte ie muoz sûren.
18 Sîn wîp in ze rehter   zît gewerte eins kindes.   68
daz mich got erlâze   in mînem hûs eins solhen ingesindes,
daz ich alsô tiure müese gelten!
die wîle ich hân die sinne,   sô wirt es von mir gewünschet selten.
19 Diu süeze Schoysîâne,   diu clâre und diu stæte,   73
gebar mit tôde   eine tohter diu vil sælden hæte.

---

2. Von alters anehefte (*das andere ganz verändert*) *I.*   siecheit *G.*   4. Den
gral in Salvaterre *i*, Ze Monsalvatsch den gral *HI.*   daz ist *HI.*   wunch
uber irdeschiu *G.*

13, 1. Der het mit rîchem sinne (Dem gap diu sælde sîne) zwô tohter von den
jâren *I.*   zwo *GH.*   4. sît gewerte *I.*

14. 1. Kîôt der fürste ûz erkorn *I.*   von *H.*   2. nie geborn *I.*   sît noch ê
fehlt G.   bi mannen *GH.*   3. Er het vil manger tugent genozzen *G.*
4. Sîn lîp *I.*   gegen hohem prise *G*, gegen prîse (*aber nach* tât) *H.*   [ie]
koste und manlîcher tât (manheit) unverdrozzen *I.*

15, 1. im *fehlt G.*   im brâht vil schiere *I.*   rihlich *i*, reichlich *Hi*, rich *i.*
2. Tampuntiere *HI.*   ouch *fehlt G.*   3. Vil rîcher *HI.*   4. kostliche *HI.*
die gesach *Hi.*   noch *fehlt G.*   niemen *G.*   bi *Gi*, in *Hi.*

16, 1. hete prîs *I.*   2. ouch mit aller (ellen?) *H*, ellen *G*, ellen verre *I.*   sin
(siner *H*) tat was vil *GH*, was sîn manlîch tât (manheit) *I.*   3. ritterlîchen *H.*
4. ouch *fehlt H.*   der *HI, fehlt Gi.*   gezimiert *G.*

17, 1. Wann *H.*   fürste] fürsten künne *I.*   waz *fehlt I.*   2. Herzenlicher *H*,
Vil herzenlicher *I.*   wünne] liebe *G.*   als ez *I* (*herzog Ernst z.* 425), alsus
G, also *Hi.*   an *HI*, mit *G.*   4. *der erste halbvers fehlt H.*   an dem
orte ie muoz *G*, muoz ie [ze jungest *H*] an dem orte *HI.*

18 *nach* 19 *G.*   1. Sîn wîp zîtlicher mâze gewert in *i*, In rehter zît der mâze
sîn wîp in wert (wert in sîn wîp) *i.*   in gewerte ze rehter zît *H.*   2. Daz
G, So *HI.*   eines solhen *G*, al solhes *HI.*   3. als *G.*   4. es *G*, sîn *HI.*

19, 1. Tschoisîân diu klâre, diu süeze und diu stæte *I.*   diu clâre *fehlt G.*
2. mit ir tôde? mit tôdes vâre ein tohter wert, diu *I.*

an der wart elliu magtlîch êre enstanden:
diu phlac sô vil triuwen,   die man von ir noch saget in manegen landen.
20 Sus was des fürsten leit   mit liebe underscheiden: VI, 74
sîn jungiu tohter lebte,   ir muoter tôt, daz heter an in beiden.
Schoysîânen tôt half im ûz borgen
die flust an rehten fröuden   und gewin immer mêre an den sorgen.
21 Do bevalch man die frouwen   mit jâmer der erden.   75
si muose gearômâtet   und gebalsmet ê schône werden:
durch daz man lange muose mit ir bîten.
vil künge unde fürsten   kom dar zer lîchlege an allen sîten.
22 Der fürste hête sîn lant   von Tampunteire,   76
von sînem bruoder,   dem künc, den man dâ hiez von Pelrapeire.
sîner kleinen tohter bat erz lîhen:
er begunde sich des swertes,   helmes unde schiltes verzîhen.
23 Der herzoge Manfilôt   sach vil leide   78
an sînem werden bruoder: daz was ein sûriu ougenweide.
er schiet ouch durch jâmer von dem swerte,
daz ir deweder   hôher minn noch tjoste niht engerte.
24 Sigûne wart daz kint   genant in der toufe,   79
die ir vater Kîôt   het vergolten mit dem tiuren koufe:
wan er wart ir muoter dur si âne.
die sich der grâl zem êrsten   tragen lie, daz was Schoysîâne.
25 Der künec Tampunteire   Sigûnen die kleinen   80
zuo sîner tohter fuorte.   [dô] Kîôt si kust, man sach dâ vil geweinen.
Kondwîrâmurs lac dannoch an der brüste.
die zwuo gespilen wuohsen,   daz nie wart gesaget von ir prîses vlüste.

3. al wiplich G.   4. Diu Gi, Si Hi.   vil Gi, vil der Hi.   von ir
fehlt G.

20, 1. Des fürsten leit hie gebte mit liebe ein underscheiden I.   mit jâmer H.
2. unde ir muoter was tot G.   4. an den ⸢freuden und immer mer ge-
win HI.

21, 1. Niht jâmers wart gerâtet, dô man si enpfalch (gap) der erden I.   2. unde
Gi, und ouch Hi.   ê G, nach muose HI.   schône Hi, rîche i, fehlt Gi.
3. Dar umb H.   mit ir fehlt G.   4. kômen (kom i) dar ze der (zer i) HI,
dar chomen ze der G.

22, 1. Der fürste Katelangen von künic Tampuntiere I.   het GH.   von roys?
2. Von fehlt H.   Sîm bruoder het enpfangen, den I.   chunge G.
dâ fehlt H.   den künc von i.   3. chlein G, fehlt H.   4. Do begunder HI.
und helmes H.

23, 1. Manfilôt wart sehende an sînem bruoder leide I.   sach im?   2. Er
wart im pflihte jehende I.   im ein?   sûriu bitter I, vil sûriu H.   3. Der G.
schiet Gi, schiet sich H, nam sich i, zôch sich i.   durch Gi, vor H, mit i.
von sinem G.   4. dewedere G, entweder H, deweder mêre?   hôher fehlt I.
[noch] prîses setzt I an ungewisser stelle, doch nicht vor minne, hinzu.
niht fehlt G.   ne gerte i.

24 vor 22 H.   Sigûne wart in toufe daz kint hie genennet I.   kindelîn?
2. Die mit sô tiurem koufe an rîchem gelt ir vater het bekennet I.   het
setzt G vor ir.   dem tiuren G, vil tiurem H, sô tiurem I.   4. ie fügt H
vor zem hinzu, vor tragen i.   zem ersten GH, von êrst oder des êrsten I.
lie tragen i.

25, 1. Tampuntier hin fuorte I.   2. Mit jâmer sich hie ruorte, dô Kyôt si
kuste, michel weinen I.   chuste GH.   3. Kondwiramus GH.   dannoch HI,
noch i, ouch G.   4. zwo G immer.   wohsen G.   an prîse mit gewinne
sunder flüste I.   gesagt wart?   verluste GH,

26 In den selben zîten   was Kastis érstorben.   VI, 86
der het ouch Herzelöuden   ze Muntsalvâtsch, die clâren, erworben.
Kanvoleiz gap er der frouwen schône,
und Kingrivâls: zin beiden   truoc sîn houbt vor fürsten die krône.
27 Kastis Herzelöuden   nie gewan ze wîbe,   87
diu an Gahmurets arme   lac mit ir magtuomlîchem lîbe:
doch wart si dâ frouwe zweiger lande,
des süezen Frimutelles kint,   die man von Muntsalvâtsche dar sande.
28 Dô Tampunteire starp   und Kardeiz der clâre   82
in Brûbarz truoc die krône, daz was in dem vünften jâre
daz Sigûne was aldâ behalten.
dô muosen si sich scheiden,   die jungen zwuo gespilen, niht die alten.
29 Diu küngîn Herzelöude   an Sigûnen dâhte: 88
si warp mit al ir sinnen,   daz man die von Brûbarz ir brâhte.
Kondwîrâmûrs begunde weinen,
daz si gesellekeite   und der stæten liebe an ir solte vereinen.
30 Daz kint sprach 'liebez veterlîn,   nu heiz mir gewinnen   91
mîn schrîn vollen tocken,   swenn ich zuo mîner muomen var von hinnen:
sô bin ich zer verte wol berihtet.
ez lebet manec rîter,   der sich in mînen dienst noch verphlihtet.'
31 'Wol mich sô werdes kindes,   daz ist alsô versunnen!   92
got müeze Katelangen   als hêrer frouwen an dir lange gunnen.
mîn sorge slâfet, sô dîn sælde wachet.
wær Swarzwalt hie ze lande,   er wurd ze scheften gar durch dich
gemachet.'
32 Kîôtes kint Sigûne   alsus wuohs bî ir muomen: 94
er kôs si für des meien blic,   swer si sach, bî tounazzen bluomen:

---

26. 27 nach 28 HI.   1. jâren I.   ouch erstorben H.   2. ouch G, fehlt HI.
Herzelouden H, fehlt G, die süezen clâren I.   Muntsalvatsche G.   die
chlaren GH, Herzeloud I.   4. zin G, ze den HI.   houbet G.
27, 1. Kastis alsus verzigende wart Herzeloud ze wîbe I.   2. Diu Gamuret sit
ligende an arme wart mit magetlîchem lîbe I.   ir G, fehlt HI.   magtuom-
lîchen H, magetlichem GI.   4. suozzen G, rîchen H, werden I.   Frimu-
teles Gi, Frimutels Hi.
28, 1. den ersten halbvers verändert I gänzlich.   Do Tampuntier erstarp H.
und GH, nu I.   Karideiz G, Kardiez I, kardus H.   2. truoch er G. truoc
sollte vor daz stehen?   3. was GH, wart I.
29. 1. nu an I.   2. wap G.   mit aller (allem) sinne i, mit allen sinnen i.
daz mans ir von Brubarz dar brahte HI.   3. weinen G, heize weinen Hi,
sêre weinen i.   4. Daz sich diu geselleschaft und diu stæte liebe under in
solte vereinen H, Daz si der grôzen liebe und der geselschaft solde nu (sich)
vereinen i, Daz sich diu herzeliebe geselleschaft nu solt alsus vereinen i.
gesellcheit G.
30. 31 fehlen G.   30, 1. nu I, du H.   2. Vil schœner tocken vollen schrîn,
als ich I.
31, 1. daz ist H, nâch wird I.   Nur lesbar versvnnen. M.   2. Got müez dir des
gesindes in Katelang vil jâr mit dienste gunnen I,   Got mvz . . . izze . . .
frowen da g . . . M.   also heer freüen H.   3. nur lesbar . . . chet M.
4. wær i, Und wære Hi.   er H, der I.   wære der sw . . . walt hie z . . .
ar ze speren durch dich gema . . . M.
32, 1. Kyotes ch . . . ochs bi ir mvmen. M,ₒ   also H.   wuohes G.   2. er chos
si f . . . dez mey . . . bi tovnazzen blvmen. M, Für meyen blickes lûne kôs
man si bî tounazzen bluomen I.   Man H.   hi den G.   3. vz ir h . . . n

ûz ir herze blüete sælde und êre.
lât ir lîp in diu lobes jâr   volwahsn, ich sol ir lobes sagen mêre.

33 [Swaz man an reinem wîbe sol   ze ganzen tugenden mezzen   VI, 96
an ir vil süezem lîbe   was des ninder hâres grôz vergezzen,
si reiniu fruht, gar lûter, valsches eine,
der werden Schoysîânen kint,   gelîcher art, diu kiusche junge reine.
34 Nu sulen ouch wir gedenken   Herzelöude der reinen.   97
diu kunde ir lop niht krénken.   mit wârheit wil ich die lieben
                            meinen.
si ursprinc aller wîplîcher êren,
si kunde wol verdienen   daz man ir lop muos in den landen mêren.]
35 Diu magtuomlîche witewe,   daz kint Frimutelles,   98
swer bî ir jungen zîte   sprach frouwen lop, dane erhal niht sô
                            helles.
ir lop daz fuor die virre in mangiu rîche,
unze ir minne wart gedient   vor Kanvoleiz mit speren hurteclîche.
36 Nu hœret. fremdiu wunder   von der maget Sigûnen.   95
dô sich ir brüstel dræten   unde ir reit val hâr begunde brûnen,
dô huop sich in ir herzen hôchgemüete:
si begunde stolzen [und] lôsen,   und tet daz doch mit wîplîcher güete.
37 Wie . . . . . . Gahmuret   schiet von Belacânen,   VII, 1
und wie werdeclîchen   er erwarp die swester Schoysîânen,
und wie er sich enbrach der Franzoisinne,
des wil ich hie geswîgen,   und künden iu von magtuomlîcher minne.

---

wchs sæ . . . M.   4. . . . r lip in div lobes iar volwach . . . sol ir lob . . . M,
Nu lât ir lîp volwahsen in diu lobes jâr, ich sol ir lobes künden noch mêre
H,   Kumt si ze lobes jâren, sô wil ich [noch, êrst] ir lobes künden mêre I.
vol wahsen G.   sagen G, künden H I.
33 und 34 fehlen G.   1. Swaz ma . . . sol ze gvte mezzen.   M, Swaz man an
magt, an wîbe, ze wunsche (gein lobe) kan gemezzen I.   2. an ir sù . . . zem
libe . . . s groz vergezzen. M.   wart I.   hais H, sîden I.   3. si reiniv frv . . .
chlivhtec . . . M.   gar lûter H, durchliuhtic I(M).   eine] ane HI.   4. Sælic
sî diu muoter diu sie gebar!   daz was Tschoisiâne I,   . . . t si div mvter div
si trvc daz . . . Tschoy . . . M.
34, 1. . . . svlen o . . . n herzenlouden der vil rein . . . M.   ouch] fehlt H.
Hertzelouden HI.   2. div chvn . . . nchen mit warheit wil ich . . . n meine . . .
M.   3. . . . ler wiplichen eren M.   ursprung H.   wîblîchen HM.   4. si
chvnd . . . verdiene . . . vse in den landen meren. M.
35, 1. . . . iv magt . . . t Frimvtelles. M.   Magt und witwe in jugende I.
magetliche G.   2. swa man der . . . lop bi . . . hal et nich so helles. M.
Swa man bi G.   iungen zit G, jungen jâren H, zît von tugende I.   der
frouwen lop sprach so G.   ne G, fehlt HI.   3. ir . . . die firre . . . M.   Ir]
fehlt H.   lop gie fur in G.   4. vnz ir minne wart ge . . . mit spe . . . vil
hvrtechlichen. M.   ir Gi, ir werdiu Hi.   gedient G, verdient HI.   mit den
speren G.
36 H, zwischen 32 und 33 i, zwischen 33 und 34 Mi, fehlt G.   1. . . . u hôret . . .
der maget Sygvnen M, Nu prüefet an der stæten, der clâren magt Sigûnen I.
2. do, sich ir brvstel . . . ar begvnde brvnen. M.   3. do hvb . . . in ir libe . . .
gemvte M.   4. si begvnde loslich . . . en vn . . . plicher gvte. M.
37, 1. Wie schiet der êren rîche Gamuret von Belacânen I, Wie Gah . . . von Bele-
ganen M.   2. vñ wie . . . dechli . . . ter Tschoysianen. M.   wie der werdch-
liche erwarp Gi, wie werdiclîche erwarp er Hi.   3. v . . . brach de . . . M.
Franzoisine G.   4. . . . z svien wir allez ge . . . l ich iv sa . . . er minne. M.
hie Gi, alles Hi, wol i.   unde iu chunden G, und wil iu künden H, und sagen
iu i, und wil iu sagen i.   magtuomlicher H, magetlicher Gi, kintlîcher i.

38   Der Franzoisinne Anphlîsen   wart ein kint gelâzen,   VII, 2
     erboren von fürsten künne   und von der art, daz muose sich mâzen
     aller dinge dâ von prîs verdirbet.
     swenn alle fürsten werdent   erboren, ir keiner baz nâch prîse wirbet.
39   Dô Gahmuret den schilt   enphienc von Anphlîsen,   3
     diu werde küneginne   im lêch diz kint. daz müezen wir noch prîsen:
     daz erwarp sîn wâriu kindes süeze.
     [er wirt] dirre âventiure ein hêrre,   ich hân reht daz ich kint durh
                                             in grüeze.
40   Och fuor daz selbe kint   mit dem Anschevîne   4
     hin über in die heidenschaft   zuo dem bâruc Ahkarîne.
     er brâht ez ze Wâleis wider dannen.
     swâ kint genendekeit erspehent,   daz sol helfen, op se imêr ge-
                                             mannen.
41   Ein teil ich wil des kindes   art iu benennen.   6
     sîn ane (der hiez Gurnemanz   von Grâharz) kunde îser zetrennen:
     des phlag er zer tjost mit manger hurte.
     sîn vater der hiez Gurzgrî: der lac tôt durch Schoy de la kurte.
42   Mahaute hiez sîn muoter,   Ehkunates swester,   7
     des rîchen phalenzgrâven,   den man nant ûz der starken Berbester.
     selbe hiez er Schîonatulander.
     sô hôhen prîs erwarp   bî sîner zît nie einer noch der ander.
43   Daz ich des werden Gurzgrîen   sun niht benande   8
     vor der maget Sigûnen,   daz was des schult daz man ir muoter sande

38, 1. Der fra . . . n wart ein chint g . . . *M.*   Der Franzoisine Anphlisen *G,* An-
flîsen zougelwünne *I.*   ein kint wart verlâzen *HI.*   2. . . . vñ von d . . .
azzen. *M.*   von f. *Gi,* ûz f. *Hi.*   der] *fehlt G.*   8. aller dinge . . . *M.*   4. . . . en
werdent geboren *M.* Swene *G.*   geborn *HI.*   ir neheiner noch baz *G.*
39, 1. Do gahmvret den schilt enphie . . . *M.*   Dô Gamuret durch minne *I.*   den
HI, fehlt G.   enphie *GH.*   2. . . . chvneginne im lech daz ch . . . noch
pri . . . *M.*   Diu lêch im daz selbe kint *H.*   chungin *G,* Franzoisinne *I.* diz
G, daz *I.*   8. . . . az erwarp im sin reinev chin . . . *M.*   4. . . . der aven . . .
wer herre ich han reht daz . . . grvze. *M.*   Er wirt *G,* Er wirt noch *H, fehlt I.*
ein] *fehlt G.*   ih han *GH,* ist (ez ist?) *i,* dâ von ist *i.*
40, 1. Ovch fvr daz selbe chint m . . . e *M.*   Daz kint in senden leiden fuor *i,*
Daz kint aldâ niht sparnde was *i.*   2. hin vb . . . in die heidenschaft ze de
. . . *M.*   Sît über zuo den heiden *i,* Der was zen heiden varnde *i.*   in
GM, über *H.*   Ahkarine *G,* ze Allexandrîne *H,* hin gein Alexandrîne *I.*
8. Ze Wâleis brâht er in (ez *i*) her (*fehlt i*) wider dannen *HI,* do bra . . . ze
waleis wider danne . . . *M.*   4. . . . ndechei . . . pehent in der ivgent daz
so . . . gemâ . . . *M.*   daz sol helfen *G,* ez sol si helfen *Hi.* daist ir helfe *i.*
41, 1. Ein teil wil ich iv dez ch . . . en. *M,* Ich wil mit wirde ganze sîn art ein teil
benennen *I.*   wil ich iu des kindes fruht *H.*   bennen *G.*   2. sin . . .
der hiez gurnamanz v . . . vnde ov . . . sen zetrennen. *M.*   Sin ane was
von Kraharz Gurnamanz *G,* Von Grâharz Gurnemanze, des kindes an *I.*
yser *H,* isen *GI.*   8. dez pflach . . . maneg . . . vrte. *M.*   ze tjost *I.*
4. sin vater hiez Gurzg . . . urch Ts . . . de la cv . . . *M.* Sin vater was genant
G, Dô hiez sîn vater *I.*   Gurtzegrî *oder* Gurtzegrîn *I,* Kurzkri *G immer.*
durch *HI,* umbe *G.*
42, 1. Mohvte hies sin mŷter e . . . *M.*   Mahute *G,* Mahuth *i,* Mahede *i,* Nachte
H.   2. dez richen pfalnzgrave . . . z vz der   hen prebester. *M.*
Vogt einer pfalze guoter *I.*   den man [dâ *H*] nante *GH,* benant vil rîch *i,*
vil rîch benant *i.*   8. selbe hiez er . . . er *M.*   Schoyn. *G immer,* Schoyin.
47,2.   4. so ho . . . pris erwarp nie bi siner z . . . ander. *M.*   bî sînen zîten *H.*
43, 1. 2. Daz ich den sun Gurzgrîen niht vor Sigûnen nande, Der süezen valsches
(reinen wandels) frîen *I.*   1. Daz ich dez werden Gvr . . . benande *M.*

ûz der phlege von dem reinen grâle:
ir hôchgeburt si zucket ouch   her für, unde ir künn daz lieht gemâle.
44 Al des grâles diet   daz sint die erwelten, .   VII. 9
immer sælec hie unt dort   an den stæten prîs uie gezelten.
nu was Sigûne ouch von dem selben sâmen,
der ûz von Muntsalvâtsche   in die werlt wart gesæt, den die heil-
haften nâmen.
45 Swâ des selben sâmen hin   wart brâht von dem lande,   10
daz muose- werden berhaft   und in vil reht ein schûr ûf die schande;
dâ von Kanvoleiz verre ist bekennet:
si wart in manger zungen   ie der triwen houbetstat genennet.

46 Owol dich, Kanvoleiz,   wie man spricht dîn stæte   11
von herzenlîcher liebe,   diu ûf dir geschach niht ze spæte!
minne huop sich fruo dâ an zwein kinden
[diu ergie] sô lûterlîche, al diu werlt   möht ir truopheit drunder
niht bevinden.

47 Der stolze Gahmuret   disiu kint mit ein ander   12
in sîner kemenâten   zôch. dô Schîonatulander
was dannoch niht starc an sînem sinne,
er wart iedoch beslozzen   in herzen nôt von Sigûnen minne.

2. . . . der magt Sygvnen dev . . . ir mŷte . . . ande M.   diu genoz des ir mvte
man sande G.   3. vz der pflege von de . . . M.   4. . . . r hohg . . . ch
zvchet her fvr vn ir ch . . . male. M, Des muost ich si verzucken (vor nennen),
und ir geslehte wert daz lieht gemâle I.   Ir geburt H.   ouoh G, noch
H.   chunne GH.
44, 1. Al dez grales diet daz sin . . . M.   Alle Grales diet H, Wan alle diet des
grâles I.   2. imer sæ . . . hie vn dort in den steten . . . n. M. Hie sælic
sunder mâles und dort zem stæten prîs die gezelten I.   saloh G.   unde G.
an dem stæn pris G.   erwelten H.   3. nv w . . . gvne von dem selben
s . . . M, Dô quam Sigûne von dem selben sâmen i, Sigûn was ouch des selben
edeln sâmen i.   ouch Sigûne des selben H.   4. . . . alfatsch . . . wart
gesæt den d . . . nen. M.   uz G, unns H, fehlt I.   in die werlt wart
gesæt den G, wart ih die welt gesæt den dâ sît H, wart gesæt vil verre dâ in i,
wart gesæt den dâ sît i.   gesæt wart in die werlt, den?
45, 1. . . . z samen hin iht w . . . lande M.   Swar I.   selben G, edeln I, .
fehlt H.   samen G, sâmen iht H, sâmen kraft I.   wart brâht hin H.
von dem GH, dem i, ze i.   2. . . . werden berhaft an . . . el ein sch . . .
schande. M.   Daz G, Der HI.   berhaft an prîse Hi.   unde G, wan H,
fehlt i. vil reht G, vil gar I, viel H.   3. da von C . . . chennen M.
4. . . . ngen der . . . genennet. M.   Daz i, Des i.   ie H, fehlt G, gar
oder al I.   getriwen H.   gennet I.
46, 1. Wol H.   dir HI.   Ganvoleiz G, Kanfoleise I.   sprichet GH.   dine
GH, dîner I.   2. Unde herzenliche liebe G, Von süezer lieb kurteise I.
3. da fruo H.   an HI, von G.   4. Diu ergit so luterliche G, fehlt HI.
al GH, Daz al I.   enmohte I.   ir truopheit dar under niht Gi, ir truob-
heit halt nie dar under i, nie ir tumbheit dar under H.   finden Gi.
47, 1. Gamuret durch (mit) wirde hôch diu kint I.   Disiu kint der stolze Gah-
muret?   mit G, bi HI.   2. do G, fehlt H, der clâre süeze I.   3. Was
danoch G, Dannoch was HI.   4. Und wart I.   iedoch GI, doch sît H.
in herzen not geslozzen G.

48 Owê des, si sint noch   ze tump ze solher angest.   VII. 13
wan, swâ diu minne in der jugent   begriffen wirt, diu wert aller
                                      langest.
op daz alter minnen sich geloubet,
dannoch diu jugent wont in der minne bant, minne ist krefte un-
                                        beroubet.
49 Owê, minne, waz touc   dîn kraft under kinder?   14
wan einer der niht ougen   hât, der möht dich spüren, gienger blinder.
minne, du bist alze manger slahte:
gar alle schrîbær künden   nimêr volschrîben dîn art noch dîn ahte.
50 Sît daz man den rehten   münch in der minne   15
und och den [wâren] klôsenære   wol beswert, sint gehôrsam ir sinne,
daz si leistent mangiu dinc doch kûme.
minn twinget rîter under helm: minne ist vil enge an ir rûme.
51 Diu minne hât begriffen   daz smal und daz breite.   16
minne hât ûf erde hûs: [und] ze himel ist reine für got ir geleite.
minne ist allenthalben, wan ze helle.
diu starke minne erlamet an ir krefte,   ist zwîfel mit wanke ir
                                        geselle.
52 Ane wanc und âne   zwîfel diu beide   17
was diu maget Sigûne   und Schîonatulander, mit leide:
grôziu liebe was dar zuo gemenget.
ich seit iu von ir kintlîcher   minn vil wunders, wan daz ez sich
                                        lenget.
53 Ir schemelîchiu zuht   und diu art ir geslehtes   18
(si wârn ûz lûterlîcher   minne erborn) diu twanc si ihr rehtes,
daz se ûzen tougenlîche ir minne hâlen
an ir clâren lîben,   und inne an den herzen verquâlen.

48, 1. Wê daz si minne niht verbirt sô junc gein solher angest *I*.   si *fehlt G*.
2. Swâ jugent sus begriffen wirt mit ir stric, dâ wert si aller langest *I*, Swâ
minne wirt begriffen in der jugent, diu weret aller langest *H*.   3. minne *HI*.
4. Dannoch wont diu jugent in ir banden, minne ist an kreften unberoubet *H*,
Bî minne dannoch jugent wont, wan minn ist an ir krefte unberoubet *I*.
Dannoch diu jugent wont minne bant, minne ist an kreften unberoubet?

49, 1. Wê, minne, dîner krefte rât, waz touc der under kinder *I*.   chinden *G*.
2. Wan *Gi, fehlt Hi*.   eine *G*.   hete *G*.   mohte dich spehen *G*.   gieng
er alsô *I*, ob er gienge *H*, warer (*l.* wærer) *G*.   3. alsô *I*.   4. Gar *G*,
fehlt HI.   schribære *G*.   nimer vol schriben *G*, niht erschrîben *H*, niht
volschrîben *i*, geschrîben niht *i*.   ir art und ouch ir ahte *I*, der dînen
wunder art und dîn ahte *H*.

50, 1. Sît man die religjôsen beswert wol in der minne *I*.   daz *fehlt H*.
2. In clôster und in clôsen, daz si sint gehôrsam mit sinne *I*.   och *fehlt*
H.   3. Manger ding diu si doch leistent kûme *I*.   4. Minne *GI*, Diu
minne *H*.   helme *GHi*.   diu minne *H*.

51, 1. Diu *fehlt H*.   Diu minne sliuzet in ir clûs *i*, Begriffen hât der minne
clûs *i*.   2. hie ûf *H*.   hûs *fehlt G*.   ze himel *HI*, uf himele *G*.
ist reine *HI, fehlt G*.   ir *fehlt G*.
3. Diu minne *H*.   4. ar krefte erlamt?   chrefte *Gi*, kreften *Hi*.   ist *HI*,
wirt der *G*.

52, 1. Ane wankes lûne und zwîfel (zwîfels) *I*.   2. und *fehlt G*.   3. Dâ was
diu starke liebe zuo gemenget *HI*.   4. kintlîchen *H*.   minne *GHI*.
wunders vil *HI*.

53 *fehlt G*.   1. Ir schemlich [zuht] gebâren *I*.   2. Lûterlîch si wâren ûz minne
erboren *I*.   3. Daz si ûzen *H, das übrige des verses fehlt*.   3. 4. Daz si
vil tougenlîch ir minne (Daz si ir minn sô tougenlîchen) hâlen, Unz (Sô
lange) daz si an ir lîbe clâr (an lîbes clârheit) und [ouch] an [dem] herzen
sich verquâlen *I*.   4. verqualten *H*.

54   Schîonatulander   moht ouch sîn wîse   VII, 19
von manger süezen botschaft,   die Franzoyse künegîn Anphlîse
tougenlîche enbôt dem Anschevîne:
die erwarber unde wande in   vil dicke ir nôt: nu wende ouch
                               die sîne.

55   Schîonatulander   vil dicke wart des innen   20
umb sînen œheim Gahmuret,   wie wol er sprechen kunde mit
                               sinnen,
und wie er sich von kumber kunde scheiden:
des jâhen im hie vil   der toufbærn diet, als [tâten] dort die wer-
                               den heiden.

56   Al die minne phlâgen   und minne an sich leiten,   21
nu hœret magtlîch sorge   unde manheit mit den arbeiten:
dâ von ich wil âventiure künden
den rehten, die . . . .   durch herzeliebe ie senende nôt erfünden.

57   Der süeze Schîonatulander genante,   22
als sîn gesellekeit   in sorgen manecvalt in kûme gemante:
dô sprach er 'Sigûne helferîche,
nu hilf mir, süeziu maget,   ûz den sorgen: sô tuostu helflîche.

58   Ducisse ûz Katelangen,   lâ mich geniezen: 23
ich hœre sagen, du sîst erboren   von der art, die nie kunde
                               verdriezen,
sine wæren helfec mit ir lône,
swer durch si kumberlîche nôt   enphienc: dîner sælden an mir schône.'

54, 1. Der talfîn an der (Der junge an minne) witze kraft *I.*   ouch *G,* iedoch *i,*
wol *H,* vil wol *i.*   2. die diu *G.*   Franzoyse *G,* Franzoiser *HI.*   3. Bî
im enbôt dem werden Anschevîne *HI.*   4. erwarber *Gi,* warb er *Hi.*
in *fehlt HI.*   nôt *I,* senede nôt *H,* sorge *G.*
55, 1. vil ofte *H.*   des *fehlt G.*   2. Wie siner muomen sun Gahmiret chunde
sprechen mit manlichen sinnen *G.*   An Gamureten vander *I.*   kunde spre-
chen kunde *H.*   3. wie sich der *G.*   4. jâhen *H,* jach *oder* jâhen *I,* iech *G.*
hie *fehlt G.*   der tuschen diet *G. vergl. Wilh.* 361, 9.   als *G,* alsam *Hi.*
tâten *HI,* iæn ouch *G.*   dort *fehlt G.*   werden *Gi, fehlt Hi.*
56 *setzt G nach* 59.   1. Alle *GHI.*   phlegen *H,* pflegende sin *I.*   2. Die
hœren *HI.*   magetliche sorge *G,* von magtlicher sorge *H,* magtlichen pîn *I.*
unde manheit mit den *G und ohne* den *i,* und von manlichen *H,* und von
manlîcher jugent mit *i.*   3. ich iu âventiure künde *HI.*   4. Dem rehten
[wolgemuoten *H*] der *HI.*   die von minnen [kraft] durch?   durch liebe
H, durch herzeliep von minnen kraft *I.*   ie sender nôt enpfünde *I.*
befünde *H.*
57, 1. Uz Graswald den fürsten diu minne des ermante *I.*   genande *G.*   2. Daz
er nu mit getürsten die vorhte brach und muotes riche ernante *I.*   Alle sîn
genendekeit mit grôzer sorge in *H.*   3. Sô daz er sprach *I.*   4. maget
süeze *I,* werdiu maget *G.*   von sorgen grôz (vil) *I.*   helfechliche *G.*
58, 1. Duzzisse *G.*   Ducisse ob aller zühte, nu lâ mich des geniezen *I.*   2. Daz
(Sît) du von werder frühte bist erboren, die *I.*   3. Si wæren wol gehelfic
(gehilfic *H*) *HI.*   4. Ob ez in (Daz er ir) pris gemêrte, genâde, frowe, des
selben an mir schône *I,* Die ie kumberlîche nôt durch si genâde wurbe des
selben an mir schône *H.*   enphie *G.*

59 'Bêâs âmîs, nu sprich,　　schœner vriunt, waz du meinest.　　　VII, 24
lâ hœrn, ob du mit zühten　　dich des willen gein mir sô vereinest,
daz dîn klagendiu bet iht müge vervâhen.
dune wizzest es vil rehte　　die wârheit, sone soltu dich niht
　　　　　　　　　　　　　　　vergâhen.'
60 'Swâ genâde wonet, dâ　　sol man si suochen.　　　　　　　　25
frouwe, ich ger genâden :　　des solt du durh dîne genâde geruochen.
werdiu gesellekeit stêt wol den kinden.
swâ reht genâde nie niht　　gewan ze tuonne, wer mac si dâ vinden?'
61 Si sprach 'du solt dîn trûren　　durch trœsten dâ künden,　　26
dâ man dir baz gehelfen mac　　danne ich: anders du kanst dich
　　　　　　　　　　　　　　　versünden,
ob du gerst daz ich dir kumber wende :
wan ich bin reht ein weise　　mîner mâge, lands und liute ellende.'
62 'Ich weiz wol, du bist landes　　und liute grôziu frouwe.　　27
des enger ich alles niht,　　wan daz dîn herze dur dîn ouge schouwe
alsô daz ez den kumber mîn bedenke.
nu hilf mir schiere, ê daz dîn　　minn mîn herze und die frœude
　　　　　　　　　　　　　　　verkrenke.'
63 'Swer sô minne hât, daz sîn　　minne ist gevære　　　　28
deheime als lieben friunde　　als du mir bist, daz wort ungebære
wirt von mir nimêr benennet minne.　　　　29
got weiz wol daz ich nie　　bekande minnen flust noch ir gewinne.

59, 1. Bêâmîs der mîne, sprich [nu] waz du meinest *I.*　　schœner friunt sprich
(*ohne* nu) *H.*　　2. La mich horen obe *G.*　　Lâ hœren zuht die dîne, ob du
des willen sô gein mir (des selben willen dich) vereinest *I.*　　mit zühten
fehlt G.　　vereinst *G.*　　3. iht *G, fehlt HI.*　　4. es *fehlt H.*　　vil *fehlt HI.*
die *Gi*, ein *Hi.*　　sô solt du dich gein mir niht *HI.*　　vervahen *G.*

60, 1. Frowe, swâ gnâd ist wernde *I.*　　si *GHi*, gnade *i.*　　2. Gnâde ich von
dir gernde bin: des sol dîn güete [mir] geruochen *I.*　　ich beger genâde
an dich *H.*　　güete *H.*　　3. stet *GI*, diu stêt *Hi.*　　4. Unwirde ist un-
genâde: dâ kan die rehten gnâde nieman vinden *I.*　　rehtiu *G*, rehte *H.*
niht *fehlt H.*　　zetuone *G*, ze ruome *H.*

61, 1. dîn *fehlt G.*　　2. helfen *G.*　　müge *H.*　　ich *HI*, mohte *G.*　　kanstu *I.*
dich sunden *G.*　　4. mîner mâge landes und liute *H*, aller mage unde der
lute mines landes *G*, mîner mage und mîner liute *i*, landes mâge unde liut *i.*

62, 1. Ich weiz wol? liut und lande bist du grôziu frouwe *I.*　　groz *G.*　　2. Ich
ger niht solher pfande *I.*　　beger *H.*　　dur din ouge *G*, durch mîn ougen *i*,
durch die ougen mich *H*, mich durch ougen *i.*　　anschouwe *G.*　　4. Tuo
der minne ir reht, ê diu minne uns beiden die sinne verkrenke *HI.*

63, 1. Swer sô pfliget minne daz *i*, Si sprach der alsô minnet daz *i.*　　gevære]
geware *G*, gewære *HI.*　　2. Deheinen als lieben friunt *G*, Gegen einem alsô
lieben friunde *H*, Nâch freuden gewinne *i*, Und minne als ich gewinnet *i.*
als du mir bist, der mac wol leben ân swære *H*, als liep du mir bist und ie
wære *I.*　　(28, 3-29, 2) Ob minne und liebe ein ander iht erkennet, Sô bistuz
diu liebe und bin ich diu minne genennet.　　Hânt (Sît) dich gedanke mîne mit
liebe alsô besezzen (mir zuo kunden sliezen) Ze freuden und ze pîne, des
sol ich dîn mit liebe niht vergezzen (der beider wil mich niht durch dich ver-
driezen) *I.*　　3. Wirt aber von mir genant immer minne *H*, Swie doch von
uns benennet wirt diu minne *i*, Swie dicke du mir dâ vor nennest minne *i.*
bennet *G.*　　4. Sô wizz daz ich *I.*　　nie bechande *G*, niht erkenne weder *H*,
bekante (erkande) nie weder *I.*　　ir *HI*, der minnen *G.*

64   Minne, ist daz ein er?   maht du minn mir diuten?   VII, 33
    ist daz ein sie? kumet mir   minn, wie sol ich minne getriuten?
    muoz ich si behalten bî den tocken?
    od fliuget minne ungerne ûf hant   durh die wilde? ich kan minn
                                  wol locken.'
65   'Frouwe, ich hân vernomen   von wîben und von mannen,   39^b
    minne kan den alten,   den jungen sô schuzlîchen spannen,
    daz si mit gedanken sêre schiuzet:
    si triffet âne wenken,   daz loufet, kriuchet, fliuget oder fliuzet.
66   Jâ erkande ich, süeziu maget,   ê wol minn von mæren.   40
    minne ist an gedanken: daz mag ich nu mit mir selbe bewæren:
    des betwinget si diu stæte liebe.
    minne stilt mir fröude   ûz dem herzen, ez entöhte eim diebe.'
67   'Schîonatulander,   mich twingent gedanke,   41
    sô du mir ûz den ougen kumest,   daz ich muoz sîn an fröuden
                               diu kranke,
    unze ich tougenlîche an dich geblicke.
    des trûre ich in der wochen   niht zeim mâl, ez ergêt alze dicke.'

68   'Sone darft du, süeziu maget, mich   niht frâgen von minne: 42
    dir wirt wol âne frâge   bekant minnen flust und ir gewinne.
    nu sich wie minne ûz fröude in sorge werbe:
    tuo der minne ir reht, ê   diu minne uns beide in [den] herzen
                               verderbe.'
69   Si sprach 'kan diu minne   in diu herzen sô slîchen,   43
    daz ir man noch wîp   noch diu magt mit ir snelheit entwîchen,
    weiz abe iemen waz diu minne richet
    an liuten die ir schaden nie   gewurben, daz sie den fröude zebrichet?'

64, 1. Minne ist daz ein ere *G*, Ist minne ein er oder ein si (si-er *I*) *HI*.   mahtu
mir minne bediuten *HI*.   tûten *G*.   2. Und ist minne ein si *H*, [Und] sage
mir wes diu minne ger *I*.   ein site *G*.   ob si mir kümt *I*.   ich *fehlt H*.
minne *G*, si *HI*.   triuten *Hi*.   4. Oder *G, fehlt H*.   Und fliuget minn *i*,
handen, odr ist si wilde? ich kan ir wol locken *i*, Oder ist si wilde, ich kan
ir lieplîch wol ze handen locken *i*.   ûf die hant *H*.
65, 1. Diu minn hât ie gerungen mit—mit *I.*   frouwen *HI*.   2. Diu minne *I*.
den jungen den alten *HI*.   also *I*.   schosslichen *H*, scheutzlichen *I*. schüt-
zelîchen?   4. daz (swaz *I*) loufet kriuchet fliuget oder *HI*, daz fliuget daz
louffet daz get daz *G*.
66 *nach* 68 *G*.   1. [Ir] kintlich witze gesüezet die (doch) minne erkant von
mæren *I*, Da erkantest du süeze mage minne wol von mæren *H*.   2. Diu
minne gedanke grüezet *I*.   nu *G*, wol *H und nach* selb *I*.   selbem *G*,
selben *H*.   3. si *G*, ez *HI*.   4. Minne stilt ûz mînem herzen freude und
clâre varwe, ez *H*, Min herze stilt mir freude und varwe clâr, ez *I*.
entaugt *H*.   einem *GHI*.
67, 2. Swenn ich dich niht ensihe *H*, Swenn wir niht sehen ein ander *I*.   daz
ich muoz sin *G*, sô bin ich *HI*.   an *Gi*, on *H*, ane *i*.   3. Unz ich dich
aber tougenlich erblicke *HI*.   4. Sus *HI*.   zeinem male *G*.   erget al *G*,
ergêt mir leider al *H*, geschiet mir al *i*, ist leider *i*.
68, 1. Sô *HI*.   süeze reine, mich *I*.   2. Sô wirt dir âne frâge wol kunt
minnen *HI*, Sunder frâge al eine (ich meine) wirt dir wol kunt ir *I*.   3. Sich
wie diu minne *HI*.   freude *H*, frouden *GI*.   sorge *H*, sorgen *GI*.
4. beidiu *G*, beiden *HI*.   den *Gi*, dem *Hi*.
69, 1. und kan *I*.   in diu herz alsô *i*, sus in diu herzen *i*.   2. Daz man noch
wîp mît sinne *I*.   *fehlt* enmac?   noch magt ir mac mit snellikeit (n. m.)
niht ir snelheit kunnen) entwîchen *I*.   maget *G immer*.   3. aber *GI*.
niht werbent *I*.   den ir freude brichet *I*.

70 'Jâ ist si gewaltec   der tumben und der grîsen.   VII, 44
niemen als künstec lebet,   daz er künne ir wunder volprîsen.
nu sulen wir bêdiu nâch ir helfe kriegen
mit unverscharter friuntschaft   minn kan mit ir wanke niemen
                       triegen.'
71 'Owê, kund diu minne   ander helfe erzeigen,   45
danne daz ich gæbe   in dîn gebot mîn frîen lîp für eigen!
mich hât dîn jugent noch niht reht erarnet.
du muost mich under schiltlîchem   dache ê dienen: des wis vor
                       gewarnet.'
72 'Frouwe, als ich mit krefte   diu wâpen mac leiten,   46
hie enzwischen unde ouch dan mîn lîp   wirt gesehen in [den] süe-
                       zen sûren arbeiten,
sô daz mîn dienst nâch dîner helfe ringe.
ich wart in dîne helfe erboren: nu hilf sô daz mir an dir gelinge.'
73 Diz was der anevanc   ir gesellescheft   47
mit worten, an den zîten   dô Pompeius für Baldac mit krefte
het ouch sîne hervart gesprochen,
und Ipomidôn der werde: ûz ir her wart vil niwer sper zebrochen.
74 Gahmuret . . . . .   sich huop des endes tougen,   48
et mit sîn eines schilde.   er het och grôze kraft âne lougen:
wan er phlac wol drîer lande krône.
sus jaget in diu minn an den rê: den enphienger von Ipomidône.

75 Schîonatulander   was leide zer verte,   49
wan im Sigûnen minne   hôhen muot und die fröude gar werte.
doch schiet er von dan mit sînem mâge.
daz was Sigûnen herzenôt,   und diu sîne: in zwein reit diu minn
                       ûf die lâge.
76 Der junge fürste urloup nam   ze der maget tougenlîche.   50
er sprach 'wê wie sol ich geleben   daz diu minne an fröuden
                       mich rîche
schiere mache, und von tôde entscheiden?
wünsche mir gelückes,   süeziu maget: ich muoz von dir zen heiden.'

70, 1. Si vert gewalticlîchen gein tumben und gein wîsen *I.*   2. Nieman sô
künsterîche lebt, der künne *I*   ir wert unde ir wunder *G.*   4. unvergez-
ner *I.*   trûtschaft *i.*   ir *fehlt I.*   nemen betriegen *G.*
71, 1. Diu edel minne wol gestalt solt ander kraft erzeigen *I.*   kunde *G.*
2. gewalt *I.*   minen *GI.*   4. schiltchlichem *G,*   ê gedienen *G,*
verdienen ê *i,* dienen *i.*
72, 1. Frowe, sô wizze wanne mîn kraft mac wâppen leiten (ich wâpen mac ge-
leiten) *I.*   mit chraft *G.*   2. zwischen *I.*   dane *G,* danne *H.*   den *fehlt I.*
4. diner *G.*
73, 1. Ditz was ein anegenge der kinde gesellescheft *I.*   2. Zehant dar nâch
unlenge *I.*   dô *fehlt I.*   3. Sîne hervart het aldar gesprochen *I.*   4. uz
ir her *G,* dâ vor *I.*   niwer sper wart vil *I.*
74, 1. Gamuret der milde des endes huop sich tougen *I.*   2. Et *G,* Er *i, fehlt i.*
ouch *i,* doch *i,* iedoch *G.*
75, 1. vil leide was zer *I.*   2. Sigûnen blicke glander und ir minne im alle [sîn]
freude werte *I.*   3. Iedoch *I.*   4. und diu sîne *fehlt I.*   in beiden riet *I.*
76, 2. Wie geleb ich zît sô lobesam *I.*   owe *G.*   diu *G.*   dîn *I.*   gerîche *I.*
Nur lesbar . . , n mich r . . . *M.*   8. Vil lîhte mac der tôt uns ê gescheiden
I, . . . ns der tot . . . *M.*   4. nv wnsche . . . ir gelvkes svzzev n . . . m͜z
von di . . . zͥ den h . . . den *M.*   Nu wünsche *IM.*   gelückes *IM,* heiles *G.*
wan ich muoz zuo den heiden *I.*   zuo den *GIM.*

77 'Ich bin dir holt, getriwer friunt: nu sprich, ist daz minne?   VII, 51
   sus wil ich immer   wünschende sîn nâch dem gewinne
   der uns beiden hôhe fröude erwerbe.
   ez brinnent elliu wazzer,   ê diu liebe mînhalp verderbe.'
78 Vil lieƥ beleip aldâ,   lieb schiet von dannen.   52
   ir gehôrtet nie gesprechen   von mageden, [von] wîben, [von] man-
                                                      lîchen mannen,
   die sich herzenlîcher kunden minnen.
   des wart sît Parzivâl   an Sigûn zer linden wol innen.
79 Von Kingrivâls der künc   Gahmuret sich verholne   53
   von mâgen und von mannen schiet,   daz sîn vart den gar was diu
                                                      verstolne.
   wan zweinzec kint von hôher art kurteise
   und ahtzec knappen ze îsor   ân schilt het er erwelt ûf die reise.
80 Fünf schœniu ors und goldes vil,   von Azagouc gesteine   54
   im volget ûf die vart,   sîn schilt ander schilte gar eine.
   durch daz solte ein schilt gesellen kiesen,
   daz im ein ander [schilt] heiles   wunschte, ob dirre schilt kunde niesen.

77, 1. . . . ch bin dir holt nv . . . den . . . inne M.   Vil lieber friunt, ich bin dir
    holt I.   2. sus wil ich im . . . schende si . . . nde nach . . . winne. M.   Sô
    wil ich gernde umb disen (den) solt mit wunsche sîn imêr nâch I.   3. der vnz
    be . . . frevde er . . . M.   4. . . . z brinnen . . . iv wazzer e. diu lie . .
    herzen m . . . rbe. M.   mînhalp I, an mir G.
   78 nach 81 G.   1. Vil liep beliep alda . . . sich schiet . . . ne. M.   Vil liebez
    liep beleip alhie, werdez (vil liebez) liep I   2. ir geh . . . tet nie von beide . . .
    ben noch v . . . ichen ma . . . M.   Gehœret wart ûf erde nie I.   von mageden G,
    fehlt I.   noch von m. m. I.   3. div sich herzenli . . . den minn . . . M.
    4. . . . art sit pa . . . l von Sygvnen bi . . . n wol in . . . M.   sît an
    Sigûnen bî der linden Parcifâl wol i, bî der linden sît Parzifâl wol an Sigûnen
    i.   Parzifal an Sigunen G.
   79 nach 81 M.   1. Vz Gingr . . . hvnech Ga . . . vereholne. M, Gahmuret ûz Gin-
    grivâl huop sich danne (der helt) verholne I.   Kinrivals G.   der küene?
    2. von mage . . . wibe v . . . nnen fvr . . . rt waz gar den ver . . . e. M, Von
    mâgen mannen sunder twâl: den allen was sîn vart diu verstolnc I.   3. wan
    zw . . . chinde vo . . . rt kvrtoyse. M.   churtoyse GM.   4. vñ a . . . ch
    chnappe . . . ane schilt . . . welt vf die reise M.   ane schilt GM, fehlt I.   er
    im erwelt I. .
   80, 1. Fvnf sch . . . vñ golde . . . azagavch gesteine M.   Azachouch G.   2. . . . .
    volge . . . verte mit . . . ander schilte gar . . . e. M.   ûf der verte zil I.
    andere schilt gar eine G, [und] ander schilt keine I.   3. dvrch d . . . n
    schilt ge . . . hiesen. M.   geverten I.   4. daz im ein . . . er schilt . . . chte
    ob die . . . chvnde niesen. M.   obe G.
   (55 — 59b hier I, 56 — 59b zwischen 78 und 81 M.)
   (55) Sîn pantel wart verkêret: von zobel ein anker tiure
        sluoc man ûf sînen schilt,   als in recken wîs fuor der gehiure,
        alsus wart gezimiert der lobes rîche:
        dar under nimt er ende   vor Baldac mit tjoste hurticlîche I.
   (56) Ze Herzelöuden urloup nam   Gamuret der werde.
        sô gar der triwen ein bernder stam (mit triwe bekleidet)   wirt nimmer mêr
                                                      geboren (deheiner) ûf der erde,
        noch getriwer wîp, als si bescheinde.
        von ir zweier scheiden   wart jâmer den vil ougen sît beweinde I,
        . . . e herzenlovden n . . . p Gahmv . . . werde. so g . . .
        wenberender stam . . . n niender . . . der erde . . . wer
        wip als si vil . . . heinte. vo . . . er schei . . . iamer den
        mane . . . t bewein. . . M.

81   Sîn herzenlîche liebe   unde ir minne iht fremde   VII, 58
was noch worden nie durch gewonheit.   im gap dar diu künegîn
                                ir hemde,
blanc sîdîn, als ez ir blenke ruorte.
ez ruorte etwaz brûnes   an ir huf: den puneiz vor Baldac erz fuorte.
82   Uz Norgâls gein Spâne   [unze] hin ze Sibilje er kêrte,   60
des genendegen Gandînes sun,   der vil wazzers ûz ougen gerêrte,
dô man friesch wie sîn vart nam ein ende.
sîn hôher prîs wirt nimmer   getoufter diet noch [den] heidenen ellende.

(57) Dô sprach er durch ir weinen   vil liebez wîp, dîn êre
     bevilh ich got dem reinen.'   er gesach si leider nimmer mêre.
     si bevalch in got mit mangen siuften tiefen.
     ir herze sagt ir künftic nôt: ei waz zeher von ir ougen liefen! I,
     . . . sprach vil liebes . . . ere bevil . . . dem rei . . . r gesach si nimme . . .
     erzeliche . . . e weine . . . alch in ovch got m . . . gem sivft . . . ir seit i
     . . . e chvnftich not. ey . . . hen von i . . . ieffen. M.
(59) Gamuret die reinen   trôste güetlichen.
     er sprach 'du solt niht weinen.   in einem halben jâre sicherlîchen
     kum ich wider, lât mich got bî lîbe.'
     des trôs ir sorge ein teil entslief.   sus schiet er von dem wîplîchen wîbe I,
     . . . ahmuret die re . . . te gv̊tlich . . . rach dv s . . . lt niht weinen i . . .
     halben ia . . . cherlich . . . ich her wider lat . . . bi dem lib . . . in troste
     . . . rgen ein teil ents . . . chiẹt er v . . . echlichen wibe M.
(59ᵇ) Des was si ûf gedingen   etwenne frô, doch selten.
     si kund mit sorgen ringen: des muost ir triwen rîcher (tugentlîcher) lîp enkelten.
     sîn übervart ir herzen kom (diu kom ir) zunheile:
     von sînem tôde ir herze (frôude) erschrac: man gesach si nimmer frô
                                       noch geile. I,
     . . . vs was si vf ged . . . swenne f . . . doch vil selten. si . . . sorgen r . . .
     triwen . . . mṽst en . . . n. sin vbe . . om ir ze . . . t sinem . . . de ir
     frev . . . man ge . . . mer mer . . . noch geile. M.
81, 1. 2. nie *nach* liebe?   1. Ir minn diu herzenlîche noch worden was (was
worden noch) niht fremde I, . . . enlichiv l . . . r minne . . . de. M.
frômde G.   2. Si was der liebe rîche: im gap diu [edel] küniginne ein hemde
I, was . . . worden dv . . . heit im hvngiñe . . . M.   3. *nur lesbar* . . . nch
sidin . . . M.   4. . . . az brunes . . . elin den p . . . z fvrte M.   ruorte
Gi, ruort ouch i.   an G, bî I.   hüffel *oder* hüffelîn I.   poneiz G.
82, 1. Der bewegen alles pînes gein Sibille kêrte I.   Uz Norig . . . h yspaneg
. . . ilige cherte. M.   Uz Nurgals gegen Spange G.   2. dez g . . . digen
. . . s sun der . . . vz ovgen rerte M.   Der werde sun Gandînes I.
Gandînes] *fehlt* G.   von dem (durch den) man sît vil wazzers ûz ougen
rêrte I.   wazzers vil?   3. . . . gevriesch . . . art nam . . . M.
gefriesch iM, hôrt i.   4. Sîn prîs wirt nimmer mêre getoufter diet noch heiden-
schaft ellende I, . . . pris wirt nieme . . . ovfter d . . . en heiden . . . M.
(61) Si müezen in erkennen: er mac et niht veralten.
     von Dürgen der genende,   Herman pflac êrn, der wunsches prîs kund walten:
     swâ man hœrt von sînen gnôzen sprechen,
     die vor im hin gescheiden sint,   wie kund sîn lop für die sô verre brechen! I,
     Si mu . . . rchennen . . . niht eralten. her . . . von . . . n wilent . . . eren
     der immer . . . wunsches . . . wa man . . . sinen genozzen s . . . hen die
     . . . n geschei . . . wie chvnde sin lop die so pre . . . M.

83 Daz rede ich wol mit wârheit,   ninder nâch wâne.   VII, 62
   nu sulen wir ouch gedenken   des jungen fürsten ûz Grâswaldâne,
   des Sigûne in twanc, sîn kiusche âmîe:
   diu zôch ûz sînem herzen   die fröude, als ûz den bluomen [die]
                               süez diu bîe.
84 Sîn lieplîchiu siecheit   die er truoc von der minne,   63
   diu flust sîns hôhen muotes, ... an sorgen gewinne,
   twanc den Grâharzoys vil manger pîne:
   er wære noch sanfter   tôt als Gurzgrî von Mabonagrîne.

85 Wirt immer tjost mit hurte   von sperbrechens krache   64
   ûz sîner hant durch schilde   brâht, sîn lîp ist zuo dem ungemache
   doch ze kranc: diu starke minne in krenket,
   und daz sîn gedanc nâch lieplîcher   liebe unvergezzen sô gedenket.
86 Swenne ander junchêrren   ûf velden unde in strâzen   65
   punierten unde rungen,   durch sende nôt sô muose er daz lâzen.
   minne in lêrte an stæten fröuden siechen.
   swâ kint lernt ûf stên an stüeln,   diu müezen ie zem êrsten
                               dar kriechen.
87 Nu lât in hôhe minnen: sô muoz er ouch denken,   66
   wier sich gein [der] hœhe ûf rihte   unde im künne alle valscheit
                               verkrenken
   sîn wernder prîs in jugent unde in alter.
   ich weiz den fürsten, solte er daz   lern, man lêrte ein beren
                               ê den salter.

83, 1. Daz red . . . l mit war . . . niender n . . . M.   und nindert I.   2. nv
svln w . . . edenchen dez ivng . . . vrsten v . . . aldane. M.   des ingen
G.   3. w . . . vne twanc sin a . . . M.   Des Sigûne twanc i, Wie den
Sigûne twanc i.   kiusch I, chuschiu G.   4. . . . zoch im . . . erzen
vil . . . en reht als vz den . . . n ir svze tvt div b . . . M.   Si zôch I.
im ûz dem herzen vröud i, im fröud ûz herzen i.   ûz der bluomen oder
bluom I.   die Gi, ir i.   suozze G.   pie GI.
84, 1. Sin liep . . . cheit die e . . . trvc v . . . nne M.   die er] fehlt G.
2. Sîns hôhen muotes flüstic leit erliez in gar aller fröuden gewinne i, Sîn hôch-
gemüete gar versneit an fröuden gewinne i, Sîn hôchgemüete rîche im gar verseit
di flust an fröud gewinne i, div f . . . n mvtes an sorgen winne. M.   sîn
rîchheit ergänzt Wackernagel.   3. be . . . en Graherdo . . . maneger pine. M.
      Twanch G, Daz twanc i, Dâ twanc (und manic) i.   4. er . . . e noch
san . . . als Gvrzeg . . . on Mobon . . . M.   gurzegrin I.   vor G.
85, 1. Wirt im . . . st mit hv . . . von sper . . . rache M.   2. . . . er hant d . . .
schilde br . . . em vngem . . . M.   Durch schilte brâht von sîner hant I.
ze solhem ungemache I.   ze G.   3. Ist noch (er) ze kranc, swie starc in
minne krenke (krenken) I, . . . ch ze chra . . . starche m . . . enche. M.
4. vñ . . . her liebe . . . M.   daz] fehlt I.   lieplîcher] fehlt I.   unvergezzen-
lîchen I.   denchet G, gedenket i, gedenke i.
86, 1. edele jungen i, kint diu jungen i.   ze velde und an I.   2. sô fehlt G.
4. lernent G.   stan GI.   an I, nach G.   stuolen G.   ie fehlt G.
87, 1. er hôch gedenken I.   2. Und nâch hôher wirde sinnen, wie er allen
valsch künne (wie er künne valscheit) verkrenken I.   Wie er G.   alle
valscheit künne? künne allen valsch?   3. werder I.   in der iugent unde
in dem G.   4. lernen G.   einen bern G.

88 Schîonatulander   vil nœte truoc verborgen,   VII, 67
ê daz der werde Gahmuret   wurd inne al spehende der hel-
                                            bæren sorgen,
daz sîn liebster mâc sus ranc mit kummer.
er qual et al die mânen,   swie sich diu zît huop, [den] winder und
                                            den summer.
89 Von angeborner arte   sîn wunschlîch geschicke,   68
sîn vel, diu liehten ougen,   swaz man dâ kôs, des antlützes blicke,
schiet dur nôt von lûterlîchem glanze.
des twanc in niht ein dürkelz   wenken, ez tet starkiu lieb diu ganze.
90 Gahmuretes herze   ouch . . . . getwenget   69
was von der minn ir hitze :   [und] ir âsanc im hete under wîln besenget
sîn lûter vel, daz ez mit truopheit kunde.
minne helfe er hete ein teil   enphangn, er wesse ouch ir twinc-
                                            lîche stunde.

91 Swie listec sî diu minne,   si muoz sich enblecken: 70
swer treit der minne al spehende künstec ougen,   dâ kan sich ir
                                            kraft niht verdecken.
sist ouch ein winkelmez, hœr ich si zîhen:
si entwirfet unde stricket   vil spæh, noch baz dan spelten unde drîhen.
92 Gahmuret wart innen   der helbæren swære,   71
daz der junge talfîn   ûz Grâswaldân was fröuden alsô lære.
er nam in sunder ûf daz velt von strâze:
'wie vert sus Anphlîsen   knabe? sîn trûren kumt mir niht ze mâze.
93 Ich trage die wâren phlihte   al gelîch dîner pîne.   72
der Rœmesche keiser   und der admirât al der Sarrazîne
möhtenz mit ir rîcheit niht erwenden,
swaz dich bræht in siuftebæren pîn,   daz muoz mich an fröuden
                                            ouch phenden.'

88, 1. Schîonatulander het der nœte vil verborgen I.   2. wurde innen al spe-
    hende G, inne würd I.   3. liebester G, næhster I.   chumber G.   4. kal
    G.   et durch die wochen, in aller zît, den I.
89, 1. art Gi.   sîn I, so G.   wünschelich i.   2. ougen zart, swâ man kôs I.
    3. lûtervarwem I.   4. Des twanc in dürkel wenken niht I.   ez tet G, wan
    [et] I.   stætiu I.   liebe GI.
90, 1. Gahmuretes witze vil sêre was betwenget I.   ouch von minnen getwen-
    get G.   2. was und ir fehlt I.   minnen G.   unde G, fehlt I.   wan
    in het ir âsanc besenget I.   under wilen G.   3. mit truopheit G, im
    truebheit mêren (dann fehlt lûter) i, im trüeben i.   4. Wan [daz] er minne
    helfe [wol] bekant und ouch ir twinclîche stunde I.   er ein teil het en-
    phangen G.
91, 1. sich doch I.   2. Swer gein ir spehende sinne treit, dâ I.   al spehende
    kunst, dâ?   3. Si ist ouch G, Wan sist I.   hore G.   4. strichet G, strik-
    het i, streichet i.   vil spahe noch baz G, spæher vil i, noch mer und was i.
    dane G.
92, 1. Gahmuret den selben pîn erkand und al die swære I.   2. Graswaldan i,
    Graswalden G, Graswalde i, Graswald i.   3 von der G.   strâzen I.
    4 sus fehlt I.   chnappe din G.   ze mâzen I.
93, 1. phliht G.   2. Rœmisch rîch ze nihte mir wær und atmerât der Sarra-
    zîne I.   3. Die möhten mit I.   4. Waz G.   Swaz dich an fröuden
    twinget, daz (Swer dich hât bräht in kumber, der) muoz ouch mich an allen
    vröuden pfenden I.   braht G. gehört es vor daz?

94 Nu sult ir wol gelouben   dem werden Anschevîne,   VII, 74
    daz er gerne hulfe,   ober möht, dem jungen seneden talfîne.
    er sprach 'ôwê durh waz hât sich geloubet
    dîn antlütze lûterlîcher   blick? diu minn sich selben an dir roubet.
95 Ich spür an dir die minne: alze grôz ist ir slâge.   73
    du solt mich dîner tougen niht   helen, sît wir sîn sô nâhe gemâge
    und bêde ein verch von ordenlîcher sippe,
    nâher dan von der muoter   diu dâ wuohs ûz stelehafter rippe.
96 Du minnen ursprinc, [du] berndez   saf minnen blüete!   81
    nu muoz mich erbarmen   Anphlîse, diu dich durch ir wîplîch güete
    mir lêch: si zôch dich als si dich gebære,
    und het dich an ir kindes stat,   als lieb du ir noch bist und ie wære.
97 Hilest du mich dîn tougen,   dâ mite ist versêret   73b
    mîn herze, daz dîn herze ie was,   und hât sich dîn triwe geunêret,
    ob du mir sô grôze nôt entwildest.
    desn mag ich dîner stæte niht   getrûwen, daz du sô wanklîche
                                    unbildest '
98 Daz kint sprach mit sorgen   'sô sî mîn gedinge   75
    dîn fride und dîn hulde,   und daz mich dîn zorn niht fürbaz
                                    mêre twinge.
    ich hal dur zuht vor dir al mînen smerzen:
    nu muoz ich dir Sigûnen   nennen, diu hât ane gesiget mîm herzen.
99 Du maht, wilt du, ringen   den last ungefüege.   76
    nu wis der Franzoysinne gemant: obe ich dîner sorge ie getrüege,
    nim von ir . . . . . . mich ûz krenken.
    ein slâfender leu wart nie   als swære sô mîn wachendez gedenken.
100 Ouch wis gemant, waz mers   und der lande ich durchstrichen   77
    durh dîn liebe hân, niht durch armuot.   ich bin mâgen unde man
                                    entwichen,
    unde Anphlîsen mîner werden frouwen.
    des sol ich alles wider dich   geniezen: lâ dîne helfe schouwen.

94 *nach* 97 *I.*   1. getrouwen *I.*   werden *fehlt G.*   2. Mit triwen unver-
    houwen, daz er vil gerne hülf dem talfîne *I.*   obe er mohte *G.*   3. 4. Er
    sprach wie hât dîn antlütz sich geloubet Der sunnenvarwen (sunnenklâren)
    blicke? diu minne an dir sich selben beroubet *I.*   4. antlutze — bliche diu
    minne *G.*
95 *nach* 93 *I.*   1. minne ze groz mit al ir lâge *I.*   2. nahen *G.*   4. Die
    spur ich naher dane *G.*   stelhaftem *I.*
96 *nach* 103 *IM.*   1. Saf minnen berndem (berndes) rîse, ursprinc minnen blüete
    I (*vgl. MS* 1, 178ª), Dv minne bernde saf vrsprinch minnen blvte *M.*   berndes
    G.   2. Nu erbarmet mich *I.*   wol erbarmen Anſolyse *M.*   mir lêch (*aus V.* 3)
    nach dich *IM.*   wîpliche *IG, fehlt M.*   3. Diu (Und) zôch *I,* si zoch *M.*   reht
    als ob si *I.*   4. si het *M.*   noch] *fehlt M.*   vñ ouch ie *M.*
97 *nach* 95 *I.*   1. dîner tougen *I.*   4. Des ne *G.*   Daz zimt niht dîner
    stæte, daz du sô wankelichen unbildest *I.*
98 *nach* 94 *I.*   1. sprach vorhticliche *I.*   2. Daz mich dîn helfe rîche *I.*
    iht *I.*   mêre *fehlt I.*   4. minem *GI.*
99, 1. Du maht wol ringen mir diu bant des lastes ungefüege *I.*   wil du *G.*
    2. diner sorge ie *G,* [dâ mit dir] iht sorgen *i,* dâ mit dir sorgen ie *i.*
    3. Gip mir werden trôst, nim mich ûz krenken *I.*   4. wart nie sô swær
    als *I,* als sware wart nie so *G.*
100, 1. Ouch wis gemant waz lande und mers ich mit dir striche *I.*   was mers
    G. gehört dahinter ich hân?   2. Des mich diu liebe mande. und niht durch
    armuot dem lande entwiche *I.*   dine *G.*   mannen *G.*   4. dez solt *M.*
    wider dich] *fehlt I.*   nu (*fehlt M*) lâ dîne helfe an mir schouwen *IM.*

101 Du maht mich wol enstricken   von slôzlîchen banden.   VII, 78
wird i'emer schiltes hêrre   under helme und ûf kost in den landen,
sol mîn helfec hant dâ prîs erringen,
die wîle wis mîn voget, daz   dîn scherm mich erner vor Sigûnen
                                                                twingen.'
102 'Ey kranker knabe, waz waldes   ê muoz verswinden   79
ûz dîner hant mit tjoste,   solt du der ducissen minne bevinden!
werdiu minne ist teilhaft ordenlîche:
si hât der sælige ellenthaft   erworben ê der zagehafte rîche.
103 Doch fröu ich mich der mære,   daz dîn herze sô stîget.   80
wâ wart ie boumes stam   an [den] esten sô lobelîche erzwîget?
si liuhtec bluome ûf heide, in walde, ûf velde!
hât dich mîn müemel betwungen,   ôwol dich der lieplîchen melde!
104 Schoysîâne ir muoter   dâ für wart beruofen,   82
daz got selbe und des kunst   mit willen ir clâtheit geschuofen:
Schoysîânen blic der sunnenbære,
den hât Sigûn Kîôtes kint   an ir, jehent ir erkantlîch mære.
105 Kîôt der prîs bejagende   in der scharflîchen herte,   83
der fürste ûz Katelangen,   ê Schoysîânen tôt im fröude werte,
ir zweiger kint ich sus mit wârheit grüeze,
Sigûn diu sigehaft ûf dem wal,   dâ man welt magede kiusche
                                                unde ir süeze.
106 Diu dir hât ane gesiget, du solt   sigenunft erstrîten   84
mit dienstlîcher triwe an ir [minne].   ouch wil ich des [willen]
                                                niht langer nu bîten,
in dîne helfe ich bringe ir werden muomen.
Sigûnen glanz sol dîne   varwe erblüen nâch den biclîchen bluomen.'

101, 1. mach *M.* von] vz *M.* 2. Sol immer schilt erblicken ab (vor) mir under
helm in fremden landen *I.* Wirde ich imer *GM.* ûf kost] *fehlt M.* 3. sol]
Mac dâ. (Dâ sol) *I.* helflich *I.* nâch (da nach *M*) prîse ringen *IM.* 4. die
wîle] *fehlt M.* sô wis *I.* vogt *IM.* unde ner mich vor [der magt] Sigûnen
I, daz mich din gewalt nere vor Sygunen *M.* mich *hinter* daz?
102, 1. chranch *M.* der krefte waz waldes *I.* swinden *IM.* 2. mit tyost vs
diner hende *M.* tjoste] ritterschefte *I.* 3. Wan ie di (ir *i,* div *M*) minne
i i M. 4. Si hât der ellenthafte erworben [der sælig *an verschiedenen stellen*]
ê [dann] der zagehafte rîche *I.* sælige] arme *M.* ellenhaf *G,* ellenthafte *M.*
e dane der *G.* zaghafte *M.*
103, 1. mære] hœhe *IM.* daz] aldar *I.* also *M, fehlt I.* 2. Nie boum von stam der zœhe
mit esten wart sô bluotlîch gezwîget *I.* von den esten so lobliche ge-
zwiget *M.* 3. in walde, ûf heide *IM.* vñ an felde *M.* 4. sûzzez mvmelin
M, muome? so wol *M.*
104, 1 Sygvnen mv̂ter *M,* Tschôsîân an prîse *I,* was [ie] *I,* was *M.* berüefe *IM.*
2. got vñ sin chvnst *M,* got mit künste wîse *I.* geschüefe *IM.*
3. tschoysianen *M.* 4. Sigune *GM.* kint] tohter *G.* an im *M, fehlt I.*
gehent ir *G,* des jehent ir *I.* iehent dez *M.* erchantlichiu *GM,* bekantlîchiu *I.*
105, 1. in scherflîcher (**scharflicher** *M*) herte *IM.* 2. Ist nu der (Der ist nu) jâmer
trâgende *I.* Katalangen *M.* ê] *fehlt IM.* Tschoysîanen *M.* froude im *G,*
im alle frevde *M.* 3. Ir beider *I.* sus] hie *I.* 4. Sigune diu sigehafte *GM.*
meide *M.* ir] *fehlt G.*
106, 1. an gesiget *I,* an gesigt *M.* diu sol signunft *I,* dv solt ir *M.* gestriten *M.*
2. an ir minne] *fehlt IM.* ouch wil ich dcz *M.* wil ich (ich wil) des *I.* nu
niht *I.* nu] *fehlt M.* des nu niht langer bîten? 3. mine werde *M.*
4. din farwe *M.* dîne var? dîn varwe sol? bichlichen *G.*
(85) 'Owe Sigûn diu clâre.' sprach Schîonatulander,
'du gîst mir hitz für wâre   mêr dann Agrimontîn (Agrimont) dem sala-
                                  mander, (*vgl.* 121, 4)

107 Schîonatulander　　　begunde alsus sprechen.　　　　　　　　　VII, 87
'nu wil mir dîn triuwe　　　aller sorgen bant gar zerbrechen,
sît daz ich mit dînen hulden minne
Sigûnen, diu mich roubet　　　nu lange ûf fröude und an frœlîchem sinne.'
108 Sich möht, oder wolte,　　　wol helfe vermezzen　　　　　　　88
Schîonatulander.　　　ouch sule wir der grôzen nôt niht vergezzen,
die Kîôts kint truoc unde Schoysîânen,
ê daz si . . . . . . trôst　　　enphienc: diu muose fröuden sich ânen.
109 Wie diu fürstinne　　　ûz Katelange betwungen　　　　　　　89
was von der strengen minn (alsus　　　het ir gedanc ze lange un-
　　　　　　　　　　　　　　　　　　　　sanfte gerungen,
daz siz vor ir muomen helen wolte),
diu künegîn wart innen　　　mit herzen schricke, waz Sigûne dolte.

110 Reht als ein touwec rôse　　　unde al naz von rœte,　　　　90
sus wurden ir diu ougen:　　　ir munt, al ir antlütze enphant der nœte.
dô kunde ir kiusche niht verdecken
die lieplîchen liebe　　　in ir herzen: daz qual sus nâch kintlîchem recken.
111 Dô sprach diu küneginne　　　durch liebe und durch triuwe　　　91
'ôwê Schoysîânen fruht,　　　ich truoc ê alze vil ander riuwe,
der ich phlac hin nâch dem Anschevîne:
nu wahset in mîn swære　　　ein niwer dorn, sît ich kiuse [sus] an
　　　　　　　　　　　　　　　　　　　dir pîne.

　　　　der zallen zîten lebt wan in dem fiure.
　　　　dann diu süez dîner varwe, sô diuhte mich du wærest ungehiure.'
(86) Gahmuret den süezen　　　bat al sîn trûren lâzen.
　　　'si sol dir senftez grüezen　　　bieten, daz dir noch baz kumt ze mâzen.
　　　du solt sus niht queln (leben) in sölher swære;
　　　durch mich und durch Sigûnen　　　wis wol gemuot unde freudenbære.' I.
107, 1. Der talfîn sunder riuwe begund alsô nu sprechen I.　　Tschynohtvlander M.
also M.　　2. din trost unde din triwe GM.　　sorgenbant zebrechen M.　　3. mit
urloube nu IM.　　4. nu lange] fehlt I.　　uf der froude G, an freuden IM.　　vñ
an frôlichem M (gegen Golther). — froulichem G.
108, 1. Sich mohte M, Er moht sich I.　　ob er wolde M.　　2. Gahmuret der werde
M, Der dâ vil kumbers dolde I.　　nu sulen [ouch] wir I, nv svln wir M.　　der
grozzen not GM, der nœte I.　　grôzer nœte?　　3. An Kiotes kint und Tschoi-
sîânen IM.　　Kivtes G.　　Schoysianen samen G.　　4. Diu het an grôzen sorgen
teil: des muost si sich aller freuden ânen I.　　e div trost M.　　enphie GM.
mvste aller freuden M.
109, 1. Diu fürstin S gûne vil sêre was betwungen I, Div fvrstinne vz Katalangen
sere was betwngen M.　　furstin G.　　2. Von starker minne lûne [. sus] het ir
gedanc vil (nu) lange unsanfte gerungen I, von der strengen minne sus hete ir
gedanche vnsanfte lange gerungen M.　　3. siz G, si i, si sich i, nicht lesbar M.
4. chvnginne M.　　herze M.　　schrich G.
110, 1. Rehte G.　　rôse var I.　　unde] fehlt IM.　　von der rœte IM.　　2. sus]
fehlt I.　　ougen clâr, und allez ir antlütze I, ovgen ir (ir gegen Golthers dı z)
antluzze M.　　empfant allez M.　　wol der GM　　3. Do GM, Iedoch sô ,
Und i.　　von chunde nur ch lesbar M.　　doch ir M.　　4. Die kintlîchen liebe
daz si [sô] qual nâch I, die lieplichen minne daz si so qual nach M.　　kal G.
111, 1. Dô sprach diu künegin mit zuht durch wîplîch ir triuwe I, Nv sprach div
chvneginne (gegen Golther) durch trıwe M,　　chungine G.　　2. Tschoysianen
M.　　jâ (fehlt M) het ich (ich het M) ze vil ander riuwe IM.　　3. phlach
hin G, pflig da i, pflige i, pflach M.　　4. wahesset G, wachset M.　　mine
sware G, mîn herze I, minen ovgen M.　　dorn] pin? M.　　daz ich an dir
kiuse solhe pîne i, [hie] von dîner [grôzen] pîne i. — sît] nicht lesbar M.
sus] fehlt M.

112 An lande unde an liuten   sprich waz dir werre: VII, 92
oder ist dir mîn trôst   und ander mîner mâge sô verre
daz dich niht ir helfe mac erlangen?
war kom dîn sunneclîcher blic?   wê wer hât den verstolen dînen
wangen?
113 Ellendiu maget, nu muoz mich   dîn ellende erbarmen.   93
man sol bî drîer lande   krôn mich immer zelen für die armen,
ichn gelebe ê daz dîn kumber swinde,
und ich diu rehten mære   al dîner sorge mit [der] wârheit bevinde.'
114 'Sô muoz ich mit sorge   al mîn angest dir künden.   94
hâstu mich deste unwerder iht,   sô kan dîn zuht sich an mir gar
versünden,
sît ich mich dervon niht mac gescheiden.
lâ mich in dînen hulden,   süeziu minne: daz stêt wol uns beiden.
115 Got sol dir lônen: swaz ie muotr ir kinde   95
mit minneclîchem zarte   erbôt, die selben triwe ich hie vinde
vil stæteclîche an dir, ich fröuden kranke.
du hâst mich ellendes   erlâzen [wol]: dîner wîblîchen güete ich danke.
116 Dînes râtes, dînes   trôstes, dîner hulde   96
bedarf ich mit ein ander,   sît ich al gernd nâch friunde jâmer dulde,
vil quelehafter nôt: daz ist unwendec:
er quelt mîn wilde gedanke   an sîn bant, al mîn sin ist im bendec.

117 Ich hân vil âbende al mîn schouwen   98
ûz venstren über heide,   ûf strâze unde gein den liehten ouwen,
gar verloren: er komet mir ze selten.
des müezen mîniu ougen   friundes minn mit weinen tiure gelten.

112, 1. landen M.   2. trôst der mîne und aller mîner mâge alsô verre I.   vñ al
diner mage M.   mîner fehlt G.   3. mac ir helfe niht I.   4. sunnch-
licher G, sunneliehter I, svnnen liehter M.   wê] fehlt IM.   verstoln M.
113, 1. magt M.   wol mich I.   2. Bî drîer lande krône sol mich anders niemen
nennen denn die armen I.   chrone IM.   immer] fehlt M.   3. Ich
en G, Ich IM (gegen Golther).   e GM, dann I.   4. die M.   mære der
wârheit aller dîner sorgen I, warheit aller diner sorgen M.
114, 1. Sô muoz ich mit der vorhte phliht die wârheit dir künden I, So mvz (gegen
Golther) ich vor forhten dir die warheit chvnden M.   2. [ha]st [d]v M.
dest M.   zuht s i ch a . . . , darnach alles unleserlich M.   gar] fehlt I.
115, 1. Got lôn dir, sælden rîche, swes muoter ie ir kinde I.   muoter G.
2. Mit zarte minneclîche I.   hie G, an dir I.   3. Mit stæte ganz, ich ar-
miu freuden kranke I.   4. Du erlâst mich gar ellendes I.
116, 1. Dîn rât dîn trôst mir bieten sol helfe rîch und (helferîche oder helfe und
dar zuo) hulde I.   2. Kanst du dich triwe nieten I.   gernd i, gernde G.
kumber I.   3. Und vil quelhafter I.   4. quelt G, koppelt i, stricket i.
mine G.   bant G, seil I.   im fehlt I.

(97) Ez wart ûf mer geworfen nie   uz kocken noch ůz kiele
ein anker alsô swær der ie   ze tal durch wâc sô tiefe geviele,
als mîn herze in jâmer ist versenket.
ez nert ein klein gedinge,   daz ez vor tôd alsam ein hase wenket. I.
117, 1. Ich hân nâch liebem friunde?   1-3. Ich hân mîn âbentschouwen ůz
venstern über heide Und gein den liehten ouwen, nâch liebem friunde spilder
ougenweide Vil (Daz ist) gar verlorn: er kumt mir alze selten I.
3. kan I.   4. Wis mir genâde rîche, süeze muome (süezez müemel): daz zimt
wol I.

118 Sô gên ich von dem venster .... an die zinnen: VII, 99
dâ warte ich ôsten westen, obe ich möhte des werden innen,
der mîn herze lange hât betwungen.
man mac mich vür die alten senden wol zelen, niht für die jungen.
119 Ich var ûf einem wilden wâge eine wîle: 100
dâ warte ich verre, mêre danne über drîzec mîle,
durch daz, ob ich hôrte sölhiu mære,
daz ich nâch mînem jungen clârem friunde kumbers enbære.
120 War kom mîn spilende fröude? od wie ist sus gescheiden 101
ûz mînem herzen hôher muot? ein ôwê muoz nu folgen uns beiden,
daz ich eine für in wolte lîden.
ich weiz wol daz in wider gein mir jagt sendiu sorge, der mich
doch kan mîden.
121 Owê des, mir ist sîn kunft alze tiure, 103
nâch dem ich dicke erkalte, und dar nâch, als ich lige in gnei-
stendem viure,
sus erglüet mich Schîonatulander:
mir gît sîn minne hitze, als Agremuntîn dem wurme salamander.'
122 'Owê,' sprach diu künegîn, 'du redest nâch den wîsen. 104
wer hât dich mir verrâten? nu fürht ich die Franzoysinne
Anphlîsen,
daz sich habe ir zorn an mir gerochen:
al dîniu wîslîchen wort sint ûz ir munde gesprochen.

123 Schîonatulander ist hôch rîcher fürste: 105
sîn edelkeit, sîn kiusche törst doch nimêr genendn an die getürste,
daz sîn jugent nâch dîner minne spræche,
op sich de Franze Anphlîsen haz an mir mit hazze niene ræche.

118, 1. Uz venster sunnen glesten (durch ein resten) gên ich an die zinnen I.
aber? 2. osten unde westen G. ob ich des indert möhte werden inne I.
4. für die senden alten zelen und niht I.
119, 1. Uf einem wilden wâge var ich dann ein wîle I. wilden fehlt G.
2. Der warte setze ich lâge verre mê dann über drizic mîle I. über fehlt
G. 3. ob fehlt G. 4. iungem clârem G, clâren jungen süezem oder
süezen jungen clâren I. chumbers G, nôt I.
120, 1. froude oder G, wünne guot? I. sus hin I. 2. hochgemuote G.
nu fehlt I. 4. gein mir fehlt I. iaget G. sendiu nôt, swie lange er
mich kan mîden I.
(102) Owê swenn ich entslâfen bin, sô kumt er mir vil dicke,
und mich erwecket (er ist hin) der vil süeze minneclîche schricke:
sô wirt aber erniwet mîn altez trûren.
man môht ûf mîn flustlîche sorge wol für stürm ein burc mûren. I.
121, 1. Owê sîn kunft, sîn werder gruoz ist verre mir und tiure I. 2. erkalten
muoz I. in dem gnaeistenden G, in genstertem i, in glüegendem i, in i.
3. Alsus oder Alsô I. 4. alse egremuntin G, als Agrimont oder Agremont
oder Agramont I.
122, 1. du reist G. 2. Wie ich an dir verrâten bin! ich fürht die Franzoisinne
Anflîsen I. der franzoysare chungin G. 3. Daz si I. 4. Al dîniu
witzerîchiu wort diu sint [gar] ûz I.
123, 1. Uz Graswald diu jugende I. 2. Sîn kiusch, sîn edliu tugende I.
getôrste I, getrorste G. doch nimer G, niht I. genenden an die G,
genenden der (von) I. 4. sich der stolzen Anphlisen haz G, sich diu kü-
neginne Anflize i. Anfolîse die Franze ir haz i, diu Franzoysinne ir haz i.
mit ir hazze G.

124 Si zôch daz selbe kint, sît ez der brüste wart enphüeret. VII. 106
gap si niht durch triegen den rât der dich hât als unsanfte gerüeret,
du maht im, er dir vil fröude erwerben.
sîstu im holt, sô lâ dînen wunschlîchen lîp niht verderben.
125 Biut im daz zêren, lâ wider clâren 107
dîn ougen, [diu] wange, [dîn] kinne. wie stêt alsô junclîchen jâren,
op sô liehtez vel dâ bî verlischet?
du hâst in die kurzlîchen fröud vil sorge alze sêre gemischet.
126 Hât dich der junge talfîn an freuden verderbet, 108
der mac dich wol an fröuden gerîchen: vil sælde unde minne ûf
in gerbet
hât sîn vater und diu talfînette
Mahaude, diu sîn muoter was, und de künegîn sîn muome Schôette.
127 Ich klage et daz du bist alze fruo sîn âmîe. 109
du wilt den kumber erben, des Mahaude phlac bî dem talfîn
Gurzgrîe.
dicke ir ougen habent an im erfunden,
daz er den prîs in mangen landen hielt under helme ûf gebunden.
128 Schîonatulander an prîse ûf muoz stîgen. 110
erst von den liuten erboren, die niht lânt ir prîs nider sîgen:
er wuohs in breit gestrecket an die lenge.
nu halt dâ zim die trœstlîchen fröud, unde er [der] sorge über
dich niht verhenge.

129 Swie vil dîn herze under brust des erlache, 111
daz hân ich niht vür wunder. wie kan er sich schicken under
schiltlîchem dache!
ûf in vil zähere wirt gerêret
[der funken], die ûz helmen und eken springent dâ fiurîn regen
sich gemêret.

124, 1. kindel, sît ez wart brüst enpfüeret *I*. brust *G*. 2. Durch triegens
wundervindel (underwindel) gap si niht (lîht) rât der dich unsanfte rüeret *I*.
3. Wilt du im freuden vil (im vil der freud) und dir erwerben (nu werben) *I*.
frouden *G*. 4. sô lâ wider clâren dîn jungen lîp, und lâ den niht verder-
ben *I*.
125, 1. zeren *G*, ze wirde und *I*. 2. Diniu ougen *G*. Kinn ougen wang ze
girde *I*. kintlîchen *I*. 3. erlischet *I*. 4. Du hâst in dîne kintlîch freude
der sorgen last ze fruo (ze vil) gemischet *I*. froude *G*.
126, 1. Hât talfîn dich geletzet an freuden und verderbet *I*. 2. In freude rîch
dich setzet sîn lîp. vil sælde und minne ûf in erbet *I*. Der rîchet dich an
fröuden wol? 3. Die het sîn vater und der talfialte *I*. die Talfinete *G*.
4. Und Mahede (Mahode) sîn muoter. diu küniginne ir muomen sus entsalte
(entschalte) *I*. de *fehlt G*. Swete *G*.
127, 1. Ich klage daz du freuden bar ze fruo bist sîn âmîe *I*. 2. wil *G*. erben
gar *I*. Mahede *i*, Mahech *i*. pflac nâch talfin *I*. Talfine Kurkrie *G*.
3. Als ez vil dicke ir ougen hânt erfunden *I*. 4. Daz er den prîs bezalte
in landen vil under helm ûf gebunden *I*. hiet? holt *Wackernagel*.
128, 1. Der Grâhardois (Der talfîn) mit werder zuht an prîse muoz ûf stîgen *I*.
2. Er ist *G*. Er ist erborn von der fruht, die niht ir prîs (ir prîs niht)
liezen nider sîgen *I*. 3. wohes *G*. breit *G*, hôch *I*. gestchet *G*.
4. Nu hol (hel *oder* hilf) daz im diu (dîn) trœstlîch freud iht ander sorgen
über dich verhenge *I*. hol? datze im *G*. froude *G*.
129, 1. Ob dîn herz hie under der brüste des erlache *I*. 2. 3. wie kan er
under schiltlîchem dache Sich schicken, dâ ûf in vil zehere rêret? 2. schiltch-
lichem *G*. 3. Uf sîn dach vil zäher wirt gerêret *I*. zahere *G*. 4. Von
(Mit) funken die dâ springent von (mit) swerten dâ sich fiurin regen mêret
I. ûz helm?

130 Er ist ze tjost entworfen: wer kunde in sô gemezzen?   VII, 112
an mannes antlütze   gein wîplîcher güet nie minner vergezzen
wart an muoter fruht, als ichz erkenne.
sîn blic sol dîniu ougen   gesüezen: ûf gelt dîne minne i'm nenne.'
131 Aldâ was minne erloubet   mit minne beslozzen.   118
âne wanc gein minne   ir beider herze was minne unverdrozzen.
'ôwol mich, muome,' sprach diu herzoginne,
'daz ich den Grâharzoys   vor al der werlde nu mit urloube sô minne!'

130, 1. Ze tjost entworfen rîche ist er nàch (ze, mit) wunsch gemezzen *I.*
     2. Sîn antlûtz manlîche (süez manlîche hât) wîbes süeze und clârheit niht
     vergezzen *I.*   Ane mannes antule gein wiplicher gŏte *G.*   miner *G.*
     3. Ez wart nie reiner fruht *I.*   4. Sîn blic dîn ougen süezen sol: ûf minne
     gelt dîn minne ich im nenne *I.*   ih im *G.*
   131, 2. Der minn vil unberoubet was ir beider herze unverdrozzen *I.*   gegen
     G.   was *vor* ir?   4. Daz ich vor al der werlde den Grâharzois nu mit
     urloub sô minne?   den jungen Grâhardois mit urloub vor aller werlte
     minne *I.*

II.

132 Sus lâgen si unlange:　　do gehôrten sie schiere,　　　　　　x, 8
in heller süezer stimme　　ûf rôtvarwer vert nâch wundem tiere
ein bracke kom hôchlûtes zuo zin jagende.
der wart ein wîle gehalden ûf:　　des bin ich durh friunde noch
　　　　　　　　　　　　　　　die klagende.
133　Dô si den walt alsus　　mit krache hôrten erhellen,　　　　　9
Schîonatulander　　ûz kintlîchem leben für die snellen
was bekant; wan Trefrezent der reine
der lief und spranc allen den　　vor, die des phlâgn ûf rìters gebeine.
134　Nu dâhter 'obe den hunt　　iemen mac erloufen,　　　　　　10
rîterlîchiu bein die trage.'　　er wil ... fröude verkoufen
unde ein stætez trûren dran enphâhen.
ûf spranc er gein der stimme,　　als er wolte den bracken ergâhen.
135　Sît in den wîten walt　　niht mohte gekêren　　　　　　11
daz flühtege wilt, wan her　　für den talfîn, daz wil sîn arbeit
　　　　　　　　　　　　gemêren:
künftec trûren brâhtez im ze teile.
nu dacter sich in einer dicken　　strut: sus kom jagende an dem seile

132, 1. hôrten *I.*　　si *G*, si vil *I.*　　2. Mit einer rîchen strange *I.*　　rôtwildes *I.*
verte *Gi*, var *i.*　　3. brache *Gi*, braken *i*　　[der] kom lût (lûtes) helles ja-
gende *I.*　　4. ein wîl gehalten ûf *i*, eine wile ûf gehalden *G*, ûf gehalten *i.*
froude *G.*　　noch diu *G*, nôt der *I.*
133, 1. Dô si den walt mit krache alsus hôrten erhellen *I.*　　2-4 Dem talfîn ze
ungemache: der was gezalt von kinde für die snellen; Ane Trevrezzent: der
lief al eine Und spranc hin für si alle, die es (des) phlâgen *I.*　　2. uz chint-
heit in chintlichez leben *G.*　　4. phlagen *G.*
134, 1, Durch snelheit sîn die rîchen dâht er den hunt erloufen *I.*　　2. Bein
diu rîterlîchen trag ich. nu wil er sælde verkoufen *I.*　　3. stætz truren dar
an *G.*　　4. er *I*, sin lîp *G.*
135, 1. Sît in dem wîten walde *i*, Sît daz mit fluht sô wilde *i.*　　nindert *I.*
2. Daz flühtic tier sô balde *i*, Daz tier walt noch gevilde *i.*　　wan gên dem
talfîn ze kumber mêren *i*, danne dem talfîn arbeit ze mêren *i.*　　mêren?
4. douht er *i.*　　in einer ditchen strut *G*, in einem struht *oder* in einer (ein)
stûden *I.* in dicker strut?　　sus kom der hunt (bracke) jagende *I.*
(12) den bracken liez ein fürste　　nâch tier mit wundem mâle,
nâchflühtic mit getürste.　　versniten het ez wît ein schärphiu strâle:
dô was et ez ze verhe niht verhouwen.
ze gâbe rich durch minne　　wart gesant der brack von einer frouwen.
(13) Des fürsten fröud ez latzte,　　dô im der bracke enpharnde
was, den er nider satzte　　ûf strâlsnîdic mâl. er was unsparnde
diu spor, biz er in weder sach noch hôrte;
dâ von dem hôch gebluomten　　sîn fröude nickt und jâmer sich enbôrte.
(14) Hie erjagt an allen sîten　　der bracke fröuden pfende
durch diu lant vil wîten.　　daz si niemer hunt mê gesende, *I.*

136 Des fürsten bracke, dem   er enphuor ûz der hende
nider ûf diu strâlsnitec mâl.   daz si nimmer hunt mêre gesende,
diu in dâ dem grôz gemuoten sande,   X, 14
von dem er jagte unze ûf den [stolzen Grahardeiz],   daz dem vil
                        hôher fröuden sît erwande.
137 Dô er dur die dicke   alsus brach ûf der verte,   16
sîn halse was arâbensch   ein borte geslagen mit der drîhen [vil] herte,
dar ûfe kôs man tiure und lieht gesteine:
die glesten [durh den walt] sam diu sunne.   aldâ vienc er den
                        bracken niht eine.
138 Waz er mit dem bracken   begreif, lât ez iu nennen.
gefurrierten kumber mit arbeit   er muose unverzagetlîche erkennen,
und immer mêr grôz kriegen et nâch strîte.   18
daz bracken seil was rehte im   ein urhap fröuden flustbærer zîte.
139 Er truoc den hunt ame arme Sigûnen der clâren.   19
daz seil was wol zwelf klâfter lanc,   die von vier varwe borte-
                        sîden wâren,
gel, grüene, rôt, brûn diu vierde,
immer swâ diu spanne erwant   an ein ander geworht mit gezierde.
140 Dar über lâgen ringe   mit berlen verblenket;   20
immer zwischenn ringen   wol spanne lanc, niht mit stein verkrenket,
vier blat, viervar wol vingers breit die mâze.
gevâhe ich immer hunt an sölch   seil, ez blîbt bî mir, swenn
                        ih· in lâze.
141 Sô manz von ein ander   vielt, zwischenn ringen   21
ûze und innen kôs man dran   schrift wol mit kosteclîchen dingen.

136, 3. dâ *fehlt G.*   4. Von dem er was nu jagende ûf den, daz sît in beiden
vröude wande *i*, Wann er den ûf dem jagde sît vil hôch an allen freuden
pfande *I*.   vil fil frouden *G.*
(15) Dô Schîonatulander   hie was ûf dirre warte,
    dô kôs er blicke glander   an boumen hôch: des wundert in vil (wol) harte,
von wannen dirre schîn sô möhte glesten.
der gie von disem bracken: des seil daz was ein borte wol der besten *I.*
137, 1. Dô er den bracken hôrte, er spranc hin gein der verte *I.*   2. Arâbisch
ein borte diu halse was, geslagen mit drîhen herte *I.*   4. durh den walt
fehlt I.   al da *G*, dâ *I.*
(17) Kumber und arbeite   hât er dâ mit begriffen.
diu zwei, niht smal, vil breite, (vil gar bereite)   gefurriert in ein ander
                        unzersliffen
beliben si die lenge in stæter genze.
ouwê daz ie bracke   sô rîche wart geseilt mit dirre glenze!
(18) Wan unvergezzenlîche   sô muoz er nu bekennen
an überkrefte rîche   der nœte vil, die niemen kan zertrennen, *I.*
138, 1. eu *G.*   2. Gefurrieten *G.*   Gefurriert muoser kumber mit arbeit unver-
zagetlîche erkennen?   3. Und kriegen iemer mê nâch starkem strîte *I.*   imer
mere *G.*   4. Daz bracken seil ein urhap was sîner fröuden flustbæren zîte *I.*
139, 1. an dem· arme *G*, sô genge *I.*   der *G*, hin der *i*, der vil *i.*   2. Zwelf
klâfter was mit lenge daz seil daz vierlei varwe portensîden wâren (daz seil
des (der, mit) varwe dâ vier von sîden wâren).   4. an *G*, in *I.*
140, 1. uber *G*, umbe *i*, obe *i*, ûffe *i.*   2. Dâ zwischen rîcher (Kosterîcher)
dinge ie spanne (spannen) lanc mit steinen niht verkrenket *I.*   zwischen
den *G.*   steinen *G*, staine *i.*   3. vier varwe vingerbreit *I.*   4. imer
fehlt I.   solhez *G*, sölhem *I.*   belibet *G.*   bî *fehlt I.*   swenne *G.*
141, 1. Do *Gi.*   Sô manz von ander valden sach, zwischen den ringen *I.*
zwischen den *G.*   2. Uzen *G.*   Kundez wirde walden von rîcher schrift
mit kostebæren dingen *I.*

âventiure hœrt, obe ir gebietet.
mit guldîn nagelen wâren 　　die steine vaste an die strange genietet.
142 Smârâde wârn die buochstabe, 　　mit rubîn verbundet: 　　　　　　x, 22
adamant, krisolte, 　　grânât dâ stuonden. nie seil baz gehundet
wart, ouch was der hunt vil wol geseilet:
ir muget wol râten, welhez ich 　　dâ næme, op wære der hunt der-
　　　　　　　　　　　　　　　　　gegene geteilet.
143 Uf einem samît grüene 　　als in meigeschem walde 　　　　　　23
was diu halse ein borte 　　genæt, vil stein von arde manecvalde
drûf geslagen: die schrift ein frouwe lêrte.
Gardeviâz hiez der hunt: daz kiut tiuschen Hüete der verte.
144 Diu herzogîn Sigûne 　　las anvanc der mære. 　　　　　　　25
'swie ditze sî ein bracken name, 　　daz wort ist den werden gebære.
man und wîp; die hüeten verte schône,
die varent hie in der werlde gunst, 　　und wirt in dort sælde ze lône.'
145 Si las mêr an der halsen, 　　noch niht an dem seile. 　　　　　26
'swer wol verte hüeten kan, 　　des prîs wirt getragen nimmer veile:
der wonet in lûterem herzen sô gestarket,
daz in nimmer ouge ersiht 　　ûf dem unstæten wenkenden market.'
146 Der bracke unde daz seil 　　einem fürsten durch minne 　　　27
wart gesant: daz was von art 　　under krône ein jungiu küneginne.
Sigûn las an des seiles underscheide,
wer was diu künginne unde ouch der fürste: 　　diu stuonden be-
　　　　　　　　　　　　　　　　　kantlîch dâ beide.
147 Si was von Kanadic erboren, 　　ir swester, Flôrîen, 　　　　　28
diu Ilinôte dem Britûn 　　ir herze, [ir] gedanc und [ir] lîp gap
　　　　　　　　　　　　　　　ze âmîen,
gar swaz si hete, wan bî ligende minne:
si zôch in [von kinde] unze an schiltlîch vart 　　und kôs in für
　　　　　　　　　　　　　　　alle gewinne.

3. horet G. 　　4. guldinen G. 　　die steine wâren an die strange [vast] ge-
nietet I. 　　stange G.
142, 1. Smaragede waren G. 　　buochstaben I. 　　rubinen Gi. 　　2. Mit gewier
ûf golt erhaben. ez enwart nie seil baz gehundet I. 　　Adamante krisolite G.
3. Nu was der hunt ouch vil wol geseilet I. 　　4. Wederz ich dâ næme, daz
riet ich wol, ob ez mir wær geteilet I. 　　erraten G.
(24) Dîâmant, crisolde, 　　turkoiten und sardîne,
grânât jâchant ûf golde 　　verwiert, und ander manec in liehtem schîne,
der lac vil dar ûf mit kraft der grôzen.
von edelkeit der steine 　　kund dem seil an rîcheit niht genôzen I.
143, 1. Ein samît drunder hôrte, gevar nâch maischem walde I. 　　gruonem G.
2. Diu halse was ein borte, vil rîcher stein I. 　　steine G. 　　3. Durchliuhtic
lieht. I. 　　4. Gardiviâz I. 　　chut G, sprichet I. 　　tuschen huote G.
144, 1. Sigune G, lobesam I.
145, 1. Si was die halsen lesende I. 　　mere G. 　　2. Swer vert in huot ist we-
sende I. 　　3. Ob er in herzen lûter wont gestarket I. 　　4. ersiht i, gesiht i,
uber sihet G.
146, 1. 2. [Den] bracken und seil durch minne sant einem fürsten schône Ein
edeliu küneginne, diu truoc von art und von adel krône I. 　　3. Sigune G.
Sigûne las ir namen underscheide I. 　　4. Der küngin und des fürsten I.
der fürste] er Wackernagel. erkantlich I.
147, 1. ir swester G, der swester dâ I. 　　2. Diu Ylinôten het erkorn. dem Britûn
gap sie herze und muot ze âmîen I. 　　3. Und swaz si hête, ân I. 　　4. Si
zôch in unz an schildes vart I. 　　schiltliche G.

148 Der holt ouch nâch ir minne   under helm sîn ende.   x, 29
obe ich niht bræche mîne zuht,   ich solte noch fluochen der hende
diu die tjost ûf sînen tôt dar brâhte.
Flôrî starp ouch der selben tjost,   doch ir lîp nie speres orte genâhte.
149 Diu liez eine swester,   diu erbet ir krône.   30
Clauditte hiez diu selbe maget: der gap kiusche unde ir güet
ze lône
des vrömden lop und ouch der si bekande.
des wart ir prîs beruofen   in mangiu lant, daz den dâ niemen wande.
150 Diu herzoginne las   von der magt an dem seile.   31
die fürsten ûz ir rîche   eins hêrren an si gerten mit urteile.
sie sprach in einen hof ze Beuframunde.
dar kômen rîche und arme   [ungezalt]: man erteilte ir wale an
der stunde.
151 Duc Ehkunahten   de Salvâsch flôrîen,   32
den truoc si in ir herzen   dâ vor, ouch kôs si in benamen ze
âmîen.
des stuont sîn herze hôher danne ir krône:
Ehkunaht gerte [aller] fürsten zil: wan er phlac sîner verte vil schône.
152 Si twanc sîn jugent unde ouch   daz reht von ir rîche: 33
sît daz ir wart erteilt diu wal,   nu welt ouch diu maget werdeclîche.
welt ir tiutsch ir friundes namen erkennen?
der herzoge Ehcunaver   von Bluome diu wilde, alsus hôrt ich
in nennen.
153 Sît er von der wilde   hiez, gegen der wilde   34
si sante im disen wiltlîchen   brief, den bracken, der walt und gevilde
phlac der verte als er von arte solte.
ouch jach des seiles schrift daz sie   selb wîplîcher verte hüeten wolte.
154 Schîonatulander   mit einem vederangel   35
vienc äschen unde vörhen,   die wil si las, und der fröude den
mangel,

148, 1. helme G.   2. Ob ich der zühte sinne niht bræche, ich solte fluochen
[noch] der hende I.-   3. ûf sînen schaden brâhte I.   4. Florie G, Flôrîn I.
ouch an der G.   swie doch I.   spers G.
149, 1. Flôrîn dâ ein swester liez, diu erbte dô ir krône I.   2. Claudite Gi.
diu selbe maget hiez I.   ir fehlt I.   guote G.   3. Der I.   swer I.
4. ir lop G.   niemen da G.
150, 1. Sigûne las êrlîche von der magt am seile I.   meide G.   2. [die] ger-
ten eines herren mit urteile I.   eines G.   3. Pôvermunde I.   4. un-
gezalt fehlt I.   dô erteilt man ir I.
151, 1. 2. De Salvâsch Ekunâten, der tugent ein flôriere, An den ir herz gerâten
was: dâ von kôs sin benamen schiere I.   1. Duch Ehkunat der Salfasch G.
3. sîn muot vil hôher I.   4. Ehkunat gerete G, Er gerte I.   vil G,
ir. I verändert.
152, 1. Si twanc jugent und edel art und daz reht von ir rîche I.   2. Sît
[daz] ir [diu] wal erteilet wart, dô welet I.   erteilet G.   3. in tiutsch I.
4. Der wilde von den (dem) bluomen Ekunat hôrt ich (sol man) den fürsten
nennen I, Den sult ir herzoge Ekunat den wilden von den bluomen nû nen-
nen i.   von bluomder wilde?   horte G.
153, 1-3. Sît er von der wilde hiez, si sande gein der wilde Im alhie nu disen
brief, den bracken: beide walt und daz gevilde Er pflac der verte I.
4. Daz selbe jach des seiles schrift I.   si selbe G, si I.
154, 2. Äschen vörhen (Vorhen aschen) vander, die wil si las [ir] hôher fröude
mangel I.   anschen unde vorhenne die wile G.

daz er sît wart vil selten der geile.
die herzogîn lôst ûf den stric,   durch die schrift ûz ze lesenne
                                            an dem seile.
155 Der was an die zeltstange   vaste gebunden.   x, 36
mich müet ir ûf lœsen   daz si tet: hei wan wær sis erwunden!
Gardevîaz stracte sich mit strebenne,
ê diu herzoginne spræche nâch sîner spîse: ir wille im was ze
                                            ezzen ze gebenne.
156 Zwuo juncfrouwen sprungen   her ûz für die snüere.   37
ich klage der herzoginne   blanc hende: op daz seil die zerfüere,
waz mag ich des? ez was von steinen herte.
Gardevîaz zucte   und spranc durch gâhen nâch huntwildes verte
157 Er was ouch Ehcunahte   des tages alsô entrunnen.   38
si rief die juncfrouwen ane: die heten des bracken spîse gewunnen,
si gâhten wider in daz gezelt vil balde.
nu was er ûz gesloffen   durh die winden; man hôrt in dô schiere
                                            im walde.
158 Er brach halt der winden   ein teil ûz der phæle.   39
do er wider kom ûf die niuwe   rôten vart, des nam in niht hæle,
vil offenlîche er jagte und niht verholne.
dâ von geschach des werden   Gurzgrîen sun vil nœte sît ze dolne.
159 Schîonatulander   die grôzen und die kleinen   40
vische mit dem angel vienc,   dâ er stuont ûf blôzen blanken beinen
durh die küele in lûtersnellem bache.
nu erhôrt er Gardevîazes   stimme: diu erhal im ze ungemache.
160 Er warf den angel ûz der hant,   mit snelheit er gâhte   41
über ronen und ouch durch brâmen;   dâ mit er doch dem bracken
                                            niene genâhte:
den het im ungeverte alsô gevirret,
daz er ninder spürte wilt noch hunt,   und wart ouch von dem winde
                                            der hôre verirret.

---

3. Und des ouch er vil selten wart der geile *I.*   4. Sigûn den stric ûf
lôste *I.*   loste *G.*   lesene *G.*
155, 1. Der bracke an die zeltstangen vil vaste was gebunden *J.*   2. Ir lœsen
ûf die strangen mich müet: ôwê wan hcte sis erwunden! *I.*   wan ware *G.*
3. Gardivîas der stracte sich *I.*   strebene-gebene *Gi.*   4. Si sprach nâch
sîner spîse: ir wille was im ezzen ze gebenne *I.*
156, 1. Zô iuchfrouwen *G.*   giengen *I.*   2. Mich riwet daz enphiengen ir hende
blanc der herten strang zerfüere *I.*   3. daz seil von stein was herte *I.*
4. durch jagen nâch wundem (wundes) wildes verte *I.*
157, 1. Ehcunate *GI.*   de tages *G.*   alrêrst *I.*   2. Si rief den frouwen
drâte *I.*   des brachen *G*, sîne *oder* im die *I.*   3. Und gâhten in daz ge-
zelt vil balde *i*, In daz gezelt sô gâhten si nu balde *i.*   4. Er was ûz ge-
loufen durch die winde: dô hôrt man in schier dâ ze walde *I.*   geslofen
G.   horte *G.*   in dem *G.*
158, 1. Der *G.*   ûz *setzt G nach* halt.   2. Als er begund enphinden der
rôtvarwen verte, in nam unhæle *I.*   3. und *fehlt I.*   [vil] unverholne *I.*
4. Des werden Gurzegrînes sun dar umb geschach vil nœte sît *I.*   zedo-
lene *G.*
159, 2. Vische vienc: die vander *I.*   4. hôrt er *I.*   ze grôzem ungemache *I.*
160, 2. Uber allez daz er vor im vant, stein, ronen; dâ mit er *I.*   niene] nin-
der *G*, niht *I.*   4. Er spürte niendert hunt noch tier, und wart von [dem]
winde hœrens verirret *I.*

Wolfram von Eschenbach. Sechste Ausgabe.   27

161 Im wurden diu blôzen bein   zerkratzet von den brâmen: x, 42
die sînen blanken füeze an dem loufe   ouch von stiften ein teil
wunden nâmen.
man kôs in baz, dann ê daz [erschozen] tier, wunde:
er hiez si twahen, ê er kom   underz zelt. sus vant er Sigûn
dort unde,

162 Innerhalp ir hende   al⸗ si wærn berîfet   45
grâ, als eins tjostiures hant,   dem der schaft von der gegen-
hurte slîfet,
der ziuschet über blôzez vel gerüeret.
rehte alsô was daz seil   durch der herzoginne hant gefüeret.

163 Si kôs im vil wunden   an beinen unde an füezen: 46
si klagt in, er klaget ouch sie.   nu wil sich diz mære geunsüezen,
dô diu herzogîn begunde sprechen
hinze im nâch der schrifte   am seil: diu flust muoz nu vil sper
zerbrechen.

164 Er sprach 'ich vriesch ie wênec   der seile überschribene.   47
brievebuoch en franzoys   ich weiz wol: solch kunst ist mir niht
diu blibene:
dâ læse ich an swaz dâ geschriben wære.
Sigûne, süeziu maget, lâ dir   [sîn] die schrift an dem seile gar unmære.'

161, 1. Diu blôzen bein unsüeze zerkratztèn im die brâmen I.   gaz zerchraz-
zet G.   2. Sîn blauke füeze am loufe?   blanchen G, linden I.   von dem
loufe manege wunden nâmen I.   stiften Docen, stuften G.   3. 4. Man
spürt in baz danne daz tier erschozzen. Nu gieng er gein Sigûnen: diu het
ouch bluomen rôt aldâ begozzen I.   3. danne daz G.   4. chome G.
gezelt G.   Sigunen dort unden G.

(43) Er vants in dem gezelde   mit stimme klagende heise.
er sach die wâren melde,   daz si nu rîcher freuden als ein weise
drîerleie schaden was dâ klagende:
iedoch der eine verre   die zwêne von dem herzen wirt verjagende.

(44) Daz eine was diu strange   verlorn und niht funden.
diu selbe klage ze lange   ir wernde was. daz ander wâren wunden
die si an Tschîonatulander sehende
was mit herzen schricke.   daz dritte was ir selber nôt geschehende.   I.

162, 1. reht als I.   waren G.   2. Von starker tjoste sende, dâ eim (sam einem
dem oder und sô) der schaft von gagenhurte slifet I.   eines tiosturs G.
3. 4. Der herzoginne hend sus wârn gerüeret. Man spehtz ouch an ir wæte:
diu was mit dem gesteine gar zerfüeret I.   3. zuschet G.   4. daz Docen,
fehlt G.

163, 1. im G, an im I.   2. Ze klagen si beidiu funden i, Vil klage von beiden
funden dô wart i, Vil klage an den stunden wart aldâ i.   si G.   [wol] un-
süezen I.   4. Nâch dirre schrift der strange. diu flust wil nu spere vil
zerbrechen I.   schrift an dem seile G.

164. 1. Er sprach ich gefriesch nie keine der strangen überschribene I.   2. Hei-
densch franzois gemeine bin ich der selben kunst niht der belibene I.
enfranzoyse G.   belibene G.   3. Ich læse ie wol swaz dâ ze lesen
wære I.   4. Süeziu magt Sigûne, lâ dir die schrift der strangen sîn un-
mære I.

(48) Diu strange was gebunden   in ir herz alsô nâhen:
ir kriec gar unerwunden   wil durch die schrift sus (durch rîcheit) nâch
dem seile gâhen.
si sprach 'al rœmschiu rîche dir ze kleine
wærn gein der selben strangen, ob dir diu schrift ze künde wær sô reine.' I.

165   Si sprach 'dâ stuont âventiur   geschriben an der strangen: x, 49
sol ich die niht zende ûz lesen,   mir ist unmær mîn lant ze Katelangen.
swaz mir iemen rîcheit möhte gebieten,
und obe ich wirdec wær ze nemen,   dâ für wolt ich mich der
                                schrifte nieten.
166   Daz spriche ich, werder friunt, dir   noch niemen ze vâre.   50
ob wir beidiu junc solten leben   zuo der zît unser künftigen jâre,
sô daz dîn dienst doch gerte mîner minne,
du muost mir daz seil ê erwerben,   dâ Gardevîaz ane gebunden
                                stuont hinne.'
167   Er sprach 'sô wil ich gerne   umb daz seil alsô werben.   51
sol man daz mit strîte erholen,   dâ muoz ich an lîbe an prîse verderben,
oder ich bringe ez wider dir ze handen.
wis genædec, süeziu maget, [unde] halt   niht mîn herze sô lange in
                                dînen banden.'
168   'Genâde und al daz immer   maget sol verenden   53
gein [ir] werdem clâren friunde, daz   leist ich, und mac mich des
                                nie man erwenden,
op dîn wille krieget nâch der strangen,
die der bracke zôch ûf der verte,   den du mir bræhte gevangen.'
169   'Dar nâch sol mîn dienst imêr   stæteclîchen ringen.   54
du biutest rîchen solt: wie lebe   ich die zît, daz ez mîn hant
                                müeze bringen
dar zuo daz ich die hulde dîn behalte?
daz wirt versuochet nâhen   und verre: [gelücke und] dîn minne
                                mîn walte.'

165, 1. Aventiure ist wesende geschriben an der strangen *I.*   aventure, *ohne* ge-
schriben, *G.*   2. Bin ich die niht ûz lesende, so ist mir unmær daz lant *I.*
unmære *G.*   3. Oder (Und) swaz *I.*   mac (kan) gebieten *oder* kunde bie-
ten *I.*   4. Dâ für ich dannoch wolte der schrift an dem seile (an der
strangen) mich genieten *I.*   ware ze nemene *G.*
166, 1. Die rede bin ich dir gebende noch niemen ze vâre *I.*   2. Wærn aber
wir beide lebende die endelôsen zît komender jâre *I.*   Obe *G.*   unsere *G.*
3. 4. Sô daz dîn munt [wol] spræch nâch mîner minne, Diu muoz dir iemmer
wilden, du bringest mir die strang diu nu was hinne *I.*
167, 1. Sô wil ich nâch dem seile vil gerne alsô werben *I.*   umbe *G.*   2. Ob
strît dar umbe ist veile, ich muoz an prîse an lîbe gar verderben. *I.*   an
liebe unde ane prise *G.*   3. 4. Sît daz dîn wille krieget nâch der strangen.
Wis mir genædic, süeziu magt: lîp herze [und] muot [mir] lît in dînen
twangen (dînem twange) (du hâst mir lîp herz und muot gevangen) (lâ mir
den lîp muot herz sus niht gevangen) *I.*
(52) Vil süeziu reine gehiure,   al dirre selben pfande
      ger ich von dir ze stiure,   daz mir dîn trôst diu lâz ûz dînem bande,
      als mich gestricket hât dîn minne lange.
      lâ mich genâde vinden,   halt [mir] niht mîn herze lange in dem (dîme)
                getwange (b. in dinen banden twange) (h. alsô gevangen). *I.*
168, 1. 2. Genâde und swaz ein maget sol gein liebem friund verenden, Des
mahtu mir getrûwen wol, und mac des willen niemen mich erwenden *I.*
mich des willen niemen er werenden *G.*   3. Ob du mir wider bringest die
strangen *I.*   4. der hunt *I.*   zôch *vor* den?   mir her în *I.*
169, 1. Dar nâch mîn dienst in landen wît sol immer gerne ringen *i,* Sô wizze
daz mîn dienste lît mit stæt an disen dingen *i.*   2. Ey liebe, wenn geleb
ich die zît, daz ich dir die strangen sol bringen *I.*   gelebe *G.*   3. dar
zuo *setzt G vor* muozze z. 2.   Und daz ich die *i,* Daz ich dâ mit die *i.*
4. verschuochet *G.*   verre und nâhen *I.*   geluke und *G,* daz *I.*

170   Sus heten si mit worten   ein ander ergetzet,   55
und ouch mit guotem willen.   anevanc vil kumbers, wie wart der
                               geletzet!
daz freischet wol der tumbe und ouch der grîse,
von dem unverzageten sicherboten,   obe der swebe od sinke an
                               dem prîse.

170, 1. ergetzzet *G*, gehetzet *I*.   2. anevanc *i*, der anevanch *Gi*.   3. wol *G*,
noch *I*.   der wise *I*.   4. An unverzagtem sicherboten, ob er *I*.   ver-
zageten *G*.   oder *G*.

WILLEHALM.

I.

Ane valsch du reiner,
du drî unt doch einer,
schepfære über alle geschaft,
âne urhap dîn stætiu kraft
5 ân ende ouch belîbet.
ob diu von mir vertrîbet
gedanc die gar flüstic sint,
sô bistu vater unt bin ich kint.
hôch edel ob aller edelkeit,
10 lâ dîner tugende wesen leit,
dâ kêre dîne erbarme zuo,
swa ich, hêrre, an dir missetuo.
lâz, hêrre, mich niht übersehen
swaz mir sælden ist geschehen,
15 und endelôser wünne.
dîn kint und dîn künne
bin ich bescheidenlîche,
ich arm und du vil rîche.
dîn mennischeit mir sippe gît
20 dîner gotheit mich âne strît
der pâter noster nennet
zeinem kinde erkennet.

sô gît der touf mir einen trôst
der mich zwîvels hât erlôst:
25 ich hân gelouphaften sin,
daz ich dîn genanne bin:
wîsheit ob allen listen,
du bist Krist, sô bin ich kristen.
dîner hœhe und dîner breite,
dîner tiefen antreite *Stufenfolge, Ordnung*
2 Wart nie gezilt anz ende.
ouch louft in dîner hende
der siben sterne gâhen,
daz sin himel wider vâhen.
5 luft wazzer fliur und erde
wont gar in dînem werde.
ze dîme gebot ez allez stêt,
dâ wilt unt zam mit umbe gêt.
ouch hât dîn götlîchiu maht
10 den liehten tac, die trüeben naht
gezilt und underscheiden
mit der sunnen louften beiden.
niemer wirt, nie wart dîn ebenmâz.
al der steine kraft, der würze wâz *düfte, geruch*

1, 2. doch *Kmnt*, du *l*, ouch *op*.   7. Gedæncke *t*, Gedanken *n*,   vluchtik *n*,
gefluhtig *l*.   8. bin *Km*, *fehlt lnop*.   ih *K*.   9. uber (ober *n*) alle *lnt*.
10. dinen *lt*.   tougen *t*.   11. erbarm *K*, irbarme *n*, erparmde *p*, erbarmede *t*,
erbermde *l*, erparmung *o*, parmung *m*.   12 vor 11 *op*.   swaz *mnop*.
14. waz *mnop*.   si *lopt*.   16. und ouch din *t*.   18. vil *fehlt lop*.
20. diner *Klmt*, Din *nop*.   21. Daz *n*, Dein *o*.   24. hæte *t*.   28. ih *K*.
30. tiefe *t*, tüfe *n*.
2, 2. louffet *K*.   3. sternen *l*, sterren *n*, stern *mo*.   4. sin *t*, si den *die übrigen*.
6. Wonent gar *ot*, Gar wonent *p*, gar *fehlt K*.   7. dinem alle *aufser n*.
12 *fehlt n*.   mit den sternen *K*.   louften] louft in *K*, loufe in *l*, luft in *ot*,
luft den *p*, schein in *m*.

15 hâstu bekant unz an daz ort.
der rehten schrift dôn unde wort
dîn geist hât gesterket.
mîn sin dich kreftec merket:
swaz an den buochen stêt geschriben,
20 des bin ich künstelôs beliben.
niht anders ich gelêret bin:
wan hân ich kunst, die gît mir sin.
   diu helfe dîner güete
sende in mîn gemüete
25 unlôsen sin sô wîse,
der in dînen namen geprîse
einen rîter der dîn nie vergaz.
swenn er gediende dînen haz
mit sündehaften dingen,
dîn erbarme kunde in bringen
3 An diu werc daz sîn manheit
dînen hulden wandels was bereit.
dîn helfe in dicke brâhte ûz nôt.
er liez en wâge iewedern tôt,
5 der sêle und des lîbes,
durch minne eines wîbes
er dicke herzenôt gewan.
lantgrâf von Dürngen Herman
tet mir diz mær von im bekant.
10 er ist en franzoys genant
kuns Gwillâms de Orangis.
ein ieslîch rîter sî gewis,
der sîner helfe in angest gert,
daz er der niemer wirt entwert,
15 ern sage die selben nôt vor gote.
der unverzagete werde bote

derkennet rîter kumber gar.
er wart selbe dicke harnaschvar.
den stric bekante wol sîn hant,
20 die den helm ûfz houbet bant
gein sîns verhes koste.
er was ein zil der tjoste:
bî vînden man in dicke sach.
der schilt von arde was sîn dach.
25 man hœrt in Francrîche jehen
swer sîn geslähte kunde spehen,
daz stüende übr al ir rîche
der fürsten kraft gelîche.
sîne mâge wârn die hœhsten ie.
âne den keiser Karlen nie
4 Sô werder Franzoys wart erborn:
dâ für was und ist sîn prîs erkorn.
   du hâst und hetest werdekeit,
helfære, dô dîn kiusche erstreit
5 mit diemuot vor der hœhsten hant
daz si dir helfe tet erkant.
helfære, hilf in unde ouch mir,
die helfe wol getrûwent dir,
sît uns diu wâren mære
10 sagent daz du fürste wære
hien erde: als bist ouch dort.
dîn güete enphâhe mîniu wort,
hêrre sanct Willehalm.
mîns sündehaften mundes galm
15 dîn heilikeit an schrîet:
sît daz du bist gefrîet
vor allen hellebanden,
so bevoget ouch mich vor schanden.

---

18. der dich *Kl*, durch *op*.   19. stat *K*.   22. diu *Kt*.   25. unlœsen *K*.
26. dinem *mnop*.   30. erbarm *K*, erparmde *p*, erbermde *l*, erbærmde *t*, erbarmung *mno*.

3, 4. iwedern *K*.   6. eins *K*.   7. Der *lt*.   herte n. *t*.   Der herce dikke *n*.
8. lantgrave (Langtgraf *op*, Lantgreve *l*) von Duringen (durringen *l*) *Klopt*, Von
During (duringen *n*) fuerst *mn*.   9. daz *mn*.   mære *K*.   10. en *K*, in *l*,
ein *mnop*, eine *t*.   11. kuns Gwillams de Oranis *K*, kons Gillams de Orangis *t*, Lehtegons Gwillans von orangis *l*, Von Orans (oranse *n*, orantsch *op*)
Wilhalm (wilhelm *mp*) Markis *mnop*.   12. ein *fehlt K*.   13. swer *K*.
14. des *mop*.   15. dî *K*.   got-bot *Kmpt*.   17. dererckennet *K*, Erkennet
nop, Er chennet *m*, Erkante *l*, Erkande *t*.   ritters *lt*.   18. was *K*.   selbe
Klt, auch *inn*, vil *p*, *fehlt o*.   19. strich *Kmt*, strit *lnop*.   erkante *opt*.
20. Di *mn*, der *Klt*, So er *op*.   uoffez houbt *K*.   22. tyoste *K*.   23. vienden *K*.   25. hort *m*, hœret *Kop*, horet *t*, horte *ln*.   26. wolde *mn*.   27. uber
alle.   29. warn *Kmp*.   30. karln *Klt*, Charl *mnop*.

4, 1. franzoyser *K*.   wart *fehlt t*.   geborn *alle aufser K*.   3. Di hatte und
hât w. *n*, Er het zucht und w. *op*.   hast-hetest *K*, hast-hete *lt*, hiet-hast *m*.
5. deimuete *K*.   von *mnop*.   6. dir] die *K*, diu *t*.   bekant *lmnot*.
8. getruowent *Kl*, getriuwen *t*.   9. uns] daz *K*.   wariu, *ohne* diu, *t*.   11. hie
nerde *K*, hie enert *m*.   13. sancte *t*, sante *p*, sand *m*, sente *l*, sinte *n*.
Wilhalm *lmt*, wilhelm *p*.   14. mines *K*.   sundigen *lnop*.   18. Nu *mn*,
Du *op*.   behuete *lnop*.   ouch *fehlt mnp*.

ich Wolfram von Eschenbach,
20 swaz ich von Parzivâl gesprach,
des sîn âventiur mich wîste,
etslîch man daz prîste:
ir was ouch vil, diez smæhten
und baz ir rede wæhten.
25 gan mir got sô vil der tage,
sô sag ich mîne und ander klage,
der mit triwen pflac wîp unde man
sît Jêsus in den Jordân
durch toufe wart gestôzen.
unsanfte mac genôzen
5 Diutscher rede decheine
dirre diech nu meine,
ir letze und ir beginnen.
swer werdekeit wil minnen,
5 der lat dise âventiure
in sînem hûs ze fiure:
diu vert hie mit den gesten.
Franzoyser die besten
hânt ir des die volge lân,
10 daz süezer rede wart nie getân
mit wirde und ouch mit wârheit.
underswanc noch underreit
gevalschte dise rede nie:
des jehent si dort, nu hœrt se
       ouch hie.
15   diz mære ist wâr, doch wun-
       derlîch.
von Narbôn grâf Heimrîch
alle sîne süne verstiez,
daz er in bürg noch huobe liez,

noch der erde dechein sîn rîcheit.
20 ein sîn man sô vil bî im gestreit,
unz er den lîp bî im verlôs:
des kint er zeime sune erkôs.
er het ouch den selben knaben
durch triwe ûz der toufe erhaben.
25 'er bat sîn süne kêren,
und selbe ir rîcheit mêren,
in diu lant swâ si möhten:
ob si ze dienste iht töhten,
stieze in diu sælde rehtiu zil,
si erwurben rîches lônes vil.
6 'Welt ir urborn den lîp,
hôhen lôn hânt werdiu wîp:
ir vindet ouch etswâ den man
der wol dienstes lônen kan
5 mit lêhen und mit anderm guote.
hin ze wîbn nâch hôhem muote
sult ir die sinne rihten
und an ir helfe phlihten.
der keiser Karl hât vil tugent:
10 iur starken lîbe, iur schœne jugent,
die antwurt in sîn gebot.
des muoz in wenden hôhiu nôt,
ern rîche iuch immer mêre:
sîn hof hât iwer êre.
15 dem sult ir diens sîn bereit:
er erkennet wol iur edelkeit.'
diz was sîn wille und des bater:
sus schieden si sich von ir vater.
lât mich iu die helde nennen,
20 daz ir geruochet si erkennen.

19. Mich *lt.*   Esschenbach *K*, eschebach *n*.   20. parcifalen *op.*   gespharch
K, i gesprach *n*, sprach *lop.* .   21. aventiure *K*.   22. Erstleich *m*.   unde
K.   26. mine *lt*, mein *op*, minne *Kmn*.
5, 1. Dutsche *lm*, Unnützir *n*.   2. dî ih nu *K*, die ich da *t*, di ich *n*.   3. lezzen
m, lazzen *lop*.   5. lat *K*, let *m*, lade *lopt*, lezt *n*.   6. huse *K*.   ze stewer
mop.   8. Frantzoys *mp*.   10. daz *fehlt mn*.   siuzer *K*, bezzer *l*.   nie
wart *lt*.   11. und ouch] noch *K*, und *o*.   13. gevalscht *m*, valschete *K*,
Falscheit *t*, Gefelschete *ln*, Der gefelschte *op*.   die *t*.   14. dort und wir
hie *l*.   hores *t*, se *fehlt np*.   ouch *fehlt op*.   15. Daz *ln*.   doch *Km*, und
lop, *fehlt n*.   16. Narbon *K*, Naribon *lmnopt*.   graf *op*, grave *n*, Greve *l*,
der Grâve *K*, der grave *t*, der graf *m*.   Heimr.] rich *t*.   18. in *setzt m vor*
liez.   bürge *K*.   20. bi im so vil *K*.   21. daz-durch in *mn*.   22. zeinem
s. *K*, zeinem kinde *t*, zu eym erben *n*.   23. ouch *fehlt t*.   24. uzer *l*, auz
dem *mn*.   25. sine *Kt*.   chern-mern *K*.   29. richiu *t*.
6, 1. Er sprach *mnop*, *fehlt Klt*.   3. etswâ] entriuwen *t*.   4. wol] ouch *K*.
dienst *m*.   5. anderm *fehlt K*.   6. Hin ze den *lmn*, Hinzen *t*, ze *K*.
wiben *K*.   10. iuwer *K*.   11. dî *K*, *fehlt mn*.   an *K*.   12. Es *oder* Ez *lopt*.
13. imermere *K*.   15 *nach* 16 *t*.   Ir schult im *mn*.   dienstes *alle*
aufser K.   16. bekennet *lmop*.   iwer edelchæit *K*.   17. und ouch des *lopt*.
18. sich *fehlt lopt*.   ir] dem *K*.   19. mich iu] mich *und dann* iu *vor* nen-
nen *K*, eu *lmnopt*.   20. So mugt ir sie *op*.   ruocht si *lmt*, si mügit *n*.
bekennen *lm*.

daz eine was Gwillâms,
daz ander Bertrams.
sus was genant sîn dritter sun,
der clâre süeze Buovûn.
25 Heimrîch hiez der vierde,
des tugent vil lande zierde.
Arnalt und Bernart
die muosen an die selben vart.
der sibende der hiez Gybert:
der was ouch höfsch unde 'wert.
7   Wie vil si sorgen dolten,
und wazs ouch freude erholten,
und wie ir maânlîchiu kunst
wîbe minne unde ir herzen gunst
5 mit ritterschaft bejageten,
und dicke alsô betageten
daz mans in hôhem prîse sach!
selten senftekeit, grôz ungemach
wart den helden sît bekant.
10 durch prîs si wâren ûz gesant.
umb der andern dienst und umb
ir varn
wil ich nu mîne rede sparn,
und grîfen an den einen
den diu âventiur wil meinen.
15 Willalm der selbe hiez.
ouwê daz man den niht liez
bî sîns vater erbe!
swenn der nu verderbe,
dâ lît doch mêr sünden an
20 denne almuosens dort gewan

an sînem toten Heimrîch:
ich wæne ez wiget ungelîch.
ir habt ouch ê wol vernomen
(es endarf iu nu niht mære ko-
men),
25 wie daz mit dienste sich gezôch,
des manec hôch herze freude vlôch.
Arabeln Willalm erwarp,
dar umbe unschuldic volc erstarp.
diu minne im leiste und ê gehiez,
Gyburc si sich toufen liez.
8 Waz hers des mit tôde engalt!
ir man, der künic Tybalt,
minnen flust an ir klagete:
ûz freude in sorge jagete
5 mit kraft daz herze sînen lîp.
er klagete êre unde wîp,
dar zuo bürge unde lant.
sîn klage mit jâmer wart bekant
unz an die ûzern Indîâ.
10 Provenze her unde ouch dâ
gewan sît jâmers künde.
des merces fluot der ünde
mac sô manege niht getragen,
als liute drumbe wart erslagen.
15 nu wuohs der sorge ir rîcheit,
dâ vreude urbor ê was bereit:
diu wart mit rehten jâmers siten
alsô getrett und überriten:
von gelücke si daz nâmen,
20 hânt freude noch den sâmen

21. Der erst *op.*   daz was *mn*, hies *o*, der hies *p*.   kyllams *l*, Killams *t*,
Gwilam *m*, Willalm *K*, willehalm *n*, wilhalman *o*, wilhelm sam *p*.   22. Der *n*,
und der *op*.   a. daz was *mn*.   Bertrams *t*, Berhtrams *l*, Bertram *Kn*, Perch-
tram *mop*.   23. dritte *ln*, truter *t*.   24. Bŷfun *m*, Bŷsun *K*, Busun *l*, beafon
n, Brasun *op*, brüun *t*.   25. Aimer *m*.   26. landes *t*.   27. Ernalt *K*, Arnolt
lop.   Bernhart *lnopt*, Pernhart *m*.   28. muezzen *mop*.   29. Sein sibender
sun *mn*.   der *fehlt lmpt*.   kybert *lo*, Gylbert *p*.   30. ouch *fehlt mnop*.
7, 2. ouch *fehlt mnop*.   freuden *lopt*.   3. Wie vil ir *l*, Und wie *p*, Wie mit
(*dann* mænleicher) *o*.   5. ritterschefte *K*.   beiagte *lt*.   6. betagete *t*, be-
tragete *l*.   7. werde *t*, wirde *l*.   ersach *t*.   11. Umb *Klnt*, *fehlt mop*.
umb ir *Kmt*, ir *ln*, umb *op*.   12. hie wil ich mein *mn*, Der wil ich hie mein
(mit *p*) *op*.   14. aventiure *K*.   15. Wilhalm *not*, Willehalm *m*, Wilhelm *p*.
Wilhelme *l*.   18. swen *Kmnt*.   er *lt*.   21. totten *K*.   22. wigt *K*.
23 nach 24 *lt*.   ouch ê *mno*, daz ê *K*, es e ouch *p*, ê *lt*.   24. es *Kl*, Ez *t*,
des *mnop*.   iu nu *Kmt*, uch *ln*.   25. wie ez *K*.   26. hohez *Kmt*, hohe *l*,
fehlt nop.   27. Arablen *m*, Arabln *lp*.   Wilhalm *mot*, willehalm *n*, wilhelm *p*,
wilhelme *l*.   30. Gyburch *immer nur K*: Chyburch *m*, Kiburch *o*, Kyburch
pt, Kyburg *n*, Kyburge *l*.
8, 3. minne *lt*.   9. in *mn*.   die uzzestin *l*, daz auzzer *o*.   10. ouch *Klt*,
fehlt mop.   12. mers *K*.   der *Kmt*, und *lop*, und sin *n*.   13. manigen
Klmnt, manik ünde *op*.   15. ẘchs *D*.   sorgen *lopt*.   irrkait *op*.   16. vreu-
den *Kmo*.   ê *fehlt t*.   prait *mp*, gebreit *n*.   17. sniten *mt*.   18. getret
K, getreten *l*.   20. hat *mnop*.

der Franzoyser künne.
der heidenschefte wünne
ouch von jâmers kraft verdarp.
der marcgrâf Willalm erwarp
25 des er für hôhe sælde jach:
swaz dâ enzwischen sît geschach,
des geswîg ich von in beiden,
den getouften und den heiden,
und sage des hers überkêr.
daz brâhte der künec Terramêr
9 Uf dem mer zeinen stunden
in kieln und in treimunden,
in urssiern unde in kocken.
swer śich daz an wil zocken,
5 er habe grœzer her gesehen,
daz ist im selten sît geschehen.
　　mâge und man het er gebeten.
sîme liebsten got Mahmeten
und andern goten sînen,
10 den liez er dicke erschînen
mit opfer mange êre,
und klagete in ouch vil sêre
von Arabeln, diu sich Gyburc
nande, und diu mit toufe kurc
15 was manegen ougen worden
durch kristenlîchen orden.
diu edel küniginne,
durch liebes friwendes minne
und durch minne von der hœhsten
　　hant
20 was kristen leben an ir bekant.
Terramêr was ir vatr:
Arofeln sînen bruoder batr,

und den starken Halzebier.
die zwêne manec urssier
25 in sîne helfe brâhten:
wol si des gedâhten.
　　Terramêrs rîcheit
was kreftic wît unde breit,
und daz ander künge ir krône
durh manneschaft ze lône
10 Von sîner hende enpfiengen
und dienst gein im begiengen.
die fürsten ûz sîm rîche
die fuoren krefteclîche,
5 den erz gebieten wolde.
ouch streich nâch sînem solde
vil manec werlîcher man.
wie manec tûsent er gewan
der werden Sarrazîne!
10 die man hiez die sîne,
die prüef ich alsus mit der zal:
er bedacte berge unt tal,
dô man komen sach den werden
ûz den schiffen ûf die erden
15 durch den künec Tybalt,
des manec getoufter man engalt,
ze Alitschanz ûf den plân.
dâ wart sölch ritterschaft getân,
sol man ir geben rehtez wort,
20 diu mac für wâr wol heizen
　　mort.
swâ man sluoc ode stach,
swaz ich ê dâ von gesprach,
daz wart nâher wol gelendet
denne mit dem tôde gendet:

21. Der Franzoyse *t.*　　24. marcgrave *Kn,* greve *l,* markis *op.*　　26. entzwischen *l,* entswischen *K,* zwischen *mnop.*　　sît] bedenthalp *K,* darumbe sit *t.*　　29. Ich *mnop.*　　30. kuone *t.*　　Terrêmer *K.*

9, 2. chieln *mx,* Chielen *K.*　　troyamunden *mn,* Trymúnden *x,* Tremunden *t,* Tragem. *l,* tragam. *op.*　　3. Urssieren *K,* ursieren *t,* üssieren *m,* ussiern *o,* ussir *l,* ussieren *np,* galein *x.*　　4. daz wil an *mop,* daz an wolt *x,* des wil *l.*　　6. Ich wen daz [iz ist *n*] selten [ist *m,* sei *op*] geschehn *mnop.*　　ist *Ktx,* fehlt *l.*　　sît *Klt,* e *x.*　　7. er hete *lo.*　　8. sinen liebisten *K,* Sinen lieben *t.*　　12. Er *mn.*　　in ouch vil *Kopx,* ie noch *m,* iz noch *n,* n dicke *l.*　　13. 14. Kyburch-kurch *t,* Chybürch-chürch *m.*　　15. manigen *K.*　　18. durch *Kt,* Und durch *lmnop.*　　liebes mannes *mn,* mannes *o,* wilhelmes *p.*　　21. was *Kmntx,* der was *lop.*　　23. haltzibier *nop,* halzibir *l,* Haltzenbier *x.*　　24. ursier *t,* örser *l,* üssier *mop,* wisir *n,* hussier *x.*　　27. Terr. *Kltx,* daz T. *mnop.*　　29. andr. chunige *K.*　　30. manschaft *lmpt.*

10, 1. hant *lnop.*　　3. sime *Kln,* seinem *mopt.*　　4. die *fehlt lt.*　　chomen werliche *mnop.*　　5. ers *K.*　　6. straich *K.*　　7. ritterlicher *lt.*　　11. also mit *op,* an *l.*　　der *fehlt t.*　　12. berg *lmnop.*　　uñ *K.*　　15. Tiebalt *K.*　　17. ze *fehlt t.*　　alischanz *lt,* alyschantz *m,* aleschanz *n.*　　dem *lmoptx.*　　18. da *Klotx,* Do *p, fehlt mn.*　　sölhiu *K.*　　19. rehtz *K.* rechte *mn.*　　rehte geben *t.*　　20. Si *mn,* Daz *op.*　　21. od *K,* unde *l,* uñ *nt.*　　22. ê *fehlt t,* ie *lopx.*　　23. naher *Km,* nach erén *x,* her nach *op,* nu *n, fehlt lt.*　　gelent *x,* verpfendet *op.*　　24. Dan *m,* Und *lnopx.*　　geent *x.*

25 diz engiltet niht wan sterben
und an freuden verderben.
man nam dâ wênic sicherheit,
swer den andern überstreit,
den man doch tiure het erlôst:
diz was ze bêder sîte ir trôst,
11 Niht wan manlîchiu wer.
des künic Terramêres her
und die Willalms mâge,
die liezen vaste en wâge
5 beidiu vinden unde flust.
dô riet sîn menlîch gelust
dem werden künege Tybalt
daz er reit mit gewalt
nâch minne und nâch dem lande:
10 sîne flust und sîne schande
wold er gerne rechen.
waz mac ich mêr nu sprechen,
wan daz sîn sweher Terramêr
im brâhte manegen künec hêr,
15 rîche und menlîch erkant?
Mahmet und Tervigant
wurden dicke an geschrît,
è daz ergienge dirre strît.
Terramêr unfuoget,
20 daz in des niht genuoget,
des sîne tohter dûhte vil.
bescheidenlîch ich sprechen wil,
swen mîn kint ze friwende erkür,
ungerne ich den ze friwent verlür.
25 Willalm ehkurneis
was sô wert ein Franzeis,
des noch bedörfte wol ein wîp,
ob si alsô kürlîchen lîp
durch minne bræhte in ir gebot:

sîn sweher hazzet in ân nôt.
12 Ez muoz nu walzen als ez mac:
etswenne ouch hôhes muotes tac
mit freuden künfte sît erschein.
Terramêr wart des enein,
5 ûf Alitschanz er kêrte,
dâ strît sîn her gelêrte
des er nimmer mêr wart vrô.
wie tet der wîse man alsô?
si wârn im sippe al gelîche,
10 Willalm des lobes rîche
und Tybalt Arabeln man,
durh den er herzesêre gewan
vor jâmer nâch dem bruoder sîn
und mangen werden Sarrazîn
15 dem tôde ergap ze zinse.
ein herze daz von flinse
ime donre gewahsen wære,
daz müeten disiu mære.
ûf daz velt Alyschanz
20 kom manec niwer schilt al ganz,
der dürkel wart von strîte.
der breite und ouch der wîte
bedorfte Terramêres her,
dô si ûz den schiffen von dem mer
25 ieslîcher reit zuo sîner schar,
der er durch rîterschaft nam war.
è man sluoc oder stach,
dâ was von busînen krach
und ouch von maneger tambûr.
Gyburge süeze wart in sûr,
13 Den heiden und der kristenheit.
nu muoz ich guoter liute leit
künden mit der wâren sage,
an ir urteillîchem tage.

---

25. Wan ez galt *x.* 26. fräud *x.*

11, 2. kuniges *opt.* Terramers *Klp,* Terramer *m.* 7. werden *fehlt lt.* 8. reit *mnopt,* riet *Kl,* rit *x.* 11. di wold *mnopx.* 12. mere spr. *t,* mer (me *o*) gespr. *op.* 16. Tervagant *K.* 17. Die wurden *lopt.* 23. chür *K.* 24. ze fr. *fehlt t.* 25. Wilhalm *mpt,* Willelm *K,* Wilhelm *lo,* Willehelm *n.* ekurnoys *l,* Erzcurnoys *t,* accurnoys *m,* akurnois *n,* acornoys *p,* ancurnoys *o.* 26. franzoys *lmnopt.* 27. Daz *mnop.* noch wol bedorfte *lop,* wol noch b. *t.* 28. Die also *l.* so *mnop.* 30. hazete in *K,* hatzt in *o,* haztin *t,* haste in *p,* in hazzit *n.* ane *lnopt.*

12, 2. etswem *K,* Etteswem *t.* ouch *Klt,* doch *mn, fehlt op.* hochmuetes *m.* 3. chumft *K,* chunft *m.* sitte uñ kunst ersch. *t.* 6. striten *t.* her er lerte t, hertze lerte *l.* 8. auch [al *o*] so *mno.* 9. waren im *K,* warem *t.* 10. Willelm *K aufser dem reim bis* 126. 13. Mit *mnop.* 14. manigem *t.* 15. er gap *Klmop,* gab er *t.* 17. Imme *n,* Im *t,* In dem *lmop,* in *K.* gewachsen *K.* 18. muete *Kt.* 19. Uf den (dem *np*) plan ze *mnop.* Alyscanz *K.* 20. niwer *fehlt mt.* al *Kt,* als *l,* vil *mn, fehlt op.* glanz *ln.* 21. durchel *Kl,* durkil *n,* durckel *p,* durkel *t,* durhel *o,* durch *m.* 23. Terramers *Klmp, oft.* 25. ræit *K.* 29. ouch *fehlt lmnt.* 30. in *Klt,* vil *mno, fehlt p.* ze sur *t.*

13, 4. urtællichem *K.*

5 ûf Alischanz erzeiget wart
gein Terramêrs übervart,
daz man sach mit manlîcher wer
des marcgrâven Willalmes her,
die hant vol als er mohte hân.
10 si hetenz ungerne lân:
ein teil sîns künnes was im komen,
und ouch die hêten genomen
starkiu dienst von sîner hant,
an den er niht wan triwe vant.
15 dô reit sînem vanen bî
Witschart und Gêrart von Blavî,
und der pfalnzgrâve Bertram,
der nie zageheit genam
under brust inz herze sîn
20 (daz wart ûf Alitschanz wol schîn);
und der clâre Vivîans:
ich wære immer mêr ein gans
an wizzenlîchen triuwen,
ob mich der niht solde riuwen.
25 ouwê daz sîniu jungen jâr
âne mundes granhâr
mit tôde nâmen ende!
von hôher freude ellende
wart dar under sîn geslehte:
daz tâten si mit rehte.
14 Ey Heimrîch von Narbôn,
dîns sunes dienst jâmers lôn
durh Gyburge minne enpfienc.
swaz si genâde an im begienc,

5 diu wart vergolten tiure,
alsô daz diu gehiure
ouch wîplîcher sorgen pflac.
ûf erde ein flüsteclîcher tac
und himels niuwe sunderglast
10 erscheiń, dô manec werder gast
mit engelen in den ħimel flouc.
ir sælekeit si wênic trouc,
die durh Willaḿen striten
und die mit manlîchen siten
15 kômen. lât ir nennen mêr.
ist werdekeit von prîse hêr
und ist der prîs diu werdekeit,
der zweir ist einez wol sô breit,
dâ von gelücke wirdet ganz.
20 der Burgunjoys Gwigrimanz
und des marcrâven swester kint
Myle, die zwên fürsten sint
ze Oransche komen în.
der werden sol noch mêre sîn:
25 ıch meine den clâren Jozeranz
und Hûwesen von Meilanz.
die viere heten hie den prîs
und sint nu dort en pardîs.
eyâ Gyburc, süeze wîp,
mit schaden erarnet wart dîn lîp.
15 Gaudîns der brûne kom ouch dar,
und Kyblîns mit dem blanken hâr,
und ouch von Tolûs Gaudiers,
Hûnas von Sanctes. ob ir miers

---

6. gegen *Klnop.* 7. maneger *t.* 8. markisen *op.* Willelms *K*, wilhelmes *p*,
wilhelms *lt*, Wilhalmes *mno*, wilhalms *x.* 9. hant wolle *K*, hant nu *op.*
11. sines *K.* 15. Da *lmnt.* 16. Gerhart *lmnopt.* 17. Berhtram *lmopt.*
18. zagheit *Kmop.* gewan *Klop.* 21. clare suozze *lmnt.* 23. witzich-
leichen *mo*, wiczlichen *p.* 26. gar an *mnop.* grane har *lop*, gravez har *n.*
27. nam *K.* 29 dar umb *mnopt*, umb *l.* geslæhte-ræhte *K.* 30. seu *m*,
die *Kt.*

14, 1. Ey *fehlt lt.* Naribon *lmnopt meistens.* 2. dines *K.* 3. Von *mnop.*
enpfie-begîe *K.* 4. si ie *mnop.* 8. flustleicher *mo*, verlustlicher *p*, ver-
lustiger *l.* 10. erscheinte *t.* 12. lutzel *mnop.* 13. di da *mnop.* wil-
lelm nu *K.* 15. lat euch ir *op.* lât iu'r? mi'r? 17. von w. (*ohne* ist) *op.*
18. der zweier ist *K*, diu zwei sint *lmnopt.* eines *Kmp.* 20. bürgunioys *K*,
Burgunscoys *m*, Burgunoys *p*, Burgonoys *lo*, burgenoys *n*, purganois *x*, Burgoys *t.*
22. Myl *t.* zwene *Klnop.* 23. Orangs *K*, orantsche *p*, orantsch *o*, oranse *n*,
Orans *m*, Orense *l*, orangis *t.* 24. mere *l*, mer noch *K*, mer da *mnopt.*
25. Joserantz *op*, Joterantz *m*, Tschozzeranz *t*, Thoziranz *l.* 26. Huwesen *t*,
Hᵂesen *K*, hüsen *l*, Hŭes *m*, hues *n*, husinet *x*, clones *op.* Melianz *l*, melyianz
n, Melantz *mopx.* 27. hetn hie *K*, ie heten, *ohne* hie, *t*, hielten da *n.*
28. en *m*, in dem *Klnopt.* paradis *lnop.* 29. Ey a *nop*, ey *Kmt*, Owe *l.*
suozzes *l*, clares *op.*

15, 1. .. æudins *K*, Gaudin *nop*,ₒOudins *t.* 2. kybalin *lo*, gybelins *m*, gybalin *np*,
Kibahuz *t.* 3. Tolòs *K*, Tolvs *m*, tholus *p*, toluse *n*, Tholoys *l.* Gaudiers *mn*,
gaudirs *p*, kautirs *lt*, kautis *K*, Candiers *o.* 4. 5. unde Hunâs von Sanctis
(Santis *t*). ob ir mirs geloubet so wil ich ziêren. *Kt.* 4. Hynas *op.* sanctis *l.*

5 geloubt, sô wil ich zieren
diz mære mit den vieren.
die heten ob dem wunsches zil
der hôhen werdekeit sô vil:
swer prîses dâ dez minre truoc
10 under in, es hete iedoch genuoc
von drîn landen al diu diet.
der tac diu wîp von freuden schiet,
ob si minne erkanden:
ich meine die dar sanden
15 ir freuden schilt für riuwe.
ist minne wâriu triuwe,
so erwarp dâ manges heldes tôt
den wîbn dâ heime jâmers nôt.
ich enmac niht gar benennen sie,
20 die dem marcrâven hie
kômen werlîche.
der arme und der rîche
sint bêde in die zal benant:
für zweinzec tûsent si bekant
25 wârn, dô si sich scharten,
die heiden wênic sparten.
   Provenzâl und Burgunjoys
und der rehten Franzoys
het er gehabt gerne mêr,
dô reit der schadehaften kêr
16 Der marcgrâve unverzagt.
sus wart mir von im gesagt,
wie er die heiden ligen sach.
under manegem samîtes dach,
5 under manegem phelle lieht gemâl:
innerhalp von zindâl
wârn ir hütte und ir gezelt
ze Alitschanz ûf daz velt

geslagen mit seilen sîdîn.
10 ir banier gâben schîn
von tiuren fremdeclîchen sniten
nâch der gâmâne siten.
der schein dâ sölh wunder,
ach wênc, in kan besunder
15 mit zal iz niht bereiten.
ûf des veldes breiten
ir gezelt, swenne ich diu prüeven wil,
man mac der sterne niht sô vil
gekiesen durh die lüfte.
20 niht anders ich mich güfte,
wan des mich d'âventiure mant.
nu wart der heidenschaft bekant
daz kœmen die getouften,
die stuol ze himel kouften.
25   der marcgrâve ellens rîche
mante unverzagetlîche
ir manheit sîn geslehte
durh got nnd durh daz rehte,
und ir werlîchen sinne
durh der zweir slahte minne,
17 Uf erde hie durh wîbe lôn
und ze himel durh der engel dôn.
'helde, ir sult gedenken,
und lât uns niht verkrenken
5 die heiden unsern glouben,
die uns des toufes rouben
wolden, ob sie möhten.
nu sehet war zuo wir töhten,
ob wir liezen sölhen segen
10 des wir mit dem kriuze pflegen.
wan sît sich kriuzewîs erbôt,
Jêsus von Nazarêt, dîn tôt,

---

6. Daz *lnopt.*   7. wunsche *nop,* wunsch *m.*   9. Swes *t,* Wez *o.*   des *mn,*
daz *Klopt.*   minnr *K.*   10. es hete îedoch (doch *l) Klmnt,* der hatt sein
doch *op.*   11. alle *l,* gar *mnop.*   16. ir *Kl.*   vare *l,* varb *m.*   18. Da
haim den weiben *op.*   wiben *K.*   19. 20. sî-hî *K.*   20. dem *Kl,* durch
den *mnop,* an den *x.*   23. an *mnopx.*   zal, *ohne* die, *t,* ein zal *l,* daz zil *op.*
25. waren *K.*   26. si wenick *opx.*   27. burgonioys *t,* Buorgunschoys *m,* pur-
guneise *p,* Burgonoys *l,* burgonoyse *o,* burgenoyse *n.*   28. werden *mnop.*
franzoyse *nop.*   29. Der het *t.*   gerne gehabet *lp.*   30. der *Klot,* den *mnp.*
scadhaften *K,* heidenschafte *t.*

16, 6. Ie einer halb *t,* ein halp *l,* Indewendik *n.*   zendal *lmot.*   7. waren *K*
meistens.   hutten *lmt,* buden *nop.*   9. lindin *t.*   10. schœnen schin *l,*
liechten schin *op.*   11. fremdechlichen *K,* frömdlichen *lmn.*   12. Al nach *lopt.*
Gamane *mn,* Gamanie *t,* gamânye *K,* Gamaneye *l,* gemainen *op.*   13. 11. *fehlen l.*
13. stein *m,* steine *K.*   14. an wechsen (wachsen *m,* wahsen *t)* chan *Kmt,*
Ane maze kan *n,* niemen chan *op.*   15. iz niht] ich iuch *Kln,* ich eu *mt,* ez
euch *op.*   bereîte-breîte *Klmt.*   17. wêm ich di *op,* die ich uoch *l.*
18. stern *mo,* sternen *l,* sterren *n.*   21. diu av. *K.*   23. dar chomen *K.*
27. In *op,* vil *K.*   geslæhte *K.*   28. durhz *K,* durch *t,*   29. manlichen *K.*
30. der] die *mnopt.*   hande *nop.*

17, 1. Uf] Bi der *t.*   durh *Kl,* durch der *t,* der *mnop.*   5. gelouben *alle.*   9. den
selben s. *K.*   11. sît *fehlt t,* er *lop.*   chriuces wis *K,* cruces wise *t.*   12. diu
Kt, den *l,* dem *m,* di *n,* in den *op.*   not *n.*

dâ von hânt flühteclîchen kêr
die bœsen geiste immer mêr.
15 helde, ir sult des nemen war,
ir traget sîns tôdes wâpen gar,
der uns von helle erlôste:
der kumt uns wol ze trôste.
nu wert êre unde lant,
20 daz Apolle und Tervigant
und der trügehafte Mahmete
uns den touf iht under trete.'
der marcgrâve Willalm
und die getouften hôrten galm
25 von mangen busînen.
nu was mit al dén sînen
ze orse komen, swiez drumbe ergê,
der künic von Falfundê,
der starke küene Halzebier.
manegen stolzen soldier
18 Unt manegen edelen amazzûr
er fuorte: die nam untûr,
sît si fürsten hiezen,
sô wolden si geniezen
5 ir kraft unde ir edelkeit,
daz in der prîs wære bereit
vor ander heres fluot.
manec fürste hôh gemuot
kom dâ mit scharn zuo geriten,
10 die durch Halzebieren striten.
in sîn helfe was benant
drîzec tûsent werlîch erkant,
sarjande und rîterschaft.
Halzebier kom mit kraft.
15 an der selben zîte
des hebens anme strîte
sîne turkopel pflâgen,
die dâ gestreut lâgen.

swie si heten în gezogen
20 mit künste manegen starken bogen,
ir lâzen unde ir ziehen,
ir wenken unde ir fliehen
wart in gar vergolten,
sît muosen unde solten
25 die getouften were bieten.
die heiden sich berieten:
ir herzeichen wart benant,
si schrîten alle Tervigant.
daz was ein ir werder got:
si leisten gerne sîn gebot.
19 Monschoy was der getouften ruof,
die got ze dienste dar geschuof.
hie der stich, dort der slac:
jener saz, dirre lac.
5 die ze bêder sît dâ tohten
gein strît, die wârn geflohten
in ein ander sêre.
dô gienc ez an die rêre
von den orsen ûf die erden.
10 heiden der werden
lac dâ manec hundert tôt.
die getouften dolten nôt,
ê si die schar durhbrâchen.
die heiden sich des râchen
15 manlîch und unverzagt.
daz ez mit jâmer wart beklagt
von den gotes soldieren.
sold ich si zimieren
von rîcher kost, als si riten,
20 die mit den getouften striten,
sô mües ich nennen mangiu lant,
tiure phelle drûz gesant
von wîben durh minne
mit spæhlîchem sinne.

16. sines *K oft*. 20. Apollo *Knt*, appollo *lmop*. 21. trugehafte *t*, trughafte
K, trugenhafte *lmn*, valsche *op*. Mahmet *Klp*, Machmet *mot*. 22. tret
Klmopt. 25. maneger *K*. 27. örsse *o*, örsen *K*, orense *l*. ergie *l*.
28. valfunde *m*, falsunde *nop*, falfundie *l*, Falsungê *t*. 29. halzibier *lnop*,
meistens. 30. manigen *K zuweilen*.
18, 1. amazzîur *K*. 2. nam vil *lmn*. untur *t*, untîur *K*, untowr *m*, untour *n*,
unture *o*, untuere *p*, vil luzel tuor *l*. 4. da *mn*, do *op*. 6. was b. *t*.
7. vor ander *K*, vor ander der *m*, Van andirs des *n*, Vor der andern *lopt*.
hers *Kmt*. 9. schar *t*. 11. sin] ir *K*. 14. der cham *op*, die quam *n*.
16. hefens *m*, haben ez *l*, haldens *p*, handelns *o*. 24. Si *lnopt*. 25. Den *l*.
wer b. *Km*, verbieten *t*. 26. sich ê *mnop*. 27. was *mnop*. genant *t*.
28. Die *t*. schrieten *ln*, schrieren *m*, rieffen *op*.
19, 1. Moneshoy *K*, Monzoy *n*, Monscoye *l*, Munschoy *mt*, Muntschoi *o*, Muntschoy *p*.
2. dar *Kp*, dar zuo *l*, al dar *mnt*, gar *o*. 4. ener *o*, Einer *lnt*. besas *op*.
der ander *ln*. gelack *op*. 5. sîte *K*, siten *l*. da *Kmnt*, do *p*, doch *o*,
fehlt l. 6. strite die waren *K*. 7. andr *K*, *oft dergleichen gegen den vers*.
9. örsen *Kl*. an *mopt*, in n. 10. die *t*. geræchen *K*. 14. des *fehlt l*,
do *op*. 16. daz er *K*. geclaget *lmo*. 17. soldiern *Km*. 19. Mit *mnop*,
So *t*. 21. můes ih *K*. nemen *lno*. manig *lnop*.

25 die heiden heten kursît,
als noch manec friundîn gît
durch gezierde ir âmîse.
nâch dem êweclîchem prîse
die getouften strebten:
die wîle daz si lebten,
20 Die heiden schaden dolten
und die getouften holten
flust unde kummer.
man gesach den liehten summer
5 in sô maneger varwe nie,
swie vil der meie uns brâhte ie
fremder bluomen underscheit:
manec storje dort geblüemet reit,
gelîch gevar der heide.
10 nu gedenke ich mir leide,
sol ir got Tervigant
si ze helle hân benant.
si mohten under hundert man
einen kûme zîser hân:
15 des wart ir lieht anschouwen
ungefuoge verhouwen.
si wârn ir lebens milte:
swâ mans âne schilte
traf, dâ spürte man diu swert
20 sô, daz manec heiden wert
dâ der orse teppech wart.
mit swerten was vil ungespart
ir hôh gebende snêvar:
drunde âne harnasch gar
25 was dâ manec edel houbet,
daz mit tôde wart betoubet.
ouch frumten si mit kiulen
durh die helme alsölhe biulen,
dês under der getouften diet
vil maneger von dem leben schiet.
21 Pynel fîz Kâtor,
der ze allen zîten was dâ vor

dâ man die poynder stôrte,
von sîner hant man hôrte
5 manegen ellenthaften slac,
ê daz der helt tôt belac
von des marcgrâven hant,
des allez heidenische lant
von freuden wart gescheiden.
10 daz was ein werder heiden.
der strît wart bêdenthalben sûr.
der marcgrâve einen amazzûr
ouch sluoc (der was vil rîche)
gâhes rîterlîche.
15 er wolde dannoch sich niht scharn.
Terramêr kom gevarn
ûf eim orse, hiez Brahâne:
dô kêrt er gein dem plâne,
er wolde den buhurt wenden.
20 er vorhte, ez sold in schenden,
ob er von strîte kêrte.
sîn manheit in lêrte:
einer schedelîchen tjost er pflac,
dâ von der edele Myle lac
25 tôt vor Terramêre,
den die Franzoyser sêre
unz an ir ende klagten,
die dâ sorgen vil bejagten.
Terramêr reit wider în
zuo dem grôzen ringe sîn.
22 Dürkel wart dô der heiden schar:
zegegen, wider, her unt dar
wart mit manlîchen siten
Halzebiers her durhriten,
5 des küenen und des starken.
man möhte in eine barken
sô manege banier niht gelegen,
sô die getouften sâhen wegen
den wint gein in ob heres kraft.
10 dô kom geruowtiu rîterschaft

25. 26 *fehlen t.* 26. freundinn *m,* friwendinne *K.* 27. gezier *m,* geziere *o,* zierde *ln.* 28. ewigen *mop.*
20, 1. holten -2. dolten *lopt.* 4. sach *lnt.* 9. var *mn.* 12. Sî *K.* zuo der *lnop.* hân *fehlt Kl.* genant *t.* 13. Sin *mn.* undr *K.* 14. ziser *m,* ze yser *K,* ze iser *t,* zuo isen *l,* zu strite *n,* tzu (in *o*) harnasch *op.* 18. an die *lmn.* 21. Alda *lopt.* örse *Kl,* örsse *p,* ors *m,* christen *o.* teppet *l.* 22. wart *t.* 24. dar under *lmnopt.* 25. dâ *fehlt Km.* 28. al *fehlt lmnop.* 30. libe *t.*
21, 1. fiz *K,* Phiffiz *t,* vil *l,* des vater hiez *mnop.* 2. der *fehlt m.* was tzu aller czit *op.* 3. ponder *lop,* pondier *m.* 6. gelach *mnop.* 8. allez heid-nisch *K,* al der Sarrazine *lnpt.* 9. was *K.* 11. suor *K.* 12. amazzuor *Kl.* amanzur *t.* 17. eime *ln,* einem *Kmt,* seinem *op.* örse *Kl,* örsse *p,* ors *m.* Brahan-plan *Km,* prahange-blange *t,* phahange-plange *l.* 23. Einer schede-lichen tyost er pflag *lt,* daz er einer [schedleichen *op*] tiost pflach *Kmnop.* 25. von *nopt.* 27. Unz ane ende *t.* 28. Vil schaden si da *l und ohne* da *t.*
22, 2. widr *K.* uñ *K.* 6. ein *m,* einen *ln,* einer *op,* 9. ob] mit *nopt.* hers *Kmt.* 10. geruowetiu *K,* geruowte *l,* geruebte *m,* gerute *p,* garwitiu *t,* gewelit *n.*

an der selben zîte
gevarn gein dem strîte
mit maneger sunderstorje grôz.
die fuort ein man den nie verdrôz
15 strîts noch rîterlîcher tât.
sîn werdekeit noch volge hât,
daz er warp um rîterlîchen prîs:
der hiez Nöupatrîs:
er het ouch jugent und liehten schîn.
20 ze Oraste Gentesîn
truoc er krône: ez was sîn lant.
dar verjagt und dar gesant
het in der wîbe minne:
sîn herze und des sinne
25 ranc nâch wîbe lône.
von rubîn ein krône
ûf sînem liehten helme was:
lûter als ein spiegelglas
was der helm unverdecket glanz.
gegen dem kom Viviânz,
23 Des marcgrâven swester suon:
der kunde ouch werdekeit wol tuon.
sus was bewart sîn clâriu jugent:
dehein ort an sîner tugent
5 was ninder mosec noch murc,
wand in diu künegîn Gyburc
von kinde zôch und im sô riet
daz sîn herze nie geschiet
von durhliuhtigem prîse.
10 der junge und der wîse
sah gein im stolzlîche komn
von des tjoste wart vernomn
jâmer unde herzeu nôt.
si wurben bêde umb den tôt.
15 ich bin noch einer, swâ manz sagt,
der ir tôt mit triwen klagt;

disen durh prîs und durh den touf;
und jenen durh den stæten kouf:
sîn jugent vil prîses gerte,
20 wan in sîn herze werte
maneger rîterlîchen ger.
sîn schaft was rœrîn ime sper,
und daz ysen scharpf unde breit.
mit volleclîchem poynder reit
25 der heiden vor den sînen.
undr al den Sarrazînen
was niender banier alsô guot,
als die der künec hôh gemuot
in sîner hende fuorte.
daz ors mit sporn er ruorte,
24 Als er tjostieren wolde.
von gesteine und von golde
was rîchiu kost niht vermiten,
in die banier was gesniten
5 Amor der minne zêre,
mit eime tiuren gêre,
durh daz wan er nâh minnen ranc.
daz ors von rabbîne spranc
gein dem jungen Franzoys,
10 der ouch manlîch und kurtoys
was und dar zuo hôh gemuot,
als noch der prîses gerende tuot.
in het durch sippe minne
Gyburc diu küneginne
15 ouch wol gezimieret.
die kômen gehurtieret,
mit snellem poynder dar getriben.
op diu sper ganz beliben?
nein, ir tjost wart sô getân,
20 durh die schilde und durh bêde man.
ietwederm von des andern hant
wart harnasch und verch zetrant,

13. storye swinde n, storie sunder t, swinder st. op.   storye K, stori m,
Storei o.   15. strites alle.   uñ t.   17. um K.   18. Neupatris lopt, Nou-
patris mn, Nouppatris K, Nipatreis x. so auch auf den folgenden seiten, nur
hat m nachher Neopatris.   20. Orast Kt, horast l.   22. dan Wackernagel,
dar alle.   und dar versant lnt, und gesant op.   27. tiûren l, tiurem t.
29. helme Klo.   30. gein Kt.

23, 3. was fehlt t, wart l.   5. mûsec t.   muorch K, mürich m.   6. in mt,
im Kop, fehlt ln.   7. in zoch n.   12. tiost Klm.   genomn K.   13. hertzen
ser durch (und op) iamers noet mnop.   15. iemer da t.   18. ênen mo, einen t.
tiuren K.   19. daz er ouch prises gerte. sin manheit in werte K.
23. yser t, yseru n.   24. poyndr K, poinder t, pondir ln, ponder m, vollich-
leicher tyoste op.   25. von nt.   27. so t.   30. örs K, örse l, örsse p.

24, 5. di n.   minen K.   zere-gere t, zer (ze er m) -ger Km, zuo eren (ze ern o)
-geren (gern o) lnop.   6. einem tiwerem K.   7. wan fehlt t.   minne lmopt.
8. Rabyne lo, rabine pt, Rabin K.   12. ouch t, fehlt op.   pris Km, prise p.
16. Si mnopt.   gehurdiert nop.   17. snellen ln und erst K.   ponder lmop,
poyndirn n.   20. die fehlt ln.   uñ durh bêde Kmn, beide und durch l, und
durch di op, und beide t.   21. îtwed. K, Iegelicher ln.   22. vêrich m.
entrant mop.

und beidiu sper enzwei geriten,
ietweders kraft alsô versniten
25 daz es der tôt sîn bürge wart.
Viviânz vast ungespart
sluoc den künec durh den gekrôn-
ten helm,
daz beidiu gras und der melm
undr im wart von bluote naz.
der heiden lebens dô vergaz.
25 Da ergienc ein schädelîch ge-
schiht
und ein jæmerlîchiu angesiht
von den sînen die daz sâhen.
si wolten helfe gâhen:
5 ir helfe was ze spâte komn.
ungesehen und unvernomn
was mangem heiden dâ sîn tôt,
der doch sîn verch en wâge bôt
durh prîs und durh der wîbe lôn.
10 Witschart und Sansôn
des geslehtes von Blavî,
die hurten Viviânse bî
und hulfen im: doch leit er nôt.
Amor der minnen got
15 und des bühse und sîn gêr
heten durchvartlîchen kêr
in der baniere
durch in genomen schiere,
daz man si rükeshalben sach,
20 vons küneges hant, der si dâ stach
Viviâns durch den lîp;
des manic man unde wîp
gewunnen jâmers leide;

sô daz imz geweide
25 ûz der tjost übern satel hienc.
der helt die banier dô gevienc
und gurtz geweide wider în,
als ob in ninder âder sîn
von deheinem strîte swære:
26 Hurte fürbaz in den strît.
Tybaldes râche und des nît
ist alrêrst um den wurf gespilt.
swen noch des schaden niht bevilt,
5 der mag in fürbaz vernemen;
des guotiu wîp niht darf gezemen,
sô sterbenlîcher mære
umb ir dienære.
daz was almeistic minnen her,
10 die manlîch ûfes lîbes zer
wârn benant für tjostiure:
manec heiden vil gehiure
was dâ ze vorflüge komn.
ir aller nam wirt unvernomn
15 (die brâht ouch Nöupatrîs):
iedoch die den hœhsten prîs
heten und den hœhsten art
an der tjoste fürvart,
die nenne ich iu für unbetrogen,
20 künege unde herzogen
und etlîchen amazsûr.
ich hân mangen nâchgebûr
der si niht gar bekande,
ob ichs im zwirent nande.
25 von Sêres Eskelabôn,
der dicke tougenlîchen lôn

---

24. îtw. *K*, Iegeliches *ln.*   vermiten *K.*   2ô. es der] der ir *op.* ·   sin *Klt*,
ir *mn*, *fehlt op.*   bürg *K*, purgel *o.*   27. kunich *K.*   29. in *lnop.*   30. da *lm.*
25, 1. ergie *Kmp.*   schædlich *K.*   4. Die *mnop.*   9. der *Klmp, fehlt not.*
weibes *o.*   lone *K.*   10. Sanson *t*, Sansone *K*, Samson *l*, Sampson *mnop.*
11. die gebruoder von Blaŷ (Blavi *t*) *Kt.*   12. Vivians *K. die übrigen haben*
immer z *oder* tz.   13. doch leider innot *Kt.*   14. minne *lmnop.*   15. büchse
K, puohs *m*, puchse *n*, buhses *t*, buosen *l*, pog *op.*   17. gueten b. *mn*, teuren
p. *op*,   18. genomn *K.*   19. rukeshalben *t*, ruᶜgeˢhalben *t*, rukeshalp *K*,
rückes halb *p*, rukehalb *mn*, hinderhalb *o.*   wol sach *mop*, ansach *n.*   22. des
man (manic man *t*) unde manech wip *Kt.*   25. Auz der wunde *op.*   uf den *t.*
27. gurtez *K*, guertez *m.*   28. im *lmnop.*   adr *K*, oder *l, fehlt n.*
30. lobebære *opt.*

26, 1. an *t.*   2. Baldaches *K.*   des *fehlt nop*, sin *t.*   3. alrerste *K.*   um
den *Kno*, umben *m.*   ẘrf *K.*   4. schadens *o.*   6. zemen *K.*   7. sterbentl. *np*,
sterbleicher *mo.*   9. almeiste *p*, aller maist *m.*   minnen *lo*, der minnen *K*,
minne *mnpt.*   11. thiosture *K.*   13. da zuo vor fluhte *l*, dazu von fluste *op.*
15. braht ouch *K*, brahte *lt*, da pracht *mnop.*   16. hœhisten *K.*   17. heten
mit chrefte unde mit art *K.*   die *lopt.*   18. tiost *K.*   vor vart *lop.*   23. niht
erk. *t*, doch niht erk. *op.*   24. ich ims *Kt.*   zwire *t*, dreistunt *mnop.*
25. von Sers *K.*   Eskelabon *K*, Eskælabon *t*, Escelabon *x*, askelabon *l*,
Escalibon *mnop.*   26. tugenl. *m*, tugentl. *nt*, minnechl. *op.*

von werder friwendinne enpfienc.
swelhiu genâde an im begienc,
der was nâch sîner minne wê.
sîn bruoder Galafrê
27 Der was noch wîzer denne ein swan.
ob mich diu âventiur des man
daz ich in müeze prîsen,
daz envelschen niht die wîsen.
5 die truogen bêde krône.
wir sulen ouch Gloriône
und dem stolzen Faussabrê
und dem künege Tampastê
und dem herzogen Rubîant
10 benennen, daz der sehser hant
vil rîterlîcher tjoste reit.
der rîche Rubîûn dâ streit,
und der künic Sînagûn,
Halzebiers swester sun,
15 dês diu heidenschaft het êre.
der hôhen was niht mêre
dennoch an die rîter komn.
nu het ouch Halzebier genomn
tschumpfentiur von strîtes nôt:
20 sîner drîzec tûsent was dâ tôt
wol diu zwei teil belegen.
die getouften muosen pflegen
daz si begunden niwer wer
gein Nöupatrîses her,
25 der selbe sehste künege was.
durch minne unminne in ûfez gras
valt, ein tjost unde ein slac:
vor Viviânz er tôt belac,
dem jungen Franzeise.

dô breite sich diu reise,
28 Niht von flühteclîcher jage:
zwêne wartman mit sage
brâhten Terramêr diu mære,
daz entschumpfieret wære
5 Halzebier von strîtes nôt,
und daz belegen wære tôt
Nöupatrîs der milte,
und daz der strît sich zilte
gein dem her mit manger huorte:
10 die der marcgrâve fuorte,
die möht ein huot verdecken:
'wir soltens umbestecken
mit dem zehenden unserr phîle:
si mugen deheine wîle
15 vor dem her getûren.'
eskelîrn und amazûren
unden künegen die dâ houbetman
wârn, den wart dô kunt getân,
man begunde jungn und alten sagen
20 daz selbe wâpen wolde tragen
Terramêr der zornic gemuot.
dô regete sich diu heres fluot.
von Arâby und von Todjerne
die künege dô gâhten gerne,
25 Tybalt und Ehmereiz sîn sun;
und der künic Turpîûn:
des lant hiez Falturmîê.
die kômn dô an die ritter ê,
ê der künec Poufameiz
ode von Amatiste Josweiz;
29 Od der künec Arficlant
und des bruoder Turkant:

27. 28. enpfîe-begîe K.   28. gnade Kl.   30. der hiez G. mop, hiez g. n.
27, 1. Und mn   dennoch t, fehlt n.   dan ln.   2. aventiure K.   3. ich si
muoz (muoze t) Kt.   7. Faussabre lt, fòssabrê K, Fausabre mnop, fanssuaste x.
8. Tambaste t, Tampastre Kop.   9. Rubiant K, Morant lmnopt, morhant x.
s. 46, 21. 22.   10. benennen K, bechennen mnopt, Erkennen lx.   sechser K.
11. tio st Km, tyost da lopt.   13. Sînagun K.   14. Halzbiers K.   15. hat mt.
17. Dannoch ln.   18. Halzbier K.   19. tschumpfentiure K.   21. gel. ot.
24. Gegen mnop, Gein dem l.   Neupatrises op, noupatrisis n, Neupatris lt,
Nouppatris K, Neopatris m.   25. sechste K.   28. gelach mopt, lach n.
30. bereite t, bezerrt o, besserte p.
28, 3. Terrameren K.   5. sturmes l.   6. gelegen lmt.   9. 10. huorte-vuorte t,
huert-fuert m, hurte-fuorte lop, hurte-furte Kn.   13. den zwein l, den
zainen o, den zæinden t, tzeinen p.   16. Eskelyren mn, esckeliern ot, Esche-
lieren lp, Emeraln K.   17. und enkunegen di K.   18. do K, daz lopt,
ouch mn.   19. iungen alle.   22. diu Kt, all di op, nu m, des ln.   24. ku-
nige do (da m) gahten Kmt, kunig gahten ln, begunden streiten op.   25. Eh-
mereiz Kt, Emereis ln, Emeraiz m, ekmereis op, Echmereis x.   27. faltur-
mye K, falturnie lmop.   28. chomen K.   30. dô fehlt lopt.   an der Tremye K.
29. ê Kmn, Dan lo, Denne t, Denn p.   Poufameîz K, poufemeiz nt, Pofe-
maiz m, paufemeiz lop, panfemeis x.   30. ametiste lm.   Josuweiz ln, Jose-
weiz p, Josebeis o, Josuaiz m, Jozweis x.
29, 1. Oder dan (denn m, denne p) mnop, Oder an l, Und t, fehlt K.   Erficlant
K, affridant op, Arklant x.   2. oder mnop.

der lant hiez Turkânye.
ir kunft mange âmye
5 in Francrîche erweinde,
diu klagende ir triwe erscheinde.
unz ein künec was bereit,
innen des der ander streit,
manec sunderrinc mit grôzem her,
10 und die mit manlîcher wer
harrten, diech iu nante nuo.
allrêrst ich nennens grîfe zuo.
Arofel der Persân,
dem was in manegen landen lân
15 prîs ze muoten und zer tjost.
er het ouch dâ die hœhsten kost
von soldiern und von mâgen:
an sîme ringe lâgen
zehen künege, sînes bruoder kint.
20 der heiden rîterschaft ein wint
was, wan die er fuorte.
waz man tambûren ruorte
und busîn erklancte!
mit maneger rotte swancte
25 Terramêrs bruoder her,
Arofel, durh strîtes ger.
dô kôs man ûfme gevilde
manec zimier wilde,
der diu rîterschaft erdâhte,
die Arofel brâhte.
30 Daz was des schult, er mohtez hân.
Terramêr het verlân
der jungen hôh gemuoten diet,
ich mein daz er in underschiet
5 sunderrîcheit sunderlant
sînen zehen sünen was benant,
dâ .ieslîcher krône

vor sînen fürsten schône
truoc mit krefte und mit art.
10 ieslîcher ûf der hervart
selbander rîcher künege reit.
seht ob ir her iht wære breit,
die in ir dienste wârn geriten.
ouch dienden si mit zühte siten
15 ir vetern und leisten sîn gebot.
er lag ouch in ir dienste tôt,
Arofel von Persyâ,
in des dienste sie dâ
wâren unde ouch er durch sie.
20 der milte enpfiel sölch helfe nie.
Arabele Gyburc, ein wîp
zwir genant, minne und dîn lîp
sich nu mit jâmer flihtet:
du hâst zem schaden gepflihtet.
25 dîn minne den touf versnîdet:
des toufes wer ouch niht mîdet,
sine snîd von den du bist erborn.
der wirt ouch drumbe vil verlorn,
ez enwend der in diu herze siht.
mîn herze dir ungünste giht.
31 War umbe? ich solte ê sprechen
waz ich wolde rechen:
oder war tuon ich mînen sin?
unschuldic was diu künegin,
5 diu eteswenne Arabel hiez
und den namen im toufe liez
durh den der von dem worte wart.
daz wort vil krefteclîche vart
zer magde fuor (diust immer magt),
10 diu den gebar, der unverzagt
sîn verch durh uns gap in den tôt,
swer sich vinden lât durh in in nôt,

3. Turganie *t*, Turbanie *op.*　　4. Ir kraft vil m. *t.*　　5. erweinten *l*, seint bewainte *op*, machete weinende *K*.　6. Die-erscheinten *l.*　　ir *fehlt mnop.* rewe *op.*　7. Untz *mt*, Biz *ln*, Untz daz *op*, Nu *K*.　8. andr. *K*.　9. manigen *lmn.*　　sunderr rinck *p*, sundr rinch *K*, sundær ranc *t.*　11. Harrten *op*, heten *lmnt*, waren *K*.　die ich *K*.　nû-zû *l.*　13. dem *K*.　14. Der *t.* in manigem land *op*, zesinen handen *Kt*.　15. ze muoten *Kt*, zuo muote *l*, zu intmouten *n*, ern mutes *m*, zestreit *op*.　zer *Knt*, zuo der *l*, der *m*, ander *op.* 16. hœhestn *K*.　17. soldiern *m*, soldieren *K*.　27. Do (Da *mn*) chos man *Kmnt*, Kos man do *l*, Man kos *op.*　ûz dem *K*.　28. zimierd *mnp.*
30, 4. meine *K*.　7. 10. iegelicher *lop*, iegeslicher *t.*　8. vor siner *K*.　9. chreft *Km.* mit *Kmn*, ouch von *lt*, von *op*.　11. selbandr *K*.　13. dienst *lmn.*　14. mit guoten s. *opt.*　15. veteren *K*.　17. Aropfel von Persa *K*.　18. si *Klmn.* alda *op*.　20. Die minne *op*.　enpfie *opt*, enpfieng *l*.　21. ein *K*, durch ein *lt*, und doch (ouch *o*) ein *mnop*.　22. zwirent *t.*　24. zuo eime *l*, ze *no*, zwen *m.*　26. ouch *fehlt lopt*.　verm. *nt.*　27. sine snide *Kn*, Sein sneid *m*, Sine versnide *t*, Si versnide *l*, Sein sterben *op*.　von den du da *t*, da von du *op*.　geborn *alle aufser K*.　28. der] ir *K*.　29. enwende *K*, enwent *m*. 30. unguste *o*, ungeste *l*.
31, 6. ime *K*.　8. *fehlt t.*　9. diu ist *Kmnp*, sist *lot.*　11. verh. *K*, vêrch *m.* durch (fur *op*) uns gab in (an *t*, *fehlt l*) den *lmnopt*, gap durh unseren *K*.

der enpfæhetn endelôsen solt:
dem sint die singære holt,
13 der dôn sô hell erklinget.
wol im derz dar zuo bringet,
daz er sô nâhen muoz gestên
daz in der dôn niht sol vergên;
ich mein ze himel der engel klanc:
20 der ist süezer denne süezer sanc.
man moht an Willalmes schar
grôzes jâmers nemen war.
sîne helfær heten niht vermiten,
beidiu geslagen und gesniten
25 ûf ir wâpenlîchiu kleit
was Kristes tôt, den da versneit
diu heidensch ungeloubic diet.
sîn tôt daz kriuze uns sus beschiet:
ez ist sîn verh und unser segen:
wir sulens gelouphafte'npflegen,
32 Sam tâten die getouften dort.
diu heidenschaft in über bort
an allen orten ündet în.
manec rotte in brâhte sölhen pîn,
5 daz si bedörften niwer lide.
des lîbes tôt, der sêle vride
erwurben Franzoysære dâ.
Arofel von Persyâ,
sîns bruoder kint noch umbenant
10 sint, die man dâ komende vant
mit rîterlîchem kalopeiz.
Fâbors und Passigweiz,

Mâlarz und Malatras:
Karrîax daz fümfte was:
15 Gloriax und Utreiz,
Merabjax und Matreiz:
dô was daz zehende Morgôwanz,
des prîs mit werdekeit was ganz.
von rabînes poynderkeit
20 durh den stoup inz gedrenge reit
gein dem strîte ieslîchez her
der künege von über mer.
dâ striten Terramêres kint
sô daz die getouften sint
25 umbehabt an allen sîten.
manlîch was doch ir strîten.
immer gein einre getouften hant
was hundert dâ ze wer benant
von rîterschaft der mæren
und von bogeziehæren.
33 Dô kom in kurzer vriste
der künec von Amatiste,
der hôh gemuote Josweiz.
sîn her dâ bluotigen sweiz
5 vor den Franzoysæren rêrte:
in den strît er dô kêrte
selbe fümfte sînre genôze.
mange rotte grôze
Matulases sîn vater dar
10 im sande, daz si næmen war
sîn, swenn er nâch prîse strite.
im erzeigeten dienstlîchen site

13. enpfahet unendelosen *Kt*, enpfæht au endelosen *o*, enpfehet den (*fehlt mp*)
endelosen *lmp*.   15. hell *K*   19. meine ze himele *K*.   20. Da ist *lm*,
Daz ist *t*.   suezzer denn suezz ir *m*, suozze und uber suozze ir *l*.   21. wil-
lelms *K*, wilhelms *l*, Wilhelmes *p*, Wilhalmes *mo*, Wilhalms *t*, willehalmis *n*.
22. grôzs *K*.   23. helfære *K*.   27. heidenisch *K*.   29. segen] ist siu *n*.
30. wir sulen ouch (sulns *t*, sullen ez *l*) gelouphaften pflegen *Klt*, Wir schullen
sein geloubichlich (geloublichen *p*) pflegen *op*, Wir schullen seins glouben
phlegen *m*, Wir sollen des globig sin *n*.

32, 1—33, 30 *fehlen t*.   2. in urbort *K*.   3. orten *Kmnopy*, enden *l*.   undet
in *m*, untin *y*, verwundet in *op*, undetenig sin *l*, half uz und in *n*, in *K*.
8. Arôfel *K*.   10. di *K oft*.   11. Galopeiz *l*, galopeis *p*, golopais *y*.
12. Socherz *x*.   passiguweiz *l*, passiguais *y*, bachsigweiz *n*, Lahsigweis *m*.
13-15. Malarz uū Malatraz kiriâx. daz fiumfte was Gloriâx. unt der herre Vtreiz.
K.   14. der *lnopxy*.   16. Merabias *K*, Mirabiax *l*, Mirablax *y*, Mirabax *x*,
Berabiax *m*, Berbyax *n*, barabiax *o*, Bambiax *p*.   17. der *lmnopxy*.   Morgo-
wanz·*K*, Morguwanz *y*, Morgwanz *l*, Morgoantz *mnopx*.   19. poyndecheit *K*,
pondercheit *lmopy*.   21. dem *fehlt K*.   iegeliches *lnop*, ieglich *y*.   23. Ter-
ramer *K*.   26. doch ir *Ky*, do ir *lo*, da ir *mp*, die in deme *n*.   27. Wan
[ie *m*] gein *mn*.   einre *l*, ainr *y*, einer *K*.   getouften *fehlt K*.   28. benant
Kny, bechant *mo*, erkant *p*, ekant *l*.   30. bogen zieh. *lnopy*.

33, 1. vrist *Km*.   2. amatist *K*, ametist *m*.   3. hohgemuot *Km*.   Josuweiz *ly*,
Joseweis *op*, Josvaiz *m*, josoieiz *n*.   5. Von *lopy*.   franzoysen *l*, franzoy-
sern *mnoy*.   6. do *K*, *fehlt lmnopy*.   7. fiumfte *K*, funfter *m*.   siner *alle*.
8. röte *K*.   9. Matusales *Ky*, Matusalez *m*, Matuselez *n*, Matusalcis *op*,
Matuseleiz *l*.   11. swenne *K*, swan *ny*.   12. dinstliche *n*, dinstlich *lo*.

vier künege und rîterlîch gelâz,
Pohereiz und Corsâz,
15 Talimôn und Rubûâl.
mangen pfelle lieht gemâl
ir ors truogen ze kleiden.
liuten und an orsen beiden
kôs man phelle tiure.
20 dem vanken in dem fiure
sölher gelpfheit ie gebrast.
dâ kom der sunnen widerglast
an mangem wâppenrocke.
mîner tohter tocke
25 ist unnâch sô schœne:
dâ mit ich si niht hœne.
    diu Josweizes heres kraft
und Arofels rîterschaft
und Halzebiers koberen,
des mohten si niht goberen,
34 Die getouften, an der zît:
von ein ander si der strît
mit maneger hurte klôzte.
der heiden her dô grôzte
5 von emerâln und amazsûren.
vil pûken, vil tambûren,
busînen und floytieren.
nu wold ouch punieren
Terramêr mit krache
10 den getouften zungemache,
dâ niun krône rîcheit lac,
und dâ manc edel fürste pflac
daz si dienden Terramêres hant.
ân ander sîniu zinslant

15 diende im Happe und Suntîn,
Gorgozâne und Lumpîn.
sîn beste lant was Cordes:
diu zal sînes hordes
was endes mit der schrifte vrî.
20 Poy unde Tenabrî,
Semblî und Muntespîr.
manec amazsûr und eskelîr
ûz den niun landen vuor,
dâ man ûf ir goten swuor
25 Terramêrs hervart.
wie sîn schar hie sî bewart?
lât iu benennen sîne kraft.
diu wîte geselleschaft
reit an Terramêres schar:
manec swarzer Môr, doch lieht gevar,
35 Die sich wol zimierten
ê daz si pungierten.
    der künec Margot von Pozzidant.
Orkeise hiez sîn ander lant,
5 daz sô nâh der erden orte liget,
dâ nieman fürbaz bûwes pfliget,
und dâ der tagesterne ûf gêt
sô nâh, swer dâ ze fuoze stêt,
in dunct daz er wol reichte dran.
10 der künec Margot, der rîche man,
fuort ouch den künec Gorhant.
bî der Ganjas was des lant.
des volc was vor und hinden horn,
âne menschlîch stimme erkorn:
15 der dôn von ir munde
gal sam die leithunde

14. Bohereiz *K*, Pothereiz *l*, Poherete *n.*   Gorgas *x.*   18. liuten *Ky*, Leut *lmnop.*   und örss (orse *l*) an beiden *lop.*   20. dem *Kl,* den *mnopy.*   funken *lnp.*   21. gelpfeit *K*, gelfheit *l*, gêlph *m.*   27. Josweizs *K.*   29. chobern *oder* kobern *alle.*   30 Des mochten si (sich *l*) *lmno,* Mohten *y,* moht do *K,* Do mochten *p.*   gobern *Kl,* geoberen *no,* geobern *mpy.*

34, 2. sich *op.*   3. hurte *fehlt t.*   klotzte *y,* loste *op.*   5. von Eskeliern *mnop.* und *nopy,* unde von *Klmt.*   6. puckel *K,* búken *ly,* buochen *t,* peüken *m.* vil *fehlt t.*   7. und *fehlt t.*   8. Do wolde p. *t.*   11. niune *K.*   12. manich *K.*   13. dientan *y.*   15. hap *nt,* hab *m,* hallap *op.*   sytin *op.* 16. Gorgozan *mop,* Corgozane *n,* Gorgozzange *l,* Gorgazzange *t,* Gorgosange *y,* gorgosangi *K.*   Limpin *t,* luntpin *l,* lippin *op.*   17. Gordes *Kt.*   19. schrift vrie *K.*   20. Poy *lopy,* Poye *Kn,* Poie *t,* Pohy *m.*   tenebrei *op,* Teneblye *K.* 21. Sembli *mn,* Semblie *K,* Sempli *lty,* Semli *op.*   monte spir *ln,* montispir *op,* Muntesper *t.*   22. amatzur *y,* amazowr *m.*   escelir *l,* eschelier *op,* Eskeher *t.* 26. hie *fehlt K.*   28. Die witen *lxy,* die weite *op.*   29. Diu reite *t,* Dú da rait *lopxy.*

35, 2. punierten *mn.*   3. Markot *xy.*   Bozz. *m,* poss. *opxy.*   4. Orkeis *mopx.* 5. nah *n,* nahen *lmotxy, fehlt K.*   ort *Km.*   6. Daz *lxy.*   fûrbaz bwes *K.* 7. tag sterne *K,* tagstern *moy.*   8. nahe *Ky,* nahen *lmnotx,* nahent *p.* da ze fuoze (fuz *t*) *Kt,* da ze fuezzen *opx,* ze fuezz da *lmny.*   9. dunchet *K.* reiche *lnotxy.*   11. Corhant *mn,* Corchant *op.*   12. ganias *x,* Ganies *mn,* gamas *l,* Ganis *op,* Geyas *K,* Gays *t,* zais *y.*   sin *t.*   13. vorn *Ktx.* 14. menneschlich *K.*   geborn *l.*   16. gal sam *op,* alsam *K,* Gal so *lty,* hal so *m,* also *n,* gal alz *x.*   der *n.*

oder als ein kelber muoter lüet.
von ir strîte wart gemüet
vil der kristenlîchen wer.
20 des künec Gorhandes her
mit stählînen kolben streit
ze fuoz, ir deheiner reit:
si wâren aber sus sô snel,
die mit dem hürnînen vel,
25 si gevolgten wilde und orssen wol.
ob 'ich sô von in sprechen sol,
niht in enpfliehen mohte,
wan dem ze fliegen tohte.
dem künege Margotte
man jach daz manec sîn rotte
36 Wol striten: ze ors und ze fuoz
wurbens umbe wîbe gruoz
oder sus nâch anderem prîse.
daz tuot ouch noch der wîse.
5　noch was des hers kraft ein wint,
wan die Terramêrs tohter kint
fuorte ûf dem plâne,
Poydjus von Griffâne:
Trîand und Kaukasas
10 ouch des selben küneges was.
der fuorte ûf den pungeiz
den rîchen künec Tesereiz.
der was für hôhen prîs erkant:

Collône hiez sîn lant.
15 der fuort die Arâbeise
und die Seciljeise
und die von Grickulâne
durh die wilden muntâne,
die von Sôtiers und de Latriseten.
20 umbe wîbe gruoz nâch sînen beten
und nâch ir hôhen minne
stuonden Tesereizes sinne.
　dennoch reit Terramêre bî
Poydwîz. des vater Ankî
25 het in mit kreften dar gesant.
dem dienden ouch sô wîtiu lant,
daz er mit manger storje reit.
was Alyschanz daz velt iht breit,
des bedorften wol die sîne:
gedranc si lêrte pîne.
37　Mit alsô wît gesamenten scharn
Terramêr kom gevarn.
wir hœren von sîm poynder sagen,
es möhten starke velse wagen,
5 dar zuo die würze und der walt.
sîns hers wart vil dâ tôt gevalt
von dem marcgrâven snel.
des helm was ze Tôtel
geworht, herte unde wert.
10 Schoyûse hiez sîn swert,

---

20. kunec *Kn*, kuniges *lnptxy*.　　Corsandes *p*.　　23. sus *fehlt t*.　　25. ge-
volgten *Ky*, volgten *lmnop*.　　28. ze vliehen *lmptx*.　　29. Margote *opt*, Mar-
kote *y*, Margot *m*.

36, 1. stritten ze ôrs *K*.　2. wib (b *aus* p *gemacht*) *K*.　4. noch *fehlt t*.　5. was
Klxty, ist *mnop*.　　6. Terramers (a *aus* e *gemacht*) *K*.　7. fuort *K*.　　planye
K.　8. Podyus *ln*, Podius *xy*, Povdivs *t*.　　griffange *y*, Grivange *t*, grifan *x*,
grisane *n*, Grossanye *K*.　9. Triande *l*, Driande *y*, Tyrande *n*, Friende rabase
(Rabse *p*) *op*.　　Kaukesas *m*, koukesas *K*, kochesas *n*, Kaugasas *t*, Gauchsas *y*.
11. den *fehlt K*, dem *l*　　punaiz *mnopt*.　　12. Tesreiz *K*.　　14. Kollone *lx*,
Colone *mop*, Cololone *n*, kolanye *K*, Colanie *y*, Rollage *t*.　　was *K*.　　des *mn*,
dez selben *op*.　15. fûrt *K*.　　die *lmnop*, den *x*, in *Ky*.　　arabaise *y*, ara-
boyse *n*, Araboys *m*, Arbeise *K*, Ameize *op*, Naraboyse *lt*, Naroweis *x*.
16. Setilioys *m*, secil . . . . . *y*, Setzsleise *K*, Secueis *x*, Syciloyse *ln*, Saroleise
op, Serilioise *t*.　17. Grikulane *p*, Grikulan *m*, Gritulane *o*, gricolane *n*, Gricku-
lanye *K*, Grikulange *y*, kriculange *l*, Krikulange *t*.　19. Sotiers *l*, sottiers *n*,
sotier *y*, Soiters *t*, Soters *x*, Sottrs *K*, Sutters *m*, Switer *o*, Suders *p*.　　und *n*,
und di *m*, und die *t*, und von *lop*, unt die von *Kxy*.　　lantriseten *x*, Latrisêt
Kty.　　20. Wibe gruoz hete er vil gebeten *lx*.　　gruoz (gruozzes *t*) siner
bêt *Kty*.　23. Dannoch *lnt*.　　Terramer *K*.　24. Poydwiz *n*, Povdwiz *t*,
Poydwitz *m*, Poywiz *K*, Oydwis *y*, Poydeweis *op*, Podeweiz *l*, Poydius *x*.
anki *l*, anchi *Kmnpt*, Anchey *ox*, och bi *y*.　26. Im *mnop*.　27. storye *Kn*,
stori *m*, storey *o*.

37, 1. alsus *ohne* wit *t*.　　gesamten *lmopt*.　3. horten *t*.　　seinem *mop*, sinen
Kny, siner *ltx*.　　poynder *nt*, ponder *lop*, pundr *K*, poiunder *x*, pondyer *m*,
pondiern *y*.　4. ez *Kt*, Iz *mn*.　　velswagen *K*.　5. wurzel *l*, wurceln *n*.
6. sines w°chers wart *K*.　　vil da *Kmy*, da vil *lntx*, vil *op*.　8. dodel *lt*.
dudel *x*.　9. hert *Kmny*.　10. Scôyuse *K*, Tschoius *tx*, Tscoruse *l*,
Schoyse *n*, Schoys *m*, Tschoyse *p*, Tschois *o*.

und sîn ors hiez Puzât,
dâ manic rîterlîchiu tât
ûffe wart begangen.
Terramêr enpfangen
15 wart sus von der getouften diet:
si gâben strîtes gegenbiet,
ê daz si überkraft betwanc;
des manger sêle wol gelanc,
dô die getouften sturben,
20 die mit hôhem prîse erwurben
den solt des êwegen lebennes.
er phligt noch sölhes gebennes,
der mennisch ist und wârer got,
und der wol freude unde nôt
25 enpfüeret unde sendet.
immer unverendet
ist sîn helfe wider sie
die im getrûwent als die.
swer durh Willalm erstarp,
der sêle sigenunft erwarp,.
38 Uf dem velde ze Alitschans.
ey tiœvel, wie duns des verbans,
und wie du gein uns vihtest
und unsern schaden tihtest!
5 wie selten dich der gast verbirt!
du bist iedoch ein smæher wirt,
ze allen zîten geste rîch.
swenne ich sô grimmeclîch
einen wirt sô sitzen funde,
10 ob mirs diu reise gunde,
ich kêrte gerne fürbaz.
der in der meide wambe saz,
der wîse mich an bezzer stat,
daz ich den helleclîchen pfat
15 iht ze lange dürfe bern:
des müeze mich sîn güete wern.
daz ruowen mit der bîte

und den wehsel ame strîte
gap Terramêr von Kordes
20 der sêle riwe hordes
vil ûf ein ander legten,
die himels dôn sus wegten,
daz vil der engel sungen,
swenne in diu swert erklungen.
25 ouch frumte der getouften wîc
daz gein der helle manec stîc
wart en strâze wîs gebant.
diu heidenschaft wart des ermant,
dâ von diu helle wart gefreut:
ir lac manc tûsent dâ gestreut.
39　Werlîch man die getouften vant,
ê daz in ir kraft verswant
von überlast der heiden
wurden si gescheiden
5 under mange unkunde sprâche.
die Tybaldes râche
der marcgrâve mit schaden sach:
riweclîche er dô sprach
'mîner mâge kraft nu sîget,
10 sît sus ist geswîget
Monschoy unser crîe.
ey Gyburc, süeze âmîe,
wie tiwer ich dich vergolten hân!
soltez Tybalt hân getân
15 âne Terramêres kraft,
unser minneclîch geselleschaft
möhte noch wol lenger wern.
nu wil ich niht wan tôdes gern:
unde ist daz mîn ander tôt,
20 daz ich dich lâze in sölher nôt.'
er klagt daz minneclîche wîp
noch mêre dan sîn selbes lîp
und dan die flust sîns künnes.
'got, sît du verbünnes

---

11. ôrs *K*, ôrsch *x*.　　daz hiez *Kn*.　　12. getât *K*.　　13. ûf *K*.　　16. si
butten strit gein biet *K*.　　17. sî *K*, seu *m*.　　21. des solt des *K*.　　ewigen
lebens-gebens *alle*.　　23. warr *Kx*, warre *t*, war *n*.　　24. der *fehlt t*.
25. sendent *K*.　　28. die im niht *K*.　　29. Swer *lmnx*, Swer da *op*, Der *t*,
die *K*.　　bi wilhelme *lop*.　　starp *l*, striten *K*.　　30. Des *lnoptx*.　　signunft
erbiten *K*.
38. 1. ze *fehlt K*.　　2. Her *t*.　　erbancz *t*, vergans *ln*.　　4. unser schanden *K*.
7. gestu rich *K*.　　9. sô *fehlt lmnpt*.　　sitzende *pt*, sitzunt *o*.　　11. gerner t.
12. wammen *ln*, libe *t*, leib *m*.　　15. Niht *lmn*.　　16. gewern *opt*.　　17. riwen
lp, riuwe *t*.　　bihte *lop*.　　18. von dem wehsel *K*.　　den *fehlt t*.　　19. gap
fehlt K.　　Gordes *K*, Hordes *t*.　　20. rîwe hords *t*.　　21. leiten *K*.　　22. die
fehlt K, Des *n*.　　done *K*, dône *t*.　　sus *mno*, so *lt*, sie *K*, *fehlt p*.　　weiten *K*,
erwegten *p*.　　25. frumten die *opt*.　　27. en *Km*, *fehlt l*, eyn *nt*, und manig
op.　　strazzen *lm*.　　wit *nopt*.　　28. erkant *t*.　　30. manech *K*.　　da *fehlt lt*.
39, 2. ir *fehlt K*.　　5. undr *K*.　　16. minnechlich *Kmnt*, zweier *lop*.　　17. moht
K.　　wol noch *m*, noh *K*.　　21. chlagete *K*.　　22. noh mere danne *Kt*.
23. uñ danne *Kl*, Uñ denne *t*, Oder denn *m*, Oder *nop*.　　24. herre got *mnop*.
verwunnes *m*, vergünnes *lnop*.

25 Gyburge minne mir,'
sprach er, 'sô nim den trôst ze dir,
swaz der getouften hie bestê,
daz der dinc vor dir ergê
âne urteillîchen kumber.
des ger ich armer tumber.'
40 Von manger hurte stôze
und von busînen dôze,
pûken, tambûren schal,
und der heiden ruof sô lût erhal,
5 es möhten lewen welf genesen,
der geburt mit tôde ie muose wesen
daz leben in gît ir vater galm.
der marcgrâve Willalm,
ob ich von dem sô sprechen mac,
10 gesâht ir ie den nebeltac,
wie den diu liehte sunne sneit?
als durhliuhteclîch er streit
mit der suoche nâch sîm künne.
an der dicke erz machte dünne,
15 und rûm ame gedrenge,
und wît swenn erz vant enge:
sîn swert Schoyûse daz er truoc,
dâ mit er sölhe gazzen sluoc,
des manc storje wart zetrant.
20 gein dem wazzer Larkant
von dem velde Alyschans
wart der fürste Viviâns
gehurt in diu rivier.
nu was diu tiwer banier
25 gerucket von den wunden,
diu drüber was gebunden:
daz kreftelôst in sêre,
wan daz er durch sîn êre

und ouch durch manges heidens tôt
dennoch manlîch were bôt.
41 Sîn halden was dâ niht ze lanc.
ouch hete mangen ahganc
Larkant, daz snellîchen flôz.
Viviâns hôrt einen dôz
5 und sach daz her Gorhandes komen,
von den sölh stimme wart vernomen,
es möhte biben des meres wâc.
Margot Terramêres mâc
brâht im diz volc hürnîn.
10 den Gyburc diu künegîn
ze Termes und ze Oransche zôch,
Viviâns ungerne flôch:
des marcgrâven swester kint
hurte, als ob in fuorte ein wint,
15 in daz her des künec Gorhant,
daz dâ kom von Indîant.
ouch was den hürnînen zorn
daz bêde ir verch unde ir horn
von sîner hende wart versniten.
20 werlîchen kom geriten
der phallenzgrâve Bertram
da er den sûwern dôn vernam.
er wolde wider wenden:
wan er vorhte, ez solde schenden
25 al die Franzoyse.
do gehôrt der kurtoyse
Munschoy creiieren
in den rivieren
und sah ouch Viviânsen streben
nâch tôde als er niht wolde leben.
42 Bertram dô strîts ernande.
seht ob in des mande

---

28. der K, den ir op, ir lmnt.　　29. urtellichen K, urzellichen l.
40, 1. hurt K.　　2. busine t.　　3. pucken tamburn K, Bŏchen Tambure t.
4. ruof Km, wuef opt, worf n, verlust l.　　sô lût fehlt t, ouch lute n, laut o.
5. ez Km.　　welfe l.　　6. der geburt ir tot ie mûse wesen K.　　9. von im
so l, von dem K, so von dem m, so von im nopt.　　10. nebels tac t.
11. diu] der K.　　13. sime ln, sinem Kmopt.　　14. macht er ez opt.
16. swenne Kt, swanne l, swa mnop.　　17. Schoyuse K, Tscoiuse l, Tschoius t,
schoyze n, tschoyse p, Schoys m, Tschois o.　　18. daz er sölh gazze sluoch Kl.
gazze t.　　19. entrant K.　　26. dar uber Kn, drumbe op.　　27. daz chrefte-
losten sere K.　　30. Dannoch da n.　　wer da lmopt.
41, 1. alda op, fehlt t.　　ze fehlt nopt.　　2. ah ganch K, ach ganch m, ab ganch
lnop, anhanc t.　　3. snelliklichen lop.　　5. Corhandes m, Corandes nop.
6. dem mnop.　　was K.　　7. ez Kmt, Daz n.　　pitibên m, pidemen o, irbi-
ben n, erbidem l.　　mers K.　　9. daz lnopt.　　11. Terms K, Termis lt.
15. kuniges alle aufser K.　　Corhant m, chorant n, Corkant op.　　16. Indiant
K, inDischem lant t, Indiascem lant l, Yndiasen lant mn, Indiassen lant op.
17. Ouch mnp, daz Klot.　　21. Berhtram lt, Perchtram mop.　　23. er wold
wideꞁwenden K.　　25. 26. franzoys-kurtoys K.　　27. Mŏnschoy K.　　creyeren
Kl, creierin n, kraygiereꞁ p, chriegieren m.　　30. wold K.

42, 1. strites K.

Munschoy diu krîe:
oder twancs in âmîe?
5 oder müet in Vivîanses nôt?
oder ob sîn manheit gebôt
daz er dâ prîs hât bejaget.
hât mirz diu âventiure gesaget,
sô sag ich iu durh wen er leit
10 daz er mit Corhande streit
und Vivîansen lôste dan.
der Franzoysære fümf man
(daz wâren grâven rîche)
die kômen rîterlîche.
15 die siben muosten kumber tragen.
dem phallenzgrâven wart erslagen
sîn wol gewâppent kastelân,
dar ûf erz hete alsô getân,
des man im jach ze prîse.
20 Vivîans der wîse
ein türkisch ors im brâhte.
mir ist liep daz ers gedâhte,
wand im nie orses dürfter wart.
Kyblîn und Witschart
25 kômen in ze helfe dar gehurt.
in Larkant ûf einem furt
Franzoyser wâren niune dô,
und wol ze sehen ein ander vrô.
der strît gedêch widr ûf den plân:
dâ wart ez von in guot getân.
43   An die heiden rief ein emerâl:
als tet der künec Rubûâl.
'helfet unseren goten ir rehtes,
daz des Heimrîches geslehtes
5 immêr iht mege beklîben.

si wolten gar vertrîben
unsern prîs mit gewalt.
nu mac der künic Tybalt
al sînen goten danken wol:
10 die Franzoys uns gebent zol,
den si ungerne möhten lân.
swaz der marcgrâve hât getân
mit Arabeln der künegin,
was daz ir freudehaft gewin,
15 daz möht ein trûren undervarn.
nu sulen wir niht langer sparn
die kriegen fruht von Narbôn.
Heimrîches toten lôn,
sol den verzinsen unser lant?
20 sô manec werlîchiu hant
ist komen mit Terramêre:
si megens uns jehen zunêre,
komen sis hin genozzen.
nein, si sint verflozzen
25 unser mark unz in den ort.
nu wænent die Franzoyser dort,
daz uns der marcgrâve hie
twinge als er uns twanc noch ie.
sîn ses hât kûme ein esse nuo:
wir sîn im komen alze fruo.'
44   Terramêr mit gelpfe sprach,
do er gein maneger storje sach
die von Francrîche
strîten rîterlîche.
5 'ir helde von der heidenschaft,
nu rech et unser altiu kraft,
die wir hêten von den goten,
daz sô verre ûz ir geboten

---

3. craŷe *K.*   4. twanchs in *m*, twanch sin *K*, twang es in *lt*, twang [is *n*] in
sin *nop.*   5. Vivians *K*, vivianzes *lmnopt.*   6. ob iz *mnop.*   im sin *o*, in sin *t.*
7. dâ *fehlt K.*   hete *lnop.*   8. Hat mir *K*, Daz mir *t*, Ob miers *op*, Ob mir
daz *m*, Ob mir *n.*   saget *mnop.*   Aventyure *K.*   9. iu *fehlt t.*   10. gein *K.*
Gorhande *t*, Gorhanden *K*, Gordiane *l*, Corhande *p*, Corhand *m*, chorande *n*,
Corchande *o.*   15. Die selben *lop.*   21. Turkisch *m*, Turchish *t*, turkis *K*,
tueriz *n*, turnaiz *op*, freches *l.*   ors inbrahte *K.*   22. erz *K.*   23. want *K.*
orss *K*, ors *m.*   24. Qviblin *K*, Kibelin *o*, Kywelin *p*, Kybalin *lt*, Gybelin *m*,
Gebelyn *n.*   25. im *lmop.*   gehurte-furte *K.*   26. einen *lnopt.*
27. Franzoysære *K.*   29. chom *mnop.*   wider *alle.*   30. von ime guot *l*,
guet (wol *o*) von in *mnop*, von wol *t.*

43, 1. Emmeral *K.*   2. also *Kmnop.*   robwal *t*, rubial *o*, Nubual *l.*   4. Heim-
richen *K.*   5. Nimmer nicht *mnop.*   10. franzoyser *lnop.*   13. Arabelen *K*,
kyburge *lo.*   17. chriege *o*, krigern *n*, kriegischen *l.*   21. Ist her chomen
mno, Ist komen her *p.*   22. si *Kpt*, Die *lo*, Wir *mn.*   megen uns *Kot.*
23. si es *K.*   ungenozzen *t.*   24. vlozzen *m*, verslozzen *lop.*   25. Us *l*,
Mit *op.*   unser mære *Kt*, unser arke *l*, unserm verch *op*, unserm äreich *m*,
Unserme riche *n.*   unz *fehlt m*, biz *lp.*   uf den *p*, auf ein *o.*   26. fran-
zoysære *K.*   28. niê *K.*   29. sês *Km.*   nu-frü *K.*   30. in *Klt.*

44, 1. gelfe *lnop*, gelf *m.*   4. striten *l*, Stritten *t*, geriten *K*, dennoch (noch *p*)
striten [so *p*] *mnop.*   5. ir] die *K.*   6. rech et *Wackernagel*, rechet *Kmnopt*,
recket *l.*   alte *Kmopt*, alten *ln.*

Árabel diu verfluocht ist komn.
10 mir und den goten ist benomn
der ich ê jach ze kinde,
von taverne ingesinde:
von salsen suppierren
sich Tybalt muose vierren
15 von sînem wîbe und alle ir kint,
die hie durh rehte râche sint.
daz uns die luoderære
alsô smæhiu mære
getorsten ie gesenden!
20 held, ir sult ernenden:
êrt die got und dar nâch mich,
daz Tybalt und des gerich
noh hiut ein sölh phant hie nem,
daz Arabeln des gezem,
25 ob es geruochet Tervigant,
daz si diu kristenlîchen bant
und den touf unêre.
ê si von Jêsus kêre,
ich sols ûf einer hürde ê sehen,
diu fiuric sî: daz muoz geschehen.'
45   Der kreftelôse Vivîanz
und der grâve Jozeranz,
Sansôn und Gêrhart,
Kyblîn und Witschart,
5 Berhtram, Gaudîn und Gaudiers,
die niune striten dâ Halzibiers
her sich samelierte,
daz von êrst entschumpfierte
Willalm ehcurneys,
10 dâ Pînel der kurteys,

der sun des künec Kâtor,
den lîp verlôs, des prîs embor
noh hiut in hôher wirde swebt
dan manges künges der noch lebt.
15 âne Feirefîz Anschevîn
unt der bâruc Ahkerîn,
ob der wâpen solde tragen,
von heiden hôrt ich nie gesagen,
der prîs sô wîten wære hel.
20 daz dritte hiez Pînel.
der drîer tât was sô benant,
ob heidenischer wirde erkant.
nu nâht der kristen ungeval.
die heiden berge unde tal
25 mit here bedacten schiere.
man hôrt an Halzibiere,
swaz iemen tet, er wold et klagen
Pînel der dâ was erslagen.
dem künge von Falfundê
tet sînes neven sterben wê.
46   Halzibier der clâre
mit reidbrûnem hâre
und spanne breit zwischen brân,
swaz sterke heten sehs man,
5 die truoc von Falfundê der künec.
der was al sîner lide frümec
und manlîches herzen,
zer zeswen und zer lerzen
gereht, ze bêden handen.
10 sîn hôher prîs vor schanden
was mit werdekeit behuot:
in wîbe dienste het er muot.

9. verfluochet *K*.   13. suppirren *m*, suppirren *l*, suppieren *K*, suppiren *p*, soppyren *n*, Suppijeren *t*, suspiriern *o*.   14. fierren *m*, virren *lnp*, vijrren *t*, fieren *K*, viern *o*.   17. lûdrære *K*.   21. eret *K*, Und eret *opt*.   nah *K*.   23. nemen *opt*.   24. A. muoz gezemen *opt*.   25. geruoche *lpt*, geruechte *no*, geruecht *m*.   26. cristenliche *lmop*.   hant *op*.   27. 28. unerde-kere *t*, unerte-kerte *lno*, unert-chert *m*.   28. ê si *K*, Und *nop*, *fehlt lmt*.   zuo Jesuse *K*.   29. sol si *lnop*, sol *K*, schold *m*.   30. Diu viurin sin daz *t*, von fewer zwar daz *op*, verbrennen gar daz *K*.   mueze *K*.

45, 1. Vivians *K*.   2. Schozerans *K*, Josseranz *l*, Jocerantz *m*, joscheranz *n*, Joserantz *op*, Tsozzeranz *t*.   3. Samson *n*, Sampson *lmop*.   Witschart *mnop*. 4. Qviblin *K*, Kybelin *n*, Kybalin *lt*, Gibelin *mop*.   Gerhart *mnop*.   5. Gaudins (*ohne* und) *l*, Gandisis (*ohne* und) *t*.   Gaudirs *op*, Kautiers *t*, kauters *l*. 7. samelïert *K*.   8. erste entschumphïert *K*.   9. Ekurnoys *l*, Accurnoys *mp*, acurnoys *no*.   10. dâ *fehlt K*.   11. kuniges *lnopt*.   Ebator *K*. 14. denne *Kpt*, denn *m*.   noch] nu *Kt*.   15. Feirefiez *K*, Fireviz *t*, ferefiz *n*, ferefis *lop*.   Anschyvin *m*, antschowin *p*.   16. baruoc *K*, Baruoch *t*, barruch *l*. Akerin *lopt*, Akkarin *mn*, Harkerin *K*.   21. so was *t*.   22. heidnischer *K*. 24. der heiden *K*.   und *Klmnpt*.   25. gedachten *K*.   27. et *K*, ot *mnt*, ouch *l*, ez *op*.   28. Pyneln *mopt*, Pinelen *l*.   29. Falsunde *t*, Valsunde *n*, Valfunde *m*.

46, 2. reide brůnem *t*, reidem braunen *p*, reyden brunen *n*, raiden pannen *x*, rainem browné *o*, ritterlichem *l*.   3. spannen *lmnp*.   zwischen den *mnopx*. 4. sêhs *K̊*.   5. Valfunde (-d *m*) *mn*, Falsunde *t*.   6. Er *pt*.   siumig *l*.

nu wart gerochen Pînel
von Halzibier dem künge snel,
15 do er an Vivîans ersach
daz er die schar mit hurte brach,
und daz er sluoc Libilûn,
Arofels swester sun,
Eskelabôn und Galafrê,
20 Rubîûn und Tampastê,
Glorîôn und Morhant.
die siben künege sâ zehant
lâgn vor Vivîanze tôt.
Halzebier die grôzen nôt
2ᴋ mit einem swertes swanke galt,
daz Vivîans wart gevalt
hinderz ors ûf d'erde.
unversunnen lac der werde,
der ê was heidenscheft ein schûr:
des jach dâ manec amazûr.
47 Do ez Vivîanz sus ergienc,
Halzebier dise ahte fürsten vienc,
Bertram und Gaudîn,
Gaudiers und Kiblîn,
5 Hûnas und Gêrart,
Sansôn und Witschart.
die erkant sîn manlîchiu kraft
wol bî ir guoten rîterschaft.
in dûhte an ir gebæren,
10 daz si ze mâge wæren
von art dem marcgrâven benant,
und daz er hete gæbiu pfant
für Arabeln die künegin.
er hiez dise ähte füeren hin.
15 manec storje dar zuo gâhte,

der sêre daz versmâhte
durh waz si wâren ze orsse komn.
von wem der schal dâ wære vernomn,
des begunde vrâgen manec man:
20 dien westen niht von wem gewan
Terramêr sô grôzen schaden,
daz sîn herze in jâmer muose baden.
manec storje durh die andern brach.
von treten niht ze guot gemach
25 der clâre Vivîans gewan.
bî einer wîle er sich versan,
dôs alle enwec kômn gevarn.
des marcgrâven swester barn
sach ein wundez ors dâ stên:
al kreftelôs begund er gên,
48 Mit unstaten drûf er saz.
sîns schildes er dâ niht vergaz,
den begund er dannen mit im tragen.
hulf iz iht, nu sold ich klagen
5 Heimrîches tohter suon.
ob ich der triwe ir reht wil tuon
und rîterlîchem prîse,
und ist mîn munt sô wîse,
ich sag daz mære erkenneclîch,
10 wie Vivîans der lobes rîch
sich selbe verkouft umb unsern segen,
und wie sîn hant ist tôt belegen,
diu den gelouben werte
unz er sîn verch verzerte.
15 der uns ime toufe wart
und Jêsus an der süezen vart
ime Jordân wart genennet Krist,
der nam uns noch bevolhen ist,

---

14. Halzibiere *K.* 19. Eskelabòn *K*, Eskålabon *t*, Etscalbon *l*, Eskalybon *mn*,
Aschkalibon *p*, Asckalibron *o*, Ascalabran *x*. kalafre *lo.* 20. Tampastre
Kop. 21. Glorian *l*, Gloriant *op.* Morhant *Ktx*, morant *nop*, Moront *m*,
Gorhant *l.* 22. selben *ntx.* sa *Ktx*, san *l*, da *n*, alda *m*, al *op.* 23. lagen
vor Vivians *K.* 25. swanch *K.* 27. òrs ûf die *K.* 29. Der der haiden-
schaft waz ein schaur *x.* heidenscheft (heidenschaft *K*) ein *Kmnt*, der
heiden *lop.* 30. amassur *K.*

47, 1. sus *Kmn*, so *p*, alsus *lt*, also *ox.* 2. dis *m*, die *opx.* aht *Kmp*, ácht *x.*
3. Berhtram *lt*, Gaudiern *mop.* kybalyn *n.* 4. Gautiers *t*, Kautiers *l*, Kau-
dirs *x*, Gaudiern *n*, Perhtram *mop.* Gybelin *mop*, kybalin *lt*, Chybalin *x*,
gaudyn *n.* 5. Hunâs *Kt*, Hynas *lop. dann* von sanctes *nop.* Gerhart *mnopt*,
Tschirart *x*, Bitschart (*z. 6 fehlt*) *l.* 6. Samson *n*, Sampson *mx*, Sampsonen *op.*
7. erchande *K*, erkanten *lmp.* 10. ze *fehlt mnop.* magen *lm.* 11. die
optx. ahte *lnpt*, aecht *mx*, æch *o.* 16. Den *mnop.* 17. was *K.* weren
lmopt. 20. niht *fehlt t.* 22. Des *l.* mûse *K.* 23. durh die andr
(andern *t*) storie brach *Kt.* 27. enwech chomen *Km*, enweg waren *l*, enwec
waren komen und *t*, waren inweg *n*, warn hin *o*, warn alle hin *p.*

48, 3. mit im dan *m*, mit im darane *n*, mit im *opt.* 4. wolde *lop.* 9. diz *Kmt.*
erchennichleich *m*, erkennecliche *t*, irkennelich *n*, bechennichleich *op.* kenne-
lich *l*, unervorhtlich *K.* 11. selb *p*, selben *Kt*, selber *m.* 12. gelegen
lmnopt. 13. erte *t.* 16. Do *lmnopt.* 17. Jordane *Kl.*

den die der touf bedecket hât:
20 ein wîse man nimmer lât,
ern denke an sîne kristenheit;
dar umbe ouch Viviânz sô streit,
unz im der tôt nam sîne jugent.
sîn verch was wurzel sîner tugent:
25 wær daz geswebt hôch sam sîn prîs,
sone möhte er deheinen wîs
mit swerten niht erlanget sîn.
mich jâmert durch die sælde mîn
und freu mich doch wie er restarp,
der sêle werdekeit erwarp.
49 Der junge helt vor got erkant
reit gein dem wazzer Larkant.
niht der sêle veige
reit nâch der engel zeige
5 unkreftic von dem plâne
gein einer funtâne.
ander boume und albernach
und eine linden er dâ sach:
durh den schate kêrt er dar,
10 vor dem tievel nam der sêle war
der erzengel Kerubîn.
Viviâns, der marter dîn
mag ieslîch rîter manen got,
swenn er sich selben siht in nôt.
15 der junge ûz süezem munde sprach
'tugenthafter got, mîn ungemach
sî dîner hôhen kraft gegeben,
daz du mich sô lange lâzest leben
unz ich mîn œheim gesehe,
20 und daz ich des vor im verjehe,
ob ich ie zuht gein im gebrach,
ob mir sölch untât geschach.'

Kerubîn der engel lieht
sprach 'nun hab des zwîvel nieht,
25 daz vor dînem tôde dich
dîn œheim siht: des wart an mich.'
der engel sâ vor im verswant.
Viviâns sich sâ zehant
stracte sô der tôt geligt:
unkraft het im an gesigt.
50 Der siuftebære Franzeys
Willalm ehkurneys
mac nu die flust erkennen
und sich selben nennen
5 zem aller schadhaftestem man
der schiltes ampt ie gewan
und der ie rîterschaft gepflac.
sîn beste helfe tôt dâ lac,
unz an äht die sint gevangen.
10 der strît was sô ergangen:
Munschoy der crye was geswigen,
sîniu zweinzec tûsent wârn gedigen
unz an vierzehen der sîne,
die werlîche pîne
15 bî ir hêrren dolten
und niht von im enwolten,
wan daz se ir verch für in buten.
in bluote unde in sweize suten
die helde von der hitze starc.
20 in eime stoube er sich verbarc,
dâ niwe storje von dem her
mit poynder kom; ûz dem mit wer
selb fünfzehende der markîs
reit, die mit swerten prîs
25 heten dâ erhouwen.
zelen unde schouwen

---

19. die der *Kn*, der *lm*, die *op*.   verdechet *Kt*.   20. wîs *K*, wiser *lmnopt*.
noch nimmer *lmnt*.   21. er end. *K*, Ern ged. *p*, Er ged. *ot*.   24. Er waz
ein *op*.   wurtz *mop*, ein wurze *t*.   siner *Kmnt*, [ob *p*] aller *op*, *fehlt l*.
25. Wan daz *t*.   wære daz gewachsen hoch *K*.   Daz geswebt wær hoch sein
preis *op*.   26. deheine *Kt*, dekein *l*, enchainen *m*, di keyne *n*, chainen *op*.
27. swerte *t*.   28. doch durch *t*, doch *n*.   29. wie erstarp *t*.   30. Daz er
der sele *op*.   sigenuft *mn*, heil *p*.   er rewarp *K*, er erwarp *t*.

49, 4. er reit nach des engel zæige *K*.   5. planye *K*.   6. gein der funtanye *K*.
7. albernach *n*, Alber nach *t*, albær nach *K*, albern nach *x*, albor nach *l*, alber
dach *m*, ir dach *op*.   9. schat *K*.   11. kerubin *x*, cher. *Klmnopt*.
13. ieslich *Klx*, iegeslich *t*, ein isleich *m*, ein igleich *nop*.   14. selbe *ln*,
selber *op*.   15. zuezem *K*.   19. minen *K*.   20. vor im des *t*.   21. ze-
brach *noptx*.   22. ob *Kltx*, daz *mn*, Und *op*.   24. zweifels *mx*, zwi-
vels *t*.   nîht *K*.   25. an dich *lmt*.   26. uf mich *loptx*.   29. also *lpx*,
als *ot*.   liget *mnopx*.

50, 1. fronzeys *K*.   2. ekurnoys *l*, Eskurnois *t*, Accurnoys *mp*, akurnoys *n*, Atur-
noys *ox*.   3. dise flust *t*, dîse fluht *K*.   7. ritterschefte *ot*.   pflach *Kotx*.
8. tot belag *l*, tot gelag *x*, im da tot gelag *op*.   9. æhte *Kt*, ahte *l*, acht *p*.
die s.] ir sin *t*.   13. der *Kopx*, die *lmnt*.   sein *mox*.   14. die selben *x*.
werlichen pein *mox*.   17. daz *fehlt ptx*.   si alle.   21. mer *lno*.   22. auz
den mit wer *m*, uz mit wer *t*, und mit wer *op*, zuo dem her *l*.

si sich dô begunden.
an den selben stunden
si marcten rehte waz ir was
ûzerhalp des hers an eime gras.
51 Der ie vor schanden was behuot,
sprach 'freude und hôher muot,
ir beidiu sîget mir ze tal.
wie wênec mîn ist an der zal!
5 sint mîne mâge tôt belegen,
mit wem sol ich nu freude pflegen?
dar zuo mîn ellenthafte man.
sô grôzen schaden nie gewan
dehein fürste mîn genôz.
10 nu stên ich freude und helfe blôz.
ein dinc ich wol sprechen wil:
dem keiser Karl wær ze vil
dirre flüste zeinem mâle.
die er tet ze Runzevâle
15 unde in anderen stürmen sînen,
diene möhten gein den mînen
ame schaden niht gewegen.
des muoz ich immer jâmers pflegen,
ob ich hân manlîchen sin.
20 ey Gyburc, süeziu künigin,
wie nu mîn herze gît den zins
nâch dîner minne! wan ich bins
mit jâmers last vast überladen,
daz ich den künfteclîchen schaden
25 an dir nu muoz enpfâhen.
swem daz niht wil versmâhen,
der jehe mir mêr noch flüste,
dan herze under brüste
ie getruoc ze heiner zît,
sît Abel starp durh bruoders nît.'
52 Sînen jâmer sult ir prîsen.
er beriet sich mit den wîsen
und mit den unverzageten,
die sêre mit im klageten,

5 der den vater, der den bruoder.
in wârn diu strîtes muoder
mit swerten alze wît gesniten,
und doch mit manlîchen siten
und unverzagetlîche.
10 die heldé ellens rîche
gâben sus ir hêrren rât.
'ir sehet wol waz ir helfe hât.
nu welt der zweier einez
(der gît uns trôst deheinez),
15 daz wir kêren wider in den tôt,
oder wir fliehen ûz der nôt.
Gyburc diu küneginne,
diu mit helflîcher minne
uns dicke hât gerîchet,
20 swelch tugent sich ir gelîchet,
der wærn gehêret drîzec lant.
dehein werlîchiu hant
ûf Oransche nu beleip:
iwer tugende uns danne treip,
25 und iwer milte unzallîch.
nu tuot schiere dem gelîch.
sweder vart ir kêren welt,
wir sîn me schaden doch verselt.
sulen uns die heiden niezen,
des mag uns wol verdriezen.'
53 Den marcgrâven von hôher art
begunde jâmern dirre vart,
ob er sich solte scheiden
von mâgn und mannen beiden,
5 die dâ tôt wârn belegen.
bî liehter sunne gâben regen
und âne wolkenlîchen wint
sîn ougen, als ob sîniu kint
wærn al die getouften,
10 die sîn herze in jâmer souften.
wære im niht wan Vivîanz
ûf dem velde Alischanz

---

29. was ir was *K*.

51, 4. ist min andr zal *K*.   5. gelegen *mnoptx*.   10. helfe und froude *t*.
12. karel was *K*.   13. dirre] siner *K*.   14. tet *Kltx*, verlos *mnop*.   23. laste
Klnt.   24..kunftigen *l*, fluhtechlichen *K*   25. von dir *K*.   27. gebe *lt*.
28. dan *l*, denn *m*, Danne *nt*, denne *K*.   29. Ie getrüege *t*.   zeheiner *K*, ze
einer *ln*, ze deheiner *mt*, zu chainer *op*.   30. bruoders *alle*.
52, 6. diu *t*, die *lmnop*, ir *K*.   9. Unde *lnopv*, un̄ ouch *K*, *fehlt mt*.   unver-
zageliche *t*, unverzegeliche *lopv*, unvircegentliche *n*.   13. der *fehlt K*.
zweir *K*.   16. wir *Kop*, daz wir *lmtv*, daz wir wider *n*.   20. sich *fehlt K*.
21. wære *K*.   23. orantsche *p*, Orangs *K*, Orans *m*, oranse *n*, Orense *l*, Orange *t*.
24. tugende *K*, milt *mn*, zweier guote *loptv*.   25. milte *K*, tugent *lmnoptv*.
unzellich *lnopv*.   27. sweder *Klt*, Zu weder *m*, Zu welher *nop*.   kere *lv*.
28. mê *K*, dem *lmnopv*, zedem *t*.
53, 1. Des *lv*.   3. si *K*.   4. magen *alle*,   unde von *Kmnt*.   5. gelegen
lmnoptv.   6. sunnen *nv*.   gabn *K*.   8. siniu ougen *Kt*,   10. slouften
lmnoptv.   12. veld ze *mnop*.

beliben, er möhte iedoch wol klagen.
dô kêrter dan (sus hôrt ich sagen)
15 nâch sîner manne râte
gein Oransche drâte
bî dem her allez hin.
nâch schaden dûhte si gewin,
daz in dâ niemen nâch enreit:
20 vorstrît dâ niemen mit in streit.
    dô wând er dô sîn der frîe.
rois Poufameiz von Ingulîe
was mit eime geruowtem here
alrêrst dô komen von dem mere,
25 der keiner vîent nie gesach.
bî dem tage grôz ungemach
der marcgrâve von den gewan.
die selben ranten in dô an
ûf mangem schœnen kastelân.
die getouften riefen sân
54 Monschoy und kêrten dar.
der marcgrâve unverzaget nam war,
wâ der künec selbe reit:
des schar was lanc unde breit,
5 bestecket in ein ander.
mange ander schar dâ vander,
der ieslîchiu bî dem tage
was dennoch frî vor swertes slage.
    hurtâ, wie dâ gehurtet wart!
10 an der engen durchvart
des marcgrâven geverten

mit scharfen swerten herten
muosen rûm erhouwen.
die heiden mohten schouwen
15 ir schar dâ durchbrechen.
der marcgrâve rechen
kunde alsô die sînen nôt:
ir lac vil manger vor im tôt,
emerâl und amazsûre.
20 als durch die dicken mûre
brichet der bickel
und zimberman den zwickel
bliwet durch den herten nagel,
Schoyûs sîn swert, der heiden hagel,
25 in den ungelouben weiz,
unz ûf den künec Poufameiz.
    dem nam sîn zimierde den lîp.
swaz kost ûf man geleit ie wîp,
diu moht ûf Poufameize sîn;
âne Feyrafîz Anschevîn,
55 Des diu künegîn Secundille pflac,
an dem sölch zimierde lac,
daz der künec Poufameiz,
Nöupatrîs noch Tesereiz
5 im niht gelîchen kunden,
swie vil si kost begunden.
den künec von Ingulîe
ein sîn âmîe
gefrumet het ûf Alischans
10 (âventiure, als du mich mans),

---

13. belîben *K.*   iedoch *lmntv,* doch *o,* do *K,* dennoch (*ohne* wol) *p.*
16. Oranshe *t,* Orantsche *p,* Orangs *K,* Orans *m,* oranse *n,* Orense *lv.*   19. en
fehlt lmopt.   20. vor strite da *Knt,* Vor streit do *m,* Und do *l,* Und daz ouch
op.   21. do wânde er do sin frîe *K,* Wont (Wand *t,* Wan *n*) er do sein der
vrei *mnt,* Vor strite (strit *l*) wand er sin der frie *lv,* Dez want er (wanten si *p*)
wesen vrey *op.*   22. rois] der kunech *Klmnoptv, op nach dem namen.* Poufe-
maiz *m,* Poufemeis *o,* poufemez *n,* Paufemeiz *l,* Paufemeis *p, fehlt t.*   ingalie
np, Ingalei *mo.*   23. gerẅetem *Kv,* geruoweten *lm,* geruebtem *mo,* gerüeten *t,*
gerueten *p.*   24. allererst *Kv.*   do *Kmnt,* nu *lv, fehlt op.*   25. Der keynir *n,*
der dehainer *m,* Der dekeiner *t,* Der keine *n,* Der chain *o,* Daz dekein ir *lv,*
deheiner *K.*   viende *t.*   26. grœzer *K.*   27. denne der *K.*   von dem her *t.*
28. si do *t.*   29. schœnem *Kt.*

54, 1. Monscoy monscoye *lmnv.*   4. und *K.*   5. Gestechet *mn,* Bedecket *t,* Ge-
drungen *op.*   6. von der *lv.*   7. Des *lv.*   ieslîche *lmv,* ieslich *K,* iegeslichiu
t, igleiche *op,* iklicher *n.*   8. swerts *K.*   12. M. sw. scharphen h. *t.*
herten *fehlt K.*   17. alsus *lmnpt.*   18. Vor (Von *opt*) siner hant (hend *op*)
lag maniger tot *lopt.*   19. **Eskeleir** *t,* esreher *l.*   **19. 20.** Amazsûr-mûr *K.*
22. zimberman *K,* der zimberman *mnopt,* zimmerman der *lv.*   24. Schoyuse
K, Tschoius *t,* Tscoynse *lv,* Schoys *m,* tschois *o,* Schoyse *n,* Tschoyse *p.*
zagel *K.*   25. beiz *lopv,* smeiz *n.*   26. Pofemaiz *m,* poyfemeiz *n,* Poufumeiz *t,*
paufemeiz *v,* paufemais *op,* pavemeiz *l.*   27. zimiert *m,* zimier *lnopv.*
30. feirafis *o,* Feirefiz *t,* feyrefiz *m,* feyrefisen *p,* ferefiz *lv,* firefeyz *n.*   Anshe-
vin *t,* Anschvin *K,* anzevin *m,* Anschivin *n,* anchyvin *lv,* antschowein *op.*

55, 1. kuneginne *Kt.*   4. Noupatris *Kmn,* Neupatris *loptv.*   7-14 *fehlen mn.*
7. Dem *op.*   Ingalie *op.*   9. So gefrumt het uz *t.*   alischant (*erst* ns) *o,*
alischanz *lv,* Alitschanz *t,* alytschantz *p.*   10. als *K,* des *ltv, fehlt op.*
du] di *o.*   mant *o,* manz *lv,* manst *p.*

dês diu minne sol geprîset sîn.
getouft wîp noch heidenîn
gebent nu selher koste niht,
swie vil man wîben dienen siht.
15 der junge clâre süeze gast,
sîn zimierde gap den glast,
dazz dem marcgrâven d'ougen sneit,
innen des er mit im streit,
als ez diu sunne tæte.
20 sîn wâpenlîch gewæte
was gehêrt mit edelen steinen.
der heidenschefte weinen
wuohs an den selben zîten
von ir zweier strîten:
25 der marcgrâve im nam daz leben.
sus kund er râche geben
umb sînen schaden den er kôs.
in dem strîte er gar verlôs
sîne vierzehen man.
dô wart er gehurtet dan
56 Wider underz êrste her
von den komenden von dem mer.
dâ bestuont in Arfiklant
von Turkânîe und Turkant,
5 die gebruoder beide.
der heidenschefte leide
mit jâmers gesellekeit
der marcrâve ab in erstreit:
die jungen künege er bêde sluoc.
10 mit maneger wunden von in truoc
in sîn ors Puzzât.

ez wære wise oder sât,
der wart dâ vil nâch im getrett,
sîn ors durch manne bluot gewett:
15 der lac dâ vil ûf sîner slâ.
sus streit er her unde dâ
werlîchen ûf dem plân.
rois Talimôn von Boctân,
und der künec Turpîuon,
20 mit dem muos er dô strîten tuon,
der rîche von Falturmîê.
wie des dinc gein im gestê?
als Pînels fil Kâtor,
den er ze tôde ouch sluoc dâ vor.
25 mit grôzes poynders hardeiz
ûf eim ors, hiez Marschibeiz,
Talimôn kom gevarn
verre von sînn ahte scharn.
der stach ze volge ein sper enzwei
ûf den marcrâven, der dennoch
schrei
57 Monschoye werlîch:
er tet der wer ouch dâ gelîch.
er warf sich gein dem poynder
wider,
Talimôn sluog er tôt dernider.
5 Marschibeiz daz ors er nam,
daz künege wol ze rîten zam:
an sîner hende erz dannen zôch.
unverzagetlîche er vlôch
vor manegem grôzen tropel.
10 diu sper mit krache wâren hel

11. gebriset *K.*   13. Gaben *lv.*   14. Swie man nu vrowen *op.*   wi$\flat$e *ohne*
dienen *K.*   17. daz *Klmnotv,* Der *p.*   diu *Kt.*   19. es *K.*   23. wchs *K.*
24. zweir *K.*   25. nam im *t.*   29. sin *K.*   30. gehurt *Klmv.*
56, 1. underz *m,* under daz *K,* in daz *ltv,* in die *op.*   êrste *fehlt K.* ersten che̦re
op.   3. Erfiklant *K,* Herficlant *t,* affridant *op.*   4. Turkenie *K,* turbanye *lopv.*
und *fehlt K.*   12. weren wisen *lmnoptv.* wisen *K.*   13. 14. getreten-ge-
weten *K.*   14. manne *nt,* mannen *K,* maennein *m,* mannez *op,* manic *lv.*
15. *nach* 16 *nop, und* ir *statt* der.   16. e̦r *K.*   her *Knt,* hie *lmopv.*   und
K.   17. Werliche *l,* werlich *Kmntv.*   18. der kunech *alle.*   talmon *op.*
Poctân *K,* Botane̦ *l,* Pochtan *m,* bochtane *n,* Poctange *t,* posane *op.*   20. dem
Kt, den *lmnop.*   21. der riche *Klv,* Der chunich *mn,* Der kunic riche *t,* Und
der ku̦nich *op.*   von *fehlt mnp.*   falturnie *op.*   23. filkator *lv,* fiskator *K,*
Fizkator *t,* sun (*fehlt n*) des kunigs (chunich *m*) Kator *mnop.*   24. er .e. *t.*
ouch *fehlt lotv.*   25. grozer *K.*   poynders *t,* poyndrs *K,* poyndirs *n,* pon-
ders *lopv,* pondyr *m.*   hardeyz *n,* hardîez *K,* hardier *tv,* hardir *l,* härdir *n,*
hurdiere *op.*   26. ûf e̦nim orsse *K.*   marschabeiz *n,* Marschibiéz *K,* Mar-
scebir *l,* Marsceb. . . *v,* Marschibier *m,* Martschibier *t,* nascibiere *op.*   28. sinen
aht *K.*   30. ûf den *Km,* Uffen *t,* uf dem *lnopv.*   dannoch *lv,* noch *n,* da *o,*
loute *p.*
57, 1. Monschoy *K,* Monscoye monscoye *lmntv.*   werliche-geliche *lnoptv.*   2. wer
fehlt K.   ouch da *fehlt op.*   da *fehlt t.*   4. dr nider *K.*   5. Marscha-
beiz *n,* Marschibiez *K,* Marschibier *lm,* Martschibier *t,* Marcsybier *v,* Nasti-
bier *p,* Nascibiern *o.*   8. Unverzageliche *t,* Unverzeliche *lop.*   9. maniger
grozer *t.* grozzem Tropēl *m.*   10. warn *K.*

ûf in, ze volge unde engegen.
er wart mit stichen und mit slegen
gâlûnt an allen sîten.
sus muos er strîten.
15 daz gewunnen ors er liez durch nôt.
hindern büegen stach erz tôt:
ern gunds der heidenschefte niht,
als noch en vîentscheft geschiht.
sus fuorten sin durch einen stoup.

20 sîn manheit im urloup
gap, daz er sich entsagete
ieslîchem der in jagete.
dô kêrt er gein den bergen.
den wilden getwergen
25 wær ze stîgen dâ genuoc,
dâ in sîn ors über truoc.
seht ob ir keiner sî versniten :
der marcrâve ist in entriten.

11. zer volg und zegegen *mn.*   13. Galunt *l*, galûnet *K*, Angeriten *t.*   ze-
beiden *t.*   14. also *o*, Alsüst *p.*   er vaste *l*, er mit in *mn*   15. lie *Kt.*
16. buogen *K.*   17. er engundes *K.*   18. in veintschaft (in vientschefte *t*)
lmnpt, heute veintschaft *o.*   gicht *o.*   19. durch] in *K.*   21. sih *K zu-*
weilen.   25. wære *K.*   *fehlen vor* 27 *zwei verse?*   27. deheiner *Kmt.*

II.

58 Er enthielt dem orse und sach
　　hin wider,
dez lant ûf unde nider.
nu was bedecket berg unt tal
und Alyschanz über al
5 mit heidenschefte ungezalt,
als ob' ûf einen grôzen walt
niht wan banier blüeten.
die rotte ein ander müeten,
die kômen her und dar gehurt,
10 ûf acker und in mangem furt
dâ Larkant daz wazzer flôz.
den marcrâven dûhte grôz
ir kraft, und er si reht ersach.
in sîme zorne er dô sprach
15 'ir gunêrten Sarrazîn,
ob bêdiu hunt unde swîn
iuch trüegen und dâ zuo diu wîp
sus manegen werlîchen lîp,
für wâr möht ich wol sprechen doch
20 daz iwer ze vil wær dannoch.'
'ouwê,' sprach er, 'Puzzât,
kundestu nu geben rât,
war ich kêren möhte!
wie mir dîn kraft getöhte,
25 wær wir an disen stunden
gesunt und âne wunden,
wolden mich die heiden jagen,
ez möhte etlîches mâg beklagen.
nu sî wir bêde unvarende,
und ich die freude sparende.
59 Du maht des wesen' sicher,

wicken, habern, kicher,
gersten unde lindez heu,
daz ich dich dâ bî wol gefreu,
5 ob wir wider ze Oransche komen,
hânt mirz die heiden niht be-
　　nomen.
ich enhân hie trôstes mêr wan dich:
dîn snelheit müeze trœsten mich.'
sîn hâr was im brûn gevar,
10 von wîzem schûme drüffe gar
als ez eins winders wære besnît.
der fürste nam sîn kursît.
einen pfelle brâht von Trîant:
swaz er sweizes ûf dem orse vant,
15 den kund er drabe wol strîchen.
do begunde im müede entwîchen.
ez dräste unde grâzte,
von dem kunreiz ez sich mâzte
vil unkrefte die ez truoc.
20 nu was gebiten dâ genuoc.
der marcrâve zôch zehant
gein' dem wazzer Larkant
daz ors an sîner hende
bî maneger steinwende
25 unz in des wazzers abganc.
einen kurzen wec niht ze lanc
reit er durch daz stûdach,
unz er vor im ligen sach
des werden Vivîanses schilt.
ûf dem was strîtes sus gespilt,
60 Hâtschen, kiulen, bogen, swert,
mit spern gein dem man tjoste gert,

58, 1. uf dem lt. hin fehlt opt, sich mn. 3. bedeckt o, verdechet Kt.
uñ K, unde o. 5. mit heidenschefft unbezalt K. 6. ob fehlt nt. ûf
fehlt lop. einem grozen pt, einem grozem m, ein gruoner l. 8. Ir t.
9. her und hin l, hin und her op. 10. manigen lmnt. 13. und K, wan
oder wand lmnt, do op. riten l. saoh lmnt. 15. ungeerten nt, ungetrewen op.
19. wol fehlt lot, es p. 20. wær ze vil nopt. 22. Wan lt, Ünd op.
nu Klt, mir mnop. 24. getohte Kmnt, nu tôhte l, tochte op. 25. wære Kn.
27. danne oder denn vor jagen mn, vor die op. 28. daz mnop. vreundin o,
amye p. [wol n] chlagen mnop. 30. veinde op.
59, 3. Gerststro op. lindes K. 4. dâ bî fehlt t, da mit nop. 5. Orangs K.
6. genomen mnopt. 7. hie Kt, niht lmnop. mêr fehlt o, niht t. 8. muez m,
muoz lt, muez nu op. 11. eines K, des n. den winter l. 13. brâht fehlt opt.
15. gestr. t. 17. Ez drazte l. 18. dem fehlt K. 25. Untz an x, Bis a o, Bi t.
ahe ganch m, aganch l, abeganc nopx. 29. Vivians K, Fivianz t.
60, 1. Mit pogen hakken (axen p) keulen swert op. Matschen t, Hartschen l,
Hakchen m, Lanzen n. bogen. kulen l. 2. gein dem (den m, im l) man Klm,
keyn (gein) t, der nt, der man ze op. tiost K.

zefuort an allen orten.
der marcrâve die borten
5 erkande, als er geriemet was,
smârâde und adamas,
rubîn und krisolte
drûf verwieret, als si wolte,
Gyburc diu wîse,
10 diu mit kostlîchem prîse
sande den jungen Vivîanz
ûf daz velt Alischanz,
des tôt ir herzen ungemach
gap. der marcrâve ersach
15 daz ein brunne unde ein linde
ob sîner swester kinde
stuont, dâ er Vivîanzen vant.
in sîme herzen gar verswant
swaz im ze freuden ie geschach.
20 mit nazzen ougen er dô sprach
'ey fürsten art, reiniu fruht,
mîn herze muoz die jâmers suht
ân freude erzenîe tragen.
wære ich doch mit dir erslagen!
25 sô tæte ich gein der ruowe kêr.
jâmer, ich muoz immer mêr
wesen dîns gesindes.
daz du mich niht verslindes!
ich mein dich, breitiu erde;
daz ich bezîte werde
61 Dir gelîch: ich kom von dir.
tôt, nu nim dîn teil an mir.
swaz ich mit kumber ie geranc
und swaz mich sorge ie getwanc,
5 dâ râmt ich jâmers lêre:
nu hân ich sorgen mêre
dan mir in herzen ie gewuohs.
kund ich nu sliefen sô der fuohs,
daz mich belûhte nimmer tac!
10 swaz freude in mînem herzen lac,
diu ist mit tôde drûz gevarn.
tôt, daz du mich nu kanst sparn!

ich lebe noch und bin doch tôt.
daz sus ungefüegiu nôt
15 in mîme herzen kan gewern,
und daz mit swerten und mit spern
mich tôte niht diu heidenschaft!'
von jâmer liez in al sîn kraft.
unversunnen underz ors er seic:
20 sîner klage er dô gesweic.
bî einer wîle er sich versan:
dô huop sich niwer jâmer an.
über Vivîanzen kniet er dô.
ich geloube des, daz er unfrô
25 der angesihte wære,
und aller freuden lære.
den verhouwen helm er von im bant:
daz wunde houbet er zehant
legt al weinde in sîne schôz
und sprach alsus mit jâmer grôz.
62 'Dîn verch was mir sippe.
sît Adâmes rippe
wart gemachet ze einer magt,
swaz man von dem sâmen sagt,
5 dâ von Eve frühtic wart,
ir aller tugende an dich gespart
was, die sider sint erborn.
dîn edel herze ûz erkorn
was lûter als der sunnen glast.
10 hôher prîs wart nie dîn gast.
sölh süeze an dîme lîbe lac:
des breiten mers salzes smac
müese al zuckermæzic sîn,
der dîn ein zêhen würfe drîn.
15 daz muoz mir geben jâmer.
als pigment und âmer
dîn süeze wunden smeckent,
die mir daz herze erstreckent
daz ez nâch jâmer swillet.
20 immer ungestillet
ist nâch dir mîn siuftic klage
unz an den ort al mîner tage.'

3. zefueret *K*.   4. den *K*.   5. Bechand *mnop*.   6. Smaragde *Klmnt*, Smaragden *op*.   7. und *fehlt mt*.   12. ze al. *mnop*.   13. ir *Kmt*, dez *l*, im *nopx*.   23. ane *Kmp*.   freuden *mnop*. ertzenie *lot*, ertznei *m*, ercznei *p*, arcedie *n*, erzeigen *K*, und er daz ain *x*.   25. gerne *tx*.   chere *K*. 26. mere *K*.   27. dines *K*.   28. dast mich nu nicht *x*.   29. meine *K*.

61, 2. von *nop*.   4. unde *Klt*, Oder *mnop*.   6. rant ich *m*, tranc ich *t*, hat ich *n*, gwan ich *l*, twanch mich *op*.   7. den *K*.   mir in *Kop*, ir in *m*, in ir *l*, in *nt*.   gewᵒchs *K*.   8. sam *m*, als *lop*.   fùchs *K*.   11. mit dar uz *p*, mir druz *t*, mit iamer druz *o*.   12. Ey *mn*, Ach *op*.   nu *fehlt mnopt*. 15. minem *Koptx*.   20. dô] gar *K*.   22. da hûp *K*.   23. kert *t*. 29. weinende *K*.   sine *n*, sin *Kmoptx*, sinen *l*.

62, 2. Adâmes *mit* û *K*.   5. von *fehlt K*.   Eva *lop*.   6. gesprat *K*.   7. geborn *lmnoptx*.   9. liehter *l*.   als *Kml*, so *n*, sam *op*, dann *l*.   12. als *l*, alles *p*, aller *o*.   14. eine *K*.   17. dine *Kn*.   suozzen *lt*.   18. erschrecken *lop*.   20. Und iemer *t*.   22. daz ort all *o*, daz urteil *l*.

'ouwê,' sprach er 'Vivîans,
waz du nu stæter sorgen gans
23 Gyburge der künegîn!
als ein vogel sîn vogelîn
ammet unde brüetet,
als het si dich behüetet,
almeistic an ir arme erzogen.
nu wirt jâmers umbetrogen
63 Nâch dir daz vil getriwe wîp.
mir wart dîn tugenthafter lîp
ze freude an dise werlt erborn:
dâ hân ich siuften für erkorn.
5   hey Termis mîn palas,
wie der von dir gehêret was!
mich dûht dîn hôher prîs sô wert:
ich gap hundert knappen swert
durh dich, des muoz ich volge hân:
10 ich gap zwei hundert kastelân
hundert den gesellen dîn
mit harnasch, und diu künegîn
ieslîchem drîer slahte kleit
ûz ir sunderkamern sneit,
15 daz ich der kost nie bevant.
von Thasmê und von Tryant
und ouch von Ganfassâsche brâht
manec tiwer pfelle, des erdâht
was dîner massenye
20 (Gyburc mîn âmye
het dich baz denne ir selber kint);
brûnez scharlach von Gint,
daz man heizet brûtlachen,
daz hiezs iu allen machen;
25 daz dritte kleit scharlachen rôt.
in dirre wirde bistu tôt.
wie was dîn schilt gehêret,

ir milte dran gemêret,
diu gein dir tugende nie verbarc!
der koste fünf hundert marc.
64 Al diu zimierde dîn
was sô, swelch rîcher Sarrazîn
dir des gelîchen möhte,
der wîbe lôn im töhte.
5   sît man sô tiwer gelten muoz
hôhe minne und den werden gruoz,
nu waz hât diu minne an dir verlorn!
du wære in Francrîche erkorn,
swâ dich wîbes ougen sâhen,
10 herze unde ir munde jâhen,
dîn blic wære ein meien zît,
und dîner clârheit âne strît
möht wünschen ieslîch frouwe.
in lufte noch bî touwe
15 nie gewuohs noch von muoter brust
wart genomen dran sô strengiu flust
der minne enzucket wære.
sô nu diz sûre mære
freischet mîn geslehte,
20 daz hôhen muot von rehte
truoc (wir wârn geprîset),
sô werdent si gewîset
in die jâmerbæren nôt:
des hilfet in dîn junger tôt.
25 waz touc ich nu lebende?
der jâmer ist mir gebende
mit kraft alselhe riuwe,
diu zaller zît ist niuwe,
swaz nu mîn lîp geweren mac,
beidiu naht und den tac.'
65 Mit jâmer er sus panste.
dô heschte unde ranste

---

24. ganz *lnopt.*   25. Gist kiburch *t*, Kyburgen gibst *p*, Vougist kyburge *n.*
27. Ammet *n*, Amet *lmpt*, Amat *o*, æcet *K.*   bruet *K.*   28. also *Kmn*,
so *o*, Sust *p.*   behuet *K.*   29. Allermeist *lmo.*

63, 3. vrôuden *lop.*   geborn *lmnop.*   4. nu *Kt*, Des *op.*   für *fehlt t*, mir *op.*
5. Ey *t*, Eya *lop.*   Termes *mnop.*   6. mit *op.*   gehert *Km*, geeret *l*, ge-
zieret *op.*   7. Daz mich *t.*   duhte *K.*   13. drier hande *K.*   14. Daz
man uz ir kamer sn. *t.*   sundern kamer *lm*, sundern kamern *nop.*   15. enphant
mo.   17. Ganfassashe *t*, gamfassagse *n*, gaufasacssen *l*, kanfassashe *K*, Kauka-
sachs *m*, Tampasten *op.*   19. dirre *t.*   21. selber *t*, serber *K*, selbes *lnop*,
selb *m.*   22. Brune *l*, Brun *mnop.*   scharlachen *npt.*   bracht von *mnt.*
25. [was *op*] scharlach *mop*, von scharlachen *t.*   30. chost fiunf *K.*

64, 1. Was geleit an die *t.*   2. was sô *fehlt t.*   3. Der *l*, Die *o.*   6. den
fehlt lnopt.   7. nu *fehlt mnop.*   was, ohne hât, *t.*   hât dann *op.*
13. mohte *Kln.*   15. noch *fehlt nop.*   16. wart gen. *fehlt t*, Noch wart
gen. *p.*   dran *fehlt lpt.*   so starcke *l*, so groziu *t*, *fehlt o.*   18. daz *K.*
sûre *fehlt op*, ubel *t.*   19. geslêhte *K.*   20. Die *lmnt.*   21. truege *K*,
Truogen *lmnt.*   warn *Kmt.*   22. Nu werden wir *t.*   27. al selhiu *K.*
28. alle *lmn.*   29. gewern *K.*   30. den *fehlt lmnopt.*

65, 1. 2. Mit iamer do Fiviantz genast mit heschitz und mit pfnast *x.*   sus] sich *t.*
2. hessete *K*, heschet *t*, hischte *op*, ieschte *l*, jeschete *n*, iesset *m.*   transete *l.*

der wunde lîp in sîner schôz:
dez herze tet vil manegen stôz,
5 wan er mit dem tôde ranc.
diu liehten ougen ûf dô swanc
Viviânz und sach den œheim sîn,
als in der engel Kerubîn
trôste, an der selben stat.
10 der marcrâve in sprechen bat
und frâgt in 'hâstu noh genomn
dâ mit diu sêle dîn sol komn
mit freuden für die Trinitât?
spræch du bîhte? gap dir rât
15 inder kein getoufter man,
sît ich die flust an dir gewan?'
　mit unkreften Viviânz
sprach 'sît ich von Alischanz
schiet, in hôrte niht noch sach:
20 wan Kerubîn der engel sprach,
ich solt dich noch ob mir gesehen.
hêrre und œheim, ich wil jehen
ûf die vart dar ich kêren muoz.
ich hân mit sünden manegen gruoz
25 und hôhe wirde enpfangen:
ez ist alsus ergangen,
daz diu küneginne ir prîs
an mir erzeigt, und ich sô wîs
noh nie wart gein iu beiden,
daz ich kund ûz gescheiden
66 Dienst der da engegen töhte:
ich enkunde ouch noch enmöhte,
ob mîn tûsent wæren.
mîn wille in den gebæren
5 was, daz ich triwe gein iu hielt,
die nie kein wanc von mir gespielt.
　dô ich ze Termis wart ein man
mit iwerr helfe und ich gewan

schildes ampt, und die gesellen mîn,
10 waz koste ich dô die künegîn!
des wære den keiseren gar genuoc,
swaz ir ie krône noch getruoc.
der küneginne Gyburc
ir helfe an mir was wol sô kurc,
15 die man erkennen mohte,
diu baz ir wirde tohte
denne mînem armen prîse:
ich weiz wol, ist got wîse,
er lônt es ir mit güete,
20 hât er sîn alt gemüete.
œheim, nu getrûwe ich dir
durh sippe die du hâst ze mir,
du habst si durch mich deste baz.
nu wirt des willen nimmer laz,
25 und denk waz ich ze Termis sprach,
da'z bêdiu hôrte unde sach
manec hundert rîter werder diet,
als mir mîn hôher muot geriet,
in flühe nimmer Sarrazîn:
habe ich mit sünden helfe dîn
67 Gedient, daz sî der sêle leit,
und ob ich zagelîchen streit.'
　waz möhte der marcrâve tuon,
do der junge, sîner swester suon,
5 sô kleiner schulde dâ gewuoc,
ern het ouch trûrens dô genuoc
(und des in sîner bîhte jach)?
da engegen er trûreclîchen sprach
'wê mir dîner clârn geburt!
10 waz wol ich swerts umb dich gegurt?
du soltst noch kûme ein sprinzelîn
tragen dîner jugende schîn
was der Franzoyser spiegelglas.
swaz dînes liehtn antlützes was,

3. iunge *t*, jungir *n*.　sime *n*.　　4. Daz no, des *Klmpx*, Sin *t*.　　6. do auf *op*,
er uf *tx*.　　10. markis *opx*.　　12. din sele *l*, ein igleich sel *op*.　　14. spræche
Klnpt, sprach *o*.　　15. indr dehein *K*.　　19. in *l*, ich en *Kmnotx*.　　niht
fehlt nptx.　　ensach *lnoptx*.　　21. ich solde dih ob mir noch *K*.　　sehen *lnopx*.
23. dar *Km*, die *lnoptx*.　　varn *op*.　　24. manegn *K*.　　25. Von hoher
minne *l*.　　28. erzeiget *K*.　　30. chunde *K*.

66, 1. engegn *K*, gegen *mop*, gein *lnt*.　　2. ouch *fehlt lnt*.　　6. dehein *K*.
7. Termis *Klt*, Termes *mnop*.　　8. und *fehlt t*.　　11. Der *l*, Iz *m*, Is *n*, Daz *opt*.
dem keiser *lnot*.　　12. ir *Klop*, er *mn*, *fehlt t*.　　13. Diu *t*, Die *lop*.　　14. was
an mir so *lnop*.　　chuorch *K*.　　15. daz mans *mn*.　　18. wol Got ist so
wise *t*, wol got so wise *l*, got wol so weise *op*.　　19. nach 20 *t*.　　lone-
tes *K*, lont ez *l*, lonte es *p*, lones *t*, lont sein *mo*, lonet ir is *n*.　　25. denche
Kn, gedench *mop*, gedenke *lt*.　　26. da iz *mp*, daz ez *Klnot*.　　29. In
fluohe *l*, ich enfluoche *K*, Ich en vleuch *m*, Ich intflohe *n*, Ich enpfulch *x*,
Ich gefluch *o*, Ich gefluhe *pt*.　　30. sunde *K*.

67, 4, swestr *K*.　　6. er enhet *Km*, Hern hette *n*, Er hete *lpt*, Do het er *o*.　　ouch
Kmnt, ot *p*, *fehlt lno*.　　8. gegen *op*, gein *lmn*.　　senleich *mnop*.　　9. Owe
mnopx.　　chlarn *mo*, claren *K*.　　10. swertes *Klmopt*, swert *n*.　　11. soldest *K*,
scholts *m*.　　kûme *fehlt lop*.　　14. liehten *alle*.　　antlütz *x*.

15 dar an gewuohs noch nie kein gran:
war umbe hiez ich dich ein man?
man solde dich noch vinden
dâ heim bî andern kinden
billîcher dan du hetes getragn
20 schilt, dar und du bist erslagn.
ich sol vor gote gelten dich:
dich ensluoc hie niemen mêr wan ich.
dîn tôt sol mîner tumpheit
füegen alsô frühtec leit,
25 daz zallen zîten jâmer birt
unz mînes lebens ende wirt.
diu schulde ist von rehte mîn:
durch waz fuort ich ein kindelîn
gein starken wîganden
ûz al der heiden landen?'
68   Dô sus des marcrâven mâc
in sîner schôz unkreftic lac,
er sprach hin zim mit herzen klage
'hâstu daz alle suntage
5 in Francrîche gewîhet wirt?
dehein priester dâ verbirt,
er ensegn mit gotes kraft ein brôt
daz guot ist für der sêle tôt.
daz selbe ein appt mir gewan
10 dort vor sancte Germân.
ze Pârîs daz ampt wart getân:
in mîner taschen ichz hie hân,
daz enpfâch durch dîner sêle heil:
des geleites wirt si geil,
15 ob si mit angest für sol gên
und ze urteil vor gote stên.'
     daz kint sprach 'in hân es niht.
mîn unschuldeclîch vergiht

sol mir die sêle leiten
20 ûz disen arbeiten,
aldâ si ruowe vindet,
ob mich der tôt enbindet.
doch gip mir sîn lîchnamen her,
des mennischeit vons blinden sper
25 starp, dâ diu gotheit genas
der gesellekeite. Tismas
der helle nie bekorte:
Jêsus an im wol hôrte
daz in sîn ruof erkande:
der sêle nôt er wande.
69 Nu rüefe ouch ich den selben ruof
hin ze dem der mich geschuof
und der mir werlîche hant
in sîme dienste gap bekant.
5 küsse mich, verkius gein mir
swaz ich ie schult getruoc gein dir.
diu sêl wil hinnen gâhen:
nu lâz mich balde enpfâhen
ob du'r ze helfe iht wellest gebn.'
10 dô erz enpfienc, sîn junges lebn
erstarp: sîn bîhte ergienc doch ê.
reht als lign alôê
al die boum mit fiwer wærn enzunt,
selch wart der smac an der stunt,
15 dâ sich lîp und sêle schiet.
sîn hinvart alsus geriet.
     waz hilfet ob ichz lange sage?
der marcrâve was mit klage
ob sîner swester kinde.
20 des orses zoum diu linde
begriffen hete vaste,
ein drum von einem aste,

do er drabe was gevallen.
nu heten ouch ûz verwallen
23 sîn ougen an den stunden
ursprinc daz si funden.
sîn herze was trucken gar
und beidiu ougen saffes bar.
er moht sich dô wol umbe sehen,
die strâze gein Oransche spehen,
70 Dar in doch sîn herze treip.
unlange er dô beleip.
er dâht an schaden des er pflac,
und an den flüstebæren tac,
5 wie jâmerlîch im der ergienc.
mit armn er dicke umbevienc
den tôten, sîner swester suon.
mit dem begund er alsus tuon:
in huop der küene starke man
10 für sich ûf daz kastelân.
die rehten strâze er gar vermeit,
ûf bî Larkant er reit,
gein der montâne er kêrte,
als in diu angest lêrte.
15 iedoch wart er an gerant
von liuten die mir niht bekant
sint, ir was et im ze vil
sô nâhen gein dem râmes zil.
ieslîcher sîn sper sancte,
20 der im ze vâre sprancte.
Vivîanz er rider warf:
er tet sô der der were bedarf.
sus streit der unverzagete,
unz er sich vor in entsagete:
23 ime stûdach sîn vermisset wart.
dô kêrt er an die widervart
und reit da er Vivîanzen liez.
sîn triwe gebôt unde hiez,
sîme neven die naht er wachte,
des sîn herze dicke erkrachte.

71 Alsus rang er ob im die naht.
dicke wart von im gedâht

des morgens, sô der tac erschin,
ob er in möhte füeren hin,
5 oder wie erz an gefienge,
ob anderstunt ergienge
daz er wurde an gerant:
sô müese ern aber al zehant
nider lâzen vallen:
10 sô wære der heiden schallen
unde ir spottes deste mêr.
diz bekande herzesêr
twanc in âne mâze.
er dâhte 'ob ich dich lâze
15 hinder mir durch vorhte hie,
sus grôz unprîs geschach mir nie.
doch muoz ich Puzzâten laden
wênic durh der heiden schaden:
deste baz ich dan und zuo zin mac.'
20 innen des gienc ûf der tac.

sînen neven kust er unde reit
da er mit fünfzehen künegen streit.
die wârn ouch an der wache
die naht mit ungemache,
23 ze hulden Tervigant ir gote
und ouch von Terramêrs gebote,
und bî dem eide gemant.
des hers fride was benant
benamn ze vâre der kristenheit.
ieslîch künec niwan selbe reit.
72 Die andern gesunden
mit tôten und mit wunden
ze schaffen heten ouch genuoc:
ein ieslîch armer rîter truoc
5 hêrrn od mâge ûz dem wal,
dar umb die künege über al
die naht der wache pflâgen
unde in harnasch lâgen.
eskelîr und amazûre gar,
10 der houbtman ieslîcher schar,
manec küen rîche emerâl,
der huote pflâgn alumbez wal

23, drab *K.*   21. het ouch *t*, hete ich ouch *l.*   uz *t*, az *n?* zuo *l*, druz *K*, *fehlt op.*   verwallen *lt*, vervallen *K*, erwallen *nop.*   25. siniu *K.*   27. was *fehlt t*, daz was *nop.*   29. 30. *fehlen t.*   29. do *K*, doch *lnop.*   30. Orangs *K.*

70, 6. armen *alle.*   13. montanie *Kt.*   17. et *K*, ot *n*, ouch *l*, *fehlt opt.*   im gar ze *o*, im al ze *p*, me danne *t.*   18. rams *K.*   21. Vivianzen *Klnopt.*   22. so *K*, sam *ln*, als *opt.*   der einmahl *not.*   24. *fehlt t.*   vor *fehlt op.*   in *fehlt o.*   28. gebot im *n*, pat in *op.*   29. 30. wachete erchrachete *K*, wahte-erkrahte *l.*

71, 11. spotes *K.*   15. hindr. *K.*   25. 26. got-gebot *K.*   26. und *fehlt K.*   28. des *K*, Der des *lnop*, De des *t.*   herren *l.*   fridman (houbtman *p*) waz genant *op.*   bekant *t.*   30. niwan *K*, nicht wan *nop*, *fehlt lt.*

72, 2. mit den-mit den *Knt.*   3. ein *fehlt lot.*   5. herren *K.*   und *lopt.*   6. dar umbe *Knop*, Durh daz *lt.*   8. in ir *opt.*   9. Eskelier unde Amssur gar *K.*   11. churen (kuene *n*, kuonig *l*, kunic *t*) riche *Klnt*, reicher *op.*   12. pflagen *alle.*   al umbz *K.*

vome gebirge unz an daz mer,
ob under dem getouftem her ·
15 dannoch iemen wære genesen,
daz er des tôdes müese wesen.
der marcrâve des morgens fruo
reit den fünfzehen künegen zuo.
Ehmereiz von Todjerne
20 in bekant und sah in gerne,
der werden Gyburge suon.
er wolde de ersten tjost dâ tuon.
des enweiz ich niht, ob daz geschach;
wan ieslîcher balde brach
25 swaz in sîner hant kom her.
dâ wurden fünfzehen sper
ûf den marcrâven gestochen,
ieslîchez gar zebrochen:
dâ zors er kûm vor in besaz.
Schoiûsen er dô niht vergaz,
73 Sîns swerts, dâ mit er mangen swanc
tet, der durch künege helme erklanc.
ir namen unde ir rîche,
dâ si gewalteclîche
5 krôn vor fürsten hânt getragen,
die lât iu nennen unde sagen.
sît zwuo und sibenzec sprâche sint,
er dunket mich der witze ein kint,
swer niht der zungen lât ir lant
10 dâ von die sprâche sint bekant.
sô man die zungen nennet gar,
ir nement niht zwelve des toufes war:
die andern hânt in heidenschaft
von wîten landen grôze kraft.
15 dâ heten dise ouch eteswaz,
die dem marcrâven zeigten haz.

der von Todjerne ist genant,
Ehmereiz, Tybaldes sun erkant.
sô mac von Marroch Akarîn
20 mit êren fürsten hêrre sîn,
des bâruckes geslehte,
der mit kristenlîchem rehte
Gahmureten ze Baldac
bestatt, dâ von man sprechen mac,
25 welch pivilde er im erkôs
dâ er den lîp durch in verlôs:
wie sprach sîn epitafîum!
daz was ze jâmers siten frum:
wie was gehêrt sîns sarkes stat,
alsô der bâruc selbe bat,
74 von smârât und von rubîn!
die rede lâzen wir nu sîn:
Ich wil die künege nennen gar.
rois Mattahel von Tafar.
5 rois Gastablê von Comîs.
dô sah der marcrâve wîs,
der strît wolt in dâ niht vergên.
rois Tampastê von Tabrastên.
rois Goriax von Cordubin:
10 der truoc manheit unde sin.
rois Haukauus von Nubîâ
streit ouch vil manlîche dâ.
Cursaus von Barberîe,
von untât der frîe,
15 rois Bûr von Siglimessâ,
und rois Corsublê von Dannjatâ.
rois Corsudê von Saygastîn:
wênic was dâ sîn gewin.
rois Vrabel von Corâsen:
20 des helm enpfienc dâ mâsen.

13. vorme *K*, Vome *t*, Von dem *lnop.* birge *t.*   14. undr *K.* getouften *lnp.*   16. Daz
der *lop.*   19. Echm. *l*, Em. *n*, Ekmereis *op.* dodierne *t.*   22. ouch die *K*, ouch
den *t.*   24. Wan daz *o.*   29. daz ors er (Ze orse er *lt*, Daz orsse *op*) chume vor
in *Klop*, Daz her kume af dem orse *n.* gesaz *lt*, ıgenas *op.*

73, 1. Sines swertes *K.*   5. krone *K*, Kronen *ln.*   7. zwuo *t*, czwu *p*, zwo *Klno.*
12. si *ln*, sie *t.*   niht *Kl*, nicht wenne *p.* nur *o*, ot *n*, *fehlt t.*   15. etswaz
K.   16. zeigeten *K.*   17. der eine' von *K.* benant *lt*, bekant *n.*   18. be-
kant *l*, genant *n.*   19. ackerin *lop*, Acherin *t.*   21. Barrukes *K*, baruches *lnot.*
23. Gam. *lnop.*   24. bestatt *o*, bestatte *Kt*, Bestate *lnp.*   25. welhe *K.*
bevilde *lp*, gevilde *n.*   27. Eppitafium *K*, epythaphyum *l*, epitavium *t.*
29. geheret *lnopt*, *fehlt K.*   sines *Kl*, sin *nt.*   30. Barruch *Kl*, baruch *not.*

74, 1. Smaræit *K*, smaragde *ot*, smaragden *lop.*   4-25. rois] der kunech alle, nur
5. 15 Der *p*, 21 Kunig *l*, *fehlt* 9 *p.*   4. Mattahel *K*, Machahel *l*, Matabel *t*,
marabel *n*, matrabel *op.*   savar *op.* Testar *t.*   5. gastable *nt*, Castable *Kp*,
Gastabel *o*, Gaffable *l.*   6. Der m. was *t.* gewis *opt.* Der Margreve Sahwis *l.*
8. Tampastre *op.* tabrasten *Kt*, taprasten *l*, tapastren *n*, tābrastē *o*, Tampasten *p.*
9. Goriaz *t*, Gordiax *l*, gloriax *op.*   11. Haukauvf *K*, hautauus *m*, haucyaus *n*, han-
kaus *p*, hankans *o*, hangans *l*, Kaukaus *t.*   13. Barbarie *lnop.*   15. Bvuer *K*, buer
mnopt, puer *l.*   16. cornuble *o*, cernuble *p.*   damata *l*, damyata *n*, Damnata *t*,
dyamissa *op.*   17. cornide *op.* sayagestin *op*, Scogastin *t.*   19. frabel *l.*
Coriasen *op*, Coraschen *m.*   20. enpfiech *K.*

rois Haste von Alligues
vrâgt den marcrâven des,
waz er wolde an sînen wec.
rois Embrons von Alïmec.
25 rois Joswê von Alahôz.
daz bluot in durch die ringe vlôz
allen, wan Gyburge suon:
dem enwolt er dâ niht tuon.
daz enliez er durch in selben niht:
Gyburg diz mære des frides giht,
75 in der geleite er dannen reit:
der marcrâf niht mit im enstreit.
Sîn stiefsun Ehmereiz sprach sân
'ey waz du lasters hâst getân
5 an mîner muoter al den goten!
dîn zouber nams ûz ir geboten,
und mînen vater Tybalt.
dar umbe Termis wirt gevalt
und al diu kristenheit durchriten.
10 du hâst ze lange alhie gebiten:
mit tôde giltet nu dîn lîp
daz ie sô wîplîchez wîp
durch dich zebrach unser ê.
daz tuot al mîme geslähte wê.
15 ich enschilt ir niht, diu mich gebar,
ob ich der zuht wil nemen war:
doch trag ich immer gein ir haz.
mir stüend diu krône al deste baz,
hetez Arabel niht verworht:
20 daz hât mîn scham sît dicke erforht.'
dô Ehmereiz Gyburge barn
sô rîterlîche kom gevarn,
und al sîn wâpenlîchez kleit
nie dehein armuot erleit
25 (wan ez was tiwer unde lieht),
der marcrâve tet im nieht,
gein sîner rede er ouch niht sprach:
swes er von Gyburge jach,
daz wart im einen gar vertragen:

die andern wunt unde erslagen
76 wurden. ir ähte fluhen durch nôt,
siben aldâ belâgen tôt.
Von den reit dô fürbaz
der marcrâve ûf niwen haz
5 gein zwein künegen hôh gemuot.
daz wâren rîter als guot,
gein strîte rehte flinse.
gein eime swærem zinse
die helde bêde lâgen,
10 die maneges prîses pflâgen.
der eine von Liwes Nugruns
der werde künec Tenebruns,
und Arofel von Persyâ,
die lâgn ir hers al eine dâ,
15 der Gyburge veter was.
ist in dem meien towec gras
geblüemet durch den süezen luft,
dise zwên durh prîs und durh ir guft
wârn baz geflôrieret
20 und alsô gezimieret
daz es diu minne hête prîs.
sold ich gar in allen wîs
von ir zimierde sagen,
sô müese ich mînen meister klagen,
25 von Veldek: der kundez baz.
der wære der witze ouch niht sô laz,
er nand iu baz denne al mîn sin,
wie des iewedern friwendin
mit spæcheit an si leite kost.
si gâhten ze ors ûf durch die tjost.
77 Do der marcrâve gein in her
reit, dâ wurden bêdiu sper
von rabîne gesenket,
und niht von im gewenket,
5 er liezs et hurteclîche komn.
dô bêde tjost wârn genomn
von dem marcrâven starc,
sîne reise er wênec barc:

M
21. Alliguês *K*, alligwes *m*, aligves *l*, Alagwes *t*, algoes *op*.   22. vragete den grauen
des *K*.   23. uf *lt*.   24. embros *l*, Erabrons *op*, Kabrans *t*.   25. Josue *mnt*, lozweiz *l*,
Joseweis *op*. Anahôz *K*, alaboz *op*.   26. im *lo*, dem *p*, *fehlt t*.   30. Giburge *K*.
75, 2. marcgrave *K*.   en *fehlt lopt*.   7. meinem *mpt*. mînes?   14. minem *K*.
16. zuhte *K*.   18. stuende *Knt*, stuont *l*.   21. Emereiz *K*.   29. einen *Kt*,
ein *lm*, alleyne *n*, allez *op*.   gar *fehlt n*.
76, 2. belagen *Kl*, gelagen *mop*, lagen *t*, lagen alda *n*.   3. den *mnt*, dem *Kl*, dannen
op.   8. einem *K*.   sweren *lmnt*, sourem *o*, sawren *p*.   11. liwes *n*, Libes *m*,
leus *Kl*, loys *t*, Leuns *p*, *fehlt o*.   migruns *l*, nigruns *np*, Nygrons *o*, Nogruns *m*,
lugruns *t*.   12. tenebrons *o*, Tenabruns *mn*.   14. lagen *alle*.   18. zwene *Kln*.
durh ir *Km*, durch *lt*, *fehlt nop*.   21. ez *Klmnt*, sein *o*.   22. alle *ln*.   25. veldek
mp, veldekk *o*, veldeiech *l*, veldekke *n*, Felkin *K*, veldenken *t*.   chunds *K*.
28. des] ir *op*.   iwedern *K*, ietwedern *mt*, werden *l*, yweders *n*, ietweders *op*.
30. ze ors ûf *Kmnt*, ze orssen *o*, czu orsse *p*, uf die ôrse *l*.
77, 1. in] ir *Kl*.   5. liez et *Kt*, liez iz ot *m*, liz ouch *n*, liez si *lop*.

er woldc et ze Oransche hin,
10 dâ Gyburc diu künegin
sîn herze nâhen bî ir truoc.
ieweder künec ûf in sluoc
sô die smide ûf den anebôz.
Schoyûse wart der scheiden blôz
15 und manlîch gezucket,
und bêde sporn gedrucket
Puzzât durch die sîten.
manlîch was ir strîten.
der künec Tenebruns lac tôt.
20 alrêrst gap strîtlîche nôt
dem Franzoys der Persân.
hurtâ wiez dâ wart getân!
die schildes schirben flugen enbor.
ein swert der künec Pantanor
25 gap dem künege Salatrê:
der gabz dem künege Antikotê:
der gabz Esserê dem emerâl:
der gabz dô als lieht gemâl
Aroffel dem küenen:
der kund ouch wênic süenen.
78 Sus kom daz swert von man ze man,
unz ez der Persân gewan,
Aroffel, derz mit ellen truoc
und ez vil genendeclîchen sluoc,
5 wand er mit strîte kunde
und niemen für sich gunde
deheinen prîs ze bejagenne.
ich het iu vil ze sagenne
von sîner hôhen werdekeit,
10 und wie er den ruoft erstreit
undr al den Sarrazînen,

daz er sich kunde pînen
von hôher kost in wîbe gebot
und ouch durch sîner vriwende nôt,
15 bärlîch im selben ouch ze wer.
undr al dem Terramêres her
was ninder bezzer rîter dâ,
denne Arofel von Persîâ.
Gyburge milte was geslaht
20 von im: er hetez dar zuo brâht,
daz ninder kein sô miltiu hant
bî sînen zîten was bekant.
Arofel der rîche
streit genendeclîche:
25 er bejagt ê werdekeit genuoc.
daz ors mit hurte in nâher truoc,
daz die riemen vorme knie
brâsten dort unde hie:
ame lendenier si entstricket wart
von der hurteclîchen vart,
79 Diu îserhose sanc ûf den sporn:
des wart sîn blankez bein verlorn.
halsperges gêr und kursît
und der schilt an der selben zît
5 wârn drab geruct, deiz bein stuont
blôz.
den blanken diechschenkel grôz
der marcrâve hin ab im swanc.
des küneges wer wart dô kranc.
er bôt ze geben sicherheit,
10 der ê genendeclîchen streit,
und dâ zuo hordes ungezalt.
von dem ors er wart gevalt:
der marcrâve erbeizt ouch dô:

---

9. et *K*, ot *mn, fehlt lopt*.   Orangs *K*.   12. iewedr *K*, Ietweder *lmpt*,
ietwederr *o*.   13. Sam *mop*, Als *lt*.   aneboz *ln*, anpoz *oder* anboz *mopt*,
amboz *K*.   14. schaide *mopt*.   18. wart da ir *mnop*.   19. Tenabruns *m*.
20. Alrest *m*, alreste *K*.   23. diu *Kt, fehlt m*.   schirbe *t*, scherben *op*.
enbôr *K*.   25. Saleotê *K*.   26. antytote *l*, antiate *n*, antikore *opt*.
27. Ezzere *lo*, ezzer *m*, zu eren *n*.   28. dô *fehlt lop*.

78, 4. ez *fehlt K*.   nendikliche *n*, endichleichen *op*.   7. 8. beiagenne-sagenne *t*,
beiagene-sagenne *no*, beiagende-sagende *p*, beiagen-sagen *Klm*.   10. ruef
mnop, ruom *lt*.   15. paerleich *m*, Bærlichen *t*, Werliche *lop*, Bi namen *n*.
17. 21. nindr *K*, nirgen *n*, nieman *l*.   19. froun Gyburgen *K*, Kyburgen *p*.
20. hetz *Km*.   21. dehein *K*, dekein *lt*, eyn *n*.   25. er beiagt ê *Ktx*, Er
beiagte *l*, des beiagt er *mnop*.   27. vorme] vor eime *ln*, vor einem *Kmopt*,
vor dem *x*.   28. Brachen *lnop*.

79, 1. iser *K*, ysern *n*, iseren *l*, ysrin *p*, ysen *t*, eisen *mx*, eysneinn *o*.   hos *m*,
hosen *lopx*.   sûnken *x*, swanch sich *op*.   3. Halsperg *px*, Halperch *o*.
gere *lt*, geren *n, fehlt op*.   5. drab geruchet *Ktx*, dar abe gerucket Unde
vaste dar abe gezucket *l*, verruckt *mnop*.   deiz *K*, des *m*, daz im daz *x*,
daz *lnopt*.   6. den *lntx*, dem *Km*.   Daz blancke *op*.   diech *Kmnop*, die *l*,
diken *x, fehlt t*.   schenkel *Klnt*, senkel *x*, den senchel *m*, und den schenkel
p, und schinken *o*.   7. im hin ab *x*, im abe *n*, im palde abe *op*.   11. dar
lmnoptx.   hords *K*, hurtes *l*, guetez *o*.   13. erbeizet *K*.

des gevelles was er frô.
15 Arofel âne schande
bôt drîzec helfande
ze Alexandrîe in der habe,
und daz man goldes næme drabe
swaz si mit arbeite
20 trüegen, und guot geleite
al dem horde unz in Pârîs.
'helt, dun hâst deheinen prîs,
ob du mir nimst mîn halbez lebn:
du hâst mir freuden tôt gegebn.'
25 do der marcrâve sîniu wort
vernam, daz er sô grôzen hort
für sîn verschertez leben bôt,
er dâhte an Vivîanzes tôt,
wie der gerochen würde,
und daz sîn jâmers bürde
80 Ein teil gesenftet wære:
den künec vrâgter mære,
daz er im sagte umb sînen art,
von welhem lant sîn übervart
5 ûf sînen schaden wære getân.
er sprach 'ich pin ein Persân.
mîn krône aldâ der fürsten pflac
mit kraft unz an disen tac:
nu ist diu swacheit worden mîn.
10 ey bruoder tohter, daz ich dîn
mit schaden ie sus vil engalt!
Arable unde Tybalt.
lægt ir für mich beide erslagen,
iwern tôt man minre solde klagen.'
15 der künec niwan der wârheit
jach.
der marcrâve mit zorne sprach

'du garnest al mîn herzesêr,
und daz dîn bruoder Terramêr
mîne besten mâge ertœtet hât,
20 und daz dîn helfeclîcher rât
dâ bî alz volleclîchen was.
ob alz gebirge Kaukasas
dîner hant ze geben zæme,
daz golt ich gar niht næme,
25 dune gultest mîne mâge
mit des tôdes wâge.'
Arofel sprach 'mac iemen hân
dar umbe du mich halben man
alsus verhouwen lâzes leben,
des wirt dir vil für mich gegeben.
81 Nu sich, dort stêt Volatîn
daz ors. dâ mit diu schulde mîn
gein dir wære vergolten gar.
ich nam durch mîne triwe war
5 zehen künege, mînes bruoder kint,
die hie mit grôzer fuore sint:
durch die fuor ich von Persîâ.
ist in mînem rîche aldâ
iht des du gerst für mînen tôt,
10 daz nim und lâz mich leben mit nôt.'
war umbe sold i'z lange sagen?
Arofel wart aldâ erslagen.
swaz harnaschs und zimierde vant
an im dez marcrâven hant,
15 daz wart vil gar von im gezogen
untz houbet sîn für unbetrogen
balde ab im geswenket
und der wîbe dienst gekrenket.
ir freuden urbor an im lac:
20 da erschein der minne ein flüstic tac.

---

17. hab *K*. 18. golds *K*. drab *K*. 22. dune *K*. nu deheinen *t*, nu
chainen *op*, nu chain *m*. 24. wernden *op*. gegeben *I*. 25. Marcgraue *I*.
27. verschert *Km*, verschartiz *I*, verschartes *op*, virseritiz *n*. 28. Vivianzs
K, Vivians *I*. 29. wrde *I*. 30. unz *K*. burde *I*.
80, 1. ware *I*. 2. vragetr *K*, vragte er *I*. 3. seite *Klt*. umbe *I*.
sin *Ilnop*, sine *t*. 4. lant *mp*, land *o*, lande *IKlnt*. 7. mit chrone ich *I*.
8. uñ mit *I*. 10. sy bruders *I*. 11. sus *IK*, so *lmnot*. 12. Akabel *I*.
13. Und *mnop*. ir ligit vor mir *I*. lægt *o*, legt *lmp*, læget *Knt*. beidiu *Kt*,
bede *I*. 14. man minr (minner *t*) solde *Kt*, man mier scholt *m*, man solde
minre *n*, man solde *l*, solt niemen *op*. man niemmer *I*. 15. nicht wan *m*,
niht dan *ln*, nur *o*, allez *t*, *fehlt p*. 16 Margraue *I*. 17. arnest *lop*. alle *I*.
herce sêre *I*. 18. Terremere *I*. 19. minen *I*. mâc *I*. 20. helfilcher *I*,
helfleicher *mno*, helf und ouch dein *p*. 21. also *Kl*, so *mnopt*. vollechlih *I*.
22. allez *Ilmopt*, alliz daz *n*. Kaukesas *I*, koukesas *Km*, kochesas *n*.
23. zi gebene zeme *I*. 24. neme *I*. 25. gultes *I*. 29. lazzest *I*.
81, 1. Volarin *t bis* 109, 7 *immer*, valantin *n*. 3. gegin *I*. 4. min *I*. 7. ich]
ieh *I*. 9. geruéchst *o*, geruecht *m*, geruches *np*. 10. la *I*. 11. solt ich ez *I*.
12. Wan *mn*, Wan daz *op*. Arofel *I*. wart alda *K*, wart da *x*, der wart *l*,
wart *Imnopt*. 13. harnasches *Klmnopt*, harnasch *Ix*. zymierde *I*. 15. von]
abe *I*. 16. unde des *K*, vū daz *I*, Und daz *lmnotx*. Und sein houbt *p*.
houbt *Klm*, höpt *I*. 17. ab] an *I*. 18 *bis* 82, 1 im *weggeschnitten I*,
19. Der *opt*.

noch solden kristenlîchiu wîp
klagen sîn ungetouften lîp.
　der marcrâve ninder flôch,
ê daz er von im selben zôch
25 harnasch daz er ê hêt an:
ein bezzerz daz der tôte man
gein im ze strîte brâhte,
balde er des gedâhte,
mit zimierde leit erz an den lîp.
des bekant in niht sîn selbes wîp
82 sît do es im wart vil nôt,
swie kuntlîche rede err bôt.
　Diu zimierde gap kostbæren schîn.
Arofels ors, hiez Volatîn,
5 dâ ûf saz er al zehant.
bêdiu swert er umbe bant:
Arofels schilt er dar zuo nam,
der künge wol ze füeren zam.
Puzzât sîn ors was sêre wunt:
10 den zoum er drab zôch an der stunt,
daz ez sich hungers werte.
mit im ez dan doch kêrte:
swâ sîn hêrre vor în reit,
die selben slâ ez niht vermeit.
15 sus reit der unverzagete,
sô daz in niemen jagete,
unz er Oransch ersach,
ûf dem palas sîn liehtez dach.
des wart sîn freude erhœhet,
20 diu ê was gar geflœhet
ûz sîme herzen hin zetal.

von busînen hôrt er schal
und sach von rotten manegen stoup.
　Terramêr het urloup
25 sîner tohter sune gegebn,
daz er Gyburge ir lebn
ûf Oransche næme.
nu seht wie daz gezæmc
von Griffâne Poydjus,
daz er sîner muomen sus
83 der sippe wolde lônen.
billîcher solder schônen
Ir und aller wîbe.
ze schirm Gyburge lîbe
5 kom geîlt rois Tesereiz.
für wâr ich noch an wîben weiz,
swelh rîter het alsölhen site
der Tesereiz wonte mite,
daz der möht ir minne hân.
10 des wîbes herze treit der man:
sô gebent diu wîp den hôhen muot.
swaz iemen werdekeit getuot,
in ir handen stêt diu sal.
wert minne ist hôh an prüevens zal.
15 die pfäde und die strâze gar
verdecket wârn mit maneger schar.
swaz der gein Oransche lac,
der marcrâve einer künste pflac,
daz sîn munt wol heidensch sprach.
20 sîn schilt was heidensch den man sach,
sîn ors was heidensch daz er reit,
al sîniu wâpenlîchiu kleit

---

22. sinen *Klmnopt.*　　23. nindr *K*, nieren *l*, nirgen in *n*, do (doch *p*) nindert
opx.　　24. selben *fehlt lx.*　　gezoch *l.*　　25. daz] da *K.*　　ê *fehlt ntx.*
het *mp*, hete *Klot*, hette *n*, truog *x.*　　26. bezzer *ln.*　　28. balde *Kltx*, Vil bald
mnop.　　30. selbs *K.*
82, 1. ez *Kltx*, sein *m.* im sein *op.*　　vil *fehlt I.*　　2. er *lmnotx*, er ir *K*, er ir doch *p.*
3. chostbarn *I.*　　4. valentin *n*, Valtein *x.*　　5. dar *Ilmnoptx.*　　7. dr zuo *K*,
da zů *I.*　　8. gezam *I.*　　10. dar abe *I.*　　an der *IKltx*, saze *mop*, zu *n.*　　11. ez] er *I.*
12. ime *I.*　　dannoh *I*, dan doch *K*, dannen doch *p*, dannoch *t*, dar nach *l*,
doch dan *m*, doch dannen *n*, dannen *x*, danne *o.*　　13. swar *I.*　　vor in *K*, vor
hin *lmn*, vor im *p*, vor im hin *t*, von im *o*, von ime *I.*　　14. Den *m.*　　slag *m*,
slage *n.*　　15. unverzagte *I.*　　16. nieman iagte *I.*　　17. 27. Orangs *K.*
17. Oranigen sach *I.*　　18. liehtes *K*, lichtez *I.*　　21. unze sinem *I.*　　23. rotte
IKt.　　25. sun *mnop*, sun ê *IKt*, *fehlt l.*　　25. 26. -ben *l*　　26. Kyburge *I*, *immer.*
27. Oranyse *I.*　　29. Griffanie *Kt*, grifanye *l*, Griffanye *I.*　　podyus *ln*, Pondyvs *I.*
83, 4. schirme *Kt*, schirmen *l*, scherm *mop*, scherme *In.*　　5. gîlet *I*, geeilet *mnop*,
gilt *t*, zegelt *K*, sit *l.*　　rois] der kunic *I*, der kunech *Klt*, chunich *mn*, *fehlt op.*
Tessereiz *I.*　　6. nah an den *I.*　　7. het *fehlt I.*　　8. alsolhe *t*, al soliche *l*, al
solich *m*, sulche *np*, solich *o.*　　8. di-wonten *mnop.*　　Tesserez *I.*　　9. mohte *I.*
11. den *fehlt I.*　　12. ieman werdicheit tᵛt *I.*　　13. wal *op.*　　14. wêrt *K*, werde
Ilop.　　prises *lop.*　　15. phad *mop.*　　und ouch *mnp.*　　strazzen *nop.*　　17. gegin *I.*
Oranvse *I*, Orangs *K.*　　19. 20. 21. haidnisch *mo.*　　20. 21. Daz waz im dez gluckes
dach Sin schilt waz heidenische und daz er reit *l.*　　20. man da sach *IKt.*
21. heidnisch *K.*　　22. Alle *lnop*, alsvs ôch *I.*　　wappenl. *I.*　　wappen cleit *lmnopt.*

gefuort ûz der heiden lant.
Willalm der wîgant
25 gein al den storjen kêrte.
  sîn manheit in lêrte,
  swâ die lücke giengen durch,
  ez wære ûf wisen od in der furch,
  daz er dâ sanfte stapfte.
  des hers vil an in kapfte.
84 Poydjus von Griffâne
  enthielt sich ûf dem plâne,
  unz im sîn her kom gar.
  er hete ouch ze vil der schar
5 von Tesreizes krefte,
  in des gesselleschefte
  ûz sîn selbes lande dar gebeten,
  die von Soitiers und die Latriseten
  und die von Collône.
10 ouch dienden sîner krône
  die von Pâlerne:
  Tesreize ouch dienden gerne
  die von Grikulâne
  ûz der wilden muntâne,
15 mit bogen und mit slingen,
  dâ mit si kunden ringen.
  der marcrâve niht vermeit,
  durchz her gein Oransch er reit:
  des kom er ze arbeite.
20 si pruoften ein gereite
  daz ûf dem wundem orse lac.
  und eines sites des er pflac,
  daz er ein kleine pelzelîn
  (daz selbe was lieht härmîn)

23 an zôch, dar ob er wâpen truoc,
  des pelzelîns ein gêre sluoc
  hinden übern satelbogn.
  und dô Puzzât für unbetrogn
  sô eben zogt ûf sîner slâ,
  des bekanden in die heiden dâ.
85 Si sprâchen 'jenez ors truoc den
          man
  von dem Pînel den tôt gewan,
  und der uns Arficlanden
  ersluoc und Turkanden.
5 daz selbe ors den einen truoc,
  der den künec Turpîûnen sluoc,
  den rîchen von Falturmîê.
  swiez umb disen rîter stê,
  ich wæn der schade von îm ge-
        schach.
10 diz ors im zoget sus eben nâch:
  er ist für wâr ein kristen
  und wil von uns mit listen.
  dort unden sîn härmîn gewant
  ûz der Franzoyser lant
15 gein uns ist her gefüeret.'
  dâ wart mit sporn gerüeret.
  des enwas et dô kein ander rât,
  da ergienc mit poynder puntestât.
  immer zweinzc ensamt stâchen,
20 od mêr, daz gar zebrâchen
  ûf im diu sper zestochen gar.
  in gap ein schar der andern schar
  von hant ze hant als einen bal.
  sus fuorten sin berge unt tal.

---

23. gevûret *I*, gefuert *K*, Gefuret *lop*.   25. storin *m*, sturmen *l*.   27. lucken
lnopt.   28. ûf *Kmn*, in *lopt*.   der *Km*, *fehlt lnopt*.   29. stapfete *Knt*.   30. Daz
her *nopt*.   in vil an *nop*.   chapfete *Kt*, chaft *m*, kaffete *t*.

84, 1. griffanie *Kl*, Griffange *t*.   2. Er enthielt uf der *l*.   planie *Kl*, plange *t*.
4. ze *Kt*, al ze *mn*, gar-ze *op*, *fehlt l*.   6. der het zegeselleschefte *K*.
8. von *fehlt t*.   Soitiers *K*, sotters *t*, sviters *n*, Sutters *m*, suders *op*, latris *l*.
die *K*, di von *mt*, von *lop*, *fehlt n*.   latrisseten *l*.   9. Chollône *K*, Colone
lopt, colonen *n*, Colon *m*.   11. 13. Und die *lmnop*.   13. Und die *t*.
Chrikulanie *K*, grigulane *l*, Grikulan *m*, krikulange *t*, Gritulane *o*.   14. Durch
di *mnop*.   Muntanie *K*, montange *t*.   16. sî *fehlt m*, die *lopt*.   18. gein
(nach *m*) Orangs er *Kmnp*, er gein Orense *lo*, er gein Oranshe *t*.   21. Daz
da *op*.   dem wunden *mnt*, dem verwuntem *l*, *fehlt op*.   22. des er] er do *l*.
23. chlein *Km*, cleines *lopt*.   belcelin *K*, belzlin *t*, belzekin *l. so auch* 2*n*.
25. an zoch *fehlt lt*.   27. sattelbogn *K*.

85, 3—6. Und der sitglanden ersluog (uns affridanten slueck *op*) Und Turkanden
(turbanden *o*) daz selbe orse (daz orss den selben *op*) truog [Der kunig Tur-
pianen sluog Daz er ez lange hete gnuog *l*] *lop*.   3. Erfikanden *K*, Erfic-
landen *t*.   4. Torkanden *K*, Turganden *m*.   6. Turpiun *mt*, turpyn *n*.
ersluech *mn*.   7. falturnie *op*.   9. wæne *Klnt*.   10. so *lopt*.   17. en
fehlt lmnopt.   et do *Kt*, ot da *m*, ouch *l*, hi nu *n*, *fehlt op*.   dehein *Ko*,
dekein *t*.   18. poy̆ndr *K*, pondyr *m*, ponders *lop*.   pontestat *n*, potestat
lop.   19. zweinzech *K*.   insament *n*, entsamet *l*, zesame *o*, czu samne *p*.
21. ze stuchen *lmnopt*.   22. anderen *K*.   24. uñ *K*.

25 Arofels ors Volatîn
und Schoyûs daz swert sîn
dâ wurden bürgen für sîn lebn.
dem wîbe lôns was vil gegebn,
der künec von Collône
bat in dâ rîten schône:
86 Der fuor im dâ ze næhest bî.
'ich wil wizzen wer ditz sî,'
sprach Tesereiz der minnen kranz:
des sper was lieht von varwe glanz.
5 er sprach 'ob du getoufet sîs,
so enpfâch ein tjost durch den prîs.
ob duz der marcrâve bist,
half dir dô dîn hêrre Krist
daz diu Arâboysinne
10 Arabel durch dîne minne
rîchiu lant und werde krône
dîner minne gap ze lône
(trüeg sölh êre ein Sarrazîn
als wont an dem prîse dîn,
15 des wærn al unser gote gemeit),
ich wil durch dîne werdekeit
dich vor al den heiden nern,
benamen durch dîne minne wern.
mir enhât hie niemen vollen strît:
20 mîn her wol ebenhiuze gît
von Grikulâne unz an den Roten.
ich wil dich unsern werden goten
wol ze hulden bringen:
dâ mac dîn dienst wol ringen
25 nâch wîbe lôn und umb ir gruoz.
ob ich mit dir strîten muoz,
ich weiz wol, dêst der minne leit.
sô unsanfte ich nie gestreit
mit deheiner slahte man,
wand ich dir keines schaden gan.'
87 Er bat in dicke kêren,
und er wolde im rîcheit mêren:
er warp nâch fîanze.
ze treviers wart ein lanze

5 ûf den marcrâven gestochen;
die begreif er unzerbrochen
und wants eim heiden ûz der hant:
des wart sîn tjost mit schaden er-
kant.
innen des rief Tesereiz
10 'nu kêre, ob dich in dienste weiz
Arabel diu künegîn.'
wider wart geworfen Volatîn
gein dem künec von Latrisete:
er leiste unsanfte sîne bete.
15 hie wurden d'ors mit sporn ge-
nomn.
dâ was manheit gein ellen komn,
und diu milte gein der güete,
kiusche und hôhgemüete,
mit triwen zuht ze bêder sît:
20 der ahte schanze was der strît.
daz niunde was diu minne:
diu verlôs an ir gewinne.
von rabîne hurteclîchen
si liezen nâher strîchen.
25 dâ wart faylieren gar vermiten
und bêdiu sper enzwei geriten.
diu tjost dâ sterben lêrte
Tesereizen, der ie mêrte
prîs des diu werlt gereinet was.
geêret sî velt unde gras
88 Aldâ der minnær lac erslagen.
daz velt solde zuker tragen
al umb ein tagereise.
der clâre kurteise
5 möht al den bîen geben ir nar:
sît si der süeze nement war,
si möhten, wærns iht wîse,
in dem lufte nemen ir spîse,
der von dem lande kumt geflogen,
10 dâ Tesereiz für unbetrogen
sîn rîterlîchez ende nam.
er was der minne ein blüender stam,

---

27. burge *n*, purge *o*, pürge *p*, pürgel *m.*   2s. lones *K.*   29. Chullœne *K*,
kullone *t.*   30. schœne *K.*

86, 1. ze *fehlt K.*   3. minne *lmopt.*   4. varwen *K.*   5. getouft *K.*
6. eine *K.*   den *K*, hohen *l*, dinen *mnop und ohne* durh *t.*   11. nach 12 *t.*
13. Und *mnop.*   truege *Klnt.*   14. Diu *t*, die *l.*   15. wærən alle unsr *K.*
21. grikulanie *Kp*, grigulanie *l*, krikulanie *o.*   Rotten *Km.*
23. Vil wol *mnop.*   24. So *l.*   30. deheines *K*, dekeines *lt.*

87, 4. ze Trevers *Kt*, Zuo hant *l*, Von Termes *op.*   5. dem *K?l.*   markis *n.*
7. wants aim *m*, want sî einem *K.*   8. dem *opt.*   13. kunige von latriset *K.*
15. Da *mnop.*   diu *Klnopt, fehlt n.*   18. gein *nop.*   20. Di *mnp.*   aht.
Km.   23. rabbinen?   30. luft velt *mnop.*

88, 1. minnære *K.*   4. Turkeîse *K.*   5. binen *ln*, pinen *t*; peinen *mo*, peyern *p.*
7. wærns *K.*   iht *fehlt nopt.*   10. fuor *Kt, fehlt lo*, uf *n.*

den tôte des marcrâven hant:
den hete ouch minne dar gesant.
15 Gyburge bote was wol ze wer:
mit poynder nam in für daz her
ze volge und ze treviers.
'Mahmet, und ganstu miers,'
sprach maneger, 'ich begrîfe dich.'
20 an allen sîten manegen stich
im manec geruowtiu storje bôt.
er flôch dan, Puzzât lac tôt,
sîn ors. daz begund er klagen:
Schoyûse wart dô vil geslagen
25 den heiden ze ungemache.
kastânen boume ein schache
dâ stuont mit wînreben hôch:
in der dicke er in enpflôch.
snellîchen truoc in Volatîn
ze Oransch für die porte sîn.
89 Alrêrst twanc in jâmers nôt
umb sînes werden heres tôt
und Viviânzes sînes neven.
ein alter kapelân, hiez Steven,
5 ûf der wer ob der porte stuont:
dem tet der marcrâve kuont
daz er dâ selbe wære.
der geloubte niht der mære.
diu künegîn kom selbe dar.
10 si nam der zimierde war:
der koste si bevilte.
si prüefte ouch bî dem schilte
daz er ein heiden möhte sîn.
Arofels ors Volatîn
15 was niht sô Puzzât getân.
si sprach 'ir sît ein heidensch man.
wen wænt ir hie betriegen,
daz ir sus kunnet liegen
von dem marcrâven âne nôt?
20 sîn manheit im ie gebôt

daz er bî den sînen streit
und flühtec nie von in gereit
durch deheiner slahte hérte.
maneger iu daz werte,
25 iwer halden hie sus nâhen,
wan daz ez kan versmâhen
hie inne al mîner rîterschaft.'
dô was ir werlîchiu kraft
gedigen et an den kapelân:
dort inne was kein ander man.
90 Der marcrâve zer künegîn
sprach 'süeziu Gyburc, lâ mich în,
und gib mir trôst den du wol
kanst.
nâch schaden du mich freuden
manst:
5 ich hân mich doch ze vil gesent.'
si sprach 'ich bin des niht gewent,
daz der marcrâve al eine
kume. mit eime steine
sol iu gewinket werden,
10 daz ir ligt ûf der erden:
iwers haldens ich iu hie niht gan.'
der heiden hers ein woldan
wol fünf hundert menschen fuorten,
die si mit geiselen ruorten:
15 daz wârn die kristen armen.
die begunden sêre erbarmen
Gyburge, diuz hôrt unde sach.
zem marcrâven si dô sprach
'wært ir hêrr diss landes,
20 ir schamt iuch maneges pfandes
als iwer folc dort lîdet.
ob ir helfe bî den mîdet,
sô weiz ich wol daz irz niht sît.'
Munschoye wart geschrît,
25 und ûf geworfen ûz der hant
Schoyûs: des eke wârn bekant.

14. In *mno.* 17. Zur *n.* fluge *K.* Trevirs *K*, Terviers *o*, Trevris *t*, tri-
viers *n*, Trivirs *l.* 18. mirs *Klpt*, mers *n.* 19. manegr *K.* 20. manegn *K.*
21. gerwetiu *K*, geruowet *lnp.* storie geruowet *t.* 22. dan *K*, hin *op*, da
lmn. 24. Schoÿus *K.* 26. Von *mnop.* kastânien *Kmt*, Kastanie *l*, chesten
m, chest *o*, keste *p.* poumen *op.* sache *l*, spache *n.* 30. Orangs *K.*
porten *lmntx*, pforten *op. so auch* 89, 5.
89, 1. Alrest *t*, Alerste *K*, Nu aller erst *l*, Alrerst (Alrest *m*) do *mnop* 2. hers
Kmtx. 3. Vivians *K.* 6. chuont *mit* v *K.* 8. ern *mn*, Er *op*, Der pfaff *x.*
17. wænet *K.* 24 Vil m. *mnx*, Wie m. *op* 25. sus *lmnx*, so *Kopt.*
29. ot *m*, ouch *lx*, nur *op*, *fehlt nt.* 30. dehein *Km*, dekein *lt.* andr *K.*
90, 6. enbin *K.* 7. chumt *K*, chöm *x*, vor al. 8. Mit einem grozzen stain *x.*
9. werdn *K.* 11. hie *Kmptx*, *fehlt lno.* 13. menschen *lnt*, mensche *op*,
mennische *K*, mensch *m.* 17. diu sî horte *Kt*, wan sis wol hort *x.* do si die
ersach *op.* 19. wæret ir herre *K.* lands-pfands *K.* 24. Munschoy *K.*
25. in der *op*, under *l*, mit seiner *x.*

dâ wart gehardieret
und alsô gepungieret,
swen er derreicht, der lac dâ tôt.
die heiden fluhen vor durch nôt:
91 Olbenden und dromendarîs
da beliben, geladn in manegen wîs
mit wîne und mit spîse.
der marcgrâve wîse
5 Arofels wâpen dâ genôz:
wan des kraft was sô grôz
über al der heiden her,
daz ir neheiner kom ze wer.
si vorhten daz erz wære,
10 und erschracten sô der mære,
dazs ir gewin liezen stên.
die soume hiez er wider gên:
über al der kristen liute bant
ûf sneit des marcrâven hant.
15 er bats et wider trîben:
er enliez dâ niht belîben
swaz im ze nutze tohte.
mit êren er dô mohte
komen für die porten sîn.
20 dannoch wânt diu künegîn
daz si wære verrâten.
în lâzens dicke bâten
der marcrâve und de erlôste diet.
der küneginne vorhte riet
25 daz sien marcrâven mante
daz in doch wênic schante.
'dô ir durch âventiure
bî Karl dem lampriure

nâch hôhem prîse runget
und Rômære betwunget,
92 Ein mâsen dier enpfienget dô
durh den bâbest Lêô,
die lât mich ob der nasen sehen.
sô kan ich schiere daz gespehen,
5 ob irz der marcrâve sît:
alêrst ist în lâzens zît.
hân ich dan ze lange gebitn,
ich kan mit vorhtlîchen sitn
umb iwer hulde werben
10 (daz enlâz ich niht verderben)
mit dienstlîchem koufe.'
der helm und diu goufe
wart ûf gestrict und ab gezogn.
diu künegîn was unbetrogn:
15 die mâsen si bekante.
mit freuden si in nante
'Willalm ehkurneis,
willekomen, werder Franzeis.'
si bat die port ûf sliezen,
20 er moht ê niht geniezen,
swaz err ze künde sagete;
daz si vil dicke klagete.
dô sim mit vorhten manegen kus
gap, der marcrâve alsus
25 sprach 'Gyburc, 'süeze âmîe,
wis vor mir gar diu vrîe
swaz ich hazzes ie gewan,
wan ich gein dir niht zürnen kan.
nu geben beide ein ander trôst:
wir sîn doch trûrens unerlôst.'

27. geherdiert *m*, gehurdieret *op*, gehurtieret *lx*.   28. gepuniert *mnop*.
29. erreichte *Kmnopt*, beraicht *x*, da reihte *l*.   was *n*.   dâ *fehlt lnx*.

91, 1. Trumentaris (*ohne* und) *l*, drumbendaris *m*, dromedaris (*ohne* und *t*) *npt*,
drumbedaris *o*, die chæmmlein *x*.   2. manegn *K*, maniger *lopx*, maninge *n*,
manige *t*.   10. erschracken *lxpt*.   der] de *K*.   11. dass *K*.   15. Und
mnopx.   8 *fehlt Kt*.   et *K*, ot *m*, ez *t*, ouch *ln, fehlt op*.   16. liez *lmnpt*,
lie *ox*.   17. Daz *mnop*.   23. diu *Kt*.   24. Di *n*.   ir vorcht *opx*, zvivel
ir *n*.   25. si en *K*, si *t*.   28. karle *ln*, karlen *Kp*, karln *o*.   dem *fehlt*
tx.   Lampartewer *m*.

92, 1. Eine *Kpt*.   die ir *K*.   4. schere *q*.   gespehen *Kmq*, spehen *lt*,
erspehen *opx*, wol sphehen *n*.   6. al erst *Kqx*, Alrest *mt* [So *l*] alrerst *lop*.
7. danne *lqtx*, denne *K*, denn *m*, darzu *op*, nu *n*.   8. wortlichen *q*, frolichen
l, vruntlichen *npt*.   9. gewerben *q*, erwerben *o*.   12. gouffe *p*, gôyfe *K*,
coufe *n*, schouf *m*, chnouffe *o*, slăfe *t*, slauff *x*, slofe *q*, huben sloufe *l*.
13. gestrikt *o*, gestrichet *oder* gestricket *Klmpqtx*, gestrichen *n*.   16. do
nante *lmop*, mande *q*.   17. Eya *op*.   wilhalm *ox*, Willhalm *m*, Willehalm *nq*,
Wilhelm *lp*, Willelm *K*.   ehkurnêis *K*, ekurnoys *lt*, her kurnoys *q*, Echirnoys *x*,
Accurnoys *mop*, akurnoys *n*.   18. willechomn *K*, Willkomen *t*, Willekom *q*,
Willekume *l*, Willekun *n*, Wilhalm *x*, Bis willekomen *p*, Got wil komen *o*.
19. port *m*, bort *K*, porten *lnqtx*, pforten *op*.   21. err] er *mnqtx*, er ir *K*. er
e urkunde *l*, er zechund ir *op*.   23. Do sim *Kmnq*, Des im *t*, si *lop*.   24. Im
gab *p*.   dem margreven *l*.   27. hazess *K*.   29. gebn beide ain andr *K*.

93 Des wortes Gyburc sêre erschrac.
si dâht 'ob ich in vrâgen mac
der rehten mær von Alischanz?'
ob er selbe und Vivîanz
5 daz velt behabeten mit gewalt
gein dem künege Tybalt,
od wiez da ergangen wære.
alweinde se vrâgete mære,
'wâ ist der clâre Vivîanz,
10 Mîle unde Gwigrimanz?
ouwê dîn eines komenden vart!
wa ist Witschart und Gêrhart
die gebruoder von Blavî,
und dîn geslähte ûz Komarzî,
15 Sansôn und Jozeranz
und Hûwes von Meilanz
und der pfallenzgrâve Bertram
(der selbe dînen vanen nam)
und Hûnas von Sanctes,
20 dem du nie gewanctes
decheines dienstes, noch er dir?
hêrre und friunt, nu sage mir,
wa ist Gautiers und Gaudîn
und der blanke Kybalîn?'
25 der marcrâve begunde klagen.
er sprach 'in kan dir niht gesagen

von ir ieslîches sunder nôt.
bärlîch Vivîanz ist tôt.
in mîn selbes schôz ich sach
daz der tôt sîn jungez herze brach.
94 Mir hât dîn vater Terramêr
gefrumet mangiu herzesêr,
und tuot noch ê erz lâze.
mîn flust ist âne mâze.'
5 do ez Gyburc het alsus vernomn,
daz ir vater selbe wære komn
ûf Alischanz von über mer,
si sprach 'al kristenlîchiu·wer
mag im niht widerrîten.
10 sîn helfe wont sô wîten,
von Orjent unz an Pozidant,
dar zuo al indîâschiu lant,
von Orkeis her unz an Marroch,
dar zuo den wîten strich dannoch
15 von Griffâne unz an Rankulat
die besten er mit im hie bat,
sîne man und al mîn künne.
uns nâhet swachiu wünne.
hete wir doch sölhe kraft,
20 dazs an den zingelen rîterschaft
und hie zen porten müesen holn,
dâ von si möhten schaden doln!

93, 2. gedahte *Kn.*   3. mære *K.*   8. al weinende si *K.* weinde *l.*   10. wigrimanz *nx,* Wigrimans (*und* Vivians) *q.*   11. din eins *K,* din einer *t,* diner ein *lo,* deiner eine *p,* deiner *x.* chomenden *m,* komende *q,* komendis *n,* chomender *ot.*   12. Gerhart und Witschart *mnop.*   14. von *lnopqtx.*   Chomarzî *K,* Komarzy *q,* Cumarzi *mn,* komerzi *l,* Comerci *op,* Chomeysi *x,* Romatzi *t.* 15. Wa ist *mnop, fehlt Klptx.*   Sanson *Kt,* samson *n,* Sampson *lmopx.* jozeranz *nx,* Gozzeranz *Kqt,* Joseranz *lmop.*   16. huwes *n,* Howes *K,* hues *moptx,* huse *l.*   Meilanz *Kqt,* Meilianz *lx,* Melantz *mnop.*   17. Pfallnzgrave *K,* pfallentzgreve *l,* Phalntzgraf *m,* palenzgrave *n,* pfaltzgrafe *opx,* Phlazgrave *t.* Pertram *Kq,* Berhtram *lpt,* Perchtram *mox.*   19. uñ Hunâs von Sancts *K.* 20. gewancts *K.*   21. Decheines dienstes *Klqtx,* An dehainem dienst *mnop.* 23. Gautiers *K,* Kautiers *t,* Gaudiers *mnpx,* Candiers *o,* kaustiez *l.*   Gautin *K,* Candin *o,* Kardin *q.*   24. Kibalin *q,* Gybelin *mno,* Gybalin *p.*   26. ichn *m,* ih en *Kq,* ich *lmnoptx.*   27. von ir *Kt,* Von *x, fehlt lmnop.*   iegleichem sein *x,* iegslichen *t.*   sundr *Kqt,* wesudre *x,* fursten *l,* fursten sunder *mnop.* 28. bærlich *K,* Paerleich *m,* Wærleich *nop,* Benamen *ltx.*   viviantzes tot *mn.* 29. selbez schoze ich lach *K.*   ich in sach *t.*   30. Daz *lx,* Daz im *op, fehlt Kmnt.*   sin iungez *Knp,* sei umb daz *m,* sin *lop.*

94, 2. gefrumt *K.*   mangiu *K,* manig *lnx,* manigez *t,* vil manig *mo.*   Gefůget herzenliche ser *p.*   4. Min *lmnt,* Unser *op,* mit *Kx.*   ist *fehlt x.*   6. was selbe *ln,* waer selb *mo,* wære *t,* waz *x.*   11. vrient *m.*   Pozidant *Klqt,* Bozzidant *mn,* woridant *o,* occidant *p,* Occident *x.*   12. alliu *qt,* alle *lop, fehlt n.* in Dyaischiu *K,* indyasce *l,* yndiaseu *m,* yndiassen *n,* jndischiu *t,* indischu *q,* indische *op,* haidenischew *x.*   13. orkys *l,* Orkeise *Kq,* Urkeise *t.*   her *fehlt lopx.*   15.·Griffane *p,* grifane *n,* Griffan *mo,* Griffanie *qt,* Griffanye *K,* griffange *l,* Chrifanye *x.*   16.·bestn *K.*   bat *Kl,* hat *mnopqt.* er do mit im pat *x.*   19. het *Kqt,* Hiet *mo.*   20. daz *Kopqt,* daz si *lmn.*   zingen *q,* rigeln *t,* zinnen die *op.*   21. Und zuo (auz *op*) den *lop,* hie unt ze *q.* borten *K.*   22. schaden mohten *lq,* schaden musten *op.*

ich erkenne se sô vermezzen,
wir werden hie besezzen.
25 nu wer sich wîp unde man:
niht bezzers râtes ich nu kan.
dez næhste gedinge ist unser lebn:
daz sul wir niht sô gâhes gebn.
si mugen wol schaden erwerben,
ê daz wir vor in sterben.
95 Oransch ist wol sô veste,
ez gemüet noch al die geste.'
manlîche sprach daz wîp,
als ob si manlîchen lîp
5 und mannes herze trüege.
er was wol sô gefüege,
daz er si nâhen zuo zim vienc:
ein kus dâ vriwentlîch ergienc.
unverzagetlîch er sprach
10 'nâch senfte hœret ungemach.
wer möht ouch haben den gewin,
als ich von dir berâten bin
an hôher minne teile,
sîn lebn wær drumbe veile,
15 und allez daz er ie gewan?
guoten trôst ich vor mir hân,
mahtu behalten dise stat:
manec fürste, diechs noh nie gebat,
durch mich rîtent in diz lant.
20 mit swerten lœs ich' dîniu bant,
swaz si dir mit gesezze tuont.
mîner mâge triwe ist mir wol kuont.
dar zuo der Rœmisch künec ouch hât
mîne swester, der mich nu niht lât.
25 mîn alter vatr von Narybôn
sol dir mit dienste geben lôn,

swaz er und elliu sîniu kint
von dînem prîse geêret sint.
Nu sag ûf dîne wîpheit,
ist dir mîn dar rîten leit
96 od liep mîn hie belîben?
swar mich dîn rât wil trîben,
dar wil ich kêrn unz an den tôt.
dîn minne ie dienst mir gebôt,
5 sît mich enpfienc dîn güete.'
nu kom daz her mit flüete.
der künec von Marroch Ackarîn
dâ kom mit maneger storje sîn.
Terramêr der vogt von Baldac
10 gewâpent gein Oransche pflac
gâhens swaz er mohte.
swaz al des hers tohte
beidiu ze orsse und ze fuoz
für Oransche komen muoz.
15 sölch was der banier zuovart,
als al die boume Spehtshart
mit zendâl wærn behangen.
sine wurden niht enpfangen
mit strîtes gegenreise.
20 Willalm der kurteise,
al die porte und drobe die wer
bevalh er dem erlôsten her
daz er in dem woldan
bî den soumen dort gewan.
25 den gab er manlîchen trôst,
und mante wie si wærn erlôst,
daz si dar an gedæhten,
swenne in die heiden næhten.
Vil steine kint unde wîp
ûf die wer truoc, ieslîches lîp

---

23. erchenne sî *K*, erchenz *m*.　　27. daz *lnopqtx*, ez *K*, des *m*.　　nah *q*.
28. sul *K*, suln *qt*, sûlln *l*, süllen *x*, in sol *n*, ensull *o*, ensulle *p*, enschull *m*.
gahens *ln*, nahen *t*.　　30. vor *K*, von *lmnopqtx*.　　ersterben *qx*.

95, 1. Orantsch *op*, Orangs *K*, Orangys *q*, Orans *m*, Oranse *n*, Oranshe *t*, Orense *l*.
3. Manliche *lt*, manlich *Km*, Menliche *n*, Mandeliche *q*, Mænleich also *op*. Also
sprach maendleich *x*.　　4. manl. *Kmqt*, menl. *lnop*, maendleichen *x*.　　7. zuo
ime *lmnop*, zin *q*.　　gevienc *lpt*, gevie *q*.　　14. wære dar umbe *K*.　　16. sue-
zen *K*.　　den ich *q*.　　von dir *l*.　　17. Mohtestu behalden *t*, mohrist diu
behilten *q*.　　18. diechs] den ichs *Kop*, den ich sein *m*, den ich *lnqt*.　　uch
nie gerat *q*.　　19. rîtent] riten *Kl*, ritet *t*, zereiten *mn*, muez reiten *op*.
20. din hant *l*, deine pfant *op*.　　21. und swaz *mnop*.　　gesêzze *K*.　　23. ouch
Klmt, fehlt nopx.　　24. der] die *nx*.　　nu *fehlt lnopx*.　　28. geêrt *K*.

96, 3. cheren *Klpqt*.　　7. Marroche hin *K*, Marroch Akein *t*, Marroch her Kerin *q*,
Marroch ackerin *lx*.　　8. storye *K*, stori *mx*, storeye *o*, storyen *n*.　　10. Orangs
K (*auch* 14. 97, 4), Orancis *q*.　　12. getochte *mnopt*.　　16. in *Kt*, in dem *o*,
czu dem *p*, uf der *n*, *fehlt lm, vor* Sp.　　spehtshart *m*, Speh{shart *K*, spechts-
hart *o*, speshart *l*, spechthart *p*, spehteshart *t*, spechtishart *n*.　　17. waren *Kpt*.
21. porten *Klmnqt*, pforten *op*.　　22. er *fehlt lt*.　　26. mante si *opqt*.
27. 28. gedahten-nahten *q*.　　30. ieslichs *K*, isleiches *m*, iegeliches *q*, igleiches
o, icliches *p*, ikliches *n*, iegelich *l*, iegleich *x*, ein ieslich *t*.

97 sô si meiste mohten erdinsen.
si woltenz leben verzinsen.
   Terramêr dô selbe niht vermeit,
ze vâre umb Oransch er reit,
5 sîner tohter schaden er spehte.
dô daz her gar verschehte
ieslîch storje mit ir kraft,
daz si dehein rîterschaft
an zingeln unde an porten
10 wedr sâhen noch enhôrten,
die man ze orssen solte tuon,
Fâbors Terramêres suon
gap ieslîchem künege stat
als in sîn vater ligen bat.
15   Terramêr und rois Tybalt
sich schône leiten mit gewalt
für die porten gein dem palas
dâ Gyburc selbe ûffe was.
zwêne künege rîch erkant,
20 Pohereiz und Korsant
andersîte lâgen,
die wîter ringe'npflâgen.
zuo den loschierte
manec fürste, der zimierte
25 mit hôher koste sînen lîp,
ich wæn dâ heime durch diu wîp.
   Die zwuo sîten sint belegn:

wer sol der dritten porten pflegn,
diu ûz gienc gein dem plâne?
der künec von Grifâne,
98 und rois Margot Pozzidant,
und der hürnîn Gorhant.
die pflâgn der dritten porten.
zer vierden sîten hôrten
5 Fâbors und Ehmereiz,
Morgwanz und Passigweiz,
Gyburg drî bruodr und ein ir suon.
si mohtenz ungerne tuon,
die jungen künege hôh gemuot.
10 wie diu fünfte sî behuot?
der pflac der künec Halzebier.
noch mêr ist ir benennet mier;
Amîs und Kordeiz,
und der künec Matribleiz,
15 und Josweiz der rîche.
der lac wol dem gelîche,
daz Matusales sîn vater
(die werden ûz den bœsen jater,
sô den distel ûz der sât)
20 sîns vater helfe und des rât
frumt in ûz sîme lande
über mer ân alle schande:
wand er fuorte manegen helt,
die gein vînden wârn erwelt.

97, 1. si-mohten *Klgtx*, iz-moht *mnop*.   2. wolten ir *qx*.   3. Terremere . . . .
geselle *q*.   4. Oransye *q*.   5 spehete *K*.   6. So *lop*.   er *p*.   ver sehte
l, besechte *o*, bedechte *p*.   9. In *l*.   zinnen *op*, rigeln *t*.   unde *Km*, noch
lnopqt.   an den *q*.   10. ensach *l*.   11. wie *K*.   orse *oder* ors *alle*
aufser K.   12. Terrameres *no*, Terramers *Klmpt*, Terremeres *q*.   13. ies-
lichen kunnegen *q*.   14. ims *o*, *fehlt p*.   ligen *lmn*, lihen *K*, legen *oqt*, sie
legen *p*.   15. rois] kuning *n*, der chunich *mo*, sein Aydem *x*, *fehlt Klpt*.
16. si *K*.   17. vor den porten *K*.   18. ûf *Kmx*.   20. Pohereiz *l*, Bo-
hereiz *Kmnop*, Fohereiz *t*.   Kursant *t*, cursant *n*, Gorhesant *K*.   21. an der
siten *K*, an der andern siten *lmnopt*.   22. wider ringen *l*, wite ringen *K*.
pflagen *alle*.   23. loschiert *m*, loyschierte *l*, loysierte *Kt*, loysierte *n*, lai-
sierte *op*, . . . schierte *q*.   25. hoher *Kmn*, grozzer *lt*, reicher *op*.   26. ih
wæne *K*.   27. czwu *p*, zwo *K*.   site *K*.   28. dritte *q*.   portn *K*, porte
q.   29. plan *Km*, plange *q*, plangen *t*, pflange *l*.   30. Grifan *K*, Griffan *m*,
Griffange *lqt*.

98, 1. rois] kuning *n*, der kunech *Klmopt*.   Porid. *op*, Bozzid. *mn*.   2. hur-
nien *K*.   Gorhant *Kqt*, gozhant *l*, Corhant *mn*, Corckant *o*, Corchant *p*.
3. pflagen *alle*.   4. vierde *K*.   5. Ehm. *Kmt*, Ezm. *q*, em. *n*, Ekm. *op*,
kyn. *l*.   6. Morgwanz *K*, Morwanz *l*, Morgoantz *op*, Margoanz *n und mit* o
über dem ersten a *m*, Morgwant *t*.   Passigw. *opqt*, Bassigw. *K*, Bahsigv. *m*,
bachsweiz *n*, Bachsweiz *l*.   7. Gyburge drî bruoder *K*.   9. iunge *K*.
10. fiunfte site si *mnopqt*.   11. Halcebier *q*.   12. benemet *q*.   miᵉr *t*,
mir *die übrigen*.   13. Ameyz *n*, Aimer *op*.   von *lm*.   Kurteiz *t*.
14. Matribuleiz *lopq*, Marribuleiz *t*.   15. Josueiz *m*, Josuweiz *ln*, Joseweis *op*.
17. matusales *Kqt*, Matusalez *m*, matuselez *n*, matusaleiz *l*, matusaleis *op*.
18. Die biderben *t*.   die bosen uz den werden *lq*.   19. Sam *mnop*.   die
distelen *op*.   20. sines vatr *K*.   21. im *Klp*.   ûz *K*, von *lmnopt*.
23. wand *K*, So daz *lmnopt*.   auz fuert *mnop*.   manegu *K*.   24. gein
den *lmnopt*.   vienden waren *Kt*.

25 drîzec künege im wârn benant,
und manec esklîr vil rîch erkant,
amazzûr und emerâl.
die swuoren dô sunder twâl
daz gesez ein jâr für die stat,
als si Tybalt durch râche bat.
99 Oransch wart umbelegen,
als ob ein wochen langer regen
niht wan rîter güzze nider.
wir hân daz selten freischet sider,
5 daz sô manec kostebær gezelt
für keine stat übr al daz velt
sô rîchlîch wurde ûf geslagen.
durch sîn gemach und durh ir klagen
Gyburc den marcrâven dan
10 fuorte, den strîtes müeden man,
dô daz ûzer her verzabelt was
und daz inre wol genas
sô daz in niemen stürmen bôt
und daz gestillet was diu nôt.
15 in ein kemnâten gienc
Gyburc, diu ez sus an vienc
mit ir âmîse.
da entwâpent in diu wîse.
si schouwete an den stunden,
20 ob er hete deheine wunden;
der si von pfîln etslîche vant.
diu künegîn mit ir blanken hant
gelâsûrten dictam
al blâ mit vînæger nam,

25 und sô die bône stênt gebluot:
die bluomen sint ouch dar zuo guot:
ob der pfîl dâ wære belibn,
dâ mit er wurd her ûz getribn.
si bant in sô daz Anfortas
mit bezzerem willen nie genas,
100 Und umbevienc in âne nît.
ob dâ schimphes wære zît?
waz sol ich dâ von sprechen nuo?
wan ob si wolden grîfen zuo
5 ze bêder sîte ir frîheit,
da engein si niht ze lange streit.
wand er was ir und si was sîn:
ich grîfe ouch billîch an daz mîn.
si vielen sanfte ân allen haz
10 von palmât ûf ein matraz.
als senft was ouch diu künegîn,
reht als ein jungez gänselîn
an dem angriffe linde.
mit Terramêres kinde
15 wart lîhte ein schimpfen dâ bezalt,
swie zornic er und Tybalt
dort ûz ietweder wære.
ich wæn dô ninder swære
den marcrâven schuz noch slac.
20 dar nâch diu künegîn dô pflac,
si dâhte an sîne arbeit
und an sîn siuftebærez leit
und an sîn ungefüege flust.
sîn houbt sim ûf ir winster brust

---

23. im warn *op*, warn im *K*, warn *lmnt.*   26. unde manech *Klmnpt*, Manick *o.*
Eskelier *K.*   27. 28. emerale-twale *lnopt.*   28. die *fehlt mnt.*   do *Kx,*
fehlt lmnopt.   sundr *K.*   29. diz gesezz zeime iar fur die stat *K.*

99, 1. Orangs *K.*   2. wolken *lnt*, wag *x,*   4. wir han *Ktx*, Wir *l*, Ir habt *mnop.*
daz selb *x.*   veraischet *o*, gefreischet *lptx.*   6. kein *lopx*, dehain *m*, dekein
t, eine *K.* Vor keiner veste *n.*   uber *K.*   10. dez *oder* des *lnot.*   11. ver
zapelt *m*, verzadelt *op*, gelegen *t.*   12. innerr vol *K.*   13. niemn *K.*
14. Und (*ohne* daz) *l*, Die weil *op.*   17. ir vil lieben (liebem *o*) *mnop* und
(*ohne* vil) *x.*   21. pheiln *mx*, pfilen *K.*   etsleich *mx.*   23. Gelasowerten *m,*
Gelaswerden unde *K*, Gelazurten *nt*, Galazuren *l*, Guet salme (salben *p*) und *op.*
Tictam *K.*   24. vinæger *t*, vinager *K*, vmagre *l*, ezziche *n*, ezzeich *mo*, essik *p,*
25. bonen *n*, ponen *mop*, boume *t.*   stet und bluot *l.*   27. pfile *K.*
28. wurde *K.*

100, 1. an *Kmq*, do an *x.*   2. schimphens *mnp.*   4. 5. *vielleicht* wan, ob si
wellen, grîfen zuo-ir frîheit.   4. wan *Kmqtx*, Waz *nop*, *fehlt l.*   Wolden
si nu griffen zuo *l.*   6. engegin *qtx*, gein *l*, wider *mnop.*   ze *Kqtx*, *fehlt*
lmnop. langer *l.*   8. grife-*qt*, griffe *Kln*, greif *mx*, griff *op.*   9. viellen *m,*
vellen *q.*   saṃt *K.*   11. als senfte *Kl*, al senft *mnqt*, Als lind *op.*   ouch
was *mq*, was *lnt.*   12. ganselin *q.*   13. Ist an dem griffe *px.*   14. Ter-
remers *q.*   15. bezalt *Knptx*, gezalt *lmoq.*   16. unt Tiebalt *q.*   17. Ietwe-
der duzze were *l.*   18. wæne *K.*   do *Kqt*, da *lm*, doch *n*, dort *o*, das *p.*
iender *l*, indert *p.*   19. den *Kn*, Dem *lmopt.*   margreven schoz *lqt.*
20. kuneginne *Klopt.*   dô *fehlt lopt.*   21. dâz si *mnop.*   gedahte *lo.*
23. ungefuegen *x*, unfuoge *K*, unvogen *n.*   24. Daz *mnoptx.*   si im *mnoptx,*
sin si *K*, *fehlt l.*   auf die *opx.*   vinster *l*, winstern *p*, lenk *x*, rechten *o,*
fehlt n.

25 leit: ûf ir herzen er entslief.
mit andæhte si dô rief
hin ze ir schepfære alsus.
'ich weiz wol, Altissimus,
daz du got der hœhste bist
vil stæte ân allen valschen list,
101 Unt daz dîn wâriu Trinitât
vil tugenthafter bärmde hât.
sît daz wir nu zerbarmen sîn,
ich und der geselle mîn,
5 und daz wir friunde hân verlorn,
die du dir selbe hâst erkorn
in der engele gesellekeit,
swer nâch selher helfe streit
ûf Alischanz in dînem namn,
10 sich mac dîn gotheit wol schamn,
ob wirs werden niht ergetzet,
daz wir nu sîn geletzet
aller werltlîcher wünne,
dirre man an sîme künne,
15 und die mir wâren undertân.
nu lern ich des ich nie began,
eins jæmerlîches trôstes gern:
des müeze mich dîn güete wern;
daz sich kürze nu mîn lebn,
20 sît mir mîn vater hât gegebn
sus ungefüege râche.
zwuo und sibenzec sprâche,
der man al der diete giht,
die enmöhten gar volsprechen niht
25 mîniu flüstebæren sêr,
ich enhab der flüste dannoch mêr.
ey Vivîanz, bêâs âmîs,
dînen durhliuhtigen hôhen prîs,

wie den diu werlt beginnet klagn!
wie moht der tôt an dir betagn?
102 Du bist benamn der eine,
den ich vor ûz sô meine,
daz ich enpfâhe nimmer nôt
der gelîch die mir dîn tôt
5 wil künfteclîchen werben.
wan mües ich für dich sterben!
und ouch für ander friunde mîn,
die gein den heiden tâten schîn
manege rîterlîche tât,
10 daz der darbt und mangel hât
mîn klagender friwent ûz erkorn.
ey waz ist hôhes fundes vlorn!
manges heldes triwe die ich vant,
dô ich der Arâboyse lant
15 und den künec und des kint verliez
und der touf den ungelouben stiez
von mir, und daz ich kristen wart.
nu hât mîns vater nâchvart
mir disiu herzesêr getân.
20 daz müese Tybalt hân verlân.'
ir herzen ursprinc was sô grôz,
durh diu ougen ûf ir brüste flôz
an des marcrâven wange
vil wazzers. niht ze lange
25 er lac unz dazz in wacte.
vor schanden gar die nacte
und der hôhen freude ein weise,
Willalm der kurteise
gap der künegîn guoten trôst,
und jach si wurde wol erlôst.
103 'Got ist helfe wol geslaht:
der hât mich dicke ûz angest brâht.

---

25. Si legten sich nider. er do entslief *l.*   leite *K.*   ir *mnot, fehlt K.*
26. andæht *K,* andaht *lmx,* andachte *nt,* grozzer andacht *op.*   28. ich geloub
alt. *K.*   29. hœhiste *K.*

101, 2. tugenthafte *t,* tugent und *op.*   bærmede *K,* barmde *l,* erbær-
mede *t,* erparmde *p,* parmung *mo,* irbarmunge *n.*   11. niht werden *lnoptx.*
13. All *m,* Ân *nop.*   wereltlicher *K,* werltlichen *l,* werdikait an *op.*   17. iemer-
leichen *mnop,* iamerlichen *t.*   ich geren *l,* wil ich gern *op.*   22. zwo *K.*
23. diet *Klm.*   24. dine chunden *mnop.*   25. Meineu *m,* mine *K,* Min
lnopt. flustebær herze uer *t.*   25. 26. sere-mere *Klo.*   27. beas amys *lt,*
besamŷs *K,* [suezz *o*] beamis *op,* suezz Ameys *mn.*

102, 3. immer *Kn,* in einer *o,* alsulche *p.*   4. Der (Des *l*) gelich (geleichet *o*)
mir din (den *o*) [iunger *l*] tot *lo.*   Die mir geliche deinen tot *p.*   5. Und
muez mir kuommer werben *p.*   Vil *lo.*   wil w. *o.*   werbn-sterbn
K.   10. darbet uñ *Kmnopt,* dar abe *l.*   11. chlagendr *K.*   12. êy *Kt,*
eya *op, fehlt lmn.*   ist] ich *Klmn,* ich han *t,* han ich *op.*   hohes fundes *mn,*
hohez prises *K,* hohes hordes *t,* hoher frunde *l,* vreud *o,* freuden *p.*   verlorn
opt, han verlorn *Klmn.*   13. maneges *K.*   14. Araboys *m,* Arboyse *K,* ara-
boysen *l,* araboyschen *o,* araberen *p.*   18. mines vatr *K.*   19. herze sere
Kl.   22. ûf die brust *K.*   25. daz *K,* daz man *l,* iz *mn,* ez *ot,* er *p.*
26. diu *K,* der *lmnopt.*   29. kuneginne *Klnpt.*

hilft mir nu sîn geleite
durhz her ân arbeite,
5 sô kum ich schiere wider zuo dir.
frowe, nu solt du sagen mir
belîbens ode rîtens rât:
dîn gebot ietwederz hât.'
    Gîburc sprach 'dîn eines hant
10 mac von al der heiden lant
den liuten niht gestrîten:
du muost nâch helfe rîten.
von Rôme roys Lôys
und dîne mâge sulen ir prîs
15 an dir nu lâzen schînen.
ich belîb in disen pînen
sô daz ich halde wol ze wer
Oransch vor der heiden her
unz an der Franzoysære komn,
20 oder daz ich hân den tôt genomn,
ob noch græzer wære ir maht.'
der tac het ende und was nu naht.
der marcrâve alêrst enbeiz
gâhes pitît mangeiz:
25 daz truogen juncfrouwen dar.
sîn harnasch lac bî im gar:
snellîch er wart gewâpent drîn.
mit al der zimierde sîn
unlange er danne fürbaz gienc,
unz in diu künginne umbevienc.
104 Gyburc sprach 'hêrre markîs,
lâz dînen erwelten hôhen prîs
an mir nu wesen stæte,

daz du durch niemens ræte
5 wenkest an mir armen,
und lâz mich dir erbarmen.
denke an dîne werdekeit.
ich weiz wol daz dir wære bereit
in Francrîche manec wîp,
10 sô dazs ir êre unde ir lîp
mit minne an dich wante:
ob dan dîn güete erkante
waz ich durch dich hân erliten,
der wer wurde an mich gebiten.
15 ob die clâren Franzoysinne
dir nâch dienst bieten minne,
daz si dich wellen ergetzen mîn,
sô denke an die triwe dîn.
und ob dir iemen gebe untrôst
20 daz ich nimmer werd erlôst,
den lâz von dir rîten:
füer die getürren strîten.
und denke waz ich durch dich liez,
daz man mich ze Arâbe hiez
25 al der fürsten frouwe.
dennoch was ich in der schouwe,
daz man mir clârheite jach,
friunt und vîent, swer mich sach.
du möhts mich noch wol lîden,
und solt uns kumber mîden.'
105 Er gap des fîanze,
daz diu jâmers lanze
sîn herze immer twunge,
unz im sô wol gelunge

103, 3. hilfet K.   5. wider schier mnop, schier x.   9. eins K.   10. Die
enmak op.   von lmnt, wol K, fehlt op.   13. lois t, der kunig lmnop.
Lawîs K, lvwis t.   15. schîn K.   16. disem pîn K.   17. behalde mnop.
18. Orangs K.   19. bis der weggeschnitten I, fronz. K, francoyser I.
19. 20. -men I.   22. und was fehlt K.   vn was do I.   nu quam di
nacht n.   23. Marcgrave I. alêrst fehlt I.   24. Man trueg im zezzen als
ich wais op.   gahs K, Vil gahes mn.   manseiz I, mangeîz K, mansheiz t,
manschaiz m, manzeiz n, mansweiz l.   26. ime I.   27. snelle er was I.
wart er lop.   gewappet dar in I.   29. 30. gie-umbe vîe K.   30. kuneginne I.
104, 1. Kyburch I immer. Markys I.   2. la I.   Da dinen t, daz dein x.   irwelten
hohen I, erwelten hohen lmnt, erwelten K, aus erwelten op, hocher x.   3. nu
wesen I Klmnt, beleiben op, beleib x.   4. iemens K, mannes I.   5. niht
wenchest I.   6. laze K, la I.   dir Kmp, dich Ilnotx.   7. gidenche I.
din I.   8. ᵇᵉreit (reit aus leit gebessert) I.   9. francrich I.   10. so daz
si IKlmnopt, Die x.   ir-ir IKmnx, fehlen lopt.   12. danne lt, denne IKp,
denn m.   13. han durch dich nop.   14. wêr K, werche Imnopt, werden l.
15. di clare I.   16. dienest I.   bietent I.   17. wellent I.   18. ged.
lop, gid I.   19. ieman I.   20. niemmer werde I.   21. dæn la I, Die
lazze lop.   22. fuere Kn.   Fur dich getar ich op, uvr den turren I.
turren gestrîten K.   23. ged. lopt, bid. I.   24. Arâb K, Arabie I,
arabie lnpt, Arabey x, Arabya mo.   25. aller I.   27. [der op] clarheit
IKlmoptx. 28. vint I.   29. mohtes IK.   noch] nol I.   30. sol I.
105, 3. iemmer und 9. niemmer I immer.

5 daz er si dâ erlôste
　mit manlîchem trôste,
　und lobt ir dennoch fürbaz
　daz er durch liebe noch durch haz
　nimmer niht verzerte
10 von spîse diu in nerte,
　niht wan wazzer unde brôt,
　ê daz er ir bekanten nôt
　mit swertes strîte erwante.
　alsus in von ir sante
15 Gyburc diu künegîn.
　dar wart gezogen Volatîn.
　aJ weinde wart er ûz verlân,

　diu porte sanfte ûf getân.
　nu was diu schiltwache
20 al umb daz her mit krache,
　mit manger sunderstorje grôz.
　der marcrâve anderstunt genôz
　Arofels wâpen diu er truoc.
　des hers im widerreit genuoc:
25 si sprâchen her unde dâ
　'diz ist der künec von Persîâ.'
　in nert ouch daz er heidensch sprach.
　unverzagt er marcte unde sach
　eine strâze dier rekande,
　gein der Franzoyser lande.

---

7. dennoh *I*, dennoc *K*.　　11. Niht danne *l*, niwan *I*, Niuwan *t*, Nur wan *o*,
Newr *x*, Nürt *p*.　　15. di suze *nx*, di werde *op*.　　16. dar *weggeschnitten I*.
17 *bis* 30 *weggeschnitten I*.　　17. weinde *l*, weinende *Knpt*, wainund *m*,
wainent *x*.　　gelan *lnopx*.　　18. Und *mn*.　　Die porten *l*.　　borte *K*.
tür wart gefueg *x*.　　19. wart *K*.　　20. alumbe *Klt*, Umb al *mn*.
21. sunder *fehlt tx*.　　22. markis *nop*.　　ander stunt *t*, an der stunt *die*
übrigen.　　23. daz er *op*, daz er da *x*.　　25. her *Kmntx*, hie *l*, alle hie *op*.
26. Da reitt *op*, Daz *l*, Ez *t*.　　27. heidnisch *Kmop*, haidenisch *x*, heide-
nische *l*.　　28. Unverzagte *l*, Unverzagete *t*.　　marcht *m*, marhte *Kt*,
merchte *lnop*.　　ersach *K*.　　29. die er *K*.　　erkande *lot*, bekande *mnpx*.
30. franzoysr *K*, frantzoischer *x*.

III.

106 Daz her für Oransche pflac
komens unz an den fünften tac:
dennoch fuorens allez dar;
manec siuftebæriu schar,
5 den hêrrn und mâge wârn belegn
tôt: die muosen jâmers pflegn.
si jâhn, Apolle und Tervigant
und Mahmet wæærn geschant
an ir gotlîchem prîse.
10 Terramêr der wîse
dicke vrâgete mære,
wiez dâ ergangen wære:
daz moht er ein niht gar gesehen.
swaz dâ wunders was geschehen
15 an den hôh rîchen werden,
gevohten ûf der erden
wart nie sô schadehafter strît
sît her von anegenges zît.
Arofel von Persyâ
20 in maneger zungen sprâche aldâ
wart beklagt ouch Tesereiz,
Pynel und Poufameiz
und der milte Nöupatrîs,
Eskelabôn der manegen prîs
25 bezalte durh wîbe lôn.

von Boctân rois Talimôn
wart mit den anderen ouch geklagt.
Turpîûn der unverzagt,
der künec von Falturmîê,
des tôt der heidenschaft tet wê.
107 Dô si den schaden gewisten
und mit der wârheit misten
drîer und zweinzec künege die dâ tôt
wârn belegen, Terramêres nôt
5 pflac dô decheiner vîre.
amazzûr und eskelîre
und emerâle ungezalt,
der lac sô vil dâ tôt gevalt,
dazz âne prüeven gar beleip.
10 diu flust dô Terramêren treip
in sô herzebære klage,
dês wære erstorben lîhte ein zage.
dô sprach er trûreclîche
'swer giht daz ich sî rîche,
15 der hât mich unreht erkant,
swie al der heidenschefte lant
mit dienste stên ze mîme gebote.
ich mac der kristenheite gote
alêrst nu grôzes wunders jehen:
20 selh wunder ist an mir geschehen,

106, 1. uor *I.*　　Orangs *K immer bis* 111, 3, Oranise *I.*　　2. Chomen *m.*　　3. uvren
si *I,* fueren *m,* si zogten *lp,* si zogtens *o.*　　4. vil manige vluhtigiv *I.*　　5. Der *mn.*
herren *alle.* magen tot *I.*　　6. tot *fehlt I.*　　mv̊sen alle *I.*　　iamrs *K.*　　7. iahen *alle.*
Apollo *IKnt,* appollo *lmop.*　　8. Mahmêt *I,* Mahumet *m.*　　11. Vil dicke *mnop.*
vragt *I.*　　13. Daz enmohte er *It,* Do mocht er ez *op.*　　eine *Kt, fehlt lop.*　　gar
fehlt nt, wol *l.*　　ersehen *I,* spehen *l,* erspehen *op.*　　14. Waz *Ilmnopt.*　　wære *I,*
were *lo.*　　15. hohen *Ilmnopt.*　　16. von vehten *I.*　　17. schadhaftr *K.*　　18. hêr von
angenges *K.*　　19. Arofels *l.*　　20. zunge sprach *I.*　　21. bechlaget *I,* geclagt
lnopt. ouch *K,* und ouch *p,* als *o,* daz tet *t,* daz tet ouch *Ilmn.*　　Tesreiz *K,* Pesse-
reiz *I.*　　22. Pavfameiz *I,* Pufameiz *K,* Poufemeiz *t,* Poufemayz *m,* poumefeiz *n,*
paufemeiz *l,* paufemeis *op.*　　23. Nevpp. *I,* Noup. *Kmn,* Neup. *lopt.*　　24. Eska-
labon *t,* Eskalibon *lmno,* Eschkalybon *p.*　　maniges *I.*　　25. bezalt *IK.*　　durch
der *I.*　　lone *I.*　　26. Bocktane *p,* Bohtan *m,* bachtane *n,* Poctanie *K,* Poctanye
I, Portanie *t,* potulange *l,* bukkerane *o.*　　kunic *op,* der kunech *Klmnt,* der
kunich *I.*　　27. verchlaget *I.*　　28. unverzagen *I.*　　29. Der riche von *lopt.*
Falturnye *IKop.*　　30. heidenscefte *I,* heidenschefte *Kt,* heidenscheft *p.*

107, 1. erwischten *I.*　　2. mischten *I,* misten *lt,* vermisten *Kmnop.*　　3. zweinzch
kunegen *I.*　　4. gelegen *mt,* beliben *op.*　　4. Terremers *I.*　　5. dô *fehlt I.*　　6. Amazŷr
I.　　Eskelîr *K.*　　7. emeral *lmt,* erameral *I,* Emmeral *K.*　　8. bleib *lt,* was *op.*
9. brîeven *I.*　　10. do] div. *I.*　　Terremer *I.*　　12. des *IK,* Es *lp,* Ez *ot,* lz *mn.*
13. trv̊rechlichen *I*　　16. heiden *I.*　　17. dienest *I.* stent *op,* ste *Il,* stet *t.* meim
m, meimm *o,* minem *IKpt.* gebot (bot *t*) -got *IKlmnopt.*　　18. christenheit *I.*
19. allerste *I.*　　al erste *K.*　　20. solh *I.*

daz ein hant vol rîter mich
hât nâch entworht durch den gerich,
daz ich den ungelouben rach,
den man von mîme kinde sprach,
25 Arabeln diu Tybalde enpfuor.
ûf mînen goten ich dô swuor,
daz ich den goten ir êre
so geræch daz nimmer mêre
dehein mîn kint des zæme
daz ez den touf genæme
108 Durch Jêsum, der selbe truoc
ein kriuze dâ man in an sluoc
mit drîn nageln durch sîn verch.
mîn geloube stüend entwerch,
5 ob ich geloubte daz der starp
und in dem tôde leben erwarp
und doch sîn eines wæren drî.
ist mir mîn alt geloube bî,
sô wæn ich daz sîn Trinitât
10 an mir deheine volge hât.
er mac wol guote rîter hân.
des enkalt mîn veter Balygân,
der mit dem keiser Karle vaht,
dô al der heidenschefte maht
15 von dem entschumpfieret wart.
für wâr nu ist mîn hervart
kreftiger und wîter brâht.
ich wil und hân mir des erdâht,
daz ich manege unkunde nôt
20 Arabeln gebe und smæhen tôt,
des Jêsus gunêret sî:
der wille ist mîme herzen bî.'
die zem êrsten kômen unde ouch
sider,
die wolten Oransche nider
25 mit sturme dicke brechen,
hêrrn und mâge rechen
an Gyburge der künegin.
si heten werlîchen sin,

die der stet dort inne pflâgen,
swie zornic de ûzern lâgen.
109 Der marcrâve ist durh si komn
âne schaden. nu wirt vernomn
alêrst wiez umbe triwe vert.
bon âventiure in het ernert,
5 und ouch Gyburge sælekeit.
beide er bleip unde reit:
in selben hin truoc Volatîn,
Gyburc behielt daz herze sîn.
ouch fuor ir herze ûf allen wegen
10 mit im: wer sol Oransche pflegen?
der wehsel rehte was gefrumt:
ir herze hin ze friwenden kumt,
sîn herze sol sich vînden wern,
Gyburge vor untrôste nern.
15 nu solt ir herze senfte hân:
dô was in beiden trûren lân.
    Gyburc Oransch und ouch ir
lebn
ir vater sô niht wolde gebn,
daz er si selben tôte
20 und drab die kristen nôte
den ungelouben mêren.
er bôt ir driu dinc zêren,
daz si der einz næm mit der wal;
daz si in dem mere viel ze tal,
25 umb ir kel ein swæren stein,
ode daz ir fleisch unde ir bein
ze pulver wurden gar verbrant,
od daz si Tybaldes hant
solte hâhn an einen ast.
si sprach 'der wol gezogene gast
110 Erbôt ie zuht der wirtin.
war tuostu, vater, dînen sin,
daz du mir teilest selhiu spil
der ich niht kan noch enwil?
5 ich mac wol bezzer schanze weln.
mir sulen die Franzoyser zeln:

21. hantvolle *K*, hant volliu *t*.   hant .. riter *I*.   23. daz .....n vngelo͞uben
I.   21. minen *I*.   minem *K*.   chinden *I*.   sprach *weggeschnitten I*.
2*. geræche *Klnopt*, raech *m*.   29. des zæme *K*, des gezæme *t*, gezeme *lmnop*.
108, 1. iesus *l*. selb *K*.   2. chreutz *mp*, cruce *lnt*.   3. drin *lmnt*, drien *K*, eisnein *o*,
eisernen *p*. nægeln *t*. negelen *n*. duch *K*.   4. stuont *Kt*.   5. der] er *lmpt*.
7. doch *K*, daz *lmnopt*. waren *Kopt*.   8. alte *n*, alter *pt*.   9. weiz *l*.   13. keysr *K*.
15. im *mnop*, in *t*.   18. mich *l*. bedaht *l*, gedaht *mnop*.   20. gæbe *K*.   22. mi-
nem *K*.   23. ouch *fehlt Kt*.   26. herren *alle*.   29. stat *lop*.   30. die *alle*.
109, 4. bon *Kt*, Von *l*, bona *op*, Wan *mn*.   ventura *o*, fortuna *p*.   6. bleip *ln*,
beleip *K*.   7. truog hin *lop*.   8. enthielt *l*, hielt hie *op*.   11. wechsel *K*.
ist *l*.   13. vienden *K*.   17. Gyburgen Orangs *K*.   19. Daz er si *lop*, wan
daz sî *K*, daz si sich *mn*. selb icht *op*. Daz er ir tæte den tot *t*.   20. bi
cr. not *t*.   23. einez næme *K*.   24. vil *lopx*, viele *Kn*, viell *m*.   25. kelen
lntx. ein *lt*, einen *Kmnx*, mit einem *op*. swere *l*.   27. wurde gar *not*,
gar werde *lx*.   28. Tybalts *K*, Tybaltz *x*, Tiebaldes *t*.   29. haben *alle*.
30. gezogen *lmoptx*.
110, 5. noch *K*.

diene lâzent mir niht übersagen.'
innen des begund ez tagen:
diu rede ergienc bî einer naht
10 und wart sît anders volbrâht.
si vrâgeten 'wa ist der markîs?'
si sprach 'der hât durch sînen prîs
einen turney genomn,
und wil dâ her wider komn
15 schiere durch den willen mîn:
der sol vor disen porten sîn.
dâ mac man schouwen wer daz velt
behabt durh der minne gelt.
er hât nu liute ein teil verlorn,
20 und ist der schade noch unverkorn.
ir gunêrten Sarrazîne,
etlîche mâge mîne,
ir welt hie beiten grôzer nôt.
iu kumt der zwivalte tôt:
25 doch ir mir bietet tôde drî,
die zwêne sint iu nâhen bî;
diss kurzen lebens ende,
und der sêle unledec gebende
vor iwerem gote Tervigant,
der iuch für tôren hât erkant.'
111 Dô Terramêr vil rehte ersach
daz decheines sturmes ungemach
Oransche möht ertwingen,
dô si niht wolten dingen,
5 dô hiez er wurken antwerc.
ez wære tal ode berc,
alumbe an allen sîten
er wolt die stat erstrîten.
drîboc und mangen,
10 ebenhœh ûf siulen langen,
igel, katzen, pfetrære,
swie vil ieslîches wære
ûf Gyburge schaden geworht,
daz het si doch ze mâze ervorht.
15 nu lac alumbe an der wer
almeistic tôt ir kleine her.

eine kunst si dô gewan,
dazs ieslîchem tôten man
hiez helm ze houbte binden.
20 swaz man schilt moht vinden,
si wæren niuwe oder alt,
dâ mit die zinne wârn bestalt.
diene wancten niht durh zageheit:
den selben was lieb unde leit
25 iewederz al gelîche.
der marcrâf sorgen rîche,
swie balde er von Gyburge streich,
sîn gedanc ir nie gesweich:
der was ir zOransche bî.
ob ich nu niht sô ·sinnic sî,
112 Daz ich gesagen künne ir nôt,
sô lâtz iu'rbarmen doch durch got.
ich enhân der zal niht vernomn,
wie maneges tages wære komn
5 ze Orlens der marcrâve unverzagt.
sîn herberge ist mir gesagt,
daz er die schœnen stat vermeit
und eine smæhe gazzen reit
vor dem graben in ein hiuselîn,
10 aldâ sîn ors Volatîn
sich kûme ûf gerihte.
zem jâmer er sich pflihte.
im was al hôher muot gelegn:
des wolt er sus noch sô niht pflegn.
15 er schuof dem orse sîn gemach,
und ouch dem wirte, daz der jach
dazz im nie gast sô wol erbôt:
niht wan wazzer unde brôt
im selbem ir ze spîse nam.
20 sîn freude was an kreften lam.
smorgens fruo huob er sich dan.
nu was ein gewaltic man
in der stat dâ für bekant
daz imz geleite was benant:
25 von dem künege het er daz.
der wolt kêren sînen haz

---

7. mich *tx.*   8. Inner des *mop,* In des do *l,* in der weil *x.*   begônde tagen *K.*
12. der *Kmnt,* er *lopx.*   13. turnoy *K.*   16. diser *nox,* dirre *l,* der *p.*
18. Behab *m,* Behalde *n,* bedeckt *x.*   24. czwivaldige *p,* zwivaltig *ox,* zwi-
felter *l.*   25. Do *l,* Wie *op.*   tœde *l.*   27. lebns *K.*   28. unledich
Kmnopt, wunnekliche *l.*   gêbnde *K.*
111, 3. Orangse *K.*   betwingen *nop,* twingen *l.*   4. Und si *lop.*   5. hant-
werch *ln.*   9. Dribock *op,* driboch *Km,* Dribocke *lnt.*   11. Igel. *m,* Igele *n,*
Igeln *o,* Ieclichn *p.*   pheterer *m,* pfedelere *ln,* phædelære *t.*   16. Almeiste *p,*
Aller maist *mo.*   kleines *lnopt.*   18. daz *K,* Daz si *lmnoptx.*   totem *K.*
19. helme *Kl.*   20. schilte *t,* schilde *Knp.*   mohte *Kln.*   22. diu *t.*
zinnen *nopx.*   wurden *lnopx,* wart *t.*   23. din *m* oft.   zagheit *K.*
26. marcrave *K.*   28. nie doch *m,* doch nie *nop,* niht *t.*   entswaich *o,* ent-
weich *t,* verceich *n.*   29. zOrangse *K.*
112, 2. iu erb. *K.*   5. markis *nop.*   12. Ze dem *t,* Zdem *m,* ze einem *x,* zu dem *op,*
Zuo *ln.*   13. al *Kmn,* sin *lop, fehlt t.*   17. daz im *Kln,* Daz ez im *t,* daz imz
mopx.   19. selben *lmt,* selbe *n,* selber *opx.*   21. Des *m lmnoptx,*

ûf den marcrâven âne nôt;
der rehte gegenrede im bôt.
   er sprach 'ich pin wol zolles vrî.
mir gêt hie last noch soume bî:
113 Ich pin ein rîter, als ir seht,
ob ir decheinen schaden speht,
den ich dem lande habe getân,
des sult ir mich enkelten lân.
5 die sât ich pî den strâzen meit,
al der diete slâ ich reit:
diu solt der werlde gemeine sîn.
mir selben und dem orse mîn
hân ich vergolten unser nar.'
10 der rihtær und die sînen gar
heten in vaste umbehabt:
in allen sîten zuo gedrabt
diu comûne von der stat
kom, als si der rihter bat.
15   der sprach, er müeste zollen
mit alsô grôzem vollen,
daz er des schaden enpfünde.
ez was iedoch ein sünde,
daz man in niht rîten liez.
20 der rihtær die sînen hiez
daz si in næmen in den zoum.
er sprach 'diz ors decheinen soum
treit, wan mich und disen schilt.
ez wirt ê an den ort gespilt.'
25   daz swert muos et ab her für.
den zol ich an der næhsten tür
durch niemen gerne holte,
den der rihtær dâ dolte:
des houbtes er dô kürzer wart.

des marcrâven durchvart
114 Enpfienc vil manegen swertes swanc:
ouch macht er rûm dâ was gedranc.
sus muos er houwen durh die stat,
liute und ors, alsölhen pfat
5 daz sîn strâze wart al wît.
vaste hardiert in der strît:
manec wunt man wider von im
   flôch.
die sturmglocke man dô zôch.
es solt diu stat laster hân,
10 daz si gein den einem man
des gerüeftes sich enbarten.
mit rotte si sich scharten.
nu was ouch er ze velde komn:
des wart sît schade von im ver-
   nomn.
15   si zogten nâch ûf sîner slâ,
dise hie, die andern dâ:
er stapfte in sanfte unflühtic vor.
unz wider gegen dem bürge tor
tets în sîn umbe kêren:
20 des begund ir schade sich mêren.
wider wart geworfen Volatîn:
Monschoy der krîe sîn
wart mit ruofe niht geswign.
schiere der poynder was gedign
25 unz wider gein der porten:
si fluhen an al den orten.
het er sünde niht ervorht,
dâ wær von im der schade geworht,
des den werlîchen ie gezam.
einem er ein lanzen nam:

28. Der doch rechte (*ohne* im) *op.*   der im doch (doch *fehlt t*) recht [gagen *x*]
red pot *ntx.*

113, 3. habe *lmnot*, han *Kpx.*   5. den *Kmt*, der *nopx*, fehlt *l.*   strazze *lnx.*
6. Aller *lo.*   diete *n*, diet *Kmopt*, lute *l.*   slah *K*, slag *m.*   7. werelde *K.*
12. An *lmnopt.*   13. Commune *ln*, Conmune *pt*, comun *o*, comuon *m.*
14. rihtær *Kt*, richter selbe *mn.*   18. idoch *K.*   21. im nemen den *lx*, næmen
im den *op.*   22. dizze *K*, daz *ox.*   25. Sein *x.*   muose et aber *t*, must
(muz *m*) ot aber *mn*, muoste *l*, ot aber muest (muez *p*) *op*, zoch er aver *x.*
28. da *vor* der *nop, fehlt t.*

114, 1. maniges *lnop*, manige *t.*   swerts *K.*   6. hardiert *lt*, härdiert *m*, har-
dierte *Kn*, hartiert *x.*   hurdiert er in den streit *op.*   7. wuntman *o.*   widr *K,*
nach von im *l*, da *nach* von im *x, fehlt op.*   8. sturme gloke *K*, sturme
glocke *p*, sturm glokken *o*, sturmglocgen *t*, stuerm glokken *m*, sturme glocken *l*,
sturem glogken *x*, storme clokken *n.*   9. ez *K*, Iz *m*, Des *loptx.*   10. einem
Kmot, einen *lpx.*   11. Daz geruofte si erbarten *l.*   gerustes *Kmt*, geruchtes
n, gerueffez *op.*   erbarten *ot*, erparten *m.*   12. rotte *Kmx*, rotten *lnopt.*
13. er ouch *K*, ouch *n.*   15. im nach *Kmn.*   17. in *fehlt l.*   unde fluh-
tich *Km*, und floch niht *l.*   18. zu dem *op.*   burgtor *lmnot.*   19. tet sî
sin *Kt*, Tet er sem *l*, Tet er sein *mn*, Taten si ein *op. s.* 116, 11.   24. poyndr
K, ponder *lop.*   wart *K? l.*   25. gein den *Km*, an die *t.*   26. allen *lnopt.*
27. gevorht *lmnopt.*   2*8.* wære *K, öfters geändert vor consonanten.*   30. Eime
ln.   eine *Knp.*

115 Sîn strît begund in leiden.
wider in die scheiden
daz swert wart gestecket.
in die stat getrecket
5 wart dâ von al dem comûn.
dô zogt er ûz gein Munlêûn.
Arnalt fîz cons de Narbôn
erhôrt den jæmerlîchen dôn
den man in al den gazzen rief.
10 dennoch lag er unde slief.
er wacte die vor im lâgen,
vil rîter die dennoch pflâgen
mit slâfe gemach, ieslîches lîp.
nu kom des rihtæres wîp:
15 ûfen teppich viel diu für in nider,
dâ nâch klagte si im sider
des küneges laster unde ir nôt.
ir man der wære belegen tôt
'von eime der ân geleite vert:
20 der hât sich al der diet erwert,
daz er ist ungevangen hin.
ouwê jæmerlîch gewin,
den uns sîn zol hât lâzen
von des rœmschen küneges strâzen!'
25　zer frouwen sprach der grâve
Arnalt
'wer mac daz sîn, der mit gewalt
iu den schaden hât getân?
frouwe, ist ez ein koufman,
sô möht er wol geleites gern
und dar umbe sîner miete wern:
116 Dem koufschatz ist der zol gezilt.'
si sprâchen, er fuort einen schilt,
die mit der frouwen kômen dar.

'sîn harnasch ist nâh roste var:
5 doch wart an rîter nie bekant
über al der Franzoyser lant
wâppenroc sô kostlîch,
des blic der sunnen ist gelîch:
als ist der schilt untz kursît.
10 Munschoye wart geschrît,
dô er uns flühtic wider în
tet: daz was diu krîe sîn.'
der grâve sprach 'gunêrten,
ir alle die daz lêrten
15 daz ir für die koufman
decheinen ritter soldet hân!
waz zolles solt ein ritter gebn?
het er iu allen iwer lebn
genomen, daz solt ich wênic klagn.
20 ich muoz in durch den künec
jagn,
bî dem mîn swester krône treit.'
harnasch wart balde an in geleit.
von al den sînen wart vernomn,
die werden müesen zorsen komn,
25 ritter, sarjande.
si wolten zeinem pfande
den marcrâven dâ behabn:
solten sichs die wunden labn,
daz er in wider sante,
decheinen durst daz wante.
117 Arnalt sprach 'hêrre, wer daz sî,
dem wonet des küneges krîe bî,
dâ mit der keiser Karl vaht,
der si hât gerbet unde brâht
5 ûf sînen sun derz rîche hât
und noch die krîe niemen lât

115, 1. im *lmn.*　　3. Sein swert wart *op,* Wart sin swert *l.*　　5. allen *l, fehlt*
op.　　dem *Kmn,* der *opt* und *(aus* den *gemacht) l.*　　commun *n,*
comuon *m,* conmûn *t,* comûne *Ko,* Commune *p.*　　6. Munleûn *t,* Munleûne
Kp, Munluon *m,* muntleune *o,* moynleun *n,* Molliun *l.*　　7. Ernalt *Km,*
Arnolt *(aufser im reim) l* und *zuweilen ox, in diesem buche.*　　fiz cons de
Narbon *K,* Fizkuns de Naribon *t,* fyzlwerkin kuns de Naribon *l,* sein prueder
von Naribon *mnop.*　　9. allen *lmnopx.*　　13. Slafes. Mit gemache *t.*　　ge-
mach *Kmnx,* gemachs *l,* gemaches *op.*　　14. rihtærs *K.*　　15. tebich *mop,*
tewich *x,* teppit *n.*　　viel diu *K und (nach* fuer in) *m,* viel si *lnopt.*
18. danach *Kt,* Dannoch *l,* Dar nach *mn.* Da tet si im ze wizzen sider *op.*
18. der *fehlt ltx.*　　gelegen *lnoptx,* bliben *n.*　　23. gelazzen *lnop.*
24. Rœmischen *Klmop,* romeschen *n,* Romenschen *t.*

116, 1. choufschazze *Knt,* koufman *opx.*　　2. sprachen *Km,* iahen *lnoptx.*　　fuort
K, fuorte *lpt,* fuert *mox,* vueret *n.*　　5. rîtr *K.*　　6. fronzoyser *K.*　　7. koste
reich *op.*　　8. Sein *op.*　　10. Munschoy *Kt.*　　war da *l,* wart von im *mnop.*
11. widr *K.*　　12. krige *K.*　　13. gunerten *lt,* geun. *Kmn,* ir geun. *op.* ir
ungeerten *x.*　　15. die *Kmnt,* den *lop,* einen *x.*　　16. rittr solt *K.*
23. wart daz *Kt.*　　24. muosen *Kl.*　　ze orsn *K,* czu rossen *p,* zuo orse *ln,*
zu rosse *ox,* uf ze ors *t.*　　25. rittr und *Kp.*　　scariand *m.*　　28. sich sein
m, sich *nopt,* si *l.*

117, 1. hœren?　　2. Wem *l.*　　3. chunich *mn.*　　Karel *K*　　4. geerbt *K.*
5. An *lop.*　　der daz *np,* der *lo,* daz *t.*

wan den die sîner marke war
nement gein anderr künege schar.
er wil sich uns dermit entsagen,
10 der wîse den wir müezen jagen,
daz in diu krîe vriste.
wil er mit sölhem liste
an uns hie prîs hân bezalt,
er vliehe velt oder walt,
15 dar sul wir kêren ûf sîn spor.'
Arnalt fuor dan den sînen vor.
swer stab oder stangen truoc,
zors und ze fuoz was der genuoc,
et al diu comunîe.
20 niht halp sô manegiu bîe
möhten tœten einen starken bern.
der fluht si kunde niht gewern
von Provenz der markîs:
ir jagen moht in keinen wîs
25 an flühtic schûften bringen.
nu hôrt erz velt erklingen:
an der selben stunde
Arnalden von Gerunde
der marcrâve komen sach.
in sîme herzen er dô jach,
118 Die rehten wærn ze velde komn.
ouch het sich Arnalt für genomn
wol vierzec poynder oder mêr:
gein dem tet er widerkêr
5 mit kunstlîchem kalopeiz.
ieweder sînen puneiz
von rabîne nâher treip:
enweder sper dâ ganz beleip.
Arnaldes satel wüeste lac,
10 wand er vor sînem bruoder pflac
gevelles hinderz castelân.
daz was im selten ê getân.
er hetes ouch dennoch wol enborn:
dem marcrâven was sô zorn,

15 daz er in gerne het erslagn.
dennoch der andèrn nâch jagn
mit helfe im alze verre was:
niht wan vrâgens er genas,
und daz der unverzagete
20 sich nante und rehte sagete
'ich pinz der grâve Arnalt.
wer ist der mich hie hât gevalt?
der mags wol immer haben prîs.'
'Willalm der markîs
25 bin ich,' sprach er. 'bruoder mîn,
hie ensol niht mêr gestriten sîn.'
er vienc sîn ors und zôhz im dar.
Arnalt nam an der stimme war
daz ez der marcrâve was:
er zôch in nider ûfez gras
119 Und wolt in vil geküsset hân.
'bruoder, daz sol sîn vérlân:'
sô sprach der getriuwe.
'ich leb in sölher riuwe,
5 daz mir senfter wære der tôt.
den rehten kus ich liez in nôt
an Gyburge ûf Oransche nuo.
die wîle ir gêt sölh angest zuo,
sô lâz ich mir niht werden kunt
10 daz mannes oder wîbes munt
an den mînen rüere.
sô swære sorge ich füere:
daz si mîn ors her getruoc,
dô hetez ungemach genuoc.
15 waz wunders kan mir got beschern!
hie muos ich mich mîn selbes wern,
dô ich zer tjoste gein dir reit:
mit mir selbem ich dâ streit.'
Arnalt sprach 'du sagest al wâr:
20 mîn lîp mîn selbes lîbe vâr
hât umbekant erzeiget.
mir was dîn kunft versweiget,

8. Nemen *lop.* 12. sulher *lop.* 16. dan *fehlt lopx,* da *n.* 17. od. *K.* 18. ze
orse unde ze fuoze *K.* was ir *opt,* der waz *l.* 19. et *Kl,* Ot *mnop, fehlt t.*
communye *np,* conmunîe *t,* communei *m,* Comuney *o,* Conmyne *l.* 20. manich
lmno, manliche *t.,* pîe *Kpt,* pei *mo,* bine *l.* 21. Mocht *m.* starken
fehlt lopt. 22. Der fluchte sich (Der sich mit flucht *p*) nicht chund erwern *op.*
bewern *l.* 23. Provènze *K,* Průvenze *t,* pruvenz *l.* 24. chainen *op,* dehei-
nen *m,* dekeinen *t,* keine *n,* decheine *K,* dekeine *l.* 25. Al *l.* fluhtich
seuften *m,* fluhten schuofen *l,* fluchten fluchtich *op.*

118, 3. vierzechen *K.* poyndr *K,* ponder *lop,* panir *x.* 6. îwedr *K.* 8. en-
wedr *K,* Entweder *m,* Tweder *t,* Ir keynis *n,* Ietweder *l,* ietweders *op.* dâ
fehlt lt, nicht *op.* 10. von *lmnopt.* 13. hêtes *K,* hiet sin *m.* 15. gern
Km. 25. pin ichz *mop.* 27. zohez *K.*

119, 1. Er *K.* vil *fehlt mnop.* 3. Do *l,* Also *opx,* Sus *t.* 7. Orangse *K.*
10. odr *K.* 13. Do *m.* 14. Da *lmpt,* Dez *o.* ungemaches *ln,* unge-
machs *op.* 17. zer (zu *n*) tiost gein dir *Kmn,* mit tioste gein dir *op,* do gein
dem tyoste *l.* 18. mîn *fehlt t.* selben *lmnop* und in selbes *geändert t.*
20. selbs *K.* lieb *m,* lieber *l.* liepnar *p.*

als ein bracke am seile.
man mac wol zeime teile
25 unser zweier lîbe zeln.
swer zwei herze wolde weln,
dern funde niht wan einez hie.
mîn herze was dîn herze ie:
dîn herze sol mîn herze sîn.
ouwê hêrre bruoder mîn,
120 Lâz hœren unde schouwen,
mîner swester, mîner frouwen,
waz wirret Gyburge der süezen?
mac mîn helfe daz gebüezen?
5 daz hât si wol verschuldet her,
daz ieslîch werder Franzoys wer
sînes dienstes zir gebote:
man mac an ir gedienen gote
und unseres landes êre;
10 und durch die überkêre
die si tet gein dem toufe.
du hâst mit tiurem koufe
ir minne etswenne errungen.
mîne mâg die jungen,
15 die si hât ûzen schalen erzogen
und die Francrîche sint entflogen,
sint die bî ir in der nôt?'
der marcrâve im nante tôt
Mylen unde Vivîanz,
20 und wie der buhurt ûf Alischanz
sich bêde huop unde schiet,
und waz dô Terramêr geriet
daz Oransch wart umbelegn,
und waz er angest muose pflegn
25 ê daz er durh si dan gereit.
diz bekande herzeleit

und disiu jæmerlîchen dinc
zucten sherzen urspriuc
Arnalde ûf durch d'ougen sîn.
er sprach 'ouwê der mâge mîn,
121 Die mir tôt sint gevalt!
wer hât den künec Tybalt
sô kréftic her über brâht?
ode wie hâstu des gedâht
5 daz wir Gyburg ze helfe komn,
sît wir den schaden hân genomn,
daz unser flust niht wahse baz?
al den ich diens nie vergaz,
die werdent drumbe nu gemant.
10 al unser art wære geschant,
ob Gyburc wurde enphüeret dir.
dîn samenunge nenne mir,
und rît mit mîme râte
nâch starker helfe drâte.
15 al dîne flust den fürsten klage.
von hiute an dem dritten tage
ein hof ze Munleûn ist gelegt,
der al die Franzoys erwegt:
dar kumt ein verriu zuovart.
20 Heimrîch und Irmschart,
diu zwei von den wir sîn erborn,
die hât der künec dâ erkorn
ze êrn den hôchgezîten sîn.
ouch sulen vier bruoder mîn
25 mit unserr muoter komen dar.
ich wæne daz die grœsten schar
Heimrîs mîn vater bringe.
nu gihes für hôh gelinge:
du vindest vil der fürsten dâ.
swâ mir benennet wirt dîn slâ,

---

23. Sein brache *o.*   am *m,* ame *K,* an eyme *n,* an einem *t,* an dem *lop.*
25. zweir *K.*   liebe *l,* hertze *opt.*   30. herr und *mnop.*

120, 3. wierret *mo,* wirt *n.*   5. verschult *n.*   6. Des *n.*   ieglich *l,* isleicher
m, igleicher *op,* ikliches *n.*   werdr *K,* werden *n, fehlt lop.*   frantzoyser
were *l,* frantzoiser *op.*   7. Mit dienste ste (si *p) op.*   gebot-got *Kmopt.*
9. unserr *o.*   14. mag *mp,* mage *Klnot.*   15. ûzen *K,* uz den *mt,* uz der
lnop.   16. entlogen *K,* enpflogen *n,* enphl. *t,* empfl. *p.*   18. im nante *lox,*
der im nante *K,* im do nante *p,* nant im *mn.*   19. und *K.*   20. der ky-
burc *t,* der streit *op.*   23. Oransche *K.*   28. smerzen *K,* uz hertzen *op,*
hertzen *lmn,* herzens *t.*   29. Arnolt *lx.*   ûf *Kmntx, fehlt lop.*   durch diu
K, tet die *nx.*

121, 2. dem *lmopx.*   3. chreftigez *ox.*   her her uber *op.*   4. gedacht *K.*
5. Gyburge *K.*   6. die verlust han *lx,* han solich flust *op.*   7. schade *lopx.*
icht *nopx.*   wachse *K.*   8. An *lnx.*   dienstes alle *aufser K.*   10. die
wær *nop,* were nu *lx.*   12. dine samnunge *K.*   14. grozzer *lopx.*
15. chlag *K.*   16. am *m.*   drittem *K.*   17. mulleun *x,* Molium *l.*
18. franzoyser wegt *Klmt,* frantzoiser erweget *nopx.*   20. Iremschart *Kx,*
iermschart *mo,* Irmtschart *l,* yrmenschart *n,* Irmengart *t.*   21. geborn *lnoptx.*
23. ern *m,* eren *K.*   den hohziten *lm,* der hochcite *nop.*   24. fier bruder *K.*
26. des daz *optx,* wol daz *mn.*   27. Heimris *K.*   28. linge *mt.*
30. bennet *K.*

122 Dâ rît ich vor ode nâch.
　　nu lâ dir von mir niht sô gâch,
　　du enrîtes mit mir wider în,
　　und ziuch von dir daz harnasch dîn,
5　　lâz dich baden und kleiden.'
　　'wir müezen unsich scheiden,'
　　sprach der marcrâve dô.
　　'möht ich immer werden vrô,
　　sô freut ich mich der hôhgezît.
10　waz ob mir urlœsunge gît
　　der alle flust erkennet
　　und der hœhest ist benennet?
　　der neme mîn dâ mit günste war.
　　kumt mîn frouwe de künegin dar,
15 des möht ich helfe enphâhen.
　　ir sol daz niht versmâhen,
　　sine man den künec umbe mich:
　　den site hiez ich swesterlich.
　　sol mîner mâge dar iht komn,
20　die erbarmet flust diech hân ge-
　　　　nomn.
　　und mîne bruoder die dâ sint
　　(ich pin ouch Heimrîches kint),
　　wellent die mit triwen sîn,
　　so erbarmet si mîn schärpfer pîn
25 und mîniu dürren herzesêr.
　　mir begruonet vröude nimmer mêr.
　　ze Heimrîch und ze Irmenschart
　　unt zanderr mînre getriwen art,
　　ûf genâde wil ich [hin] zin.
　　got geb an helfe mir gewin.
123 Bruoder, lâ dir bevolhen wesen,
　　wirp sô daz Gyburc müge genesen:
　　al dîne friwent dar umbe man.'
　　sus schiet der marcrâve dan.

5　　Arnalt reit al weinde wider,
　　niht dar umbe daz er nider
　　was gevellet mit der tjost:
　　der jâmer mit sô hôher kost
　　begund im sîne vreude zern,
10　sich möhts ein keiser niht erwern.
　　sîner werden mâge tôt
　　frumt im die herzebæren nôt.
　　　al die nâch Arnalde
　　fuorn, die gâhten balde,
15　dort ein storje, d'ander hie:
　　zuo zim gesamenten sich die.
　　er liez ir keinen fürbaz komn.
　　dennoch hetens unvernomn
　　wen sie jageten, dirre unt der,
20　dô durch des grâven schilt ein
　　　　sper
　　was wider von der tjoste brâht.
　　si vrâgeten 'wes habt ir gedâht?
　　uns sol der man entrîten.
　　welt ir mit im niht strîten,
25　wan lât irn uns doch fürbaz jagen.'
　　Arnalt begund in rehte sagen
　　'ez ist Willalm der markîs.
　　ine gestat des niht decheinen wîs,
　　daz er reslagen werde
　　ûf Franzoyser erde.
124 Er ist uns doch niht gar ein gast,
　　swie der zuht an im gebrast
　　den burgærn von Orlens.
　　tumpheit, waz du si schaden wens,
5　　die wellnt zuo dîme gebote sîn!
　　waz zolles solt der bruoder mîn
　　geben als ein koufman?
　　swer rîterschaft gespehen kan,

122, 2. nu *fehlt t*, Doch *p*.　　nicht sein *mop*, niht wesen *t*.　　3. Du enkerest *l*,
Du cherest *op*.　　6. uns *mopt*, uns hie *l*, uns nu *n*.　　10. urlosunge *t*, er-
lœsunge *Klmn*, losung *op*.　　12. genennet *nop*.　　14. kuniginne *lnopt*.　　16. solt
K.　　17. umb *K*.　　18. sitt *K*.　　20. die flust (verlust) *lop*, min flust *t*.
die ich *K*.　　25. 26. sere-mere *Klt*.　　26. gruonet *lnop*.　　27. Irmenshart *K*.
Irmtschart *l*, Iermschart *mo*, Irmschart *p*, Irmengart *t*.　　28. unz anderr miner
K, Und ze anderm meim *m*. getreun *o*, getrewem *m*.　　29. ich wil *mnt*.

123, 5. al weinde *t*, alwæinende *Klnop*, alwainent *x*, al wainund *m*.　　10. Eyn
keiser mocht is sich *n*.　　Si *l*.　　mohtes *t*, mochtsn *m*, mohte *lop*.
nicht ein kaiser *op*.　　geweren *l*.　　12. herzebærn *K*, herzenbæn *t*, hertze
bernde *l*, hertzewernden *o*.　　14. fuoren *K*.　　15. diu andr *K*.　　16. gesam-
neten *K*, gesammeten *n*, gesamten *mopt*.　　18. niht vernumen *lop*.
19. sageten *K*.　　uñ *K*.　　20. des *fehlt t*.　　Græven *K*, greven (*immer*) *l*,
gravens *t*.　　21. tiost *Klmn*, tyosten *o*. durch tyostieren *p*.　　22. die *K*.
23. Sol uns *iop*, Uns wil *t*.　　24. niht mit im *lmnopt*.　　26. Iedoch (Doch *o*)
so lat *op*.　　irn *K*, ir *lmt*, *fehlt nop*.　　doch *Klmt*, ot *n*, *fehlt op*.　　28. Ich
enstatt *m*. des *fehlt lop*, iu *t*.　　niht *fehlt op*.　　dekeinen *t*, cheinen *Kmop*,
dekeine *l*, keyne *n*.　　gwis *K*.　　30. Uf der *lopt*.

124, 3. burgæren *K*.　　5. wellent *K*.　　8. spehen *t*.

der möht in zolles lâzen vrî.'
10 die dem grâven hielten bî,
die marcten daz er weinde:
si vrâgeten waz er meinde,
dar umb er wær sô unvrô.
Arnalt sagt in rehte dô,
15 daz im die Sarrazîne
drîzehne der mâge sîne
gevangen heten unt erslagen:
'nu erloubet daz ich müeze klagen.
die fürsten alle wâren
20 almeistic von den jâren
daz ir necheiner gran noch truoc.
mîn bruoder ungemach genuoc
het ân unsich erworben.
sîn man sint erstorben,
25 dar zuo sîn wîp besezzen ist:
des enweiz er niht, wie lange vrist
sich Oransche müg erwern,
od welhes trôstes si sich nern.
ez stêt gar an der hœhsten hant.'
vil boten wart von im gesant:
125 Die strichen naht unde tac
hin zin an den sîn dienst lac:
er mante mâge unde man.
ouch streich der marcrâve dan.
5 gein dem âbende er ein klôster
vant.
er was den münchen unbekant:
doch pflâgen si sîn schône.
dâ ze Samargône
in der houbetstat ze Persîâ,
10 sîn schilt was geworht aldâ:
des buckel was armüete vrî.

Adramahût und Arâbî,
die rîchen stet in Môrlant,
sölhe pfelle sint in unbekant,
15 als sîn wâpenroc, mit steinen clâr,
drûf verwieret her unt dar,
daz man des tiwern pfelles mâl
derdurch wol kôs al sunder twâl:
als was ouch drob daz kursît.
20 Cristjâns ein alten tymît
im hât ze Munlêûn an gelegt;
dâ mit er sîne tumpheit regt,
swer sprichet sô nâch wâne.
er nam dem Persâne
25 Arofel, der vor im lac tôt,
daz friwendîn friwende nie gebôt
sô spæher zimierde vlîz;
wan die der künec Feirafîz
von Secundilln durch minne enpfienc:
diu kost für alle koste gienc.

126 Grôz müede het in dar zuo
brâht:
den halben tac, die ganzen naht
in dem klôster er beleip.
sîn unmuoze in fürbaz treip:
5 des pîtens het in doch bevilt.
aldâ bevalh er sînen schilt
und reit er gein Munlêûn.
manec Franzoys und Bertûn
und vil der Engeloyse
10 und der werden Burgunjoyse
zer hôchkezît kômen dar.
ich mags iu niht benennen gar.
dâ was von tiuschem lande
Flæminge und Brâbande

11. marchten *mt,* merkten *nop.* 14. seit *K.* 21. granen *ln.* noch *fehlt n.* 22. ungemachs *nop.* 23. ane *p.* uns *lmnopt.* 24. sine *Klt.* mage *op.* 26. zuo (ze *t*) welher frist *lt,* mit welchem (welcher *p*) list *op.* 27. Oranshe *K.* 28. sich die (diu *t*) nern *lt,* sich ernern *op.*
125, 1. und *K.* 2. hin zuo den an den *lop,* hintz an den *m.* 8. dâ *fehlt Kt.* Sarmargone *K,* sammargone *lmt,* smaragone *o.* 9. houbstat *K.* 10 wart *K.* 12. û *K.* 13. Den richen steten *l.* 14. in *fehlt Kl.* 16. uñ *K.* 18. dr durch *K.* 20. Cristians *lnp,* Christians *m,* Kristians *t,* Christans *o,* kristinians *K.* ein *l,* einen *K.* alten *fehlt K.* 21. monleun *n,* Mollium *l,* mulin *op.* 24. namn *K,* nam es *p,* næm ez *o.* persyane *l.* 26. da *K.* 27. richer czimierde *p,* reicher zimier *o,* riches zimirdes *l.* 28. Feirefiz *t,* ferefiz *l,* feirifeiz *m,* firefiz *n,* feyrefis *op.* 29. secundillen *Kmnop,* secundille *lt.* enpfie-gìe *K.*
126, 7. uñ *K,* Do *l,* des *mnopt.* er ane gein *nopt,* an gein *m.* monleun *n,* Munleûn *t,* munliun *o,* Mulleun *x,* mollium *l.* 8. bertûn *K,* Pertuen *m,* Britun *nopx,* brittûn *t,* Britum *l.* 9. engelloyse *K.* 10. burgunschoyse *Km,* burgunoyse *o,* Burgonoys *l,* burgahose *n,* Burgundoyse *p,* burgzoise *t.* 12. kan si *op,* han si *l,* hans *t.* benennet *t,* genennet *l.* 13. Deutschem *m,* dæutschem *o,* tiuschem *t,* dützen *n,* deutschen *p,* tusent *l.* landen *lnpt.* 14. flaminge *Kl,* Flæmingen *o.* brabanden *np,* Bravanden *l,* brabranden *t.*

15 und der herzoge von Lohrein.
  der marcrâve wart enein,
  dâ wær von storje sölch gedranc,
  daz des müese werden lanc,
  ê daz ein frumer wirt in în
20 næm: daz werben liez er sîn,
  ûfes küneges hof er reit.
  nâch sîme zoume niemen streit,
  daz er daz ors enpfienge.
  er rite oder gienge,
25 si wæren ze orse od ze fuoz,
  dâ bôt im niemen keinen gruoz.
  er sah dâ volkes ungezalt,
  kleine, grôz, jung unt alt:
  die begundenn alle vêhen.
  erne wolt ouch in niht vlêhen,
127 Den alten noch den kinden:
  zeim ölboum [und] zeiner linden
  er kêrte. die dâ lâgen
  und sâzen gar, die pflâgen
5 daz si im den schate al eine
  liezen: niht gemeine
  woltens mit im dâ hân.
  im wart ein sölh rûm getân,
  daz al wît wart sîn stat:
10 decheinen er ouch sitzen bat.
    er nam den zoum in eine hant,
  den tiweren helm von im er bant
  und sturzt in zuo zim ûfez gras.
  swaz al der massenîe was,
15 die begunden an in schouwen,
  in den venstern ouch die frouwen,
  wand im daz harnasch wonte mite.
  si jâhn, ez wære ein vremder site
  daz er wâpen solde tragen,
20 sine hôrten denne al êrste sagen
  daz ein turney wære genomn:

swelh ritter dâ hin wolde komn,
  der möhtz wol legen ûf einen soum.
  der marcrâve et sînen zoum
23 het in der hende aldâ er saz.
  er begunde sich do entwâpen baz
  von dem hersniere:
  daz zôch er von im schiere.
  dô was sîn vel nâch râme var,
  bart und hâr verworren gar.
128 Vor dem künege man dô sagete,
  daz im doch niht behagete,
  daz erbeizet wære ein man
  von eime schœnen castelân
5 zem ölboum und zer linden.
  'erdenken noch ervinden
  mac unser keiner wer daz sî.
  rostic harnasch wont im bî,
  er siht ouch wiltlîche.
10 tiwer unde rîche
  ist swaz er ob dem îser hât.
  sô liehtiu wâpenlîchiu wât
  wart ougen nie bekennet.
  die pfelle unbenennet
15 sint al der kristenheite.
  ein heidenisch gereite
  lît ûf dem râvîte.
  er zæme in eine strîte
  michel baz denne an den tanz.
20 ouch ist im ninder alsô glanz
  sîn bart, sîn vel, noch sîn hâr,
  daz man in dürfe nennen clâr.
  er vert ûz eime strîte her.
  ouch nimt uns wunder wes er ger,
25 daz er sô kampflîche ist komn.
  wir heten gerne daz vernomn,
  wiez umb den rîter stüende,
  sît wir sîn keine küende

15. loherein *p*, Lahrein *K*, lochein₀ *l*. 16. wart des *ln*, dez ward *op*.
20. nem ê daz werbn *K*. 22. zvme *K*. 24. ritte *K*, rait *o*, riet *p*.
oder er *op*. 25. waren ze ors *K*. 26. Im bot da *lx*, Im bot *t*, Im pot
auch *op*. seinen *opx*. 28. uñ *K*. 29. begunden in *Kmnopt*, begunde
in *l*. 30. ouch si *Kopt*.
127, 1. Die alden mit den (noch die *t*) chinden *op*. 2. zuo eim *ln*, zeinem *Kmopt*.
ölboume *K*, oleiboume *ln*. und einer *o*. 3. die ê da *Km*, die alda *op*.
5. schaten *opt*, schaden *l*, schatwen *n*. 10. Ir keinen (dek. *t*) er *lt*, Ir chainer
in *opx*. 11. in die hant *mnox*. 12. er vor im *lnptx*, er von dem houpte *o*.
18. iahen *alle*. vremdr *K*. 23. mohtez *K*. 24. ot *mn*, ouch *lop*, het *t*.
25. het *fehlt t*. 26. do *vor* entwapen *K*, *vor* paz *mt*, *fehlt lnopx*. ent-
wappen sich *lmnt*. 27. harschnier *opt*. 30. verwaren *m*.
128, 5. zdem *m*, Ze dem *t*, Zuo eime *lnop*. ölbom *K*, boume *l*. zder *m*, ze
der *t*, zuo der *l*, der *n*, einer *op*. 7. deh. *K*. der si *nt*, er si *lopx*.
8. lag im *K*. 12. wapenlich *Km*. 16. ein chleit so gereite₀ *K*. 18. an.
lmp. 27. wie ez umbe *K*. stunde-chunde *K*, stüende-kñende *t*.
28. wir es *l*, wirs *t*. deh. *K*, dek. *lt*.

haben noch nie gewunnen.
ein ebenhiuze der sunnen
129 Ist der wâpenroc untz kursît:
ieweders blic en widerstrît
hât sô kostebæren glast.
er ist der Franzoyser gast:
5 von swelhem lande er’strîche,
er tuot dem wol gelîche
daz unbekennet ist sîn lîp.’
dô sprach der künec und des wîp
’gê wir unde schouwen dar
10 zen venstern, unde nemen des war
waz er werbe od waz er meine,
sît er gewâpent eine
ûfs rîches hof sus ist geriten.’
ein wolf mit alsô kiuschen siten
15 in die schâfes stîge siht
(des mir diu âventiure giht),
als dô der marcrâve sach.
diu künegîn zem künege sprach
’den wir vor uns dort sitzen sehen,
20 mich dunket, hêrre, ich müge wol
　　jehen,
ez sî mîn bruoder Willalm, .
der manegen jæmerlîchen galm
hât al den Franzeisen
gefrumt mit sînen reisen.
25 nu wil er abr ein niwez her,
daz gein den heiden sî ze wer
für der künegîn Gîburge minne.
ungerne wesse ich in hier inne.
iwer deheiner kom hin für:
besliezet vaste zuo die tür;
130 Ob er ûzen klopfe dran,
daz man in wîse iedoch hin dan.’
　　daz si gebôt, daz was getân.
der marcrâve, der trûric man,
5 het etz ors in sîner hant.
dennocn was er unbekant

von manegen die dâ wâren.
dâ kund er zuo gebâren,
als erz pillîchen dolte,
10 daz ir decheiner wolte
im bieten êre noch gemach.
manege storje er komen sach
ûf den hof und wider drabe:
nâch sîner grôzen ungehabe
15 im niemen friwentlîch trœsten bôt,
der næme pflihte sîner nôt.
　　dô kom ein koufman von der
　　stat,
der in vil zühteclîchen bat
durch aller koufliute êre
20 mit im der dankêre.
’ir habt doch ungemach erliten,
von swelherh lande ir sît geriten.
iuch solten ritter grüezen baz:
sît ieslîcher des vergaz,
25 der iuch sus eine hât gesehen,
nu lât den trôst an mir geschehen
daz ich iuch diens müeze wern.
hêrre, ich sol mit hulden gern
daz ir mir hœhet mîniu jâr.’
der koufman hiez Wîmâr.
131 Der was von ritters art erborn.
er sprach ’mich dunket unverlorn
daz ich iu zêren biute:
gewert ir mich des hiute,
5 her nâch giht ieslîch mîn genôz
daz mîn prîs sî worden grôz.’
der marcrâve sprach alsô.
’des ir gert, des pin ich vrô,
und solz geschulden swenne ich
　　mac,
10 sît mîn niemen vor dem künege
　　pflac,
marschalc noch ander man.
die hânt des hoves unprîs getân,

129, 2. iwedrs blichen wider strît *K.*　　Ir itw. *opt.*　　in *lopt,* an *mn.*　　5. Uz
lop.　　6. wol dem *lmnoptx.*　　8. des] sin *lnop.*　　10. daz *m, fehlt lopx.*
11. odr waz er *Kopt,* oder *lmn,* und *x.*　　13. Ist uf des riches (chaisers *x*) hof
geriten *lopx.*　　suss (sus *t*) ist *Kt,* ist sus *n,* ist *m.*　　14. als *K.*
15. schaf *lmop.*　　stigen *lnop,* stal *m.* schæfstien *t.*　　17. Do [si *x*] den mar-
greven sach *lx.*　　18. kuonig si *l.*　　19. dort (da *n*) vor uns *lnt,* dort *x,* al-
dort *op.*　　25. er abr] aber *x,* er *l.*　　27. der kunginne *K, fehlt loptx.*
28. hie inne *lx,* hinne *mnopt.*　　30. Und sliezzet *loptx.*

130, 3. Swaz *moptx.*　　4. trourick *o,* trourig *mx,* trurige *Klpt,* trurenriche *n.*
5. hetz *K,* het ot (alles *p*) daz *mp,* Hete daz *lnot.*　　13. 14. drab-ungehab
Kmopx.　　15. friwentlichen trost *Klt,* trost *x.*　　enbot *l.*　　28. muoz *lop,*
mac *t.*　　30. Weinmar *mo,* Winar *p,* wenemar *n, meistens.*

131, 1. Und *mnop.*　　geborn *lmnop.*　　3. Swaz *lnopt.*　　ze ern *K.*　　9. ver-
schulden *lnop.*　　10. von *lmnpt.*　　12. des *fehlt K.*

daz ich beleip sus wîslôs
ê daz mich iwer güete kôs
15 mit gruoze vor in allen.
　ez muoz mir missevallen:
ich hân der mangen hie bekant,
die vil gerne mîner hant
etswenne durch mîn gâbe nigen
20 und mich nu grüezen hânt ver-
　　swigen.
nu gêt ir vor, ich gên iu nâch.'
der koufman mit zühten sprach
'ir sult rîten, ich sol gên.
ich wolt ê wochen lanc hie stên.'
25 dô sprach des marcrâven munt
'mir wære gesellekeit unkunt,
soldet ir mîn garzûn sîn.
lât mich bî den zühten mîn:
ich gevolg iu wol ze fuoz,
gesellekeit ich leisten muoz.'
132 Der koufman liez im niht den
　　strît:
er muose et ûf daz râvît
und mit im dannen rîten.
mit wem er wolde strîten,
5 des vrâgten se an der strâze
der kinde âne mâze,
die dem marcrâven zogten nâch.
swer in alsô rîten sach,
der vlôh in in der gazze
10 und entweich vor sîme hazze.
　ze hûse in brâhte Wîmâr.
aldâ wart er ân allen vâr
entwâpent schiere. ê daz geschach,
sô was dem orse sîn gemach
15 geschaffet vlîzeclîche.
pflumîte und kulter rîche

ûf einen teppich hiez der wirt
legen; daz doch der gast verbirt,
daz er sô sanfte iht sæze.
20 er vorht daz er vergæze
Gyburge nôt dâ se inne was.
er warp daz man im bræhte ein
　　gras,
'und lât mich walgen als ein rint.
ob ich wart ie muoter kint,
25 dô was diu werlt vol sorgen gar,
innen des mich diu gebar.
wirt, ich pin ein hêrre niht:
mîn flust mir anderr dinge giht.'
pflumît, kultern, matraz,
ûf der decheinez er dâ saz.
133 Dem wirte tet sîn trûren wê.
al grüene gras und niwer klê,
des wart dar vil undr in getragn,
der wirt vil sêre begunde klagn,
5 daz erz niht senfter næme,
als müeden man gezæme,
daz er im willeclîchen bôt.
dem wirte was des gastes nôt
dennoch unbekennet,
10 diu im sider wart benennet.
　nu het der wirt daz gebotn,
daz was gebrâten und gesotn
vil niwer spîse reine,
vische und vleisch gemeine,
15 beidiu daz wilde und ouch daz zam.
der wirt die kost an sich sô nam,
soltz im lœsen sînen lîp,
sone möht er selbe und ouch sîn
　　wîp
des nimmer baz genemen war.
20 do bereite man mit zühten dar

13. wiselos *ln*, helfelos *op*.　　14. erkos *lnopt*.　　19. mine *Kn*.　　20. und
nu mit gruoz mich hant vermiden *l*.　　gruzes *nopt*.　　25. der Marcgraf
sprach satzestunt *mn*.　　do *K*, So *op*, Sus *t, fehlt l*.　　27. solt *K*.
29. ih volg *K*.

132, 2. ot *mp*, ouch *l, fehlt no*.　　5. vragentse *K*.　　6. was ane *lmnopt*.
7. zogetn *K*.　　9. Der entweich im *lopt*.　　gazzen *lopt*.　　10. floch *lopt*.
vor seinen *o*, von sinen *t*, sein veintlich *p*.　　hazzen *lopt*.　　16. pflumit *op*,
Plumit *ln*, Phlêumeit *m*, Pulmit *t*.　　kultern *m*, kolter *l*.　　17. tebich *mop*,
teppit *n*.　　20. vorhte *K*.　　er *fehlt K*.　　21. Gyburgen nœte da si *K*.
23. rînt *K*.　　24. ie wart *lnopt*.　　25. So *ln*.　　werelt *K*.　　26. Inne des
und *m*, Binnen (Innen *t*) des do *pt*.　　diu *fehlt K*.　　28. mir ander mere *l*,
mir anderre mære *t*, an disem mer mir *op*.　　andr *K*.　　29. Pflumeit *o*,
Pflümit *p*, Pfleumeit *m*, Plumit *l*, Pulmit *t*, Plumete *n*.　　kolter *l*, gulter *t*,
kulter oder *m*, koltern oder *n*, gulter unde *o*, gölter und *p*.　　matrâz *K*.

133, 3. da *lnop*.　　6. muedem *op*.　　15. *beide* daz *fehlen ln*.　　wilt *n*.
ouch *fehlt lnopt*.　　16. sô *fehlt lop*, do *t*.　　17. sin *K*, den *lop*.　　19. niemn
K.　　20 Nu *lop*.

und rihte ein tavelen kleine
dem marcrâven eine.
dô der sîne hende getwuoc,
der wirt für in mit zühten truoc
25 nâch koufmannes prîse
maneger slahte spîse
gesoten unde gebrâten.
swelh armman sô berâten
wær, für guot erz næme.
sölh trinken, daz gezæme
134 Dem keiser ze bieten,
des wolte sich niht nieten
der marcrâve. daz was verlobt:
in dûhte, er hete dran getobt,
5 ob er iht æze mêr wan brôt
und wazzer trunke. er wolt et nôt
haben unz im diu hœhste hant
ze Oransche erlôste liebez pfant.
der pfâwe vor im gebrâten stuont,
10 mit salsen diu dem wirte kuont
was, daz er bezzer nie gewan.
den kapûn, den vasân,
in galreiden die lamprîden,
pardrîse begund er mîden.
15 der wirt sprach 'hêrre, disem lant,
wær dem bezzer spîse erkant,
der wurt ir schôn von mir gewert.
saget mir ob ir iht anders gert:
dâ lât mich balde werben nâch.'
20 der marcrâf siufte unde sprach
'lieber wirt, ez stêt mir sô
daz ich nimmer werde vrô
unz an den urteillîchen tac,

dâ diu gotes kraft wol füegen mac
25 daz mîn gelübde ein ende hât.
ob mir sîn trôst die freude lât
daz er mir dâ gelücke gît,
wirt, dâ nâch ist denne zît
daz ich sül guoter spîse lebn.
irn durft mir niht wan wazzer
gebn,
135 Und brôtes daz ich drîn gemer.
ziu noch ze niemen ich des ger,
daz ez gebezzert werde.
swaz wâges ûf der erde
5 lebt, daz wil ich mîden:
wand ich muoz kumber lîden,
unz ich hân bezzeren trôst erkorn.
lieber wirt, ich hân verlorn
hôhe mâge und werde man:
10 dar zuo hân ich in angest lân
ein wîp, der dort mîn herze ist bî:
mîn lîp ist hie vor freuden vrî.
nune vrâgt niht mêre und lâtz
et sîn.
iwer güete ist an mir worden
schîn:
15 des wirt gehœht noch iwer prîs.
von Provenze der markîs
Willalm bin ich genant:
getrag ich immer gebende hant,
iu wirt vergolten disiu nar,
20 swie swach ich hînte bî iu var.'
der wirt sprach 'hêrre, wol mich
wart,
daz iwer her komendiu vart

---

21. rihten eine *K.* 24. mit zuhten fur in *lop.* 28. arman *K.* unberaten
(*ohne* sô) *lop.*
134, 1. dem *mnt,* ein *K,* Eime *l,* Einem *op.* wol zuo *lop.* 2. er sich *l.*
3. des was *m,* daz hete *l,* wan ez (er *p*) waz *op.* 5. mêr *fehlt l.* danne
lmnop. 6. ot *mn, fehlt l.* op *ändern.* 7. Halden *l.* in *K.* 8. loste *t,*
loste sin *lnop.* liebstes *nop.* 9. phan *m,* kapun *o.* gebrâten vor im?
10. dem *fehlt K.* 12. Ein-ein *l,* Der-und der *opt.* fashan *m,* vashan *op.*
13. kalrait *m,* einre galreide *l,* der galraide *o,* der galrede *p.* die *fehlt lop.*
14. pardrisen *Kt,* Pardyum *l,* pardreis *m,* Partrise *n,* partereise *op.* 17. wurde
l, wrdet *Kmopt,* werit *n.* schon *m,* schone *Klnt, fehlt op.* 18. mir]
herre *lp,* an herr *o.* 20. marcrave fûfte *K.* 22. wierd *m,* wirde *t.*
23. urtellichen *K,* jungesten *l.* 24. gots *K.* 25. gelub *mo,* gloube *t.*
28. Herr wirt *p,* Lieber *o, fehlt l.* dar *lmnopt.* ist mir danne *l.* 29. sule
K, sol *lop.* 30. ir endurfet *K.* wazzers *nt.*
135, 1. broys *K,* brot *lop.* dinne *l.* 2. zeiu noch *K,* Hin zuo uoch und *l,*
fehlt op. ich des] furbas ich nicht *op.* 12. vor *fehlt l,* der *p,* an *o.*
13. vraget *K.* last ez *l,* lazit *n,* lat daz *op,* lat et *t.* 14. worden *fehlt*
Kt. 15. gehœhet noch *K,* noch gehohet *ln,* gehohet *op.* 17. pin *K.*
20. hint bi iu *t,* [heut *o*] bi uoch hie *lo,* nu hi bi uch *n,* hie bi euch nu *p.*

in mîn hûs ist gedigen.
die iuch hie grüezen hânt ver-
swigen,
25 des mugen die werden sich wol
schemn.
ir sult in iwer genâde nemn
mîn armez dienst mit triuwen.
iwer kumber sol mich riuwen,
unz ir an freuden habet gewin,
ob ich hân toufbæren sin.'
136 Der wirt wol hôrte unde sach
daz er von trûren ungemach
dennoch pflac und het erliten:
ern wolt in dô niht fürbaz biten
5 deheiner bezzeren spîse lebn.
er begunde im hertiu wastel gebn,
und trinken des diu nahtegal
lebt, dâ von ir süezer schal
ist werder dann ob se al den wîn
10 trunk der mac ze Bôtzen sîn.
der spîse wart ein teil verzert
und senftez petten gar rewert.
der marcrâve sich ûf ein gras
leit, daz im ê komen was.
15 der wirt nam urloup. der fuor dan
und liez den siufzebæren man
ligen trûreclîche.
wart er ie freuden rîche,
daz was im worden gar ein troum:
20 sîn herze truoc den jâmers soum.
der marcrâve dâhte dô
'sît mir mîn dinc ist komen sô,
daz al die besten hie hânt lân,
unde ir selbr unprîs getân,
25 daz ir necheiner mir sprach zuo,
geleb ich unz morgen fruo,
ich sol in füegen sölhe klage,

daz si immer mêr von dem tage
dâ nâch ze sprechen hânt genuoc,
kint diu noch muoter nie getruoc.'
137 In zorne er âne slâfen lac,
unz ûf in schein der liehte tac.
sîn harnasch lac bî im gar,
und Arofels swert daz lieht gevar.
5 er schuoht die îserhosen an.
dô kom sîn wirt, der koufman:
er vrâgte in waz er wolde tuon.
dô sprach Heimrîches suon
'nu seht, ich wâpen disiu bein:
10 ich pin ouch worden des enein,
daz ich diz harnasch an wil legn,
ob ich vor stichen od von slegn,
deste baz iht müge genesen.
solt ich in dirre smæhe wesen,
15 dar zuo dunk ich mich ze wert.
mir wære diz und elliu swert
ummære um mich gebunden,
ob mich liezen unde funden
in spotte die Franzoyser gar.'
20 er bat den wirt nemen war,
wiez harnasch hinden stüende:
vorn het ers selbe küende.
der wirt sprach 'hêrre, ez stêt
wol.
mir ist leit daz ich iuch sehen sol
25 sliefen in sölh arbeit:
mir ist iwer ungemach vil leit.
ob ir des gert, ich hân gewant,
daz al der Franzoyser lant
niht mac erziugen bezzer wât
denn iu mîn hant ze geben hât.'
138 Der marcrâve zem wirte sprach
'ich gihe noch des ich nähten
jach.

---

23. ist her *l*, ist dann *op*.   24. gruozes *lnopt*.   verzigen *mp*.   28. chumbr
K.   30. toufbærn *K*.

136, 1. und *K*.   4. bitten *K*.   6. blanke *l*, guotiu *t*.   wâstel *K*,
pastel *l*, wasten (was *von anderer hand auf rasur*) *t*.   7. nahtigal *lmno*,
nachtgal *p*.   9. werdr dann ob si *K*.   10. trunche *Klnt*.   bötzen *K*, Bozen *t*,
potzen *op*, pŏtzen *m*, boez *n*, bote *l*.   14. leite *K*.   15. und´ fur *l*, und gie
op, und schiet *t*.   16. Er *lop*.   20. des *lnop*.   22. chomn also *K*.
23. bestn *K*, werden *lopt*.   hie] mich *nop*.   gelan *l*, verlan *nop*.   24. in
selber *l*, ir *op*.   an mir began *op*.

137, 1. Ane slaf mit ungemache er lag *l*, Ane slaffes gemach er do lage *o*, Ane
slafe er also lak *p*.   5. schutte *l*, zuchte *K*, zoch *n*.   isern *ln*, ysen *t*, ei-
sen *m*, eisnein *o*, ysrinen *p*.   7. Der *op*, und *mnt*.   11. daz harnasch *l*,
die sarwat *op*.   12. und vor *lmnot*.   13. ich *K*.   17. um no, umb *Kmp*,
umbe *lt*.   mich *fehlt l*.   18. und *K*.   22. vorⁿ *K*.   het ersn selb *m*.
23. gar wol *K?l*.   25. sölhe *K*.   29. erzeigen *Kt*, irwegen *n*, gelaisten *op*.
30. den iu *K*.

138, 1. markis *nop*.   2. noch *fehlt lop*.

ir habt mir gunst erzeiget:
ist mîn leben ungeveiget,
5 mîn danc belîbet ungespart.
durchs küneges swarte ûf sînen
        bart
diz swert sol durchverte gern:
des wil i'n vor den fürsten wern.
ich hân von im smæh unde spot
10 nâch miner flustbæren nôt.
ich mag iu einem daz wol sagn.'
der wirt begunde alsô verzagn,
daz er nider bî im seic
und der geinrede gar gesweic.
15 der marcrâve zem orse sîn
gienc. nu was ouch Volatîn
gesatelt unde erstrichen wol.
'dirre herberge ich danken sol,'
sprach der marcrâve, 'kumt ez sô.'
20 ûf dez ors saz er dô
und reit hin wider alze hant
dâ in der wirt des âbents vant.
nu het der tac sich hôhe er-
        habn.
stapfen, zelten unde drabn
25 ûf den hof begunde vil der diet.
ungedult dem marcrâven riet
daz er stricte des orses zoum
vaste an ein ast von ölboum.
dô wolt er nâch den andern gên,
durch pâgen für den künec stên.
139 Nu dâht er 'sih ich disen zagen,
den künec, wirt er von mir er-
        slagen,
kan mich sîn volc vor tôde sparen,
die fürsten sulen mir doch en-
        pfaren.

5 waz ob sich krenket al mîn werben?
sô muoz diu helfe gar verderben,
als ich Gyburge enthiez,
die ich in grôzer angest liez.
ich wil mîns vater beiten,
10 mit zwîvels arbeiten:
die muoz ich haben unz an in.
hât er dan väterlîchen sin,
daz mag an mir wol werden schîn.
mir helfent ouch die bruoder mîn
15 und swaz ich werder mâge hân.'
nu kom sîn wirt, der koufman:
der sleich für in aldâ er saz,
und huop sich inz gedrenge baz.
der sagte ûfem palas,
20 wer dirre werde ritter was.
dô lief her ab die grêde
alt und junge bêde,
manec wert man der mit freude
        enpfienc
den marcrâven, der gein in gienc
25 und alsus hinz in allen sprach.
'swer mich hie nähten sitzen sach,
der mîn gâbe enphangen hât,
ez was eins swachen muotes rât,
daz mich der liez al eine,
dem mîn helfe ie was gemeine.
140 Trüegen mîne soume golt,
sô wæret ir mir alle holt,
samît, pfelle und ander wât.
vil orse diu mîn marke hât,
5 sæht ir der manegez bî mir gên,
sone dörft ich sitzen noch stên
nindr, ezn wære um mich ge-
        dranc.
der hof sol haben undanc,

---

6. swarten *lnop.*   den *nop.*   7. dizze *K*, Daz *l*, Mein *op*.   8. ich in
Klmopt, ich *n*.   9. smæhe *Kn*, smacheit *l*, laster *op*, smæhen *ohne* unde *t*.
10. ach *Km*.   11. euch ainen *op*, uch eyne *n*, uoch aleine *l*.   13. bi im
nider *lmnopt*.   17. gestrichen *op*, ouch gestreichet *l*.   18. ich uoch *l*.
19. markis *n*.   chumtz *K*.   20. Uf sin *lopx*.   örs *K*.   22. abentes *K*.
27. strichtete des örses *K*.   28. einen *Kmnopt*, den *lx*.   ast von (von dem
m, zu dem *opt*) *Klmop, fehlt nx*.   29. anderen *K*.

139, 1. Do *lopt*.   ersih ich *K*, ob ich nu *l*.   2. wirt der von *opt*, sihe vor *l*.
5. Daz crenket *ln*, daz sich (ich *op*) chrenchet *mop*, Daz sie krenkent *t*.
6. Deu helf (freude *l*) muez (gar muez *o*, muest gar *p*) verderben *lmnopt*.
7. gehiez *lop*.   12. denne *Kpt*, danne *l*.   vaterlichen *lt*.   13. wol
fehlt lop.   19. sagt *K*.   21. lieffen ab der *op*.   er ab *Kl*.   24. Marc-
graf *m*, markis *nop*, graven *t*.   25. zuo in *l*, gein in *op*.   28. Daz *lopt*.
eins swaches *K*.

140, 1. Und *mnop*.   Truege *K*.   min *Klmop*.   soume *t*, soum *Km*, soumer *l*,
soumære *nop*.   4. örse die *K*.   5. sæhet *K*.   6. So-noch ensten *op*.
7. ez enwære *K*, ez wær *lopt*.   um *o*, umb *Klmp*, umbe *t*, umme *n*,

swenne ein fürste als smæhen gruoz
10 von der massenîe enpfâhen muoz.
ir wænt daz ich verdorben sî:
nein, mir ist ander wille bî.'
  sîn wâpenroc, sîn kursît,
  an den beiden kôs man strît:
15 die wârn verhowen, etswâ verhurt.
sîn swert daz umb in was gegurt,
dem wasz gehilze guldîn:
sîn harnasch gap nâh roste schîn.
  dô sîn gezoc sô kleine
20 was, vil schiere al eine
er ân die ritter gar gestuont.
daz was im etswenne unkuont.
  der künec ûfen palas
  kom, dâ manec fürste was,
25 d'or hete messe vernomen:
ouch was diu künegîn dar komen.
der marcrâve den andern nâch
gienc, unz er den künic sach,
und sîne swester, sküneges wîp.
er truoc daz swert umb sînen lîp.
141 Sînes komens hêten haz
  der künec und swer dâ fürsten saz:
  ir necheiner was sô wol geborn,
  sine widersæzen sînen zorn.
5 der marcrâve an den stunden,
  dez swert niht ab gebunden
  ruct er für sich in die schôz.
  sîns sitzens dâ bî in verdrôz,
  ich wæne, ir ieslîchen,
10 den armen und den rîchen.
  etslîcher wunschte in sus von im,
  ze Kânach od ze Assim,
  in die hitze ze Alamansurâ,

od widr ze Scandinâvîâ
15 übervroren in dem îse.
etslîch fürste wîse
wunschte im aber denne des,
daz er wær ze Catus Ercules.
sô wunschte in einer âne wer
20 ûf den wert inz lebermer,
der Palaker ist genant:
'sone wurder nimmer mêr bekant
decheinem Franzeise.
herverte und reise
25 die gein Oransche sint erbeten,
die hânt Francrîche erjeten
von der guoten rîterschaft.
ez enwart nie man sô künnehaft,
durch die wir dienen müezen.'
'nune wil er niemen grüezen,'
142 Sprach einer: dern bekandes niht.
'lâ sîn: dîn ouge hiute ersiht,'
antwurte im aber dirre dô,
'des etslîch fürste wirt unvrô.
5 er hât gewunnen aber schaden.
sîn swert beginnt in bluote baden,
ê wir unsich hinnen scheiden.
nu sint im aber die heiden
geriten alze nâhen bî.
10 vermaldît Oransche sî,
daz ir ie stein gemezzen wart.
man muoz im eine hervart
noch hiute swern oder lobn,
odr man gesiht in drumbe tobn.'
15 dô sprach abr ein Franzoys
'mîn hêrre solt im Virmendoys
lîhen unde Arraz.
nu sehet, wie wunderlîch gelâz

---

9. also *Kmnt,* so *lop.*   11. wænet *K.*   15. zehouwen und zehurt *lop.*
17. hiltze *ln.*   18. gab Rostigen *l,* gab noch lichten *op.*   25. Do er *op,*
der *Klmnt,* Und *x.*   messe het *op.*   26. kuneginne *K.*   27. anderen *K.*
28. gie *K.*   ersach *mox.*   29. eskuneges *K.*   30. umbe *K.*
141, 1. Sins chomns *K.*   hete er *l,* si heten *op,* heten si *x.*   2. swaz da *nopx,*
swer *l.*   furste *l,* ritter *x.*   was *lopx.*   3. ir *fehlt lop,* Der *t.*   4. widr
sazzen *K.*   6. dz *K.*   7. ruecht er *mn,* Rucket er *t,* Ructe *l,* Rachte *o,*
Strackte *p,* er zuchtz *K.*   in die *l,* in den *n,* inz *Km,* in das *t,* in sein *op.*
8. da pei im *opt,* in da bi *l,* da *mn.*   11. etzlicher wunschete *K.*   in *fehlt l,*
im *n.*   in *l.*   12. chanach *Klmo,* kanach *np,* shanach *t.*   asim *t,* Ahsim *m,*
achsim *o,* aschim *p,* kassin *l.*   13. zu alem. *n,* zalom. *t.*   14. scandinavira
K, schandinaria *n,* schandinania *op,* scandanania *l.*   17. wnschete *K.*
denne *fehlt K.*   19. in *ln,* im *opt.*   21. balacher *l,* balaker *t,* Ba-
lacar *op.*   22. wrdr *K.*   23. der cheinem *K.*
142, 1. der enbechandes *K,* der bekantes *ln,* der bechant sein *mop.*   2. noch heut
mnop.   siht *Kn.*   6. beginnt *o.*   7. uns *lnopt.*   10. Vermaldit *t,* ver-
maldiet *Km,* Ver maledijt *l,* Vir maledyt *n,* Vermaledeit *p,* Vermaledigt *o.*
11. gesetzet *l,* gemouret *op.*   13. odr *K,* und *lt.*   14. siht *lnopt.*   16. Ver-
mendoys *m,* firmendoys *lo,* Firmidoys *Kpt,* zampanoys *n.*   17. und *K.*

hât der kücne starke!
20 mîn hêrre im sîne marke
alsus erstaten solde,
ob er ruowe haben wolde.
sîn gebærde ist unbescheidenlîch.'
Irmschart und Heimrîch
25 dâ kômn mit grôzme gesinde:
vier fürstn ir zweier kinde,
siben tûsent ritter oder mêr,
die fuorte der alte fürsté hêr.
dâ wart von kamerære stabn
vil kûme alsölher rûm erhabn,
143 Daz diu alde fürstîn Irmschart
von Paveie ir fürvart
ûf dem palas gewan.
ir volgete manec werder man.
5 dô si în kom gegangen,
si wart mit kusse enpfangen:
daz tet des rœmschen küneges munt.
ir tohter an der selben stunt
si mit freuden kuste:
10 ir komens si wol luste.
dô der künec sîne swiger
enpfienc, zuo ir tohter nider
si saz. nu kom ouch Heimrîch,
der fürste krefte wol gelîch:
15 ein barûn truoc vor im sîn swert,
im volgete manec ritter wert.
der künec sîne zuht begienc,
er stuont ûf dô ern enpfienc,
und fuort in selbe mit der hant
20 dâ im vil schône wart bekant
der rœmschen küneginne kus;
dar nâch der künec in sazte alsus,
nâhe an sîne sîten.
an den selben zîten

25 Heimrîches süne viere,
von al den fürsten schiere
wart erboten werdeclîcher gruoz.
ieslîch fürste sitzen muoz:
als tâten d'anderen alle.
gein der hôhgezîte schalle
144 Vil teppch übr al den palas
lac, dar ûf geworfen was
touwic rôsen hende dicke:
den wurdn ir liehte blicke
5 zetreten: daz gap doch süezen wâz.
der marcrâve dennoch saz
als er zem êrsten dar was komn:
ir necheines gruoz het er vernomn,
die dâ gruozpære wâren.
10 dâ kunder zuo gebâren
als ir schiere sult gehœren.
sîne zuht begund er stœren,
der merken wolte sîniu wort,
diu er sprach vor dem künege dort.
15 al swîgende er gedâhte
'sît Terramêr mir brâhte
mit flust sô herzebæriu sêr,
so bekant ich freude nimmer mêr,
wan der mâze ich ir hie sihe.
20 mîme gelücke ich des gihe,
ez möhte noch ze krufte komn,
swie vil mir freuden sî benomn.
hie sizt mîn künne almeistic gar,
dar zuo ein wîp diu mich gebar.
25 ich wæn diu nimmer süle verdagen,
sine beginne Heimrîche sagen
daz ich sî ir beider kint.
mîne bruoder die hie sint,
erhœrent die mîn riuwe,
si begênt an mir ir triuwe.'

---

24. Iermschart *mo*, Irmtschart *l*, Iremschart *x*, Irmenschart *n*, Yrmengart *t*.
25. chomen *K*, chom *mnt*.   grozen *t*, grozem *die übrigen*.   26. fursten *alle*.
zweir *K*.   28. die *K*, ouch *lmnt*, Dar *op*.   fuor *t*, pracht *op*.
143, 5. für quam *l*, fur kom *t*, chom fur *op*, chomen für *x*.   7. rœmischen *Klmopt*,
romeschen *n*, *meistens*.   8. sei an *mn*.   9. Auch *mn*, Sei ouch *op*.
10. chomns *K*.   wol *fehlt l*.   geluste *lmopt*.   14. furste *Klx*, fürsten
mnopt.   18. der *K*.   er in *alle*, *nur n* her en *und t* er.   19. Er *lnx*.
22. 23. in sanfte alsus.   nahen sazte an *K*.   satzt in *vor* der *op*, Satzt *vor* nahen
x.   entsaz alsus *t*.   nahen *Kmox*, Nahent *p*.   25. süne *K*.   26. von]
übr?   27. Wart in *op*.   werder *op*.   29. die *alle*.   30. hohgezit *t*,
hochcite *nop*, hohzeit *m*, hohzit mit *l*.

144, 1. téppich uber *K*.   3. touwige *Klnp*.   4. da *Km*.   wrden *alle*.
5. Getret *l*.   14. von dem *K*.   18. erkante *lop*.   19. die maze die ich *l*,
als vil [als *o*] ich *op*.   ir *Kmoptu*, *fehlt ln*.   21. wol *lu*.   krufte *l*,
chrufte *K*, chruft *m*, chrefte *o*, kreften *p*, fruhte *nu*, frouden *t*.   22. frôude
lntu.   23. sizt *u*, sitzet *K*.   almaiste *o*, aller maist *m*.   25. wæne *K*
meistens.   niemen *K*.   28. bruder *K*.   29. Und *op*.   Erhœrnt *mopu*,
Hœrent *l*.   mine *Kntu*.

145 Er dâhte 'ich wilz nu wâgen.'
dô stuont er ûf durch pâgen.
über manegen schreit er dan:
dô stuont der zornebære man
5 für den künec und sprach alsô.
'hêr künec, ir muget wol wesen vrô
daz iu mîn vater sitzet bî.
nu wizzet, wærn iur eines drî,
die wærn ze pfande mir gevarn:
10 daz wil ich nu durch zuht bewarn.
der segen über d'engel gêt,
an swes arme diu hant stêt,
der teil ouch sînes segens swanc
über mînen vater alders blanc
15 und über die werden muoter mîn.
hêr künec, nu wænt ir kreftic sîn:
gab ich iu rœmsche krône
nâch alsô swachem lône
als von iu gein mir ist bekant?
20 daz rîche stuont in mîner hant:
ir wârt der selbe als ir noch sît,
dô ich gein al den fürsten strît
nam, die iuch bekanten
und ungern ernanten
25 daz si iuch ze hêrren in erkürn.
si vorhten daz se an iu verlürn
ir werdekeit unde ir prîs:
ine gestatt in niht deheinen wîs,
sine müesen iuch ze hêrren nemn.
dô kunde lasters mich gezemn.
146 Ouwê der missewende,
daz ich mîne hende
zwischen de iweren ie gebôt!
5 do genuzzet ir vil maneger nôt
die ich durh iweren vater leit,
maneges sturmes, die ich streit:

ich hân ouch vil durch iuch ge-
striten.
nu hân ich siben jâr gebiten,
daz ich vater noch muoter nie ge-
sach,
10 noch der decheinen, der man jach
daz si mîn bruoder wæren.
ich kund iuch wol beswæren:
durch mîne muoter lâz ichz gar.'
sîner bruoder sprungen viere dar:
15 die begundenn schône enpfâhen
und dicke umbevâhen,
swie ez dem künege wære bî,
Bertram und Buov von Kumarzî,
Schilbert und Bernart der flôrîs.
20 die manten in durch sînen prîs,
er solte zürnen mâzen.
si giengen wider und sâzen:
der marcrâve dennoch stuont.
dô sprach des rœmschen küneges
muont
25 'hêr Willalm, sint irz sît,
sô dunket mich des gein iu zît,
daz ich bekenne iu fürsten reht:
wan sît ich was ein swacher kneht,
sô lebt ich iwers râtes ie,
ouch liez mich iwer helfe nie.
147 Iwer zorn ist ân nôt bekant
gein mir. ir wizzet, al mîn lant,
swes ir drinne gert, daz ist getân.
ich mac gâbe und lêhen hân:
5 daz kêrt mit fuoge an iwern ge-
win.'
sîn swester sprach, diu künegin,
'ouwê wie wênc uns denne belibe!
sô wære ich d'êrste dier vertribe.

145, 8. wærn iwer *K*.   9. wærn *mptu*, wær *o*, wæren *Kln*.   16. Der *l*.
nu wænet (wänt *m*, wend *u*) ir *Kmnu*, wenet nu *l*, ir wænet *op*, uñ weinet *t*.
17. rœmsche *u*, rœmische *Klopt*, romesche *n*, Rœmisch *m*.   18. also smehem
u, solhem smehen *l*.   21. waret *Km*, wæret *t*, weret *n*.   als *Kmntu*, der
lop.   25. Dass iuch *u*.   in *fehlt lopt*.   26. dass *u*, daz si *Klmnopt*.
28. Ich engestatten in *t*, Ich enstatt in *mn*, Er liez si *l*, Ich erliezz seu
(sies *p*) *op*.   keinen *p*, kein *l*, keyne *n*, in dhaine *u*.   30. begunde *lo*.
146, 3. die *K*.   4. Da *lmtu*.   6. die *Ku*, den *lmnopt*.   7. durch iu *Ku*.
10. den (din *n*) man *lnopu*, dem *t*.   11. mine *Klnt*.   13. ich *l*, ich daz
mnop.   14. sine' *K*, Sinr *u*, Sine *t*.   15. begunden in *Kmn*, kunden in *lt*,
kunden *u*. Die in schon chunden *op*.   17. ez *fehlt op*, si *nu*.   ouch wære
op, wæren *nu*.   18. Berhtran *u*.   Buove *K*, Buof *m*, Buve *u*, bube *lnop*,
Bubi *t*.   Komarzi *t*, komerzi *l*, Comerci *op*, Commarzi *u*.   19. Kilbert *t*,
Gilbrecht *n*, Kyberg *u*.   der *fehlt p*, de *o*, von *nu*.   21. lazen *nu*.
24. rœmschen *u*.   munt *alle*, *Knp auch* stunt.   25. her' *K*.   willehalm *u*.
sint *Klnop*, sit *t*, sid *u*, seid *m*.
147, 3. drinn *mu*.   5. Da *u*.   nach fuoge *an lop*, alz in *x*.   iweren *K*.
sin *u*.   7. wenich *alle*.   belib-vertrib *Kmu*.   8. diu erste die er *K*.

mir ist lieber daz er warte her,
10 dan daz ich sîne genâde ger.'
des worts diu künegîn sêre en-
kalt.
swaz er den künec ê geschalt,
des wart ir zehenstunt dô mêr,
und jach si wære gar ze hêr.
15 vor al den fürsten daz geschach,
die krône err von dem houbte
brach
und warf se daz diu gar zebrast.
do begreif der zornbære gast
bî den zöpfen die künegîn.
20 er wolt ir mit dem swerte sîn
daz houbt hân ab geswungen:
wan derzwischen kom gedrungen
ir beider muoter Irmenschart:
des wart ir leben dâ gespart.
25 vil kûm diu küneginne gewant
ir zöpfe ûz sîner starken hant,
und huop sich dannen drâte
in ir kemenâte.
dô si kom innerhalp der tür,
dô hiez si balde sliezen für
148 Ein îsnînen rigel starc:
dennoch vor vorhten si sich barc.
dort ûze der künec Lôys
wær zEtampes ode ze Pârîs
5 oder ze Orlens gewesn,
od swa er et möhte sîn genesn,
gerner denne dâ bî im.
'ditz laster âne schult ich nim
von dem marcrâven. derst mîn man :
10 swaz ich dem hete getân,

der möhtz von mir den fürsten
klagn.
lît mîn wîp von im erslagn,
daz ist ein ungedientiu nôt
gein sölher rede als ich im bôt
15 und der i'm wolte sîn bereit.'
durh zuht, durh vorhte in allen leit
was unfuog diu dâ geschach.
dort inne es künges tohter sprach
zir muoter 'frowe, wie kumestuo?
20 wem gefuor ie künegîn sô zuo?
mînem vater dem daz rîche
dient, hart ungelîche
kumstu sînem hôhen namn.
du springest sô daz dir die lamn
25 möhten niht gevolgen.
wer ist dir dûze erbolgen?'
si sprach 'daz ist der œheim dîn.
hilf mir hulde, liebiu tohter mîn.'
der fürste ûz Narbôn dô gienc
alrêrst da er sînen sun enpfienc.
149 Versagens urloup sô bater,
dâ in Heimrîch sîn vater
enpfâhn und küssen wolde
er sprach als er solde
5 'mîn kus ûf Oransch ist belibn:
dâ hât mich Tybalt von getribn.
den rehten kus ze Oransche ich
liez,
dô Terramêr die sîne hiez
mir rezeigen grôzen zorn.
10 ich hân von sîner kraft verlorn
des ich immer unregetzet bin,
ez entuo dîn manlîcher sin

9. Mirst *u.*   10. denne *Kt.*   daz *fehlt l.*   siner *alle.*   gnaden *loptu,*
genaden *m.*   11. wortz *u,* wortes *K.*   sere *Kmnux, nach* wortes *l, fehlt op.*
12. beschalt *lpx.*   16. er ir *Kmutx,* ir *n,* er *lop.*   von irem houbte *l.*
ir prach *op,* prach *K.*   17. se *K,* s *m,* die *u.*   diu *K,* si *lmnoputx.*
19. zopfen *K.* ö *ux.*   20. Und wolt *nopx.*   22. Wan daz *lmnptx.*   drzwi-
schen *K,* zwischen *t.*   23. beidr *K.*   Irmschart *mop,* Irmengart *t.*
25. chume *Klnt.*   26. zoph *m,* zopfen *o.* ö *Kux.*   27. Si *loptux.*
28. chomnat *m.*   29. inrhalp *K,* inrethalp *u.*

148, 1. Einen *K.*   isern *ln.*   3. uzё *K,* uzen *t.*   der k.] roys *t,* Roys *u.*
lowys *t.*   4. wære *Kn,* Were er *l.*   ze Tampes *Kmop,* zu tampas *n,* ze
stěnpes *t,* zuo scampis *l,* zeStappes *u.*   6. et *hat nur K.*   7. gernr *K.*
8. dizze *K.*   9. derst *u,* der ist *K.*   10. Sprach der kunig *lop.*   11. Er *loptu.*
15. der ich im *o,* dem ich *K,* der ich *lmnptu.*   17. ungefuog *u,* ungefuoge *K.*
19. frouwe *fehlt lop.*   chumstu *Kmoptu.*   20. kunginne *K.*   so *Ko,* sus
mptu, alsus *n, fehlt l.*   23. Kantzt du sine *l,* Erchenstu seinen *op.*   24. springst
K, sprungest *lop.*   26. dir] der der *l.*   dauzz *o,* da uz *pu,* da uze *nt,* darzuo
Km, dir ist *l.*   28. huld *m,* zehulde *K, fehlt l.*   liebiu *tu,* liebe *lmnop,*
lieb *K.*   29. Narbon *Km,* Naribon *lotu,* narybon *np.*   30. alrerste *K.*

149, 1. urlobes *t,* urlobs *u.*   sô *fehlt t.*   3. enpfahen *Klmnu,* Enpfieng *opt.*
5. Oranshe *Kt,* orans *u.*   7. [kus *lt*] ich zuo orense (ze Oranshe *t*) liez *ltx.*
ze *lotux,* uf *Kmnp.*   ih *K.*

und dîn ûz erweltiu triuwe,
sô muoz ich herzen riuwe
15 vil gâhes bringen an den tôt:
ich liez Gyburge in sölher nôt.
mîn zwîvel giht, sol ichz gar sagn,
daz mîne mâge an mir verzagn.
nu hilf mir durch die stæten kraft
20 der dritten geselleschaft.
ich meine daz der vater bat
den sun an sîn selbes stat:
des was der geist ir bêder wer.
durch die drî namen ich ger
25 daz du dîne tugent bekennest
und dir mich ze kinde nennest:
sô stêt dîn helfe âne wanc
mit trôste mîner vreude kranc.
nu verzage niht durh der heiden maht:
du hâst prîs inz alter brâht.'
150 Der vater sprach 'wie stêt daz dir,
ob du zwîvel hâst gein mir?
dînen kumber wil ich leiden:
od dâ von muoz mich scheiden
5 grôz überlesteclîchiu nôt,
od ein sô starc gebot
daz die sêl vom lîbe nimt.
dîner manheit missezimt,
ob du zwîvel gein mir tregst
10 und unser triuwe under legst.
gar dîne flust und dîne klage
al balde ûf mîne helfe sage.
waz swerte drumbe erklingen sol!
der hœhsten hant getrûwe ich wol,
15 daz si drucke und ziehe mir den arm.
manec heidensch herze, diu noch warm
sint, diu werdent drumbe kalt.

ob der werde künec Tybalt
ûf dîner marke lît mit her,
20 man sol mich pî dir sehen ze wer.
wâ nu die von mir sint erborn?
ditz laster habt mit mir rekorn.
mîn sun ist gesuochet niht:
ich pin der des lasters giht.
25 swaz im ze schaden ist getân,
des wil ich mit im pflihte hân.
sag an, kœm du mit rîterschaft
an si? welh was der heiden kraft?
wie tetz mîn junc geslehte?'
der marcrâf sagt im rehte
151 'Ir hers mich bevilte.
der zende ûz zwispilte
ame schâchzabel ieslîch velt
mit cardamôm, den zwigelt
5 mit dem prüeven wære gezalt,
Terramêr und Tybalt
heten mangern rîter dâ,
und Arofel von Persyâ,
und Tesereyz, den ich ersluoc,
10 het ouch rîter dâ genuoc.
mir wart erslagen ûf Alischanz
der geflôrierte Vivîanz
und Mîle mîner swester kint.
ob ir zweier mâge in vreuden sint,
15 die hânt vil untriwe erkorn.
gevangen unde sus verlorn
ich dannoch einlef fürsten hân.
den heiden muos ich sige lân,
dô Gautiers und Gaudîn,
20 Hûnas und Gybalîn,
Bertram und Gêrart,
Hûes und Witschart,

---

14. ich *Kl*, min (*und* herce) *n*, mich *mopt*.   25. di *n*.   26. dir *nach* mich
t, *fehlt* *lop*.

150, 2. gein $_v$ *Kmntu*, an *lop*.   7. sele vome *K*.   9. 10. treist-leist *Kt*.
14. getrẇe *K*, getriuw *u*, getrew *m*.   15. und ziehe] biz *l*.   mir mit dē *op*,
mit ir *t*.   arme *t*.   16. haidens *u*.   daz noch warme *t*.   17. Ist. diu *t*.
19. Uf der *t*.   20. dich pi mir *K*.   21. geborn *lnopu*.   22. dize *K*.   26. pfliht
Kmt.   27. chœme *K*, kœme *t*, quem *l*, chæm *mou*, queme *np*.   29. tet *t*, tet
do *op*, tet ime *l*.   geslæhte *K*.   30. marcrave *K*, markis *n*, grave *t*.   ræhte *K*.

151, 1. mich *Kltu*, mich gar *mnop*.   2. der ze ende ûz zewispilte *K*.   3. eim
mn, Dem *tu*.   schafzafel *u*.   4. cardamome *K*, Cardemome *m*, kardemuem *n*,
kardimum *t*, gardymon *l*, kardamuomen *u*, kunigen *op*.   der *op*, mit *t*.   zwir
gelt *K*.   7. mænegern *t*, menigern *m*, mengern *u*, maninger *n*, manigen *lo*,
manchen *p*, noch mer *K*.   12. gefloriete *K*.   14. zweir *Kt*.   15. untr. (un-
trewen *p*) vil *opt*.   17. einlef *m*, einlefe *K*, aindlef *ox*, eilf *lnpt*, ailfe *u*.
18. den sig *t*, den sic (*und vor* muest ich den haiden) *op*, gesigen *x*.   19. Gau-
diers *m*, Gandiers *ox*, gaudirs *p*, gauders *n*, Kautiers *lt*, kautirs *u*.   20. kybalin *lt*,
Chibalin *x*, Gwibalin *u*, Gibelin *op*.   21. *nach* 22 *mn*, 21. 22 *vor* 25 *t*.
Berhtram *l*, Berhtran *u*, Berchtram *mopx*, Und Berhtram *t*.   Gerart *Km*,
gerhart *nt*, Scherhart *u*, witschart *lopx*.   22. Huese *K*, Huwes *u*, Hubes *op*,
gerhart *lop*, Tschirhart *x*.

und ouch mîn neve Jozzeranz,
und der Burgunjoys Gwigrimanz:
25 daz eilfte was Sansôn:
mit poynder maneger hurte dôn
und maneger niwer storje komn
hât si im strîte mir benomn,
daz ich niht weiz der eilver nôt.
Myle und Viviânz sint tôt.’
152 Drî starke karrâsche unde ein
　　　wagen
möhtenz wazzer niht getragen,
daz von der rîter ougen wiel.
Heimrîch stuont kûm daz er niht
　　　viel.
5 dâ wart an den stunden
manec clâriu hant gewunden,
daz si begunden krachen.
von herzen frœlîch lachen
durch Viviânzen wart verswigen:
10 sînen mâgen jâmer was gedigen.
　　dô sprach von Paveie Irmenschart
‘wie ist iwer ellen sus bewart?
ir tragt doch manlîchen lîp:
sult ir nu weinen sô diu wîp
15 oder als ein kint nâch dem ei,
waz touc helden sölh geschrei?
welt ir manlîche lebn,
sô müezt ir lîhen unde gebn,
und helfet dem der zuns ist komn,
20 des flust wir alle hân vernomn.

dâ hab wir mit im an verlorn.
die von Heimrîch sint erborn,
ob sîn künne ir prîs wil tuon,
sô wirt Willalm mîn suon
25 ergetzet swaz im wirret.
swen zageheit des irret,
der möhte sanfter wesen tôt.’
dem macrâven zorn gebôt
daz er dennoch sîne swester schalt,
diu etswâ unschulde enkalt.
153 Die minne veile hânt, diu wîp,
rœmscher küneginne lîp
wart dick nâch in benennet.
die namn het ich bekennet,
5 ob ich die wolte vor iu sagen:
nu muoz ich si durh zuht verdagen.
er schalt se et mêre denne genuoc.
ob er ie manheit getruoc,
oder ob er ie gedâhte
10 daz er sîn dienst brâhte
durch herzen gir in wîbe gebot,
ob er freude oder nôt
ie enpfienc durh wîbes minne,
an sînem manlîchem sinne
15 was doch die kiusche zuht betrogen.
ê wart nie rîter baz gezogen
und âne valsch sô kurtoys.
er jach, Tybalt der Arâboys
wære ir rîter manegen tac.
20 ‘dem werden künege ouch si wol mac

23. *nach* 24 *t.*　　ouch *fehlt t.*　　Joseranz *lmop,* Choserantz *x,* zuzzeranz *t.*
24. Burgunschoys *K,* Burgonschoys *m,* Burguntschoys *opu,* purgonoys *x,* burgenoys *n,* Burnzois *t,* Bygonois *l.*　　Wigr. *o.*　　25. daz *Km,* Die *l,* Der *opux,* Und der *n.*　　eilfte *lpu,* elfte *n,* einlefte *K,* einlifte *t,* ainleft *mo,* aindleft *x.* Sanson *Kt,* Sampson *lmopx,* samson *n.*　　26. ponder *lmopu.*　　27. nuwen storie *lnt,* storey (storien *p*) newes *op.*　　28. Hates *o,* Han si *t.*　　im *m,* ime *K,* in dem *ntu,* in *lop.*　　29. eilvir *n,* ailfer *u,* eilifer *t,* einlever *K,* ainlefer *o,* ainleifer *m,* aindlef *x,* eilfter *p,* eilften *l.*
152, 1. karraschen *l,* garrosche *K,* karruschn *t,* ..... sch *u,* charren *mop,* muele *n.*　　4. chume *K.*　　6. clariu *t,* clare *lopu,* edeliu *Km, fehlt n.*　　10. Siner mage *u,* siner manegen *K.*　　11. von Paveie *Kmn,* diu fürstin *loptu.*　　Irmsch. *p,* Iermsch. *mo,* Irmentsch. *l,* Irmeng. *t.*　　14. Wollet *l,* Wolt *p,* Welt *o.*　　15. nach einem *op.*　　17. werlichen *tu,* werdecliche *lop.*　　18. muezet *K.*　　19. und *fehlt lop.*　　zuns *Kmopt,* uns *ln,* iu *u.*　　22. erkorn *u,* geborn *lnop.*　　25. waz *opu,* des *l.*　　26. zagheit *Kmop. bis* des *weggeschnitten I.*　　27. der *fehlt I.*　　28. marcrave *K,* marhgraven *I.*　　30. eteswa.
153, 1. velle *K.*　　vaile habende *o,* veilhabnden *p.*　　2. romischer *I,* Rœmscher *u.*　　3. diche *K,* dicke *I.*　　nach in *Kmn,* also *Iloptu.*　　4. namen *I.*　　5. vor uoch wolde *lop.*　　wolde *I.*　　6. uerclagen *I.*　　7. si et *I,* se et *K,* z et *t,* s ot *m,* ot *n,* ..,. ht *u,* sei *op, fehlt l.*　　mer *Klmop.*　　9. ode *I, immer.*　　12. er *IKmntu,* er ie *lop.*　　13. ie *fehlt lop.*　　enphie *I.*　　14. an *fehlt Ilmnoptu.*　　Sin *lop.*　　mannelîchem *I,* manlichen *pu,* manliche *lo.*　　15. Was doch kiusche *t,* Warn der kauschen *op.*　　zuht *fehlt tu.*　　16. ê *Km,* ezne *I,* Ez *lop.* Io *u,* Jone *t,* Ja in *n.*　　17. 18. -oŷs *I.*　　18. Tybalt *I, immer.*　　20. ouch *nach* si *op, fehlt ln.*　　si *aus* so *gebessert I.*

bieten êr mit minnen lône.
er hât si dicke schône
mit armen umbevangen.
deist noch mêr regangen
25 ir man ze smæhe dan durch sie.
Tybalde ich Gyburge nie
het enpfuort, wan daz ich rach
daz unserem künege hie geschach.
swaz Tybalt hin geborget hât,
Gyburc daz minnen gelt mir lât.'
154 Dô kom des küneges tohter
Alyze. done mohter
sîne zuht nimmêr zebrechen:
swaz er zornes kunde sprechen,
5 der wart vil gar durch si verswign.
swes ir muoter was bezign
von im, wærz dannoch ungetân,
ez wære ouch dâ nâch fürbaz lân.
diu junge reine süeze clâr,
10 mange kurze scheiteln truoc ir hâr,
krisp unz in die swarten.
swers rehte wolde warten,
si was selbe swankel als ein rîs,
geflôriert in mangen wîs.
15 mit spæhen borten kleine,
die verwiert wârn mit gesteine,
het ieslîch drümel sîn sunder bant,
daz man niht ze vaste drumbe want,

als ez ein krône wære.
20 Alyz diu sældenbære,
man möht ûf eine wunden
ir kiusche hân gebunden,
dâ daz ungenande wære bî:
belibe diu niht vor schaden vrî,
25 si müese enkelten wunders.
einen gürtel brâht von Lunders,
wol geworht, lanc unde smal
(des drum tet ûf die erden val:
diu rinke ein rubîn tiure),
dâ mit was diu gehiure
155 Umbevangen an der krenke.
noch baz denne ichs gedenke
lât si getubieret sîn.
si gap sô minneclîchen schîn,
5 des lîhte ein vreuden siecher man
wider hôhen muot gewan.
  ir brust ze nider noch ze hôch.
der werlde vîentschaft si vlôch.
ir lîp was wunsch des gernden
10 und ein trôst des vreuden wernden.
swem ir munt ein grüezen bôt,
der brâhte sælde unz an den tôt.
von der meide kom ein glast,
daz der heimlîch und der gast
15 mit gelîcher volge jâhen
daz si nie gesâhen

---

21. bîeten *I.*   ere *K,* êre *l.*   minne *lmptu,* meinem *o.*   24. daz ist *IKmtu,*
Da ist *ln,* Ez₀ist *op.*   mêre *I.*   25. manne *I.*   denne *I.*   26. Kɪʙᴠʀɢᴇ *I,*
27. hete enphᵥeret.   25-27. ir man ze smæhe den durh die liebe sîn.
Tybalde ich Gyburge hin. nîe het enpfueret wan daz ich rach *K.*   28. hie]
îe *I.*   29. erworben *K,* geworben *t.*   30. Kʏʙᴠʀʀᴄʜ *I.*

154, 2. Alize *mn,* Alyze *tu,* Alŷse *Klop,* Aʟɪᴇᴢᴢᴇ *I.*   3. niemer *I,* nimer *m,* nie
mere *u,* niht mer *l,* niht mere *t,* niht me *op,* nicht *n.*   gebrechen *lmoptu,*
brechen *I.*   5. vil *fehlt I.*   uesswigen *I.*   6 bis 21 ûf *fehlt I.*   6. bezign
Ktu, gezign *lmnop.*   7. wære ez *K,* wærs *u.*   10. manege *K.*   schaitel
optu.   11. crusp *n,* Krausp *p,* Chraus *o,* Crispel *l.*   13. selbe *Ktu, fehlt
lmn.* So was si sw. *op.*   14. geflorieret *K.*   manige *lnu,* maniger *m,*
mæniger *t.*   15. porten *Kmp.*   16. die *und* wârn *fehlt l.*   verwieret *Klt,*
verwirret *mp,* verwierret *o,* gewiret *n.*   mit edelme *ln.*   staine *ot,* steinen *p.*
17. iegslichs *u.*   treubel *mnop,* drúber *u,* drobe *t,* crumbe *l.*   ir *lu,* ein
(*getilgt*) ir *t.*   18. niht ze *Ktu,* niht *lmn,* so *op.*   20. Alyze *mntu,* Alyse
Klop.   21. ein *I.*   22. chvsche hant han *I.*   23. ungenante *Klnopt,*
ungenant *Imu.*   25. Diu *Ioptu.* Daz meinte michel wunders *l.*   muose *IK.*
26. Ein *mnp.*   brâht *fehlt K.*   28. erde *I.*

155, 2. denne ich *I,* denn ichᴢn *m,* denne ich dran *t.*   3. Nu lat *l,* So lat
mn.   sî getubiert *K,* si getuppîert *I,* si getupiert *u,* si getuppieret *t,* sei
getoubiert *m,* ir lob gezieret *op.*   5. frôde sicher *I.*   7. bruste *K.*
8. werelde *K,* werden *l.*   ungeschaft si *Itu,* vreuntschaft si noch *op.*
9. wnsch des gerdent *I,* wunschende des gernden *l,* des wunschis geren-
den *n,* wunsches gernde *op.*   10. des frôde werdent *I,* ₀der vroude (frouden *t*)
werenden *nt,* der vreude (freuden *p*) wernde *op.*   11. grᵥz erbôt *I.*   12. brâht
solh sælde *I.*   13. magde *op.*   14. daz heimrich *K.*   heinliche *I.*

decheine magt sô wol gevar.
gein ir spranc snellîche dar
ir œheim Buov von Komarzî
20 und dennoch anderr fürsten drî:
die machten rûm der clâren.
alle die dâ wâren
begunden alle gemeine jehen,
daz dem grôz sælde wære geschehen,
25 swen dâ reichte ir ougen blickes
swanc:
dem wart dar nâch sîn trûren
kranc.
âne mantel in ir rocke gienc
diu magt, dô si mit zuht enpfienc
ir œheim. dô daz geschach,
vor sînen fuozen man si sach.
156 Sîn ougen begunden wallen,
dô er die magt sach vallen
nider an sîne füeze.
'enkelden ichs niht müeze
5 wider got,' sprach er hinz ir.
'wie kumstu, niftel, sus zuo mir?
jâ wære dem künege Terramêr
dîn fuozvallen alze hêr.
du bist des rœmschen küneges kint:
10 swaz hie rœmscher fürsten sint,
die sulen mich haben deste wirs.
niftel, nu gestate mirs,
daz ich in dîme gebote lebe:
dîn güete mir den rât nu gebe.
15 ob du mich niht spottes werst,
sô stant ûf: swes du an mich gerst,
des wil ich dir ze hulden pflegen.
du hâst mir werdekeit durchlegen.'
diu magt stuont ûf, er vienc si zim.
20 er sprach 'mit urloube ich nim
dîn lieht antlütze in mîne hant.
mîn kus dir schiere wære bekant,
wan daz ich kuss enterbet pin.

mîn beste minneclîch gewin,
25 den hât mir Terramêres kraft
umbelegen mit sölher rîterschaft,
daz mir der kus nu wildet.
got hât dich doch gevildet.
dâ von der walt sich swenden muoz,
enpfæht ein wert man dînen gruoz.'
157 Sô si aller beste kunde
Alyze ir rede begunde,
sô daz doch weinen was derbî.
dô sprach diu magt valscheite vrî
5 'ouwê mir dîner werdekeit,
diu noch nie unprîs erleit!
wem liez diu kiuschlîche zuht?
nu war hât wîplîch êre fluht,
wañ hin zer mannes güete?
10 œheim, dîn gemüete
hât sich ze gar verkêret.
wer hât dich zorn gelêret
gein der tumben muoter mîn?
diu doch dîn swester solte sîn,
15 ob sich diu kan versprechen,
wiltu daz danne rechen,
dâ von sich krenket unser art,
dâ von sint beide unbewart
ir werdekeit und dîn prîs.
20 ob ich dich dunke nu sô wîs,
du solt si mîn geniezen lân,
verkius swaz si dir hât getân.
des lâz ein teil durch mich geschehen
alhie, daz ez die fürsten sehen.
25 der selben bete ich fürbaz man
durch dîne muoter (diust mîn an)
und durch Gyburg die vrouwen mîn,
diu mich als ir kindelîn
hât dicke an ir arm genomn.
diust mir leider nu ze verre komn.'
158 Der marcrâve sprach 'liebez kint,
in dîn gebot dich underwint

---

17. dehein maget *I.*   18. snellichlîchen *I,* snellechliche *K,* snellich-
leichen *ot.*   19. oheim (29 ôheim) *I.*   Buove von Gomarzi *K,* Bÿbe
von komarzî *I.*   20. ander *I.*   21. macheten *K.*   23. Die *np.*   muosten
lop.   algemeinliche *l,* gemeinlichen *I,* meykliche *n.*   24. groze *K.*
25. erreichte *I.*   blickhes *I,* blicke *lo.*   wanch *op.*   27. ân mandel *I.*
gie *I.*   28. div maget *I.*   enphie *I.*   29. schach *weggeschnitten I.*
30. for *K.*

156, 6. ze *nur t.*   7. 8. Terramere-here *Kn.*   13. 14. leb-geb *Kmo.*   23. ent-
wenet *l,* in arbait *op.*   24. minen besten *Klmnt.*   minneclichen *t,* man-
lichen *l.*   28. doch *K,* so *mnopt, fehlt l.*   erbildet *l.*   30. enpfeht *K.*

157, 1 nach 2, *ohne* aller, *lop.*   3. dr bî *K.*   4. valsches *lnop.*   6. unpris
(unpreise *op*) nie *lop.*   7. diu *K,* du *lmnopt.*   chuscheclich *K.*   8. nu
fehlt lnopt.   12. zoren *K.*   13. tumpen *K.*   19. Din-ir *lopt.*   22. ver-
chiuse *K.*   24. da iz *m,* daz *l.*   25. ich dich *op und* (*ohne* fürbaz) *mn.*
26. 30. diu ist *K.*   27. Gyburge *K.*   30. mir *fehlt l.*   nu *fehlt lop.*

158, 1. markis *nop.*

mîns lîbes der hie vor dir stêt,
der ninder rîtet noch engêt
5 unz ich mit dînen hulden var.
nimstu bekenneclîche war,
wie mîn dîn muoter hât gepflegn?
diu möhte sich wol hân bewegn
des sich der künec gein mir bewac,
10 der mîn doch nie alsô gepflac
als ez em rîche zæme.
bin ich ir ungenæme,
doch möhte mîn wol werden rât,
wan daz si nu und dicke hât
15 mirs küneges helfe erwendet.
si wær des ungeschendet,
ob si jæhe 'deist der bruoder mîn.'
ez enmugen niht allez künege sîn:
si solte der fürsten schônen.
20 der næhst bî rœmscher krônen,
ich wæne iedoch daz sî mîn nam.
bin ich gedigen in ir scham,
die smæhe ich mir selbe erkôs,
dô ich den keiser Karl verlôs.
25 getorst ich ir ze swester jehen,
sô hete man mich baz ersehen
von ir munde enpfangen.
do ich für si kom gegangen,
gein ir gruoze ich dô niht neic:
daz was des schult daz sin versweic.
159 Waz solten d'andern denne tuon?
ich pin iedoch des selben suon,
der si für eine tohter zôch:
si möhte wol geleben noch
5 deiz wurde ein genôzschaft.
der künec hât alle sîne kraft
niht wan von mîner hant bejagt.
wære ich eine an im verzagt,

die in ze hêrren müezen hân,
10 ez wære et von in ungetân.
ich antwurte imz rîche,
dâ die fürsten al gelîche,
die minren und die mêrren,
et al die landes hêrren,
15 in sicherheite lebeten
und hazzes gein im strebeten.
niftel, daz tet ich durch sie.
nu stên ich alsô vor dir hie,
daz ich durch dîne komende tugent,
20 und die du hâst in dîner jugent,
dîner muoter schulde lâze varn.
ich wil ouch zorn gein ir bewarn.
bit si her ûz zuo den fürsten komn.
hab iemen hie von mir vernomn
25 dâ wandel nâch gehœre,
ê daz ich gar zestœre
dem künege sîne hôchgezît,
so ergib ich mich ân allen strît
gevangenlîche in dînen rât:
dîn gebot den slüzzel hât.'
160 Irmschart diu alde,
'nâch dîner muoter balde,'
sprach si ze Alyzen der magt.
'wirt nu niht von ir geklagt
5 diu dürren herzebæren sêr
die durch Tybalden Terramêr
an dîme geslähte hât getân,
ir sol getrûwen niemer man.
ganc mit ir, Buov von Komarzî,
10 und Schêrîns von Pantalî.
saget ir bescheidenlîche dort
den unverzerten jâmers hort
der ûf unserem künne ligt.
ob daz ir herze ringe wigt,

14. want *K.*   15. entwendet *lnp,* gewendet *o.*   17. daz ist *alle.*   18. Wir
mugen *mnop.*   nicht alle *mnop,* allez niht *K.*   20. næhste *K.*   rœmi-
scher *Kmn,* der *lopt.*   21. Man hatz da fur daz *t.*   23. selber kos *lmp,*
selben (selbe *o*) kos *not.*   26. het *K.*   30. siz versweik *ln,* si versweic *t,*
si geswaig *op.*

159, 1. dandrn *K.*   5. daz ez *Kmnt,* Daz ich *l,* Daz ir *op.*   10. ot *mp* und
(vor ungetan) *n,* doch *o, fehlt l.*   von im *lnop.*   13. merrn *K.*   14. et
Kl, Ot *mp,* Und *lno.*   20. und *fehlt lop.*   22. zoren *K.*   23. ûz *fehlt lopt.*
bis 27 *weggeschnitten l.*   29. *nach* 30 *t.*   gevangelich *J,* Gevangen [hie *op.*
vaste *t*] *lopt.*   an *Jnt.*   30. gebôt *J.*

160, 1. Iremschart *K,* Jʀᴍᴇɴsʜᴀʀᴛ *Jn,* Irmenschart *l,* Irmengart *t.*   2. ganch
nach *op.*   muter gang vil *n.*   3. var. sprach si *K.*   alysen *Klop,* Alize *t.*
3. 4. -aget *J.*   4. dir *Kl,* mir *t.*   5. Diu durre *t,* Die durr *op.*   herzenbære
Jpt, hertzebernde *o.*   sêre *Jt.*   6. die durch Tʏᴇʙᴀʟᴅᴇɴ ᴛᴇʀʀᴇᴍᴇ̂ʀᴇ *J.*
7. an dinem geslehte *J.*   8. getrwen nieman *K.*   9. gench *Jlt,* Gieng *m,*
Ge *op.*   Buef *m,* Buove *K,* Bᴠ̇ʙᴇ *J,* Bube *lopt.*   ᴋᴏᴍᴀʀᴢɪ *J.*   Gomarzi *K,*
komeci *l.* Cumarzi *m,* kumerci *n,* Comerci *op,* kormarzi *t.*   10. Sᴄʜᴇʀɪɴs
Jmn, Zerins *K,* Cerins *l,* Thezerins *o,* Theserins *p,* Teserins *t.*   11. bescheiden-
lichen *Jmop.*   12. unverzagten *lop.*   13. der uof ir geslehte liget *Jnt.*

15 sô ist ir wîplîch êre
zergangen immer mêre.'
Alyze mit urloube dan
fuor, mit ir die zwêne man,
Buove unde Schêrîns.
20 'mit rîchem solde wil ich zins
von mînem frîen lîbe gebn.
waz touc mir doch mîn altez lebn?'
sus sprach von Paveie Irmschart.
'ze Oransche ein hervart
25 ich von mîner koste tuon
dir ze helfe, lieber suon.
mîn hort ist ungerüeret:
des wirt nu vil zefüeret,
kan iemen golt enpfâhen,
swem daz niht wil versmâhen,
161 En teile durch dich, liebez kint,
swaz ahtzehen merrint
bysande mugen geziehen.
ich wil dir niht enpfliehen:
5 harnasch muoz an mînen lîp.
ich pin sô starc wol ein wîp,
daz ich pî dir wâpen trage.

der ellenthafte, niht der zage,
mac mich pî dir schouwen:
10 ich wil mit swerten houwen.'
'frouwe,' sprach der markîs,
'sît iwer triwe und iwer prîs
sô vollerclîchen rât mir gît,
sô dunket mich des gein iu zît
15 daz ir ouch hœret mînen rât.
ich weiz wol daz ir triwe hât.
sendet mir mînen vater dar:
der kan wol hers nemen war,
er strîtet ouch swa's nôt geschiht.
20 der helm ist iu benennet niht,
noch ander wâpen noch der schilt.
ob iuch des, vrouwe, niht bevilt,
gebt mir sus iwer stiure.'
do gelobt im diu gehiure
25 von silber und von golde
und von anderm rîchem solde
schœniu ors und wâpen lieht:
'sun, ich wil dich triegen nieht:
des antwurte ich dir genuoc,
vil mêr denne ichs noch ie gewuoc.'

16. iemer mêre *J.* 17. Alyse *Klop.* 19. Buove] *wie* 9. Scerins *Kmn,*
ʙꜱᴄʜᴇʀîɴꜱ *J,* zerins *l,* Teserins *ot,* Theserins *p.* 21. vriem *K.* geben-
leben *Jlnop.* 22. altz *K.* 23. suss (So *n*) sprach von Paveie *Kmn,*
[So *l*] sprach die furstinne *lopt,* diu furstinne sprach so *J.* Jʀᴍᴇɴꜱʜᴀʀᴛ
Jn, Jrmentschart *l,* Iermschart *mo,* Irmengart *t.* 24. Oransche *K,* Oʀᴀɴꜱʜᴇ
Jt, Orantsche *op,* Oranse *n,* Orense *l,* Orans *m,* Orens *x.* eine *l,* mein *x.*
her *fehlt J.* 25. Wil ich *opx,* Ich wil *lt,* mit *op.* 27. 28. *Jloptx, fehlen Kmn.*
27. min hort (*nachgetragen* ist unge) un min (*beide wörter durchstrichen, nach-
getragen* un) geruoret. *J.* ist *op,* ist noch *x, fehlt lt.*
161, 1. (D)en teile *J,* teilen *Km,* Ich teile *ltx,* Ich tail iz *op,* Teile ich *n.* vil
liebez *J.* 2. ahzehen *J.* 3. Besant *m,* pysande *Jp,* pisand *o.* zîehen
Ko. 4. ich ne wil *J.* 5. daz harnasch *Jt,* harnaz *K,* Sarwat *op.*
6. ich bin starch wol als ein wîp *J,* Ich pin wol ein [so *p*] starches weib
op. 7. bi dir wappen *J.* trag *Km.* 8. der ellenthafter *J.* der zage
Jmno (*J hatte erst* ein *z,* ein *ist durchstrichen und* den *von andrer hand überge-
schrieben*), verzag *Klp.* 9. mach *Jmnt,* Man mag *l,* man sol *K,* Der sol *o,*
Sol er *p.* bi *J.* 11. muoter *Km.* markÿs *J.* 12. triwe *Kmn,* hilfe *J,*
helf *opt, fehlt l.* 13. trost *lop.* 14. sô] nu *Jt.* 15. ouch *fehlt Jlopt.*
hôret *J.* 18. war—26. an- *weggeschnitten J.* 19. swa es *t,* wo es *ln,*
wo dez *op,* swâs uns *K,* swa sein uns *m.* 24. lobt *K.* 26. anderem *K.*
richen *lm.* 28. niht *K.* 29. ich antvrte dir des (dirs *t*) genuoch *Jt.*
30. vil *fehlt J.* ichs (ichz *t*) noch ie *Kt,* ich noch i *n,* ich dir des ⁿᵒᶜʰ
ie *l,* ich dir ez *l,* ichz ie *m,* ich sein ie *op.*

IV.

162 Welt ir nu hœren wiez gestê
umb den zorn den ir hôrtet ê,
wer den ze suone brâhte,
wie dem marcrâven nâhte
5 helfe unde hôher muot,
und wie ir lîp unde ir guot
und ir gunst mit herzen sinne
diu rœmisch küneginne
mit triwe ergap an sîn gebot?
10 des was dem marcrâven nôt,
daz Gyburge wol gelanc,
wan in minne und jâmer twanc:
waz phandes hete er lâzen dort!
nu prüevet ouch den grôzen mort
15 der ûf Alischanz geschach,
dar zuo daz vorhtlîch ungemach
dâ Gyburc inne beleip,
diu in nâch helfe von ir treip.
Gyburc was sîn liebstez pfant:
20 nâch ir im sinne und vreude swant.
ungedulteclîch er muoste lebn.
ein esse im niemen übergebn
kunde an sô bewandem spil.
diu flust der mâge twanc in vil,
25 noch mêr diu nôt der Gyburc phlac.
mitten in sîm herzen lac
gruntveste der sorgen fundamint.

er möht erbarmen die halt sint
des wâren geloubeu âne,
juden, heiden, publicâne.
163 Mich müet ouch noch sîn kumber.
dunk i'emen deste tumber,
die smæhe lîd ich gerne.
swenne ich nu rede gelerne,
5 sô sol ich in bereden baz,
war umbe er sîner zuht vergaz,
dô diu künegîn sô brogte,
daz er si drumbe zogte.
des twanc in minne und ander nôt
10 unde mâge und manne tôt.
Alîze was nu wider komn,
und het ir muoter wol vernomn
daz des marcrâven zorn
endehaft was verkorn:
15 doch wolte si se niht lâzen în.
si widersaz den mâ vesîn,
ir bruodr, den argen nâchgebûr.
si vorhte daz ein ander schûr
ûf si vallen solte:
20 durch daz si niht enwolte
den rigel dannen sliezen.
'jâ möht ich niht geniezen
des küneges noch der fürsten sîn,
dar zuo des werden vater mîn.

162, 1. wie ez *alle.*   gesche *n,* noch gestê *J,* ste *lt.*   2. umbe *JK.*   hortet
Kn, horte *op,* hort *mt,* hôret *J, fehlt l.*   3. 4. bræchte-næchste *o.*   4. Und
wie *lmn.*   marchgraven *J.*   8. Romische *Jlnpt.*   9. triwen *Jlop.*   ergab *J.*
gebôt *J.*   10. dem marcrave *K,* ouch Kybvrge *Jlopt.*   11. ob dem
marchgraven (markisen *op*) wol gelanch *Jlopt.*   12. wan in *Kmn,* den *Jlopt.*
iarmer *J.*   13. pfands *K.*   hêt *J.*   14. mort] *in J stand erst* hort.
15. der] da *J.* aLitschans *J.*   16. daz] der *Jm.*   grôzze *J.*
17. Kybvrch *auch J immer.*   19. liebstez *mop,* liebestez *Jn,* liebistez *K,*
liebez *t,* hohest *l.*   20. im [all *op*] sin froude swant *Jop.*   sin *t.*
21. ungedultechlîchen *Jt.*   muose er *Jlt.*   leben *J, immer vollständig.*
22. niemn *K.*   23. an sô] also *K.*   gewândem *Jlot,* gewagtem *p.*   zil *Klt,*
in J z übergeschrieben als verbesserung.   24. dwanch *J.*   25. noch *JKmn,* und
lop.   26. sime *K,* sinem· *J.*   27. der *fehlt J.*   fundamînt *J.*   28. mohte *J.*
163, 2. dvnche *J.*   ich iemen *alle,* ich *nachgetragen J.*   3. lîde *J.*   5. bâz-vergâz *J.*
6. zuhte *Jl.*   7. kuneginne *JK.*   brôgte-zôgte *J.* progete-zogete *K.*   8. dar
umbe *J.*   9. dwanch *J.*   andr *K.*   10. unde *fehlt K.*   uñ *Jlt,* uñ ouch *K,*
und lieber *mnop.*   11. Alyze *Jmn,* Alyse *lop.*   12. do hêt ir muoter *J,* Ir muter
het uch *n.*   vernomn — 20. si *weggeschnitten J.*   14. Endehafte *l,* ende-
leichen *op.*   erchorn *K.*   15. si sie (si sei *m,* si siu *t*) niht *Kmt,* si nicht
si *n,* si in niht *lop.*   16. des *n.*   mavesin *K,* mavisin *t,* mals vesin *n,*
mal visin *mp,* malvasin *o,* zorne sin *l.*   17. bruoder *alle.*   20. enwolde *J.*
21. dan (danne *t*) sliezzen *mt,* danne entsliezzen *J.*   22. Jone *t.*

25 tohter, hüet daz mir dîn vride
   iht verscherte mîne lide.'
   Alyze sprach 'mir stêt hie bî
   Schêrîns und Buov von Kumarzî:
   die hânt dort suone enpfangen:
   der zorn ist gar zergangen.'
164 Si liez die maget wol gevar
   dar în. duo saget ir rehte gar
   den grôzen jâmer Schêrîns
   und wie mit tôde gâben zins
5 ûf Alischanz ir mâge:
   'und dô der künec sô trâge
   den marcrâven hiute enpfienc,
   dô er durch klage für in gienc,
   frouwe, des enkultet ir.'
10 'ôwê,' sprach si, 'het er mir
   daz houbet mîn hin ab geslagen!
   sone dorft ich nu niht langer klagen:
   daz wære ein kurzlîcher tôt.
   ich muoz die berhaften nôt
15 und den wuocher der sorgen
   den âbent und den morgen,
   beidiu tag unde naht,
   ob mir ie triwe wart geslaht,
   tragen nâch mîme künne.
20 swer mir nu guotes günne,
   der wünsche et daz ich sterbe
   ê der jâmer mir rewerbe
   alsô herzebæriu leit,
   daz der unsin die wîpheit
25 an mir iht entêre.
   hân ich von Terramêre

die hôhen flust ûf Alischanz,
ey beâs âmîs Viviânz,
wie vil noch unsippiu wîp
dînen geflôrierten lîp
165 Suln klagen durch die minne!
pflac mîn bruoder sinne,
der was vergezzen an der zît
duo du under schilde gæbe strît:
5 der was noch dîner jugende ein last.
mir sol nâch dîme tôde gast
immer sîn der hôhe muot.
nu wol her die wellen guot!
des wil i'n geben alsô vil,
10 daz ander küngîn ir zil
niht durfen für mich stôzen.
mînen jâmer den grôzen
ræch ich, möht ich, schiere.
wâ nu soldiere?
15 swaz der in ræmschem rîche sî,
den künde, Buov von Kumarzî,
der ræmschen küneginne solt:
und denke ob si dir wæren holt,
unser mâge die wir hân verlorn.
20 was mînem bruoder hiute zorn
daz ich in sô swache enpfienc,
wîslîch erz doch ane vienc
daz ich mîn leben brâhte dan.
ich sol den künec und sîne man
25 helfe und genâde bitn:
sint die mit manlîchen sitn,
daz richet unser ungemach.'
si gienc her ûz, dâ gein ir sprach

---

25. huete *K*, huote *J*.   vrid-lid *Km*.   26. nieht *J*.   miniu *Kt*.   lîde *J*.
28. ESCHERINS *J*, Cerins *l*, Thezerins *o*, Theserins *p*, Teserins *t. so auch* 164, 3.
Buov] *wie* 160, 9.   kumarzî *Kn*, Cumarzei *m*, KOMARZÎ *J*, komerci *lop*, kormarzi *t*.
164, 1. lie *J*.   mage *K*.   gevár *J*.   2. du *n*, do *l*, diu *Jt*, die *op*, da *m*, so *K*.
3. Von grozzem iamer und thez. *op*.   4. und *fehlt Jlopt*.   5. uof alitschans *J*.
7. marchgrâven *J*.   8. mit *lop*.   10. owi *K*.   11. hin *JKmt*, her *l*, da *o*,
fehlt np.   abe *J*.   12. so enbedorft ich ni. niht *J*.   længer *Jmp*.   13. Ez
lop.   14. ic. *J*.   15. den] diu *J*.   17. beide tach uñ nâht *J*.   18. geslâht *J*.
19. mînem *J*.   21. ét *J*, ot *m*, mir *op*, *fehlt lnt*.   22. der] daz *J*.   erwêrbe *J*,
erw. *alle aufser K*.   in mir *J*.   26. TERREMÊRE *J*.   27. uof ALitschans *J*.
28. besamys *K*, bevs amys *t*, suezz Amey *m*, suze amis *n*.   Viviáns *J*.
29. ungesippe *J*, ungesipteu *op*.   30. ritterlichen *t*.
165, 1. Schuln *J*, Sulen *K*.   die *fehlt t*, dine *l*.   3. vergezzēn ander *J*.   4. du du *Jn*, do
du *Klmopt*.   under dem schilte *J*.   5. ivgende *J*, tugende *p*.   glast *K*.   6. dinem *J*.
7. iemer *J*.   -he *bis* 15 der *weggeschnitten J*.   8. der welle *t*.   9. sol *lop*.
ich in *Kn*, ich *lmopt*.   als *t*, so *mn*.   10. kunige *t*.   15. ræmischem *Klmnot*,
Romischen *Jp*.   sin *K*.   16. Bube *J*. kumarci *n*, kumarzin *K*, Cumarzei *m*,
KomARzi *J*, komerci *l*, Comerci *o*, Comerzi *p*, Kormarzi *t*.   17. Ræmischen *oder*
Romischen *alle*.   18. unde *J*.   19. di *K*.   verlórn-zórn *J*, verloren-zoren *K*.
21. 22. enphîe-ane vîe *J*.   22. er iz *K*.   do *Kl*.   23. mîn] daz *J*.   brâhte
mit â *J*.   24. *fehlte in J, ich sol den kvnic vñ ist von jüngerer hand auf einer
leeren stelle nachgetragen, dahinter ein ursprüngliches grofses und vom schreiber
übersprungenes loch*.   25. helfe vngenâde bitten (vn *ausgestrichen und von der
jüngern hand* licher *darüber geschrieben*) *J*. bittn *K*.   26. ellenhaften sîten *Jt*.   28. gie *Jop*.

der marcrâve Willalm:
trûrc was sîner stimme galm.
166 'Nu müeze senften iweren zorn
der ame kriuze het den dorn
ûf dem houpte zeiner krône.
welt ir nâch sîme lône
5 mit decheime dienste ringen,
ir sult die triwe bringen
für in ame urteillîchem tage,
daz ir nâch den sît in klage,
die wârn und iu verchsippe sint,
10 iwer bruoder unde iur swester kint,
drîzehen von iwer art,
die mir Terramêrs übervart
nam: er vant uns doch mit wer.
sunderstorje unt sunderher
15 und mir von sunderlande komn
ieslîcher, die hât mir benomn
der hôhe rîche Terramêr.
nu tuot gein sîner zeswen kêr,
der Adâmen worhte:
20 iwer künn daz unrevorhte,
gotes unverzagtiu hantgetât,
die mir Terramêr getœtet hât,
die ergebt an gotes bärme grôz,
und mant in daz er durch uns gôz
25 ûf d'erde ûz sînen wunden bluot.

ob er nu helfeclîche tuot,
so erbarme ich sîne gotheit.
vrouwe, ez solt ouch iu sîn leit
daz ich pin trûrens unrelôst,
und gæbet mir etslîchen trôst.'
167 'Owê wem solt ich trœsten gebn,
ode war zuo touc mîn lebn?
mîn funden vreude ist flüstec,
mîn hœhe ist niderbrüstec:
5 mir wehset nu gelîche ein leit
der Anfortases arbeit,
der quâl von sîner wunden,
die er ze mangen stunden
bî grôzer rîcheite truoc.
10 ich het ouch werdekeit genuoc
von der rœmschen hœhe kür,
ê ich ûf Alischanz verlür
den undersatz der hœhe mîn:
der muoz nu sîgende sîn.
15 wie hân ich armez wîp verlorn
helde die von mir reborn
wâren unde ouch ich von in!
ouwê vreude, dîn gewin
gît an dem orte smæhen lôn.
20 ey Heimrîch von Narbôn,
waz was erblüet ûz dîner fruht
kiusche, milte, manheit, zuht!

29. wilhalm *lmopt*, ᴡɪʟʟᴇʜᴀʟᴍ *Jn*.　30. trurich *K*, truorich *J*.
166, 1. iwern *J*.　2. an dem chruoce *J*.　3. uof sinem houbet ze einer chrône *J*.
4. sinem *J*.　5. deheinem *J*.　6. triwe *mit ausgekratztem* t *J*.　7. an dem *J*.
urteilleichem *Jm*, urtellichem *K*.　8. den *Jmnt*, in *Klop*.　9. wâren
(warn *m*) uñ iu *JKmn*, wærn. und iuwer *t*, uower waren und *l*, euch von *op*.
10. brueder *K*.　iwer *JK*.　11. iwerr *Km*.　12. ᴛᴇʀʀᴇᴍᴇʀs *J*.　13. Bnam.
er *t*, Benamen er *l*, Benam und *op*. mit *Kmn*, in *l*, pei *op*, niht âne *J*.　14. Mit
s. *Kmn*. sunder storye *J*. uñ *Jlop*, mit *Kmn*. under *t*. sunderm her *K*,
sunder her *J*.　15. Und us *l*, Die mir von *op*. sunder lande *J*, sunderem
lande *Kmn*, sunder landen *t*, sundern landen *lop*. chômen *J*.　16. ieslicher
die (da *K*) hat mir *Kmnt*, ieslich (*durchstrichen, verbessert* der helfte) hat mir
die (die *durchstrichen*) *J*, Durh helfe die hat mir (hant mir *l*, mir hat *o*) *lop*.
17. der rîche hôhe *Jt*, Der reiche kunick *op*.　ᴛᴇʀʀᴇᴍᴇ̂ʀᴇ *J*.　18. chere *J*.
20. Unser *lop*. chunne *JK*. unerforhte *J*.　22. ᴛᴇʀʀᴇᴍᴇʀ ertoetet *J*.
23. in *J*. gots *K*.　barme *n*, bærmde *J*, erbærmede *t*, erbermde *l*, erbarmde *p*,
parmung *mo*.　24. mânte *J*.　25. die erde *J*.　26. helflichen *Jmop*.　27. er-
barme ich *Jmn*, erbarme mich *K*, erbarme es *l*, erbarme *t*, erparmet *op*.
sîne *Jnt*, sin *Kl*, seiner *mop*.　28. sol *Jlm*. ouch *nachgetragen J*, *fehlt l*.
wesen *Jl*.　29. daz ich (*dann lach* [bin *Pfeiffer*] *durchstrichen*) trûreus (*dann
nachgetragen* bin un) erlôst. *J*.　30. gæbet *K*, gebet *t*, gebit *n*, gebt *lmop*.
30. *bis* 167, 20 Hei *weggeschnitten J*.
167, 1. 2. Owe wem toug min leben Daz mir got hat gegeben *l*.　1. sol *opt*.
trost *opt*, trost nu *n*.　2. ord *K*.　waz touch nu *mn*.　3. 4. flustich-nidr
brustich *K*.　6. anfortasses *lt*, Anfortass *m*, anfortasen *op*, Anfortas *K*.
7. qwale *Knt*. sinen *lnop*.　11. hœhe *K*, hohen *mnop*, hoher *t*, *fehlt l*.
13. undrsaz *K*, wider satz *no*.　14. Deu *m*, Die *lopt*.　15-17. han ich
armez wip verlorn helde di von mir erborn waren vñ ich von in *J*, *auf dem
äufsern und untern rande von jüngerer hand nachgetragen*.　16. erborn *t*, erworn
m, geborn *lnop*.　18. vr.] iamer *t*.　19. ende *opt*.　20. ɴᴀʀɪʙᴏɴ *J*.
21. was *fehlt lop*.

32*

mirst ze fruo misselungen
an dem clâren jungen,
25 den diu küngîn Gyburc mir benam
und in rezôch als ez ir zam.
diu süeze von sîm blicke
noch manegem wîbe dicke
sol füegen klagehafte nôt.
ey wie getorste dich der tôt
168 Ie gerüeren, Vivîanz,
unt daz er lât mîn herze ganz?
bruoder markîs, trûric man,
ich sol dich trœsten als ich kan,
5 dar nâch als ez mir drumbe stêt.
nu geloube daz mir nâhe gêt
diu swære vlust unserr art.
wâ nu, von Paveie Irmenschart?
gedenke ob du mich habst getragn,
10 hilf mir diz leit mit triwen klagn.'
abe sprach diu künegîn
'mîne bruoder die hie sîn,
gedenket daz wir sîn ein lîp.
ir heizet man, ich pin ein wîp:
15 dan ist niht underscheiden,
niht wan ein verch uns beiden.'
'trage wir triuwe under brust,
wir klagen unser gemeine flust,
Heimrîs und ich, wir zwei,'
20 sprach Irmschart von Pavei,
'mîne süne hie od swâ si sint.
ir sît mîn frouwe und ouch mîn kint.
wir loben des got und sagen im danc,

daz iuch nu ân valschen kranc
25 erbarmet unser fliesen.
alrêrst nu sul wir kiesen
ob irz der fürsten vrouwe sît:
sô klagt ûf Alischanz den strît
dem der rœmisch krône tregt,
ob in iwer dienst erwegt.'
169 'Frouwe,' sprach dô Heimrîs,
'mînen sun den markîs
und swaz ir ander bruoder hât,
die sol durch wîplîchen rât
5 nu bevogten iwer hant.'
dâ stuont Bernart von Brubant
und Buove von Cumarzî
unde Gybert, die drî:
der vierde was Bertram:
10 diu künegîn die alle nam,
die vieln dem künege an sînen fuoz.
si sprach 'durh nôt ich werben muoz
helfe sô helflîche,
diu den fürsten unt dem rîche
15 werb nâch hôhem prîse,
daz ir dem markîse
gestêt durch iwer êre,
sô daz ir Terramêre
ze Oransche leger wendet.
20 iuch und daz rîche er schendet.'
'frouwe, ir vart mit tumben
sitn,'
sprach der künec, 'welt ir dem
helfe bitn,

23. mir ist *JKlmot*, Mir (*dann ist nach* vru) *np.*   24. claren suozen *lo*, suezen
claren *p.*   25. diu kuneginne (Kybvrch *J*) Gyburch *JK*, vrowe kyburg *n*,
kiburck mein swester *op.*   26. irzoch *J.*   ez haben nur *Kt.*   ir wol *lnop*,
ir daz *J.*   27. sime *l*, sinem *JKmnpt*, deinem *o.*   29. chlaghafte *K*,
chlagebære *J.*   30. getorst. *J.*

168, 2. daz erleit *J.*   let *mn.*   4. ob ich *Jlopt.*   5. dar umbe *J.*   5. 6. -ât *J.*
6. nâhen *J.*   7. svͤre *J*, sure *lm*, suezze *op*, fruo *t.*   umb unser *lop*, von un-
serm (unser *Jnt*) *Jmnt.*   8. Pâue Irmshart *J.*   9. daz *lop.*   hast *Jlopt.*
10. ditze *J, immer.*   11. Aber *Jmnt* (*das* r *in* J *nachgetragen*), Also *lop.*   13. nv
gedenchet *J*, Nu dunket *t.*   15. Da *Jt*, Daz *l*, Daz in *n*, Dem *op.*   niht *in J
durch puncte getilgt.*   16. niht *fehlt mnt.*   ein *nachgetragen J.*   werch *J.*   17. tragen
J.   wir *fehlt K.*   18. So clagen (chlagen *J'*) *Jlopt.*   19. Heimrich *lmnopt*,
Heimrichs *J.*   ich *fehlt J.*   21. min *J.*   ode *J, immer*, oder *K.*   22. vroude
lp, vreund *o.*   23. sagens *lnpt.*   24. âne *J.*   26. alrest *Km.* sol *K*, svln *J.*
27. der vrouwen furstinne sît *K.*   sît *bis* 169, 17 durch *weggeschnitten J.*
29. Rœmische *Knpt*, die Romischen *l.*   treît *Km*, traget *op*, trage *t.*   30. Waz
ob *lopt.*   erweit *K*, erwaget *op*, erwage *t.*

169, 1. Zuo der kunigin *lop.*   3. ir *Kt*, er *lmnop.*   4. sulen *lnop.*   5. beschirmen
lop, koume zu *n.*   8. kylbert *lt*, Gilbert *o*, Schilbert *p.*   9. daz was *mnop.*
10. kuneginne *K.*   11. Und *lmop*, Si *t.*   vieln *m*, vielen *Kn*, viel *lopt.*   13. Nach
helfe *op.*   helfechliche *Klmt.*   14. Die *lmnop.* dem *mop.* furst *K.*   15. werb
m, werbe *Kpt*, Werben *lno.*   18. Terremêre *J.*   19. Oranhc *J.*   lêger *K.*
erw. *t.*   20. iuch *fehlt J.*   erschendet *J.*   22. sprach der kunich (kunech *K*)
JKt, Der kunig sprach *l*, *fehlt op*, Daz ir dem *mn.*   wellet *m*, wollet *ln.*
ir dem *fehlt mn.*   dem helfe *fehlt l*, der helfe *J.*   umb helfe *op.*

der an iu hât entêret mich.
het er baz enthalten sich,
25 daz gediend ich, möht ich dienst hân.
er ist iwer bruodr und ist mîn man:
waz moht iu daz ze staten komn?
er hât mir êre ein teil genomn.
daz muoz nu sîn. stêt ûf,' sprach er:
'ich berâte mich umb iwer ger.'
170 Uf stuont diu sêre klagende.
dâ von was si bejagende
daz si ir bruoder helfe erwarp;
des sît ûf Alischans erstarp
5 manec werder Sarrazîn.
alsô sprach diu künegîn.
'swaz ich hie fürsten mâge hân,
die gelîch ich dem armman,
den grâven und den barûn.
10 ob halt ein wackerr garzûn
von mîme geslähte wære erborn,
derne hete sippe niht verlorn.
swer mir diz leit hilfet tragen,
der sol mir billîch armuot klagen:
15 den verteg ich alsô mit habe,
daz er niht darf wenken abe.
daz sî den vremden ouch benant,
er sî rittr od sarjant,
turkopel, od swer ze strîte tüge.'
20 ob diz mære iht verre flüge?
ez warp mit kraft die helfe grôz,
dês diu süeze Gyburc wol genôz.
dô sprach Bernart von Brubant

'ob ich helflîche hant
25 mit gâbe odr in strîte
ie truoc ze heiner zîte,
die hân ich noch (es wirt nu nôt)
und wil se füern in sîn gebot,
mîns bruoder der uns trûrc ist komn:
ich hân die flust mit im genomn.'
171 Dô sprach sîn bruoder Bertram
'mirst vreude wilde und sorge zam.
ouwê war kom mîn hôher muot?
ich hân starken lîp und fürsten guot,
5 und ze mîme gebot die rîterschaft
der gêrt sol sîn diu gotes kraft:
daz mac mich allez niht entsagen,
ine müeze in mîme herzen tragen
leit, daz immer twinget
10 unz mich mîn bruoder bringet
an die stat dâ ich râche tuon
umbe Mîlen mîner swester suon
und umb den clâren Vivîanz.
ouwê,' sprach er, 'Alischanz,
15 daz de ie sô breit und ouch sô
sleht
würd, dâ mîner vreude ir reht
ûf wart gebrochen!'
sîn ougen wârn entlochen,
daz ieslîch zaher den andern dranc:
20 ir valln im ûf der wæte klanc.
dô sprach sîn bruoder Gybert
'bin ich an daz ampt wert
under schilt und mit dem sper,

23. entêrt *JK*. 24. enthâlten *K*, enthalden *J*. 25. gediente *J*. mohte *J*.
dienest *J*. 26. br̈der *J*. 27. Daz enmohte niht zuo *l*, Waz mag ich im ze
op. mohte *J*, möht *K*. 27. 28. -ômen *J*. 28. benomen *lnpt*. 29. Daz
laze ich *lop*. stæt. auf·spranch er (*ohne* sîn) *op*.
170, 3. ir] in ir *Jmot*. . bruodr *K*. 4. ALITSCHANS *J*. 5. werdr *K*. 6. alsvs *J*.
7. fursten mage *Jlnt*, fursten mag ge *op*, mag fuersten *m*, zemage furste *K*.
8. armen man *Jlnop*. 9. dem-dem *Km*, der-der *Jt*. 10. wacherr *K*, swacher
Jlmnopt. 11. minem *J*. geb. *lnop*. 12. Der hete die *lopt*, den hete div *J*.
13. ditze *J*. vor tragen *ist* rechen *durch punkte getilgt J*. 15. 16. *fehlen t, in
J am äufsern rande nachgetragen und durch beschneiden des blattes verstümmelt.*
15. vertg *K*, vertig *m*, vertige *ln*, verleg *op*. hab-ab *K*. dar abe *J*.
17. fremeden *J*. 18. ez sî *J*. ritter ode *J*, ritter odr *K*. scariant *m*.
19. ode *J*, odr *K*. swer] waz *op*, swie (*und* er tuge) *l*. vor tvge in *J* icht
nachgetragen. 20. ditze *J*. 21. Ez erwarb *lop*. die *fehlt* '*Jlnp*, solch *o*.
23. BERNHART *J*. 24. ich ie *lop*. helfeliche *l*, helfechliche *Kt*. 25. be
weggeschnitten J. 26. ie *fehlt op*. getruog *lnopt*. 27. des wirt nu *t*, iz wiert
nu *m*, wirt euch ir *op*, oucb wer ir *l*. 28. unde hilfe fueren *K*. se *o*.
29. mines bruodr-trurich *K*.
171, 2. Mirst *n*. unde ist sorge *K*. 6. Des *pt*, Daz *o, fehlt l*. geeret *K*.
9. mi'emer *Wackernagel*, mich immer *npt*, immer *Klmo*. 10. E mich *t*.
11. in die *K*. 15. du ie *lmnt*, diu ie *K*, du *op*. ouch *fehlt lop*, al *n*.
16. wrde *K*. 18. warn *Km*. 19. anderen *K*. trang *lmp*. 20. vallen
Kmn, val *lopt*. die *lnp*, daz *t*. wat *p*, gewant *t*. erclang *lopt*. 21. kybert
l, Kilbert *t*, schilbert *op*. 22. an] der *o*. daz ander *op*. gewert *n*.

bruoder, des bin ich dîn wer.
25 unde ob ich gedienet hân
inder sô getriwen man,
daz ich in nu gemanen mac
ob ie sîn trôst an mir gelac,
des wirstu innen, sol ich leben.
ich wil ouch ûz fürsten henden
　　geben.'
172 Dô sprach Buov von Kumarzî
'alrêrst bin ich nu worden vrî
vor vreuden. daz muoz immer wern:
welhes trôstes sold ich gern?
5 mir ist vreude und trôst erstorben:
mir hât Tybalt erworben
mîns hôhen muotes siecheit
und daz unzergangen leit
und siuftic mîniu komendiu jâr:
10 daz muoz mir geben grâwiu hâr.
nu prüeve swem daz sî bekant,
ob von eime strît toufbæriu lant
ie so manegen helt verrêrten
und den jâmer sus gemêrten.
15 bin ich die lenge in sölher klage,
sô wænt mîn bruodr ich sî ein zage.
mîn helfe ist im doch stæte,
swaz mir tuot oder tæte
diu sorge mit ir überlast.
20 ich wil im manegen werden gast
hin ze Oransche füeren
und alsô mit swerten rüeren
daz si Gyburc hœre klingen.
für wâr ich wil im bringen
25 tûsent gewâpendr orse dar,
diu man siht an mîner schar,
und drûf liute die durch mich
bietent slag unde stich,
oder swie der heiden strîtes gert,
er füere bogen oder swert.'

173 Zem künege sprach dô Heimrîch
'hêrre, nu tuot dem gelîch
daz ir hôhgezît hât.
durch unser klage daz niht lât:
5 got mag uns wol ergetzen.
heizt die fürsten setzen
und dienen âne schande.
hie sint von mangem lande
fürsten wert unde hôch:
10 swie vreude uns fliuhet oder flôch,
mich und mîn geslehte,
swer die geste handelet rehte,
des sulen si niht enkelten:
wan si hânts genozzen selten.'
15 der künec zen ambtliuten sprach
'durch der wirtîn ungemach
und durch die ander die hie klagen
schulen wir des niht gar verzagen:
ich wil die hôhgezît hân.
20 seht wie ir mîne werde man
wol setzet, unde nemet des war
daz ir dise und die [hôhen] gar
setzet nâch mînen êren:
ir sult iuch selbe lêren.
25 des ist nu tâlanc niht ze fruo.'
balde wart gegriffen zuo,
mit spæhem getihte
wunderlîchiu tischgerihte
man ûf ze vier orten truoc
und gap mit zuht dâ nâch genuoc.
174 Diu künegîn zir bruoder gienc:
ir hant er in die sînen vienc.
er hetz harnasch dennoch an.
si fuorte den siuftebæren man
5 mit ir ze kemenâten wider.
zuo ein ander si dernider
vors küneges bette an eine stat
in diu künegîn sitzen bat.

25. verdienet *op.*　26. indr *K*, Indert *op*, Dekeime *l.*　30. hende *t.*
172, 1. Buove *K immer.*　2. alreste *K*, Alrest *m.*　nu *fehlt lopt.*　3. mueze *K.*　5. unde
der trost *Km.*　7. sigeheit *l.*　11. pruevet *lnop.*　12. strite *K.*　13. 14. verrerte-
gemerte *opt.*　14. dem *K, fehlt op.*　16. wænet *K.*　20. sol *lop.*　25. gewap-
pent örse *lop*, ors gewapent *n.*　26. Diu *t*　in *lopt.*　29. 30. *fehlen K.*
173, 4. niht daz *l*, dez (der *n*) nicht en *nop.*　6. Nu *lopt.*　heizzet *Klnopt*,
Lazzet *m.*　7. dienet *l*, dienen in *o*, in dienen *p.*　8. sin *K.*　9. werde
lopt.　10. odr *K.*　13. die sulen si *l*, Si sullen dez *op.*　14. Dez si
hant *op*, Si hant *l.*　17. durch die andr *K*, durh ander *lmop*, durch andern *t*,
der andren *n.*　18. niht gar *Kmn*, niht *lt*, doch nicht *op.*　20. wie *K*, daz
lmnopt.　werden *lnopt.*　22. dis *mo*, disen *t.*　und den *t*, und die den *l.*
werden *lnopt.*　23. Dienet *t*, Wol dienet *l.*　25. 26. *fehlen lop.*　27. Spæhiu *t*, Spehe *l*, Speise [und *o*] *op.*
spehem *K*, Von wunderlichem *lopt.*　28. Spæhiu *t*, Spehe *l*, Speise [und *o*] *op.*
174, 1. zier *K.*　2. Sein hant si *op.*　in sine *l*, in seinen *m*, mit der sinen *n*,
in die iern *op*, in die sine er *t.*　3. Swie noch (doch *t*) der halsberg were
daran *lopt.*　5. ze *Kt*, zer *mn*, zu ir *op*, us der *l.*　6. Zuzein ander satzten
sie sich nider *t*, Minnechleichen pei ein ander nider *op.*　si *fehlt lop.*
7. einer *lt.*　8. Da in diu *t* kuneginne *K.*

juncfrouwen und junchêrrelîn
10 sus gebôt diu künegîn,
daz siz harnasch und diu wâpenkleit
von im næmn. dâ was bereit
von pfelle kleider tiure.
Alîze diu gehiure
15 zir muoter sprach 'heiz bringen her
gewant daz durch mîns vater ger
im selbem hiute wart gesniten:
mînen œheim solt duz tragen biten..'
mit zuht der marcrâve sprach
20 'vrœlîch gewant und guot gemach,
des wil ich haben mangel,
die wîl diu sorge ir angel
in mîn herze hât geschoben.
mit swerten wart von mir gekloben
25 freude und hôhgemüete.
vrowe, durch iwer güete,
nu erlât mich guoter kleide,
die wîl mir alsô leide
durch flust und nâch Gyburge sî.'
175 'des lasters wurde ich nimmer vrî,
Soldestu nacket bî mir gên.
bruoder, kanstu dich verstên
wiez dîne genôze meinden?
vil spât si sich vereinden
5 daz si mir drumbe gæben prîs.'
si gebôt daz der markîs
den pfelle von Adramahût
leite übr ungestrichen hût.
dô wârens ungelîche lieht.
10 der marcrâve engerte nieht
daz sîn bart vel oder hâr
iht wære wan nâch îser var:
Alyze was im ungelîch.
er fuort die küneginne rîch
15 her ûz: ir tohter gienc vor ir.
niht baz wart bescheiden mir,
wie die fürsten sâzen

innen des dô se âzen.
der künec sazte einhalp sîn wîp
20 und Alyzen diu den clâren lîp
truoc. dar nâch er niht vergaz,
sîn sweher anderthalben saz,
und des wîp vrowe Irmschart.
ir sun, der harnaschvarwen bart
25 truoc, den bat si zuo zir komn.
der sprach 'mir hât Tybalt benomn
swaz ich gesellen mohte hân:
mînen wirt, den koufman,
den heizet mir ze gesellen gebn.'
dô mohte Wîmâr gerne lebn,
176 Wan er ans rîches tische saz
und mit den hœhsten fürsten az,
und rœmischer krône.
zwei hundert marc ze lône
5 gap der marcrâve dem wirte:
Irmschart daz wênic irte.
wand er în nam sâbents in,
dâ von wuohs zwivalt gewin
Wîmâre, guot und êre.
10 der marcrâve niht mêre
necheiner spîse gerte,
wan swarzez brôt er merte
in ein wazzer, swenne er tranc:
dâ stuont ein brunne, der wol klanc
15 ûz einem nazzen kruoge.
daz marcten ouch genuoge:
diene wessen niht durch waz er leit
von zadel sölhe arbeit.
Gyburc des sicherheit enpfienc,
20 dô si zer porten mit im gienc,
ê daz er sæze ûfcz ors.
swie sîn swâger Fâbors
ze Oransche marschalc wære gewesen
(ân ir danc was er genesen),
25 swie manec tûsent si dervor
heten zieglîchem tor,

---

10. suss *K*, Also *l*, Alsus *t*, Den *mn*, Do (10 *vor* 9) *op*.　11. sis *K*, *fehlt t*.　diu
fehlt lnopt.　12. Ab *l*. namen *K*.　daz *l und erst K*, do *opt*.　warn *mnop*.
14. Alise *lp*, Alis *o*.　17. selben *lmnopt*.　22. 28. wile *K*.　27. So *op*, *fehlt lt*.
175, 1. Woldest du *lopt*.　naket *l*, nakcht *m*, nachet *K*, gewappent *op*.　vor *lopt*
3. wie ez *K*.　genozzen *lnop*.　4. spat *m*, spate *Klnt*, drat *op*.　5. dir *K*.
gebent *Km*.　12. dann nach *o*, nur nach *p*, danne *ln*.　eisen *mnopt*, har-
nasch *l*.　14. fuorte *K*.　15. mit ir *op*.　18. Inner *mo*, In *l*.　do si *Kt*,
daz si *l*, si *mn*, und *op*.　20. den *fehlt K*.　22. anderthalp *K*, anderhalb *t*.
23. sein *opt*.　vrouwe *K*.　25. hiez si *lopt*.　26. Er sprach *opt*, *fehlt l*.
genumen *ln*.　29. den *fehlt lt*.　30. weinmar *mo*, wenemar *n*.
176, 2. dem *mnot*.　hœhisten *K*.　3. Und der *lo*, under *mnt*, Under der *p*.　Romischen
lop.　6. Iremsch. *K*.　7. dsabendes *K*, des abndes *p*.　8. wchs *K*. sîn gewin *l*.
9. wimaren *K*, Wimar *t*, Weinmar *m*, Wennemare *n*, Weinmarn *o*, Wynaren *p*,
Wimar hete *l*.　12. niwan *K*, Nichts wan *m*.　swarzes *K*.　16. marcten *t*,
marchten *Km*, merkten *lnop*.　ouch *lnt*, doch *mop*, *fehlt K*.　18. sölch *K*.
20. mit ime (*fehlt t*) zuo der (zder *o*, zer *t*) porten (b. *t*, pf. *op*) *lopt*.　25. dr vor *K*.

dô er von Gyburge schiet,
ir minne gebôt unde riet
daz sîn gelübde ân allen kranc
gein ir stuont und âne wanc.
177 Durch daz eɪ mîden wolde
swaz man truoc od tragen solde
für in, daz wilde und daz zam,
gepigmentet clâret alsam,
5 den met, den wîn, daz môraz:
durch der necheinez er vergaz
sîner gelübde. swer im küssen bôt,
sô dâht er an des kusses nôt,
der im ze Oransche was beliben,
10 und wie er von dem was vertriben.
er het ouch ander manec flust:
durch daz was herzenhalp sîn brust
wol hende breit gesunken
und sîn vreude in riwe ertrunken.
15 er dâhte 'nu ist der künec sat:
des in diu künegîn hiute bat,
er beginnets uns nu lîhte wern.
ich wil genâde und helfe gern.
daz trunken houbet lîhte tuot
20 des nüehter man gewan nie muot.
ist daz er helfe mir gelobt,
die fürsten diuht dâ wære getobt,
ob er die gelübde bræche
und swaz er an mir ræche.'
25 Dô sprach er 'hêrre, der fürsten
vogt,
sich hât mîn dinc an iuch gezogt.
ir sit selbe überriten:
ich sol iuch pillîchen biten
daz ir rœmscher krône ir rîche
wert,
dar umbe ich vreude hân verzert.
178 Iwerr kinde mâge sint verlorn,
ich pin gesuochet ze allen torn.

het ich bürge oder lant,
die stênt in Terramêres hant.
5 mîne vische in Larkant sint tôt.
von treten hât die selben nôt
al mîne wisen und diu sât.
swaz diu marke nutzes hât,
die ich hân vome rîche,
10 daz lît nu jæmerlîche.
mîne mûre sint zebrochen:
diu fiur sint unberochen,
ez brinnet al mîn marke.
ob Nôê in der arke
15 grôzen kumber ie gewan,
den selben mac Gyburc wol hân
von rîterschefte überfluot.
Terramêr gewalt mir tuot.
etswenne het ich veltstrît,
20 unz an die flustbæren zît
daz ich nu wart în getân.
geloubet des, daz Baligân
nie gefuorte grœzer her
gein iwerem vater über mer.
25 dâ gegen hœret ander maht.
ich hân si des wol innen brâht,
daz noch da'rgienge rîterschaft,
hete mînen willen iwer kraft.
noch wert mich: ich pin werlîch:
tuot ellenthafte dem gelîch
179 Als ander künge ie tâten.'
'des wil ich mich berâten,'
sus antwurte Lôys.
'berâten?' sprach der markîs:
5 'welt irz niht snelleclîche tuon,
sô wurdet ir nie Karles suon.'
übern tisch er balde spranc.
er sprach 'ich sags iu kleinen danc:
ir müezet gein den vînden varn,
10 und enturret nimmer daz gesparn.

177, 2. odr *K*.   4. gebigmentet *K*, Gepigment und *m*, Pingment *l*, Pigment und
(fehlt t) nt, Weder pigment (pitiment *p*) noch *op*.   5. daz *Klmt*, den *nop*.
maraz *no*.   6. necheinz *K*.   7. oder swer *lop*.   im ie *K*, im ê *m*.   9. im
fehlt K.   11. manig ander *lmnopt*.   15. Do (Nu *pt*) dahte (gedacht *op*) er [im
op, sit *lt*] der kunig ist sat *lopt*.   16. kuneginne *K*.   17. s (sein *m*) uns nu
Kmn, uns nu *lt*, uns sein *op*.   19. houbt *K*.   20. nuchtern *n*, nuechten *m*,
nuehte *l*, næhten *o*.   22. duhte *K*.   24. Oder *lopt*.   29. rich *K*.

178, 4. Diu *t*.   6. tretten *K*.   hant *lmopt*.   7. diu *fehlt l*, mein *p*, all mein *o*.
9. hab *K*, hete *lopt*.   10. die *lnopt*.   11. muren *ln*, mowern *o*.   12. diu fuo-
der *K*.   ungerochen *op*.   15. chumbr *K*.   16. Den mag kyburck nu wol han
op, Kyburg den selben wol mag han *l*.   wol Gyburch *K*.   19. veldes strit *lop*.
22. Nu *mnopt*.   des *Kn*, daz *m*, mir *lopt*.   25. Da engegen *lopt*.   hœrt andr *K*.
26. hans des *K*.   27. da regienge *K*.   28. min wille *nop*.   29. werte ich
mich *lop*.   werleiche (*ohne* ich pin) *op*.   30. ellenthaften *K*, ellenthaft *lmo*

179, 1. andr kunege *K*.   3. im *mnop*.   6. karels *K*.   9. vienden *K*.
10. geturret *lmnopt*.   niemen da gesparn *K*.

wer solt iwer man sîn?
diu marke unt de ander lêhen mîn,
daz sî ledic iu benant.'
Bernart von Brubant
15 und der wîse Gybert
und ander sîne bruoder wert
sprungen dar und wanten daz.
der künec gedulteclîche saz:
der gezogen und der wîse
20 sprach zem markîse
'wolt ir êrenz rîche,
sô möht ir willeclîche
mîn helfe gerne enpfâhen.
wil iu daz versmâhen,
25 sô dien ich aber anderswar:
so ist deste minner iwer schar
gein der heidenschefte.
muoz abr ich mit mîner krefte
iu dienen zundanke,
sô bin ichz der muotes kranke.'
180 De küneginne sprach derzuo
vil baz denne smorgens fruo,
dô si der marcrâve umbe zôch
und sîme zorne kûme enpflôch.
5 des was nu suone worden:
si sprach nâch swester orden
'ey rœmscher künec, hêrre mîn,
waz touc iur tohter liehter schîn
und ir süezer minneclîcher munt?
10 dem wirt diu wirde nimmer kunt,
als ob ir mâge lebeten,
die ie nâch prîse strebeten.
ir rehtiu tât, ir werder muot
hulf uns vil baz denne iwer guot.
15 wir zwuo sîn mit in erslagen:
nu helfet unser sterben klagen:
sone sît ir von uns beiden
der helfe niht gescheiden,

ir ensült uns leisten triuwe.
20 nu habt ouch eigen riuwe
nâch den die iwer rîche
werten werlîche.
nu lât se alle juden sîn,
die durh den trûregen bruoder mîn
25 iwer lant ze werne sint verlorn:
wart ie triwe an iu geborn,
ir sult durch triwe klagen sie.
der rœmsche keiser Karl nie
eins tages sô manegen helt verlôs,
die man ze fürsten ûz erkôs.'
181 'Vrouwe, ich wær des lîhte ermant,
iwer mâge die durch wer mîn lant
ame tôde sint erfunden,
daz ich die zallen stunden
5 solte klagen und dâ nâch rechen,
swenne ich möhte daz gezechen.
nu hœrt ir wol wiez drumbe vert.
ich pin hie selbe kûme ernert:
sô sît ir ouch vor mir gezogt
10 von dem der mich der fürsten vogt
nante (ich wæne ir hôrtetz wol),
von dem dult ich sô smæhe dol.
ob ie fürste wart mîn man,
an dem hât er missetân,
15 und ze vorderst an der krônen:
wie sol ich des lônen?
verkiuse ichz, man sol mich ein zage
mîne kunftlîche tage
dar nâch immer nennen.
20 muoz ich an im rekennen
daz erz mit guoten witzen tuo,
daz ist uns beiden alze fruo.
ob ich in helfe lâze,
daz kumt uns niht ze mâze:
25 sô fliuh ich ê i'n vîent sehe.
ieslîch man durh triwe jehe,

12. der marche *K.*   und ander *mnopt,* und andern *l,* unde der andr *K.*
13. Die sin *ln.*   17. Die *lopt.*   dar *Knt,* auf *op, fehlt lm.*   24. Wil aber
mnop.   üch die niht *l.*   25. abr *K.*   26. minrr *K.*
180, 1. dr zuo *K.*   2. dennes m. *K.*   8. iwer *K.*   liehtr *K.*   suezzer
roter m. *op,* roter suozer m. *l,* rot süezer m. *t.*   10. diu] nu *K.*   13. riche
l, ritters *op.*   15. zuo *K,* zwei *lt.*   im *K, fehlt l.*   reslagen *K.*   17. Ouch
sit ir *l,* Ir seit ouch *op,* Sie sint *t.*   18. Der helf so nicht *op,* So verre
niht *lt.*   19. en *hat nur K.*   24. trurigen *K.*   25. weren *Kl,* wern *mop,*
wer *t.*   hant *t.*   27. 28. sî-nî *K.*
181, 2 wern?   5. dâ nâch *fehlt op.*   6. daz mohte *lopt.*   7. sehet ir *lopt.*
8. kume selbe *lop.*   9. von mir *K,* van im *n.*   10. der] die *l.*   11. hortz
K, hortez *t,* hort iz *mn,* horte es *l,* hort es *p,* horte *o.*   16. ich im *mnop.*
gelonen *lnop.*   17. mih ain *K,* mich einen *t,* mich czu ainem *p.*   zagen *opt.*
18. min *Klm,* gein meinen *op,* Bi minen *t.*   chunftlichen *o,* kunftenlichen *n,*
kunfticlichen *lpt,* chumftichleich *m.*   tagen *opt.*   19. Her nach *lopt.*   immer
mer *o,* mer ymmer *p.*   23. 24. *fehlen t.*   23. im *mop,* in ane *n.*   25. sô *fehlt*
op.   ê ich den uient *Kmnopt,* den wint e ich in *l.*   26. Ein isleich *mnp.*

waz er tæte, und stüendez im
als mir, waz râtes ich nu nim.
der muoz vil eben mezzen dar,
ob er mir werdekeit bewar.'
182 Man nam die tische gar hin dan.
manec rîche, manec arm man,
die alten und die jungen
gar dar nâher drungen.
5 si wolten vrâgen mære,
durch waz sô balde wære
der marcrâve übern tisch gevaren.
etslîche wolten daz bewaren
daz sîn hant dar nâch iht mêr
10 wær mit zogen alsô hêr.
　　Heimrîch und des gesinde
vor dem Karls kinde
mit grôzer zuht stuonden:
werben si beguonden
15 daz er helfe wurde ermant.
dicke Karl wart genant:
des ellen solt er erben,
und niht die tugent verderben,
diu im von arde wære geslaht:
20 daz er dæhte ans rîches pfaht:
diu lêrte inz rîche schirmen
und nimmer des gehirmen
ern wurbe es rîches êre.
'welt ir nu Terramêre
25 ze wüesten staten iwer lant,
des wirt diu kristenheit geschant
und der touf entêret.
ob iuch iemen anders lêret
wan daz ir iuch untz rîche wert,
dem ist vil untriwe beschert.
183 Swerz bezzer weiz, des selben
　　　jeher.'
dô sprach der künc ze sîme sweher
'ich hilf iu durh mîn selbes prîs,

swie iwer sun der markîs
5 sich hab an mir vergâhet
und sîne zuht genâhet
hin zer missewende.
ich var odr ich sende
in iwer helfe alsölhez her,
10 daz deste bezzer wirt sîn wer.'
　　'hêrre und ouch mîn hœhster suon,
iwerm kinde ze êren sult irz tuon,
und durh mîn tohter, iwer wîp,
daz ir Viviânzes lîp
15 rechet.' sprach frou Irmenschart.
'nu füeget iwer hervart
mit der fürsten helfe alsô
dês diu süeze Gyburc werde vrô,
diu iwerr helfe wartet,
20 wan ir nu wênic zartet
Terramêr und Tîbalt,
die mir tôt hânt gevalt
almeistic mîne nâchkomn.
si habent iu friwende vil benomn,
25 die iwern hof wol êrten
swâ si zuo ziu kêrten.'
　　'frowe, mîn ander muoter,
sô werder noch sô guoter,'
sprach der künc, 'die sint mir um-
　　　bekant:
liute in glîch noch nie bevant
184 Weder mîn hœren noch mîn sehen,
den man vor ûz sô dorfte jehen
prîss in sölher hœhe:
ir lobes fürgezœhe
5 muoz an dem jungst erschinen tage
dennoch sîn mit niwer sage.
er was wol liebhalp mîn kint:
al die durh mich in râche sint
umbe Viviânzes sterben,
10 die lâz ich gein mir werben:

182, 2. richen *K*, reicher *op.*　　und manig *l*, und *op.*　　arm̄ *K*, arme *lt*, armer *p.*
8. tsliche *K.*　　14. Zuo werbene *lopt.*　　16. karel *K.*　　17. tugende *lt*,
tugent *op.*　　18. nicht an tugent *n*, des (daz *t*) ellen niht *lopt.*　　19. Als *lopt.*
20. Und *lopt.*　　daz *fehlt o*, daz er *fehlt p.*　　21. 22. schirmn-gehirmn *K.*
22. niemen *K.*　　25. statten *K.*　　27. ent ert *K.*　　28. anders ieman *lnopt.*
lert *K.*　　30. untruowe (untrewen *mp*) vil *lop.*
183, 1. Swer bezzer *l*, Swer pezzers *opt.*　　2. so *opt*, Sus *l.*　　11. hœhester sûn-
tûn *K.*　　12. iwern *alle.*　　kinden *alle aufser K.*　　13. mine *K.*　　14. daz
ich Víviânz lîp *K.*　　16. schaffet *lopt.*　　17. helf und rat *o*, rat *lpt.*　　18. Daz
des *t*, Daz *lop*, Da *n.*　　24. vroude *n*, dienstes *lopt.*　　28. getriuwer *t*, ge-
truower *l*, getrewe *p*, getrew *o.*　　30. geliche *K.*
184, 1. Weder *mnop*, Si *lt, fehlt K.*　　5. muoz an dem iungest erschinen *K*, Muoz
erschinen (erschainen *m*) an dem iungesten *lmn*, Muez an dem iungsten *opt.*
6. sin mit *nop*, sin mier *m*, sin min *t*, sint mir *l*, er mit *K.*　　nüwe *l.*
clage *nop.*　　7. lip halb *p*, leibhalb *o*, liphaft *l.*

swaz ieslîchem sî gelegen,
dâ wil ich sînes willen phlegen
mit gâb, mit lêhn, mit eigen.
ich wil nu helden zeigen
15 daz ich des rîches hant hie trage.
mînen solt sol mich der zage
lâzen geben den werden.
ich hân sô breit der erden,
daz ieslîch fürste reichet dar,
20 nimt sîn mîn hant mit günste war.’
etslîche nâmen sînen solt:
etslîche wârn im sus sô holt,
daz si die hervart swuoren
und al gemeine fuoren,
25 swaz fürsten dar zer hôhgezît
kom. ouch wart des künges nît
ûf den marcgrâven verkorn:
der von Karle was erborn,
der begienc dâ Karles tücke.
daz was Gyburge gelücke.

185 Turkopel, sarjande,
in der Franzoyser lande,
swaz mit al den fürsten rîter sint,
und die Heimrîch und sîniu kint
5 dâ heten, beide jung unt alt,
die ze keiner helfe wârn gezalt,
die sagete man gar rehtelôs,
durch daz der touf die smæhe kôs
von der heidenschefte,
10 sine wertenz mit ir krefte.
diu urteil vor dem rîche
wart gesprochen endelîche
und gevolget von den hœsten.
ich enruoche umb die bœsten,
15 und op dâ inder was ein zage:
der samnunge zil ich sage.
des rîchs gebot unt de urteil
tet kunt, ein sac unt ein seil
wærn schiere ûf gebunden.

20 an den selben stunden
was dâ diu beste rîterschaft
über al der Franzeiser kraft,
und heten ouch alle harnasch dâ:
was ez aber anderswâ,
25 dâ wart balde nâch gesant.
die strâzen wurden gar berant
von den rîtern selbe und von ir
	boten.
si wolden Terramêres goten
niwiu mære bringen
und Gyburg helfen dingen
186 Durch des marcrâven klage.
ze Munlêûn am zehenden tage
vor dem berge ûf dem plân
dâ wolt der künec sîne man
5 schouwen unde in danken,
den starken und den kranken,
al dar nâch si wâren komen.
dâ wart urloup genomen,
und schiet sich diu hôhkezît.
10 der künec diu phant hiez machen
	quît.
über al manz versuochte:
swer sîner gâbe ruochte,
diu was gewegen al bereit.
durch wider komen dannen reit
15 ungezaltiu mahinante.
rîter, sarjante,
dise quâmen hiute, morgen die:
beidiu dort unde hie,
swen man westen [oder] ôsten ko-
	men sach,
20 der vant rîch lant unt guot ge-
	mach.
der künec ze Munlêûn beleip,
unz er die zehen tage vertreip.
Heimrîch was dan geriten,
und het der marcrâve erbiten

12. sin mit willen *t*. 　13. gab *und* lehn *m*. 　15. ichs *t*, ich *l*. 　trag-
zag *K*. 　22. sus *fehlt n*. 　sô *fehlt lop*. 　26. Komen *t*, chomen *o*, Qua-
men *lp*. 　27. marcĝ *K*. 　28. karel *K*. 　geborn *lmnopt*. 　29. karls *l*,
Charls *m*, kares *K*, Karlen *t*, karleins *o*. 　30. an Gyb. *K*.
185, 5. iunge uñ *K*. 　11. urteil *lmnopt*, urteile *K*. 　12. endecliche *pt*.
13. von dem *Kn*. 　14. umbe *K*. 　16. iche *o*, ich e *l*, ich euch *p*.
17. riches *alle*. 　diu *Kmn*, *fehlt lopt*. 　18. sah *K*. 　19. Wærn *o*, waren
Kmnp, Were *lt*. 　21. dâ *fehlt K*. 　24. Waz ez ihte aber *l*, Waz aber icht
dez *op*. 　26. berant *Kmtx*, bekant *l*, gerant *n*, gepant *op*. 　27. selbe *fehl*
lpt. 　30. Gyburge *K*.
186, 2. ame zehendem *K*. 　3. blan *K*. 　11. mans *K*. 　12. geruhte *lopt*.
13. gereit *l*. 　15. Ungezalte *lm*, Ungezalt *op*, Ungezaltir *n*. 　machnande *t*,
mahenant *m*, maningir hande *n*, man benande *lop*. 　19. komen *fehlt t*, *und*
op, *die sonst noch ändern*. 　23. dan *t*. dannen *Klnp*, danne *mo*. 　24. hete
vor erbiten *lop*.

25 bî der künegîn sîner frouwen.
diu hiez vil dicke schouwen
mit triwen sîne wunden,
die Gyburc hete verbunden.
er wart dâ sîner wunden heil
und durch des küneges helfe geil.
187 Eins âbnds der künic komen was
zen vensteren ûfem palas,
und diu künegîn und sîn tohter.
al die wîle enmohter
5 niht bezzer kurzwîle sehen:
des muose der margrâve jehen,
der dâ bî Alyzen saz.
sich huop ie baz unde baz
zwischen dem palase und der linden
10 daz man sah von edelen kinden
mit scheftn ûf schilde tjostieren,
dort sich zweien, hie sich vieren,
hie mit poynder rîten,
dort mit pûschen strîten.
15 dâ sprungen rîter sêre:
ze der zît was êre,
der den schaft verre schôz,
des ouch dâ mangen niht verdrôz:
sô liefen dise die barre.
20 von der manger slahte harre
wart versûmet lîhte ein man
der über den hof wolte gân.
dâ wart von knehten vil geschrît,
die dâ hielden diu runcît:
25 man sluoc dâ mange tambûr.
dâ wære ein ungefriunt gebûr
vil lîhte in dem schalle
gedigen zeinem balle
von hurte her unde dar.

dô nam der marcgrâve war
188 Daz ein knappe kom gegangen:
der wart mit spotte enphangen:
der truoc ein zuber wazzers vol.
ob ich sô von im sprechen sol
5 daz mirz niemen merke,
wol sehs manne sterke
an sîn eines lîbe lac.
des küneges küchen er sô phlac,
daz er wazzers truoc al eine
10 des die koche al gemeine
bedorften zir gereitschaft.
dâ drî mûle mit ir kraft
under wærn gestanden,
zwischen sînen handen
15 truog erz als ein küsselîn.
ouch gab nâch küchenvarwe schîn
sîn swach gewant und ouch sîn hâr.
man nam sîn niht ze rehte war,
nâch sînre geschickt, nâch sîner art.
20 etswâ man des wol innen wart,
unt viel daz golt in den phuol,
daz ez nie rost übermuol:
der ez schouwen wolte dicke,
ez erzeigt etswâ die blicke
25 daz man sîn edelkeit bevant.
swer noch den grânât jâchant
wirfet in den swarzen ruoz,
als im des dâ nâch wirdet buoz,
errzeiget aber sîn rœte.
verdacter tugent in nœte
189 Pflac Rennewart der küchenvar.
nu merket wie der adelar
versichert sîniu kleinen kint.
sô si von schalen komen sint,

187, 1. Eines abends K, Eins abentz mx, Eins abndez op.   2. In die venster l,
Zu den fürsten (kunigen o) op, Durch warten t, Durch luogen x.   ôfem K,
uf den lmnoptx.   11. scheften alle.   12. dort sih zwein hie sih fieren K.
13. Dort lopt.   14. Hie lopt.   puschen t, puoschen Km, phuschen l, pfuschen
n, puchen op.   15. ritr K.   16. Zu den ziten l, Zu der selben zeit op.
17. Swer lopt.   verrer op, ver m.   18. manigen nih K.   19. barre lnt,
barr m, parre K (in op verändert).   20. slahten m.   22. wolte dan?
25. manigen lopt, manich m.   manige tambuore-gebuore K.   26. ungefrundet l,
ungefueger op.   29. hiurte K, huert m.   unt K.   30. marhgrave K.
188, 2. spote K.   3. einen alle.   zobir n, zueber m.   10. chôch m.
11. bereitschaft lmop, gerichtschaft x.   12. dreu x.   mule t, muole Kl, moule
op, moul mx.   13. undr waren K.   19. Zu keiner cit nach siner art n,
Nach seiner rechten art x.   siner alle.   geschickt l, geschichede K, geschicke
op, geschiht m, groze t.   nach op, unde nach Klmt.   21. unt fehlt op.
24. erzeigete Kt, erzeiget ln.   26. Jochant mp, Jechant t.   27. Schubet
(Schiubet t) in den lt, Wuerf in einen op.   28. Swenn ot. Wan lp.   wurde op.
29. Ez l.   er zeiget Kl, er erzaigt m, Er erczeigte p.   sine Knt.   30. Ver-
tackter p, Verdachter not, Verdachte l, verdahter Km.   iugent K.
189, 1. phalch Rennewart der chuene var K.   3. Virsuchet n.   4. von der lop,
uz der n.

5 er stêt in sîme neste
und kiust vor ûz daz beste:
daz nimt er sanfte zwischen die klâ
und biutetz gein der sunnen aldâ:
ob ez niht in die sunnen siht,
10 daz im diu zageheit geschiht,
von neste lât erz vallen.
sus tuot ern andern allen,
op ir tûsent möhten sîn.
daz in der sunnen hitze schîn
15 siht mit bêden ougen,
daz wil er âne lougen
denne zeime kinde hân.
Rennewart der starke man
was wol ins aren nest erzogen,
20 niht drûz gevellet, drab gevlogen
unt gestanden ûf den dürren ast.
sîner habe aldâ gebrast
den vogeln den solden niezen:
des moht ouch die verdriezen.
25 ich mæze iu dinges dar genuoc
gein dem der den zuber truoc,
wan deiz iu von im smâhet.
nu kom im dar genâhet
mit hurt ein poynder daz niht liez,
den zuber man im umbe stiez.
190 Daz vertruog er als ein kiuschiu
maget,
und wart von im ouch niht geklaget.
'in schimphe man sus tuon sol,'
dâht er und brâht in aber vol.
5 dennoch was in niht spottes buoz.
von disen ze ors, von jenen ze
fuoz

wart er vil gehardieret
unt alsô gepungieret,
daz sîn voller zuber swære
10 wart aber wazzers lære;
dâ von im kiusche ein teil zesleif.
einen knappen dô begreif
der starke, niht der kranke:
er dræt in zeime swanke
15 an eine steinîne sûl,
daz der knappe, als ob er wære fûl,
von dem wurfe gar zespranc
umbe in was ê grôz gedranc:
die liezen in gar eine
20 und fluhen al gemeine.
der marcrâve zem künege sprach
'sâht ir, hêrre, waz geschach
ûf dem hof an dem sarjant
der treit daz küchenvar gewant?'
25 der künic sprach 'ich hânz gesehen.
ez ist im selten ê geschehen
daz man in fünde in unsiten.
er hât von kinde hie gebiten
in mîme hove mit grôzer zuht:
er begienc nie sölh ungenuht.
191 Ich weiz wol daz er edel ist:
mîn sin ervant ab nie den list,
einvaltic noch spæhe,
von wirde noch von smæhe,
5 der in übergienge
daz er den touf enphienge.
ich hân unfuoge an im getân:
got weiz wol daz ich willen hân,
op er enphienge kristenheit,
10 mir wære al sîn kumber leit.

6. chiuset *alle.* vor uoz *K*, ouz *op.* 7. 8. Er budet gein der sunne da.
Daz nimet er sin cla *l.* 7. Und nimt iz *op.* sanfte *fehlt p.* zwischen
seine (zwischein *o*) chla *opt.* zwischenn klân? 8. biutet ez *Kmnpt*, peutt iz
o. sun *m.* alda *Km*, da *nopt.* sân? 9. sunn *m*, sunne *p.* 10. zag-
heit *Kmop.* 11. let *mn*, lezet *l.* 12. tet er *mn.* er den *alle.*
14. sunn *m.* 17. zeinem *K.* 19. inds *K.* arn *Kmopt*, ares *l*, arnis *n.*
20. drab *lmt*, niht drab *K*, noch drabe *n*, noch *op.* 22. hohe *l.* 23. vogelen
die in *K.* 24. si *lt*, in *op.* 25. iu *fehlt l*, noch *op.* 26. zobir n, uber *o.*
27. wan ez iu *K*, Wan daz ez iu *t*, Wan dazz eu *m*, Wenn das euch *p*, Wan
daz iz euch *o*, Danne daz ez uoch *l*, Wan daz uch iz *n.* gein ime *l*, leicht
op. swahet *K*, versmahet *lmopt.* 28. Do *lopt.* dar *fehlt lt*, zu *op.*

190, 2. ouch *Km*, daz *l*, da *nt*, do *op.* 5. im *lmopt, fehlt x.* spotes *K.*
6. disem *lmtx*, dem *p.* ze örsse *K.* enen *o*, ienem *mt*, iem *x*, eime *l*,
disen *o.* 7. er] da *n.* gehärdiert *m*, gehart. *x*, gehurd. *nop*, gehurt. *l.*
8. gepunschieret *Km*, gepunieret *np.* 11. entsleif *lopx.* 14. zeinem *K.*
21. markis *n.* zim *K*, zdem *m.* 22. sahet *K.* 23. an *Kmn*, von *loptx.*
26. selten me *nop*, selten ie *t*, e selden *l.* 28. hie *Kmnx*, her *lopt.* 29. guter
lopt. 30. nie me *l*, nie mer *p*, nie mere *t.* sölhe *K.*

191, 2. ervant *Kmx*, bevant *lpt*, vant *no.* abr *K*, ouch *l*, noch *x*, *fehlt t.*
3. Ainvoltick *o*, Einfalt *l.* 4. An *lopt.* noch *fehlt l.* an *t*, so *op.*

in brâhten koufliute über sê:
die heten in gekoufet ê
in der Persen lande.
nie dehein ouge erkande
15 flæteger antlüz noch lîp:
geêret wær daz selbe wîp
diu in zer werlde brâhte,
op der touf im niht versmâhte.'
  der marcgrâve zem künege trat,
20 umbe den knappen er in bat,
er solt in im ze stiure gebn.
'waz ob ich, hêrre, im sîn lebn
baz berihte, op ich mac?'
der künec versagens gein im phlac.
25 Alyze bat in mêre
sô lange und ouch sô sêre,
unz in der künec gewerte
des er umbe den knappen gerte.
der marcgrâve nâch Rennewart
sant: der was noch âne bart.
192 Dô der in den palas gienc,
mit grôzer zuht erz an fienc.
doch was im schamlîche leit
daz sô swach was sîn kleit:
5 ez versmâhte eime garzûn.
do der marcgrâve in prîsûn
gevangen lac dâ ze Arâbî,
Caldeis und Côatî
lernt er dâ ze sprechen.
10 done wold ouch niht zebrechen
der knappe sîniu lantwort:

Franzoyser sprâche kund er hort.
do der marcgrâve in komen sach,
en franzoys er im zuo sprach
15 mit der jungen künegîn urloup.
do gebârter als er wære toup
unt als ers niht verstüende:
er het ouch guote küende,
swaz iemen sprach, man oder maget:
20 der gegenrede wart niht gesaget
von sînem edelem munde.
der marcgrâf dâ ze stunde
sprach Caldeis und heidensch zim.
'die bêde sprâch ich wol vernim,'
25 sus antwurt im der knappe dô.
des was der marcgrâve vrô.
dô sprach er 'trûtgeselle mîn,
ich wæn du bist ein Sarrazîn.
nu sag mir umb dîn geslehte
unt dîn her komen rehte.'
193 Er vrâgete in her unde dâ.
er sprach 'ich bin von Meckâ,
dâ Mahmeten heilikeit
sînen lîchnamen treit
5 al swebende ân under setzen.
der mac mich wol ergetzen
swar an ich hie vertwâlet bin,
hât er gotlîchen sin.
doch hân ich im sô vil geklagt,
10 daz ich sîner helfe bin verzagt,
und hân michs nu gehabt an Krist,
dem du undertænic bist.

---

13. der Persane *lnt*, der persanen *p*, der persyanen *o*, Persia dem *x*.   14. Mein
(Mine *l*) ouge (ougen *lx*) nie bechande *loptx*.   15. flætiger *K*.   antlütz
mx, antluz *K*, antlutze *t*, antlitz *lop*, antlitze *n*.   16. wær *mop*, wære *K*,
werde *l*, si *ntx*.   17. werelde *K*.   19. markis *op*.   21. in *fehlt K*, en *mn*.
24. 27. chunich *K*, *hier oft, auch* chunige manige.   25. Alys *K*, Alyse *op*.
30. Sant *o*, Sand *m*, sande *Kt*, sante *lnp*.   ouch *K*.

192, 1. daz *lopt*.   2. guoter *lopt*.   fuoge *lt*.   3. schemel. *nop*, smeheliche *lx*,
heimliche *t*.   4. so *Kmnx*, also *lopt*.   swache *op*.   5. er *K*.   garzune-
prisune *Klnop*.   6. 13. 22. 26. marhgrave *K*.   6. in der *lnop*.   8. chaldeis
K, Chaldeys *m*, Caldeisch *n*, kaldaisch *o*, Kaldeische *p*, Kaldewische *l*,
Kaldewasc *t*.   choati *Km*, cohaty *n*, kawati *t*, heidenisch da bi *lop*.
9. lernet *K*.   ze *fehlt lnt*.   10. ouch *fehlt op*, er *l*.   12. dort *K*.   13. chomn
sah *K*.   14. Benesevenez (Biensavenuz *t*, biensavenus *o*, Bien savenis *p*)
er do (*fehlt t*) sprach *lopt*.   sprah *K*.   17. er sich versunde *K*.
18. hetes *t*.   doch *lmnopt*.   19. odr *K*.   21. edeln *lnopt*.   23. chaldeis
K, Kaudeneis *x*, chaldeysch *mn*, kaldeisch *op*, kaldewesc *t*, baldewisch *l*.
heidens *K*.   28. wæne *K*.   sist *loptx*.   29. nu *fehlt loptx*.   umb *fehlt
lx*.   30. und umb *nop*.   chomn *K*.

193, 1. unt *K*.   2. mecka *p*, moka *o*, mecha *Klmntx*.   3. Mahumeten *m*, machi-
meten *n*, machmetes *opx*, Machmet *t*.   4. lichamen *ln*.   5. ane undr setzen
K.   8. Und hat er *lnoptx*.   10. siner helfe bin *Kmntx*, an siner helfe *l*, pin
helf an im *op*.   11. mich nu *opx*, mich *n*, mich es *l*, michs *t*.   12. du
ouch *ox*, ouch du *lpt*.   undertanich *K*, undertan *l*.

mich dunket des, du sîst getouft.
sît ich her wart verkouft,
15 sô hân ich smæhlîch arbeit
gedolt. der künic selbe streit
gein mir und hiez mich lêren,
ich solde mich bekêren.
nu ist mir der touf niht geslaht:
20 des hân ich tac unde naht
gelebet wol dem ungelîche,
op mîn vater ie wart rîche.
eteswenne ich in den werken bin,
daz mir diu schame nimt den sin:
25 wand ich leb in lekerîe.
sol iemmer wert âmîe
mînen lîp umbevâhen,
daz mac ir wol versmâhen:
wan ich bin wirden niht gewent,
unt hân mich doch dar nâch ge-
sent.'
194 Dem marcgrâven wol behagete
daz der junge unverzagete
in alsô smæhlîchem leben
mit zuht nâch wirde kunde streben.
5 er sprach 'dîn schame gar verbir.
der künec hât dich gegeben mir:
ob du mich diens wider werst,
ich bereit dich schône swes du gerst.'
im neig und sprach der Sarrazîn
10 'sol ich in iwerm gebote sîn,
ir muget an mir behalten prîs.
hêr, sît irz der markîs,
der daz geflôrierte her
von den komenden über mer
15 hât verloren in strîte,
sô bin ich iu bezîte
in iwer helfe alhie gegebn:
die wil ich rechen, sol ich lebn.

ziwerm râte wil ich phlihten:
20 ir muget mich wol berihten
swenne ich in swacher fuore bin
(jugent hât dicke kranken sin):
und heizet mir gereitschaft tuon.'
dô sprach Heimrîches suon
25 'swes du gerst unt swaz du wilt,
hân ichz, niemer michs bevilt,
ich gib dirz,' sprach der milte man.
'ir muget die kost lîhte hân,
als ich nu ger von iwerr hant,
swie iwer marke sî verbrant.'
195 Ir enweders wort nieman ver-
stuont:
sine wârn dâ man noch wîbe kuont,
der doch die stimme hôrte.
under râme der geflôrte,
5 des vel ein towic rôse was,
ob ez im rosteshalp genas,
er sprach 'hêr, wie sol ich nu varn?
swaz ir heizet mich bewarn,
des phlig ich als ich phlegen kan.
10 sô lieben hêrrn ich nie gewan:
iwer hulde sî mîn lôn.'
einen juden von Narbôn
liez dâ diu fürstinne Irmenschart:
der solte gein der hervart
15 bereiten des marcgrâven diet.
swem sîn kumber daz geriet
daz er sich halden wolde
an in, von rîchem solde
si der jude werte
20 ieslîchen swes er gerte.
er sant ouch Rennewarten dar,
und bat den juden nemen war,
daz er dem jungen sarjant
harnasch ors unt gewant

13. Ich wene *ltx*. des *fehlt loptx*. getoufet-verchoufet *Knopt*. 16. er-
dolt *K*, Geduldet *l*. 21. gelebt *Klmnop*. wol *fehlt loptx*. geliche *Kmn*.
24. benimt *opt*. 25. want *Kn*, Wan *otx*, Wenne *p*, *fehlt l*. 29. Wenne *p*,
fehlt l. wirde *lmnptx*.
194, 1. Marhgr. *K*, markis *nx*, markisen *o*. wol *K*, do *x*, *fehlt lmnopt*.
4. zuhten *Klx*. 5. dine scham *K*. 6. chunich *K*. 7. Ist daz du *l*.
dienest *K*, dienst *x*, dienstes *mnop*, *fehlt lt*. niht entswers *l*. 8. bereite *K*.
10. iwerem *K*. bote *n*. 12. herr *m*, herre *K*. 13. daz der *K*, daz daz *m*.
17. an *K*. al *Kmnx*, *fehlt lop*. 19. ze iwerem rate sol *K*. 21. Wie *lop*.
23. bereitschaft *lmop*. 26. miches *K*.
195, 1. ir entweders *m*, Ir tweders *p*, Ir ietweders *t*, Irre beider *n*, Ietweders *lo*.
niemen *Kmot*. 2. mann *K*. 3. Swer *t*, Wer *l*. Wie man ir stimm (rede *p*)
doch horte *op*. 4. uñ *Kl*. 6. Ob sime *l*, Ob ez immer *opt*. rosts *K*,
roste *l*. 7. er (*fehlt mn*) sprach herre *Kmnop*, Herre sprach er *l*, Sprach
er herre *t*. 10. herren *alle*. 13. Lie da *t*, Hiez da *no*, Den hies *p*,
Hete *l*. 15. Marhgr. *K*. 18. von *Km*, mit *lnopt*. 23. ssariant *K*, sca-
riant *m*. 24. harnasch örs *K*, Orse [und *o*] harnasch *lopt*.

25 gæbe, unz er selbe spræche
daz nihtes im gebræche.
Rennwart kom dar gegangen
und iesch et eine stangen:
die wold er gein den vînden tragen;
daz diu wurde wol beslagen
196 mit starken spangen stähelîn:
unt ein surkôt von kämbelîn.
mit guoten schuohn und hosen von
     sein
sîniu wol geschicten bein
5 wurden wol berâten.
er gienc dâ snîdær nâten
wît unt blanc lînîn gewant:
daz galt im gar des juden hant
durch des marcgrâven êre.
10 er bôt im dennoch mêre,
harnasch, ors und lanzen starc:
er enbehielt niht noch verbarc,
wan daz ern schône werte
al des er an im gerte,
15 als ander soldiere.
dô sprach der knappe schiere
'ich wil ze fuoze in den strît.
harnasch unde runzît
daz geb mîn hêrre den dies gern.
20 ir sult mich einer stangen wern,
vierekke, einr hagenbuochen;
ob sehs man versuochen

daz si si hin wellen tragen,
daz die von ir swære klagen;
25 und ob michs sibne wolden heln,
daz si ir doch möhten niht ver-
     steln
von der swære ir laste.
der smit sol si vaste
beslahen mit starken banden,
sieht und blôz zen handen.'
197 Sus wart bereitet Rennewart
und manic anderr gein der vart,
allez von des juden hant.
hie dem rîter, dort dem sarjant
5 der marcgrâf rotten meister gap.
der samnunge urhap
sich huop nâch den zehen tagen.
man sah dâ rîlîch ûf geslagen
anz velt, dâ der berc erwant,
10 treif unde tulant,
ekub unde preymerûn.
ouch sah der Heimrîches sun
manic hôh gezelt gesniten wît
gein der fürsten künfte zît,
15 die dâ kômen durch des rîchs gebot.
Gyburc möhte loben got,
hete si gesehen und ouch vernomn
diz kreftic rîterlîche komn.
der künec hin ab mit valken reit,
20 über al daz gevilde breit

---

27. Rennw. *l*, Rennb. *m*, Rennew. *Knp.*
ot *p*, aischet ot *m*, eischete *n*, iesch *lo.*
30. Und daz (*fehlt o*) die *lopt.*

28. ysch et *K*, iesc et *t*, hiesch
ein grozze *l.*   29. vigendn *K.*

196, 2. unt in *K*, Ein *l.*   chambelin *K*, chämbelein *m*, kemmelin *l*, kæmelein (-lin
t) ot, kemelin *n*, kemlein *p.*   3. schuohen *K.*   5. die wrden *Km.*   6. gie
Kmo.   snidære *K.*   7. Blanck [und *op*, und wit *t*, lauter *x*] linin [wit *l*]
gewant *lopx.*   9. Marhgr. *K.*   11. örs *K.*   12. nicht *K*, nich *o*, nichtes *p.*
13. er in *Kmnop*, er *lt.*   14. Alles *nopt, fehlt l.*   er an in *m*, er *op*, sin
hertze *l, fehlt t.*   15. Sam ander *op*, Als eime andern *l.*   soldeniere *lop.*
16. fiere *nop.*   19. daz *fehlt lop.*   den *fehlt lmp*   die sein *mop*, die des *l.*
Gebent den die es gern *t.*   21. Vier ekk *o*, Viereckecht *p*, Virekkit *n*, Die
egkat sey *x.*   einer *alle.*   hagen *fehlt l.*   22. Ob sehs man wollen *l*, Ob
iemant well *x.*   23. si se *n*, sis *mpt*, si sî *K.*   wollen hin *lx*, wolden hin *ot*,
hin wolden *p.*   24. die *Kno*, si *mp*, si doch *lt.*   laste *lopt.*   sagen *lt.*
25. michz *t*, michs ier *op*, mir es *l*, mir si *n.*   26. si ir *Kmnt*, si mir *l*, sis
op.   doch nicht mochten *nt*, niht mohten [mir *op*] *lop.*   steln *t.*   29. panden
lmopx.   30. zehanden *K.*

197, 2. Und die andern *op.*   gein der *Kmn*, zder *op*, uf die *l*, an die *x*, die die *t.*
hervart *Kmnopt.*   4. Hie der Ritter dort der *l*, Beide ritter und *op.*   ssari-
ant *K.*   5. marhgrave *K.*   mæistr *K.*   8. da reichleich *mnop*, Rittere *l.*
10. Trufe *t*, Dar uf *l*, Vil manick treif *op.*   unt *K.*   tylant *n*, Tolant *t.*
11. Ekub *K*, Echube *t*, Eykub *m*, Eykube *n*, Ecobe *l*, Ekupe *o.*   Preymerun
m, Breymerun *K*, premerun *nt*, Bremerun *l*, primerun *op.*   14. chiumfte *K*,
kumenden *p*, chomenden *o.*   15. da *fehlt t.*   durchs *t.*   richs *op.*   not *l.*
17. mohte es *l*, mohtes *nt*, mocht wol *p.*   18. chreftige *Kp.*   19. her abe
lopt.   valken reit *fehlt K.*   20. al *fehlt t.*

enphieng er die fürsten sunder.
die erbarmete unt nam wunder
umb des marcgrâven mâge,
daz er sich selbe en wâge
25 liez mit eim sô kleinem her,
daz er des rœmschen küneges wer
niht beite ûf sîner marke,
dô Terramêr der starke
in sô mangen treimunden
was dâ kumende funden.
198 Dô si der marcgrâve enphienc,
etslîcher sîne zuht begienc,
daz er mit herzen klagete
kumber den er in sagete.
5 die werden begunden sprechen,
si woldenz gerne rechen
durch in unt durh daz rîche,
unt si tætenz ouch pillîche.
des küneges rüefær al den scharn
10 gebôt, si solden smorgens varn
gein Orlens ûf die strâze.
do der künec ze guoter mâze
mit den valken was geriten,
dâ wart niht langer dô gebiten.
15 Munlêûn ist der berc sô hôch:
ê daz diu sunne im entflôch,
er reit hin ûf, bî schœnem tage.
nu vant der marcgrâf mit klage
sînen jungen starken sarjant.
20 dem was sîn hâr unt sîn gewant
in der küchen besenget.

ez enwart dô niht gelenget,
den selben schimph mit schimph
er rach.
mit der stangn er durch die kezzel
stach:
25 kein haven was dâ sô êrîn,
er müese ouch zebrochen sîn.
der küchenmeister kûme entran:
zornic was der junge man.
der marcgrâf senfte im sînen
muot,
als dicke ein vriunt dem andern
tuot,
199 Und sprach 'ich gib dir andriu
kleit.
dir was dîn hâr ouch alze breit:
daz sul wir nider strîchen
und den ôren glîchen
5 schôn alum mit eime snite.
nu hab zuhtbære site,
unt kêr dich niht an dise klage.
morgen vruo, so ez êrste tage,
sô man die banier binde
10 an, dâ mîn gesinde
under sulen trecken
für die stat, sô heiz dich wecken
dînen wirt, und heb dich an die
vart.'
daz lobte der junge Rennewart.
15 der künec ze Munlêûn die naht
beleip. der het sich vor bedâht,

21. Er enphieng lop, Ern enphienc t.　die werden lt.　sundr-wndr K.
22. nam si opt, name des l.　23. umbe K.　marhgr. K.　24. und daz opt.
er fehlt K.　25. lieze K.　eime (einem t) so Klnt, also op.　cleinen lnt.
26. Rœmischen kuniges K.　29. manigem Klo, manchen p, maninger n.
troyam. n, Tragem. op, tragen munden l, tramungen t.　30. Waz. do in
(sie p) die komenden op, Also kumende waz l.
198, 1. Do sî der marhgrave enphîe-begîe K.　do dise lt.　2. igl. o, Iecl. p,
Iesl. t.　3. Do (Daz t) er [in l] von lopt.　6. woldens Km.　7. durchz t.
8. Wan si op, Si lt.　ouch fehlt lopt.　9. alln p, allen l, an K.　10. sol-
dens morgens Kt, scholden smargens m.　14. da-da m, Do-da l, Nu-da t.
15. Von munliun (Von muliun p) waz der perch op, Mollium (Munleun t) der
berg waz lt.　16. enpfloch lmopt.　18. Do lopt.　Marchgrave K, markis
nop.　in clage lopt.　19. st. j. l, iungen tx.　ssariant K.　22. Daz ward
do nicht op, Daz (Dem x) wart nu niht tx, Diz wart niht mer l.　erlenget op.
24. stange t, stangen die übrigen.　den kezzel noptx.　25. dehein Km, Dek. t.
do mop, fehlt lx.　26. ouch Kmnx, da l, da gar op, fehlt t.　27. chom
gegan K.　29. marhgrave K, markis no.　30. anderem K.
199, 1. Er lnoptx.　anderiu Kx, andere n, ander lmt, wol ander op.　2. doch
ze l, doch gar t, ouch gar o.　zerbreit t.　4. dem l, neben den op.　ge-
lichen K.　5. schon al umbe mit einem snit-sit K.　7. unt fehlt lt.
chere K.　9. anbinde nopx.　10. für diese zeile in t leerer raum.　an
da Km, [Und n] alda ln, Alz x, alda man op.　11. undr sulen K, uñ suln
t, Und wir selbe sulen l, Siecht auf die strazzen op.　13. habe t.　15. waz
die lopt, lag die x.　16. beleit der het sich vor K, Er hete sich vor (fehlt t)
dez wol lt, Auch het er sich dez vor op, unde het sich do x.

er wolde ze Orlens rîten,
dâ daz her an allcn sîten
zer jungsten samenunge.
20 der alte und der junge
kômen, die im des swuoren,
daz si ze helfe fuoren
dem gelouben unt dem toufe,
und von ir soldes koufe
25 diu küngîn sunderrotte phlac
und sich der kost alsô bewac
daz wert man gerne greif dar zuo.
si was bereit des morgens vruo
mit manger juncfrouwen:
si wolten ze Orlens schouwen
200 Wie der künic dâ belibe,
und wie erz her fürbaz tribe,
und wer des wære houbetman.
5 daz man den tac kôs al grâ.
dô sah man her unde dâ
von velde und ûz den porten,
ich mein gein al den orten
swâ gein Orlens diu strâze lac,
10 diu wart getretet wol den tac.
dô zogt ouch dan diu künegîn
und ir tohter, diu sô liehten schîn
gap daz ich die heide
mit ir mangem underscheide,
15 des si noch phliget und ouch dô
phlac,
gein ir niht gelîchen mac.
disen ze orse und jenen ze fuoz,
den allen werdeclîcher gruoz
von dem marcgrâven geschach,

20 den man bî strâzen halden sach
ûf sîm ors Volatîne.
er warte ob al die sîne
ûz Munlêûn noch wæren komen.
die heten sich sô für genomen,
25 daz sûmen was von in gespart.
niwan sîn friunt Rennewart
der kom geheistieret hie
sô verre nâch daz dise unt die
im sêre wârn gevirret.
in het der slâf verirret.
201 Dqch was er herzenlîche vrô
daz er den marcgrâven dô
vor im ze orse halden sach,
der sînen gruoz gein'im ouch sprach
5 und vrâgt in 'wa ist diu stange
dîn?'
Rennewart sprach 'hêrre mîn,
der hân ich vergezzen dort.
ez was ein helflîchez wort,
daz mich der stangen hât ermant.
10 hêrre, ir sît des ungeschant,
ob ir mîn hie bîtet.
ez frumt iu swâ ir strîtet,
op ich die stangen bringe.'
er sprach ze dem jungelinge
15 'ich beit dîn, wilt du schiere komn.
hâstu iemen hinder dir vernomn,
der mich an winde,
dem sage daz er mich vinde.
rîtr und ander soldiere
20 brinc mit dir wider schiere,
und vergiz niht dîner stangen.'
'nu lât iuch niht erlangen,'

---

19. *nach* 20 *lpt.*　zer iungisten *K,* Zuo ir iungen *l,* Ze einer *x.*　**24.** und
von] von. *mn,* und *K,* Und durh *l,* Durch *tx,* Mit *op.*　solds *K,* sælden *opx.*
25. kunigin sundr rotte *K.*　26. Die (Diu *t*) sich *lopt.*
200, 2. ers *K.*　6. Och sach *tx.*　unt *K.*　8. meine *Knt.*　al *fehlt lt.*
9. Da *lt,* Da hin *op.*　10. getrett *mx,* getret *l,* getreten *K.*　11. Nu *lopt.*
zogete *K.*　12. und *fehlt K.*　die solhen schin *l.*　14. Von ir *opt.*
manigen *Klnpt.*　15. Der *nop,* Als *l.*　noch *Kmnt,* nu *l.*　do *K,* da *mnt,*
fehlt l.　17. örsse *K.*　uñ genen *K,* und einen *l,* enen *o.*　18. dem *K.*
20. bi der *lopx,* bir *n.*　strazze *lntx.*　21. oᵛf *K.*　sime *ln,* sinem *Kmopt.*
örse *K.*　22. Er marhte *t,* Und merchte *op.*　uf *l,* e *x.*　23. ûz *Kmn,*
Her ab von *optx,* Die von *l.*　noch *Km,* icht *n, fehlt loptx.*　waren *Klpx.*
24. Si hete *t.*　fur *Km,* vor *lop.*　25. Daz sin *l,* Daz ir *optx.*　suenen *K.*
was von in *Kmn,* was un *tx,* waz o, wer *p,* gar waz *l.*　26. Niht wan *l,* Nuer
mo, Nur *p,* An *x.*　27. geiostieret *t,* gehurtieret *l,* gehurd. *op,* über ein weil *x.*
201, 2. Marhgr. *K.* so 202. 203. 209. 211. 212.　3. örse *K.*　4. der mnopt, den
Kx, fehlt l.　auch gein im *opt,* gen im do *x,* er gein ime *l.*　5. vragete *K.*
9. daz ir mich *no und* (mich *nach* stangen *oder* habt) *lx.*　hat *lmt,* habt
Knopx.　erman *K.*　13. Biz *l,* Untz *optx.*　15. baite *K.*　19. riter *K,*
Es si ritter *l.*　unde andr *K,* oder *lx,* alder *t,* und *op.*　20. brinch mit dir
widr *Kmnt,* Die pringe mit dir *op,* Kum du wider *l,* nu hin und chüm her
wider *x.*　21. und *fehlt t.*　vergizze *K.*　der *t.*　22. belangen *lopt.*

sprach Rennewart der snelle.
mit küchenvarwem velle
25 was er ûf einer hackebanc
die naht âne der koche danc
gelegen. die heten hin getragen
sîne stangen. die begund er klagen.
Der tür er wênc deheine liez,
mit den fuozen er si nider stiez.
202 der küchenmeister lac dâ tôt:
die anderen koche dolten nôt,
swaz ir dâ heime was beliben.
unlange het er daz getriben,
5 unz er sîne stangen vant:
die warf er von hant ze hant
als ein swankele gerten.
nu het ouch sîns geverten
gebiten dort der markîs.
10 den dûhte daz daz selbe rîs
sölhen würfen wær ze swære
und dem kranken ungebære.
sus kom der starke soldier:
vor hunden ein wildez tier
15 wær niht baz ersprenget.
ez wart dô niht gelenget,
der marcgrâve reit hin nâch,
Rennewart lief vor: dem was ouch
        gâch.
      dem her was herberge genomen
20 und was der künic selbe komen
zeime klôster, daz verbran
dô der marcgrâve dan
schiet und sînen schilt dâ liez.
ze tûsent marken der geniez
25 was, der dem klôster galt
(sus was sîn urbor gezalt):
op iuch des mæres niht bevilt,
sô koste mêr der eine schilt
der in dem fiure was verlorn,
dan daz klôster mit den urborn.
203   Der marcgrâve reit ouch dar

und nam des grôzen schaden war,
den er untz klôster dâ gewan.
nu hete der appet kunt getân
5 dem künige und der künigîn,
wie rehte kostebæren schîn
der schilt gap von gesteine,
und daz anders enkeine
drûf verwieret lâgen,
10 wan die grôzer koste phlâgen.
der künec zem marcgrâven sprach,
dô er in vor im sitzen sach
(dâ saz mêr rîter ungezalt)
'dar zuo dunket ir mich zalt,
15 daz iu ûf tôtbæren strît
iwer muot die volge gît
daz ir iuch zimiert alsô.'
der marcgrâf saget im rehte dô
'swaz ich zimierde phlige,
20 die erwarp mîn hant mit eime sige
an dem künec von Persîâ.
der bôt mir für sîn sterben dâ
drîzec helfande,
die man geladen bekande
25 mit dem golt von Kaukasas.
al anders mir ze muote was:
sîns sterbens mich baz luste,
wand ich smorgens kuste
Vivîanzen dicke alsô tôt.
ez half in niht swaz er mir bôt:
204 Ich enthoubte den künic wol ge-
        born.
des hât diu minne mir verlorn
sînen schilt kostebære.
er was ouch mir ze swære:
5 in solte der geprîste tragen,
den ich drunder hân erslagen.
got weiz wol daz al sîn sin
ie was gerende ûf den gewin
daz im diu minne lônde.
10 deheiner kost er schônde:

---

24. chuchem varwem *Kl*, chuchen varwen *mn*.   29. Die *K.*   wenich deheine
(dek. *t*, keine *l*, ain *m*) *Klmot*, keyne wening *n*, selten keine *op*.   30. dem
fuezz *noptx*.

202, 8. sines *K*.   9. gebitten *K*.   10. wie daz *lot*.   11. Den *l*. Wær seinem
wuerff *op*.   12. Und einem *op*, Dem *l*, Von dem *t*.   16. Die vart wart niht *lx*.
do *Km*, doch *n*, nu *opt*.   18. dem was g. *lt*, wan im w. g. *op*.   21. Zu
deme *n*, In ein *t*. ze jenem?   30. denne *K*.

203, 1. reit selbe dar *rt*.   3. undz *m*, unt daz *K*.   da *Kmn*, *fehlt lopr*.   nan *r*.
9. verwierret *mo*, verwirt *t*, erwierret *K*, gewiret *n*.   13. saz ouch mer *l*, saz-
zen auch *op*, sazen mere *r*.   14. zalt *rt*, ze alt *K*.   17. zimieret *K*.   ie
also *op*, so *lrt*.   18. marhgrave *K*.   20. mit eime *Kmnr*, mit *lop*, in *t*.
21. chunige *K*.   25. dem *fehlt lprt*.   golde *Klnprt*.   koukesâs *Km*, kou-
kasas *n*.   26. Anders *l*, Eins andern *op*.   27. sines strebens *K*.   28. want
ichs m. *K*.   30. zwaz *K*.

204, 1. enthoupt *mo*, en dobte *l*, tote *r*.   4. Der *opr*, Des *t*.   6. dar und *l*, dar umbe *r*.

sîn herze in des niht werte,
lîp und guot er zerte,
der newederz vor prîs er sparte,
vor valschheit der bewarte.
15 swaz mir nu tuot Terramêr,
ich hân im doch daz herzesêr
an dem werden künge alsô gesant,
dâ von im jâmer wirt bekant:
der ze Samargône
20 in Persîâ die krône
vor den edelen fürsten truoc,
mîn hant iedoch den selben sluoc,
sînen bruoder den getiwerten,
vor wîben den gehiwerten.
25 ich hân der minnen hulde
verloren durch die schulde:
ob ich minne wolde gern,
ich mües ir durch den zorn enbern,
wand ich Aroffel nam den lîp,
den immer klagent diu werden wîp.
205 Ich half noch Terramêre
fürbaz gein herzesêre:
mîn tjost im sluoc den süezen:
wie möht ich daz gebüezen
5 wîben, die noch mêr verlurn
an im, ob si ze rehte kurn?
dâ was der minne urbor verhert,
mit sîme tôde ir gelt verzert.
Thesereiz der geprîste,
10 sîn herze in alsô wîste:
wart nâch minne ie dienst ersehen,

man muose im volgen unde jehen
daz ers phlac und guoten willen truoc.
Thesereiz der het ie genuoc
15 prîss für sîne genôze.
er fuort ouch her daz grôze
ûz fümf künicrîchen.
ich enmac im niht gelîchen
niemen under krône,
20 der baz nâch wîbe lône
runge denne der Arâboys.
der rîche Seciljoys
was geborn von Palerne.
mîn hant in sluoc ungerne
25 durch sîne hôhe werdekeit.
ouwê daz i'm niht entreit,
dô der gezimierte
mich vil gehardierte.
mîn tjost was im doch unbekant,
unz Arabele wart genant,
206 bî der minne er mirz gebôt:
dâ von was kümftic im sîn tôt.
Von Boctân rois Talimôn
was noch durch der wîbe lôn
5 gezieret baz dan Thesereiz:
vor dem bestuont mich Poufemeiz
der künec von Ingulîe,
unt Turpîûn, die drîe,
der rîche von Falturmîê:
10 den tet ich allen glîche wê,
Tschoyûse dez leben ûz in sneit.
Arfiklant ouch mit mir streit,

13. der neweders *K*, der entweders *m*, Der dweders *r*, Der dweders *p*, Der tweders *o*, Twederz *t*, Der khein *n*, Dekeines *l*.   16. im doch daz *Km*, ime doch *lnt*, im diu *r*, ouch im die *op*.   17. werdem chunige *K*.   18. daz von im *Kl*.   truren *rt*.   19. samarcône *K*.   23. 24. getewrten-gehewrten *m*, getiurten-gehiurten *t*, geturten-gehurten *l und (mit* i *vor* u *von späterer hand)* *r*, getureten-gehureten *n*, getewern-gehewern *op*.   24. Von *lnr*, Gegen *p*, Und gein *o*.   25. minne *mnopt*, wibe *r*.   28. Der muose ich *loprt*.   29. want ich Aroffèle *K*.   30. clagent werdiu *opr*, clagende werde *l*.

205, 1. ouch *oprt*.   nach 6 Wart ie nach minne dienst ersehen. Daz muste man Tesseraize iehen. *r*.   12. müse *K*.   14. der *fehlt loprt*.   17. Von viunf *r*, Us von funf *l*.   18. io mag *lt*.   niht *fehlt l*.   21. der Naraboyz *r*.   22. riche kunig von *l*, riche werde *op*.   Secilioys *K*, Setilioys *m*, sycilioys *n*, Seciloys *r*, Siciloys *lot*, Sytiloys *p*.   26. im niht *r*, ich im niht *Kmnpt*, ime ich niht *l*, ich nicht im *o*.   28. gehärdiert *m*, gepart. *l*, gehurd. *op*.

206, 2. wart kunftig im sin tot *n*, was kunfteclich sin not *lr*, im chünftik waz sein tot *op*, kunftlich was sin tot *t*.   3. Bocktan *p*, Bochtan *m*, Bockan *o*, Bochthane *K*, bochtane *n*, poctange *rt*, potange *l*.   kunick *op*, der chunich *die übrigen*.   5. Gezimiert *loprt*.   danne *K*.   6. Paufemeiz *pt*, pavemaiz *r*, porfemeis *o*.   7. Ingalie *mnop*, Ivgulie *r*.   9-11 *fehlen r*.   9. Und der kunig von *lop*, des (Der *t*) lant hiez *mnt*.   10. ich *fehlt l*.   al *lmn*.   geliche *K*.   Der tot tet in algeliche we *t*.   11. Tsoyiûse daz leben uoz im sneit *K*, Tscoyns in ir leben versneit *l*.   12. Erfiklant *Klnt*, Er flikant *r*, Arfidant *o*, Affridant *p*.   ouch *fehlt r*, do *lt*.

und des bruoder Turkant:
Turkânîe was ir lant.
15 der newedern half sîn krône,
ine gæbe im daz ze lône
als ich Viviânzen ligen sach,
den ich sît an Arofelle rach.
    âne rüemen wil ichz sagen,
20 der heiden hât mîn hant erslagen,
ob ichz rehte prüeven kan,
mêr denn mîn houbet und die gran
der hâre hab mit sunderzal.
mit schaden behapten si daz wal,
25 dâ von ich schumphentiure leit:
daz enwas niht ân ir arbeit:
si mugens noch lange zeigen.
daz erziug ich mit den veigen,
als ouch mîn stiefsun Ehmereiz,
wæn ich, wol die wârheit weiz.
207   Von dem maneger slahte wuofe,
ir herzeichens ruofe,
und daz ich heidnisch wol ver-
      stuont,
dâ von wart mir rehte kuont
5 wer sî wâren, dirre unt der,
dô si mit poynder kômen her.
ich sluog ie die geflôrten
an die die rotte hôrten,
unz ich beleip gar helfelôs.
10 die fluht ich dô für sterben kôs:
ich flôh ab sô werlîche,
dês gêrt ist rœmisch rîche,
unt daz Terramêr von Muntespîr
mangen amazûr und eskelîr,
15 die mîne genôze wâren,

mac suochen ûf den bâren.
    nu habt ir, herre, an mir getân
daz arme und rîche, iwer man,
an mir suln nemen bilde,
20 die ligent ûf disem gevilde,
und dar zuo die dâ heime sint.
wære ich, hêrre, iwer kint,
mîn flust möht iu niht nâher gên.
ir welt iu selbn an mir gestên.
25   ich hân vil rehte iu gesagt
wie diu zimierde ist bejagt,
der schilt unt daz kursît:
und des wâpenroc noch gît
alsô kostebæren schîn,
des selben was ouch Volatîn.'
208   Manegen dûht sîn arbeit grôz:
durch daz si smæres niht verdrôz,
die dâ sâzen unde stuonden,
wand si selten ie befuonden
5 ze keiner slahte stunde
lüge von sînem munde.
der künic was der râche vrô:
ouch sprach diu künegîn alsô
'daz in heidenschaft doch eteslîch.
      wîp
10 des clâren Viviânzes lîp
mit mir sol beriezen,
des muost du geniezen,
bruoder, immer wider mich;
und daz dîn manlîch gerich
15 ouch an den hôhen ist geschehen,
sô daz dich Tybalt hât gesehen
ze weren rœmisch êre,
und daz du Terramêre

---

13. 14. Gepriset hoch an werdekeit *r*.   14. Türkani *m*.   waz dez *opt*, hies
sin *l*.   15. den newedern *K*, der entwederm *m*, Der twederm *t*, Ir ni kheyme
n, Den (Dem *pr*) werden *lopr*.   niht sin *lop*, diu *r*.   16. ich gap *opr*.
in, *ohne* daz, *K*.   1°. Arofel *K*.   19. Mit warheit wil ich es sagen *l*.
20. min hant der h. h. *oprt*.   21. ob ich die warheit *K*, Ob ich rehte *n*,
Ob ichz zerebt *mt*.   22. mine gran *lor*, gran *t*.   23. der har *Kt*, der harr
m.   hab *Kr*, habe *t*, haben *lmnop*.   25. schumphentiwer *K*.   26. ez *K*.
30. wæn *K*, Wan *nt*, wenn *m*, Wenne *l*, Wande *r*.   Der ouch wol die *op*.
wætlîch wol die?
207, 1. dem *fehlt rt*.   slahten *mp*.   ŵf-ruof *Kmnop*.   2. ir *fehlte erst r*, ir
sunder *mnop*.   her zaichen *mp*, hertzeclichen *l*.   4. was *lmnoprt*.   ze
rehte *lmnrt*, von rechte *o*.   6. poydr *K*, pondir *r*.   7. geflorierten *K*.
8. die an die *K*.   10. ein fliehen *K*.   doch *K*, *fehlt l*.   11. ich floh ave
K, Ich flôch aber *t*, ich vloch *mn*, Und slucg aber do *l*, Doch flôch ich *op*.
12. ge eret *K*.   13. und des *mnopt*, Da von *l*.   Muntespier-Eskelier *Klmop*.
14. manegen *K*.   18. riche und arme *lmopt*.   19. an mir nu sulen *K*.
21. selben *K*.   25. noch vil rehte *lop*.
208, 1. duhte *K*.   2. Da von *lopt*.   seu des mæres *m*, si meres *l*, sines mæres
Kn, in sines mæres *t*, dez mæres se *op*.   4. wande *K*, Durh daz *l*.   selten
ie *Kmnt*, niht *l*, nie *op*.

vergulte alsô sîn übervart
20 mit sînem schaden ungespart.'
　die fürstn und ander sküneges
　　man
　die fuorn ze herbergen dan.
　si wârn ze hove aldâ belibn,
　unz si den âbent hin getribn.
25 etslîche wârn durch schouwen
　dar komen für die vrouwen,
　etslîch ouch sus durh mære.
　wer jener unt dirre wære?
　ob ich des hab vergezzen,
　des vrâgt ir umbesezzen.
209 Des morgens, do ez begunde
　　tagen,
　hie die karrûne, dort der wagen,
　der hôrt man vil dâ krachen.
　regen und ûf machen
5 sich daz her begunde.
　an der selben stunde
　wart von den gesten,
　den êrsten und den lesten,
　al die strâzen gein Orlens beriten.
10 vil banier mit tiweren sniten
　dâ kom an allen sîten,
　als ob dâ rîter snîten,
　dem künige und dem markîs.
　etslîche kômen durch ir prîs,
15 etslîche hetens vor gesworn,
　durh daz ir reht niht wære ver-
　　lorn.
　der marcgrâve moht âne zol
　durch Orlens nu rîten wol:

in habete nu dâ niemen zuo.
20 es was von êrste in ouch ze vruo.
　doch erwarb er in des küneges
　　hulde,
　und dâ schulde wider schulde
　stuont, umbe des rihtæres tôt,
　und daz âne schulde nôt
25 sîn eines lîp von in gewan.
　m^{it} ir schaden schiet er dan
　und pärlîch ûf ir koste,
　in strîte, und mit der tjoste
　diu Arnalten valte nider:
　si bekanten schiere ein ander sider.
210 Roys Lôys was ouch rœmscher
　　vogt:
　von dem wart daz niht für ge-
　　zogt,
　dô er hin ze Orlens was komen,
　sîns soldes wart dâ vil genomen
5 und willeclîch von im gegeben.
　er sprach zin allen 'muoz ich
　　leben,
　ich rîche iuch umb diz ungemach.'
　ze al den werden er sus sprach,
　unt sunder zuo den fürsten.
10 'nu sît in den getürsten,
　daz ir manet ellens iwer man.
　allez daz ich hiute hân,
　daz sî mit iu gemeine.
　vil gerne ich iu bescheine
15 daz ich mich triwen hin ze iu ver-
　　sihe
　und mîner helfe wider gihe.

21. fursten uū andr des chuniges *K.* 　22. die *fehlt loptx.* 　fuoren *K.*
24. unze *K.* 　hin *fehlt l.* 　getribn *Knx*, vertriben *lmopt.* 　27. ouch sus
Km, ouch *nt*, sust *op*, waren *l.* 　durch die m. *lt.* 　29. dez halb vergæzze *o.*
30. vrøget *K.* 　ir die *lop.* 　umbe gesessen *p*, umbsæzze *o.*
209, 2. die *fehlt lt*, der *op.* 　garrune *K*, charren *mnox*, charre *o*, karrotsche *l*,
karrays *t.* 　die *l*, den *x.* 　7. Da wart *loptx*, Wart da *n.* 　8. al *fehlt loptx.*
strazze *lnoptx.* 　wol beriten *opt*, geriten *ln*, riten *x.* 　11. 12 *haben lmn und*
nach 14 *op: sie fehlen K.* 　11. da chom *m*, Do kom *t*, Da quamen *n*, Ko-
men *l*, Man kos *op.* 　in *nt.* 　12. ob *fehlt l.* 　17. mohte *K.* 　19. Ime
lop. 　20. es *Kp*, Iz *mn*, ez *o*, er *l*, Des *t.* 　ouch in *n*, ouch *l*, in al *t.*
22. unde da schulde *K*, [und *mn*] daz schulde *lmn*, Und die schulde *op*, Un-
schult *t.* 　wider die *t.* 　24. 25. Und daz sin eines (dez ainen *op*) lib vil
not Ane schulde *lopt.* 　25. von in *fehlt n*, von ime *l*, won im *K.* 　27. var-
liche *n*, werliche *l*, erleich *op.* 　28. der *fehlt Kp.* 　29. arnalden *pt*, Er-
nalten *K*, Ernalden *m*, arnalde *o*, arnolden *l.*
210, 1. Loys der chunich was ouch Rœmischer vogt *Kmn*, Loys der Romisch vogt
op, Franzoyser kunig und rœmische (-er *t*) vogt *lt.* 　5. willechlichen von
in *K.* 　6. sol ich *lop.* 　8. sus] do *lopt.* 　10. sint *K.* 　11. Und m. *lop*,
Mant *t.* 　mant *Kmn.* 　ellens vaste *t.* 　12. al daz *K.* 　14. wil gerne *K.*
15. truwe *lnop.* 　hin ze iu *Km*, hin ziu *t*, zuo üch *lno*, gegen euch *p.*
16. Und mine *t*, Und üch nimmer *l.* 　iu wider *t*, wider euch *op.* 　gibe *t.*

iwer neheiner habez für leit
und merkz ouch niht für zageheit,
ob ich hie belîbe.
20 an mîn eines lîbe
lît niht wan eines mannes trôst:
ir werdet sus al baz erlôst.
ob iuch kumber twinget,
al nâher ir gedinget.
25 muget ir niht haben veltstrît,
de marke hât vil bürge wît:
gebet ûz den porten rîterschaft.
ir wizzet wol mîn besten kraft
hinder mir ze tiuschen landen:
ich lœs iuch schier von banden.
211 Mîn êre und ouch mîn lie-
bez her
unt dar zuo sîn selbes wer
bevilh ich sîner manheit,
in des helf mir grôziu leit
5 an wîbes mâgen sint getân,
der ich immer mangel hân.
swâger, gêt her nâher mir.
ich weiz nu lange wol daz ir
wol kunnet her leiten.
10 ich wil iuch hie bereiten
mîns gebotes und mînre gewalt.
die ze keiner helfe sîn gezalt
ûf dise vart dem rîche,
die bitet al gelîche,
15 die hôhen unt die nideren,
daz si mîn gebot niht wideren,
alle mîne massenîe.

der dienestman und der vrîe,
marschalke, al de ambetliute,
20 ich bevilh iu allen hiute
den marcgrâven an mîner stat,
der mich durch kumber helfe bat.
dô sprach diu küneginne
'gan mir got der sinne,
25 swer mînem bruoder nu gestêt,
swaz den immer an gêt
mit kumberlîcher tæte,
mîn herze gît die ræte
daz ich daz wendic mache
mit helfeclîcher sache.'
212 Des ze Munlêûn was ê gesworn,
daz was hie ze Orlens niht verlorn.
die fürsten sunder niht verdrôz,
sine spræchen, einem ir genôz
5 dem wæru si gerner undertân
dan keime des küneges ambetman.
ein marschalc solde fuoter gebn:
die des trinkens wolden lebn,
die solden zuo dem schenken gên:
10 der truhsæze solde stên
bî dem kezzel, sô des wære zît:
'der kamerær sol machen quît
phant den dies twinge nôt.
wir welln des marcgrâven gebot
15 gerne leisten und im warten,
und den heiden wênic zarten.'
der künec gap selbe srîches
vanen
dem marcgrâven und hiez in manen

---

17. hab daz *alle.*   18. merchz *m*, merchez *K*, merkentz *t.*   19. Daz *opt.*
22. Ir alle werdit baz *n.*   al *Kmt*, vil *lop.*   24. Aldeste naher *t.*
25. gehaben *t.*   veldes str. *pt*, zu velde str. *n.*   28. mine *Kn.*   beste *lmt*,
hochstew *op.*   29. Ist hinder *lop.*   ze deutschen *mp*, zedæutschen *o*, zu
tützen *n.*   30. schiere *K.*
211, 2. min *Kl.*   4. helfe *K*, dienest *t.*   mir groz *t*, vil grozz *o*, vil grozes *p.*
5. ist *lopt.*   11. mines *Klt*, Mein *op.*   gepot *op.*   miner *ln*, mines *Kt*,
meins *m*, mein *op.*   12. sint *lop.*   14. bittet *K*, pit *m*, biden *l*, bitt ich *n.*
Ich pitt euch *opt.*   ampet liute *K.*   25. hie *lopt.*   27. Von *lopt.*
212, 1. ê *fehlt lt*, vor *op.*   2. unverlorn *opt.*   4. Si jahen *t*, sine welten *K.*
einen *Kln.*   5. dem wolden si *K.*   gerne *lopt*, gerne sin *K.*   6. den *K.*
keyme *n*, keinem *p*, dehainem *mo*, dekeinem *t*, dekein *l*, decheinen *K.*   des
fehlt op.   hauptman *opt.*   8. wolden *Kmt*, solden *lnop.*   pflegen *lop.*
9. den *lpt.*   10. der truhsæze [du *n*] solde [ouch *n*] *Kn*, So (Do *l*) solde
(solt *t*, sol *o*) der truhsetze (druchsaetz *m*, druchsætze *o*, truhsæce *t*) *lmopt.*
11. bi den kezzeln *lt*, bi der küchen *p.*   wurde *t*, wirde *o.*   12. chamerære *K*,
chamrer *m.*   scholt *mnopt*, pfant sol *l.*   13. deu phant *mnopt*, *fehlt l.*
den des *n*, den di des *mop*, Swen so des *l.*   twinge *p*, twingen *K*, twinget *l*,
twunge *mnot.*   14. wellen des marhgr. *K.*   15. gerne *fehlt Km.*   im *mn*,
in *K, fehlt lopt.*   18. bat in *K.*

daz her um Munschoy den ruof,
20 'der mînem vater Karl schuof
in strîte manec koberen.
die nideren und die oberen,
ir strîtet berge ode tal,
sît gemant um des ruofes schal.'
25 Heimrîch und sîniu kint
niht an der samnunge sint.
sine dorfte niemen suochen dâ:
ieslîcher sich mit sunderr slâ
alsô gein Oransche erbôt,
dês vische in fürten lâgen tôt.
213 Die fürsten und des künges man
die nâmen urloup von dan
ze varen ûf die hervart.
nu kom der junge Rennewart:
5 von arde ein zuht im daz geriet,
mit urloub er dannen schiet
vome künge an einer stat aldâ,
fürbaz zer künegîn anderswâ.
de junge künegîn sunder was
10 under boumen anme gras:
dar begund er durch urloup gên
und eine wîle vor ir stên.
wan daz mirz d'âventiure sagt,
des mæres wær ich gar verzagt,
15 als ez im Alyze erbôt.
si klagete sîne manege nôt
die er in Francrîche het erliten.
dar nâch begunde si in biten
daz er ir vater schult verkür,
20 swaz der ie prîss gein im verlür.

'du solt mit mîme kusse varn.
dîn edelkeit mac dich bewarn
und an die stat noch bringen
dâ dich sorge niht darf twingen.'
25 diu magt stuont ûf: der kus ge-
schach.
Rennwart ir neic unde sprach
'der hœhste got behüete
iwer werdeclîchen güete.'
den anderen vrowen wart ouch
genigen,
gein in sîn urloup niht verswigen.
214 Willehalm den fürsten wol geborn
daz her ze meister het erkorn:
doch fuor dâ manec sîn genôz
mit manegem sunderringe grôz.
5 ûf velde unt in walde
si muosen gâhen balde:
des gert der si dâ fuorte,
wand in grôz angest ruorte
nâch Gyburg der künginne.
10 er forhte daz ir minne
Tybalt solde'rstrîten.
zeinen sorclîchen zîten
der marcrâve mit den sînen
kom sô nâhe den Sarrazînen,
15 daz er mit sînen ougen sach
daz im sîn herze des verjach
mêr flüste denne er ie verlür.
und swaz er angest sît erkür,
dô er von Viviânze schiet,
20 und des morgens dô sîn manheit riet,

19. daz her (er *opx*) umbe *fehlt K.*　　Munshoy *K.*　　20. den mein *x.*
minen *Kl.*　　charel *Kx,* karle *n,* karln *opt.*　　23. strit *K,* streitt *x.*　　an
loptx.　　bergen *lp.*　　oder *m,* unde *Kn,* oder in *lptx,* und an *o.*　　24. So
opx.　　west *K.*　　um *K,* uf *l, fehlt px.*　　28. sunderr *Kop,* sunder *lmnt.*
20. hin ze Oranshe also rebot *K.*　　bot *lt.*　　30. daz *Ko.*

213, 1. 2. Die fuersten und all ier (di *n*) werden man Namen da (du *n*) ürlaub von
dan *mn,* Aldie werdern des kuniges man Namen urlüp von dan *t,* Dar nach dez
künigez man namen von im urlaub dan *x,* Al den fursten dez kuniges scharn
man urloub gab von dann zevarn *op,* Der margreve mit allen scharen. Nam ur-
lop zuo dannen varen *l.*　　3. Und vreuntleichen (Vil ellentlichen *p*) auf die
vart *op,* Allenthaft er kert uf die vart *l.*　　uf *mnx,* in *K.*　　4. nu chom *Kx,*
Do kom *t,* Hie quam *lmn,* chom hie *op.*　　5. 6. gerît-schiêt *K.*　　7. chunige
an eine *K.*　　9. chuneginne sundr *K.*　　10. undr boumen *Klmnt,* Under
einem paum *op,* In einem garten *x.*　　anme] an dem *x,* an eime *Kl,* an
einem *opt,* an aim schonen *m,* an eyn schoniz *n.*　　11. 12 *fehlen K.*　　13. deu
K.　　14. ich wære des mæres *x.*　　Disses *l.*　　15. Alys *K.*　　16. Die *optx.*
17. Die er hete in *tx.*　　18. in do *tx.*　　20. er *noptx.*　　ie *nach* brises *l,*
fehlt op.　　an im *opt,* an mir *x.*　　21. minem *K.*　　30. sîn] si *K.*

214, 1. Willehalme dem *K.*　　7. gerte *K.*　　dâ *fehlt lopt.*　　9. nach Gyburge
der chuninne *K.*　　11. restriten *K.*　　14. kom *nach* nahen *opt.*　　nahen
Kmopt.　　17. Waz er uf alischanz verlüre *lopt.*　　19. Sit *t,* Seint *op.*
Vivianz *K.*　　Do er Fivianzen vallen liez *l.*　　20. Und smargens *m,* Und *op.*
du im sin *n.*　　hiez *l,* im geriet *op.*

fümfzehen künege rîch erkant,
die entschumphiert sîn eines hant,
Tenabruns und der Persân,
swaz im die hêten getân,
25 und der minnen gerende Thesereiz,
und ander manic puneiz,

dâ wart er werlîch ersehen:
nu muoz sîn freude dem jâmer
　　jehen
und dem zwîvel rehter tschum-
　　pfentiur.
die nôt gap im bî naht ein fiur.

---

21. künic rich *p*, kunicriche *l*, chunige manlich *Kn*, chunich manleich *m*, ku-
nege *t.*　　rechant *K.*　　22. die *fehlt lo*, Das die alle (*ohne* eines) *p.*　　ent-
schumphierte *K.*　　23 *nach* 24 *l.*　　Tenebruns *lopt.*　　den *p.*　　24. Und
(Oder *opt*) waz ime hete getan *lopt.*　　25. und *fehlt opt.*　　den *l.*　　minne
lmopt.　　gerunden *l.*　　Thehereiz *K*, Thezereis *o.*　　26. anders *lot.*　　bu-
neiz *K.*　　27. er] der *K.*　　28. sin trüwe *lopt.*　　der minne *op.*　　29. Uber
sich der rehten *l*, Der unverzagten *op*, Der unversageten *t.*　　30. vuoget
im *t*, fuoget *lo*, im fuegt *p.*　　daz viure *t.*

V.

215 Ez næht nu vreude unde klage
und dem helflîchem tage
und der kümfteclîchen zîte,
und daz der sorclîchen bîte
5 mit freude ein ende wart gegebn,
dâ Gyburc inne muoste lebn,
diu selbe dicke wâpen truoc.
wie vil ir vater des gewuoc,
daz er si wolde überkomn!
10 si sprach 'ich hân den touf genomn
durch den der al die crêatiur
geschuof, daz wazzer und daz fiur,
dar zuo den luft unt d'erden.
der selbe hiez mich werden,
15 und al daz lebehaftes ist.
solt ich durch Mahmeten Krist
unt den marcrâven verkiesen,
unt mînen touf verliesen,
unt manege werdeclîche ger,
20 die under schilde mit dem sper,
mit helme verdecket,
sô dicke hât volrecket
der marcrâve mit heldes tât
und noch vil guoten willen hât
25 ze dienn nâch mîner minne?
ich was ein küniginne,
swie arm ich urbor nu sî.
ze Arâbîe unt in Arâbî
gekrônt ich vor den fürsten gienc,
ê mich ein fürste umbevienc.

216 Durch den hân ich mich bewegen
daz ich wil armüete pflegen,
und durch den der der hœhste ist.
wâ fund ouch Tervigant den list
5 den êrst ervant Altissimus?
der pôlus antarticus
unt den andern sternen gab ir louft,
durch den hân ich mich getouft;
derz firmamentum an liez
10 unt die siben plânêten hiez
gein des himels snelheit kriegen.
sîn wâge kan niht triegen,
diu al daz werc sô ebene wac,
daz ez immer stæte heizen mac
15 unt immer unzerganclîch.
sint iwer gote dem gelîch,
der den luft wol wider væhet
unt al sîn dinc sô spæhet,
mit fluzze ursprinc der brunnen,
20 unt der drî art der sunnen
gap, die hitze, und ouch den schîn:
si muoz ouch ûf der verte sîn:
daz nimt und bringet uns daz lieht.
swaz mir durch den got geschieht,
25 der des alles hât gewalt,
gein dem schaden bin ich palt:
der mac michs wol ergetzen
unt des lîbes armuot letzen
mit der sêle rîcheit.
ir verlieset michel arbeit,

215, 1. EZNÆTNU URU (*das ende der zeile fehlt*) *K.*   freuden *m.*   3. chumf-
techichem *K.*   4. und *fehlt lopt.*   5. freuden *Kop.*   wart ein ende *op.*
8. Swie *mnt.*   11. der] die *ln.*   aldie creature *K,* aller creature *t.*   12. fiure *Kt.*
13. den *Km, fehlt lopt.*   die *Kmn, fehlt lopt.*   15. allez *lmnopt.*   daz da *o,*
das das *p.*   lebehaftez *l,* lebhaftez *m,* lebenthaftis *n,* lebendig *l,* lebende *op.*
19. williche *l,* ritterleiche *opt.*   20. undr schilde (de *aus* te *gemacht*) *K.*
23. markis *n.*   helds *K.*   24. Der *lopt.*   25. dienen *K.*   28. Arabia *Kmnop.*
und zuo *lop,* und z *t.*   29. gechrœnet *K.*   gie-umbe vie *K.*

216, 2. armuot *Klm.*   3. der dr hoehste *K.*   4. Tervagant *K.*   5. den erstn
revant *K.*   6. polos *t,* polo *p.*   antarcticus *n,* antartius *l,* artanticus *opt.*
7. Und all den (allen *p*) st. *op,* Unde den st. *l.*   louf *lnop.*   8. Durch den
han [name *l*] ich [nu *n,* genomen *op*] den (di *o*) touf *lnop.*   9. firmament *lnop.*
11. Geins *t.*   himmels *K.*   snellecheit *Kln.*   chiegen *K.*   13. werh *K.*
15. unzergænchlich *lo,* unvergenclich *np.*   23. Daz si *lmnpt,* Daz ni *o.*
24. geschicht *npt,*   27. Er *lopt.*   mis *n,* mich *l,* uns *op.*   30. michl *K.*

217 Du vater und ander mîne mâge,
daz ir lîp unt êre en wâge
lât durh Tybaldes rât,
der deheine vorderunge hât
5 von rehte ûf mich ze sprechen.
waz wiltu, vater, rechen
an dîn selbes kinde?
bî tumpheit ich dich vinde.'
'ach ich vreuden arm man,
10 daz ich sölh kint ie gewan,
sprach Terramêr der rîche,
'daz alsô herzenlîche
an sîner sælde kan verzagn
unt sich den goten wil entsagn!
15 ey süeziu Gyburc, tuo sô niht.
swaz dir ie geschach od noch ge-
         schiht
von mir, daz ist mîn selbes nôt.
jâ gieng ich für dich an den tôt.
daz ruoch erkennen Mahumete,
20 daz ich durh Tybaldes bete
ungerne ûf dînen schaden fuor,
unz michs bî unserr ê beswuor
der bâruc unt de êwarten sîn:
die gâben mirz für sünde mîn,
25 daz ich dich tæte lîbelôs.
mîn triwe ich doch sô nie verkôs,
ich hete dich zeime kinde.
ob ich dich bî sælden vinde,
sô êre dîn geslehte
unt tuo den goten rehte.'
218 'Ey vater hôh unde wert,
daz dîn muot der tumpheit gert,
daz du mich scheiden wilt von dem,
der frouwen Even gap die schem
5 daz si alrêrst verdact ir brust,

dâ was gewahsen ein gelust
der si brâhte in arbeit,
in des tiuvels gesellekeit,
der unser immer vâret.
10 du bist wol sô bejâret,
daz du der wîssagen zal
bekennest umb Adâmes val.
Sibille unde Plâtô
die hôhen schulde uns kündent sô.
15 Eve al eine schuldic wart,
dar umb die hecleclîchen vart
Adâms geslähte fuor iedoch,
wan Helîas und Enoch.
die andern muosen alle queln:
20 dane kund sich niemen von ver-
         steln.
wer was der si lôste dan,
unt der die sigenuft gewan
daz er die helleporten brach,
unt der Adâmes ungemach
25 erwant? daz tet diu Trinitât.
der sich ein selb dritten hât
ebengelîch unt ebenhêr,
sih, der enstirbet nimmer mêr
durch man noch wîbes schulde.
nu wirb umb sîne hulde.'
219 Dô sprach der von Tenabrî
'den einen möhten doch die drî
vor dem tôde hân bewart.
er jah, ûz israhêlscher art
5 wær er von einer maget erborn:
hân ich dich durch den verlorn,
den sîn selbes künne hienc
unt unprîs an im begienc,
zuo dem hân ich kleinen trôst
10 daz unser vater wurde erlôst,

217, 1. ander *fehlt lopt.*   3. von rehte lat durh Tybalds rat *K.*   4. foderung *x,*
vodrung *o,* vödrung *m.*   5. von rehte *fehlt K.*   7. dime guoten *ltx,* deinem
armen *op.*   9. arman *K,* arme man *t,* armer man *lnox.*   12. herteclíche *l,*
gærliche *t.*   14. sih *K.*   15. arabl *lopt.*   17. selbs *K.*   18. in *opt.*
19. machmete *n,* Mahumet *K,* Mahmet *lp,* Machmet *motx.*   20. Tybalds bet
K.   22. unze *K.*   mich *nop,* man mich *l,* er mich *x.*   meiner *opx.*
23. barruch *l.*   die *K.*   24. die *fehlt l.*   fur die *lnop.*   25. liblos *Km.*
26. mine *K.*

218, 5. Da von si erest *t.*   allrest verdaht *K.*   6. gewachsen *K.*   7. si *fehlt p,*
uns *t.*   8. des *fehlt lt.*   10. so wol *lop.*   12. erchennest *K.*   und *lop.*
13. 14 *fehlen t.*   15. Eva *lmnop.*   16. umbe *K,* von *lt.*   hellischen *op.*
18. Adames *K.*   iedôch *K.*   18. Elias *lnopt.*   Enôch *K.*   19. alle
clagen *n.*   20. chunde sih *K,* mocht sich *opt.*   niman verhagen *n.*   22. die
sigenunft *op,* den sig so stark *n.*   25. erwante *K,* Want *x,* Wante *t,* wan *l.*
26. sih einen selbe *K.*   dritte *ntx.*   28. erstirbet *mnoptx.*

219, 1. Tenebri *loptx.*   3. von *Kt.*   haben *Kx.*   4. israhelischer *Kmox,*
Israhelicher *lp.*   5. geborn *lnoptx.*   6. Sol ich d. d. han verl. *tx.*   7. selbs
K.   erhieng *lopt.*   8. unbris *K.*   10. werd *K.*

Adâm, von hellebanden
mit menneschlîchen handen.
diu helle ist sûr unde heiz:
manegen kumber ich dâ weiz,
15 daz ist mir von den goten kunt:
daz mac volsprechen nimmer munt,
wie trûreclîchen ez dâ stêt.
sol Jêsus von Nazarêt
die porten hân gebrochen,
20 waz ist an mir gerochen
mit dem ungelouben dîn?
bekêr dich, liebiu tohter mîn.'
'ich hœr wol, vater, ez ist dir
leit.
dô Jêsuses mennischeit
25 der tôt am kriuce müete,
innen des sîn leben blüete
ûz der gotlîchen sterke.
lieber vater, nu merke:
innen des diu mennischeit er-
starp,
diu gotheit ir daz lebn erwarp.
220 Möhten hôher sîn nu dîne gote,
sô wolt ich doch ze sîme gebote
unz an den tôt belîben,
der ie werden wîben
5 vor ûz ir rehts alsô verjach,
daz man in dienestlîchen sach
under schiltlîchem dache
bî sölhem ungemache
dâ man den lîp durch wirde zert
10 unt dem laster von dem prîse
wert.
mir saget ouch selbe Tybalt
daz der marcrâve mangen walt
zer tjost vertæte mit den spern.

der begund ouch mîner minne gern,
15 dô in der künic Synagûn,
Halzebieres swester sun,
in eime sturme gevienc,
dâ sîn hant alsölhe tât begienc
daz er den prîs ze bêder sît
20 behielt aldâ und alle zît.
diu hôhe wirde sîne
über al die Sarrazîne
was erschollen unt erhôrt.
dô was ich küneginne dort
25 und pflac vil grôzer rîcheit.
sus lônde ich sîner arbeit:
von boin und anderem sîm ver-
smidn
macht ich in ledec an allen lidn,
unt fuor in toufpæriu lant.
ich diente im und der hœsten hant.
221 Mîns toufes schôn ich gerne.
Tybald ich Todjerne
lâz, dâ du mich krôntes.
dannoch du, vater, schôntes
5 dîner triwe, dô daz selbe lant
ze heimstiwer mir gap dîn hant.
wilt du Tybalde volgen,
du muost mir sîn erbolgen.
nâch sîm erbeteile
10 er füert dîn êre veile.
er giht ouch ûf Sybilje:
daz liez im Marsilje
sîn œheim, den Ruolant ersluoc.
hie dishalp mers er sagt genuoc
15 daz er für erbeschaft sül hân:
sît dîn veter Baligân
den lîp verlôs von Karle,
halp Provenz unt Arle,

13. suwer *K*, sower *mop*, sure *t*.   16. Ez *lop*, Ezn *t*.   immer *l*, nicht der *op*.
17. truoweliche *l*, sorchleichen *o*, iemerlichen *p*.   18. Sol *mnoptx*, So *l*, da *K*.
19. borten *K*.   hat *Kl*.   zebrochen *notx*.   22. bechere *K*, Bezzer *l*.
23. hœre *K*, weiz *optx*.   24. Jesus *Km*, jhesuszis *n*, Jesus die *lx*, ihesum die *op*, Jesum sin *t*.   25. den *mx*.   am *m*, anme *t*, an eime *l*, an dem *nopx*, ad dem *K*.   26. Inn des *m*, Inne des *l*, Binnen des *p*, Inner des *o*, Innen *l*, In der weil *x*.   27. Mit *tx*.   28. nu *fehlt loptx*.   29. In des *n*, Inne des *t*, innen (In *m*) des unt *Km*, Inner (Binnen *p*) dez do *op*, In der weil *x*.
220, 1. nu *nach* sein *m*, *nach* möchten *nop*, *nach* Mohte aber *t*, *fehlt l*.   got *K*.   2. sinem gebot *K*.   5. rehtes *alle*.   so *nlt*.   7. undr *K*.   10. lastr *K*. brise *K*.   11. sagte *nop*.   ouch *hat nur K*.   19. bedr *K*.   21. die *K*.   26. lode *K*.   27. Mit *t*.   boin *l*, pain *K*, boyen *n*, poyen *mop*, poynde *t*. un von *Klmopt*.   andern *lnop*.   sinem *Kt*, sein *o*, sinen *n*, *fehlt lp*.   gesmidden *n*.   28. ledich *Klmo*, los *np*.   allen *lo*, allen sinen *Km*, sinen *op*, den *t*.   29. fuer *K*, fuoren *l*, fuer mit im *op*.   30. diene *lnopt*.   han *K*.
221, 2. Tybalds ich *K*, Tybald von *lop*.   3. laze *K*, Lies ich *op*.   7. wil du *K*.   9. sime *ln*, sinem *Kopt*, deim *m*.   10. Fuoret er *lopt*.   sine *l*.   11. ûf *fehlt lopt*. *lopt*.   13. Sin bruoder *t*.   sluog *lp*.   15. sule *K*, sol *ot*, wil *l*.   16. vater *Klo*.   18. Alle pr. *lopt*.

er giht daz sül er erben.
20 wiltu durh lüge verderben
dîn triuwe an dîn selbes fruht,
ouwê waz touc dîn altiu zuht?
du verwurkest an mir al dîn heil.
mahtu Todjern, mîn erbeteil,
25 Tybalde und Ehmereize gebn,
und lâz mich mit armuot lebn.'
diz gespræche ergienc in eime
fride.
der künec Tybalt hin zer wide
Arabelen dicke dreute:
Ehmereiz in drumbe steute.
222 Terramêr der warp alsô,
hiute vlêhen, morgen drô,
gein sîner lieben tohter.
mit deheinen dingen mohter
5 si des überlisten,
sine wolte Oransche fristen,
und ir lîp unde ir kranken diet,
unz an in der von ir schiet
nâch helfe an den ræmschen vogt.
10 mit arbeit hete siz für gezogt
unz dês daz her durh nôt verdrôz.
der smac von tôten was dâ grôz,
unt sus von manegen âsen.
nu het ouch vil der mâsen
15 diu veste Oransche enphangen
mit würfen von den mangen
und von den drîbocken.
sine spilten niht der tocken:
ez galt ze bêder sît daz lebn.
20 die wîsen, sheres râtgebn,
rieten Terremêre
eine wîl die dankêre,
sît wære verwüestet al daz lant
unt ninder werlîchiu hant
25 dâ wær wan in der einen stat.

daz her in al gemeine bat,
er solte kêren gein der habe:
sô si genæmen spîse drabe
unt si der luft erwæte,
ob er sis danne bæte,
223 si herbergeten der wider für,
und tætenz mit gemeiner kür.
Daz erloubte in der von Tenabrî
und jah, er wolt dâ wesen bî
5 daz ê ein sturm geschæhe,
sô man die naht ersæhe.
des âbnts, dô man die sterne
ersach,
dô huop sich Gyburge ungemach.
beidiu der unt dierre,
10 slingære unt patelierre,
sarjande und schützen,
der stete die unnützen,
unt über al diu rîterschaft,
die erhuoben mit gemeiner kraft
15 einen sturm bî der naht.
des wart Glorjet in angest brâht,
ze Oransche der liehte palas.
vor fiwer man noch wîp genas
der getouften in der ûzern stat.
20 Gyburc ir kleinez her dô bat
d'inren Oransche behalten.
die jungen mit den alten
kêrten dan gein Alischanz,
dâ Mîle unde Vivîanz
25 ûf wârn gelegen tôt.
nu ersach die herzebæren nôt
der marcrâve under sîme her,
daz der himel unt daz mer
beidiu wâren fiuric var.
si pruoften unde nâmen war,
224 genuoge denz niht was bekant,
gein welhem orte in daz lant

---

19. iebt *K.*   24. Todierne *Knt,* Toderne *l.*   26. und *fehlt lt.*   laze *K.*
27. ditze *K.*   einem *Knoptx.*   28. der *fehlt op.*   30. dar umbe ime *l,*
da wider *n.*   streute *op.*

222, 1. der warp *Kmnx,* gewarp *lopt.*   3. gegen *K.*   4. dekeim dinge *l.*
6. 15. Oransce *K.*   7. chranche *lm,* chrancheu *o,* kranker *t.*   9. unz an *K.*
dem *lo.*   10. sis *K.*   11. unze *K.*   des daz her *Km,* daz her *t,* daz is
(sein *o*) in *nop,* daz si des *l.*   12. waz so *lt,* waz si *o,* der was *p.*   16. mit
mopt, nu *K,* Von *ln.*   bliden *n.*   von den] und von *ln.*   20. des hers *alle.*
21. Die *opt.*   22. wile *K.*   dannen kere *lnpt,* dannechere *o.*

223, 1. der widr *K,* aber wider *l,* wider der *m,* wider dar *t,* da wider *nop.*   2. taten
ez *K.*   4. wolde *K.*   wesen da bi *lot.*   7. abends *K.*   sach *lmno.*
9. dirre *Klnpt.*   10. unt *fehlt lmopt.*   patelirre *Klpt,* padelirre *n.*   11. ssariande
K.   12. stette *K,* stat *opt.*   19. üzeren *K.*   21. die inneren Oransce *K.*
halten *l.*   29. fewer var *opx.*

224, 1. Genuech *m,* Ir gnuk *n,* Genuog *lo,* genuogen *K.*   den ez *alle.*

daz starke fiwer möhte sîn,
op tâ lægn die Sarrazîn.
5 Der marcrâf saget in rehte dô
'mir ist mîu dinc nu komen alsô,
daz ich bedarf decheines zagen:
ich muoz mit helden prîs bejagen.
nu, Franzoys, tuot ellen schîn.
10 ey vater unt die bruoder mîn,
daz· ir hie bî mir niene sît,
unt daz ich âne iuch disen strît
noch hiute muoz versuochen!
wil mîner manheit ruochen
15 der durch uns an dem kriuce was
unt der al sterbende genas,
swar Gyburc vert, dar kêr ouch ich.
diu wolde halten unz an mich
Oransche, und ist nu drab genomn.
20 ich möht ir lîht enzît sîn komn.
die fürsten sîn des hie gemant,
wie der rœmsche künec iuch hât
    gesant
ze werne rœmisch êre.
nu ensûmet iuch niht mêre,
25 wâpent ors unde lîp,
helfet des daz mir mîn wîp
diu clâre Gyburc hie bestê.
ich wil vor iu komen ê
zen vînden, schouwen ir gelâz.
ir endurfet iuch niht scharen baz,
225 Wan ie de storje, dise unt die.
wir sulen dort unde hie
mit eime buhurt an si komn.
si habnt mit schaden wol vernomn
5 daz wir baz kunn mit rîterschaft:
waz danne op grœzer ist ir kraft?
sô sul ab wir mit sælden sîn.'
balde wart im Volatîn
gezogn: er huop sich an die vart,
10 mit im sîn vriwent Rennewart

unt swer an sîme ringe lac.
innen des gienc ûf der tac.
dâ wart vil busîne erschalt,
und tambûren ungezalt.
15 Franzoyser die werden
wolten rœmscher erden
an der heidenschaft den prîs be-
    zaln.
hie an bergen, dort an taln
sah man rotte brechen für,
20 die banier in der mâze kür
als al die stûden sîdîn
wærn. dannoch die helme schîn
gâben unverdecket.
dâ wart hin nâch getrecket
25 mit maneger sunderstorje grôz.
die fürsten sunder niht verdrôz,
sine manten ellens vast ir man.
dô gâhten für ein ander dan
die man dâ wert erkande,
rîter, sarjande.
226 Der marcgrâve gâhte
ze vorderst, unz er nâhte
dem fiwer daz im herzenleit
gap. al sîn heilikeit
5 möht im siuften hân erworben:
er wær vor leide erstorben
des morgens, wan sîn manlîch art.
durh den rouch er innen wart
daz dannoch stuont sîn palas,
10 dâ von geflôrieret was
Oransche und al diu marke.
Rennewart der starke
het im ze fuoz gevolget dan:
über al sîn her kein ander man
15 fuor im dâ sô nâhe bî.
Terramêr von Tenabrî
unt Fâbors von Meckâ
daz gesez gerûmet hêten dâ,

3. stercher K.   4. op da (d aus t gemacht) K.   lægen alle.   5. Mar-
crave K.   rehte fehlt l.   6. nu fehlt K.   so lnopt.   7. decheinez K.
8. bris K.   9. franzoyse Kn, franzoyser lopt.   10. Eya lnop.   die fehlt
lnt, lieben op.   11. bi mir hie lop.   14. geruochen lop.   17. da (dar p)
var nop.   18. wol ot.   behalten mnopt.   19. Hat Or. t.   21. Ir
fursten sit l.   22. si hab op.   23. zewerben K.   24. iuh K.   25. örs
und K.   29. vienden K.
225, 3. einem mopt, enim K.   5. Wir kumen baz (in p) [danne si l] mit lopt.
chunnen Kmn.   7. abr wir K, wir aber ln, wir t.   bi lmnt.   9. Dar gez.
lopt.   sih K.   12. Inne m, In l, Inner o, Binnen p, Under n.   17. den]
en t, ir l.   21. stunden K, pusch op.   22. waren K.   helm K.
25. sundern storie K, sundern rotten p.   30. und lnopt.
226, 1. 23. marhgr. K.   4. selekeit ln, manheit op.   15. für im K.   17. Mecka
op, Mechâ Klmnt.   18. gesæzz ox, gesezze l.   was alda t.

unt al die künge unt de eskelîr
20 wârn mit dem von Muntespîr
dan gekêret gein der habe:
duo kurn si durch den rouch her abe
daz kom des marcgrâven her.
die heiden wâren gein dem mer.
25 dô wânde de unverzagete
Gyburc, dô manz ir sagete,
si wolten wider kêren
unt aber ir schaden mêren.
harnasch muost widr an ir lîp.
manlîch, ninder als ein wîp
227 Diu künegîn gebârte.
der ir schaden wênic vârte.
der marcrâve ûf Volatîn
kom, unt der geselle sîn
5 Rennewart mit im ze fuoz.
durh mangen rouch er kêren muoz,
dâ die herberge wârn an gezunt.
Rennewart sah dâ ze stunt
vil ebenhœhe und mangen.
10 mit sîner grôzen stangen
wær er gerne nâch der heiden her.
nu stuont vrou Gyburc ze wer
mit ûf geworfeme swerte
als op si strîtes gerte,
15 unt bî ir Steven ir kapelân,
unt ir juncfrouwen sô getân
daz si wâren harnaschvar.
daz inre volc gemeine gar
gâhten an die zinnen.
20 der marcrâve wart innen
daz eteswer drinne lebete.
gein der port er strebete:
dâ wart von sînem munde
der heile unt der wunde
25 minneclîch gegrüezet.
dannoch was ungebüezet

vil angest der si phlâgen.
si wolten aber wâgen
ir lîp werlîch unz an den man
der güetlîch die stat gewan.
228 Der selbe hielt ouch vor in dâ.
het er gehalden anderswâ,
daz wær in allen liep gewesen,
die noch drinne wârn genesen.
5 er rief hin an die zinne
'lebt noch diu küneginne?'
und vrâgte wiez dâ stüende.
sine heten deheine küende
daz des landes hêrre zuo in sprach.
10 diu künegîn Gyburc dô ersach
den wâpenroc unt Volatîn:
her ab sprach diu künegîn
heidensch 'hêrre, wer sît ir,
daz ir sus nâhe haldet mir.
15 unt daz âne vride tuot?
ir habt alze hôhen muot:
ir mugets wol schaden enphâhen.
ich wil iu fürbaz nâhen
unt kündeclîcher werden kurc.'
20 'ey wa ist diu clâre Gyburc?
saget mir, ist diu noch gesunt?'
von sîner stimme wart in kunt
daz der rehte wirt was komn.
von sîner kunft was in benomn
25 vil angest der si phlâgen ê.
nu wart durch liebe alsô wê
Gyburge, diu durch vreud erschrac,
daz si unversunnen vor in lac.
wan ir kom genendeclîche
vil helfe ûz Francrîche,
229 de besten rîter die man vant
in der rehten rîterschefte lant.
Gyburc noch unversunnen lac.
den marcrâven erlangen mac,

---

19. unt *fehlt lt.*   die esk. *Kmn,* aldie esk. *t,* esk. *lop.*   21. dannen *Klnop.* hab-ab *K.*   22. duo *K,* Du *n,* Do *mopt,* Nu *l.*   25. Nu *lop.*   diu *t,* die die übrigen.   29. muose *K.*

227, 8. Der Margreve *lt,* Der markis *op.*   alda ze *op,* an der *lt.*   10. 11. Renwart mit siner stangen Were gerne *loptx.*   13. ôf *K.*   geworfem *loptx,* gewarfen *m,* geworfenen *n.*   15. der k. *opt.*   18 Und daz *opt.*   21. druffe *lnopt.*   22. bort *K.*   er vaste *t.*   26. was *x,* was im *K,* was in *lmnopt.* niht *Klmn.*   gebuezet *Klm,* ingebuzit *n.*

228, 4. dannoch *lopt.*   dinn warn *m,* warn dar inn *op,* waren da *l.*   7. wie ez *K.*   8. heten es *l,* hetten sin *nop,* hetes *t.*   9. ein *K,* hintz in *m,* hin zir *t.*   10. Die wise kyburge ersach *lop.*   14. so *loptx.*   17. schad *Kx.* 19. kuntlicher *p,* chundleichen *mnot,* kunfteclicher *l.*   20. Eya *lnp.*   die werde *l, fehlt nx.*   21. ist si *lopx.*   22. Bi *optx.*   ir *lop.*   24. wart *loptx.*   27. durch libe *n,* vor liebe *t,* vor freuden *lop.*   28. vor in unv. *l,* vil unv. *op,* unversunnet *t.*   29. genædichleiche *op,* so creftecliche *l.*

229, 1. Der *t.*   2. Uz *t.*   4. den Marcrave *K,* Der marcgrave *n.*   belangen *lmopt.*

5 daz niemen im die port ûf tuot.
diu was mit slôze alsô behuot,
ob iemen wolde wenken
dort inne unt überdenken
sîne triwe durch miete,
10 swelch vîent daz geriete,
dazz im vrumte niht ein hâr.
Gyburc für den selben vâr
der bürge slüzzel selbe truoc:
die wâren spæhe alsô genuoc.
15 den list noch lützel iemen kan.
bî einer wîl si sich versan
und gâhte hin gein der porte,
dâ si ir besten vriunt hôrte.
    mit vreuden wart er lâzen în.
20 sine het ouch niht sô liehten schîn,
als dô er von ir schiet,
als im ir süezer munt geriet,
der dâ vil geküsset wart.
ouwê daz ein sô rûher bart
25 sich immer solt erbieten dar!
doch was si selbe harnaschvar,
daz diu maget Carpîte
vor Laurent in dem strîte
noch Camille von Volcân,
ir newederiu hetez sô guot getân.
230 Gyburc streit doch ze orse
      niht:
diz mære ir anders ellen giht,
daz si mit armbrusten schôz
und si grôzer würfe niht verdrôz
5 unt ir wer mit liste erscheinde.
ir tôtez volc si leinde
gewâpent an die zinnen,
und ruortez sô mit sinnen,
daz ez die ûzeren vorhten,

10 die de antwerc gein ir worhten.
arbeit het si verselwet nâch.
an Rennewarten si dô sach.
dô der die grôzen stangen,
die starken unt die langen,
15 sô dicke warf von hant ze hant,
si sprach 'wer ist der sarjant?
sul wir iht angest gein im hân?
er ist sô wiltlîch getân.'
    der marcgrâve sprach hinz ir
20 'disen knappen den gap mir
der rœmsche künec, unt helfe grôz.
vil manec fürste mîn genôz
gâhent dâ vaste zuo zuns her
mit alsô helfeclîcher ger,
25 hânts die vînde hie gebitn,
von Franzoysen wirt gestritn
dazz d'engel möhten hœren
in den niun kœren
und dazz mîn mâge rechen sol.
wær tal unt berc der heiden vol,
231 Die müesen strît enphâhen.'
die künegîn druct er nâhen
an sîne brust und klagt ir nôt.
den andern erz mit rede erbôt,
5 die bî ir drinne wârn genesen.
er sprach, die müesen immer
      wesen
teilnünftic swes er möhte hân,
ez wære wîp oder man,
juncfrouwe oder ander maget,
10 'diu mir her nâch die nôt klaget,
als ir durh mich habt gedolt
unt iwer dienst an mir reholt,
beidiu mîn guot unt mîn lîp.
ir habt ernert mir ditze wîp

---

6. slozzen *lopt,* sluzzelen *n.*   so *lo.*   11. daz *Kl,* Daz iz *mnopt.*
12. durh *ln.*   di *np.*   13. si selbe *K.*   14. alsô *fehlt l,* geworcht *op.*
15. nu luzel *lt,* nu wenick *op.*   16. wile *Knpt.*   17. hin *fehlt loptx,* in *m.*
18. daz *K?l,* Do *op.*   22. zuezer *K.*   23. da *no,* do *mpt,* so *l, fehlt K.*
25. sih *K.*   sol *lo.*   30. Irn twederiu *t,* Ir dekein *l,* Ietwedreu *op.*
guot *fehlt l,* wol *K.*
230, 1. örse *K.*   2. ditze *K,* daz *t.*   ander *o.*   ellens *p.*   3. arembrusten *K.*
5. listen *lopt.*   7. gewapet *K.*   8. ruortz *K,* wab *l,* wegt ez *optx.*   10. diu
deî *K,* Dies *tz.*   ir *Kmz,* in *lnopt.*   11. 12. nah-sah *K.*   12. Renne-
wart *K.*   13. starken *lz.*   14. grozzen und die *ltz,* ungefuegen *x.*   17. sulen *K.*
19. Marhgr. *K.*   21. rœmsche *z,* Rœmische *Kl,* romesche *n,* Rœmisch *moptx.*
22. vil *fehlt loptxz.*   23. da *nach* vaste *l, fehlt op.*   25. hant es *K,* Habent
ez *t,* Hant (habnt *m*) des *lmnoz,* Habnt der *p.*   vinde *z,* viende *Kln,* veinde
op, veint *m.*   27. daz ez die *K.*   mugen *ltz.*   29. daz *Kmnz und (dann*
mag ich) *op,* daz ich *lt.*   mine *Kn.*   30. berg und tal *lnopt.*
231, 2. druht *K.*   5. dinne *l,* dinn *m,* da inne *tz.*   7. Teilnuftic *t,* Teilhaftik *nz,*
Tailhaeftich *m,* Tailhaft *op,* Telig *l.*   9. Juncfrowen *lop.*   ander *fehlt opt.*
10. die *Kmz,/*ir *lnop.*   13. meinen leib *mz,* den lib *t.*   14. daz *optz,* mîn *l.*

15 und [Oransche] dise burc behalten.
muoz ich der marke walten,
ich rîch iuch immer unz ich lebe,
sô mit lêhen, sô mit gebe.'
    Gyburc diu triwen rîche
20 stuont dennoch werlîche,
si unt ir juncfrouwen.
der wirt wol mohte schouwen
harnasch daz er an in vant.
da der lendenierstric erwant,
25 etlîchiu het ein semftenier,
der noch ein sölhez gæbe mier,
daz næm ich für ein vederspil.
nu was dâ gestanden vil.
Diu künegîn des niht vergaz,
des landes hêrren fürbaz
232 si fuort zeinr kemenâten în,
und hiez behalten Volatîn.
    bî dem orse Rennewart beleip:
ungerne in iemen dannen treip,
5 unz erz gestalte schône.
dâ von Samargône
ein insigel was gebrant
ans orses buoc, daz er dâ vant,
dar nâch was Arofelles schilt.
10 den knappen hete gar bevilt,
und het er sich versunnen
wie daz ors wart gewunnen.
    do entwâpent sich diu künegîn.
der marcrâve wolt dennoch sîn
15 in sîme harnasch belibn.
si sprach 'dîn kumft hât vertribn
mînen vater gein der habe.
du solt daz harnasch ziehen abe,

und lâz dich niht betrâgen,
20 enbiut dînen mâgen
unt den die dir ze helfe komn,
hie haben urloup genomn
die heiden eine wîle,
ich enweiz wie manege mîle.
25 mîm garzûn was ir reise kunt:
der volgt in unz an Pitît punt:
der giht, si gâhen vaste hin.
mit flust ich innen worden bin
ir kumft unt ir letze.
daz michs noch got ergetze!
233 Er tuot ouch, sît diu triwe dîn
unt dîn manlîch ellen ist sô schîn,
daz du mich hie erlœset hâst.
nu sih daz du des niht enlâst,
5 dune schaffest dînen wartman.
mîn vater manege liste kan:
nu hüete daz sîn hâlschar
dîn her mit schaden iht ervar.'
    der marcgrâve sprach hinz ir
10 'mahtu gewinnen boten mir?
die sol den Franzoysen sagen,
daz si niht ze sêre klagen,
daz uns die heiden sint entritn.
er sol die fürsten sunder bitn,
15 beidiu jene unde dise,
daz si sich legen an eine wise:
dâ kum ich selbe schiere zin.'
ein bote balde fuor dâ hin,
unt nâch den vînden warte:
20 si gâhten beide harte.
    do entwâpent sich der markîs,
unt nam ouch war wie durch ir prîs

---

15. dise (dis *m*) burch *Kmn*, mir *lopz*, mit ir *t*.   17. rîech *K*.   immer
fehlt l.   die wile ich *lop*.   20. willecliche *lz*.   23. an ir *lopt*.   24. der
lendenier *Kn*, der lendnier *m*, des lendenieres (lindenieres *l*) *lop*, der lende-
niers *t*, der lîndeniers *z*.   wider want *t*.   30. si fuort den Markis für
paz *x*.   si furbaz *opt*.

232, 1. Si fuert *mz*, si fuorten *Kn*, Si fuort in *l*, Furt *opt*, *fehlt x*.   zeiner *K*.
chomnaten *m*, chemmnat *x*.   3. örsse *K*.   4. da von treib *lptx* und (da *vor*
yeman) *z*, da vertraib *o*.   5. gestallete *n*, entsatelt *op*.   6. dâ *fehlt ltz*.
sammarg. *mz*, Sammarkone *K*.   8. an des örsses *K*.   9. Arofels *K*.
10. hete es gar *lop*, hette des *z*.   11. und *fehlt loptz*.   hette herz *n*.
sih *K*, sich des *op*.   12. daz örss *K*, ez *t*.   13. Nu *loptz*.   entwapende *K*.
14. marhgrave wolte *K*.   dannoch *vor* wolde *op*, doch lenger *n*, *fehlt lz*.
15. Dannoch in harnasch *lz*.   19. laze *K*.   20. enbiute *Kopt*.   22. habn *K*.
25. minen garzune *K*.   26. pitit punt *mt*, bitit bunt *K*, pitipunt *opz*. Biti-
punt *l*, pite punt *n*.   27. Und *loptx*.   ieht *K*.   30. mihz noch *K*, mich
noch *l*, mich sein *p*, mich der *o*.

233, 4. iht *loz*.   7. nu *fehlt lt*, Do von *p*.   sine *K*.   9. Marhcr. *K*.
11. sulen *alle*.   13. die vinde *loptz*.   15. unt *K*.   17. Dar *loptz*.   zuo
zin *Kt*.   19. Der nach *op*.   der viende *ln*.   vienden *K*.   20. Die *loptz*.
21. entwapente *K*.

die Franzoyser gâhten zuo
(dannoch was ez harte fruo)
25 mit manger storje sunder.
die werden nam des wunder,
war die vînde wæren komn:
schiere heten si vernomn
von dem boten der in was gesant,
daz ir decheiner strît dâ vant.
234 Franzoyser loschierten.
die fürsten sunder zierten
ir ringe als ez in tohte:
ir deheiner doch enmohte
5 glîchen der heiden ringe wît.
mit manegem tiwerem samît
daz velt was ê bevangen,
ûf der heiden zeltstangen:
die von Francrîche
10 ouch nu lâgen rîterlîche:
ir gezelt wârn gesniten
wol nâch kostebæren siten.
der marcrâve zer künegin
sprach 'vrowe, daz wære uns ein gewin
15 an willekeit der liute,
op wir si möhten hiute
ze wirtschefte gesetzen
und ir arbeit ergetzen
hinne ûf mînem palas.
20 etswenne ich sô berâten was:
nu ist liute und spîse mir verbrant,
daz ich der wênic hinne vant.'
diu künegîn sprach 'wir hân genuoc.
(mir ist liep daz es dîn munt gewuoc)
25 von trinkn und spîse alsölhe kraft:
al mînes vater rîterschaft,

op wirz in niht wolden wern,
sine möhtens wochen lanc verzern.'
Si schuof derzuo dies kunden
phlegn.
in den venstern wart gelegn
235 von im und von der vrouwen.
si wolten vriunt schouwen:
man kôs dâ wol und muos in jehen,
si heten vînde vil gesehen.
5 Franzoyser die quecken
mit der heiden barnstecken
niwiu gezimber worhten.
dennoch wârn die unervorhten
niht komen, dies marcrâven leit
10 sô truogen mit gesellekeit
daz si nâmen glîche phlihte
der flüstebærn geschihte
diu ûf Alischanz geschach.
diu künegîn Gyburc gesach
15 mangen ungefüegen stoup,
daz der wint melm unde loup
ûf al gelîche fuorte,
dâ manic storje ruorte
d'ors mit sporen durh gâhen zuo.
20 si sprach 'ôwê waz tuo wir nuo?
sich, hêrre, dort kumt Tybalt.
daz velt und der kurze walt
dunket se al gelîche sleht.'
der wirt sprach 'daz ist ir reht:
25 si wænnt wir sîn den vînden bî.
dâ kumt Buov von Kumarzî
von sîme lande her gevaren.
got mag uns wol vor den bewaren:
der selb und al die sîne
ouch klagent die mâge mîne.'

---

27. viende *K.*　　waren *Klz.*　　29. Vom *z.*
234, 1. lotschierten *z,* loytsch;erten *K,* loyshierten *t,* loysirten *n,* laysierten *op.*
5. gelichen *Klmpz,* Geleiche *o.*　　6. turen *lnoz.*　　12. spaehelichen *lz,* hohen
spæhen *t.*　　13. sprach zer *Kmnoptx.* sprach *z.* 14 *ltz.*　　14. vrouwe *Kmn,*
fehlt loptxz.　　uns ein hoch *op,* unser *lx.*　　17. wirtschaft *alle aufser Kt.*
19. mime *l,* min *K,* mine *t.*　　22. hie inne *t,* inne *K.*　　23. Kyburch sprach
lop.　　24. ez *Kmntz.*　　25. trinchen *Kmn,* wein *optxz,* spise *l.*　　uñ *Kmxz,*
und van *nt,* von *lop.*　　28. mochtenz *mn.*　　woche lanch *K.*　　29. dr zuo *K.*
30. di venster *lmnz.*
235, 1. den *loptz.*　　2. vreunde *notz,* fruend da *p.*　　3. dâ *fehlt op,* dâ wol
fehlt l.　　muoste iehen *l,* si muesten iehen *op.*　　4. viende *K.*　　vil *fehlt
l,* genueg lang *op.*　　5. chwechen *K.*　　6. baren stekken *o,* bären stecken *z.*
7. gezimmer *lo,* gezimier *K,* cimirde *n,* geczimierd *z.*　　8. Noch *lop,* Nu t,
Nun *z.*　　unervorten *K.*　　9. noch *K.*　　11. geliche *K.*　　phliht *K.*
12. flustebæren geschiht *K.*　　13. geschah *K.*　　14. gesah *K,* ersach *lnoptx.*
19. dörss *K.*　　21. sîch *K.*　　23. si *K.*　　25. wænent *K,* wennet *n,* wendt *z.*
26. Hie *opt.*　　Bûve *K.*　　Gumarzi *K,* Comarczy *z.*　　27. sinem *Koptz.*
28. von *K.*　　dem *lz,* in *n.*　　29. Er *loptz.*

236 Franzoyser tâten nâch ir siten.
　eteslîche banken wârn geriten
　durh kurzwîl mit vederspil:
　sô gâhten derhalb knappen vil
5 ûz dem her durch den woldan.
　nu wârn ouch Buoven wartman
　komen und funden vriunde dâ:
　die vînde wâren anderswâ.
　die kumenden zuo den êrsten dô
10 sich leiten: des was Gyburc vrô.
　unlange daz dô werte,
　unz si von manegem swerte
　und von den schilden blicke
　durh grôzen stoup sah dicke.
15 si sprach 'wer sint die komenden
　　　　dort?
　du hôrts wol hiute mîniu wort:
　für die hâlscharlîchen tât
　soltu merken mînen rât.
　der künec von Marroch Akarîn
20 getar wol bî den vînden sîn,
　und ander mînes vater her:
　dâ gegen schaffe dîne wer.'
　der marcrâve ir dô sagete
　'dâ kumet der unverzagete,
25 mîn bruoder Bernart von Bruḫant,
　des sun ich dicke bî mir vant,
　Berhtramen, der mînen vanen truoc
　dâ man mir Viviânzen sluoc.
　der wil hie rechen nu sîn kint,
　unc al die mit im komende sint.'
237 die selben abr dô phlâgen
　daʒ si zuo den êrsten lâgen.
　Herbergen ist loschiern genant.
　sô vil hân ich der sprâche erkant.

5 ein ungefüeger Tschampâneys
　kunde vil baz franzeys
　dann ich, swiech franzoys spreche.
　seht waz ich an den reche,
　den ich diz mære diuten sol:
10 den zæme ein tiutschiu sprâche
　　　　wol:
　mîn tiutsch ist etswâ doch sô krump,
　er mac mir lîhte sîn ze tump,
　den ichs niht gâhs bescheide:
　dâ sûme wir uns beide.
15 Willehalmes her sich breite.
　gewâpent dar zuo leite
　mange storje strîteclîche
　Heimrîch der rîche,
　von Narbôn der alte,
20 der ie sîn dinc sô stalte
　daz sîn habe was gemeine.
　er kom ouch dâ niht eine.
　sich muosen stûden neigen,
　dô der begunde zeigen
25 wie rehte strîteclîch er reit
　mit verdrungener schare breit.
　er wolde selb ervinden
　ob under sînen kinden
　deheinz bekumbert wære.
　dô kômen im diu mære,
238 daz die Sarrazîne
　Oransche grôzer pîne
　ledic heten lâzen,
　daz die wærn ir strâzen.
5 Gyburc sah ir sweher komn,
　si sprach 'hâstu war genomn,
　wer ab jene kumende sîn?'
　er sprach 'daz ist der vater mîn,

236, 2. banken *Kmp*, bancken *o*, banchen *t*, banrizzer *n*, beizzen *l*, danne *z*.
3. churzwile *K̆*. 4. dishalp *op*. 5. Usserm her *z*. 6. da waren ouch
Bᵛuen *K̆*. 8. viende *K̆*. 9. chumendu *K̆*. 12. unze *K̆*. 15. kument
lot. 16. hortes *mn*, hortest *K̆*. 17. hal schærlichen *op*. 20. vienden *K̆*.
23. marhcr. *K̆*. 29. nu rechen hie *op*, nu rechen *ltz*. 30. kumen *lnoptz*.
237, 3. ist lotschiern *z*, ist loysciern *K̆*, ist loyschierten *t*, ist loyziren *n*, daz ist *op*.
5. tschampnoys *z*, Schamponays *m*, scanponoys *l*, schampenoys *n*, tamponoys *t*.
6. Der k. *nopt*. 7. swie ich *K̆*. sw;ræhe *oz*, sprache *p. so z*. 8. 8. an
dem *Kopt*, danne *l*. 9. Dem *op*. beduten *noptz*. 10. Dem *lnopt*.
tuosche *l*, deutsche *mp*, tudisch *n*, tuschiu *t*. vol *K̆*. 11. mit *K̆*. tiutsche
K̆, tiusche *l*, deutsch *m*, tuetz *n*, tiusch *t*, tutsch *z*, sin *op*. doch *Kmtz*, al
op, fehlt ln. zuo krumph *l*. 12. Es-zuo stumph *l*. 13. den ichz *K̆*,
Dem ichs *op*, Daz ich es *l*. gahes *K̆*. 15. Des Marcraven her *Kmn*, Wil-
helm *lt*. bereite *lnot*. 17. manege *K̆*, Manich *mopt*. 18. Heimrîs?
23. sih *K̆*. püsche *op*. 26. ungefueger schare *l*, verdrungen her *z*, vir-
drungenen scharen *n*, vier gedrungen scharn *op*, vil tugender schar *t*. 27. vin-
den *lz*, erwinden *op*. 30. deheinez bechumber *K̆*. 30. Nu *loptz*.
238, 2. von grozer *alle, nur t* von grozem. 4. daʒ *Kmn*, Und daz *ltz*, Und *op*.
si lo, *fehlt p*. waren *Kl*. 7. aber *alle, nur t* Welhe alhie komen sin.

34*

unt ist genendic al sîn diet,
10 als er in selb ie dicke riet.'
Heimrîches marschalc kom gevarn,
zuo den vor komenden scharn
leit er sîne hêrren,
die kumenden zuo den êrren.
15   des wirtes bruoder Berhtram
dô kom als ez wol fürsten zam,
und sîn ander bruoder Gybert.
die fuorten manegen rîter wert:
ir her kom mit sunderslâ.
20 ouch kom die dritte strâze aldâ
an der selben stunde
Arnalt von Gerunde.
si wârn die vart alsô gelegen:
ir neheiner mohte des gephlegen,
25 ern wære dem anderem gar benomn.
daz erm ze helfe möhte komn,
von hûse und sunderem lande
ieslîcher âne schande
in sîns bruoder helfe was geriten:
si liezen des ir triwe biten.
239   Gyburc nam ir aller war,
daz driu grôziu her mit sunderschar
dar kômn vil nâch gelîche,
die alle rîterlîche
5 der marcrâve ir nande,
daz diu frouwe wol bekande
ieslîchem her sîn houbetman;
dâ von si vreuden vil gewan.
ez hete daz fiwer gemachet:
10 gestrichen unt gewachet
der vater, diu kint, ieslîches her,
die naht heten durh die wer,
ob es dem marcrâven wære nôt.
ir manheit in daz gebôt:

15 si wârn wol sô genendec,
ieslîcher vaste unwendec
gâhte gein dem fiure,
durh manheit âventiure
ieslîcher sandern vorhte,
20 do der heiden sturm sô worhte
Gyburge nôt mit rôste,
wer dem unt dem ze trôste
kœm mit poynders huorte.
ieslîcher drumbe fuorte
25 gewâpent ors und harnasch gar.
si gâhten gein ein ander dar.
wær ein buhurt dâ erhabn
an ungeverte odr an grabn,
ieslîcher kom mit sölher kraft
daz er al der heiden rîterschaft
240 hete an der enge wol gestriten.
nu wart ûf Alyschanz gebiten
Viviânzes râche zîte:
dâ funden si die wîte.
5   Rîchlîche herbergten dise
ûzerhalbs gesezzes an die wise,
aldâ die heiden wârn gelegn.
dâ was gemaches gar verphlegn.
von rouche und von smacke
10 ein naslôser bracke
wær wol ze verte komen dâ:
sô breit was Terramêres slâ.
nu sah man komen eine diet
diu sich von ellen nie geschiet,
15 mit zerstochen schilden und zerhurt.
ûz der rehten manheit geburt
was der dise hête brâht.
er was gestrichen ouch die naht,
und was den heiden nâch geriten.
20 den het er alsô mite gestriten,

---

10. ie selbe in *z,* in selbe *ln,* mir selbe *op.* in selbe iedoch geriet *t.*   12. zuo der *K.*   13. sinen *mnptz.*   14. Die selben *loptz.*   16. Der *lop.*   ez dem fursten zam *op,* Fursten wol gezam *l,* ez wol zam Viursten *t.*   17. kybert *n,* Rubert *z,* Gilbert *l,* Schilbert *op,* kilbert *t.*   20. dritten *mnz.*   schar alda *ot.* 22. Ernalt *Km.*   24. moht *K.*   25. erne wære *K,* Were *ltz.*   26. erm *z,* er im *K.*   26. husen *Kn.*   uñ von *Klmnotz.*   29. sines *Klnt.*   30. des *Kmn,* sich *l,* s sich *z,* sichs *opt.*   in treun *op.*   erbiten *lopt.*

239, 3. chomen *K.*   4. Und die alle *ltz,* Und zewunsch all *op.*   5. ir *fehlt l,* si *t,* si alle *opz.*   6. kunigin [wol *tz,* si wol *op*] bekante *loptz.*   erchande *K.*   7. igeslichem *K.*   sinen houbt man *K.*   10. bestrichen *K.*   11. 19. 24. 29. iegesl. *K.*   15. wol *fehlt opt.*   15. 16. endich *K.*   16. iegesliches *K.*   19. des anderen *K.*   21. Gyburgen *K.*   23. chœme *K,* kom *lmnopz.* hûrte-fûrte *K,* huert-fuert *m.*   24. dar umbe *K.*   durch daz iegl. f. *lopt.*   25. gewapentiu örs *Km.*   26. Und *loptz.*   28. ane-ane *K,* Ane-an *l.*

240, 4. funde *Kt.*   5. herbergeten *K.*   6. Uzerhals *t,* ûzerhalbe des *K.*   ge-sæzes ad die *o,* gesezzes an der *l,* gesezes uf eine *t.*   7. Da *loptz.*   10. nase-loser *npz,* nase wise *l,* nase wiser *t.*   11. zuo geverte wol *l,* zu der verte wol *op.*   14. die sih *K.*   17. Der *loptz.*   20. hete *lopz,* heten *t.*

ir beleip dâ manger vor im tôt,
ouch muoser von in komn mit nôt.
si muosen zinsen im ir habe:
mangen soum brach er in abe,
25 ors unt anders swaz dâ was.
der künec Schilbert von Tandarnas
durh den jungen dar was komn.
si heten bêde solt genomn,
die zwêne kumberhafte man,
von den Vênezjân
241 Zeim urliuge ûf den patrîarc
von Agley, der sich niht barc,
ern gæb in strîtes übergelt
und engte in wazzer unde velt
5 ûf lande unde in barken.
dâ muosen sande Marken
Vênezjân mit solde wern
und durch den kumber vil ver-
      zern.
von dan was er gestrichen her
10 durh sîner werdekeite ger.
er hete der heiden überkêr
alsô vernomn, daz Terremêr
fuort swaz unz an Kaukasas
der werden und der besten was:
15 gein dem streich er durh sînen
      prîs.
ez was Heimrîch der schêtîs.
sîn manheit moht erbarmen
daz man in hiez den armen:
ouch müete daz sîn edelkeit.
20 erne hete der erden niht sô breit

als ein gezelt möht umbehaben:
niht anderr urbor moht er haben,
wan als der unverzagte
an den vînden bejagte.
25 sîn zeswiu hant wuohs umben
      schaft:
er het zer tjoste guote kraft:
sîn lîp entwarf sich undern schilt,
swaz mâlær nu lebendic sint,
ir ougen, pensel unde ir hant
ist sölch geschickede unbekant.
242 Sus kom der werde jungelinc
geriten an sînes vater rinc
mit verhurten wâpenkleiden.
doch heten si den heiden
5 ab gebrochen rîchen solt.
des wârn in die getouften holt.
sich vreute der alde Heimrîch
daz im sô rehte manlîch
was komen der puover schêtîs,
10 des kurziu jâr sô manegen prîs
het mit rîterschaft bezalt.
vor liebe wazzer wart gevalt
ûzen ougen an diu wangen.
er wart mit vreud enphangen
15 von dem vater und von den bruo-
      dern sîn.
dort oben sprach de künegîn
'wes ist diu sunderstorje grôz?
ir schiltriemen sind nacket blôz
und unverdecket von den breten:
20 si sint ze strîte etswâ gebeten.'

---

21. Ir b. da von im m. t. *t*, Daz ir bleip [von ime *l*, da *o*, so *p*] maniger tot
lop.   maniger *Kmn*.   von *z*.   22. chomen von in *op*, von in liden *t*.
in not *lo*, not *l*,   24. manigen *K*.   zoch *l*.   25. örs *K*.   26. Her Gisel-
bert ein kunig von Tandernaz *l*.   kibert *op*, kilbert *t*, Tyberg *z*.   Tantarnas
op, Tandernaz (-s *t*) *lt*, Tendernasz *z*.

241, 1. . . . einem *K*, Zuo *l*, In einem *op*.   Batriarch *K*.   2. der ouch *op*.
sih *K*.   inbarch *n*, verbarch *lz*.   3. er engab *K*, Er gebe *lpz*, Er gab *o*, Der
gab *t*.   4. engete *K*, enget *op*, angt *z*, anget *m*, angest *nt*, In anger *l*.   und
in v. *ln*, und an v. *t*.   6. muosens *K*.   7. Venezziane *Kn*, Venelan *z*, We-
nezlawe *l*, Venedier *op*.   13. fuorte *K*.   Kaukesas *m*, koukesas *K*.   15. den
mpt, der *z*.   16. tshettis *t*, tschetis *z*, Boverschytis *l*.   17. sine *K*.
19. muote *K*.   21. umbe van *Kmnoptz*, stan *l*.   22. ander *lotz*, anderen *n*.
han *alle*.   24. vienden *K*.   25. ẘchs *K*.   26. certyost *K*.   27. 28. Were
ez allen den melern so gezilt Daz si malten einen helt mit schilt *l*.   27. sih
undrn *K*.   28. Waz maler dar inne bilde zilt *z*, Daz alle mælær dez bevilt
op.   malære *K*.   lemtich *m*, lebende *n*.   29. bensel *Klz*, pinsel *n*, sehen *op*.
30. soelch *K*.   geschicht *m*, geschickte *pz*, geschicke *o*, geschophet *l*.

242, 3. verhurtenen *K*.   6. waren im *K*.   9. puover schetis *m*, Puover cetis *K*,
povir schetis *n*, poyer tshettis *t*, poverysz *z*, arme (iunge *p*) schetis *op*.
10. Daz kurtze iar *l*, Der in churtzen iarn *op*.   so hohen *opt*.   11. Heten
lmz.   an *loptz*.   becalt *K*.   13. Uz *p*, Uz den *t*, ûz sinen *die übrigen*.
16. obem *K*.   18. nachet *K*, nahen *m*, nahe *z*, nach *t*, noch *n*, ouch *l*,
so *op*.   20. etswo zuo strit *lop*.

der wirt sprach 'ichn bekenn ir niht.
mîn ouge nindr an in gesiht
dâ von si möhten sîn bekant.
al ir banier, schilt und gewant
25 ist verhurtet und zerzart:
si sint vor strîte niht bewart.
einen bruoder ich noch hân
bî den Vênezjân:
hât er den kumber mîn vernomn,
der istz und ist durh manheit komn.'
243 Sschêtîss volc ir soum entluot:
ir manheit in daz selbe guot
behabete gein der überkraft.
gelîch was ir geselleschaft,
5 und des küneges der durch in dâ
was,
den man dâ hiez von Tandarnas.
dem bat er bieten êre:
erne gerte nihtes mêre;
wan swer daz tet, des was er geil.
10 [des werden] Gahmuretes erbeteil
was die jungen bêd an komn.
von ir väteren heten si genomn
niht wan schilt unde sper,
unt stuont nâch rîterscheft ir ger.
15 si heten harnasch, und anders niht:
ir gezelte man dâ wênic siht.
diu künegîn in dem venster lac,
diu der gesellescheft phlac:
des marcgrâven umbevanc
20 an sîne brust si dicke twanc.
des was si guote wîle entwent,
und hete sich anders vil gesent.
mir wære ein zageheit geschehen,
ob ich ein wîp het ersehen

25 sô küenlîch gestanden.
mir wirt halt sus enblanden,
so ich ungewâpent wîp grîf an,
ob ich mit êren scheide dan.
Gyburc was noch harnaschvar:
er nams durch liebe kleine war.
244 Den fürsten was daz kunt getân,
und andern ir werden man,
si solten enbîzen in der stat.
der marcrâve ûzen venstern trat:
5 er sprach zer künegîn 'des ist zît,
ob mirs mîn vater volge gît,
daz ich in bringe zuo dir her.
zen andern fürsten ichs ouch ger:
die soltu schône enphâhen.
10 nu heiz des balde gâhen,
daz der palas an allen sîten
mit semften phlûmîten
sî beleit, und teppich vil derfür.
ûf diu phlûmît kultern von der kür
15 daz man ir tiure müeze jehen,
swer si hie ûf ruoche sehen,
von phelln die geben liehten schîn.'
er reit hin abe zem vater sîn.
den schêtîs er mit vröude en-
phienc;
20 der sich anders niht begienc,
schilt unt sper gap im genuoc.
ich nenn iu sînen besten phluoc:
ze reht er phlac der wâfen.
er verlôs niht an den schâfen,
25 daz der wolf erbeiz od daz entran:
swâ stat oder burc verbran,
dâ verlôs er ninder schoup:
an al der sæte und ame loup

---

21. ich enbechenn *K*, ich bekenne *lpz*, ich erchenn *mnot*.   22. in *fehlt l.*
sicht *mntz*, ersicht *op*.   24. alle *Kmt, fehlt lop*.   schilde *K*.   25. verhurt
Klmtz.   28. Bi dem wenezlan *l*.   29. Hat der *loptz*.   30. ist ez *Kmnt*,
ist *z*. Er ist her durh *l*. Der mag ez sein und ist mir komen *op*.

243, 1... cetiss *Km*, Schetis *o*, Tschetis *z*, Schetises *np*, Tshettises *t*, Dez geschihtes
daz *l*.   5. des chunech *K*.   6. Tanderas *lmtz*, Tantarnas *op*.   8. gertes
K, gert ouch *l*. gert et? niht *l*.   10. des werden *fehlt loptz*.   12. ir
fehlt lopt.   14. Und waz nach *optz*, Und swaz *l*.   ir *fehlt t*.   16. gecelt *K*.
weniht siht *K*.   18. gesellekeite *nopt*.   23. zagh. *K*.   25. chundechlich *Kop*,
kundig *n*.   26. wirt (wurd *op*) alsus *lop*.   27. ungewapen *K*.   griff *Koz*,
griffe *t*, graif *m*.   28. schiede *lop*.

244, 3. enbiten *K*, ezzen *op*.   in *fehlt K*.   4. ûzen (auz den *m*, uz den *t*)
vensteren *Kmt*, uz dem venster *lnopz*.   5. chuneginne *K*.   des *Koptz*, es *l*,
iz *mn*.   6. mir *Kl*.   10. Und *loptz*.   11. alle siten (site *t*) ohne an *lt*.
12. plumiten *ln*, phlemeiten *m*, plumite *t*.   13. teppiche *Kl*.   der *z*, dar *Kt*,
da *lmnop*.   14. ouf *K*.   phloumeit *m*.   koltern *nz*, kulter *mt*, kolter *l*,
gulter *op*.   15. in *mn*.   16. ger. *lop*.   17. von phellen die gebn lihten *K*.
18. zuo dem *K*.   19. scetiss *K*.   freuden *lopt*.   20. sih andrs *K*.   25. odr
K. daz *fehlt lt*.   26. statt odr *K*.   27. stoup *l*, loup *K*.   28. unde ime
roup *K*.

dâ tet im kleinen schaden der schûr.
diu habe wart sînen liden sûr.
245 Der marcgrâf sînen vater bat
mit im enbîzen in der stat,
unt die zwêne geste sîn,
daz si gesæhn die künegîn
5 dort inne ûf sînem palas.
daz lobt der künec von Tandarnas,
den der schêtîs sîn bruoder brâhte.
den enphienc er in der ahte
als ob im dienden elliu lant.
10 swaz er der kumberhaften vant,
die gruozte er unde enphienc si sô
daz sin ze sehen wâren vrô.
Heimrîch und iegeslîch sîn sun
under einem preymerûn
15 dâ vor im sâzen al zehant.
dô si der marcgrâve vant,
er enphiencs und bat si dâ nâch
sehen
die künegîn: der wære geschehen
von ir kümfte vreude grôz.
20 ir neheinen des verdrôz,
sine sæhen si durch werdekeit.
zen anderen fürsten er dô reit,
die der rœmisch künec dar sande.
ieslîchn er sunder nande,
25 daz si mit im wærn gebeten
ûf sînen palas Glorjeten.
im wære ein teil noch unverbrant,
swie wære verwüestet al daz lant:
des solten si mit im dâ lebn,
und er woltz in willeclîchen gebn.
246 Uz dem her man die werden
bat
fürbaz ze rîten in die stat.

der fürste et selbe vierde reit:
niht mêre was ir gesellekeit,
5 der hœhsten die si brâhten.
die grâvenz alsô ahten,
und der bârûn in der grâven zil:
des dûhte iegeslîchen vil,
reit ein geselle mit im în.
10 si bâten d'andern rîter sîn
ûf dem velde an ir gemach.
durh ir zuht daz geschach.
Franzeyser sint niht gîtec,
und doch nâch prîse strîtec.
15 hete sis der wirt erlâzen,
si wærn wol in den mâzen
daz si heten sîner spîse enborn.
si dûht, dâ wær sô vil verlorn
daz si dâ wênic fünden:
20 wes si sich solten sünden
dort inne an der vertwâlten diet.
ûzem her ieslîcher alsô schiet,
daz niht ze grôz was sîn gezoc.
Gyburc moht ir wâpenroc
25 nu mit êren von ir legn:
si unde ir juncfrouwen megn
dez harnaschrâm tuon von dem vel.
si sprach 'gelüke ist sinewel.
mir was nu lange trûren bî:
dâ von bin ich ein teil nu vrî.
247 Al mîne juncvrouwen ich man,
leget iwer besten kleider an:
ir sult iuch feitieren,
5 vel und hâr sô zieren,
daz ir minneclîchen sît getân,
ob ein minne gerender man
iu dienst nâch minne biete,
daz er sihs niht gâhs geniete,

---

29. dâ *fehlt loptz.*
245, 1. marhgrave *K*, markis *nop*. 2. ezzen *op*. 4. die *loptz*. gesæhen *K*.
7. sîn bruoder *fehlt loptz*. 12. si in ze sehn *mno*, si sîn cesehene *Kpt*, si
zuo sehene sin *l*, von herczen *z*. 14. premerun *lmtz*, pomerun *op*.
16. Marhgr. *K*. 18. chuneginne *K*. 21. durh ir *loptz*. 23. chunich *K*.
24. iegeslichen *K*. mante *mnp*. 28. verẘst *K*, verwuechst *m*. 30. und
fehlt lopz. er *fehlt t*. wolt ins *op*, wolt in *z*.
246, 3. fursten *nz*. ot *mo*, ye *p*, er *nz*, *fehlt l*. 6. graven ez *Kmnoptz*,
Graven *l*. gedahten *l*. 8. so vil *l*, do zevil *op*. 10. die *K*. 12. daz
do *l*, ouch daz *op*. 13. 14. gitich-stritich *alle*. 17. daz *fehlt loptz*.
18. duhte da wære *K*. 22. iegeslicher also *K*, yeglich also *z*, also ieglicher *l*,
sich igleicher *op*. 25. won ir *K*. 27. Dez *z*, daz *Klopt*, Des *m*, Den *n*.
harnasch ramtuoch von *K*, harnasch ram. gewan von *l*. 28. daz ist *Kmn*.
30. Da vor *lmot*.
247, 1. Alle *lmnoptxz*, ie *K*. 6. minnegerende *K*. 7. d'enest *K*. 8. ga-
hes *K*. niete *optz.*.

und daz im tuo daz scheiden wê
10 von iu. daz sult ir schaffen ê:
und vlîzt iuch einer hövescheit,
gebâret als iu nie kein leit
von vînden geschæhe.
sît niht ze wortspæhe,
15 ob si iuch kumbers vrâgen:
sprechet 'welt irz wâgen,
sone kêrt iuch niht an unser sage.
wir sîn erwahsen ûzer klage:
wan iwer künfteclîcher trôst
20 hât uns vîntlîcher nôt erlôst.
welt ir uns iwerr helfe wern,
sô muge wir trûrens wol enbern.'
nu gebâret geselleclîche.
nie fürste wart sô rîche,
25 ern hœr wol einer meide wort.
ir sitzet hie oder dort,
parriert der rîter iuch benebn,
dem sult ir die gebærde gebn
daz iwer kiusche im sî bekant.
bî vriundîn vriunt ie ellen vant:
248 diu wîplîche güete
gît dem man hôhgemüete.
Ich wil mich selbe ouch machen
clâr.
truog ich verworrenlîchez hâr
5 unt verdrucket vel von ringen,
die sulen mich niht mêre twingen:
ich wil mich scheiden von dem râm
den ich von harnasche nam.'
vil schiere daz geschehen was,

10 daz die vrouwen unt der palas
wünneclîch wârn an ze sehen.
man muose den vrouwen allen jehen
daz si truogen guot gewant.
in dem palas man alumbe vant
15 vil teppch und drûf diu pflûmît,
kulteren drüber. nu was zît
daz die fürsten riten în.
Heimrîs und der gesellen sîn
heten die andern gar gebiten:
20 der kom ze vorderst în geriten.
ir aller kleider wâren guot,
die ze sehen heten muot
de künegîn, des wirtes wîp.
ouch funden si ir süezen lîp
25 gein in clærlîch aldâ.
von pfell von Alamansurâ
si beidiu roc und mandel truoc,
spæhe und tiure alsô genuoc,
het in Secundille Feirefîz
gegebn, niht kosteclîcher vlîz
249 möht an den bilden sín gelegn.
der mantl muos offener snüere
pflegn.
Si truoc geschickede unt gelâz,
ich wæn deis iemen kunde baz
5 erdenken ân die gotes kunst.
si bejagt et al der herzen gunst,
des lîbes ougen an si sach.
ir gürtl man hôher koste jach,
edel steine drûf verwieret,
10 daz er noch bêdiu zieret

---

10. schaven *K.*   11. vlizet *K.*   12. als ob *lmntz,* sam *op.*   dehein *K,*
fehlt t.   13. noch ungemach geschæhe *nach z.* 14 *K.*   14. zuo worten *ln,*
ze worhte *t,* zerede *op.*   15. iuh *K.*   16. So spr. *loptz.*   17. cheret iuh *K.*
18. erwachsen *K,* entwahsen *t,* gewachsen *m.*   19. wan *fehlt loptz.*   20. uns
von *l,* unsz usz *z.*   vientlicher not *K,* selten noch *op.*   21. iwere h. wêrn *K.*
22. mugen *Ktz.*   23. nu *fehlt loptz.*   25. erne hœre *K.*   26. Er sitze *l.*
27. parrieret *K,* Parrierent *o,* Barriet *t.* parliert?   die *mnoptz.*   iu?   ene-
ben *ot.*   28. Den *mnoptz.*   antwurte *p.*   29. im *K,* in *mnoptz,* den *l.*
30. vriundinne *K,* frunden *lz,* vreuden *op.*   allen *K.*

248, 3. selben *Kmp,* selber *t.*   ouch *fehlt loptz.*   4. trueg *K.*   7. mih *K.*
8. harnasch *Klmtz,* der sarwat (*so meistens*) *op.*   10. in dem palaz *l.*
11. Waren wunnecliche *lz,* Was wunneclichen *t.* gesinde *l,* an zusehende *opz,*
zesehen *t.*   12. Des muoste man den vrouwen iehen *t,* Man iach vrowen unde
kinde *l,* man was den vrowen iehende *opz.*   14. al *fehlt opt.*   15. teppich
Klt, teppeche *n,* tepich *z,* tebich *mop,* tewich *x.*   phloumeit *m.*   16. Kolter
lopz, Culter *m.*   17. daz] da *K.*   18. Heimreichs *m,* Heimrich *lnoptz.*
der geselle *Knoptz,* die gesellen *lm.*   19. der andern *lopt.*   20. in *Kmnt,*
auf *op,* fehlt *lz.*   21. in aller chleidr wæten guot *K.*   22. cesehene *K.*
25. chærchlich *K.*   26. Mit *mnoptz.*   pfelle *K.*   alm. *lt,* alem. *o,* am. *n.*
27. beidiu *fehlt lotz.*   28. alsô *fehlt lop.*

249, 1. mohte *K.*   2. mantel muose *K.*   4. wæne *K.*   deis *K,* des *mt,* daz
lnopz.   5. an *Kmn,* dann *loptz.*   6. beiagete *K.*   et *Kz,* ot *mp, fehlt lnot.*
8. gurtl *K.*   9. edele *K.*   gestein *lnop.*   10. ouch *l,* wol *opz.*

ir hüffel unde ir sîten.
ze etlîchen zîten
des mantels si ein teil ûf swanc:
swes ouge denne drunder dranc,
15 der sah den blic von pardîs.
nu kom ir sweher (der was grîs)
unt erbeizte vor dem palas,
mit im der künec von Tandarnas
unt sîn jungster sun Heimrîch.
20 die zwên dem lône wârn gelîch,
den minne etswenn nâch dienste
hât.
den jungen künec doch niht erlât
Heimrîch von Narbôn,
sîner darkünfte gab er lôn
25 dâ mit und hiez in vor im gên.
nu sâhn si Gyburge stên
gein den vensteren an der wende:
Heimrîch an sîner hende
fuorte den künec Schilbert
gein der küneginne wert,
250 und bat in küssen. daz geschach.
ir gruoz si gein ir sweher sprach,
und wolt ouch den geküsset hân.
dô sprach der wol gezogene man
5 'Vrowe, des sul wir noch niht
tuon,
ich noch dehein mîn suon,
ê die fürsten, die iu vremder sint
danne ich und mîniu kint,
den kus von iu enphâhen.
10 wir ensulen uns niht vergâhen:
swaz ir uns danne ze êren tuot,
dâ gein haben wir dienstes muot.
uns ist vil êrn von iu geschehen.
wir sulen iu immer triwen jehen:

15 wan wir habn an disen stunden
unverzagetlîch iuch funden,
daz man Olyvier noch Ruolant
nie genendeclîcher vant,
unt ist ouch daz mit kiuschen siten.'
20 nâch der rede begunde er biten
die fürsten, unde nande sie,
beide dise unde die,
bêde ir namen unt ir lant.
er fuorte ieslîchen mit der hant
25 gein sînre gedienten tohter.
niht baz mit zühten mohter
den antpfanc gefüegen.
des moht ouch si genüegen,
die fürsten und die werden gar.
nu wart diu frouwenlîche schar
251 mit rîteren undersezzen.
dane wart nu niht vergezzen,
Nu Heimrîch und sîniu kint
von der künegîn enphangen sint,
5 ir sweher zuo zir saz dernidr.
sich huop ein niwer jâmer sidr,
dâ von ir ougen gâben saf.
daz süeze minneclîch geschaf,
ir antlütze, begozzen wart,
10 Heimrîches blanker bart
mit zäheren ouch berêret.
der sprach 'uns hât gelêret
iwer triwe und iwer wîpheit,
vrowe, daz unser herzenleit
15 mit freuden wirt erwendet.
ir möht uns hân geschendet,
wært ir niht stæte an uns belibn.
wir wæren ûz werdekeit vertribn:
und het ir mînen sun verkorn,
20 dâ mite wær diz lant verlorn,

---

14. dar undr *K*. 15. paradis *lnop*. 16. Hie *lopz*. was] mas *K*. 17. er-
beizete *K*. 19. iungster *pz*, iungistr *K*, iungeste *ln*, iunger *ot*. 20. zwene
K. 21. etswenne *K*. 22. do *lopz*, nu *t*. 24. sin *Kl*. er] im *t*.
25. und] er *loptz*. 26. sahen *K*. Gyburgen *K*, kyburgen *op*. 29. Sylbert
Km, Schillewert *o*, gilbert *n*, kilbert *t*, kylbert *l*, Tybert *z*.
250, 3. wolde den *l*, wolt in ouch *op*. 5. ensul *t*. noch *fehlt lt*. 7. fromder
m, vremede *Klnoptz*. 8. denn e (Denne *p*) paide ich und *op*, Der nach
sullen *l*. 11. uns dannoch zeren *t*, uns dar nach eren *lopz*. 13. eren *K*.
15. wan *mn*, want *K*, *fehlt loptz*. haben üch *l*. 16. Euch unverzægleich
op, Als unverzegeliche *l*. 17. olyver *l*, olyviern *nopt*, olivern *z*. 19. doch
lmn. 20. er *fehlt K*. 21. mante *lotz*. 22. unt *K*. 23. namn *K*.
24. iegeslichen *K*. bi *lnt*. 25. siner *K*. 30. froliche *ln*, frŏliche *t*,
vrœleiche *o*, frewelîche *p*.
251, 2. Und wart da *l*, des ward da *m*, Nu wart *t*, Nun enward *z*, der andern ward
op. 5. Und zir sweher saz zuo ir (zuo zir saz *t*) *loptz*. swester *K*. dr
nidr *K*, nider *optz*. 8. schaf *mn*. 11. Wart mit *lmnoz*. ouch *mnz*, ougen
K, wol *o*, wart *pt*, *fehlt l*. 12. Er *loptz*. do sprach er hat *K*. 17. wæret
K. 18. wæren *K*. 19. und *fehlt lt*. 20. wære *K*.

und Oransch diu veste,
aller bürge beste,
diu von sturme manege nôt
enphienc; wan daz iu gebôt
25 iwer triwe iu noch gebiutet
daz iwer prîs bediutet.
swes sich vriunt ze vriunden sol
versehen,
des mac mîn sun der markîs jeheu,
Unt sîne mâge über al.
ir habt den tôtlîchen val
252 unseres künnes wol vergolten.
op wir nu niht gerne wolten
dienn umb iwer hulde,
diu unverkorne schulde
5 solt immer unser sîn vor gote.
wir sulen mit triwen iwerm gebote
immer blîbon, hab wir sinne.
ob mîn sun durh iwer minne
ie sper ze vînde brâhte,
10 iwer triwe des gedâhte,
dô Terramêr durh Tybalt
ze Oransche kom mit dem gewalt
und iuch des hers vluot besaz,
daz iwer güet dô niht vergaz,
15 ir habt der minne ir reht getân,
daz immer ellenthafte man
iwers lônes suln gedenken
und niht ir dienstes wenken,
op si werder wîbe minne gern.
20 vrouwe, ir sult mich des gewern,
daz ir durh den dienest mîn
und durh ander fürsten die hie sîn

gar iwer weinen lâzet
und herzen sorge mâzet.'
25 ir hant in sîner hende lac.
diu künegîn kûme des gepflac,
ir weinenlîchez hischen
sich mit rede begunde mischen.
Zir liebstem vater si dô sprach,
si sagt erkantez ungemach
253 und daz wît gemezzen leit,
beidiu sô lanc und ouch sô breit,
deis al diu heidenschaft enphant,
und daz alliu toufbæriu lant
5 des schaden nâmen pflihte.
si sprach 'der mich von nihte
ze dirre werlde brâhte,
alze fruo er mîn gedâhte.
ich schûr sîner hantgetât,
10 der bêde machet unde hât
den kristen und den heiden!
ich was flust in beiden.
an mir wuohs leide in unt uns.
sus hân ich, hêrre, iwers suns
15 enkolten und der wirde sîn,
daz iwer mâge und die mîn
zem tôde ir werdeclîchez lebn
hânt ze bêder sît gegebn.
    hôh fürste in [die] werdekeit
gedign,
20 wie solt ich jâmer hân verswign,
swenne ich den sæh, des manlîch fruht
mit alsô ellenthafter zuht
gein vreuden was entsprungen?
ich klage den schœnen jungen

21. Oransce *K.*   22. diu beste *Kmpz.*   23. sturmen *lt.*   25. iu] unde iu
Kmz, und *nopt,* die *l.*   26. uwern *lop.*   27. zuo frunde *lnoptz.*   30. tœd-
leichen *o.*

252, 3. dienen *K.*   nach *loptz.*   4. unverchorn *K.* ·   5. Sol *lnt,* sult ir *K.*
got-gebot *K.*   6. iwerem *Kz,* zuo uowerm *lmnopt.*   7. immer beliben *Kmn,*
Beliben *tz,* Billiche *l,* Werben *op.*   9. viende *tz,* veint *m,* vinden *z,* vienden
l, vigenden *n,* den vienden *t,* tyoste *op.*   bræhte *K.*   12. dem *fehlt lnopt.*
14. guete do *K,* guet (gute *n*) da *mn,* trew do *op,* truowe *ltz.*   15. lern habt
mnpt.   18. dienests *K.*   19. werdr *K.*   wîbe *fehlt lt.*   21. daz ich *Klo.*
22. durh *fehlt l.*   andr *K,* die *op.*   23. 24. laze-maze *l,* lazen-mazen *n.*
27. weinencl., *n,* wainleichez *mop,* weinlichen *t,* wonnliches *z,* heimeliches *l.*
héschen *t,* gèschen *l,* ieischen *o.*   28. sih *K,* si *op, fehlt n.*   29. 30 *fehlen t.*
29. liebsten *lmnoptz.*   30. erchanten *m,* ir ir kantiz *n,* im erkantes *p,* im
erchanten *o,* ir gantz *l.*

253, 3. des *lmnoptz.*   4. Und des *t,* Und *o.*   all *mnz, fehlt t.*   5. Mit sch. *t.*
næmen *K.*   7. werelde *K.*   9. schur *z,* sw⁰r *Klopt,* schow *m,* hore zu *n.*
10. Der beyde (Der daz unbilde *l*) gemachet [und ₀ *n*] hat *lnoptz.*   12. Ich *z,*
ach *Kmnop,* Ouch *l.*   an *n,* uns *op.*   13. wchs *K.*   bede *K,* beidiu *t,*
beide *die übrigen.*   15. der frunde *lt.*   17. Dem *loptz.*   werdechliches *K.*
19. Hoher *lopz.* Och bar viursten die *t.*   20. immer *l,* arme *op.*   21. sæhe
K, sach *o.*   23. Zuo *lon,* Zeder froude *t,* Zer frôde *z.*   24. die *z,* werden
lz, alten und den *op.*

25 Viviânz ze vorderst muoz
　mînen siuftebæren gruoz
　immer für daz lachen hân.
　waz hât der bitter tôt getân
　an dem clâren süezen kiuschen vrebel!
　al anderr manne antlütze ein nebel
254 was, swâ sîn blic erschein.
　den prîs truog er vor ûz al ein:
　sîn glanz was wol der ander tac.
　swâ sîn lîp ûf Alischanz belac,
5 dâ möhten jungiu sünnelîn
　wahsen ûz sîm liehten schîn.
　Ich enwil nu nimmer sô betagn,
　ich enwelle den edelen Mîlen klagn,
　und ander die wir hân verlorn.
10 ich wart zem jâmers zil erborn.
　nu ding ich, hêrre, an iwer zuht,
　sît freude ûz mîme herzen fluht
　hât, daz irz niht wîzet mir.
　lât mich geniezen des daz ir
15 sît manlîcher triwe ein stam.
　nu hœrt waz mir der tôt benam
　ûf Alischanz der mâge mîn.
　die sol von reht ich klagende sîn,
　swie si heten des toufes niht:
20 diu sippe flust mir an in giht.
　die sîne von im rîten bater:
　under disem venster mir mîn vater
　sagete, aldâ er weinde hielt
　und der jâmer vreude von im spielt,

25 waz hôher mâge uns nam der tôt,
　den diu minne her gebôt
　noch mêre dan durch sîne bete.
　an rois Thesereiz von Latrisete
　der hôhen tôt huop er mir an,
　wer mêr ûf Alischanz gewan
255 sîn ende vonn getouften,
　die ir lebn gein in verkouften,
　Mîne mâge die der tôt nam zim.
　der künec Pînel von Ahsim,
5 und der süeze künic Tenabruns,
　erborn von Liwes Nugruns.
　und Arofel von Persîâ,
　und Fausabrê von Alamansurâ,
　mîn veter und mîner basen sun.
10 unt der künic Turpîûn:
　des lant hiez Falturmîê
　und der künec Kalafrê.
　der truoc krôn ze Kânach:
　der minnen flust an im geschach.
15 und der künic Neupatrîs.
　ob der minne ie mennischlîchez rîs
　geblüet, daz was sîn liehter schîn.
　von Oraste Gentesîn
　het in diu minne her gesant:
20 gezimiert man in tôten vant.
　von Boctân rois Thalimôn
　sol den weinenlîchen dôn
　künden in der heiden lant.
　von Turkanî rois Arfiklant

---

25. Viviantz *mtz* Vivian *K*, Vivianzen *lnop*.　　ze *ltz*, der ce *Kmnop*.
28. pitter *K*.　　30. an anderr *K*.

254, 4. gelag *lopz*.　　6. wachsen uz sinem *K*, Wachsen von s. *p*, gewachsen vom (von s. *t*) *ot*.　　7. lch wil ouch (nu *t*, in *z*) nimmer des betagen (gedagen *o*) *loptz*.　　10. zuo eime *l*, zu *nop*.　　teil *t*, zeit *op*.　　geborn *lmnopt*.　　12. minem *K*.　　13. Hab *lopz*, habt *t*.　　16. Und *loptz*.　　hœre *K*, *fehlt l*.　　18. sal ich van rechte *n*, ich von recht sol *op*, sol ich ime *l*.　　22. undr *K*.　　27. danne *K*.　　bet-latriset *K*.　　28. rois] dem kunige *lmnop*, kunge *z*, den chunech *K*, dem *t*.　　Theserêyze *K*, *fehlt l*.　　29. den *Kl*.　　er] an *lop*, *fehlt t*.　　ime an *l*.　　30. Und wer *l*.　　Alitscanz *K*.

255, 1. von den *Kmnoptz*, von dem *l*.　　3. meiner mag *m*, Miner mage *t*, Minen magen *no*, Und manig *l*.　　zeîm *K*.　　4. Ahsîm *K*, achsim *np*, achasim *o*, assim *ltz*.　　5. der *fehlt K*.　　werde *op*.　　künic *fehlt l*.　　Tenabrûns *K*, Tenebruns *lopz*.　　6. geporn von *mnp*, Erkorn von *t*, Verlos von *l*, Und *o*. Lîwes *K*, lewes *m*, Leuns *op*, Levs *t*, lous *l*, Zens *z*.　　Nugrûns *K*, Nubruns *z*, Nigruns *lnop*, ingruns *t*.　　8. fossabre *z*.　　alm. *n*, alem. *z*.　　9. vater *Kt*.　　10. clare *ltz*.　　11. heizzet *l*.　　falturnie *opz*.　　12. kalavrê *K*, kalabrie *l*, Galafre *ptz*, Galafrie *o*.　　13. chrone *K*.　　Chânach *K*, Kanaach *t*.　　14. minne *lmnoptz*.　　15. Noupatris *mnz*.　　16. menschleichez *m*, menschlich *oz*, menlich *p*, minneclichez *ln*.　　pris *op*.　　17. gebluete *K*.　　18. von Orast-gentesin *K*.　　21. boctane *op*, Bochtan *m*, bochtane *n*, Bochdane *K*, Poctange *t*, potange *l*, Bottange *z*.　　der chunich *Klmnz*, *fehlt op*.　　22. weinenlichen *l*, wainleichen *mz*, weinenden *t*, vientlichen *n*, iæmerlichen *op*.　　24. Turkanie *lnotz*, Dorcanie *K*, Dorkani *m*, turbanie *p*.　　der chunich *Klmntz*, kunick *o*, *fehlt p*.　　Arfikelant *K*, erficlant *lt*, erslikant *z*, Affridant *op*.

25 und rois Lybilûn von Rankulat,
   der zweier tôt der freude mat
   tuot in ir beider rîche.
   nu geloubet sicherlîche,
   drî und zweinzec künege sint dâ
       vlorn,
   und der ungezalt die wârn erkorn
256 zeskelîrn an fürsten krefte zil:
   derst dâ belegen alsô vil,
   daz ez niemen kunde erahten.
   sine mugen sich niht betrahten,
5 waz emerâle und amazûr
   in hât benomen des tôdes schûr.
   Et mîne mâge ich hân benant,
   die mit werdem prîse ungeschant
   unz an ir ende lebten
10 und ir zît nâch wirde strebten.
   mîns vater einvaltekeït
   geschuof daz er mit kreften reit
   mit here ûf sîn selbes kint:
   swaz unserr mâge durh mich sint
15 beliben, die het er gar verkorn,
   wolt ich den touf hân verlorn
   und sînen goten hulde tuon.
   dô bôt Ehmereiz mîn suon
   den schaden ze gelten disem lant:
20 swâ daz gein einem bisant
   mit flüste het enphangen nôt,
   ie dâ gein Karles lôt
   wolt er wegen bereitez gelt.
   wîngarten, boume, gesætez velt,
25 al die wisen unt die heide,
   ors und ander vihe diu beide,
   al den bû unz an den strôwes wisch,

   die vogele, dez wilt und den visch,
   wolt ich der überverte phlegn,
   daz het er zehenstunt überwegn.
257 Die daz prüeven solten,
   ob die vride haben wolten,
   den al diu werlt mit triwen weiz,
   der stæte Matribeleiz,
5 der künec von Scandinâvîâ,
   der bêde hie unt anderswâ
   sîne triwe hât behalten,
   der solt der prüefer walten
   mit vride und mit geleite,
10 und des geltes wern bereite.
   dô sprach ich 'sun, wie stêt dir
       daz?
   dir zæme ein ander rede baz.
   wilt du mich veile machen
   und dînen prîs verswachen,
15 daz man mich gelte sam ein rint?
   du bist von hôher art mîn kint:
   daz schadet dînem prîse.
   bistu sölher manheit wîse
   alsô der marcgrâve ie was,
20 der alz gebirge Kaukasas
   dir gæb (daz wære ein rîcher solt:
   wand ez ist allz vil rôtez golt),
   du næmest ungern für ein wîp
   diu alsô kürlîchen lîp
25 hete als ich noch hiute hân.
   dîn bieten hât missetân.
   zem marcrâven hân ich muot:
   niemen mac geleisten sölch guot
   daz mich von im gescheide.'
   daz was ir aller leide.

---

25. kuning *nop,* der chunich *Klmtz.*   Labylun *m,* Librun *op,* libium *l.*
Raculat *K.*   26. zweir *K.*   der freuden *Kmtz,* den vreuden *op,* di vroude *n,*
freuden *l.*   29. Daz (Da *pt*) sint dri und drizzig (zwaintzick *optz*) kunig ver-
lorn *loptz.*   verlorn *alle.*   30. Und die *t.*   ungezalte *K,* ungezalten *lopt.*
256, 1. zuo Eskelieren *K.*   2. der ist *alle.*   gelegen *l,* beliben *opt.*   3. Dazz
o, Das *p,* Daz si *t.*   kan *lop.*   geachten *l,* vol achten *op.*   4. sih *K,*
sich es *l, fehlt p.*   7. Et *t, .*   *t K,* Ot *mn,* Alle *op, fehlt l.*   16. volt *K.*
20. pisant *K,* pisante *t,* pisande *op.*   22. mit k. *lop.*   karels *K.*   26. örs un͞
andr *K.*   27. bw̄ *K.*   strowes *Km,* stros *t,* stro *lnopz.*   28. daz *Kmnoptz,*
fehlt l.   und] biz an *l,* darzu *op.*   30 wider wegen *alle aufser K.*
257, 1. brueven *K.*   3. werelt *K.*   4. Matriblaiz *mn,* Matribuleiz *loptz.*
5. Schandinavia *opz,* Scandinania *l,* scandinaria *n.*   8. bruefer *K,* brieffer *z,*
pruefde *op.*   10. geltes wesen (sein *p,* waren *t*) bereite *nopt,* waren gemeite *l.*
15. alsam *lmtz.*   19. Marhgrave îe waz *K.*   20. 21. Koukesas der *dir gæbe*
daz. wære ein richer solt. *K.*   20. Dez *lo.*   al daz *tz,* allez *nop,* allez daz *l,*
als daz *m.*   ze *op.*   Kaukesas *m,* kochesas *n.*   22. want *K.*   allez *alle*
vil *Kn, fehlt lmoptz.*   rotes *K, fehlt ltz.*   23. næmest ez *K,* nemez *nt,*
nemst iz *m.*   ungerne *Kpt.*   24. gehurtlichen *t.*   27. cem Marhcr. *K.*
28. gelaisten mag *optz,* geleistet. *l.*   sölh *K,* sôlhez *l,* daz *op.*
29. scheide *lopt.*

258 Si buten durch mîn überkêr
der getriwen werden miete mêr.
ze lœsn von ir gebenden
und in Francrîch ze senden
5 mîn neve der künic Halzebier
bôt ahte fürsten ledic mier,
[die wâren] gevangen under sînem
vanen.
mîn übervart möht in ermanen
ergetzens flust und herzen nôt.
10 im wæren zweinzec tûsent tôt
ûz sîn eines rîche aldâ belegn:
Valfundê mües immer phlegn
jâmers nâch sînn eskelîren,
an den der tôt niht kunde vîren.
15 ich vrâgete wer die möhten wesen,
daz der getouften wære genesen.
ir namen wurden mir bekant,
und der schade ze gelten disem
lant.
der weinen unde lachen
20 geschuof, der mac si machen
daz man si ledec bekenne.
die gevangen ich iu nenne.
ez ist Gaudiers und **Gaudîn**,
Hûes und Gybalîn,
25 Berhtram und Gêrhart,
Hûnas [von Sanctes] und Witschart.
der tôt si des niht irte:
die ze helfe disem wirte
kômn ûz iwerm geslähte,
die belibn gar wan dise ähte,
259 Dar zuo rîche und arme.
sît mich, hêrre, daz erbarme,

daz lât in iweren huiden sîn.
diz wârn die besten vriunde mîn,
5 die dâ beliben in dem strîte.
ir kirchhof ist gesegent wîte,
von den engelen wîhe enphangen.
sus ist ez dâ ergangen.
ir heilic verch und iriu bein,
10 in manegem schœnen sarkestein,
die nie geworhten menschen hant,
man die getouften alle vant.'
niemen dâ sô herte saz,
ir necheines herze des vergaz,
15 ez engæbe den ougen stiure
mit wazzer. dâ was tiure
der man der niht enklagete
daz diu künegîn dâ sagete.
grôz vreude in doch dar an ge-
schach,
20 do sis pfallenzgrâven lebens verjach,
und ander siben der mâge sîn.
dô truoc man tischlachen în.
der wirt selbe alrêrst vernam
daz der pfallenzgrâve Berhtram
25 selb ahte was in lebenne.
er sprach 'got hât ze gebenne
vreud und angest swem er wil:
er mac mir lachebæriu zil
wol stôzen nâch dem weinen,
wil sîn sîn güete meinen.'
260 Heimrîch und al die süne sîn
dancten dô der künegîn
daz si ir vater rât übergienc
und von mâgen noh von sune en-
pfienc

258, 1. minne *n*, minnen *l*, minen *K.* überkêr] willen der *K.* 2. der *fehlt K.*
3. zelœsn *m*, ce lœsen *K.* ir *fehlt op.* 4. Francriche *K.* 5. der *fehlt*
op. Halzebir *K.* 6. aht *K.* mier *lm*, miere *o.* 7. Die gevangen
warn *op.* undr *K.* sinem *Kpt*, sinen *lmn*, seinē *o.* 10. in *K.* waren
Knt. 11. ouch *K*, Uf *ltz.* alhie *loptz.* gelegen *lmop.* 12. muose *K*,
muos *t*, muz *nop.* 13. sinen *alle.* 17. namn wrdent *K.* 21. si ledich
bechennen *K.* 22. nennen *K.* 23. Daz *loptz.* kaudiers *K*, Gautiers *t*,
kautiers *lz.* Kaudin *K.* 24. Hunas *ltz*, Hynas *op.* Gibelin *mn*, Gwybalin
z, Cybalin *K*, kybalin *l.* 25. Samson *ltz*, Sampson *op.* Gerart *m*, Tscher-
hart *t.* 26. Berhtram und *loptz.* 29. chomen ûz iwerem *K.*
259, 4. Ez *loptz.* 5. belibn *K.* 6. was *K.* 7. von der engel *ln.* weich
mo. enphangn-ergangn *K.* 9. heilic *fehlt K.* iriu bein *Kmtz*, ir gebein
lnop. 10. manegm *K.* schœnem *K*, *fehlt op.* sarche stein *K*, sarch
stein *lntz*, sarich stein *m*, sarch staine *op.* 11. geworten *K*, gewarichten *m*,
geworchte *optz*, geworht hat *l.* mennischen *K.* 13. herter *opt.* 15. sæ-
wer *op.* 16. daz *lopz* und *erst K.* 17. Ein *loptz.* 18. chuneginne *K.*
da *nach* daz *op*, *fehlt lt.* 19. grôziu *K.* Iedoch groz (in *op*) freude dran
(an in *l*) geschach *loptz.* 20. leben *mpt.* iach *lopz.* 23. alrerste *K.*
25. lebene *Kln*, lebne *p*, leben *tz*, lebn *m. so auch* 26.

5 dehein ir sunder urbot.
　und si hete den hœhsten got
　und ir vil werden minne
　mit wîplîchem sinne
　an dem marcrâven gêret
10 und ir sælekeit gemêret.
　　dô sprach Bernart von Brubant
　'mînen sun man bî den vînden vant,
　den pfalzgrâven manlîch:
　die andern sibene, ir ieslîch
15 von arde mîne mâge sint,
　der ahte ist für wâr mîn kint:
　der deheinr ist mir sô trût,
　ich enlieze senewe ûz sîner hût
　snîden ê daz uns Tybalt
20 Gyburge næme mit gewalt
　oder si ab uns erkoufte
　und des prîses uns bestroufte.'
　　'ich hœr wol, vrouwe,' sprach
　　　der wirt,
　'iwer blic die heiden niht verbirt,
25 ir sît in in den ougen noch.
　si müezen mir des jehen doch,
　swaz si mîner mâge hânt,
　an iu het ich wol für die phant.
　si sulen abr anderen bürgen nemen,
　ob si strîtes kan gezemen.'
261 Der wirt dô klagete sêre,
　daz der rîter was niht mêre
　ûzem here komen dar în.
　er sprach 'ûf dem palas mîn
5 hân i'r etswenne mêr gesehen.
　ir muget wol mîme sweher jehen
　mîner mâge tôt, des landes brant:

sölhe heimstiur gît mir sîn hant.
ez ist manec mîn übergenôz geriten
10 ûf mînen schaden: daz wære ver-
　　　miten,
soldez Tybalt hân geworben.
sölh hervart wære verdorben:
âne Terramêrs gebot
hetes im geholfen kein sîn got.'
15　er sprach 'vater, nu nim war,
wie du die fürsten setzest gar.
gebiut hie als ze Narbôn,
und tuo ez durch den gotes lôn,
heiz dîn ambetliute
20 uns hie ûf dienen hiute.
swaz ich truhsæzn und schenken
　　　pflac,
marschalke und kamerære belac,
dâ si den heiden schancten
und niht dem vanen entwancten
25 unz sich ir reinez bluot vergôz.
mîn flust ist âne mâze grôz
an manegem herzen triwen vol.
ich klage se als ich ze rehte sol:
wan ich hân ir mangel nuo.
heiz die dînen grîfen zuo.'
262　'Ich bedâhtz wol ê,' sprach Heim-
　　　rîch.
'die mîne, nu tuont dem gelîch:
ir bekennet wol des wirtes nôt:
gebt uns mit zühten sô sîn brôt
5 als ob die sîne solden lebn,
diez dicke schöne hânt gegebn
und rîlîche für getragen.
ih endarf iu nimêr drumbe sagen:

260, 5. sundr *K.*　6. Und *lz,* Wan *t,* unde sprachen *K,* und sprach *m,* und iahen
op. hœhesten *K.*　7. Und die werden (werltlichen *lt,* wyrdekliche *z*) minne
loptz.　8. getruwelichem *ltz,* getrewem *op.*　9. an den *Kltz.* marhcr. *K.*
geeret *lo,* geheret *mn,* gecheret *Kptz.*　10. wipheit *loptz.*　12. vienden *K,*
werden *t.*　mînen sun die vinde bî in hânt?　17. deheiner *K.*　truot-
huot *K.*　18. Ich lieze e *lop,* Ich liez im *t.*　senewe *p,* senib *m,* sembe *o,*
senewen *Kltz,* senen *n.*　19. daz] danne *K.*　uns *fehlt ltz.*　20. uns neme
ltz.　22. brises *K.*　23. hœre *K.*　24. bliche *K.*　28. wol vollez phant *t.*
29. aber *K,* ab *t.*　ander *lnopz.*　purgel *o.*　30. wil *K.*

261, 1. wirt *fehlt K.*　4. palase *Kn.*　5. ier *m,* ich ir *Kotz,* ich *lnp.*
eteswenne *K.*　6. minem *K.* minen sw. spehen *loptz.*　8. heimstiure *K.*
11. habn *K.*　13. an *Klm.*　14. hiet ims *op,* biet im *m.* im *fehlt K.*
geschaffen *op.*　dehein *K.*　15. Do sprach er *lopz,* Do sprach sin *t.*
16. gesetzest *t,* gesetzet *l,* gesetzt *x.*　17. gebiute *K,* gepeiut *x.*　19. heize
dine ambtliute *K.*　20. uofe *K.*　21. Truchsæzen *K,* trugsetzen *l,* druch-
setzen *m,* druchsazzen *n,* druchsætzen *o,* truchtsezen *p,* thrusæhzen *t,* truchsas-
sez *z.*　22. Marschalch *alle aufser K.* Marchschalch *o.*　und *fehlt ltz.*
25. unze sih *K.*　26. ane mazen *opz,* unmazzen *l.*　30. heize *Knz.*

262, 1. bedahtz *K,* beahetz *t,* gedahtsz *z.*　e wol *nz,* wol *lopt.*　6. die ez *K.*
7. rilich *K,* reichleich *m,* rilichen *l,* reichleichen *op,* ruohlich *t,* ritterliche *z,*
reinikliche *n.*　8. nimere drumbe *Kt,* nicht mer drumb *mnz,* dar umb (da
von *op*) niht mer *lop.*

gebiet als wir dâ heime sîn.
10 mînes suns habe ist wol mîn:
ich wæn mirs ouch mîn vrouwe
gan,
gein der ich zwîvel nie gewan.'
'jâ hêr,' sprach si, 'vil gerne.
unde ob al Todjerne
15 Arâbîe und Arâbî
vor den heiden lægen frî
und mir ze dienste wærn benant,
da bevilh ich allez iwerr hant.
daz liez ich durch dise armuot:
20 unser habe, iurs sunes guot,
daz wir vil kûme erwerten,
ungerne wirz verzerten
ân iuch und ân die den irz gebt.
mîn herze in iwerm gebote lebt,
25 und mîner bruoder, iwerr kinde:
iwer aller ingesinde
wil ich nâch flust nu gerne sîn.
mit triwen helfe ist worden schîn;
des ich mich dicke ze iu versach,
so der heiden sturm Oransche
brach.'
263 'Vrouwe,' sprach der grîse man,
'swar an ich mag oder kan,
dâ sît ir diens von mir gewert:
und ob iemen mînes râtes gert,
5 al mîne mâge und mîniu kint
mit triwen ze iwerm gebote sint.'
die künegîn er dô sitzen bat,
und jach, si solt die selben stat
habn und diu andern vröwelîn.
10 'lât mich hiute wirt hie sîn:
ich kum her wider zuo ziu dran.'

mit urloub gieng er dô dan:
in sîner hende was ein stap.
daz sitzen er mit zühten gap
15 dem jungen künec von Tandarnas,
ein sîten ûf dem palas,
dîu gein der künegîn über stuont.
er tet dem schêtîse kuont,
er solte dem künege sitzen bî,
20 und Buove von Kumarzî,
und Bernart von Brubant.
die viere heten eine want.
die fürsten ûz Francrîche
er dô sazte rîterlîche,
25 die der rœmsche künic sante dar.
er bat ir schône nemen war:
ir muosen werde rîter phlegn.
er wunschte daz der gotes segn
ir spîse in lieze wol gezemn.
er bat siz willeclîchen nemn:
264 Swaz wurde aldâ von in verzert,
daz heten vrouwen hende erwert
gein starker vîende überlast.
'vil manic ungetoufter gast
5 hânt ir zorn hie niht gespart:
Oransche was doch sô bewart,
daz vrouwen hânt hie prîs be-
jaget:
die vant man werlîch unverzaget.
sît siz uns habent behalten,
10 nu sult irs alle walten,
ieslîch man reht als er ger;
der fürste, der grâve, dirre unt
der,
barûn unt d'andern rîter gar.
nu nemet deheines zadels war:

---

9. gebietet *Kmn*, Gebietent *t*, Gebet in *l*, Geparet *op*.   10. Des wen ich mirs
ouch (wæne ouch ich mir *t*) min *pt*.   wæne *K*.   13. herre *K*.   vil *fehlt
loptz*.   14. und *fehlt loptz*.   alle *Ktz*, alles *op*, halt *l*.   15. Und *ltz*,
Paide *op*.   arabie *l*, arabia *Kmnopt*, arab *z*.   18. da *Klz*, daz *mnopt*.
enphulch *m*.   20. iwers *K*.   23. ane-ane *K*.   die *fehlt lt*.   24. iwerem
K.   bote *n*.   25. bruodr *K*.   29. Der *n*, Als *loptz*.   30. Do *lopt*.
263, 2. odr *K*.   3. dienst *m*, dienstes *Klnopt*, dennoch *z*.   4. iemen] ir *lop*.
5. 6. Ich selbe [mage *z*] und [ouch *l*] min kint. [Die *l*] dinstliche in uowerme
lz.   6. iweren *K*.   7. dô *fehlt loptz*.   8. Er *opt*.   solte *K*.   10. hie
vor wirt *l, fehlt op*.   12. urloube *K*.   gie *Kmotz*.   do *Kmn*, do von *p*,
von *o, fehlt ltz*.   15. chunege *K*.   Tandernas *lmtz*, tantarnas *op*.
16. eine *K*.   site *t*, sit *z*.   17. der chuneginnen *K*.   18. sceptiss *K*.
24. satzt er do *op*.   vlizzicliche *lz*.   25. Rœmische *Klnt*, Romisch *mop*,
rœmsch *z*.   27. Und hiez ir *loptz*.   28. *fehlt t*.   29. Die *loptz*.
264, 5. Die habent (hant *t*) ir *opt*, Den hat ir *l*.   9. siz *mnt*, sis *K*.   11. reht
fehlt lnop.   er *Kmnt*, ersz *z*, er es *l*, er sein *op*.   13. die andern *Kmz*,
ander *lopt, fehlt n*.

15 Oransche ist wol berâten
von den diez vor uns tâten.
die sint ûf Alischanz belibn:
ir tôt uns hât dar zuo getribn:
nu zeren daz si uns liezen.
20 ir vart sul wir geniezen:
dâ si hin sint gekêret,
ir habe ist dort gemêret.'
der alde fürste niht ze laz
gienc von den fürsten fürbaz.
25 ander fürsten, sîniu kint,
die dâ noch ungesetzet sint,
er setzen dô begunde,
Arnalden von Gerunde,
Berhtram und Gybert
und den wirt (die viere in dûhten
wert)
265 Des palas ze ein sîten.
wer an den selben zîten
bî der küngîn sæze,
und wer dâ mit ir æze?
5 daz tet der alde Heimrîch.
da ergienc ein dienest zühte rîch
von den diez für truogen.
an nihte si gewuogen
daz dâ kein zadel möhte sîn.
10 môraz, clâret unde wîn
si heten, unde spîse guot.
doch was ir williger muot
vil bezzer dan diu spîse gar.
dâ sâzen vrouwen lieht gevar
15 in minneclîcher ahte :
der selben undertrahte

Heimrîch der alde gerte nieht.
ir necheiniu was dâ sô lieht,
der sô wol an im gelunge
20 daz si sînen muot betwunge,
wan sîns suns wîp al eine.
diu zwei âzen kleine,
von maneger vrâg diu dâ ge-
schach
umb der künegîn ungemach,
25 daz er von herzen klagete
dô siz im undersagete.
niht anders si sich nerte,
wan dazs et vreuḑe zerte
mêre danne ir selber spîse.
daz widerriet ir der wîse.
266 Dô man ûf dem palas
vil gap unt gnuoc gegeben was,
Heimrîch der alders blanke
und niht der muotes kranke
5 az minner denne ein ander man.
sît er vrâgen began
die künegîn die wîl man az,
welch heiden dâ den grœsten haz
âne Tybalden trüeg gein ir,
10 si sprach 'die werden alle mir
erzeigeten zorn, swaz i'r dâ weiz,
niwan mîn sun Ehmereiz.
der hete doch rîter hie genuoc:
von sîme rinc man nie getruoc
15 gein mir bogen schilt noch swert.
dar zuo dûhte er sich ze wert,
swaz volkes im ist undertân,
solt ich angest gein den hân.

16. die ez *K.*　　18. tot *moptz,* tat *Kln.*　　hat uns *lnopz.*　　21. 22 *fehlen op.*
21. da si sint hin *lz,* Da sint si hin *t.*　　24. giech *K.*　　fur die *lop.*　　26. da
noch *Kmtz,* dannoch *lop,* noch *n.*　　28. Ernalden *m,* Ernalde *K.*　　29. Perh-
trame *K,* Bertramen *n,* Berchtramen *p.*　　Tybert *z,* kylbert *lt,* Schilbert *op.*
30. duhte *Kl.*

265, 1. balas *K.*　　an eine *K,* an einer *lo,* einer *mnp,* eine *t,* vierden *z.*　　3. chuni-
ginnen *Kn.*　　6. ergie *Kmop.*　　7. die ez *K.*　　fur sie *t.*　　9. da de-
chein *K.*　　10. Maraz *mo.*　　10. 11. und *K.*　　11. si gaben *lnoptz.*
13. danne *K.*　　14. Man sach da vrowen wol gevar *loptz.*　　18. dâ *fehlt*
lnoptz.　　21. sines sunes *K.*　　23. vrage *K.*　　24. chuneginnen *K,* wirtin
lopt.　　25. Daz si *lt,* Do si *o,* Die gar *p.*　　26. si im *op,* si es *l.*　　**undr**
sagete *K,* sunder sagte *optz.*　　28. daz eht *z,* daz si ot *m,* daz er *K,*
daz si ir *n,* daz si *lopt.*　　29. sebr *K.*　　30. widr riet *K.*
ir *fehlt ltz.*

266, 2. genuog gegebn *K,* noch zu gebene *n,* gegeben *l.*　　4. der *Kmptz,* des
lno.　　5. âz *K.*　　6. Durh daz er *lopt.*　　7. die wile *K,* der weil *m,* wile *n.*
8. grœzisten *K.*　　9. truege *K.*　　11. haz *lopt.*　　ich ir da *Kot,* ich ir *npz,*
ich da *m,* ich der *l.*　　12. Nur mein *mo,* Denn mein *p,* Ane minen *lz.*
Ehmureîz *K,* Emereiz *lnz,* ekmereis *op.*　　13. hat (het *t*) ouch *lopt.*　　14. ring
moz, ringe *Klnpt.*　　18. gein dem *Kmt.*

zwêne künege ûf Alischanz den lîp
20 verlurn: die santen dar diu wîp.
her ze Oransch kom ir klagende
　　her:
mîne porten, wîchûs und diu wer
erleit von in decheinen pîn.
von Oraste Gentesîn
25 brâht ir ein teil Nöupatrîs.
Thesereizes her durch sînen prîs
jah, ez wære der wîbe gebot,
dâ von ir hêrre læge tôt,
gein mir und al der wîpheit
solt ungerochen sîn ir leit:
267 swa der marcrâve in bræhte
　　strît,
dâ kœme alrêrst ir râche zît.
Nöupatrîses rîterschaft
was hie mit grôzer heres kraft:
5 die der minne gerende ûz brâhte,
sêr daz den versmâhte,
der sich gein mir armen vrouwen
in sturme lieze beschouwen.
sît diss landes hêrr was über-
　　stritn
10 und der nâch helfe was geritn,
si jâhen, gein werden wîben
solten werde man belîben
dazs se immer diens werten
und ir lônes wider gerten.
15 hie was vil hers hêrrenlôs,
von den ich starken haz erkôs:
wan Nöupatrîses diet
und Thesereizes her sich schiet
ûz den andern, als ich hân gesagt.

20 ich wæn, si wârn doch unverzagt.
hie tâten zehen bruoder mîn
ir ungenâde gein mir schîn.
von Griffâne und von Frîende
manec rîter ellende
25 was hie durch mîner swester
　　suon:
swaz die mohten mir getuon,
[Poydjus] und anderr mîner mâge
　　haz
was et gein mir niht ze laz.
hie was al Tybaldes art
mit kreftleclîcher hervart.
268 ich hete dâ gerne vriunde mêr:
nu sprechents ûf mich herzesêr.’
Sus saz diu klagende vrouwe
mit dem herzen touwe,
5 daz ûzer brust durch d’ougen vlôz,
ir liehten blicke ein teil begôz.
dô sprach ir gedienter vater
hin ze ir alsus. mit zühten bater
daz si ir weinen liez verholen:
10 dâ solten kurzwîle dolen
der wirt und sîne geste
âne jâmers überleste.
si sprach ‘swenn ir gebietet,
mîn munt sich lachens nietet:
15 wirt aber hie schimf von mir getân,
sô muoz dochz herze jâmer hân.’
er sprach ‘nu nemt sô jâmers
　　war,
daz iwer site rehte var
und daz niemen drab erschrecke.
20 der zage unt der quecke

21. ce Oransce *K.*　　　clagendez *lptz,* chlage *o.*　　22. Min (Mine *t,* Miner *l*)
wichus porte (pforten *o,* pfetrer *p*) *lopt.*　　und *fehlt z.*　　all die *ltz,* alle min
p, mein *o.*　　23. Leit *l,* Geleit *opz.*　　25. brahte *K.*　　29. unde gein *Kmz.*
30. sol *Kl.*

267, 1. Swen *op,* Swie *l,* So *n.*　　2. So *l,* Si *o.*　　alreste *K.*　　3. Noupatris *Kmz.*
Thesereizes *lopt.*　　4. her chraft *K,* herschafft *z.*　　6. sere *K.*　　7. der sih
Km, Swer (Wer *opz*) sich *optz,* Daz si sich *l,* Daz sich *n.*　　8. liezzen *l.*
schowen *lnopt.*　　9. herre *K.*　　13. daz si immer *Kmnt,* Daz immer *z,* Daz
si sich *l,* Wan daz si *op.*　　dienstes *t,* dienstes sei *op.*　　16. Von dem *opz.*
17. Niht wan *l,* Nur *p,* Nu *o,* Von *z.*　　Noupatris *Kmtz,* neupatrises *op,* Neu-
patrisses *l.*　　19. Von *lopt.*　　20. wæne *K.*　　waren *Kn,* wærn *lotz.*
27. anderr *fehlt lop.*　　mîner *fehlt tz.*　　28. Der was *loptz.*　　et *t,* ett *z,*
ot *m,* oyt *K,* hie *p, fehlt lno.*

268, 2. sprechentss *K.*　　4. Von *lt,* daz von *op.*　　heizzen *ltz.*　　5. auz der *mz,*
uz ir *n,* uf die *lopt.*　　durch di *Kmnz,* durch ir *t,* durk *l,* von den *op.*
6. liechter blik *n,* lieht antlize *lopt.*　　8. Alsus hin zuo ir *l.*　　Zu ir mit
zuchten sus bat er *n,* Also (Alsus *t*) mit zuchten zu ir (hinz ir *t*) pater *opt.*
9. liez *op,* lieze *l,* lieze sin *Kn,* liezz sein *mtz.*　　10. Sein, da *op.*　　13. swenne
K.　　15. hie *fehlt lnopz.*　　16. doch daz herce *Klmntz,* daz (mein *p*) hertz
doch *op.*　　19. Daz ieman *loptz.*　　20. chweche *K,* ckekke *o.*

eteswenne bî ein ander sint.
ich geloube wol daz mîniu kint
dem ellen niht entwîchen.
dar mag ich niht gelîchen.
25 die man mir für genôze zelt,

etslîch fürste ist niht erwelt
ze der scharpfen rîterlîchen tât.
wir sulen hôhmuotes rât
den liuten künden unde sagn.
guot trôst erküenet mangen zagn.'

---

21. [Vil *o*, Die *p*] Dicke *lopt*.   24. dar *Kntz*, der *mop*, Dez *l*.   25. zuo genozen *lopt*.   28. hohen muotes *K*, hohes muotes *loptz*, hochgemutis *n*.

VI.

269 Mac sölh gelübde ein ende hân,
diu des âbents wart getân,
dô der marcrâve schiet
von Oransche, als im geriet
5 Gyburc diu in selbe bat
nâch helfe rîten ûz der stat
in der Franzoyser lant,
ob in dâ des rîches hant,
vater, bruodr und mâge
10 sus wolten lân in wâge,
daz er genâde wurb an sie?
ir helf er vant, nu sint si hie.
sîn dan scheiden unde ir komn
mugt ir wol bêdiu hân vernomn.
15 er mac nu ezzen mêr dan brôt:
Gyburc ist vîentlîcher nôt
erlôst, wan daz se et jâmer twanc.
der marcgrâve az unde tranc
vil gerne swaz man für in truoc.
20 Rennewart, sîn friunt, der knappe
kluoc,
für die geste gienc durh sînen
prîs:
er truoc sîn ungefüegez rîs
in der hende als einen trunzûn.
den Burgunjoys, den Bertûn,
25 den Flæminc und den Engeloys,
den Brâbant und den Franzoys
nam wunder waz er wolde tuon.

în gienc des rîchsten mannes suon,
des houbet krône bî der zît
truoc: daz was gar âne strît.
270 Mitten durch den palas
manec marmelsûl gesetzet was
under hôhe pfîlære:
Rennewart die stangen swære
5 wider ein gewelbe leinde.
si nam wunder waz er meinde,
dô er sô wiltlîchen sach.
eteslîche vorhten ungemach
âne schult von im erlîden:
10 daz kund er wol vermîden,
er wurde ê drûf gereizet.
dâ sîn vel was besweizet
und der stoup was drûf gevallen,
do er vor den andern allen
15 kom als im sîn manheit riet,
etswâ ein sweizic zaher schiet
den stoup von sînem clâren vel,
Rennewarts des knappen snel.
sîn blic gelîchen schîn begêt,
20 als touwic spitzic rôse stêt
und sîn rûher balc her dan
klûbt: ein teil ist des noch dran.
wirt er vor roste immer vrî,
der heide glanz wont im ouch bî.
25 der starke, niht der swache,
truoc ougen als ein trache

269, 2. abendes *K.*   3. 18. marhgr. *K.*   9. bruoder *K.*   11. ẘrb an sî *K.*
12. Die vant er dort *loptz.*   hî *K.*   13. sheîden *K.*   14. Dŭ mugt ir baide
(wol *l*, e wol *t*) han *lz*, habt ir nu paide wol *op.*   haben *K.*   15. dan *ln*,
dann *oz*, danne *t*, denne *Kp*, denn *m.*   17. want *K.*   si et *K*, sei ot *m*, er *z*,
si *lnoptz.*   20. sein freiûnt *x, fehlt ln.*   21. Gieng fuor die geste *loptz.*
gie *Kmotz.*   23. als ein *lnoptz.*   drumzûn *K*, trumsun *o*, druom czuon *p*,
strunt zun *l*, trutzen *z*   24. Burgunzoys *K*, Burgonois *l*, Burgunschoys *m*,
burgenoys *n*, burgonoys *ot*, purgunois *p*, Bertenoys *t*, burguntschoys *z.*   Ber-
tûn *K*, Bärtoun *m*, Britun *lnop*, pritun *z*, Brittou *t.*   25. flæmich *K*, flæmnîch
o, flemme *l.*   und *fehlt ltz.*   28. in *Klmtx*, Da *nop*, Für *z.*   richesten *Klnt.*
29. Des vater *lopt.*

270, 2. mærmel sæul *op*, maerbel sául *x.*   3. v̊d *K*, Und der *l*, Und *z.*   hohen
l, hoher *z*, hôch *mx.*   4. sin *loptxz.*   5. widr *K*, Under *mn*, An *loptxz.*
6. se nam *o.*   12. Daz *op.*   beswaitzet *m*, gesweizzet *lpt*, geswaitzet *o*, ver-
swaysset *z.*   13. druoz *K.*   16. sweizes *loptz.*   zäher *z.*   18. Rennevartes *K.*
22. Clubt *z*, chlubet *Kl*, Chleubet *mnopt.*   und [noch *o*, es *pt*] ein teil ist dar
ane (dran *opt*) *lopt.*   des *fehlt z.*   23. von *lnopt.*   25. und niht *lox.*

vorm houbte, grôz, lûter, lieht.
gedanc nâch prîse erliez in nieht,
sît er von Munlêûn ûf die vart
schiet, im wuohs sîn junger bart.
271 Ern hete der jâr doch niht sô vil,
diu reichent gein des bartes zil:
Alyzen kus het in gequelt.
man het im wol die gran gezelt:
5 diene drungenn munt niht sêre.
man kôs der muoter êre
an im, diu sölhe vruht gebar.
al sîn antlütze gar
ze wunsche stuont und al die lide.
10 sîn clârheit warp der wîbe vride:
ir necheiniu haz gein im truoc.
ich sag iu lobs von im genuoc,
genæhet er baz dem prîse
und bin ich dannoch sô wîse.
15 eins dinges mir geloubet:
er was des unberoubet,
sîn blic durh rost gap sölhiu mâl
als dô den jungen Parzivâl
vant mit sîner varwe glanz
20 der grâve Karnahkarnanz
an venje in dem walde.
jeht Rennewart al balde
als guoter schœne, als guoter
kraft,
und der tumpheit geselleschaft.
25 ir neweder was nâch arde erzogn :

des was ir edelkeit betrogn.
zer künegîn sprach dô Heimrîch
'wer ist sô starc, sô manlîch
dâ her în für uns gegangen
mit einer sô grôzen stangen ?'
272 Gyburc, die man bî güete ie vant,
sprach 'hêrre, ez ist ein sarjant,
dem sîner kurzen jâre lebn
ze rehte, ich wæne, ist niht ge-
gebn.
5 mich dunct, man sold in halden baz.
sîn snelheit diu ist niht ze laz:
er kom ze fuoz vor den die ritn,
und wolde gerne hân gestritn
an den selben stunden.
10 heter vînde funden.
hêr, mir jah der markîs,
in gæbe im der künec Lôys.
ern ist niht ungehiure :
sît Karl der lampriure
15 und der hôhe Baligân erstarp,
in ir deweders rîche erwarp
nie muoter sît sô clâre fruht.
er hât ouch kiuschlîche zuht:
man mag in ziehn als eine maget:
20 er leistet gern swaz man im saget.
mîn herze giht etswes ûf in,
dar umbe ich dicke siufzic bin
sît hiute morgen daz i'n sach:
mir sol freude odr ungemach

27. vorem *K*, vor *t*. lûtr *K*. 28. liez *lo*, enlies *p*. nîht *K*. 29. Seid
er *m*, sit der *K*. ôf *K*. 30. ẘchs *K*. ein *optx*.
271, 1. Er enhete der iare *K*. noch *mpz*, fehlt *lt*. 2. Die (Diu *t*) da (do *p*)
lopt. richent *t*, reichen *n*, rehten *z*, iehen *l*. des *fehlt lop*, dem *t*.
4. granen *n*. 5. drungen den *alle*. 9. al] gar *ltz*. sein lide *nopz*, diu
lit *K*, diu lide *t*. 10. Sin blick erwarb *loptz*. vrit *K*. 11. Ier chaine *m*,
Der deheiniu *t*, Der dekein *l*, Daz chaine *op*. hazz *K*, hassen *pz*. 13. ge-
naehet *mz*, genahet *Klnop*. 14. und *fehlt ltz*. dann *op*. sô] der *t*.
15. eines *K*. 18. partzival *m*, parcival *p*, parcifal *l*, partzyfal *z*. 21. ane *K*,
An der *loz*, An dem *p*. vein *m*, venien *p*. 23. Der selben schone der
selben craft *loptz*. 25. 26 *fehlen lt*. 25. Ir itwederr (ieclich *p*) waz nach
der art gezogen *op*, Der de weder arte waz erzogen *z*. 30. einer so *Knoz*,
einer *mp*, siner *lx*.
272, 1. di man *K*. 2. ssariant *K*. 4. ist wen ich (wænich *t*, wenig *z*) nicht
optz, wenich ist *l*. 5. dunchet *Klmnt*. handeln *t*, haben *opz*. 6. diu
fehlt lntz. 10. hetr *K*, Hete er die *lt*, ob er hiet *op*. viende *K*. 11. herre
K. 12. chunich *K*. 13. er enist *K*, Er ist *loptz*. 14. seint von karln *op*.
dem *lop*. lamprure *K*, lemperure *n*. 15. und *fehlt p*. 16. dewedrs *K*,
tweders *t*, entweders *m*, ni wedirs *n*, werdes *l*. Dar an er hohen preis erwarb *op*.
17. sît *fehlt l*, gepar *p*. 18. Trueg er *o*. ouch so *l*, ouch harte *p*, *fehlt t*.
chæusche *op*, clare *l*, crefteecliche *t*. 19. 20 *fehlen lt*. 19. ziehen *alle*.
ein *Kmopz*. 20. gerne *K*. 21. ieht *Kz*. eteswes *K*. 22. sünfftzig *z*,
souftund *m*, trurig *lopt*. 23. hiutmorgen *K*. ich in *alle*.

25 vil schier von sîner kumft geschehen.
ich muoz im antlützes jehen
als eteslîch mîn geslähte hât.
mîn herze mich des niht erlât,
ichn sî im holt, ichn weiz durch
     waz:
sô treit er lîhte gein mir haz.'
273 Rennewart der junge sarjant
gienc dâ er sînen hêrren vant.
dem marcrâven dô schiere kuont
wart daz sîn vriunt vor im dâ
     stuont:
5 dem bôt er minneclîchen gruoz.
er sprach 'gein dir ich werben muoz:
genc ze hove für die wirtîn
unt für in der sô blanken schîn
dort hât: si sint beidiu dienstes
     wert.
10 nu sih wie leblîch er gert:
ern ist mir niht unmære:
der selbe mûzære
erflüge den kranech wol, würf i'n
     dar:
ern ist niht zäglîch gevar.
15 'hêrre,' sprach dô Rennewart,
'im blîbt mîn dienst ungespart,
und al den dies geruochent,
diez güetlîche versuochent.'
dô gienc der ellens rîche
20 für die wirtîn zühteclîche.

Heimrîch rief an den wirt
'waz op dîn gast nu niht verbirt,
ern erbiete uns sînen zorn?
den hân wir âne schult erkorn.'
25 'ich lîde für dich swaz dir tuot
sîn unbescheidenlîcher muot,'
sprach dô des landes hêrre.
'er was mit mir der êrre
hiute morgen dâ her în.
er kan wol friunt und vîent sîn.'
274 Diu tavel was kurz unde breit:
Heimrîch durh gesellekeit
bat Rennewarten sitzen dort
ûf den teppich an der tavelen ort,
5 bî der künegîn nâhen.
daz enkund ir niht versmâhen.
Rennwart saz mit zühten dar.
Heimrîch nam sîner lider war.
der knappe wart von schame rôt,
10 daz manz im dâ sô wol erbôt.
die künegîn des niht verdrôz,
daz tischlachen gein sîner schôz
si güetlîch bôt; dar zuo er sweic,
wan daz er mit zühten neic.
15 swie diu künegîn ob im saz,
sîn houbet was vil hœher baz:
daz muost von sîner grœze sîn.
sîn und ir, ir bêder schîn
sich kunde alsus vermæren,
20 als op si bêde wæren

---

25. schiere *Kn.*   26. sime antlitze *lopz.*   29. ich en si im *Klmn,* Ich sei im
opz, Ich sim *t.*   ichn weiz *t,* ich enweiz *Kz,* ich weiz *lmnop.*
273, 1. ssariant *K.*   3. dem marcraven (markise *n*) wart do (*fehlt z*) schiere chunt
Kmnz, Vil schiere [ward *op*] dem Margreven kunt *lopt.*   4. wart *hat hier nur*
l, Was *t.*   da vor im *nopt.* dâ *fehlt l.*   5. minechlichen *K.*   6. gein dir
ich] durh zuht ich *llz,* ich ettwas *op.*   7. Ganch *lz,* Ging *n,* Giench *m,* Gen *t,*
Er gie *op.*   8. in] den *loptz.*   der dort (*aus z.* 9)?   so *Kmntz,* da *l, fehlt*
op.   9. beidiu *fehlt n.*   dienests *K.*   10. libliche *n,* liepliche *l,* lobeleich
optz.   11. 11. erne *K,* Er *loptz.*   12. muozzær *Kl,* mouzzær *mo,* mausære *p.*
13. erflüget *K,* Er flug *p,* erfluech *m,* Er erfluoge *ln,* Er erflug *oz,* Erre flûge *t.*
cranich *lmnot,* kranch *oz.*   wol *fehlt lopt.*   in *z,* ich in *Klmnot,* man
im *p.*   16. Min dinst belibet (belipt *z*) ime (in *z, fehlt op*) ungespart *loptz.*
belibet min diens *K.*   17. Und all (allen *tz*) den *mntz,* an allen den *K,* Alle
(Allen *p*) den *op,* Und *l.*   die ez *Kmn.*   18. die ez guetlichen *Kt,* Daz si
es guotlichen *l,* und [die ez *o*] minnechleich *op.*   19. Sus *loptz,* Also *x.*
gie *Kmo,* stuont *x.*   20. Fuor die kunigin (Vor Chiburgen *x*) gezogenliche
loptxz.   23. Daz er üns peiutt *x.*   24. So sin wir *l.*   verkoren *x,* verlorn *lz.*
25. laid *m,* dol *loptxz.*   27. Sus (So *p*) sprach *loptz.*   do *fehlt lnoptz.*
274, 2. 3. bat *vor* durh *loptxz.*   5. 11. 15. chuneginne *K.*   7. Rennbart *m,*
Rennewart *Kn,* Der knappe *loptxz.*   8. lide *nopt,* lid *mx,* zuht *z.*   9. 10 *fehlen*
lnoptxz.   12. 13. si *vor* gein *Kmn.*   13. Gutliche *n,* guetlichen *K.*
13. 14. Si mit guotem willen ruckte Rennewart sich nigens (naigens *x,* nai-
gente *z*) buckte *ltxz,* Mit guetem (*fehlt p*) willen si vallen lie Rennwart mit
zuchten (Mit czüchten Rennewart *p*) daz enpfie *op.*   17. muose *K,* muoz *x.*
18. Si und er *loptxz.*

ûf ein insigel gedrucket
und gâhs her abe gezucket:
daz underschiet niht wan sîn gran.
mir wær noh liep, wærn die her
　　dan:
25 man ersæhe den man wol für daz
　　　wìp:
so gelîche was ir bêder lîp.
mit môraz, mit wîn, mit clârete
durh des alden Heimrîches bete
wart sîn gephlegen aldâ ze stunt,
baz danne im dâ vor ie wart kunt
275 Er verschoup alsô der wangen want
mit spîse dier vor im dâ vant,
dazz drîn niht dorfte snîen.
ez enheten zehen bîen
5 ûz den näpfen niht sô vil gesogn,
mich enhabe diu âventiure betrogn.
si bêde wênic âzen,
diez im dâ heten lâzen
ûf der tavelen gestanden.
10 si wârn mit sorgen banden
verstricket. merket wie dem sî:
ir gebærden was doch freude bî.
vil knappen kom gegangen:
die wolten sîne stangen
15 dan habn gerucket odr getragn:
sô müese ein swacher öwenzwagn

drunder sêre krachen.
Rennewart begunde lachen
und sprach hin zin 'ir spottet mîn.
20 wan lât ir sölhez schimpfen sîn,
daz ir mit der stangen tuot:
odr ich erzürne etslîches muot.
ir welt se habn als iweren totn.
des swer ich bî dem zwelften botn
25 der wonet in Galicîâ
(Jâcob heizent si den dâ),
welt ir niht mîden sölhez spil,
es wirt etslîchem gar ze vil.
jâ zert ich dirre spîse
mêr danne ein kleiniu zîse,
276 möht ich vor iwerem schimphe.
nu hüet iuch vor unglimphe.'
Rennewarte was zer spîse gâch.
dane dorfte niemen nîgen nâch,
5 daz er von der tavelen sente.
sinôpel mit pigmente,
clâret und dar zuo môraz,
die starken wîne gevieln im baz
danne in der küchen daz wazer.
10 die spîse ungesmæhet azer:
ouch lêrt in ungewonheit,
daz starke trinken überstreit
sîn kiusche zuht und lêrt in zorn,
den edeln hôhen wol geborn.

---

22. gahes *Kmopz*, gæhes *t*, gahens *ln*.　　dar ab *op*, da von *lt*, von ir *z*.
23. Ez *ltz*.　Daz underschaid tet (underschieden *p*) nur sein gran *op*.　24. noh
fehlt lop, nu *t*.　　weren si *nop*, wær si *t*. wær diu?　　25. Man kur *loptz*.
26. so gogeliche *K*.　　bedr *K*.　27. maraz *m*, marate *n*, mete *loptz*.　wìne
Kln.　29. da *lz*, sa *opt*.

275, 1. verschob *op*.　　2. die er *K*.　　da vor im *op*, vor ime *ltz*.　　3. daz *Kt*,
da iz *m*, Der *z*, Daz ez *lnop*.　　4. pìen *Klp*, pein *m*, pygen *z*, peinen *o*.
5. Us eime (Uzèm *t*, Uz dem *op*) napphe *lopt*.　　napffen *K*.　　6. Mich haben
die trunke sin (denn sin trunck *z*) betrogen *ltz*.　　8. gelazzen *lnoz*.　　11. Ge-
stricket *ltz*, Bestricket *op*.　　13. chomen *lmoptx*.　　16. Doch *l*, Da *z*, Ez *o*,
Si in *n*, Si *t*.　　muse *K*, mohte *lnoptz*.　　swacher öwenz *Km*, starker ertz *z*,
starker gantzer *l*, starker last *op*, kurcer starker *nt*.　　1. sere muste *n*.
19. Er *loptxz*.　　spotet *Kp*, spot *x*　　20. Unde *l*, Nu *x*.　　ir *fehlt x*.
selh schimphen *t*, söllich schimpffe *z*, sölichez spoten *x*, sulben spot niht *l*,
nicht solich schimpff *o*, nicht sülches schimpes *p*.　　21. Den *l*.　　22. odr *fehlt*
lop.　　etesliches *K*.　　23—26 *fehlen op*.　　23. heben *ltz*.　　uower *ln*, ein *x*.
24. der swer ich *K*, Ich swer ew *txz*, Er swuor *l*.　　den *lt:*.　　zwelf *ltxz*.
25. Die wonet in *t*, der wonet einre in *l*.　　26. in *nxz*, *fehlt t*.　　27. lazen
loptxz.　　28. ez *Kmn*.　　etesl. *K*.　　29. dise *opt*.　　30. Baz *t*.　　chleiniu
Ktz, cleiner *lp*, chlaine *mno*.

276, 2. nu *fehlt loptz*.　　Hiůt *t*, huetet *Klmnop*, Nit *z*.　　ungel. *alle*.　　5. Dez *l*,
Des *t*.　　der *fehlt t*.　　tavel icht sant *x*. sande?　　6. Wider *x*.　　Scinopel
K, Schinopel *m*, Syropel *loptxz*, Syroppel *x*.　　und *l*, oder *x*, met *op*.　　pic-
mente *l*, pikmente *op*, piciant *x*. pigmande?　　7. dar zuo *fehlt loptxz*.　　Maraz
mo.　　8. Und *lptxz*.　　der starke (der gute *p*, starcher *x*) wein geviel im *opx*.
gevieln im *ltz*, im gevielen *Kmn*.　　9. wâzer-âzer *K*.　　10. gesmæhet *K*, un-
gesmähe *z*, ungesmecket *p*, ungemischet *l*, ungemacht *x*.　　11. ouch *K*, doch
lmntz, Do *op*, Daz *x*.　　13. sine *Knt*.　　leret *K*.

15 vil knappen der jungen
sich mit der stangen drungen,
unz si se nider valten
und den palas erschalten.
Rennewart spranc von der tavelen
dar.
20 die knappen entwichen im sô gar,
daz er ir wênic bî im vant.
er nam die stangn mit einer hant.
ein knappe was entwichen
und al flühtic geslichen
25 hindr ein sûl von marmel blâ;
den selben sah er iedoch dâ:
er tet nâch im ein sölhen swanc,
daz dez fiwer ûz der siule spranc
hôhe ûf gein dem dache.
jener flôh von dem gemache.
277 Alsus beleip der palas
daz dâ wênic knappen inne was.
von in zer tür ûz was gedranc:
ieslîcher für den andern spranc.
5 tischlachen wurden geslagn
zesamene und niht hin dan ge-
tragn:
si vluhen, die des phlâgen,
sine torstenz niht gewâgen
hin ûf ze Rennewarte,
10 gein sîme unsüezem zarte.
ûf stuonden die dâ hêten gâz.
diu künegîn niht lenger saz:
si bat die fürstu an ir gemach
varn. zin allen sí dô sprach
15 'heizt iwer gesinde hie ûf nemn
al des si künne gezemn
von trinken und von spîse.'

dô sprach Heimrîch der wîse
'ez ist âne laster genomn
20 dem sîne wägne niht sint komn.
swes ir gert, man gîts iu vil.
iu allen ich daz râten wil.'
die fürsten fuorn zir ringen.
der marcrâf hiez im bringen
25 ein ors und reit mit in her nidr.
sus reit er für unde widr,
hie ûf wisen, dort ûf velt.
was unberâten kein gezelt,
er hiez den liuten drunder tragn
daz si keinen zadel dorften klagn.

278 Der marcgrâve begunde biten,
dô er hin ab was geriten,
al die werden ime her,
daz si pflægen rîlîcher zer
5 und ir gemach hetn al den tac.
'sô man den morgen kiesen mac,
hœrt messe in der kappellen mîn:
dâ wil ich in iwerem râte sîn.'
daz lobten unde leişten sie.
10 fürsten, grâven, dise unt die,
und swen man für den barûn sach,
und al die den man rotte jach,
die wârn ze velde gar gevarn.
Gyburc dort inne wil bewarn
15 ir liebsten vater Heimrîch.
manec juncvrouwe minneclîch
vor sînem bette stuonden,
die werden dienest kuonden,
in einer kemenâten,
20 diez mit guotem willen tâten.
Heimrîch sich leite dran:
Gyburc für den grîsen man

---

16. sih K.   17. unze K.   valtn K.   22. die stangen Klmn, die stang x,
daz drum optz.   mit der l, in ain optz, ein die x.   23. geslichen loptxz.
24. und fehlt lptz.   fluchtichlich op.   entwichen loptz, gewichen x.
25. hinder alle.   sæul opx.   26. kos loptz.   27. ein z, einen K.   28. feiur
x.   sáuln x.   30. ener o, Er l, iederman x.   ungemache lmnoptx.

277, 1. 2 fehlen z.   2. Daz wenich knappen (ritter x) dinne (dar inne opx) was
lopx.   riter t.   3. 4 hat l: sie fehlen Kmnoptxz.   5. Die tischlachen lnoptxz.
7. die daz sahen K.   10. sinem Kmopt, seiner x.   unsuezzen xz, suzzen
op, ungefuegm K, ungefuegen mn.   art x.   13. fursten K.   14. dô] so K.
15. heizzet K.   hie nemen l, hinne (hin xz) nemen optxz.   16. al daz sî
K, Alles des si l, Swes si t, Wes sy z, Waz si x, Waz igleichen op.   18. der
grise lotz.   19. lastr K, laster hie optz.   20. Swem loptz.   wagen l.
21. Swez der gert dez gibt man im vil op.   23. fuoren K.   24. Marhcrave
K.   25. Sein opt.   örs K.   hin nider lnopz.

278, 2. her ab opz, her l.   Do der ab t.   3. 18. werdn K.   4. reichlicher m,
ritterleicher op, richer lntz.   5. ir fehlt lopt.   heten K.   6. morgn K.
7. hœret K.   kapeln t, chappeln mp.   9. lobtn K.   12. rotte jach fehlt K.
13. suss waren si hin ab gevarn K.   15. liebisten K.   17. 18. stunden-
chunden K.   20. die ez K.   guoten Kn, fehlt op.   21. sih K.

nider ûf den teppich saz.
juncfrouwen entschuohtenn umbe
　　daz,
25 daz Gyburc im erstriche
sîniu bein ê sim entwiche.
wand er die naht gewâpent reit,
diu müede und klagende arbeit
in schiere slâfen lêrten,
ê daz si von im kêrten.
279 Des landes hêrre (ich mein den
　　wirt)
kom wider ûf, der niht verbirt
ern neme ouch die gesellekeit
dâ von er liep unde leit
5 ê dicke het enpfangen.
an ein bette wart gegangen,
dâ er und diu künginne
pflâgen sölher minne,
daz vergolten wart ze bêder sît
10 daz in ûf Alyschanz der strît
hete getân an mâgen:
sô geltic si lâgen.
　　dô der milte Anfortas
in Orgelûsen dienste was,
15 ê daz er von freuden schiet,
und der grâl im sîn volc beriet,
dô diu künegîn Secundille
(daz riet ir herzen wille)
mit minne an in ernante
20 und im Kundrîen sante
mit einem alsô tiwerem krâm,
den er von ir durch minne nam
und in fürbaz gap durch minne,
aller krôn gewinne
25 und al Secundillen rîche
diene möhten sicherlîche

mit des grâles stiur niht widerwegn
der grôzen flust der muose pflegn
ûf Alischanz der markîs.
an sînem arm ein swankel rîs
280 Uz der süezen minne'rblüete.
Gyburc mit kiuscher güete
sô nâhe an sîne brust sich want,
daz im nu gelten wart bekant:
5 allez daz er ie verlôs,
dâ für er si ze gelte kôs.
ir minne im sölhe helfe tuot,
daz des marcgrâven trûric muot
wart mit vreuden undersnitn.
10 diu sorge im was sô verre entritn,
si möhte erreichen niht ein sper.
Gyburc was sîner freuden wer.
nâch trûrn sol freude etswenne
　　komn.
sô hât diu freude an sich ge-
　　nomn
15 einen vil bekanten site,
der man und wîben volget mite:
wan jâmr ist unser urhap,
mit jâmer kom wir in daz grap.
ine weiz wie jenez leben ergêt:
20 alsus diss lebens orden stêt.
diz mær bî freuden selten ist.
ich müeste haben guoten list,
swenne ich freude drinne funde,
swie wol ich nu guotes gunde
25 den die mir niht hânt getân
und mir niht tuont: die sint erlân
von mir kumberlîcher list.
ein wîser man gap mir den rât,
daz ich pflæge, swenne ich möhte,
sölher güet diu mir getöhte

23. nidr K.　　24. entschuohten in Kmnop, entschuohten (entsuchten z) im tz,
entwichen l.　　26. sim nz, si im K.　　28. Groz muede loptz.　　clagendiu t.
29. 30. lerte-kerte loptz.　　Der herr rwete unde lack do man sein so
schone pflag op.
279, 1. Der Margreve (markis nop) des landes wirt lnoptz.　　2. widr K.　　3. erne
næme K.　　6. pette K.　　7. 17. chuneginne K.　　9. bedr K.　　10. Swaz loptz.
11. an den l, an ir op.　　12. geltich K, geltige n, geltleich moptz, gevel-
licliche l.　　14. orgalusen op, Orgillusen t, orgulusen z.　　dienest K.　　19. in
mpt, im oz, ir l und (aus in gleich von der ersten hand gemacht) K, fehlt n. re-
nante K.　　20. Gundrien m, Gunderîen K.　　21. eime ln, einer o (aber 22
den und 23 in)　　tuoren lno.　　23. in] im K, ir lt.　　24. chronen Kn.
27. stiure K.　　28. muoz ich lo.
280, 1. Von lotz.　　rebluete K, blůete t.　　3. sih K.　　6. erkos lnoptz.　　8. daz
fehlt ltz.　　marhgraven K.　　13. truren K.　　16. mannen Knop, manne ltz.
wibe lz.　　17. wan fehlt loptz.　　immer K.　　20. lebns K.　　21. mære K.
23. dinne l.　　24. nu fehlt loptz.　　25. habent K, haben p, han z.　　26. tuot
K, tuon lop.　　sin lmn, sins t.　　27. valschlicher loptz.　　30. guete K.
tôhte lnopt.

281 ûzerhalp der valschen wîse:
des möht ich komen ze prîse.
Dar an ouch niemen sol verzagen,
er enmüeze freude und angest tragen.
5 swer zaller zît mit freuden vert,
dem wart nie gemach beschert.
jâ sol diu manlîch arbeit
werben liep unde leit.
die zwêne geselleclîche site
10 ouch der wâren wîpheit volgent mite,
sît daz man freude ie trûrens jach
zeinem esterîche und zeime dach,
nebn, hinden, für, zen wenden.
grôz trûrn sol niemen schenden:
15 wan hât si's iemen noch erwert,
bî sîner freude ez nâhe vert.
der marcrâf kurzwîle pflac.
al sîn her ouch schône lac,
sô daz si heten guot gemach.
20 wan Rennewarten man noch sach
mit arbeiten ringen.
dicke loufen, sêre springen,
vil knappen daz niht liezen:
dine kunde niht verdriezen,
25 etlîcher sîn mit würfen pflac.
der jaget er mangen al den tac.
sus het er schimpflîchen strît
unz hin nâch der vesper zît.
er entet ir keinem drumbe wê,
als er ze Munlêûn hêt ê
282 geschimphet ungefuoge.
in müeten hie genuoge,
die niht bekanten sînen zorn:
der wart ouch gar von im verborn.

5 Do begunde nâhen ouch diu naht.
der edel mit der hôhen slaht
huop sich flühtic von in dan.
sîne stangen truoc der junge man:
im was ze bergen vor in gâch.
10 si hardierten vaste hinden nâch.
bî einer wîl si des verdrôz.
dô twanc in diu müede grôz,
sîn edelkeit des geruochte
daz er die küchen suochte:
15 dâ leit er sich slâfen în.
sîn lindez wanküsselîn
daz was sîn hertiu stange.
ern ruowt dâ niht ze lange.
sîner swester sun Poydjus
20 was selten doch gelegen sus,
der künec von Vrîende
(dar zuo diente ouch sîner hende
Griffân Trîande und Kaukasas):
ich wæne, im baz gebettet was
25 swenne er slâfen wolte,
des œheim hie dolte
des er gar erlâzen wære,
swer doch diu rehten mære
wiste, wie sîn hôher art
von ammen brust verstolen wart
283 ûz rîcheit brâht in armuot.
diu sælde künsteclîchen tuot.
Daz kindel kouften koufman.
und hetenz unz ez sich versan.
5 nâch horde stuont in al ir sin:
si dûhte, ir grœzlîch gewin
læge an sîme geslehte.
si nanten im vil rehte

281, 3. ouch *fehlt K.*   6. ungemach *Klmopt,* wan g. *z.*   8. erwerben *lt.*
12. esterriche *K.*   zeinem *Kz,* einem *op.*   13. Eneben *o,* Beneben *p.*
14. truren *K.*   15. want *K.*   sis *ln,* sihs *K.*   17. Marhcrave *K.*   20. wan
Rennewart den *lt.*   23. daz *Kmtxz,* des *lnop.*   26. manigen *K.*   27. 28 *feh-
len t.*   28. unze *t.*   30. het *Koptx,* hete *lz,* tet *m, fehlt n.*

282, 1. Beschimpfite *n.*   mit *lmnoptxz, fehlt K.*   unfuege *mopxz.*   4. ouch
K, doch *lmoptz, fehlt n.*   von in *Kz.*   5. Nu begunde ez [auch *x*] nahen
[ouch *ltz,* gein *op*] der naht *loptxz.*   7. von *Klx,* vor *mnoptz.*   9. ze pergen
sich vor *mn.*   gah-nah *K.*   10. herdierten *m,* hurd. *op,* hurt. *l,* lüffen *x.*
vaste *Kmn,* allesz *z,* im *opx, fehlt lt.*   hin *l,* hinan *z.*   11. wile *K.*
in *op.*   12. Er hete ungerne getan einen stoz *l.*   Wan in bedwang *op,* Nu
twang Rennwart *x.*   diemüete?   13. des *Kmn, fehlt loptxz.*   16. Siner
linden *l.*   wanchcusselin *K,* wang chüsselein *nopx,* wangen kusselin *l.*
18. ern ruebt *m,* er enruowete *K,* er ruoet *x.*   ze *fehlt loz,* gar *x.*   20. ge-
legn *K.*   23. Griffanê *K.*   koukesas *Km,* kokasas *x.*   26. nu hie *op,* er *l.*
nach 26 Slaffen auf einer chuchen panch dez in [vil *p*] grozze not bedwanch
op.   28. Der *loptxz.*   doch hat nur *K.*   30. verstozen *K.*

283, 1. ₀brahte *Klo.*   2. kunstleichen *oz,* kunsteliche *np.*   3. kindelin *lnoptz.*
chvftn *K.*   4. sih *K.*   5. stuot *K,* und guet stuend *o.*   in al ir *ln,* in all
der *z,* ir aller *K,* all ier *mp,* ir *o.*   in stunt alder *t.*   6. ir *fehlt l,* ein *K.*
7. zesagen an sinem geslæhte *K.*   8. naten *K,* nahenten *l.*

niun rîche dâ sîn vater truoc
10 krône, und sageten im genuoc
daz al die hœhsten Sarrazîn
ze sîme gebote müesen sîn,
norden, sûden, ôsten, wester;
und daz zwuo sîner swester
15 trüegen krône und wærn alsô gevar
daz sin prîs an schœne hêten gar.
si sagtn im mêr besunder
von rîcheit wâriu wunder,
zehener sîner bruoder lant,
20 und wie si selhe wærn genant.
　　die koufman wâren kurtoys,
si lêrtenz kint franzoys:
eins dinges si gedâhten,
daz sin ze gebe brâhten
25 dem der rœmscher krône pflac.
sölh clârheit an dem kinde lac:
man muos im des mit wârheit jehen,
schœner antliz wart nie gesehen
sît des tages daz Anfortas
von der vrâge genesen was.
284 Die koufman lêrtenz kint verdagen,
ez ensolte niemen rehte sagen,
ez wære man oder wîp,
wolt ez behalten sînen lîp,
5 in welhem lande ez wære genomn.
si wærn ir koufes wider komn,
die von Samargône:
dô hiez sîn phlegen schône
von Rôme der künec Lôys.
10 daz kint an schœne hête prîs.
nu was ouch Alyz diu magt

schœn, als ich iu hân gesagt.
dô mann ir zeime gespilen gap,
ir zweier liebe urhap
15 volwuohs: die brâhtens an den tôt
und liten nâch ein ander nôt.
　　der künec wolt in hân getouft:
er was von Tenabrî verkouft:
des wert er sich sêre.
20 dô muos er von der êre
Alyzen gesellekeit
varn: daz was ir beider leit.
Alyz was triwen rîche,
dar ûf ir tougenlîche
25 daz kint al sîns geslähtes jach,
dô man se geselleclîche sach.
dâ muose er sich dô scheiden von,
sîner hôhen art in swache won,
niht wan durh toufes twingen
mit smæhen werken ringen.
285 Der knappe sînem vater haz
und sînen mâgen umbe daz
truoc, daz sin dâ niht lôsten:
in dûht daz si verbôsten
5 ir triwe. sîn haz unrehte giht:
wand sine wisten sin dâ niht.
wær kein sîn bote an si komn,
wolt iemen hort hân genomn,
sölher gâbe wær nâh im gepflegn,
10 Franzoyser möhten golt noch wegn.
sîner hôhen mâge vil verlôs
den lîp durh smæhe die er kôs.
sîn hant vaht sige der kristenheit:
sus rach er smæhlîchez leit

9. niwen *K.*　　12. cesinem *K.*　　muosen *K.*　　13. Nordert *t.*　　sundert *t.*
süder? ostert *t.*　　13. 14. western-swestern *z*, westen-swester *l.*　　14. daz
Km, sageten im *lnoptz.*　　zwo *K.*　　15. truogen *K.*　　waren *Kp.*　　16. sin]
sy sinen *z*, si den *die übrigen.*　　17. si sageten immer besunder *K.*　　19. Ze-
hen *lnoptz.*　　22. lertenz *mtz*, lerten daz *K.*　　23. eines *K.*　　24. si in *Kmoptz,*
si *n*, si es *l.*　　28. antlitz *l.*　　antlutz *mopz* (*mit* ü *pz*), antlizze *n*, antluzze *Kt.*
30. Von siecheit *loptz.*
284, 1. Der *op.*　　batensz *tz*, baten daz *l*, pat daz *op.*　　2. niemn *K.*　　3 *nach* 4 *t.*
6. wæren *Kmz*, waren *oder* warn *die übrigen.*　　7. die *fehlt mntz.*　　Van der
stat zu *n.*　　Sammargone *Kmnt.*　　8. Her hiez *n*, Do bat *l*, Paten *op.*
9. den *op.*　　Lôys *mit* ô *K.*　　10. Der knappe (knabe *oz*) an clarheit *loptz.*
brŷs *K.*　　11. Alyze *lmnt*, Alyse *Kpz*, alis *o.*　　13. zeim *m*, zeinem *Kop*, zeiner
t, zuo *lnz.*　　15. vol wchz *K.*　　16. ouch nach *noptz.*　　17. der chunech *Kmn,*
Loys *loptz.*　　getouffet-verchouffet *Klnop.*　　18. Der was *t*, Do der waz *l.*
Der von tenebri (Tenebrins *o*) im waz *op.*　　Tanabri *m*, Tenebri *lt.*　　19. 27. sih
K.　　21. Alŷsen *Kopz.*　　23. Alyse *Klopz.*　　25. der knappe *lt.*　　sines *K.*
27. Do *loz*, Aldo *p.*　　dô *fehlt loptz.*　　28. swacher *lot.*
285, 3. sin *t*, si in *die übrigen.*　　dâ *fehlt lnoptz.*　　4. unde duhte *K.*　　si in *lt.*
5. gît *K.*　　6. wande sine wistn *K.*　　8. habn *K.*　　11. 12 *fehlen loptz.*
14. smahlichez *K*, schamlichez *t*, schimpfliches *l*, misleiches *op.*

15 des er vor Alyzen pflac:
ir minne an prîse im gap bejac.
sîn dinc sol immer sus niht varn:
Alyzen minne in sol bewarn.
swaz man ie smæhe an im gesach,
20 Alyzen minn die von im brach
dar nâch in kurzen zîten
in tôtlîchen strîten.
  den kochen was daz vor gesagt,
daz wære bereit, sô ez tagt,
25 vil spîse, swer die wolte,
und daz ieslîch fürste solte
enbîzen ûf dem palas.
durh daz vil manic kezzel was
über starkiu fiwer gehangen.
dâ wart ein dinc begangen,
286 deis dem küchenmeister was ze vil.
der warp als i'u nu sagen wil.
  Er nam ein glüendigen brant,
und gienc vil rehte gein der want
5 da er Rennewarten slâfen sach.
von alsô smæhlîchem gemach
dorft in niemen scheiden dan.
der koch besanct im sîne gran,
und verbrant ims mundes ouch ein
teil.
10 sîn lôsheit warp im unheil.
dem er sus stôrte sînen slâf,
der bant im, sam er wær ein schâf,

elliu vieriu an ein bant,
unde warf in al zehant
15 undr einen kezzl in grôzen rôst:
sus wart er lebens dâ erlôst.
ern hiez ûf in niht salzes holn,
er rach übr in brend unde koln.
hêr Vogelweid von brâten sanc:
20 dirre brâte was dick unde lanc:
ez hete sîn frouwe dran genuoc,
der er sô holdez herze ie truoc.
  Rennewart al eine dort beleip:
grôz angest d'andern von im treip.
25 si vorhtn, diu zeche gienge an sie:
dort vlôh ein koch, der ander hie.
si luogeten durch die want dar în,
und hôrter wie die grane sîn
Rennewart der junge klagete,
nnd waz er al klagende sagete.
287 Er sprach 'nu wând ich armer
man
daz ich von banden wær verlân,
dô mich des ræmschen künges hant
dem gap, der vor ûz ist bekant
5 zer hôhsten esklîrîe,
und der für wâr der vrîe
ist aller valschlîchen tât.
daz man mich niht geniezen lât
der grôzen triwe als ich im sage!
10 bekant er mich, daz wær sîn klage.

15. 18. alysen *Kopz.*   16. gar beiach *K*, gabe wag *l.*   19. 20 *haben Kn:
sie fehlen lmoptz.*   19. gesah *K*, besach *n.*   20. Alysen minne di von im
brah *K.*   22. œ *opz.*   23. was daz *Kmn*, waz da *l*, waz nu *z*, den waz *op.*
24. Lat sein beraittet *op.*   so *Kmnx*, swenn *t*, wanne *lpz*, wez *o.*   25. Sölich
speiz *xz*, Spise *t.*   al die si (als si *x*, unde alle die *t*) wolden *loptxz.*
26. *fehlt n.*   Und allez daz (alz si *x*, daz all *optz*) die fursten solden *loptxz.*
28. vil *Kmn*, nu *lz, fehlt optx.*   manich wit *ltx*, manch wyter *z.*   29. groz
l, grozzew *optxz.*
286, 1. deis *K*, Daz is *n*, Des *oder* Dez *optz*, Daz *lmx.*   2. ich iu nu *Km*, ich
uch *oder* ich iu *lnoptxz.*   3. einen *alle aufser z.*   glüendigen *K*, glündigen *t*
gluowigen *l*, gluenden *mnopxz.*   5. sah *K.*   6. smahl. gemah *K.*   9. ims
Kmtx, im sines *nz*, ouch des *l*, im [ouch *p*] des *op.*   ouch *fehlt lnopx.*
11. da *loptxz.*   12. in *notz*, den koch *x.*   sam *Kopx*, als *mnt*, als ob *lz.*
15. chezzel *K.*   16. Dez *oder* ltz, Da *x.*   ers *tx*, er des *m.*   lebns *K.*
17. er enhiez *K*, Er (Ern *t*) bat *loptxz.*   18. uber in brende *K.*   uf *lt.*
19. herre *Kt*, Er *o*, Der *x*, Die *l.*   Von vogelweid er praten sank *p.*   Vogel-
weide *Klnt.*   20. prat *mopxz.*   diche *Klnpt.*   21. es *K?* Da het sein vrow
(friundinne *tz*) an genueck *optxz.*   22. sô] an *n.*   ie *fehlt npxz.*   24. vorht
loptxz.   die *K.*   25. vorhten *K.*   zucht gieng ouch *op.*   sî *K*, seu *m.*
28. losten *tx.*   wie er die *K.*   granen *ln*, grene *t.*   30. unde *Kmnx*,
fehlt lopt.   Daz er *op.*
287, 1. arm *t.*   2. bandn *K.*   4. erchant *txz*, benant *l*, genant *op.*   5. Zu ir
o, Zuo dem *lp*, Zun *n.*   Eskelirîe *K*, Eskelirey *m*, esckel*iereie o*, eskelarie *t*,
eskelie *l*, Eschelie*re pz*, eskelyren *n.*   6. 7. Und sinen lip kan ciren Van allir-
hande valschen tat *n.*   6. die frie *l.*   7. Ist vor aller *loptz.*   valschlicher
l, valschen *ot*, valscher *z*, misse *p.*   9. trage *loptz.*   10. iz *oder* ez *nopt.*

mîne grane, die mir sint an gezunt,
gesæt ir minne ûf mînen munt,
diu mir stiure ûf dise vart
mit kusse gap. den selben bart
15 hât ûz mîme kinne
noh mêr gezogn ir minne,
dan mîner kurzen zîte jâr,
oder dan der smæhlîche vâr
des mich ir vater wente.
20 ich getrûwe ir wol, si sente
um mich, ze swelher zît si sach
daz der künc sîn zuht an mir ze-
brach,
und ich spehte die gelegenheit
der rîterlîchen arbeit
25 in turneyn unde in strîten,
dar ich lief ze mangen zîten,
wie man ein ors mit künste rite,
gein wîben gebâren ouch die site.
swenn ich was bî werdeclîcher won,
dâ sluoc man mich mit staben von.
288 Diss landes hêrre ist geschant,
daz mich sîn koch sô hât verbrant.
dar zuo an mir gehœnet sint
des kreftegen Terramêres kint,
5 der zehene gewalteclîchen
tragent krône in wîten rîchen,
die hôhe künege habnt ze man.
diss lasters müezen phlihte hân
die ich mir für wâr ze bruodern weiz,
10 Fâbors und Utreiz,
Mâlarz und Malatras,

ob sölh geburt mit triwen was,
daz uns alle ein muoter truoc.
nâch mir trûrens hât genuoc
15 Glorîax und Bahsigweiz,
Carrîax und Matreiz,
Merabjax und Morgôanz.
sî wir reborn ûz triwe ganz,
die zehn lêrt missewende
20 mîn armeclîch ellende.
mich solt der künec von Cordes
lân geniezen sînes hordes.
dem dient Hap und Suntîn,
Gorgozâne und Lumpîn,
25 Poy unde Tenabrî:
nu stên ich sîner helfe vrî:
Semblî und Muntespîr.
daz im sîn edelen eskelîr
an mir niht sagent sîn missevarn!
ich pin doch Terramêres parn.'
289 Durch die want sin hôrten alsus
klagn.
do begundez alsô sêre tagn,
daz de sunne durch die wolken
brach.
fürsten riten ûf. dô daz geschach,
5 dô sanc man messe got unt in.
der marcrâve sante hin,
ob daz ezzen dannoch wære bereit.
die tôtlîchen arbeit
fluhen die für koche wârn benant:
10 dane schürte niemen fiwer noch
brant.

---

11. granen *n*, gran *lmopz*, grene *t*.   12. Lete *n*, di sæt *lmoptz*.   15. ûf *K*.
17. 18. danne *K*.   21. umbe mich *K*.   so daz (dar *o*) ir ouge [an *l*, er *z*]
sach *loptz*.   22. chunich sine *K*.   tugent *lz*, tugende *t*.   brach *lopz*.
23. Wenn (swenn *t*) ich *loptz*.   25. turneyn *lot*, torneyen *n*, turneien *p*,
turnoyn *m*, turney *z*, turnoy *K*.   26. dar (Du *n*) lief ich *Kmn*, Daz ich liez
(pruefte *p*) *op*.   27. örs *K*.   kunsten *lnz*.   28. bâren?   29. sewenne *K*.
30. staeben *mn*, steben *l*, stecken *op*, strihen *z*.
288, 2. sus hat *ltz*, hat so *o*, hat sus *np*.   4. chreftigen Terramers *K*.   7. Und
hohe *loptz*.   10. Uotreiz *K*, Urreiz *l*, vireyz *n*, utereis *op*, Otoræiz *t*, paszygu-
waysz *z*.   11. Malare *l*, Malars *m*, Malaz *n*, Malantz *op*, Marlarz *t*, Matribu-
laysz *z*.   Marlatras *t*.   15. Kartyax *l*   Bahsigveŷz *K*, pissiguweiz *l*, pas-
sigweis *op* und mit *z t*, Matraysz *z*.   16. *jehlt z*.   Corriax *n*, Kariax *op*,
Glorianx *l*, Mirabiars *t*.   Matereis *op und mit z t*.   17. Marabiax *K*, Mo-
rabiax *p*, Mirabiax *lz*, Karriax *t*.   Morgwanz *t*, Morguwantz *z*, Marguanz *l*.
18. si fier *K*.   erborn *mt*, erkorn *z*, geborn *lnop*.   truwen *lnoptz*.   19. ze-
hene *Kn*.   leret *Klp*, lerte *no*.   23. hab *mn*, happe *z*, hallap *op*, hapten
ohne und *t*.   24. Corgozane *Kn*, Gorgazange *l*, Gorgosange *t*, Gorgoze *op*.
Lunpin *t*, luppin *op*.   25. Poye *tz*, Poya *n*, Pohy *Km*, Phoye *l*.   Tenebri
opt.   27. Sempli *l*, Semplie *t*, Symbli *oz*.
289, 1. si in *K*.   2. Inner (Innen *p*) des *op*.   begundz *K*.   also *Kmnxz*,
fehlt lopt.   vaste *t*, *fehlt op*.   3. diu w. *t*.   5. uñ *K*.   6. 11. marbcr.
K.   7. dannoch *fehlt lnopxz*.   8. œ *opz*.   10. schürte *z*, schurte *Kp*,
schuerte *o*, schuert *m*, schürt *x*, schuort *l*, schörte *n*, schur *t*.

dem marcrâven man dô sagete,
daz harte sêre klagete
sîne besancten grane Rennewart.
eteslîche heten sîn hôhen art
15 vernomen, unde iedoch niht gar.
er sant die küneginne dar,
und bat si senften sînen zorn.
'der küchenmeister ist verlorn:
nemet mînen friunt mit fuogen dan.'
20 dô gienc si nâch dem jungen man
dar ir fuoz nie mêr getrat.
vil zühteclîchen sin des bat,
er solte durh ir willen
sînén schaden stillen
25 unt niht wan semftes willen phlegen
und ungemüetes sich bewegen.
dô sprach er 'vrouwe, ir sît sô
    guot:
swaz râtes ir gein mir getuot,
des volg ich. seht wiech bin er-
    zogn.
es ist vil liute an mir betrogn.'
290 Diu künegîn fuorte den knap-
    pen dan.
si bôt im bezzer kleider an
in einer kemenâten,
dâ snîdære nâten
5 maneger slahte wâpenkleit.
dô sprach er 'vrouwe, mir ist leit
daz ir sô verre giengt nâch mir.
iweriu kleider gebet ir
swem ir gebiet ân mînen haz:
10 swie arm ich sî, doch darf ir baz
vil maneger under disem her.

lât mir die stangen mîn ze wer.'
die het er mit im dar getragen.
Gyburc begunde sêre klagen
15 sîne grane die besancten.
ir ougn im nie gewancten:
eteswaz se an im erblicte,
dâ von ir herze erschricte.
dô sprach si 'trûtgeselle mîn,
20 möht ez mit dînen hulden sîn,
sô vrâgt ich wann du wærst erborn,
woltst duz lâzen âne zorn.'
dô sprach er 'vrowe, geloubet mier,
ich bin ein armer bätschelier,
25 und doch vil werder liute fruht.
des muoz ich jehen, hân ich zuht.
frowe, durch iwer êre,
nu vrâget mich niht mêre:
daz füeget sich uns beiden wol:
und lât mich sîn in swacher dol.'
291 Der knappe dennoch vor ir stuont.
der vrouwen tet ir herze kuont
daz si niht erfuor wan lange sidr.
si bat in zuo zir sitzen nidr,
5 ir mantels swanc se umb in ein teil.
dô sprach er 'vrowe, diss wære geil
der beste rîtr der ie gebant
helm ûf houbt mit sîner hant.
swer mich alsus sitzen siht,
10 vil unfuoge er mir giht,
und nimt mich drumb in sînen spot:
des erlât mich, vrowe, durh iwe-
    ren got.'
si sprach zuo dem jungen man
'waz gotes solt ich anders hân,

---

11. dô *fehlt lt*, auch *x*. 12. Daz mit grozzem zorne (iamer *optxz*) clagte
loptxz. 13. besangte *m; fehlt loptxz*. der iunge R. *optxz*. 14. Etsleicher
opx. heten *fehlt loptxz*. sinen *Kln*. 15. Heten (Het *x*) vernumen *lx*,
Vernomen het *op*, Vernamen *tz*. doch *optx, fehlt l*. 16. sante *K*.
17. seine (solhe *l*, dise *tz*) not *loptz*. 18. lag (lit *tz*) da tot *loptz*. 22. si
in *K*. 24. Gar sinen *p*. schaden *Kmn*, zorn *loptxz*. gar *lopt*. ge-
stillen *lmoz*. 25 nach 26 *optxz*. muotes *lopx*. 29. wie bin ich *K*.
290, 2. Und lait *o*. im *alle*. 3. In ir *mopt*. 4. iunchfrowen *lnoptxz*.
5. hande *opx*. 7. gienget nah *K*. 8. die gebet *lmnoptxz*. 9. gebietet
ane *K*. 10. darf *p*, bedarf *Klntz*, bedorf *m*, dorft *o*. 15. grane *p*, græne *K*,
grän *z*, gren *t*, gran *mox*, granen *ln*. 16. ougen *alle*. 17. si *alle*. 21. Ich
vragte *ltz*, Ich vragt dich [gern *x*] *opx*. wannen *Klnot*, wanne *p*, von wann *m*.
wærest *K*. geborn *loptxz*. 22. voldest duz *K*. 23. mir *alle aufser m*.
24. ich pins *op*. Bætscelier *K*, bäschelier *m*, betschelir *z*, betschilir *l*, batze-
lir *n*, patscelier *t*, etschlir *x*, eschelir *p*, esckelier *o*. 27-30 *fehlen ptxz*.
28. mih *K*. 29. sih *K*.
291, 2. Kyburge tet *loptxz*. 3. nit *K*, maer *x*. dann *lopz*, e *x*. 4. sitzen
zuo ir *lnxz*. 5. mantel *Kxz*. si umbe in *K*. 7. ritr *K*. 8. houbet *K*.
10. ungefueg *mxz*, unfuogen *lnt*, unfuer *o*. 13. Die kunigin sprach zuo dem
knappen (sprach do *o*) san (sprach dan *x*) *loptxz*.

15 wan einen den diu maget gebar,
nimst du sîner krefte iht war?'
dâ mit erfuor diu künegîn
ob er wære ein Sarrazîn.
wie sîn geloube stüende,
20 des enhete si keine küende.
er sprach 'mir sint drî got erkant,
der heilige Tervigant,
Mahumet unde Apolle:
ir gebot ich gerne ervolle.'
25 diu künegîn siufte ê daz si sprach.
an in si stæteclîchen sach:
ir herze spehte rehte
daz er ûz ir geslehte
endelîche wære erborn,
swie er halt danne wære verlorn.
292 Si tet als ez ir zuht wol zam,
in ir hende sîne hant si nam,
si sprach 'lieber friunt vil guoter,
hâstu vater oder muoter,
5 bruoder, oder swester?
wis dîner worte vester,
und sage mir gar ân allez schamn
etswaz dîns geslähtes namn.'
Rennwart sprach alsus hinz ir,
10 'man gap etswâ ze swester mir
ob aller clârheit lobes kranz,
ein maget. diu nam der sunne ir
glanz,
sô man si bêde des morgens sach
und diu sunne durh die wolken
brach.
15 diu wart gegeben einem man:
der hât ouch an mir missetân

(der hât sô manegen prîs bejagt),
sît bruodr an mir sint sus verzagt,
daz er mich liez sô lange in nôt,
20 sît wâriu milt des niht gebôt.
dem selben unde mîme geslehte
trag ich grôzen haz mit rehte,
sît si mich scheident von ir goten
und mir noch decheinen boten
25 durh mîne nôt gesanden
und ir prîs an mir geschanden.'
Dô sprach er 'vrouwe marcrâvîn,
eteslîcher mîner swester schîn
möht ir wol in der jugende tragn,
muoz ich ez iu mit hulden sagn.
293 und wært ir rîch als si sint,
ir möht wol sîn des selben kint,
der an mir hât entêret sich,
gein dem ouch immer mîn gerich
5 sol kriegen durh mîn herzesêr.
mâge und vater sint mir ze hêr:
ûf iwer zuht mîn munt des giht,
deste baz sult ir mich halden niht.
dirre mære swîget stille.
10 mîn swacheit ist ir wille.
bin ich von werder diet erborn,
die hânt ir sælde an mir verlorn.'
Gyburc in vrâgt durch sînen prîs,
op von Provenze der markîs
15 sîne helfe solte hân für wâr.
dô sprach er 'vrouwe, âne allen vâr
gesten ich sîner werdekeit:
ich riche ouch schamlîchiu leit,
dâ von mich die heiden
20 solten lange hân gescheiden.'

15. jenen?   17. Hie mit ervuor *t*, Sus wolde ervarn *lopx*.   20. deheine *K*.
21. drî] die *K*, drin *t*.   22. Tervagant *K*.   23. Mahumet *K*.   25. sufte *K*,
ersæuft *ox*, ersufzete *lp*.   e si *no*, und *l*.   26. Vil stætichlich (stateclichen *t*)
an in si (si an in *op*) sach *optxz*, An den knappen si vil dicke sach *l*.
29. geborn *lopxz*.   30. halt] ouch *n*, von *lxz*.

292, 1. ir zuhte wol gezam *l*, ir guet gezam (czam *p*) *opz*, ir guotete zam *t*, ir wol
zam *x*.   8. dines *K*.   9. Do sprach *x*.   Rennew. *K*.   sus *n, fehlt ltxz*.
hüntz ir *x*, zu ier *op*, zir *t*.   10. eteswa *K*, etswenn *npxz*.   11. lobes *ltxz*,
den lobs *Km*, des lobes *nop*.   12. der] dem *z*.   sunn *o*, sun *mpz*, sunnen *lntx*.
ir *fehlt x*, sîn *z*.   13. So mans ped smargens sach *m*.   14. dü wolcken *z*.
17. 18 *fehlen loptxz*.   18. Sint *n*.   bruoder *Kmn*.   sint *fehlt n*.
20. Sin *lnoptxz*.   milte *K*.   es *op*, im *x*.   21. dem selbem unde minem
geslæhte *K*.   22. von *ltxz*.   23. sît sih mich *K*.   scheiden *pt*, schieden
lox.   24. noch nie *lmoptxz*.   26. truwe *ltxz*.   27. Marhcravin *K*.   30. ich
iuz *t*, euch es *p*, ich uch *l*.

293, 1. wæret *K*.   2. möhtet *K*.   5. miniu *K*, meine *m*.   6. Maag (Vater
lopx) und (*fehlt op*) bruoder *loptxz*.   10. scham *tz*, scham di *op*, clage *l*.
mir *K*, mein *op*.   11. geborn *lmop*.   12. habnt *Kop*, hat *l*.   13. in
vragete *K*, vragte in *ltxz*.   uf *loptxz*.   16. er *fehlt K*.   alle *ln*.   18. Und
r. *li*, Und ger. *xz*, Und (Uncz *p*) ich gerech mein *op*.   schamlichez *t*,
smehelichiz *nz*, die smæhleichen *x*, smechlich *p*, sumleich *o*, hertzebere *l*.
hertzenlait *m*.

si sprach 'ich wil dir harnasch
　　gebn,
dar inne du dîn jungez lebn
beheltest swâ du kumst in strît.
ez ist dir wol ze mâze wît
25 und wol geworht mit sinnen.
sone mac dich niht gewinnen
swaz man strîtes mac gein dir ge-
　　tuon.
ez truoc der künec Synaguon
in dem sturme do er den markîs
　　vienc,
dâ diu grôze schumphentiure ergienc,
294 Do der künic Tybalt wart entworht.
Willehalm der unerforht
sô verre nâh jagete,
daz der küene und der verzagete,
5 die nidern und die oberen
sich sêre begunden koberen:
heiden arme unde rîche
wurben gar genendeclîche.
den markîs sicherheit betwanc
10 Synagûn der ie nâch prîse ranc,
wander den getouften was entriten.
sus wart er ân sig überstriten
und gefuort in Tybaldes lant.
sîne boyn und andr sîn îsernbant
15 sah ich an im ungerne.
mîn houbet ze Todjerne
krône truoc von erbeschaft:
dô het in manegen landen kraft
der milte künc Tybalt von Cler

20 (er füert noch hiute grôz her),
der gap mir krôn dâ ze Arâbî:
ich enweiz wer nu dâ vrouwe sî.
mîn neve, der künec Synagûn,
Halzebieres swester sun,
25 sîn selbes harnasch und den man
liez er bî mir, der hât getân
sô manegen hôblîchen prîs.
daz harnasch und der markîs
sint mit mir beide entrunnen.
sus diz harnasch wart gewunnen.'
?95 Si hiez daz harnasch für in
　　tragn.
Schoyûse was vil drûf geslagn:
nu was daz harnasch sô wert,
Schoyûse und ieslîch ander swert,
5 der eken ez sich werte.
der huot was dicke und herte,
tief gein den ahselen her ze tal
mit edelen steinen über al
wol geziert an sînen orten,
10 geriemt mit edelen borten.
hosen und halsperc wâren blanc;
daz swert lieht unde lanc,
ze beiden sîten vil gereht:
valze und eke im wâren sleht,
15 daz gehilze starc unde wît.
ze Nördeling kein dehsschît
hât dâ niemen alsô breit.
mit dem swerte prîs erstreit
Synagûn der unverzagete.
20 Rennewart ez niht behagete:

---

21. so (da *m*) wil ich dir *Kmn*.　　23. Behaltest *motz*.　　24. ze mazzen·*lopz*.
26. kan *loptxz*.　　29. dem *Km, fehlt lnoptz*.　　30. tscumphentiure *K*.

294, 4. daz *fehlt t*, Bis *p*.　　chuene unde der *Klm*, kuone *tz*, kunich *op, fehlt n*.
unverzagte *lnoptz*.　　5 *nach* 6 *loptz*.　　6. sêre *fehlt ltz*, doch *op*.　　begunde
optz.　　9. 10 *fehlen t*.　　11. want er *Kn*.　　12. Des *loptz*.　　ane *Kpt*.
sige *n*, sie *t*, si *lop*, sin *z*.　　13. gefueret *K*.　　14. boyen *lm*, poyn *op*, pôien
K, poyen *mt*, boy *z*.　　sîn *fehlt lo*.　　yseren *Kl*, yser *t*, eisen *mopz*.
19. milte chunich *Kmn*, kunic *t*, kung *z*, werde *l*, werde man *op*.　　20. Der
lopz, fehlt t.　　ouch *ltz*, ouch noch *op*.　　groz *t*, groze *Klm*, grossü *z*, groziz
nop.　　21. chrone *K*.　　24. harzebieres *K*.　　25. Die selben saribat (sarwat *p*)
und den man *op*, Sin harnasch und den selben man *l*.　　27. Vil m. *t*.　　Vil
hoheliche mangen prysz *z*.　　bohenclichen *t*, lobeleichen *op*, Ritterlichen *l*.
28. Ditz *optz*.　　29. Sit (*l*. Mit) *l*.　　mit *fehlt Klot*.　　beide *Km*, dannen
loptz, gar *n*.　　30. daz harnasch *l*, die sariwat *op*.

295, 1. Si bat *loptz*.　　2. 4. Scoyse *Kln*, Schoys *m*, Schows *t*, Tschoyus *z*, Tchoys
op.　　wart *loz*.　　5. ekke *op*.　　5. lieht *Km*.　　7-10 *fehlen z*.　　7. achselen *K*.
her *fehlt l*, hin *op*, hen *t*.　　9. wol gecieret *Kmn*, Verwieret *t*, Uber wieret *l*,
Vernietet *op*.　　10. geriemet mit *K*, daz gerieme [waren *t*] *opt*, Sine riemen
waren *l*.　　türe *lopt*.　　porten *Kmopt*.　　11. Daz (Ez *t*) harnasch türe und
blanch *lopz*.　　12. scharpf *loptz*.　　14. Valtz *mopz*, Phalz *t*, Falzen *l*.　　ecken *l*.
15-17. vil spæheliche mit golde erleit *Kmn*.　　15. stark *l*, guldin groz *optz*.
unde] vil *t*.　　16. nördling *o*, Nordelinge *lp*, Nordelingen *t*, nordlingen *z*.
dehain *z*.　　dehs schit *p*, deskeschit *l*, dechscheit *o*, decke (deck *z*) schit *tz*.

in dûht diu selbe klinge
sîner grôzen kraft ze ringe.
er zôch ez ûz und warf ez hin:
dô sprach er 'vrouwe marcrâvin,
25 lât mich et mîne stangen tragn.
dar zuo wil ich iu niht. versagn,
swie wênic ich dar inne kan,
heizt mir diz harnasch legen an.'
juncvrouwen und daz clâre wîp
wâpnden Rennewartes lîp.
296 Dô erz harnasch gar hêt an,
zwên starke schuohe der junge man
bant über die îserkolzen.
sîn muot begunde im stolzen,
5 gein prîse truoc er stæten muot.
sîn surkôt was niht ze guot:
daz wart iedoch sîn wâppenroc.
im wart bedecket ieslîch loc
mit dem tiuren huote herte.
10 'nu sî ouch mîn' geverte
diz swert: daz sol her umbe mich.
der margrâf mac wol trœsten sich
mîn, swaz i'm gedienen mac,
gefüeget er mir strîtes tac.'
15 Gyburc diu künegîn
bat al diu juncvrouwelîn,
daz sin næmen in ir gesellekeit,
und daz sim sempften gar sîn leit.
'ich kum her ·wider schier zuo dir:
20 ein gên solt du erlouben mir
zer kirchen âne dînen haz.'
Rennewart zen juncvrouwen saz,
gewâpent rehte ûf einen strît:

si begunden kürzen im die zît.
25 diu messe was gesungen.
die alten und die jungen,
fürsten, grâven, swie si wârn benant,
swer ze rottenmeister was bekant,
die wârn genomen an einen rât,
dâ man noch die werden gerne hât.
297 Gyburc mit urloube dran
gienc zuo manegem werdem man.
die wurben sus, nu hœret wie.
diu künegîn saz, als tâten sie.
5 der marcrâve al eine stuont.
er sprach 'ich tuon iu allen kuont,
die mîne genôze hinne sîn,
mîn vater und die bruoder mîn,
und die mir ze mâgen sîn benant,
10 und die srîches hêrre hât gesant
ze wern den touf und unser ê,
ruochet alle erkennen wiez mir stê.
mîn sweher ist ûf mich geritn,
den getouften wîben sint gesnitn
15 ab die brüste, gemarteret sint ir kint,
die man in gar erslagen sint,
und ûf gesetzt ze manegem zil:
swer dar zuo schiezen wil,
den hânt die heiden deste baz.
20 alsus hât Tybalt sînen haz
und Terramêr der starke
volbrâht ûf mîner marke.
ez sint ähte mîner mâge
gevangen, die ûf die wâge
25 mit mir riten als ir triwe gebôt:
mir lâgn ouch siben fürsten tôt

21. duhte *K.* 24. Marhcravin *K.* 25. mich ot *mn,* ot mich *p,* mich *lo.*
26. ich üch mer sagen *loptz.* 28. heizet *K.* mich *pt.* daz harnasch *ln,*
die sarewat *op.* 30. wapenden *K.*
296, 1. erz *mtz,* er daz *K.* hete *l.* 2. zwene *K.* schuoh *ln,* schuech *mopz.*
3. ysern *ln,* eisen *m,* eysneinn *o,* yserinen *p.* 5. hete er *lptz,* er het *o.*
7. Der *l,* Ez *optz.* was *op.* 10. ouch *fehlt K.* 11. umb *K.*
12. Marhgrave *K,* markis *n,* markis nu *op.* wol mag trosten *n,* trôste *loptz.*
13. mîn *fehlt op,* Sprach er *lz,* Er sprach *t.* ich im *Kmnop,* ich *ltz.* 14. Und
gefueget mir et strittes tag *z.* Und gevuogen *t.* mir *fehlt Kt.* 17. si
in *K.* 18. si im *K.* al sin *ltz,* seine *op.* 19. schiere *K.* 21. kapeln *t,*
kapplen *z,* Cappelln *l,* chapellen *op.* 22. zen *tz,* zuo den *K.* 23. rehte als
uf *l,* als auf *op.* 27. 28 *fehlen l.* 27. genant *nop.* 28. Swer zu rotte-
meystern was *n,* Die rotten (rotte *z*) meister waren (warn *z*) *tz,* Die rechten
maister warn *o,* Und die recht meister warn *p.* 30. die richen *ltz,* die
weisen *op.*
297, 2. gie *Kmo.* manigen ·*l.* werden *lmnpz.* 4. chuneginne *K.*
5. marhcr. *K.* 7. hinne *Kt,* hinnen *lz,* hie (hier *p*) inne *op,* hie *m,* hi nu *n.*
8. vatr *K.* 9. sint *lopz.* 10. und *fehlt t.* esriches *K.* phlegære *t,*
pfleger *l,* pfleg *z,* fogt her *op.* hant *lot.* 12. Nu prubet alle wie es mir
ste *loptz.* 17. gesetzt *oz,* gesezzet *Klm,* gesazt *np,* gestozen *t.* 23. ez
sint *fehlt tz.* Mir sint acht·op, Etlicher *l.* 24. Sint gev. *lz.* 26. lagen *K.*
sibn *K.*

der hœhsten vome rîche.
ich bite iuch al gelîche
daz ir mich freuden armen
iuch alle lât erbarmen.
298 Die Franzoyser muoz ich manen,
do ich vome rîche nam mit vanen
mîn lant dâ Tybalt sprichet nâch,
waz mir ze stiur von im geschach:
5 dâ lobte mir des rîches hant,
und swuoren zwelf die wârn benant
in Francrîche an die hœhsten kraft,
daz si mit guoter rîterschaft
mich des jâres lôsten zeiner zît,
10 swenne überlüede mich der strît.
des hân ich siben jâr gebiten.
nu hât mich Tybalt überstriten:
dem hân ich ouch genuoc getân.
ich was sô lange ein koufman,
15 unz ich Nimes gewan, die guoten
stat,
mit wagen. dar nâch ich bat
in gevancnisse ir minne
sîn wîp die küneginne.
ir güete mich gewerte
20 al des ich an si gerte
daz tet si, durh den touf noch mêr,
mit mir danne ir überkêr,
denn durh mîne werdekeit.
sît hât mir herzebæriu leit
25 der künec Tybalt vil dicke brâht.
die den hœhsten got hânt gesmâht,
noch bî uns ime lande sint.
nu êrt an mir der meide kint,

ob ich sô müeze sprechen:
helft mîne mâge rechen,
299 Daz wir von den heiden sölhiu phant
gewinnen, diu Berhtrames bant
ûz prîsûne sliezen.
mag ich nu geniezen
5 sippe und eide die mir sint gesworn,
mîn vreude ist noch vil unverlorn.
mîn vater, mîn bruodr, die spre-
chen ê:
dâ nâch sprechen, als ir ellen stê,
mâge und lanthêrren mîn,
10 die tuon ir triuwe an mir schîn.
swenne ir gebiet daz ichz verdage,
mîn reht ist daz ich nimmer klage.
ein ieslîch rîters êre
gedenke, als in nu lêre,
15 do er dez swert enphienc, ein segen,
swer rîterschaft wil rehte pflegen,
der sol witwen und weisen
beschirmen von ir vreisen:
daz wirt sîn endelôs gewin.
20 er mac sîn herze ouch kêren hin
ûf dienst nâch der wîbe lôn,
dâ man lernet sölhen dôn,
wie sper durch schilde krachen,
wie diu wîp dar umbe lachen,
25 wie vriundîn vriunts unsemftekeit
semft. zwei lôn uns sint bereit,
der himel und werder wîbe gruoz:
bin ich sô frum, dâ nâch ich muoz
ûf Alischanz nu werben,
oder ich wil drumbe ersterben.'

27. von dem *op,* von unserem *Klmntz.* ûzem? 28. bitte *K.*
298, 4. cestiure *K.* 6. zwelf *tz,* zwelif *m,* zwelfe *ln,* zwene *K,* zwainzick *op.*
7. in die *l,* zu der *op.* 9. des iamers *lo,* rarsz *z, fehlt p.* 15. unze *(ohne*
ich) *K.* Nimes gewan *m,* Nimêns gewan *K,* nyms gewan *n,* Nimes *z,* nimis
t, Nymez *l,* nynus *o,* ninus *p.* 16. wâgen *K,* wägen *m,* wagenen *n,* wegenen
(wegenne *p,* wägen *z,* wagnen *o,* wægenen *t*) gewan *loptz.* 17. gevenchnisse
ln, gevanchnuss *m,* gevancnusse *t,* gevanchnuzze *oz,* der venknusse *p.*
20. Als *m,* Alles *lotz, fehlt p.* an si *fehlt t.* 21. des *m,* Do *p.*
23. denne *Kpt,* Den *l,* Dan *n,* Dann *o.* 24. Sint *lnp,* si *Kt.* siufbæriu
t, sunftzbärn *z.* 25. vil *fehlt lptz,* do *o.* 26. habnt *K,* habn *p.*
28. eret *K.* 30. helfet *K.*
299, 3. brisune *K.* entsliezen *lnoptz.* 4. Mage lat mich nu g. *t.* 6. vil
fehlt lop. verlorn *Klt.* 7. mine bruoder *K.* die *fehlt loptz.* 8. spre-
chen *fehlt opt.* 11. gebietet *K.* ichez *K,* ich *lnopt.* dage *op.*
12. ichs *op.* nimer *mz,* ummer *n,* nicht me *op,* min der *l,* miner *t.* 13. ein
fehlt loptz. rîters] ritr siner *Klmptz,* ritter an sin *no.* 14. in nu *n,* ich
in nu *K,* ich nu *m,* ich in *z,* si in *l,* iz in *op,* in *t.* 15. in *Kmtz,* in *l,* mit
nop. 16. riterschefte *K.* ze reht wil *optz.* 18. vor *lnoptz.* ir *fehlt t,*
irm *n,* dem *l,* allen *op.* 20. doch *Kmn.* 23. schilt *lmo.* brachen *K,*
crachent *l,* erchrachen *op.* 24. lachent *l.* 25. wie *fehlt t.* vriunden *Kno,*
fruntlich *l, fehlt tz.* vriwends *K.* 26. senfft *z,* Senfte *t,* semftet *Klmnop.*
sint uns *lop.* 30. sterben *lnopz.*

300 Uf stuont der alte Heimrîch:
　　sîn rede dem sune was väterlîch.
　　der sprach 'du maht wol sitzen nuo:
　　mîn reht ist daz ich grîfe zuo
5 antwurte: ich bin der eltest hie.
　　mîne genôze, fürsten, dise unt die,
　　nune habtz für keine smâcheit,
　　daz ich vor iu sprich. mîns sunes
　　　　leit
　　sol er niht tragen eine:
10 ich hânz mit im gemeine.
　　ich enlougens durch sîn kumber niht,
　　mîne herze sîn ze kinde giht:
　　doch lât in sîn mîn lantman,
　　des mich got wol hât erlân,
15 ich wolt im doch sicherlîche
　　helfen, sît er dem rîche
　　sô manegen prîs hât erstriten
　　und noch mit manlîchen siten
　　des rîches êre wirbet.
20 swes sælde niht verdirbet,
　　der wert die rœmschen edelkeit
　　mit ellenthafter arbeit.
　　sît Terramêr von Tenabrî
　　unze an Frîende uns füeret bî
25 swaz werder diet gesezzen was
　　von Marsilje unze an Kaucasas,
　　wir vinden phandes deste mêr,
　　er enhât deheinen künec sô hêr
　　mit im brâht her über mer,
　　er müge verliesen wol sîn her.'
301 Uf stuont Bernart der flôrîs
　　dô sprach 'bruoder markîs,
　　mîn sun Berhtram truoc dînen
　　　　vanen:

der getorste wol die sîne manen,
5 ich wæné er selbe ouch ellen truoc.
nu hânt si ungemach genuoc,
siben ander fürsten die noch sint
gevangen dâ bî mîme kint.
die uns ze dienst nu her sint komn,
10 und die srîches solt hânt genomn
oder sus mit fürstenlîcher kraft
hie sint mit grôzer rîterschaft
beidiu durchz rîche und ouch durch
　　uns,
helde, nu helfet daz wir mînes suns
15 Berhtrames bant zebrechen
und Vivîanzen rechen.
ich trag al mîner bruoder munt:
der triwe ist mir sô verre kunt,
daz unser herzen sint al ein:
20 durch daz ensprach noch ir dechein.
die geste sulen sprechen nuo
(dâ grîfet ellenthafte zuo),
die her von Francrîche
sint geriten krefteclîche.
25 unser mâge ich niht für geste hân:
sô het diu sippe missetân:
den getrûwt mîn vater unde ouch wir.
Franzoyser, nuo sprechet ir
wes wir uns hin ziu sülen versehen,
und lât uns iwer ellen spehen.'
302 Der dis âventiur bescheiden hât,
der tuot iu kunt, durh waz man lât
daz die fürsten niht sint benant,
die der rœmisch künec dar hât
　　gesant.
5 wan etslîch wider wanden,
die ir fürstîe schanden,

300, 3. Er *loptz*.　　4. griffe *Koz*, graif *m*.　　5. binz *t*.　　eltest *tz*, eltist *mo*, eldist *p*, eldeste *n*, eltiste *K*, aldeste *l*.　　7. Nu merket ez niht für *l*, Ewer chainer habz fur *optz*.　　habt ez *K*.　　decheine *K*.　　smahait *mpz*, zageheit *l*. 8. vor iu spriche (sprich *m*, spreche *n*) *Kmn*, sprech vor uoch *l*, sprich vor *z*, spriche *t*, versprich *op*.　　mines *K*.　　9. haben *loptz*.　　10. han ez *K*. 11. sinen *alle*.　　13. minen *lopt*.　　16. Gesten *t*.　　20. Des *t*.　　solde *K*. 21. were *l*, furt *op*, schirmet *n*.　　26. Zwischen M. und k. *lop*.　　Marsîlie *K*, Marsilye *l*, Marsily *mz*, marsili *o*.　　Kaukesas *m*, koukesas *K*, kokasas *n*. 27. phands *K*.　　28. er enhat *K*.　　30. ern *mnt*.　　mag *op*.

301, 1. Ouf (O *roth*) *K*.　　Vlorys *K*.　　2. do *Kl*, der *mn*, Und *opz*.　　sprach er *lt*.　　3. 15. Perhtr. *K*.　　6. ungemachs *op*, ungemaches *ln*.　　7. andr *K*. di *K*.　　8. ist da pei *op*, da *l*.　　miniu *K*, mine *l*, mein *op*.　　9. cedienste *K*, ze helfe *loptz*.　　nu *fehlt noptz*, da *l*.　　10. und *fehlt ltz*.　　des riches *alle*.　　11. odr *K*.　　furstecl. *lm*, fürstel. *z*, fürstl. *op*.　　12. hie] die *K*. 13. beide *K*.　　ouch *fehlt lno*.　　14. helde *fehlt loptz*. held, nu helfet mînes suns?　　17. aller *l*, alain *optz*.　　19. en ein *t*.　　22. grifent *Klz*.　　27. getrwet min vatr *K*.　　28. nu *alle*.

302, 1. diss Aventiwer bescheiden *K*, diz mer gemachet *loptz*.　　2. uns *optz*. 3. üch niht *l*, nicht gar *op*. sint noch unbenant *tz*　　4. hat dar *opz*.　　5. wan *fehlt loptz*, Wen ir *n*.　　want etesliche *K*　　6. fursten *lmopt*, fürsten e *z*.

si enphiengus mit zepter odr mit
　　vanen.
swer si des lasters noch wil manen,
da geschach iedoch ein widervart:
10 die wante der junge Rennewart
an der enge ze Pytît punt,
fünfzehen tûsent zeiner stunt,
zwischen Oransche und Alyschans.
der die starken stangen dans,
15 den habt ir tumber danne ein rint:
er was doch des rîchsten mannes kint,
der bî den zîten krône truoc.
die rede lât sîn. hie saz genuoc
fürsten die des jâhen,
20 swem daz kunde smâhen
daz Oransch wær von in erlôst,
daz im der næme bezzern trôst:
sine wolten ninder fürbaz varen
mit ir vartmüeden scharen:
25 si wærn des âne schande,
sît die heiden vome lande
hinz ir schiffen wærn geritn,
op si beliben ungestritn.
'swer uns den gegenmarket tuot,
die gevangen lœs wir umbe guot.'
303 von Berbester Berhtram
sprach 'dem werden nie gezam
daz ûz prîse træte:
swer in dar umbe bæte,
5 dem solt er nimmer werden holt.
nu denket, helde, ir habt gedolt
in Francrîche mangen prîs:
ob ir nu den markîs

liezet in sus grôzer nôt,
10 iwer keines vriundîn daz gebôt.
iuch hazzt ouch drumbe (deist mir
　　kunt)
der daz swert in sînem munt
für treit ame urteillîchen tage,
dâ mite der küene und der zage
15 bêde geschumphieret sint.
wol in dier hât für sîniu kint!
daz wir schowen fümf wunden
die noch sint unverbunden!
sîn bluot er durh uns rêrte:
20 swer sich von got nu kêrte,
des ende wurde gesmæhet
und diu sêle der helle genæhet.
sîn verch hât uns den segen erstriten,
der unflühteclîchen kom geriten:
25 ûfem esele man in komen sach
aldar da in sît ein blinde erstach:
er wærn gesehenden wol entpfarn.
swers kriuces segen wil wol bewarn,
den jâmer wier am kriuce hienc,
Jêsus, do ern tôt durh uns enphienc.'
304 Dô sprach Buov von Cumarzî
'Franzoyse, iu was ie manheit bî:
dêswâr die liezt ir noch ze vruo.
ein ieslîch manlîch rîter tuo
5 als in nu lêr sîn bestiu werdekeit.'
Franzoyser wurden al bereit
daz si sich baz bespræchen
und Vivîanzen ræchen
an dem grôzen ungefüegen her.
10 ieslîch getouftiu hant ze wer

7. enphiengens *Kmn*, nemens *l*, næmens *t*, namens *z*, næmen *op*.　　zeptr *K*.
9. ergiench *ot*, ergie *p*.　　ydoch *K*.　　11. pitipunt *lnptz*, putipunt *o*.
13. Oransce, 21. Oranshe *K*.　　14. grozzen *lt*.　　20. versm. *opt*.　　21. wær
von im unerlost *o*. wær unerlôst?　　22. bezzeren *K*.　　23. nindr *K*.　　25. si
fehlt K, Di *n*.　　waren *npz*.　　27. warn *np*.　　28. belibn *K*.　　29. 30. *fehlen*
K.　　29. den *mnpz*, dann *lo*.　　30. Die gevangen lose wir *loptz*, wir losen
di gevangen *mn*.
303, 1. Perhtr. *K*.　　3. daz *Kmn*, Daz er *loptz*.　　6. Gedenket *loptz*.　　geholt
Wackernagel, gedolt *alle*.　　10. necheines *K*.　　11. hazzet-daz ist *alle*.
13. Furig *l*.　　an dem jungsten tage *lnop*.　　15. getscumphieret *K*, ent-
schumphieret *loptz*.　　16. Wol si *lopt*.　　die er da hat *K*.　　20. got *Kmnz*,
im *lopt*.　　24. unvluchtik *n*.　　25. Uf eime *n*, ûf einem *Km*, Uf dem *loptz*.
26. sît *fehlt lopz*, in *t*.　　plinder *op*.　　stach *lnoptz*.　　27. wære den *Klmnt*,
wær dem *op*.　　sehenden *nt*.　　29. Der merke *lopt*.　　wi er *K*, wie *lmnopt*.
am *m*, an dem *Klnopt*.　　30. alsuss *K*.　　do er den *alle*.　　durh uns
fehlt lopt.
304, 1. Buve *K*.　　2. Franzoysen (Frantzoisærn *o*, —ern *pt*) was *lopt*.　　iu *fehlt n*.
3. desswar *Kt*, Deiswar *l*, daz ist war *mn*, Zwar *op*.　　liezet *K*.　　4. Ies-
liche Ritter denke nu *l*, Igleich sælig man nu tu *opt*:　　5. nu *Kmn, fehlt lopt*.
lere *Klnpt*, lert *o*.　　bestiu *fehlt p*.　　weishait *op*.　　6. da (do *t*) bereit *lt*,
da uber reit *p*, do uberrat *o*.　　7. 8. besprachen-rachen *lmnpt*.　　9. unge-
fuegem *Kt*.　　10. ein *Kmn*.　　islicheu *m*.

36*

vant fümfzehen ander hende
verre brâht ûz ellende.
Franzoyser dô sus gefuoren:
des ze Munlêûn si swuoren
15 und ze Orlens vor dem rœmschen
vogt,
daz enwart niht lenger für gezogt.
si jâhn daz al die Sarrazîn
in ir hazze müesen sîn:
si nâmenz kriuce über al.
20 hin ûz inz her kom ouch der schal:
des was dâ manec rîter vrô.
die werden wurbenz alle sô
daz si des kriuces gerten;
des si vil priester werten,
25 hie den rîter, dort den sarjant.
swaz man guoter turkopel vant.
beidiu arme unde rîche
nâmenz kriuce al gelîche.
ir herzen si gereinden,
den hœhsten got si meinden.
305 In der siben bruoder sunderher
eteslîche bereiten sich ze wer,
sumelîche vant man slâfen:
sô schouweten d'andern wâfen,
5 an schildn und an banieren:
so begunden d'andern zieren
ir harnasch, daz siz machten wîz:
sô kêrten d'andern al ir flîz
daz si die helme geflôrten:

10 swaz riemn und snüere gehôrten
derzuo, der wart vergezzen nieht.
man sah dâ manegez harte lieht,
zimierde unde harnasch,
daz sît von bluote gar verlasch.
15 sich môvierten ze orse die:
sô riten die andern banken hie
ûf schœnen runzîden.
dâ muose ouch angest lîden
manec unverzaget küener man,
20 der sich rehte des versan
daz ir strît niht mêre galt
wan daz bereite was gezalt
dem tôde ir leben ze bêder sît.
ûf Alischanz der êrste strît,
25 der Pînelle gap den rê,
des mâg sît tâten drumbe wê
ûf Alischanz getoufter diet:
Viviânzes tôt ouch sider schiet
mangen werden heiden vome lebn:
sus râch widr râche wart gegebn.
306 Durh Gyburge al diu nôt ge-
schach.
diu stuont ûf, mit zuht si sprach,
ê daz sich schiet der fürsten rât.
'swer zuht mit triwen hinne hât,
5 der ruoche hœren mîniu wort.
got weiz wol daz ich jâmers hort
sô vil inz herze hân geleit,
daz in der lîp unsamfte treit.'

---

11. funfzig *lmopt.*   13. dô *fehlt lopt.*   14. Des (Daz *ln*) si zuo mollium
(monleun *n*, mulin *o*, Munleun *t*) swuoren *lnot.*   muliune *p.*   15. Rœmi-
schen fogt *K.*   16. daz en *fehlt l*, Dar *n*, Ez *opt.*   wiert *op.*   langer *lmo,*
fehlt n.   auf gezogt *op.*   17. iahn *m*, iahen *K.*   19. namenz *t*, namen
daz *die übrigen.*   20. hin *fehlt l.*   ûz *fehlt lop.*   21. dâ *fehlt K.*
22. Al die *l.*   wurben *lopt.*   alle so *Kn*, alle also *t*, also *m*, ouch also *op*,
so *l.*   24. briestr *K.*   25. dem-dem *Km*, der-der *l.*   scariant *Km.*
26. torkople *n.*   27. beidiu *fehlt lt*, Ot *p.* Und arme dar zu reiche *o.*
28. Namenz *mt*, namen daz *K.*   29. gereiden *K.*

305, 1. bruodr sundr her *K.*   2. igleicher (Iesl. *t*) beraitte *opt.*   3. 4. Paid rit-
ter unde pfaffen (knechte *p*) begunden maniges schaffen Ettleich schouten
ir waffen da waz nicht guet entslaffen (czu slafen *p*) *op.*   3. Si begunden
manigez schaffen *lt.*   4. So schouten di *m*, so chouften die *K*, Si schouten
der *t.*   5. schilden *K.*   6. 8. die *alle.*   6. einen *l.*   7. si *lop.*
mahten *l.*   8. al *fehlt nop*, gar *lt.*   9. Wie *lopt.*   gevl. *K.*   10. riemen
unde snuere (snurn *t*) *Kmnt*, riemen dar zu *op*, snuore riemen und *l.*
borten *l.*   11. drzuo *K, fehlt op.*   ward ouch *op.*   15. 20. sih *K.*
15. ce örssen *K.*   16. banken *Kt*, panken *p*, paniken *m*, banichen *ln*,
wanchen *o.*   19. unverzagt *K*, unverzage *op.*   kuene *n*, werder *lt*,
fehlt op.   22. bezalt *nop.*   23. Zuo dem tode ir *l*, Mit tode ir *t*, Ir
paider *op.*   25. Pinele *K*, pynel *lmt*, pinelen *p*, pineln do *o.*   26. mage *K.*
seit drumb taten *lmo*, darumb sint taten *p*, taten drumbe *t.*   28. sider
fehlt lt, alda *op.*   29. manigen *K.*   von dem *nop*, von sinē *K*, von
sinem *t*, von sime *l*, von seinn *m.*   30. rache *K.*   gein *lnopt.*

306, 3. scheide *lt.*

die gein ir ûf begunden stên,
10 die bat si sitzn und ninder gên.
dô si gesâzen über al,
si sprach 'der tôtlîche val
der hiest geschehen ze bêder sît,
dar umbe ich der getouften nît
15 trag und ouch der heiden,
daz bezzer got in beiden
an mir, und sî ich schuldic dran.
die rœmschen fürsten ich hie man,
daz ir kristenlîch êre mêrt,
20 ob iuch got sô verre gêrt,
daz ir mit strîte ûf Alischanz
rechet den jungen Vivîanz
an mînen mâgn und an ir her:
die vindet ir mit grôzer wer.
25 und ob der heiden schumpfentiur
    ergê,
sô tuot daz sælekeit wol stê:
hœrt eins tumben wîbes rât,
schônt der gotes hantgetât.
   ein heiden was der êrste man
den got machen began.
307 Nu geloubt daz Eljas und Enoch
für heiden sint behalten noch.
Nôê ouch ein heiden was,
der in der arken genas.
5 Iop für wâr ein heiden hiez,
den got dar umbe niht verstiez.
nu nemt ouch drîer künege war,
der heizet einer Kaspar,
Melchîor und Balthasân:
10 die müeze wir für heiden hân,
diene sint zer flüste niht benant:
got selb enpfienc mit sîner hant

die êrsten gâbe ân muoter brust
von in. die heiden hin zer flust
15 sint alle niht benennet.
wir hân für wâr bekennet,
swaz müeter her sît Even zît
kint gebâren, âne strît
gar heidenschaft was ir geburt:
20 etslîchz der touf het umbegurt.
getouft wîp den heiden treit,
swie dez kint der touf hab um-
    beleit.
der juden touf hât sundersite:
den begênt si mit eime snite.
25 wir wârn doch alle heidnisch ê.
dem sældehaften tuot vil wê,
ob von dem vater sîniu kint
hin zer flust benennet sint:
er mac sih erbarmen über sie,
der rehte erbarmekeit truoc ie.
308 Nu geloubt ouch daz diu men-
    nescheit
den engelen ir stat ab erstreit,
daz si gesetzet wâren,
die künne künne vâren,
5 ze himele in den zehenden kôr,
die erzeigeten got alsölhen bôr,
daz sîn werdiu kraft vil stætec
von in wart anrætec.
die selben nôtgestallen
10 von gedanken muosen vallen:
got enlie si niht zen werken komn,
der gedanc weiz wol unvernomn.
dar umbe des menschen wart er-
    dâht.
sich heten mensch und engel brâht

---

10. sitzen *K.*   12. den totlichen *lop.*   13. Uf alyschanz zuo *lopt.*   hie
ist *K.*   19. Daz ir uowern (iern *o*) gelouben vaste weret (wert *pt*) *lopt.*
meret *Kmn.*   20. Und ob *op.*   verre *fehlt l.*   gert *t,* geret *Klmn,* nert *op.*
22. gerechet *lot.*   23. magen *K.*   an *fehlt n.*   25. und *fehlt lopt.*
27. hœret eines-wibs *K.*   28. schonet *K.*

307, 1. So *op.*   geloubet *Kmn,* geloubet ouch *lop,* gloubet daz ouch *t.*   Elyas
(helyas *mn*) unde *Kmn, fehlt lopt.*   2. Fur den *n,* Für einen *lpt,* Fur ein *o.*
ist *lopt.*   doch *lt.*   3. ouch *fehlt lt.*   5. Iob *lnopt.*   8. Der hies ainer
op, Einer hiez *lt.*   9. Balthazan (n *aus* r *gemacht*) *K,* Balthasar *lmn.*   10. Die
muoste wir han fuor heiden gar *l.*   ·muozen *K.*   12. enpfie *Km.*   13. ane
muotr *K.*   14. Da von die *op,* Wan die *l.*   16. Ich *lopt.*   19. heidenisch
np.   20. etslichez *K.*   het *m,* hiet *K,* hat *lnop.*   umbe gegurt *lop.*
22. dez *l,* z *t,* daz *K.*   hat *lop.*   23. Die iuden habent *t.*   sundr sit *K.*
24. einem snit *K.*   25. ouch *l, fehlt pt.*   heiden *lnopt.*   26. sedelh. *l,*
schuldeh. *op.*   27. Swa von *t,* Davan *n,* Swo *o,* Wo *p.*   29. sih erbarmn *K,*
erparmen sich *opt.*   sì *K.*   30. erbermekeit *l.*   truog *K.*

308, 1. geloubet *Klnt.*   2. streit *lt.*   3. Da *np,* dar *mt.*   4. userme *n.*
chunnen *mop.*   8. von im *K.*   12. gedanke *lt,* gedanken *n.*   wol wais *op.*
13. Durch daz dez *opt,* Durh den *l.*   mennischn *K.*   gedaht *lopt.*
11. 20. 28. sih *K.*   14. hete *l,* hatte *n,* het der *op.*   mennisch *K,* mensche *ln.*

15 beidiu in den gotes haz:
wie kumt daz nu daz mennisch baz
dan der engl gedinget?
mîn munt daz mære bringet.
daz mennisch wart durch rât ver-
    lorn:
20 der engel hât sich selb erkorn
zer êwigen flüste
mit sîner âküste,
und al die im gestuonden
die selben riwe fuonden.
25 die varent noch hiute dem men-
    sche bî,
als op der kôr ir erbe sî,
der den ist ze erbe lâzen
die sich des kunnen mâzen
daz gotes zorn erwirbet,
des sælde niht verdirbet.
309 Swaz iu die heiden hânt getân,
ir sult si doch geniezen lân
daz got selbe ûf die verkôs
von den er den lîp verlôs.
5 ob iu got sigenunft dort gît,
lâts iu erbarmen ime strît.
sîn werdeclîchez leben bôt
für die schuldehaften an den tôt
unser vater Tetragramatôn.
10 sus gab er sînen kinden lôn
ir vergezzenlîchen sinne.
sîn erbarmede rîchiu minne
elliu wunder gar besliuzet,
des triwe niht verdriuzet,
15 sine trage die helfeclîche hant
diu bêde wazzer unde lant

‹ vil künsteclîch alrêrst entwarf,
und des al diu crêatiure bedarf
die der himel umbesweifet hât.
20 diu selbe [hant] die plânêten lât
ir poynder vollen gâhen
bêdiu verre und nâhen.
swie si nimmer ûf gehaldent,
si warment unde kaldent:
25 etswenne'z îs si schaffent:
dar nâch si boume saffent,
sô diu erde ir gevidere rêrt
unde si der meie lêrt
ir mûze alsus volrecken,
nâch den rîfen bluomen stecken.
310 Ich diene der künsteclîchen hant
für der heiden got Tervigant:
ir kraft hât mich von Mahumeten
unders toufes zil gebeten.
5 des trag ich mîner mâge haz;
und der getouften umbe daz:
durh menneschlîcher minne gît
si wænent daz ich fuogte disen strît.
dêswâr ich liez ouch minne dort,
10 und grôzer rîcheit manegen hort,
und schœniu kint, bî einem man,
an dem ich niht geprüeven kan
daz er kein untât ie begienc,
sîd ich krôn von im enpfienc.
15 Tybalt von Arâbî
ist vor aller untæte vrî:
ich trag al ein die schulde,
durh des hœhsten gotes hulde,
ein teil ouch durh den markîs
20 der bejaget hât sô manegen prîs.

16. daz nu] nu daz *t*.   16. 19. daz *lt*, der *Kmnop*.   16. mensche *lnop*,
mensch *mt*.   19. mensche *lno*, mensch *mpt*.   21. ewichen *m*, ewiclichen *lopt*.
22. unkuste *op*.   23. all *m*, alle *Klnopt*.   in bestuonden *K*.   24. funden
alle.   25. varn *mop*, waren *l*.   den *t*.   mennische *K*, menschen *lmnopt*.
27. gelazen *lnop*.   30. Der *pt*.
309, 5. ob] ouch *K*.   signunft dorᵗ git *K*.   6. latez iu erbarmn *K*.   9. unser
vater *fehlt lt*, Der hoch *op*.   11. ir vergezelicher *Kt*, Irn vergezzenlichme *n*,
Invezsenclichem *l*.   12. seiner *o*.   erbarme de richiu *K*, erparmet reiche *m*,
erbarmeriche *l*, erbærmeclichiu *t*, erparmeclichen *p*, parmchleicher *o*.   15. helf-
liche *n*, helfclichen *lo*, helfenclichen *t*, helflichen *p*.   17. alrest erwarf *K*.
18. alle (*ohne* diu) *lnop*.   19. umbesweft *K*.   20. die *fehlt t*.   21. poyndr
K, poyndir *n*, ponder *lop*.   23. immer *K*.   25. daz ys si *mn*, daz ys *t*, ist
daz si *K*, daz si *l*, si iz haizze *op*.   slafent *K*, schafen *l*.   26. sy *t*, die *ln*.
honic *t*.   safent *K*, saffen *l*.   27. reret *Knopt*, beret *o*.   28. leret *Knpt*, beret *o*.
29. vol rekhen *K*.   30. dem *lnop*, *fehlt t*.   stekhen *K*.
310, 1. kunstlichen *lopt*.   2. Tervagant *K*.   3. Sin *lopt*.   mahm. *ln*, machm.
mopt.   4. undr des *K*, Unsers *op*.   7 nach *8 op*.   8. wænt *t*.   daz
fehlt lnopt.   fuogete *K*, fuege *lnopt*. si wænent, fuogt ich disen strît?
11. chrone *K*.   15. von Tenabry *z*.   16. vor *fehlt z*.   allem *p*.   untat
mn, valschait *o*, valschen *p*, missewende *tz*.   17. al eine *K*.   18. hœhi-
sten *K*.   20. hat beiaget *loptz*.

ey Willalm, rehter punjûr,
daz dir mîn minne ie wart sô sûr!
waz werder diet ûz erkorn
in dîme dienste hânt verlorn
25 ir lîp genendeclîche!
der arme und der rîche,
nu geloubt daz iwerr mâge flust
mir sendet jâmer in die brust:
für wâr mîn vreude ist mit in tôt.'
si weinde vil: des twanc si nôt.
311 Des wirtes bruoder Gybert
ûf spranc, die küneginne wert
an sîne brust er ducte.
ir herz durh d'ougen ructe
5 vil wazzers an diu wangen.
von dem râte wart gegangen.
　die fürsten ûf den palas
giengen, dâ verdecket was
manec tavel hêrlîche.
10 Heimrîch der zühtenrîche
zal den fürsten sunder sprach
'als man iuch gestern sitzen sach,
ieslîche haben die selben want.'
nâch den juncvrouwen wart gesant:
15 die kômen, und ouch Rennewart.
dem was besengt sîn junger bart,
dez harnasch [was] tiwer unde clâr,
er selbe starc und wol gevar.
er leite sîne stangen nider.
20 dar gienc manec rîter sider:
ieslîches kraft sich sô verbarc,
ir neheiner was sô starc,
ders hüebe von der erde,

wan Willehalm der werde:
25 der zuctes ûf unz über diu knie:
daz miten die andern, dise unt die.
Rennewart daz drum nam in die hant:
die stangen swanc der sarjant
umbz houbet als ein sumerlatn.
sîn kraft den kristen kom ze statn.
312 Dô des schimpfes was genuoc,
den fürsten man daz wazzer truoc,
und maneger vrouwen wol gevar,
dar zuo den werden rîtern gar.
5 ieslîcher saz an sîne stat.
Heimrîch dô Rennewarten bat
zer küneginne sitzen dort
ûfen teppich an der taveln ort.
dô der nider was gesezzen,
10 er muose gewâpent ezzen.
man muoz des sîme swerte jehen,
het ez hêr Nîthart gesehen
über sînen geubühel tragn,
er begundez sînen friunden klagn:
15 daz lie der marcrâve âne haz,
swie nâhe er bî der künegîn saz.
in eime alsô verherten lant
wart nie bezzer spîse erkant
und alsô willeclîche gegebn.
20 swer guotes willen kunde lebn,
den gap wirt und wirtin:
ir neheiner truoc mit sünden hin
swaz er spîse mohte aldâ verzern,
der sich den vînden wolde wern.
25 dô man ezzens dâ verpflac,
ez was wol mitter morgens tac.

21. Willehalm *Km*, willehelm *n*, wilhalm *o*, wilhelm *lp*, kyllams *t*, Kyllanis *z*.
rehter *Kmn*, werder *lop*, wert *t*, *fehlt z*.　　pumur *z*, pungiur *l*, punsur *n*, pun-
shwr *K*, punschower *m*, puntschuer *op*, pontur *t*.　　27. geloubet *K*.　　daz
fehlt loptz.　　uwer mage lebens *loptz*.　　28. schiubet *loptz*.　　29. mit in *Ktz*,
mir in *m*, mit in den *n*, inne *l*, mit *o*, mir *p*.　　30. daz tet ir not *l*.

311, 1. kybert *n*, Gilbert *o*, kilbert *t*, kylbert *l*, Schilbert *p*, Tybert *z*.　　2. sprach
K, stuent *optz*.　　3. Nach an *z,*　　4. herze durh die *K*.　　7. ûz dem *K*.
8. gegangen *K*.　　10. zuhten *Kmn*, *fehlt loptxz*.　　12. gester *Kt*.　　13. les-
leicher (leglichsz *z*) hab *opxz*.　　14. frowen *ltxz*.　　16. was besenget *Kmn*, be-
senget (besengt *x*) was *loptxz*.　　junger *fehlt loptxz*.　　17. 18 *fehlen txz*.
17. des alle.　　18. starch und *mn*, was starch unde *K*, liecht und *op*, dar
inne *l*.　　19. er *lt*.　　nidere *K*.　　20. gie *Km*.　　sidere *K*.　　22. irn
heiner *K*.　　25. zuhtes *K*.　　26. uñ *K*.　　27. daz ort *optx*.

312, 3. manegr *K*.　　4. darnach *optxz*, Und ouch *l*.　　den andern *lopxz*, die
ander *t*.　　7. Aber (Abe *o*, Daz er *x*, *fehlt t*) uf den (uf dem *l*, Uffen *t*) tepich
(tebich *ox*) sitzen (saezz *x*) dort *loptxz*.　　chuneginnen *Kn*.　　8. Zuo der
(Zer *t*, Bi der *z*) kunigin *lopz*, zuo Chiburgen *x*.　　10. muese *K*.　　11. Ich
loptz.　　13. Umbe sine siten getragen *l*.　　gobowel *n*, puckel *op*.　　14. be-
gunds ez *K*, begunde *l*.　　friwendn *K*, freuden *l*, fründ *z*.　　16. chuneginne *K*.
17. einem *Kmt*.　　verhertē *K*, verhertem *m*, verwuosten *lptxz*, verwuestem *o*.
21. Dem *lnop*.　　23. mocht da *o*, alda (do *p*) môhte *lptz*.　　24. Swer *lz*.　　si?
den vienden *Kmn*, der viende *loptz*.　　25. ezzen *l*, des ezzens *optxz*.　　26. mit-
termorgens *K*, mittem. *ln*, mitten morgen *opx*, mitten morgens (morgesz *z*) *tz*.

die fürsten urloup durch daz
nâmn : si wolten fürbaz
kêren, strîts si luste.
Gyburc si weinde kuste.
313 E si zir ringen wæren komn,
gezelt wârn elliu ab genomn,
und daz her gerottieret,
daz velt al überzieret
5 mit maneger baniere.
Gyburc diu kom schiere
in diu venster durch schouwen
mit maneger juncvrouwen,
wie mit fürstenlîcher krefte
10 maneger geselleschefte
daz velt wart überdecket.
allenthalben zuo getrecket
ûf die strâzen gein dem mer

kom ein sô kreftigez her,
15 daz ez die engel möhten sehen,
kunden si zimierde spehen.
si heten an den stunden
ûf die helme gebunden
manec tiwer zimierde clâr.
20 ouch sah man her unde dar
daz velt al überglesten
mit phellen den besten
an den hôh gemuoten werden.
ûf al kristenlîcher erden
25 wart manlîcher zuo komn
von wirtes friwenden nie vernomn.
diz ist ir dan scheiden :
si wellnt nu gein den heiden.
got waldes, sît ers alles phligt.
der weiz nu wol wer dâ gesigt.

27. durh *K*.   28. namen si woldn *K*.   29. Nach den vienden (haiden *opx*) *loptxz*.   strites sî *K*, si strites *pz*. 30. weinde *pt*, weinende *Klnz*, wainend *x*, wainund *m*, wainunde *o*.

313, 1. ze ringen *z*, ze ringe *lop*, zir ringe *t*.   2. Die (Diu *t*) gezelt *loptz*. elliu *fehlt lop*. 3. gerotieret *K*. 4. al uber gecìeret *K*, al uber kert *t*, uber al gezieret *lop*. 8 *nach* 9 *opt*. 9. fürstl. *mop*, furstel. *lz*, viurstecl. *t*. 10. Von *loptz*, Mit *mn*, *fehlt K*. 14. so wunnechlichez *lopz*, so volleclichez *t*, gevellikleichez *x*. 21. uber al glesten *lop*. glestn-bestn *K*. 22. Von *opt*. 23. an de *K*. 24. al *fehlt loptz*. 25. wart *fehlt ltz*, Wart nie *o*. 26. Wart von *ltz*. wirtes *fehlt t*. 27. ir *Kmntxz*, er *l*, ein *op*. danne *lo*, dannen *np*. gescheiden *l*. 28. wellent nu *Kmt*, wend nun *z*, wollent *n*, wolde nu *l*, wolten *opx*. 29. walds *K*. 30. nu *Kmnopxz*, nach wer *t*, *fehlt l*.

VII.

314 Rennewarten des ze sehen zam,
wie dirre den schilt ze halse nam,
wie der ander helm ûf houbet bant,
wie die wartman wurden gesant
5 nâch den vînden durh des heres
     phlege.
bêde ûf velde und ûf dem wege
sundrrotte dar zuo wârn ge-
     nomn,
op die vînde wider wolden komn,
daz si funden widersaz.
10 Terramêrs huovekraz
was harte breit und ninder smal
bêde an bergen unde an tal.
Rennewart lief allez mite,
daz er den manegen sundersite
15 gerne hête bekant.
dô er sînen hêrren vant,
si wârn wol raste lanc gevarn.
zuo dem markîs Terramêres parn
kom geloufen, niht gegangen.
20 der vrâget in nâch sîner stangen:
'wes sol mich dîn helfe trœsten?'
'dâ sult ir mich für den bœsten
undr allen disen rotten zeln,
welt ir einen ribalt weln.'
25   Rennewart sich schamte sêre:
ez dûhte in grôz unêre,
daz der stangen was vergezzen.

er was halt von dem ezzen
geloufen durh busîne krach:
und dô er ûf den helmen sach
315 Sô spæhe wunder manecvalt
(ez enist dechein wîp sô alt,
der ez dicke für si fuorte,
ir jugende muot si ruorte,
5 dazs ir ougen lieze swingen dar),
vil manec geflôriertiu schar
Rennewarten dar zuo brâhte
daz er gar überdâhte
ob er ie stangen hêrre wart:
10 sô gâh was im ûf die vart.
   doch truog er umbe sich sîn swert.
zem markîs sprach der knappe wert
'hêrre, ich wil die stangen holn.
lât mich schamende arbeit doln:
15 wan pflæge ich manlîcher site,
diu stang wær mir gevolget mite.
ich hân iuch schiere ergâhet.
ob halt diu naht uns nâhet,
ich vinde iedoch wol iwer spor
20 und der heiden die dâ rîten vor.'
   der markîs sprach ze Rennewart
'dîn widerreis wirt nu gespart:
eins andern boten ich dich wer,
der uns die stangen bringet her.'
25 ein wol geriten sarjant
nâch der stangen wart gesant:

314, 2. dierr den *m*, dirre *lpt*, dierr *o*, dir *z*, man die *x*.   3. Wie *lntz*, unde wie
Kmopx.   der andern *t*, man die *x*.   daz houbt *lx*, *fehlt opt*.   4. Wie *lmntz*,
unde wie *Kopx*.   man da die pesten für sant *x*.   die *lnop*, *fehlt mtz*, ir *K*.
5. viendn *K*.   6. wie beide *lopz*, Wie balde beide *t*.   dem *Kn*, *fehlt lmoptz*.
7. sundr rotte *K*.   waren *Klt*, wart *o* und (*vor* sunder) *p*, waz *z*, warn *vor*
darzu *n*.   8. viende *K*.   widr woldn *K*, wolden wider *n*, weren *loptz*.
10. huof *t*, huef *mz*, here uf *l*, hueffsleg *op*.   tratz *lz*.   14. Do *x*, Wan *op*.
den *Kmn*, die *x*, da *tz*, *fehlt lop*.   maniger hande site *op*.   16. E daz er *lop*,
Er löf do er *x*.   18. Markyse. Terramers *Kt*.   25. sih *K*.   28. halt *Kmn*,
ouch *optxz*, doch *l*.   29. pusinen *t*, puseinen *m*, businen *z*, bosinen *n*, bu-
sunen *lp*, pusounen *o*.

315, 3 nach 4 *t*.   5. daz si ir *Klmn*, Daz si di (diu) *optz*.   10. an die *loptz*.
12. Markyse *K*.   14. schamede *n*, scham (scheme *l*) und *loptxz*.   15. wan
Kmnxz, *fehlt lop*.   16. stange wære *K*.   19. iedoch *Km*, doch *lntx*, dannoch
op.   20. riten *Klp*, reiten *o*, reitend *m*, ritent *t*, reittent *x*, rident *n*.   21. Der
Margreve *ltz*.   Do sprach der markis (Margraf *x*) zuo (*fehlt p*) Rennwart
opx.   22. widr reise *K*.   nu *fehlt loptx*.   23. eines *K*.   bis an *weg-
geschnitten I*.   wêr *I*.   24. 26. 30. stange *I*.   25. êin *I*.   sardiant *I*.

der reit hinz Oransche widr,
dâ diu stange was geleget nidr.
eintweder karre odr ein wagn
nâch dem her die stangen muose
　　tragn.
316 Heimrîch und sîniu kint
und ouch die andern fürsten sint
komn an eine schœne stat,
aldâ manz her sich legen bat.
5 wol gehêret wart daz velt:
preymerûn und manc gezelt,
ekube, treif unt tulant
man vil dâ ûf geslagen vant.
ê dez her sich gar geleite nider,
10 Rennewarte kom sîn stange wider
mit der nâchhuote:
des was im wol ze muote.
aldâ lâgen si die naht.
des morgens gein der heiden maht
15 sich daz her begunde enbœren.
man moht dâ wunder hœren
von pusîn und anderm schalle.
nu wolt si aber alle
Rennwart umbegâhen,
20 die verren und die nâhen,
dort eine storje, d'andern hie,
er wolte prüeven dise unt die,

schilde und ir baniere baz,
unz er der stangen aber vergaz.
25 [die] herberge wurden an gezunt,
dô si verre gefuoren. nu wart kunt
mit zorne dem jungen sarjant,
daz diu stange in sîner hant
niht dannen was gevolget mite.
in sîme herzen wuohs unsite:
317 Schamt er sich gestern sêre,
des wart hiut zwir mêre.
er sprach 'nu hât mir tumpheit
alrêrst gefüeget herzenleit:
5 diu scheidet selten sich von mir.
der dem grimmen vederspil die gir
verhabt, daz hân ich doch gesehen,
man muoz im dâ nâch plûkeit
　　jehen.
wan ich hân mîn selbes gir verhabt.'
10 widr ûf die strâzen wart gedrabt:
snelheit erzeigeten sîniu bein.
der knappe huop sich dan al ein:
ein ors von sölhem kalopeiz
müese rêren sînen sweiz,
15 daz im gevolget solte hân:
sô gâh was im wider dan.
er truoc harnasch ob al den liden.
sîn zuht daz kunde niht gevriden:

27. er rǣit *I.*　　Oranges *I.*　　27. 28. -der *I.*　　28. geleit *Kmz*, gevellet *l.*
29. eintwedr *K*, Ein starcher *x.*　　karratsch *I*, karrotsche *l*, karrätsch *z*,
karracken *t.*　　ein *fehlt Ilt.*　　wâgen *I.*　　30. die] hie *I.*　　tragen *I.*
316, 3. chomen *I.*　　eîn *I.*　　3. 4. -ât *I.*　　4. al *fehlt I.*　　4. 9. 15. sih *K.*
5. beheret *op*, geherberget *I*, beherbergt *ltz.*　　was *lnopt.*　　6. premerv̄n *I*,
Premerun *lntz*, Primerun *op.*　　manc] ander *I.*　　7. Ekoube *K*, ekkube *I*,
Ekuob *m*, Erube *t.*　　Trefse *l*, Treus *o*, Trevirs *p*, treib *n*, trieîsten *I*,
treisten *t.*　　Tvlânt *I*, tylant *n*, talant *z.*　　9. dez] diz *K*, daz *Ilmntxz*, daz
daz *op.*　　gar *IKmn, fehlt loptzz.*　　sich *nach* E *xz*, *nach* geleit *op.*　　geleget *I.*
10. rennwart *I.*　　12. wart *loptz.*　　13. de naht *l.*　　14. geîn *I.*　　heîden
I.　　15. vnbôren *I.*　　16. wndr *K*, wᵒnder *I.*　　hôren *I.*　　17. businen *I*,
pùsinen *K*, busun *l*, puseinen *m*, bosynen *n*, pusaun *o*, pusunen *p*, pusine *t*,
pusaunn *x*, bussin *z.*　　und *n*, und von *Klmnoptxz.*　　vnt von andrem *I.*
1ˢ. wolte *K*, wolten *noptx.*　　19. Rennbart *m*, Rennewart *Kz*, Rennewarten
lnop.　　21. ein *lmnoptz*　　dĩv *I*, die *K.*　　ander *Ilmnoptz.*　　21. 22. -ie *I.*
22. brvven *I.*　　uῆ *K.*　　23. banier *I.*　　24. stange *I.*　　aber] sin *I.*
25. herberg *mxz*, herwerg *o*, buden *n.*　　wᵒrden *I.*　　26. verr *mxz*, so verre
I.　　fvren *I.*　　nu] do *I.*　　27. zorn *I.*　　sardiant *I.*　　28. stange wer *I.*
29. mit *I.*　　30. sinem- (wᵒhs *I*) ẘchs *IK.*　　vnsît *I.*
317, 1. (S)châmt *I.*　　gester *I.*　　2. des] ez *I.*　　hiute *K*, nu *pz, fehlt I.*　　zwier
m, zvies *n*, zwiernt *I*, zwirint *t,* zwirnet *l*, dreistunt *opz.*　　4. alr este *K*,
aber *I.*　　herceleît *I.*　　5. sich selten *I.*　　6. swer *I.*　　grimmigen *I.*
7. verhabet *I.*　　doch han ich [daz *p*] *op*, so han ich doch *l.*　　8. blṽcheit
I, pluwicheit *K*, blowichait *m*, blukeit *t*, blickhait *z*, blôdekeit *lnp*, blœdhait *o.*
9. Als han ich *l*, Ich han *Ioptxz.*　　selbs *K.*　　9. 10. -et *I.*　　10. wider
I.　　strazze *I.*　　11. er zeîgten *I.*　　11. 12. -eîn *I.*　　13. örs von sölhen
K.　　solhæm *I.*　　14. mṽse *I*, muose *K.*　　16. widr *K.*　　dân *I.*　　17. *nach*
al *ist* sin *durchstrichen I.*

sîn manheit hete grôzen zorn
20 ze geselln für hôhen muot erkorn.
er sprach 'waz wunders mac diz
    sîn,
daz ich der starken stangen mîn
nu zem dritten mâle vergaz?
25 daz mir diu werdekeit ir haz
niht anders mac erzeigen,
ich wæn daz sol die veigen
bringen unders tôdes zil.
waz ob mich versuochen wil
der aller wunder hât gewalt,
und ob mîn manheit sî balt?
318 Ich liez durch zuht und durch
    scheme,
daz ich ze disem noch ze deme
niht sprach mîn wider kêren.
daz sol mîn laster mêren:
5 si wænnt, ich sî in entrunnen.
ich hân mich des versunnen,
wirt mîn hêrre dort bestanden,
der grôzen houbetschanden
sulen mîne mâge pflihte hân:
10 daz hœnet manegen edelen man,
die erborn sint von mîner art.
man wænet daz mîn widervart
sî durch zageheit erdâht:
dâ mit der kus wære gesmâht,
15 den mir gap sîner swester kint,
bî dem in strîte bêdiu sint

mîn herze und des wille.
swîge ich diss mæres stille:
ez wirt doch âne mich gesagt.'
20 nu kom der junge unverzagt
dâ die hütten von loube
mit rôre und von schoube
wârn verbrunn und begunden brinnen.
er enkund sich niht versinnen
25 wâ sîn starkiu stange lac:
vil umbesweifes er dô pflac.
besenget was diu stange:
ez sûmte in harte lange,
unz er si verloschen vant:
si was swarz als ein ander brant.
319 Nu enruochet, was se ê wæher:
si ist nu vestr und zæher.
er zuctes ûzem fiure
und lief gein âventiure.
5 der marcrâf was sô nâhe komn:
ûf einen berc het er genomn
sîner helfær vil durch schouwen:
an halden unde an ouwen
hiez er stille habn sîn her.
10 zwischen dem gebirge und dem mer
bî Larkant lac Terramêr,
der kreftige von arde hêr
und von sîner hôhen rîcheit:
ûf Alischanz dem velde breit
15 sîne kraft man mohte erkennen.
solt ichs iu alle nennen,

19. het *I.*   20. gesellen *IKlnoptz,* gesell *m.*   erchȯrn *I.*   21. ditze *K,*
ditz *I,* daz *lop.*   22. stange *I.*   23. zedem *I.*   drittem *K.*   mal *I.*
24. diᵘ | werdicheit *I.*   25. erzeigen *I.*   26. wæne *K,* wen *I.*   svln *I.*
27. undrs *K,* wider des *I.*   30. und *Kmz, fehlt Ilnopt.*   sie *I.*   si icht balt
nop, ist bezalt *l.*   balt *aus* bezalt *gebessert I.*

318, 1. liez *I.*   vnt ovch *I.*   schêm *I.*   2. noch] vnt ovch *I.*ₐ   zedem *I.*
3. widr *K.*   4. lastr *K.*   5. 6 *fehlen z.*   5. wænent *K,* wænent *I.*   si
in *K,* si *Ilmnopt.*   8. Miner *mnz.*   houbt (hovpt *I)* schanden *KI.*   9. svln
min *I.*   enphlihte *I.*   10. Ez *Ilopt,* daz ich *K.*   hȯnet *I.*   mân *I.*
11. Die sint geborn (Di sint erborn *It,*ₐ Der geporn ist *op)* uz *Ilopt.*
12. wênet *I.*   13 zageheit *I.*   14. wær *I.*   versmaht *I,* versmacht *lnop.*
16. Bi den *l,* pei (bi *I)* der *Iopt.*   beidiᵛ *I.*   17. des *tz,* des hercen
IKlmn, ouch mein *op.*   18. dises (des *I)* lasters *Ilpt,* zu dem laster *o.*
19. ân *I.*   gesaget *I.*   20. vnverzâgt *I.*   22. Von rore *Iloptxz.*
23. waren *I.*   verbrunnen *IKmtxz,* verbrant *ln.*   24. enchunde sih *K,*
chvnde sich *I.*   26. vil *aus* wil *gebessert I.*   vmbeswæiffes *I.*   27. diu]
sin *I.*   28 Daz *Iloptx.*   sovmet *I.*   hart *I.*   29. Daz er si verlucken
t.   sie *I.*   30. alsam *op.*   andr *K, fehlt Ilopxz.*   brânt *I.*

319, 1. (N)vn rᵛchet *I.*   si *alle,* sie *I.*   ê *fehlt t.*   2. vester *alle.*   zeher *I.*
3. zuhtes uozem *K,* zvchte si vz dem *I.*   5. 28. marcgrave *I,* Marh-
crave *K,* markis *nop.*   nahen chômen *I.*   6. genomen *I.*   7. helfære
K, hælffer *I.*   schȯwen *I.*   8. halden *z,* den halden *It,* halten *l,* haldel
K, haiden *m,* alben *op,* liten *n.*   in *nop,* an den *It.*   owen *I.*   9. haben *I.*
9. 10. -êr *I.*   11. Terremêr *I.*   12. chreftich *I.*   13. werdicheit *I.*
14. alitschanz *I,* Alishanz *K.*   15. sin *I.*   moht *I.*   16. ich si *I.*   iu
fehlt I.   alle *fehlt l,* sunder *It.*

die mit grôzem here dâ lâgen
und sunder ringe phlâgen,
liute und lant mit namen zil,
20 sô het ich arbeite vil.
so beherberget was daz velt:
niħt wan mer und gezelt
sâhen die des nâmen war.
des begunde zwîvelen etslîch schar,
25 diè vil genendeclîche
ê dicke in Francrîche
bejageten prîs und ungemach.
der marcrâve zin allen sprach
'Vriwende herze und vînde kraft
nu prüeve ein ieslîch geselleschaft.
320 die hie durch got sint und durch
    mich,
ein ieslîch man bedenke sich,
waz er mit strîte welle tuon.
dort lît der Kanabêus suon,
5 Terramêr der rîche,
alsô krefteclîche
daz wir für wâr dâ vinden strît.
nu muoz ich vrâgen (des ist zît)
wer vehtens welle ernenden.
10 got sol iu allen senden
in iwer herze sölhen muot,
daz ir iu selben rehte tuot.
ze iwer keinem hân ich daz er-
    vorht:
doh wurde dez gotes her entworht,
15 hüeb unser keiner hie die fluht.

ein ieslîch man durch sîne zuht
spreche als erz im herzen weiz.
als uns nu vil manec puneiz
ze gegenstrîte dringet,
20 swen denn sîn herze twinget
wider hinder sich und niht hin für,
der hât hie baz ander kür,
daz er nu wider kêre,
danne er die fluht dort mêre.
25 ein ieslîch fürste sîne man
sprech. swem got der sælden gan,
daz er mit strîtes urteil
umb daz endelôse heil
noch hiute wirbet, wol dem wart
sîner her komenden vart.'
321 Lôys, der rœmsche krône truoc,
hete fürsten dar genuoc
mit grôzer rîterschaft gesant:
die wurdn almeistic dâ geschant.
5 genuoge nâmen in ir muot,
dô si der heiden sölhe fluot
dort vor in ligen sâhen,
si wolten wider gâhen
gein dem lant ze Francrîche.
10 sich bereiten sumelîche
und nâmn urloup ze varen widr.
daz gerou si mit schame sidr.
    swaz ze Oransche ûfem palas
bete gein in ergangen was,
15 michel mêr mans hie bat.
si nâmen urloup an der stat,

---

17. grozzer zêr (*in her gebessert*) I. 20. arbeître I. 23. wâren I. 24. zwiveln I. etlich I, etsliche K, ieslich l, manick *op.* 27. Bezalten (en *nachgetragen* I, Behalten l) pris (bris I) mit Ilopt. 28. ze in I. 29. frivnde | herce I. viende K. 30. prv̊ue I, Pruef nu *op,* Prieffe z. ein *fehlt* Iloptz. iglich I.

320, 2. 16. 25. ein *fehlt* Ilopt. 2. ieglich I. bekenne lop. 3. 4. -v̂n I. 5. terremer I. 6. gewaltichliche Ilt. 7. da *nachgetragen* I. 13. ewer deheînem I. daz verworht l, [des p] vorcht op. 14. *von andrer hand zwischengeschrieben* I. dez Il. *von* entworht *in* I *nur das* e. 15. hv̊be I. deheiner I, decheiner K. 16. islich I. dvrich I. 17. sprech I. im *mt,* ime Kl, in *op,* in dem I, in deme n. 18. So nun unsz z. vil *fehlt* Ilopt. manich I. 20. swenne I. denn *mz,* denne K, dan Ilno, danne *pt.* 21. widr hinder sih K. hin] her I. 22. habet I, habt lm, habe *nopt,* halte z. baz *fehlt* t. andr K, an der lmopx, die andern t. tv̂r I, tür z. 23. nu *fehlt* I. 25. islich I. sinen (sin I) man KI. 26. sprach I, spreche Knt, Besprech *op, fehlt* l. selden gân I. 27. mir ritters vrtæil l. 28. umbe IK. 29. den Impt, dev o. 29. 30. -ârt I.

321, 1. (L)vis I. romische I. 2. het I. 3. riter schapht I. 4. wrden (w°rden I) almeistich IKlnt, wurden allermaist m, maystig wurden z. Die wurden irs willen da ermant (gemant p) *op.* 5. etliche I, Etsliche noptxz, Ieslich l. 6. solich I. 9. gein I. lant m, lande K. den landen I. 10. berîeten Impz. 11. namen *alle.* zevarn I. 11. 12. -der I. 12. sie I. scham I. 13. Oranges I. vf dem I. 13. 14. -âs I. 11. bêt I. 15. Michels Imopt. mêr man si I. bât I. 16. sie I.

und jâhen, bî ir zîten
in turneyn unde in strîten
möhten si dâ heime behalten prîs:
20 sine wolten niemens tärkîs
dâ sîn deheine wîle,
daz iemen sîne phîle
in si dâ dorfte stecken.
si begunden wider trecken.
25 ir schämlîch wider wenden
diu kriuce solte schenden,
diu an si wârn gemachet.
ich ding daz ir niht lachet,
als ir nu vreischt wiez in ergêt
aldâ si Rennewart bestêt.
322 Der manlîch unverzagte,
der manegen prîs bejagte
(nu mein ich aber den markîs),
der sprach 'den endelôsen prîs
5 werbent die nu dâ sîn belibn.
dine werdent nimmer vertribn
von der durchslagenen zeswen hant,
diu für diu helleclîchen pfant
ame kriuce ir bluot durh uns
         vergôz.
10 die selben hant noch nie verdrôz,
swerz mit einvaltem dienst erholt,
si teilt den endelôsen solt.

die belibene sint zer sælde erwelt.
swer die schalen vor hin dan
     schelt,
15 der siht alrêste den kernen.
noch hiute sule wir lernen
wie diu gotes zeswe uns lônes
     gieht.
dehein sterne ist sô lieht,
ern fürbe sich etswenne.
20 enruocht, lât sîu: waz denne,
sint uns die hârslihtære entriten?
sint diu wîp dâ heime in rehten
     siten,
si teilnt in drumbe sölhen haz,
daz in stüende hie belîben baz.
25 wir mugen hie sünde büezen
und behalten werder wîbe grüezen.
vater und bruodr, nu nemet war,'
sprach er, 'und seht wie manege
     schar
wir wellen haben mit der zal.
daz stêt nu an der wîsen wal.'
323 Der rœmschen küneginne solt
wart nu mit prîse aldâ geholt,
und die von Paveye Irmenschart
het erkoufet ûf die vart,
5 der neweder von den heiden

---

17. Si iahen *lop.*   18. turnoyn·*m,* Turnoy *IK,* turneyen *lnop,* tornein *t,*
Turnay *z.*   20. sin *I.*   niemmens tærkis *I.*   21. dehein *I.*   22. sin *I.*
23. 24. -chen *I.*   25. ir *fehlt I.*   26. solden *I.*   27. wâren *I.*
28. dinge *IK.*   icht *I,* iht *lopt.*   29. nu vreischet *Kmnt,* nv freischet *I,*
freischet *l,* erfraischet *op,* erhœrt *z.*   wie ez *I.*   30. Rennwart *I.*
322, 1. mænlich vᷠvnverzâgt (vᷠ*nachgetragen*) *I.*   1. 2. unverzagt-beiagt *IKm.*
2. und der *Ilot.*   3. meine *I.*   abir der markys *I.*   4. der *fehlt I.*
endlosen *I.*   5. nᷝ werbent *Ilt,* Erwerbent *op.* nu da *K,* da nu *n,* nu *mz,*
da *l, fehlt Iopt.*   sin *Km,* sint *nz, fehlt Ilopt.*   beliben *I,* belibenne *p.*
6. Daz ensint niht die vertribén *l,* Und (Die *It*) sint die unvertriben (-nne *p*)
Iopt.   7. dvrchslagen *I.*   8. diu fûr die *Kz.*   9. an dem *I.*   ir] sin
I.   10. nîe *I.*   bedroz *I.*   12. si teilent *K,* si tailet *mn,* Si enteile *l,*
Sine enteil *t,* Sy thail *z,* sin tæil *l,* Sein tail *op.*   endlosen *I.*   13. be-
liben *I.*   zeder selde *I.*   14. schal *l.*   hie vor *op, fehlt t.*   dan] da
lopz.   schêlt *I.*   15. alrerst *I.*   cherne *I,* cheren *Kn,* chern *m,* kerne *pz.*
16. sulen *K,* schuln *I.*   wier *I.*   lern *Km,* leren *n,* lêrne *I,* lerne *pz.*
17. zesem *o,* zeswen *lz,* zesben *m.*   lons gîht *K.*   gîht *I.*   18. stern
Kmopz.   lieht *I.*   19. sih eteswenne *K.* etteswanne-danne *n.*   20. en-
ruochet *Kmnt,* nun rvchet *I.*   21. harslihtær *I.*   22. hæîme *I.*   in] mit *I.*
23. teilent *lmnopt,* teilten *K,* thailn *z,* ertæilnt *I.*   dar umbe *K,* drᷝmbe *I.*
alsolchen *I,* al solhen *mn.*   24. bâz *I.*   25. 26 *haben Ilopt: sie fehlen*
Kmnz.   25. hîe *I,* hie *op,* die *l.*   26. behalten hie werder wibe *l,* er-
werben (doch werben *It,* ouch erben *o*) weibes (wibe *It*) *Iopt.*   27. muoter
t, bruoder *die übrigen.* nu *fehlt mz.*   nemte *I.*   27. 28. -âr *I.*   28. sprach
er *fehlt It.*   speht *z,* sprecht *n,* prueft *lopt,* prᷝuen *I.*   manich *I.*
29. habn *K.*   29. 30. -âl *I.*   30. ste *I.*
323, 1. romischen *I.*   2. da *I,* also *K.*   3. pavie Irmdiscart *I.*   5. dern
weder *I.*

durch fluht wolden scheiden:
sîner swestr und sîner muoter her
bî dem marcrâven blibn ze wer.
die dâ vor ê dicke ernanten,
10 und die mangen sturm erkanten,
rasûnten sich ze fünf scharn.
innen des die flühtegen wârn ge-
varn
an die enge ze Pitît punt.
widersaz wart in dâ kunt.
15 al die wîl si zogeten her,
maneger slahte was ir ger.
eteslîcher wolde sehen wîp:
sô wolde der ander sînen lîp
eysiern mit maneger sache
20 nâch dem grôzen ungemache,
daz er unsanfte was gelegn.
dâ widr der ander wolde phlegn
vintûsen an sich setzen
und arbeit sich ergetzen.
25 der jach daz nie sô guot gezelt
kœm ûf wisen noch ûf velt,
ern næme ein kemenâten
dâ für, wol berâten
mit senften pflûmîten:
tôren solten strîten
324 Mit sô manegen Sarrazînen:
'wir sulen ûz disen pînen,

dâ wir gemach vinden grôz.
jâ sint der Sarrazîne geschôz
3 gelüppet sam diu nâtern biz.'
si wolten daz kein pilwiz
si dâ schüzze durh diu knie.
dô Rennewart sah flühtic sie,
im was mit zorne gein in gâch.
10 ê daz er zir deheime iht sprach,
ir lâgn wol fümf und vierzec tôt.
sine mohten von der grôzen nôt
niht entwîchen an der enge.
ez dûht si harte lenge,
15 ê si gewunnen künde
war umb er die grôzen sünde
âne schult hin zin begienge.
war umbe erz sus an vienge,
des vrâgeten die rîchen.
20 er liez et nâher strîchen
sîns êrsten strîtes urhap:
alze vil er in des gap.
si wâren sunder harnasch blôz:
genuoge der wer aldâ verdrôz:
25 eteslîcher begunde sich ouch wern:
der enwederz mohte si ernern.
swaz er ir mohte erlangen
mit sîner grôzen stangen,
der wart vil wênc von im gespart.
do gerou si diu widervart.

6. wolde *I.*   7. swester *alle.*   und *fehlt I.*   8. Marher. *K*, Markis *Iloptx*.
beliben *I*, belibn *K.*   9. dâ *fehlt oxz.*   vor *fehlt lz.*   ê *fehlt Ilop*, dez *x.*
10. die *fehlt Iloptxz.*   manigen *IK.*   11. rasuonten sih *K*, scharten sich
I.   12. inne *I.*   fluhtigen *IK.*   wâren *IK*, $_0$sint *l*, kamen *z.*   gevarn
fehlt op.   13. in die *I*, An der *op.*   zepititbvnt *I.*   pitipunt *lopt.*
14. wider satze *I.*   15. al die wile *K*, Die weil [und *o*] daz *op*, inne des
I, Innen dez *lt*, In des und *z.*   zogten *I.*   hêr-gêr *IK.*   16. manger
slaht wart *I.*   17. etlicher wolt *I.*   18. wolt *I.*   19. æisiern *I*,
eysieren *Kt*, Ayseren *z*, Heysiren$_n$, Hæsieren *o*, Hasieren *p*, Zieren *l.*
21. gelêgen-phlegen *I.*   22. da fvr *I*, Da fur *lopt.*   wolt *I.*   23. ventvse
I, Ventusen *lz*, Ventosen *mnop.*   25. sprach *Ilopt.*   26. chom *Kmp*,
chome *I.*   27. er næme *I.*   eine *K.*   28. da fuer *K.*   29. semften
I.   phlumiten *I*, phloumeiten *m*, plumiten *nt*, blumiten *l.*

324, 1. manegem *Knopz.*   sarracine *nopt*, Sarratzin *z.*   2. suln *I.*   usser *z.*
disem (disser *n*) pine (pin *z*) *noptz.*   4. sarrazin ^{g}egeschoz *I.*   5. der
Ilopt, ainer *z.*   nateren gebiz *K.*   piz *I.*   6. wellent *I.*   dehein *I.*
pilbiz *m*, bilwiz *l*, bilwitz (*aber* bissz) *z.*   7. sie *I.*   schiezze *I.*
chnîe-sie *I.*   8. dô *fehlt Ilt.*   Rennwart *I.*   9. Dem *Ilopt.*   zorn *I.*
10. er ir *x*, er *l.*   ze ir *I.*   deheinem *IKmopt.*   gesprach *lop.*
11. lagen *IK*, lag *z.*   fvnf vnt virzich *I.*   zweinzig *lopx.*   14. dvchte
I, duhte *K.*   15. gew^{o}nnen *I.*   chvn . . . *l.*   16. war umbe *K.*
20. Auch liesz *z.*   ot *mnop*, er *lz.*   21. sines *K.*   24. Etslichen
[der *lptz*] wer *loptz.*   25. eteslicher *Kop*, Etsleich *mn*, Etsliche *l*, Etteliche
t, Genuoge *z.*   begunden *lmt.*   sich ouch *lmnptz*, sih *Ko.*   26. Der
twederz kunde *t.*   sich *noz.*   29. vil *fehlt lopz*, da *x.*   wenich *K.*
30. rou si *ltz*, rowete (rûhte?) sich *n.*

325 Genuoge undr in begunden jehen,
    in wære al rehte geschehen:
    si slüege aldâ diu gotes hant,
    von der si flühtic wærn gewant.
  5 'wir habn niht sölher wîte,
    daz wir gein disem strîte
    uns ze wer niht mugen berüeren.
    wolte Rennewart uns füeren
    in sîme dienest hinnen,
 10 er möht an uns gewinnen
    widersaz gein der heiden her.
    hie sî wir blôz mit kranker wer.'
    nu het ouch Rennewart gevalt
    ze bêder sît ungezalt
 15 des volkes âne mâze
    iewederhalp der strâze.
    die rîchen und die armen
    begunden im erbarmen.
    dô er reswanc wol diu lide,
 20 er liez si sprechen nâch dem vride,
    unz daz er vernæme
    wie ir widervart gezæme.
    dô sprach under in ein wîse man
    'du hâst uns âne schult getân
 25 dise grôzen ungefüegen nôt.
    hie lît maneger vor dir tôt,
    der nie deheine schult getruoc
    an smâcheit der dir bôt genuoc
    von Rôme der künic Lôys,
    der an dir verkrancte sînen prîs.

326 Nu volge als wir dich lêren.
    du solt mit uns wider kêren.
    wir hœhen dîne werdekeit,
    sô daz dîn schämlîchez leit
  5 nâch dînem willen wirt gestalt.
    wilt du diens wesen balt
    den wîben nâch ir minne,
    dîner vreuden gewinne
    sulen grôzem trûren an gesign.
 10 wilte abr in tavernen lign,
    dâ wirt geisieret sô dîn lîp,
    swaz vreuden möhten geben wîp,
    diu wær hie gein ze nihte,
    als ich dich nu berihte.
 15 wir sulen trinken manegez kunnen,
    und in die clâren brunnen
    hâhen guttrel von glase,
    dâ grüener klê und ander wase
    under boume schate müge sîn.
 20 wir sulen ouch parriern den wîn
    mit guoter salveien.
    sus sul wirz leben heien.
    wir sulen ouch hœren klingen
    den wîn vom zapfen springen,
 25 als den hirz von ruore.
    in der hitz bî disem muore
    sî wir gar ze ellende:
    dort haben wir manec geslende,
    dâ mite wir sulen den lîp gelabn.
    an die widervart soltu dich habn:

325, 1. Gnuoge begunden under in *z*, Vil luote under in begunden *l*, Under in
maniger begunde (beg. man *t*) *opt*, In der eng begûnd maniger *x*.   2. Uns
ist *loptx*.   al *fehlt z*, allen *x*, noch halt *o*, halt noch *p*.   3. Uns sleht
alhie (al *t*) *loptx*.   4. wir fl. sin *loptx*.   7. niht *hat* nur *K*.   beruere
Kmz, gerueren *lnopt*.   9. sinem *K*.   von hinnen *mopz*.   12. Nu *lopt*.
15. 16. 17. 18 *Kmn*, 16. 15. 18. 17 *lopt*, 16. 15 (17. 18 *fehlen*) *z*.   16. îewedr
halp *K*, Ietw. *lmoptz*, Ikweder sit *n*.   18. Di *n*, Si *l*, Do *opt*.   in *lnopt*.
19. Do er [nu *p*] wol erswanch *op*, Do erswanch er wol *l*, Do erswancte er
in wol *t*.   20. Do liez er [si *l*] *lop*.   21. Den gab er biz (unz *t*, untz
daz *o*) er verneme *lop*.   26. von dir *lopt*.   27. deheine *fehlt*
lopt.   schuld gein dier *op*.   28. smahait *mnz*, schamheit *o*, schame
p.   der] er *K*.   30. verkrencket *z*, vert chrancht *m*, crankte *lt*,
chrenchte *op*.

326, 4. smæchleiches *nopz*.   6. wil du die dienss *K*. dinstes *lnoptz*, dienst *m*.
9. grozen *mz*, groz *l*, *fehlt op*.   10. wiltu aber *K*.   tavern *Km*, tabernen
tz, taberne *p*, trowern *o*.   11. geisîert *K*, geaisert *z*, geserit *n*, gehe-
sieret *lo*, gehasieret *p*.   12. froude *mnz*.   13. Die wærn *op*, Die sind *z*.
15. wir sulen *fehlt z*.   maniges trinken *lnt*, ouch trinken *op*. Mänger slaht
tranck erkunnen *z*.   16. kalten *loptz*.   17. Haben *t*, Henken *l*, Hengen
p, Sencken *z*.   gutrel *l*, putrel *m*, barel *z*, kuterolfe *n*, gutrolfe *o*, chutrolf
o, kutrolf *p*.   19. undr *K*, wider *n*, Und der *lop*.   schaten *Kn*.
20. parrieren *Klmt*, parieren *pz*, partyren *n*.   21—24 den wîn *fehlt z*.
salvaien-haien *Kmo*.   22. Sull wir die lewern (lebern *p*) haien *op*.   suss
suln *K*.   24. vome *K*, von dem *ntz*, von *lmop*.   25. den *Kz*, einen *lmn*,
ein *opt*.   von der ruere *op*.   26. An der *t*, In dirre *lnopz*.   hizze *Klntz*.
von muere *op*.   29. sulen *fehlt opt*.

327 Daz râtent alle die hie sint.
   der marcrâf væhte umben wint:
   doch ist den wîsen allen kunt,
   küen eber zagehaften hunt
5 fliuhet zeteslîcher zît.
   swa der marcrâve funde strît,
   daz wær diu kurzwîle sîn,
   als ein kint snellet vingerlîn.
   er wil aber ein niwe her vliesen.'
10 'mag ich niht anders kiesen
   an iu decheine manheit?'
   sprach Rennewart. mit in er streit:
   der junge unverzagete
   den vrid in widersagete.
15   sich huop alrêrst ir ander val.
   gegen der brükke was ein tal
   mit velsen hôh ze bêder sît:
   ir decheiner mohte von dem strît
   niht enpfaren, noch entfuor:
20 ietwederhalp der brükke ein muor:
   dane mohte ir keiner komen durch.
   Rennwart die tôtlîchen furch
   mit sîner grôzen stangen ier.
   er rief hin zin 'welt ir mier
25 iwer helfe gein den heiden swern,
   daz mac iuch wol vor mir ernern.'
   durch den vrid von sîner stangen
   die eide wâren schiere ergangen:
   si zogeten wider al gelîche,
   beidiu arme unde rîche.

328   Dô si quâmen über al
   ûz an die wîte für daz tal,
   Rennwart quam dâ für sie.
   si zogeten nâch im, dis unt die:
5 ze fuoz huop er sich vor in dan.
   ab was genomn des rîches van,
   durh daz wand inds rîches her
   was entwichen von der wer.
   ein tiwer stern von golde,
10 als der markîs wolde,
   in eime samît gar blâ
   obe sîner schar swebt aldâ:
   Arnalt von Gerunde
   reit bî dem markîs drunde.
15 nu hete der alte Heimrîch
   die ander schar krefteclîch.
   wer der dritte scharhêrre sî?
   der rîche Buov von Cumarzî
   und der küene Bernart von Brubant:
20 die wârn genendic bêde erkant.
   diu vierde schar ze hêrren nam
   Gybert und Bêrtram.
   wer der fümften schar hêrre was?
   der schêtîs und der von Tandarnas:
25 die zwêne heten sich bewegen,
   si wolten vorvehtens pflegen.
   wie manic tûsent ieslîch schar
   het, des wil ich geswîgen gar.
   waz touc diu hant vol genant
   gein dem her ûz al der heiden lant?

327, 2. 6. Marhcrave *K*, markis *nop*.   væhte *Kmtz*, vehte *ln*, vichtet *op*.
umme eynen *n*, umbe den *Klmopz*, umbe *t*.   3. ist genuogen (genueg *ot*)
lüten *lopt*.   5. fliuht *K*.   9. newes *mn*, fehlt *loptz*.   verliesen *alle*.
12. Rennwart *K*. mit in (dem *z*) er *Ktz*, mit in er aber *mnop*, der mit in *l*.
14. In den (dem *l*) fride *lmnt*.   15. alrest *Km*.   16. Neben *op*.
brucken *lnop*.   waz *z*, vas *K*, gie *mop*, gieng *ln*, gein *t*.   20. zuo beider
sit *lmnopt*.   brukken *Klnp*.   21. Was. da *lmn*.   ir *fehlt mnz*.   de-
cheiner chomn *K*.   22. die] slueck *op*.   totliche *Kp*, tœdleich *o*.
23. stangenir *K*, stangen ir *tz*, stangen gier *op*.   24. Er rieff an sy *z*,
Do rief er iuden *lmnopt*.   mier *mo*, mer *n*, mir *Klptz*.   26. iu *Kxz*.   wol
vor mir *mnopx*, vor mir *l*, vor mir wol *Kz*.   29. 30. An den selben ziten
Si (Die *l*) begunden (Begunden si do *x*) wider riten *lmnoptx*.   29. zogetn
widr *K*, zogen wyder *z*.
328, 2. wise *K*.   3. da vor sî *K*.   4. uñ dî *K*.   5. zefuoz huop er sih *Kz*,
Er huob zu fuoz sich *l*, Zefuez er gaht (gahet her *n*, gacht Rennwart *x*)
mnoptx.   7. inds *K*, in des *mnoptz*, in daz *l*.   9. tiwer *K*, lieht *lm*,
liechter *noptz*.   sterne *K*.   10. Marcgraf *mnop*.   11. samite *Kln*.   gar
fehlt lop, al *tz*.   13. Arnalt *Kntz*, Arnolt *lop*, Ernalt *m*.   14. reit bi dem
Markyse *K*, Bi dem Markis reit *lmnoptx*.   er unde *t*, dar unde *die übrigen*.
15. hielte *t*.   16. andern *lmnotz*.   17. dritten schar nu herre *lmntz*. Do
het die dritten alda pei *op*.   18. Buove *K*.   19. der küene *fehlt lop*.
20. di waren *K*.   21. dî *K*.   22. Tybercken *z*, Gilbert *o*, Gilsberten *n*,
Kylbert *l*, Schilbert *mp*, Tschilleberten *t*.   23. wer *fehlt loptz*.   schar *K*,
schar do *loptz*, sch. nu *mn*.   25-30 *fehlen K*. vergl. 329, 20.   25. Die
selben heten *opt*, Die sibende hete *l*.   26. wolde *l*.

329 Der marcrâf herzeichens ruof
ieslîcher schar dâ sunder schuof.
Munschoye al die sîne
riefen ime pîne
5 gein starker vîende überkraft.
Heimrîchs des alden geselleschaft,
ir herzeichen was Narbôn,
den vînden angestlîcher dôn.
diu dritte schar rief Brubant.
10 Bernhartes vanen an sîner hant
fuort der starke grâve Landrîs:
der hete ervohten manegen prîs.
wie diu vierde schar dô schrîte
geiu überlast in strîte?
15 ir ruof was Berbester.
eteslîch durh sandern swester
dâ tet rîterlîche tât.
hôh minn gît ellenthaften rât.
diu fümfte schar rief ˃Tandarnas:
20 der schêtîs âne lant noch was.
    nu kom geloufen Rennewart,
ê daz si gein ir strîtes vart
mit scharen riten ûf Alischans.
sîne stangen er al bluotic dans.
25 er begunde vrâgen mære,
wâ sîn hêrre wære.
der hielt vor im ûf Volatîn.
dô sprach er ˈhêr, lât wesen mîn
die man durch fluht hie hât für
    zagen.

si wellnt durch mich nu prîs be-
    jagen.
330 Si hânt ir untât erkant:
grôz werdekeit hât in gesant
in ir herze sölhe gir,
daz si wellen helfen vehten mir
5 gein dem künec Tybalt von Cler.
dem nemac gefrumen dechein sîn
    wer,
ez sî swert oder boge.
ich was sô lange ir magzoge,
unz ichs mit disem rîse
10 twanc widervart nâch prîse.˃
    der marcrâf sah die wârheit:
Rennwartes her dem velde breit
gap manegen stoup von storje grôz.
er sah vil swerte blicken blôz,
15 und manegén gezimierten helm
sah er glesten durch den melm,
manc banier, wol gemâltiu sper
sah er gein im füeren her,
dâ bî manc scharfe lanze.
20 sant Dyonîse de Franze
gunde sîme lande des lasters niht.
noch hœrnt ungerne, swâ mans
    giht,
die werden Franzeise
die flühteclîchen reise:
25 in tuot daz wider komen baz.
ich hete ouch ê der flühte haz.

329, 1. Marhcrave *K*, Markis *lnop.*   2. schar besunder *K.*   3. Munshoye *K.*
4. schrîten *K.*   ime] in grozer *Kz*, in solher *lmno*, in selhem *t*, in sülchen *p.*
peinen *op.*   5. starcher viende *Kz*, maniger storie (schar *o*) *lmnopt.* sunder-
craft *t.* 6. Heimriches *K.*   des alden *fehlt l.*   ritterschaft *loptz.*   7. der
chrie was Nerbon *K.*   8. der viende *K.*   Daz gab den veinden iamers don *op.*
ein ang. *Kl.*   9. 13. 19. die *K.*   10. Bernhards *K.*   in *mnoptz.*
11. fuorte *K.*   starke *fehlt op.*   grǣve *Kl*, *fehlt mn.*   15. der krie was
Berbestr *K.*   16. durchs and. *mz*, durh des a. *K.*   swestr *K.*   17. Begie
da *op.*   vil r. *lmntz.*   18. hohe minne *Kz*, Wert minne *lmnopt.*   nach
20 die selben heten sih bewegn. si woldn vorvehtens pflegn. *K.*   21. Rennw.
K.   22. ir *K*, der *mtz*, des *lop*, *fehlt n.*   23. Stapften auf *mn.*   ritten *K.*
25. unde beg. *K.*   27. vor im *fehlt K.*   28. er sprach herre lat nu wesen
min *K.*   30. wellent *K.*

330, 1. ir undat hat sî *K.*   bekant *lmnot.*   2. groze *Kp*, reᶜht *mn.*   3. hercen
söleh *K.*   4. vehten *fehlt lop.*   5. gein dem milden chunege Tibalt von chler
Kt.   6. gehelfen *lmnt.*   8. magzoge *K*, maigzoge *t*, magt zog *m*, maytzoge *lp*,
magit zoge *n.*   9. ichs *mp*, ich *Kl*, ich si *notz.*   10. sî twanch *K.*
11. 27. Marhcrave *K*, markis *nop.*   13. manegen *Kl*, newen *mntz*, *fehlt op.*
storien *Kt*, ir storie *p*, ir schar so *o.*   14. swertes bliche *K.*   15. wol gez. *K.*
16. blikchen *mn.*   17. uñ manech wol gevarwet sper *K.*   Manich *mn*, Vil
loptz.   wol *mn*, und *loptz.*   gemalte *mn*, gemalter *l*, newer *otz*, scharffer *p.*
18. fueren *K*, glesten *lmnz*, zogen *o*, kumen *p*, treken *t.*   19. manege *Kl.*
scharphiu *lmt.*   lanzen-Franzen *l.*   20. dyonisie *l*, dyonisi *optz*, dyonisius *n*,
Danise *m.*   die *t*, den *l*, der *nop.*   21. Sine lande [im *n*] gunde [er *l*, des
mn] lasters niht *lmnt.*   22. si muete noch sere swa mans giht *K.*   24. fluh-
techliche *K*, fluhtigen *l.*   25. in tet daz widr chomn baz *K.*

der marcrâf sprach ze Rennewart
'op disiu wider komende vart
durch dînen willen ist getân,
sô wol mich dan daz ich dich hân!
331 Bistu von sölher art erkant,
    daz dich rîchen sol mîn hant
    (ich meine, under mir, niht obe),
    sô bring ich dich zuo sölhem lobe,
5 gan der hœhste got des lebens mier,
    daz nie fürsten soldier
    für dich wart baz geêret:
    dîn wirde wirt gemêret.
    biste ab hôher dan ich bin,
10 sô trag ich dir dienstlîchen sin;
    und allez mîn geslehte:
    daz erteil ich in von rehte.'
    Rennwart sprach zem markîs
15 'hêrre, mac mîn hant dâ prîs
    an den Sarrazîn bejagn,
    den lôn wil ich von iu tragn;
    und einen solt den ich noch hil:
    mir ist halt gedanke dar ze vil.
    nemt ir mich von herzesêre,
20 daz mac iu füegen êre.'
    die Franzoyse zuo zim dar
    geriten kômn mit maneger schar.
    der marcrâf nam die hœhsten dan,
    er sprach 'sît iuch nu ellen man,
25 daz ir iuch selben habt erkant
    und iuch her wider hât gesant
    iwer sælde ân ende
    zer kreftelîchen hende

diu die helleporten brach
und Adâm urlœsunge jach
332 Und sîner nâchkomn genuoc.
    durh die selben hant man sluoc
    einen grôzen ungefüegen nagel:
    daz was der helle wuochers hagel.
5 ir sît an zwîvel ê gesehen:
    nu muoz man sælde und ellens
        jehen
    durch reht ieslîchem Franzoys.
    Pêter, des himels portenoys,
    der gotes tougen vil für wâr
10 heinlîche erkante manec jâr,
    dar zuo ers offenlîche sach:
    von zwîvel im drîstunt geschach
    daz er an got verzagete.
    hôhen prîs er sît bejagete:
15 sîn manheit wart alsô wert:
    dane zucte niemen mêr sîn swert
    bî Jêsus gein den juden ze wer.
    als wil der Franzoyser her
    in die gotes helfe kêren
20 unde ir sælekeit gemêren.
    nu bindt die marter wider an:
    mit rehte sol des rîches van
    daz kriuce tragen, dar nâch ge-
        sniten,
    dâ unser heil wart an erstriten.
25 dô uns des rîches her entreit,
    dem vanen wir buten smâcheit,
    daz wir in schuben in einen sac.
    iwer kunft uns sælget disen tac:

27—331, 20 *fehlen z.*   27. Rennw. *K.*   30. so wol *K,* Owol *mp,* Ach wol
n, Wol *lo,* Des wol *t.*   mich dan] denne *t.*

331, 1. bekant *lnop.*   3. undr mir ū niht *K.*   5. gan diu hœhste hant ze le-
bene mir *K.*   7. Fuor dich baz wart *l,* baz wart fur dich *K.*   baz *fehlt t.*
9. bistu aber *lmnt,* Pist aber *op,* bist abe' du *K.*   12. in (im *n,* dem *t*) von
Kmnt, uns mit *op,* dir *l.*   13. Der chnappe *opt.*   14. da *Kt,* dehainen *mnop,*
üch *l.*   15. den Sarrazinen *Klt,* den haiden hie *op,* der haidenschaft *mn.*
16. von iuh *K.*   18. halt *fehlt lnop.*   19. da von *lt.*   21. 22. die franzoyse
mit manegn scharn. dar zuo chomen gevarn *K.*   22. Quamen geriden *ltz.*
23. marhcrave *K.*   pesten *opt.*   27. iwer] groze *K.*   28. cristenlichen *l,*
chreftigen *mn* durhslagen *K.*   29. die di *K,* Deu der *mnoptz,* Der der *l.*
30. Und *l,* die *K,* Und der *moptz,* Und dem *n.*   Adamen *Klo,* alda *n.*
urlœsunge *Ktz,* erlosunge *lmn,* der losung *op.*

332, 3. grozen *Kt und* (*nach* ung.) *z,* starchen *mn,* vil *o, fehlt lp.*   nâgel *K.*
4. daz *K,* deu *mn,* Der *loptz.*   5. an] in *K.*   6. selde und ellens (eln *t*) *lnntz,*
pris unde ellen *K,* dez ellens *op.*   8. Sand Peter *mnop.*   10. erchant *K.*
11. ers *pt,* erz *mz,* er *o,* er si *Kln.*   15. Ain manlich wer ward doch so wert
z, ir neheines helfe was so wert *K.*   16. Daz er zucht mænleich sein swert
op, an in der zuchte da sin swert *K.*   17. Jesuse *K,* iesu *opt.*   18. Also
lnoptz, alsam *K.*   21. Nu *fehlt K.*   bindet die martr *K.*   wider *fehlt l,*
veder *op.*   22. Von rechte *opz,* billich *K.*   23. nach dem *lmn.*   26. smâcheît
K, smaheit *nz.*   27. vir *K.*   28. sæliget *Kmpt,* sæligt *o,* seligt *n,* salgot *z,*
sælich machet *l.*

diu bringet skriuces werdekeit.'
er gap in wider ir vanen breit.
333 'Sît ir iuch vehtens habt be-
        dâht,'
sprach er, 'rottiert al iwer maht
zeiner schar: diu wirt krefteclich.
iwerr helfe trœst ich mich.
5 Rennwart sî undr iwerem vanen:
ir sult ein ander ellens manen:
iwer herzeichen sî bekant
als Rennewart ist genant.'
    dane wart von knehten niht ge-
        spart,
10 si schrîten lûte 'Rennewart,
du solt die flühtegen haben dier.'
ein der künegîn soldier
hete sich verstoln durch sînen prîs
ûz dem her von dem markîs;
15 des man im sît für ellen jach.
einen wartman er halden sach,
ûz der heiden her aldar geritn.
dane wart tjostieren niht vermitn.
in hete dâ niemen mêr gesehen:
20 dô muost ein sölich tjost geschehen,
dês der Franzoys und der Sar-
        razîn
beide geprîset müezen sîn.
    der heiden sînen puneiz
sô sêr nam ûz dem galopeiz,
25 daz sîn tjost wart mit krache hel.

der Franzoys reit ein ors vil snel,
daz er mit sporen sô sêre treip,
daz sîn sper dem Sarrazîne beleip
durch den arm, ê durch den schilt,
mit hurt unz ûf die brust gezilt.
334 der Franzoys fuort des heidens
        sper
in sîme schildę wider her.
des Sarrazînes kêre
was widr gein Terramêre:
5 dâ die vier nagel sint bekant,
ein sper durch sînen schilt man
        vant.
sus sol der wartman wider komn.
schier daz mære wart vernomn
an Terramêres ringe,
10 daz die Kärlinge
mit scharen riten ûf Alischanz.
Thesereiz und Vivîanz
gerochen wart ze bêder sît.
nu nâhtz der urteillîchen zît,
15 daz man mit swerten muoz bejagn
swer sigenunft wil dannen tragn.
    der wartman mit zorne sprach,
do er Terramêren sitzen sach
'swaz kumbers iwerem here ge-
        schiht,
20 daz welt ir haben doch für niht.
ir liget hie ungewarnet;
daz ir noch hiute erarnet.

29. bringen *K.*   des chrutes *alle.*
333, 2. er so *opt.*   rottieret alle *K.*   3. ze einer *K,* Uwer *l.*   5. iweren *K.*
6. ein andr *K̄,* an ander *lmop.*   8. Rennw. *K.*   9. da newart von chnehten
niht *K,* Nu wart niht lenger da *x,* Von [den *op,* all den *mn*] knehten wart [da
lz, do *t*] niht (wenig *tz*) *lmnoptz.*   10. Sine *t.*   schiten *K,* riefen *loptz.*
lute *Kmntzz,* alle *lop.*   11. die fluhtigen soltu haben dir *K.*   dir *I.*
12. kuniginne *I.*   chuneginnen soldir *K.*   13. het *I.*   13. 14. ûz dem
here durch sinen pris. sih verstal von *K.*   14. dem her *z,* der schar
Ilmnopt.   17. 18. -iten *I.*   18. thiostîern *I,* tiustieren *K.*   19. het *I.*
niemn *K.*   20. mv̊se *I.*   tyost *I.*   ein tiost alda g. *K.*   21. fron-
zoîs *I.*   22. bede *I.*   ge êret *K.*   mvsen *I,* muozen *Kntz,* muosten
lmop.   23—30 *fehlen z.*   24. sere *K.*   galopeiz *lt,* kalopæiz *I,* kalopeiz
mno.   25. thiôst *I.*   26. fronzoîs *I.*   örs *K̄.*   vil *fehlt Y.*   27. sporn *I.*
28. daz (*fehlt Ilt*) dem Sarrazin sin sper *Ilmopt.*   29. arme ê dvrich *I.*
30. hvrtte *I.*

334, 1. fronzîos *I.*   heidens *Kotz,* heîden *I,* heiden *lmnp.*   2. sinem *I.*
4. wider *I.*   terremêre *I.*   5. die dri *Iltz.*   6. ein sper *vor* man *K.*
dvrich *I.*   7. chomen-vernômen *I.*   8. schiere *I,* schiere *K.*   mêr *I.*
9. terremêrs *I.*   10. cherlinge *I.*   11. scharn *IK.*   ûf *Kz,* gein *Ilmnopt.*
alitschanz *I,* Alitschans *K.*   12. Da *mnop.*   13. wart *K,* w⁰rden *I,* wurden *lmnoptz.*   14. ez nahet der urtelichen zît
K.   nahet ez *I.*   zît] vit *I* (*so Pfeiffer, druckfehler?*).   15. 16. -en *I.*
16. signvnft dannen sol *I.*   sol *lmntz.*   18. Terremêrn *I.*   19. kumbers]
al *K.*   iwerm her *I.*   21. ir lît *K.*   hie *fehlt Ilt.*   vnerwârmet (*so*) *I.*
22. erârnet *I.*

seht waz iwer kraft des tuo:
die Franzoyser rîtent zuo.
25 ir möht iu's vor wol hân bedâht.
hînte was de dritte naht,
Franzoyser hardieren
uns kunde wol punieren
immer swâ diu enge was.
die selben riefen Tandarnas.
335 Da verlurt ir liute und ander habe.
ich wart aldâ gestochen abe
bî des mânen schîne.
mîn tjost ouch lêrte pîne
5 einen rîter, der mich valte nider:
daz selbe tet ich im hin wider.
swaz iemen kumbers durch iuch
　　neme,
daz aht ir als ein kleine breme
viele ûf einen grôzen ûr.
10 Willalm der küene punjûr
füert ûz der Franzoyser lant
mangen tjostiur nâch prîs erkant.
ich pinz der schahteliur von Cler:
gein der Franzoyser her

13 hân ich einlefstunt gestritn:
daz enwirt ouch hiute niht ver-
　　mitn.
Tîbalt ist der hêrre mîn:
der sol noch hiute der êrste sîn
an die rîtr, ob ir erloubt ez im.
20 daz urloup von iu ich nim.'
Terramêr zem wartman sprach
'helt, mir ist leit dîn ungemach.
dîn kursît ist bluotes naz.
man sol durch reht dich halden baz,
25 dan einen der die tjost verlac
der dîn hôher muot dort pflac.
du bringes wartmannes mâl.
nu sage mir, helt, al sunder twâl
der Franzoyse gelegenheit.
op si entrünn, daz wær mir leit.'
336 'Nu geloubt mir,' sprach der
　　schahteliur,
'Willalms her durh âventiur
noch hiute wâget manegen lîp.
daz Arabl, mîns hêrren wîp,
5 ie von brüsten wart genomn,

---

23. nv̊ sæht *I*, Nu sehet₀*loptz.*　ewer chvnft *I.*　24. franzôiser *I.*　25. ir
solt *K.*　ir₀mohtes ivch *I.*　iwes *K*, euchs *p*, s eu̇ch *mt*, es uch *ln*, euch
oz.　26. div *I.*　27. fronzôiser *I*, Daz der fr. *lmn*, Daz die fr. *opz.*
hardiern *I*, härdieren *m*, hurd. *op*, begund hardieren *z.*　28. Und *z.*
chunde wol *K*, wol chvnde *I*, wol kunde *lmnt*, wol kunden *z*, chunden wol *o*,
konten und *p.*　pvngîern *I.*　29. iemmer *I.*　29. 30. -âs *I.*　30. rieffen
I, schrieten *K.*　Tandernâs *I.*

335, 1. verlust *I.*　ander *fehlt I.*　3. dem *Ilot.*　manes *p*, man *It*, mæn *o*,
manden *z.*　4. thiost *I.*　7. swaz chumbers iemen durch iu neme₀*K.*
iemn *I.*　chvmber *I.*　dvrich *I*　8. Des *lo.*　ahtet *I.*　chleîniv *I*,
cleiniu *t*, clainer *z.*　brêm *I.*　9. vil *I.*　grozzez fewer *op.*　owûr *I*, ûz
K, hûr *l*, power *m*, wur *n.*　10. Willelm₀*K*, Wilhalm *mn*, Wilhelm *p*, Ge-
willans *l*, Killams *I*, Kyllams *tz.*　pvnivr *I*, puniur *lt*, punnûr *K*, pumur
z, punsur *n*, punschoyer *m*, puntschewer *p.*　11. fvret *I.*　fronzoiser *I.*
12. manegen *K*, manige *I.*　thiostivre *I*, tyostür *z*, tyosteur *mp*, tiustûr *K*,
tiostiure *t*, schustuore *l*, tyostier *o*, tyostire *n.*　prise *I.*　mit prise *lm*,
uz prise *t*, wol *n.*　13. bins *I.*　Schahtellure *K*, tschahtelur *z*, Tschahte-
lure *t*, schastelure *l*, Thaschtelivr *I*, purcgraf *mnop.*　14. fronzoiser *I.*
15. æin | lifstvnt *I.*　15. 16. -ten *I.*　16. wirt *I.*　17. tiebalt *I.*
19. riter *IK.*　ob' ir *fehlt n.*　ir erloubtez *K*, orlobit iz *n*, ierz (er es *l)*
erloubt *lmtz*, irs erlovbet *I*, irs geloubet *op.*　im *über durchstrichenem* mir *I.*
20. daz selbe url. *Ilt.*　von iu *fehlt t.*　ich im *mnop.*　21. terremêr
zedem *I.*　22. mich muet *K.*　23. cursit *I.*　24. dvrich rehte *I.*
haben *Iloptz.*　25. denne *I.*　dise thiost *I.*　26. diner *I.*　dort *Kz*,
doch *op*, do *I*, da *lmnt.*　27. bringess *K*, bringest *I.*　28. nu *fehlt K.*
al] an *I.*　29. franzoyser *lmnoptz*, fronzoiser *I.*　30. entrvnnen daz wer
I, entrunnen ez wære *K.*

336, 1. nu *fehlt K.*　gelovbet *I*, geloube *K.*　der *fehlt I.*　Schahtellûr *K*,
Scatelewer *m*, schachtelur *o*, tschachtelür *pz*, Tchatelur *t*, tschasteluor
l, thaschelivr *I*, zastelur *n.*　2. willehalmes *I*, Willelms (*davor* G *gemahlt)*
K, der Marcgraf *m*, Der markis *n.*　her] der *K.*　dvrich *I.*　aventiûre *I*,
aventûr *K.*　wagent manigen *I.*　4. arabel *I.*　mines *K.*　5. genomen-
chômen *I.*

daz mag uns wol ze unstaten komn.
ir seht si schiere zuo iu varn
mit sehs geflôrierten scharn:
dâ koment die gerenden inne
10 nâch prîses gewinne.
daz beweint etslîchs âmîe.
ieslîcher schare krîe
hân ich besunder dort gehôrt.
des rîches vane haldet dort:
15 die rüefent alle Rennewart:
daz gehôrt ich nie mêr ûf ir vart.
Franzoyser wellentz wâgen:
iwern man und iwern mâgen
und von Vrîende den gesten
20 wil hiut ze schaden erglesten
der sterne ins marcrâven vanen.
nu sult ir Ehmereizen manen:
vierzehen küneg mit sunderher
brâht er mit im über mer:
25 der wurdn im sibene alhie er-
     slagen:
wil der tôten künege her nu klagen
genendeclîch ir hêrren tôt,
des koment die Franzoyse in nôt.
wir haben dannoch heres mêr
in dem selben herzesêr.'
337 Terramêr der rîche
sîme rehte sprach gelîche
'bistuz von Cler der schahteliur,

der sô manec âventiur
5 mit speren hât versuochet,
swes dan dîn wille ruochet
an mich mit lêhne oder mit gebe,
des wart ûf mich die wîle ich lebe.
dar zuo hâstu der wîbe lôn,
10 in manegen landen hellen dôn,
dâ man sprichet dîne werdekeit:
diu ist beidiu hôh unde breit.'
'sage mêr,' sprach der von Te-
     nabrî,
'wær du den Franzoysen sô [nâ-
     hen] bî
15 dazt ir krîe hôrtes sunder,
kumt Lôys dar under,
des houbet rœmisch krône tregt,
des wirt al mîn maht erwegt.
du gihes, dâ kome des rîches vane:
20 billîche ich gein des künfte mane
rîche und arme, swen ich mac.
uns ist erschinen der geltes tac,
daz wir Pynelles tôt
sulen klagen mit der getouften nôt.
25 Thesereiz und Nöupatrîs,
die zwêne künege manegen prîs
heten, und der bruoder mîn,
Arofel: des muoz ich sîn
âne vreude, ine gereche sie.
ich bite iuch alle, dise unt die,

---

7. zuo ziu *t*, ze uns *mn*, zu uns her *op*.   9. chomen *I*.   gernde minne
I.   11. beweînet etsliches *I*, beweinet etesliches *K*.   12. schar *I*.
13. sunder *Ilmnot*.   dort *Kop*, da *mnz. fehlt Il.*   14. des *Kz*, Da des
Ilmnt.   van *I*.   Die under dez reiches vanen halden dort *op*.   15. rvffent
I.   Rennwart *I*.   16. nie-me *I*.   mêr *fehlt lopz*.   ir *IKlmt*, der *n*, dierr *opz*.
17. fronzoiser *I*.   wellent ez *IK*.   18. mannen *IKlnoptz*.   19. frienden
I, Oriente *K*.   20. hiute *IK*.   glesten *Ilmnopt*.   21. des sternuz des
margraven *I*.   insz *z*, in des *K*, uz des *lmnop*, un des *t*.   22. solt *I*.
ehmeræiz *I*.   23. kunige *I*, chunege *K*.   25. w°rden *I*, wrden *K*.
siben *I*.   27. genendich *I*.   28. chomen *I*.   fronzoiser *I*.   29. habn
K, han *l*, haben hie *mnop*, han hie *It*.   dannoch hers *z*, dannoch her
K, volkes (volches *I*) dannoch *Ilmnopt*.   mǽr *I*.

337, 1. (T)erremêr *I*.   2. sinem *I*.   3. 4. Schahtellur-Aventur *K*, Thaschtetivr-
aventivr *I*.   4. manige *I*.   5. spern *I*.   6. danne *I*.   geruochet
Ilnopt.   7. An (ane *K*) mich *IKlopt*, Vff mich *z*, Gein mier *mn*.   lehne
Kn, lehn *m*, lêhen *I*, lehen *loptz*.   und *Ilmopt*.   9. hast dv *I*.   10. Und
in *Ilmnopt*.   manigen *I*.   manigem lande *lop*.   ellen *I*.   11. din
werdicheît *I*.   12. bediv nohe *I*.   13. mer *z*, mere *K*, mär *m*, mir *Ilnopt*.
14. wære *IK*, Werd *l*, Wärt *z*.   den *fehlt I*.   fronzoysern *I*.   sô *fehlt o*.
15. daz du *alle*.   horist *I*.   16. Reitet *mnop*. Lois *I*.   17. hovpt romische
I.   trêget *I*, treît *Kln*, tret *z*.   18. dar umbe wirt *K*. erweget *I*, erweit
Kn, erbeit *l*.   19. gihest *I*.   chom *I*.   vân-mân *I*.   20. billich *I*.
durch reht ich *K*.   21. swenn *Knp*.   22. des *Ilnpt, fehlt o*.   geldes
K.   23. pinels *I*.   24. sculn *I*.   25. theseræiz vn Noppatris *I*.
26. kunige manigen *I*.   28. aroffel *I*.   29. ân *I*.   ine] ich *I*.   sîe-die *I*.
30. bitte *K*, bit *I*.   uñ *K*, vnt *I*.

338 Fürsten und der künege her,
    die durh unser gote alhie ze wer
    und durh diu wîp den lîp verlurn,
    die ûf Alischanz ir tôt erkurn,
  ĸ iwer decheinen des betrâge,
    rechet hêrren unde mâge.
    ir habt alle wol vernomn
    der schüldehaften zuo komn.
    in mîner jugent kund ich den lîp
10 wol zimieren durh diu wîp:
    daz erteil ich noch den jungen.
    dô mir êrst die gran ensprungen,
    mich nam diu minne in ir gebot
    noch sêrer dan dechein mîn got:
15 durch die gote und durch die minne
    nâch prîses gewinne
    sul wir noch hiute werben
    alsô daz vor uns sterben
    Lôys Rômære,
20 dâ ich billîcher wære
    hêrre. ir hœrt michz lange klagn,
    mîn houbt solt rœmisch krône tragn,
    dar um mîn veter Baligân
    verlôs manegen edelen man.
25 ûf rœmisch krône sprich ich sus:
    der edele Pompeius,
    von des gesläht ich bin erborn,
    (ich enhân die vorderung niht
    vlorn)

    der wart von rœmscher krône ver-
      tribn.
    zunrehte ist manec künc belibn
339 dâ sît ûf mînem erbe:
    ich wænz noch manegen sterbe.'
    Für Terramêren was gebotn
    bî al der heidenschefte gotn
  5 unde ouch bî sîn selbes kraft
    maneger rîchen geselleschaft,
    küngen von manegen landen.
    die sprâchen von den schanden
    die der heilege Tervigant
10 und Machmete hêt erkant
    und ir werder got Apolle.
    si sprâchn ouch von dem zolle
    den si dem tôde müesten gebn.
    sî jâhn, in wære unmære ir lebn,
15 sine geræchen ê den schaden baz.
    an disem râte maneger saz,
    eskelîre und emerâle,
    amazûre al zemâle,
    und die hœhsten künge übr al daz
20 eteslîcher über daz fünfte mer   her.
    mit maneger rotte dar was komn:
    heten marnær von den iht genomn,
    daz enaht ich niht für wunder.
    dâ sâzen ouch besunder
25 vil fürsten die dâ heten verlorn

---

ir hêrren. durh daz wart gesworn
ein hervart ûf die kristenheit.
si wolden rechen herzenleit   ·
und al ir goten füegen prîs.
Oransche und Pârîs
340 si zestœren solten.
dar nâch si fürbaz wolten
Uf die kristenheit durch râche.
Terramêr den stuol dâ zAche
5 wolt besitzn und dan ze Rôme
varn,
sînen goten prîs alsô bewarn,
die Jêsus helfe wolde lebn,
daz die dem tôde wurde gegebn.
sus wold er rœmsche krône
10 vor sînen goten schône
und vor der heidenschefte tragen.
do der wartman sus begunde sagen,
diu hervart wart wendec.
Terramêr was doch genendec.
15 er sprach 'iur aller helfe ich ger.
der Karles sun dâ gein mir her
rîtt: sît daz des rîches vane
von den kristen ist gebunden ane,
si bringnt ir rehten houbetman,
20 des vater mir vil hât getân.
nemt alle mîns gebotes war.

ich wil haben zehen schar,
der ieslîch baz gerîtert sî
dan der grœsten schar drî
25 die mîn veter Baligân
in sturm gein Karle mohte hân.
swie vil mir hers sî tôt gevalt,
ich hân noch hers ungezalt,
daz nieman wol geprüeven mac.
swem hêrre od mâc hie tôt belac,
341 oder sus sîn liep geselle,
der rechez, ob er welle,
Dar nâch als in sîn ellen mane.
neve Halzebier, nu sol dîn vane
5 hiut der êrste an die rîter sîn.
ich getrûwe wol der manheit dîn.
die fürsten zuo dir drunder nim
Pînels von Assim,
den mir Kâtor sande
10 werdeclîch ûz sîme lande:
er hete kindes niht wan in.
Pînels ich immer jæmerc bin.
der vater ist mit dem sun erslagn:
ich mein, sô sêre beginnt er klagn.
15 ich schaffe ouch zuo dem vanen dîn
die von Oraste Gentesîn,
die der süeze Nôupatrîs
brâhte. die hânt manegen prîs

28. herceleit *I*.   29. all *mnot*, al da *Kl, fehlt px*.   30. Oranshe *I*.
340, 1. sie *I*, si gar *K*.   zestœren *Kx*, zerfv̊ren *I*, zefueren *lmnopt*.   a, christen-
heit dvrich *I*.   4. terremêr *I*.   daz âche *I*, datz Ach *m*, da Zeache
K, zu ache *noptx*.   5. wolde besitzen. vnt danne *I*, besizzen wolde
unde dannen *K*.   wagen *x*.   6. sinen goten *Kx*, siner got *I*, Siner
gôtte *lmnopt*.   beiagen und bewarn *t*, beiagen *x*.   7. Swer *K*.
wolde *K*, wolden *Ilmnoptx*.   7. 8. -en *I*.   8. die *lmoptx*, der *K*, si *n*.
wrde *K*, wæ̊ren *I*, wæ̊rn *lmnoptx*.   ergeben *Imptx*.   9. wolte *I*.
romische *I*.   11. unde vor al der heidenschaft tragen *K*.   vnt von den
(so) heidenscheft *I*.   13. 14. -ich *I*.   14. terremêr *I*.   doch *fehlt I*.
15. iwer *K*, ewer *I*.   16. karels *Kl*, Charls *Imt*, charleins *o*.   uns *Ilopt*.
17. Ritet *Ilmnt*, vert *K*, Kumt *op*.   van-ân *I*.   19. bringent *IK*.   houbt
(hovpt *I*) man *IK*.   21. nemet *I*.   mines *I*.   23. islichiv̊ *I*.   gerottiert
I.   24. danne *I*.   grozsten *I*.   25. vetter *K*, vater *lop, fehlt t*.
26. sturme *IK*.   charl *I*.   mohte hân] ie gewan *K*.   daz iz nîemen *I*.
30. ode *I*, oder *die übrigen*.

341, 1. ode *I*.   liep *fehlt t*, liebe *I*, guet *op*.   2. rêch ez *I*.   3. (D)a *I*.
man-vân *I*.   4. Nef *mop*.   Halzebir *K*.   5. hiute *IK*.   zemersten *I*,
zum ersten *lmtx*, zu erst *n*.   ritter *Klt*, christen *mnop*, veint *x*.
7. zedir *I*.   der vnder *I*, dar undr *K*.   8. Pynels (Pinels *I*) her von
Ilopt.   Ahsim *mn*.   9. cator *I*, Catôr *K*, kator her *op*.   10. werdich-
liche *I*.   sinem *I*.   11. ern het *I*.   kinds *K*.   12. iamerch *I*.   iæmrch
K, iamerc *t*, iamrich *m*, iamrick *op*, iammerig *n*, iamereht *l*.   13. mit]
min *l* (so).   13. 14. -en *I*.   14. meîne *IK*, wene *l*.   sêr *I*.   beginnet
er *IKml*, er beginnet *l*. Wan er in ser beginnet chlagen *op*.   15. ouch
fehlt K.   den *Kn*.   17. suzze *Ilmnt*, milte *K*, werde *op*.   Noppatris *I*.
18. braht. *I*.   si *mnop*.   manigen *I*, managn *K*.

erstriten mit rœrînen spern:
20 si beginnt ouch hiute tjoste gern.
ir hêrren herze truoc ein wîp:
durh die verlôs er hie den lîp.
den fürsteh ûz dem lant Kânach
an Galafrê alsam geschach.
25 von Sêres Eskalibôn
und von Boctân rois Talimôn,
der minne gerenden künege her
alle fünf schaff ich dir ze wer.
ir hêrren ie nâch minnen striten,
unz si der tôt hât überriten.'
342 Halzebier sich vreute sêre:
ez dûht in grœzlîch êre,
daz er solde gâhen,
die vînde vor enphâhen.
5 ân sîn selbes her über fünf lant
diu her ze helfe im wârn benant.
Terramêr sprach ze Tîbalt
'gedenc, helt, du wær ie gezalt
zer unverzageten manheit:
10 lâ dir hiute wesen leit
daz dich mîn tohter ie verliez,
als si ir unsælde hiez.
dîne milde und dîne güete
und dîn rîterlîch gemüete
15 und dînen flæteclîchen lîp
den möht ein sældehaftez wîp
immer gerne minnen,
diu sich wîpheit kunde versinnen,
und dîn rîcheit und dîn hôhen art:
20 reht minne wær zuo dir bewart.
nu soltu manlîche tuon,

du und Emereiz dîn suon:
ir habt hie hers grôze fluot.
Ehmereiz, dîn hôher muot,
25 swederthalp der edelt hin,
daz wirt an prîse dîn gewin,
nâch dînem vater oder nâch mir.
dîns vater ellen râte ich dir:
sô biste in allen landen
bewart vor houbetschanden.'
343 Der manlîch und der kurtoys
Tîbalt der Arâboys
sprach 'hêrre, ir sprechet iwer zuht.
doch hât diu werdekeit ir fluht
5 nu lange an mir rezeiget:
hete ich prîs, der wart geneiget.
ir gâbet mir des ich iuch bat:
diu gâb al mîner freude mat
und mîme hôhen prîse sprach,
10 dâ man mich bî etwenne sach.
mîn laster ist nu lange breit.
sît hân ich etslîch herzenleit
iwerr tohter nâch gesendet,
diu mich sus hât geschendet.
15 bî mîme sune Ehmereiz
alsölhe hers fluot ich weiz:
sul wir bî ein ander varn,
daz wir uns zuo zein ander scharn,
wir geben al den getouften strît,
20 die dâ koment ze bêder sît
durh daz rîche und durh den markîs.'
geflôriert in mange wîs
wart der von Todjerne.
si bêde striten gerne,

---

19. erstritten K.   rœrinen p, rorinen It, rôrinn K, rœreinn o, rorin l, ge-
malten mn.   20. die beginnent ovch hvte thiost gern I, die beginnent
hiute hie tiost gern K.   22. verlose êr . . . . I.   23. lande opt, lande ze
Klmn.   channach K.   25. Eschalibon Kp, aschelabon l, Eskelabon t.
26. Poctane K, potange l, Bochtan m, luchtane n, Bokram o, Boctane p,
Poctange t.   der chunich Klmnt, kunick op.   27. gerende Klt.   kunig
lmot.   28. fumfeu mt.   29. minne lmopt.

342, 5. c. ane sine (sin t) selbes were (wer t) von funf landen die here (diu
her t) zuo helfe im waren benant die waren genendig bekant (genendeclich
erkant t) lt.   5. ane K.   herre K.   ·   7. Terramir K.   ze Knt, do ze
lop, do m. vergl. 349, 1. 2.   8. gedenche K, nu dencha m, Nu denke n,
Denke t.   helt fehlt op.   daz du lop.   wære îe Klopt, bist mn.   balt lt.
9. unverzagetn K.   10. nu lazz mn, und la opt.   12. alse si Kn.
14. und fehlt lopt.   15. fletigen lnt, vlättichen m, ritterleichen op.
19. Und fehlt lnopt.   20. wær an dir K.   21. solde l, schult ir mnop.
manlichen Kt.   29. bist t. bistu die übrigen.

343, 2. Arboys K.   5. von lmnt.   9. miner freuden Kt, meinen vreunden op.
9. An meinem beren o, Al mines hertzen p, Von minem hohen t.   lobe t.
12. doch han ich eteslíche K.   13. sit nach K, hin nach mn.   16. Solich
hers fluoch l, so chreftechlich (crefteclichez t) her Kt.   17. suln K.   18. zuo
ein ander lop, zusamene t.   20. swaz ir da chumt K.

25 Tybalt und Ehmereiz:
kreftic wart ir puneiz.
    der heiden schar sint nu zwuo.
Franzoyser riten sanfte zuo:
Halzebier durh strîten kom gein in.
dâ wuohs dem jâmer sîn gewin.
344 Der künec von Bailîe
Sînagûn der valsches vrîe
der dritten schar was houbetman.
ich wil iu nennen, ob ich kan,
5 wen Terramêr zuo zim dô schuof.
vil maneger krîe sunderruof.
daz her des künec Tampastê,
und die der künec Fausabrê
brâhte ûz Alamransurâ:
10 die wârn gezimiert noch aldâ,
si kunden rîterschaft wol tuon.
und die der künic Turpîuon
brâhte von Falturmyê:
ir strît tet den getouften wê.
15 die brâhte der künec Arfiklant
und des bruoder Turkant,
ouch bî Sînagûne riten:
von den wart dâ wol gestriten.
in Sînagûnes puneiz
20 fuor daz her des künec Poufemeiz
von Ingalîe des geflôrten.
elliu ôren nie gehôrten
von im nie falschlîchen site:
der wîbe lôn im wonte mite
25 unz an sîn rîterlîchen tôt:
der minne er sich ze dienste erbôt.
disiu her wârn elliu hêrrenlôs.
diu kristenheit von in verlôs
mangen rîter ê der sturm ergienc,

der sêi got in den himel enpfienc.
345   Terramêr von Suntîn
sprach 'die zehen süne mîn,
ir sult haben die vierden schar.
nemt mîns unverzageten ellens war,
5 daz ich in iweren jâren truoc,
dô man mir prîses jach genuoc.
ir sît künege über zehen rîchiu
    lant:
iwer ieslîchem sunder ist benant
vil künege die daz niht versmâhent
10 daz si ir krôn von iu enpfâhent.
gein den getouften werden
sult ir unsern goten ir erden
mit sigenunft gebreiten.
ir sult ouch bî iu leiten
15 iwers vetern her schône,
die von Samargône,
und die fürsten gar ûz Persîâ.
Arofel hât si dicke aldâ
vil rîterlîche gelêret
20 daz ir prîs wart gemêret.
an des ringe ir lâget hie,
nu denket hiute daz er ie
iwer ieslîchen ze sun erkôs,
unz er den lîp durh iuch verlôs.
25 ach wer sol nu minne pflegn,
sît sô hôher prîs ist tôt gelegn?
waz wunders tet der Persân!
kunnen diu wîp iht triwe hân,
sît wir alle sîn von wîben komn,
ir jâmer wirt nâch im vernomn.
346   Gebt iwerr jugende hôhen muot.
ir habt hôh art, [und] alsölhez
    guot,

---

25. unde *K*.   28. ritten *K*.

344, 1. Baiľy̆e *K*, Baalye *l*, Baley *mo*, balye *np*, Palie *t*.   3. w. d. dr. *lt*.
houbt man *K*.   4. muoz *lopt*.   6. vil *fehlt lt*, Mit *op*.   7. 20. kuniges
lopt.   Tampastre *op*.   10. die *fehlt lt*.   waren ouch *lopt*.   gezimieret
K.   noch *fehlt lnopt*.   13. uz *lopt*.   falturnie *op*.   15. erficlant *lt*, affri-
dant *op*.   19. Synaguns *Klmt*.   20. fur *K*.   Pufemais *m*, pofemeyz *n*, pa-
vemeiz *l*.   21. Ingulye *lt*.   23. Daz er ie begienge (begieng ie *op*) valschen
(falsche *t*) site *lopt*.   25. sinen *alle*.   27-30 *fehlen lt*.   27. Die *op*.
29. manegen *K*.   30. der *nop*, die *Km*.   sele *Knp*.

345, 4. mines *Klmt*. nemt unverzagtes?   7. chunich uber zehn *m*.   rîchiu
fehlt opt.   8. iwer *fehlt lt*.   sunder *fehlt op*.   9. daz *fehlt Kmn*.
smahent *lopt*.   10. Ob si *t*.   ir *fehlt Kmn*.   chrone *K*.   13. signunft
K.   breiten *l*, ir ere praitten *o*, bereiten *p*.   16. Sammarg. *Kmt*.   17. und
fehlt lopt.   18. Arofel hat si sint mit iu alle da. *K*.   da *lt*.   19. vil
fehlt lt. Vil (Die *p*) ritterschaft *op*.   20. des *opt*.   22. nu *fehlt lopt*.
gedenken *lpt*.   26. werder *lopt*.   28. Kunden *l*, Sullen *op*.   29. sin *vor*
all *op*, *vor* bekumen *l*.

346, 1. iungt *m*.   2. hohen *Km*, hohe *nop*, starke *l*, starc *t*.   art *Kmn*, art leib
op, libe *t*, lieb *l*.   al *fehlt lnopt*.   sölhez *fehlt op*, viursten *t*.

ir muget wol volkes hêrren sîn.
wîbe süeze, [und] ir minneclîcher
　　　　schîn
5 sol iuch hiute lêren
iwern prîs bî vînder mêren
gein den die gein iu füerent prîs.
durch waz wart der markîs
genant Willalm der punjûr?
10 da ist im vil dicke worden sûr
iwerr swester minne
nâch prîses gewinne
gein der rehten manheit geburt.
ir sult noch hiute den strîtes fur
15 alle zehen vor mir versuochen.
wellent wîp des ruochen,
etslîchiu gît iu drumbe ir lôn.
der alde dâ von Narbôn
gein mir hetzet sîniu kint:
20 mîner süne zehne sint,
die ich im zenpfâhne sende.
Poydjus von Frîende
und von Griffâne der rîche,
nu wirp hiut rîterlîche:
25 diu fünfte schar sol wesen dîn.
Thesereizes her, des neven mîn,
die küenen Seciljoyse
suln hiute die Franzoyse
under dînen vanen dringen,
dâ swert durch helm erklingen.
347　Thesereizes fürsten nim zuo dir.
geloube in allen, unde ouch mir,
Grikuloysen und den Latrisetn,
ir hêrren herze was erjetn
5 daz man nie valsch dar inne vant.
er was künec über fünf lant:
durch dîn ellende,

daz duns kœm ûz Frîende,
und durch sippe und die triwe sîn,
10 niht durch die rîcheit dîn,
was er dir diens undertân
in der mâze als ob er wær dîn
　　　　man.
den soltu hiute rechen.
von des tôde müezen sprechen
15 immer guotiu wîp ir klage.
von dem êrst erschinenen tage
unz an des jungsten tages schîn
muoz Thesereiz geprîset sîn
für al Adâms geslehte,
20 swer prîs wil prüeven rehte.
　　nu sît ir mîner kinde kint,
die hie mit maneger storje sint,
Poydjus und Ehmereiz:
swâ ich iuch pêde in strîte weiz,
25 und ouch die zehen süne mîn,
mîn herze hât den selben pîn:
dâ sleht man ûf mîn selbes verch.
diu rede ist wâr und ninder twerch:
Halzebier und Synagûn,
ietwedr ist liebehalp mîn sun.
348　Mîner mâge sol noch mêr hie sîn.
von Ganfassâsche Aropatîn,
dîn rîche hât vil wîte:
du solt hiut gein dem strîte
5 die sehsten schar füeren.
die dîne hervart swüeren,
künege und fürsten, dîne man,
die mahtu gerne bî dir hân.
ez stêt wol dîner krône,
10 ob du nâch der gote lône
und nâch dîn selbes prîse,
ob dichs diu minne wîse,

---

3. herre *lmopt*:　　4. Wibes *lopt*.　　ir *fehlt opt*.　　mænleicher *op*.　　6. Bi
(An *t*) den vienden pris gemeren (zemern *op*) *lopt*.　　vienden mern *K*.
9. Willehalm *K*, wilhelms (der *fehlt*) *l*, Gillams *t*.　　puniur *t*, Ponshûr *K*, pun
gur *l*, puonschower *m*, punsur *n*, puntschur *o*, Pontschuer *p*.　　10. wordn *K*,
warden *m*.　　11. swestr *K*.　　12. priss *K*.　　14. strits *K*.　　15. zehene *K*.
16. geruochen *alle*.　　18. da *fehlt lt*.　　19. Da gein mir *lopt*.　　20. sune
ouch *lopt*.　　21. ich] iz *K*.　　22. Nafriende *t*.　　23. und *fehlt lopt*.　　24. nu
fehlt lopt.　　hiute *K*.　　27. werden *lop, fehlt t*.　　Sezilioyse *t*, setilyois *m*,
Sycilloys *l*, syciloise *op*, syciliosen *n*.　　28. sult *Kp*.　　29. undr *K*. deinem *pt*.

347, 1. fürstn *K*.　　3. Grikkul. *m*, Grikol. *t*, Krykul. *l*, Trikol. *o*, Trikul. *p*.　　und]
von *op*.　　den *fehlt nop*.　　8. du uns chœme *K*.　　Nuriende *t*.　　9. Und
fehlt lopt.　　und durh die *lnopt*.　　10. Noch mer dann durh *lopt*.　　11. dinstes
lmnopt.　　16. Von dem aller ersten tage *op*.　　ersten *t*.　　erschinenem *K*,
erschinnen *t*, erschinen *m*, irschinenden *n*, schine *l*.　　17. iungesten *K*.
19. Adames *K*.　　22. grozzer fuore *lt*, grozzer fluete *op*.　　28. diz mere *lt*.
30. liebhalb *m*, liphalp *lop*.

348, 2. ganfasage *n*, Ganfasache *K*, Ganfaschaste *m*, kanfassie *l*, kanfassei *t*,
Gampfasse *op*.　　Orop. *lt*.　　4. hiute *K*.　　6. di *K*.　　der h. *op*.
swᷓen *K*.　　9. Daz *topt*.　　12. Und ob *l*.

noch hiute in strîte kumber dolst
und der wîbe lôn ze reht erholst,
15 dâ man hurte nimt unt hurte gît.
stêt dîn herze in den strît,
du hâst sô manegen rîter guot:
den Franzoysen schaden tuot
dîns hurteclîchen poynders krach
20 sol si wol lêren ungemach.
kreftelîch an dîme ringe ich weiz
den künec Matribleiz:
der hât vil hers bî dir dâ,
brâht ûz Scandinâvîâ:
25 in Gruonlant unde in Gaheviez,
der werden er dâ keinen liez.
hie ist der künec von Ascalôn
durh dich, der stolze Glorîôn.
gip manlîch ellen dîner jugent:
daz lêrt dich in dem alter tugent.'
349 Terramêr sprach dô 'helt Josweiz,
nu denke ob dir ie guot geheiz
von guotes wîbes munde
ie ze keiner stunde
5 widerfuor durch rîterlîche tât:
lâ dir die minne geben rât.
des küenn Matusaleses barn,
du solt hiute der gote prîs bewarn.
Matusales dich sande mir:
10 mîne mâge und ich getrûwe dir:
du bist mîner kinde œheimes sun.
die von Hippipotiticûn
unz an Agremuntîn
sitzent, die müezen sîn
15 diensthaft dîner krône.

nâch der gote lône
solt du hiute arbeiten,
[unt] die sibenten schar leiten.
von Janfûse Corsant
20 sîne krône hât von dîner hant,
und von Nourîente Rubbûâl:
der selbe künec hât al diu mâl
diu ich an geprîstem herzen weiz.
her kom ouch durh dich Po-
hereiz,
25 der künec von Ethnîse,
der gerende nâch dem prîse,
und der künec von Valpinôse
Thalimôn der gar unlôse:
wan swa er gein vînden hête haz,
hôhes muotes er dâ niht vergaz.
350 Die vier künege hie durch dich
sint. nu sol dîn gerich
über dîner basen tohter sîn.
diu was etswenn diu tohter mîn,
5 ê si sich Jêsuse ergap:
sît wuohs ir unsælde urhap.
Franzoyse und Alemâne
durch si ûf disem plâne
mich suochent hie mit rîterschaft,
10 daz ich mîner wîten kraft
niht mac geniezen unt der gote.
Poydwîz von Raabs, ze dîme ge-
bote
solt du hân die ahten schar.
under dînen vanen schaffe ich dar
15 daz her des künec Tenabruns,
des werden von Liwes Nugruns:

13. chumbr *K*. 18. Der *m*, Die *l*, Der den *op*. 20. sol] so *K*. wol
fehlt lopt. lern *mt*, lernen *o*. 22. Den edelen *nop*. Matribuleiz *lopt*.
24. Scandinâvia *K*, schandinavia *op*, Scandinania *l*, schandinania *n*. 25. ka-
heviez *l*, Gabeviêz *K*, kahefiz *t*, gahweiz *n*, batheries *o*, Bachweries *p*. 26. da
wenich *op*, dekeinen *l*, dehainen *m*. 27. ist ouch *lopt*. aschalon *lp*,
asckalon *o*.
349, 1, dô *fehlt op*. helt *Kmn*, ze *lopt*. 2. Gedenke *lop*, Denke *t*. helt
ob *lt*. 5. widefuere *K*. 6 *fehlt m*. die *fehlt K*. 7. chuenen *alle*.
matusalezes *Km*, matuseleizes *l*, matusaleizis *n*, matusaleises *o*, Matuzaleises *p*,
Matusales *t*. 9. Matusales *t*, matusalez *Kmn*, Matusaleiz *l*, Matusaleis *op*.
10. getruwen *lmnp*. 11. oheims *lo*, œehems *mp*. 12. Hippepotiticun *t*, hypo-
potiticun *m*, hypotiticoun *n*, yppepontitun *l*, ypoponticun *op*. 13. Egremontyn
lt. 18. sibende *lp*. 19. Gorsant *Kt*, Corssant *op*. 21. von Nuriende *t*,
von orient *op*. Rubual *lmop*, Rûbual *t*. 23. gepristen *lno*, greisten *p*.
25. Etrise *t*, Exemise *o*, Erenise *p*. 27. Palp. *t*. 29. fienden *K*. 30. nie *lopt*.
350, 1. Die viere *K*. 4. etswenne *K*. 5. Jesus *lmt*, Jesu *op*. 6. wchs *K*.
unsælden *Kmnopt*. 7. Alaman *m*, alamange *t*, Alamangi *t*, almane *op*.
8. Plauge *l*, plangi *t*. 9. suochen *K*. 12. Poydebiz *m*, Podewiz *n*, Podeweiz
l, Podewiz *t*, poydeweis *op*. rabs *op*, Rabes *t*, Babes *l*. 14. ich *fehlt K*.
15. 24. kuniges *lopt*. Tenebruns *lpt*. 16. von *fehlt n*, uz *lopt*. Levs *t*,
leuns *op*, Loys *l*. nigruns *op*.

ir hêrre ûz prîse nie getrat.
Lybilûns her von Rankulat
sol dînes vanen ouch warten:
20 die sulen noch hiute scharten
houwen durch vil herten helm,
dâ von begozzen wirt der melm.
bî dir sol rîterschaft ouch tuon
daz her des künec Rubîuon:
25 von Azagouc diu swarze diet
sint poynders hurte gegenbiet.
du hâst ouch turkople vil,
und bist wol in der krefte zil:
âne mich deheines küneges her
hât hie sô maneger slahte wer.'
351 'Mîn tohter frumt mir herzesêr,
Arable,' sprach dô Terramêr:
'daz klag ich guoten friunden.
mîne schar die niunden
5 soltu füeren, künec Marlanz
von Jericop. ûz strîte ganz
du sper noch schilt nie brâhtes,
swâ du vînden ie genâhtes:
nu tuoz durch dîne werdekeit,
10 hilf hiute rechen mir mîn leit:
ich schaffe dînem vanen bî
den sun des künec Ankî,
und rois Margot von Pozzidant
under dînen vanen ouch sî be-
nant,
15 und rois Gorhant von Ganjas.
lûter grüene als ein gras
ist im hürnîn gar sîn vel:
sîn volc ist küene unde snel.
du maht die vînde wênic sparn:
20 die gote müezen dich bewarn.'

nu wârn ouch die getouften
komn.
des wart ûf Alischanz vernomn
von speren manec lûter krach:
trunzûne wurdens veldes dach.
25 die tjostiur ze bêder sît
mit einem buhurt huoben strît,
Franzoys und Sarrazîne.
Jêsus hab die sîne:
d'andern ûz al der heiden lant,
der müeze pflegen Tervigant.
352 Den selben got hiez Terramêr
und ander sîne gote hêr
setzen ûf manegen hôhen mast.
daz was iedoch ein swærer last:
5 karrâschen giengen drunder:
die zugen dâ besunder
gewâpendiu merrinder:
starke liute (ez wârn niht kinder)
menten si mit garten.
10 Terramêr begunde warten,
wie von golde und mit gesteine
lûter unde reine
sîne gote wârn geflôret.
er selbe was vertôret,
15 daz er an si geloubte
unt sîn alter wîsheit roubte,
als ob er wær nâch jugende var.
nu wart alrêst sîn zehendiu schar
gerottiert krefteclîche.
20 'niun künecrîche,'
sprach er, 'ze mînen handen sint,
âne diu dâ habent mîniu kint:
swaz fürsten mir dar ûz sint komn,
under mînen vanen die sîn genomn,

---

18. Rybiluns *op*, Des kuniges *l.*   19. ouch *fehlt opt.*   22. wirt] wir *K*,
23. Zuo dime van schaffe ich uber al *lt.*   24. Rubual *lt.*   26. gein biet *K*,
wider piet *op.*   27. turkopel *lmopt.*
351, 1. Arabel *lopt.*   2. Min tohter [so *op*] sprach *lopt.*   do *fehlt lopt.*
3. 4. friwenden-niwenden *K.*   4. miner *K.*   5. leiten *lop.*   6. Ierichop *K*,
Ierichob *m*, iericob *n*, iherichop *l*, Iericho *op*, krikop *t.*   7. schilte *K.*
8. fienden *K.*   9. manheit *lop.*   10. mir mîn] miniu *K.*   11. dinen *Kn*,
dime *l.*   12. kuniges *lmnopt.*   anki *lt*, Anchi *Kmnp*, anchei *o.*   13. der
chunech *Klm*, den kunic *t*, künic *nop.*   Bozzidant *mn*, Bozidant *t*, Poss. *op*,
Bozidan *K.*   15. und *fehlt lnt.*   der chunich *Klmnopt.*   Corbant *mnt*, Cor-
kant *op.*   kanyas *l*, gamas *op.*   18. Des *mn.*   19. Du darft die *op*, Die
kraft nu *l*, Nu darft du *t.*   viende *K.*   21. warn *Kmop.*   24. trumzune *K*,
Drumczune *p*, Ttrunzen *t*, drumsel *o.*   25 tyosteur *mp*, tiostiure *Klt*, zu sture
n, tyostier *o.*   26. buhurte *K.*   27. 28. unde Sarrazin-sin *K.*   29. die
Klmt, Der *nop.*   al *fehlt nop.*   30. Tervagant *K.*
352, 4. Ez *lnopt.*   5. Karratschen *lopt*, Karroschen *m*, garroschen *K.*   8. ez
enwaren *Km*, *fehlt op*, man *n.*   11. von *Km*, mit *lnopt.*   13. geflort *Klm.*
14. vertort *K*, vertœrt *m*, betoret *opt*, betort *l.*   16. seim *m.*   altr *K*, alde
lo.   18. Alrerst nu (*fehlt nop*) wart *nopt*, Aller erst in waz *l.*   21. mime
gebote *l*, meinem vanen *op.*   24. di sint *m*, sin di (die *t*) *nt*, sint die *lop.*

25 und al der tôten künege diet,
    der hêrre hie von lebne schiet,
    ân die ich vor ir hân benant
    in die schar diech für mich hân
       gesant,'
    sprach Terramêr von Suntîn:
    'die andern warten alle mîn.'
353 'Ector von Salenîe,
    ich wæne, dechein âmîe
    dich sande her,' sprach Terramêr:
    'icb wæne doch, dîn umbekêr
5 ân den tôt sol niemen hie gesehen.
    man muoz dir manheite jehen:
    mîn vater ungerne vlôch,
    Kanabêus, der dich zôch.
    du treist krôn von mînen vanen:
10 des lêhns muoz ich dich hiute
       manen.
    nu nim den vanen in dîne hant:
    der gote scherm sî den benant,
    die bî dir drunde rîten
    und durh mich hiute strîten.
15 swaz künege och belêhent sîn
    zuo dem harnasche mîn,
    die bringenz al bereite her.
    rîterschaft ist mîn ger.'
    ein tiwer pfell von golde,
20 gesteppet, als er wolde,
    von palmât ûf ein matraz,
    dar ûf Terramêr dô saz
    vor sîme gezelde ûf den plân.
    von Ormalereiz Putegân
25 dar kom, der wol geborne:
    der truoc krône von dem horne
    daz er blâsen solde,
    so er wâpen tragen wolde,

    der süezen Gyburge vater.
    Brahân, sîn ors, verdecken bater.
354 Terramêr der wîse man
    sprach 'mich wænt erslichen hân
    der Karles sun Lôys,
    als mir tet sîn markys.
5 der kom ûf Alitschanz geriten:
    dane wart sô lange niht gebiten,
    unz ich mich sô bewarte
    daz ich mîn her gescharte:
    dâ von enpfieng ich herzenleit.
10 al mîner gote heilekeit
    solte erbarmn und guotiu wîp,
    daz ich sô manegen werden lîp
    ûz mîme geslähte albie verlôs.
    mîn selbes bruoder ouch hie kôs
15 sîn rîterlîchez ende,
    mirst gesaget, von des hende
    den mîn tohter minnet,
    diu sich niht versinnet
    waz si durh in hât verlorn,
20 daz si unser gote hât verkorn,
    und ir wîtiu lant, [und] ir rîchez
       lebn
    hât umb armuot hie gegebn.
    si liez ouch Tybalden,
    den süezen einvalden,
25 den milten unt den rîchen,
    den clâren manlîchen,
    der enpfienc nie valscheit en-
       kein.
    wie vert sunn durch edelen stein,
    daz er doch scharten gar verbirt?
    alsô wênc hât ie verirt
355 Tybalden den genenden
    swaz man sagt von missewenden:

---

27. vor mir *Km, fehlt* n, e *lopt.*   28. die ich *K.*   30 vor 29 *lnopt.*   wa-
ren *l,* wartent *o.*

353, 1. [Kuning *n*] Hector *mnp,* Lector *l.*   Salanye *l,* Saloney *op.*   2. ih *K.*
4. An den tot din *ln.*   ouch *opt.*   dinen *Km.*   ubecher *o,* über ker *pt.*
5. Doch (Noch *n*) huote nieman sol besehen (gesehen *n*) *ln,* Wie den toten
sol geschehen *o.*   ane-niemn *K.*   hie niemant sol geschehen *p,* dich niemen
sol gesehn *t.*   7. Dein *op.*   8. Kanabewis *n,* chanapen *op.*   9. chrone *K.*
minem *p.*   10. lebens *K.*   11. in die *lnop.*   15. belent *m,* verlehent *lt,*
benennet *op.*   17. al bereits *m,* algereite *lnop.*   19. pfelle *K,* pfellel *ln.*
21. balmat *K.*   24. ormalarize *op,* Ormalateiz *l,* Ormalierz *t.*   Puttegan *K,*
putigan *lopt.*   25. dar *K,* Da *t,* Do *lnop.*   30. Brahane *Kn,* Brahange *l,*
Brahangen *op,* Brange *t.*

354, 2. wænet *K.*   3. Karls *Klm,* karlns *t,* charleins *o.*   11. Solt ez *op,* Mohte *l.*
erbarmen *alle.*   16. mir ist *alle.*   21. ir-ir *fehlt lnop.*   22. umbe *K.*
26. unde den cl. *Kmo.*   und manl. *t,* minnechl. *no,* und den minn. *p.*   27. Er
lnopt.   valschait dehain (dekein *t,* kein *p*) *mop,* valscheite kein *ln.*   28. vert
die *lop.* di sunne vert *n.*   sunne *Klnpt.*   durh den *lmnpt.*   edel *pt,* hertn *K.*
30. wenich *K.*

sîn herze was vor valsche ie blint.
durch daz kôs ich in zeime kint,
5 ich gap dem ellens vesten
der sunnen wider glesten,
Arablen die vil clâren,
in ir beider jungen jâren,
der schaden ich nu schaffe.
10 ûz mînes herzen saffe
ist doch ir liehter blic erblüet.
aller sêrest mich nu müet,
ich hân gelesen daz Dâvît
gein sîme kinde ouch hête strît:
15 Dâvît smæhen sig erkôs,
dô Absalôn den lîp verlôs:
dô wære er gerne für in tôt.
nu ist künftec mir diu selbe nôt.
wirt Lôys noch hiute entworht,
20 die râche ich fürhte und hân er-
　　vorht,
daz diu süeze Arable
under sîme swerte erzable.
für wâr sin mugen mîn sterben
ninder ê gewerben.
25 tragent mir die getouften haz,
sô stêt iedoch den werden baz
daz si ir prîs sus êren
und gein mir selben kêren
swaz si mugen gehazzen,
unt sich dar an niht lazzen.'
356 Sus der getriwe heiden saz
al klagende ûf sînem matraz.
îsernhosen und senftenier
brâht im der künec Grôhier

5 von Nomadjentesîn.
die hosen gâben blanken schîn.
guote jopen und hâberjœl
(Artûs bî dem Plimizœl
in sîme her niht bezzers vant)
10 brâht im der künec Oquidant:
der was von Imanzîe.
der künec von Barberîe
brâht im einen halsperc:
in Jazeranz daz selbe werc
15 worhte derz wol kunde.
in Assigarzîunde
was ein tiwer helm geworht:
den brâht ein künec unrevorht,
Samirant von Boytendroyt.
20 den selben helm worhte Schoyt,
des wîsen Trebuchetes sun.
von Hipipotiticûn
der künec brâht im einen schilt.
ez hete ein armen man bevilt
25 solher dienære.
ein lanzen scharpf, niht swære,
geworht in Siglimessâ
(ir snîde was ein grîfen klâ),
die brâhte der künec Bohedân
von Skipelpunte, ein werder man.
357 Der künec von Marroch Ak-
　　karîn
ein tärkîs ûz eim rubîn
im brâhte und einen bogen starc.
ir deheines bringen er verbarc,
5 er leitz et gar an sînen lîp.
im sanden wênic dar diu wîp.

355, 3. gein *lopt*, 5. den *K.* 12. Aller erst *m*, alreste *K*, Aller maist *op.*
nu *Kmo*, daz *lnt*, das nu *p.* 14. Ouch het gein *o.* sune *lt.* ouch *fehlt lnt.*
16. absolon *lnot.* 21. die suozze *lnt*, min tohter *Kmp*, mein tochter di suezz *o.*
22. Vor *n*, An *op.* mime *lop.* 23. sine *K.*

356, 1. heiden *fehlt K.* 3. Eisen *m*, Iser *t*, Eysnein *o*, Ysrine *p.* 4. brahte *K.*
Groier *l*, grotyr *n*, rogier *op.* 5. nomad gentesin *o*, Nomadyent. *p*, Numode
gent. *l*, Numodi Gent. *t*, numaclient. *n.* 7. ioppen *op*, Scopen *m*, kolcen *K.*
unde habriol *K*, und huberol *l*, und huberiol *t*, und huoverschol *m*, und huber-
schol *n*, und wolle vol *o*, gesteppet wol *p.* 8. plimizol *Kmt*, Blimizol *o*, phi-
mizol *n*, blinuzol *l*, plinuzol *p.* 10. aukydant *l*, Aukidant *t*, affridant *op.*
11. Ymazie *t*, ymanie *n*, amancie *o.* 12. Barbarie *lnopt.* 14. Jaszerantz *m*,
iozeranz *n*, Jozzerans *t*, Joseranz *lop. vergl.* 442, 8. 16. In Assirg. *t.*
19. Sammirant *lmopt.* Brodendioyt *l*, Bottendroit *m*, Badendroit *t*, bozzsoroyt
n, hotindroit *o*, hotzindroyt *p.* 20. Scoyt *K*, Joyt *lt*, Schoit *m*, tzoyit *n*, tschoit
op. 21. Trebuchedes *t*, trebuschetis *n*, Trebuketes *lp*, trebuketus *o.* 22. ypo-
potytikon *t*, hippopontetuon *l*, ypopontitun *o*, ypoponticum *p.* 23. im brahte
lopt. 24. es *Klnt.* einen *alle.* 26. niht] vil *lt*, und *n.* 29. Pohidan *t*,
Poydan *l*, pordan *n.* 30. Sklipelpunte *K*, Schipelpiunt *m*, thzippelponte *n*,
stipelpiunde *o*, Stipolonte *p*, pelpyunt *lt.*

357, 1. akeryn *lt*, ackerin *op.* 2. tærkis *t*, Tarkis *Kp*, Terkys *l*, Terkeis *m*, rerkis
n, tærkeis *o.* eime *K.* Rubbin *m.* 5. Er lätz *m*, er enlegte ez *l*, Ern
legetz *t.* ot *m*, *fehlt lnopt.*

zimierde het er sich bewegen:
des liez er junge rîter pflegen.
dô spien im umbe sîne sporn
10 Clabûr, ein künec wol geborn:
der was von Tybaldes art.
dô Terramêr gewâpent wart,
ûf stuont der werde rîche.
dô sprach der manlîche,
15 des küenen Kanabêus suon
'wie sul wir rîterschaft getuon
vor der getouften sarken?
mîne poynder die starken
mugen niht ze frumen voldrucken
20 noch hinder sich gerucken
den Rômære Lôys.
die getouften hânt für prîs
daz der zouberære Jêsus
ir velt hât bestreut sus
25 mit manegem sarcsteine.
ir verch und ir gebeine
dar inne lît: si sint doch ganz.
der den dürnînen kranz
ame kriuce ûf hete, den rûhen
huot,
durh si alsölhiu wunder tuot.'
358 'Al die mîn harnasch brâhten
hie,'
sprach Terramêr, 'dise unt die,
den ich wîtiu lant dar umbe lihe
und ir houbten drumbe krônen
gihe,
5 die dienen hiute ir lêhen,

daz si die getouften vêhen.
ir ahte füert hie grôziu her:
iwer volc hât ouch vil ze wer
swert, pogen, lanzen, hâschen.
10 zuo der gote karrâschen
rîtt bî mîner zeswen hant.
dâ ist Apolle und Tervigant,
Mahumet und Kâhûn.
der pflege mit iu Kanlîûn
15 der künec von Lanzesardîn.
daz ist der eltste sun mîn,
von mînem êrsten wîbe erborn.
zuo den goten hân ich den erkorn
durh sîn ellen in mîn selbes schar:
20 ir und mîn er nimt wol war.
die niun künege rîten
ze mîner zeswen sîten.
sô rît ze mîner lenken hant
in der schar der künec von Nu-
bîant
25 mit den vierzehen sünen sîn.
Purrel tuot hiute manheit schîn,
und die stolzen Cordîne
und die punjûr Poytwîne,
und Cliboris der starke,
der künec von Tananarke.
359 Von Bêâterr rois Samirant,
von Norûn rois Oukidant,
die scharn sich winsterthalben mier,
und der künic Crôhier
5 von Oupatrîe:
maneger slahte krîe

---

8. der *lt*.   9. die *l*, zvene *nt*.
Chlabŵr *K*, Clabwer *n*, Claburt *o*.   10. Klabur *t*, Clabuor *!p*, Chlabowr *m*,
hohgeborn *lnopt*.   14. er *lt*, vil *n*.
15. Der *o*, De (*mit ausgekratztem* s) *l*.   küenen *fehlt n*, kuniges *lt*.   Cha-
nabens *K*, kanabewis *n*.   20. Und *lnopt*.   23. zoubrære *Kt*, zoubrer *m*.
29. Uf dem houbte hat (houbet hete *t*) *lt*, Uffe trug *n*.   het uf *o*, het *p*.
zu einem huet *op*, vor einen hut *n*.

358, 2. nach 4 *l*.   3. lihe *pt*, lieh *m*, liche *K*, leihe *o*, lie *l*, li *n*.   4. Ir houbet *t*.
dar umbe *K*, *fehlt np*.   crone *lopt*.   gihe *opt*, gih *m*, gie *Kl*, gi *n*.   5. ge-
dienen *lt*, verdienen *nop*.   7. fueret *K*.   8. ouch *fehlt nt*, hie *l*, ouch hie *op*.
9. hasten *o*, hatschen *pt*, tartschen *l*.   10. karratschen *lopt*.   11. Ritet *lmop*,
riter *K*, Bitent *n*, Dort *l*.   12. Appolle *l*, Apollo *Knt*, Appollo *mop*.   Ter-
vagant *K*.   13. Mahumet *Kn*.   Kahuon *Km*, kaun *ot*.   14. kanliuon *Km*,
kanylun *l*, kanilun *t*, carilun *o*.   16. Der *lopt*.   eldeste *n*, eltist *o*, edelste
Klmn, erste *t*.   17. geborn *lop*.   21. die] da *K*.   23. rite *K*.   lenken *m*,
linkten *n*, tenken *o*, winstern *pt*, vinstern *l*, zeswen *K*.   24. von *fehlt Kmpt*.
nubilant *op*.   26. Purel *lp*, Porhel *n*, Purrey *t*.   27. Gozdin *l*, kabadine *n*.
28. puniure *l*, Puniurre *t*, puntschŵr *K*, puntschur *op*, Punschower *m*, wer-
den *n*.   potiwin *l*, potewine *n*, portewine *op*.   29. Glibares *t*, tybaris *op*,
Clebors *l*.   30. Tenanarke *t*.

359 *fehlt lnt*.   1. [Der *K*] kunech von Beaterre *Km*, Von beaterre kunich *op*.
Sammirant *p*.   2. Und von Nazun (Nasun *p*) *op*.   chunich *mop*, der ku-
nech *K*.   Okydant *op*.   3. winsterb. *mop*.   mir *Kop*.   4. Chrohier *m*,
Crohir *Kp*, Chrohir *o*.   5. Und der von eupatreye *op*.

sol man hœrn in sîme her.
der künic Samûêl ze wer
sî bî mîner winstern hende,
10 und der künec Môrende.
der ist jenhalp Katus Erkules
mir verre kumen, geloubet des.
do ich mîne samnunge sprach,
über sehs jâr diu geschach:
15 swer mir in den zîten wolde komn,
der mohte si wol hân vernomn.
bî dem strîte der künec Fabûr:
der hât manegen amazûr
über Fîsônen brâht.
20 ich hân ouch Haropîns gedâht,
des alten Tananarkoys,
zuo sîme sune dem kurtoys,
Clyborise, den ich zôch.
ir neweder nie geflôch:
25 swâ man poynders hurte vernam,
dâ was ir wilde wol sô zam
daz si ir biten ime schalle.
dise werden künege alle
sulen schildes halp zuo mir scharn,
mînen lîp und ir prîs bewarn.'
360 Terramêr der rîche sprach
ze eime künege, dem er jach
daz er krône dâ von trüege
daz er würfe und slüege
5 tûsent rottumbes hel.
Cernubilê von Ammirafel
gebôt daz den sînen.

aht hundert pusînen
hiez blâsen rois Kalopeiz.
10 in sîme lande man noch weiz
daz pusîn dâ wart erdâht:
ûz Thusî die wâren brâht.
dô zoch man Brahâne dar.
unz ûf den huof daz ors vil gar
15 gewâpent was mit kovertiur:
ein phellel glestende als ein fiur,
mit kost geworht in Suntîn,
der lag ûf der îserîn.
ûf saz der von Tenabrî.
20 im reit ze bêden sîten bî
manec unverzaget rîter guot:
etslîchem wîp gâben muot
daz er sich nâch in sente.
merrinder man dô mente,
25 diu die karrâschen zugen.
swen die gote dâ betrugen,
die drûf wârn gemachet,
des geloube was verswachet.
Nu lât Terramêren rîten:
hœret wie die êrsten strîten.
361 sîn helfe kumt in doch ze fruo.
nu hœrt wer sölhe tât dâ tuo,
daz man in drumbe prîse.
ob michs d'âventiure wîse,
5 der sol ich nennen iu genuoc,
swer dâ sô hôhez herze truoc,
daz er sich prîse nâhte,
dô man diu mære brâhte

7. hœren *K.*   9. Sei ouch *op.*   10. in Orende *K*, von Morende *mop.*
11. genhalp *K*, ienehalb *m*, enhalb *o*, iensit *p.*   12. verre *fehlt K.*   15. wold
in den zeiten *op.*   16. haben wol *op.*   17. In den streit *op.*   Fabower *m*,
Fabwer *K.*   18. Amaswer *K.*   19. Her uber *op.*   den phison *op*, fyson
den phloum *m.*   21. Tananarchôs *K*, Tanarchyrschoys *op.*   22. den kurtôs
K. vergl. 424, 14.   23. Clyborisen *m*, Clyborîsen *K*, Dyborisin *op.*   24. ne-
wedr *K*, entweder *m*, itwederr *op.*   26. sein wilde (wille *p*) wol gezam *op.*
27. Daz die erpiten (er bi dem *p*) in dem *op.*   28. werdē *K*, werde *op.*
29. zu mir sich *o*, sich czu mir *p.*

360, 2. Zu dem *op.*   er dez *op*, er dar umbe *lnt.*   *nach* 4 Und sin manheit
wære snel *t.*   5. rotumbes *Kmn*, rotte tumbes *t*, rotumbumbes *op.*   fel *n*,
schel *p*, schelle *o.*   6-8 *fehlen t.*   6. Cernubîle *K*, Cernubil *m*, Zernubile
op, Gernuble *l.*   amirafel *p*, amyrafelle *o*, amrafel *n*, ammynavel *op.*   9. der
kunich *alle.*   Galopeiz *t*, Galopreiz *l.*   11. busine da *t*, pusinen da *Km*, bu-
sunen da *ln*, da pusounen *op.*   12. Thusie *Klp*, tysye *n*, Thusei *mo*, Tusise *t.*
di *K*, da *m*, si *lnopt.*   13. Brahange *lt*, brahanen *nop.*   14. huf daz örs *K.*
15. 16. kovertiwer-fiwer *K.*   16. glêstende *K.*   17. sitin *op.*   18. Darunder
lag die yserin *n.*   Die *op.*   der hosen *l.*   19. Tenebri *lopt.*   21. unver-
zagt *K.*   22. ir etsl. *Km*, Dem ettleich *op.*   gab den *op.*   24. diu mer
rinder *Km.*   25. di die *K.*   karratschen aldo *p*, karroschen *Km*, karratschen *t*,
karrotschen da *l*, chrarreten alda *o.*   29. Nu *fehlt lopt.*   30. Und horit *nop.*
die andern *l.*

361, 2. hœret *K.*   4. mich *l*, mirz *nop.*   diu *K.*   5. iuch *t*, üch *ln*, ouch *op*,
ie *m.*   6. hehez *K.*   8. daz mere *l.*

uns in toufpæriu lant.
10 wîp heten dar gesant
ze bêder sît alsölhe wer,
dâ von daz kristenlîche her
und diu fluot der Sarrazîne
enpfiengen hôhe pîne,
15 die sich sô für genâmen,
dô der tôt sînen sâmen
under si gesæte,
daz man von ir tæte
mit êren nu gesprechen mac.

20 daz was in ein werder endes tac.
vil maneger kom zer tjoste für:
man sah ouch manegn an der kür,
der ze muoten widr geworfen hât,
daz er rebeite pontestât,
25 daz der ganze poynder ûf in stach.
etslîcher sus sîn sper zebrach,
der den puneyz sô volracte,
daz er sich selben stacte
in die rîterschaft der heiden
sô daz swert in die scheiden.

9. Uns here in tutsche lant.*n*.   11. zebedr sit *K*.   14. und al (*fehlt t*) die Sarr. *lt*.   17. undr *K*.   18. so daz *lt*.   19. noch *lopt*.   21. Etlicher *lnopt*.   22. ouch] da *lopt*.   23. Daz er *op*.   zemuten *K*, zuo muoten *l*, zemuote *t*, zent mueten *m*, mitten *op*.   24. puntestat *lmt*, potestat *n*, ponders stat *o*, an der stat *p*.   28. strachte *K*, starckte *o*.

VIII.

362 Diz kunden si ze bêder sît.
sus samelierte sich der strît.
die tjostiure ûz fünf scharn
und der schêtîs kom gevarn,
5 und der künec von Tandarnas,
und swer dâ mit in beiden was,
an den künec von Falfundê.
Halzebiere was vor jâmer wê
um Pînels tôt von Ahsim.
10 des manlîch her reit dâ bî im
geflôrt mit maneger koste:
der getouften tjoste
umb gelt wart von in genomn.
mit Halzebier was ze orse komn
15 der mêr, die tjoste ouch gerten,
die Gyburge werten
ze Oransche deheiner strîte:
an des marcrâven kümfte zîte
si dûhte, ir râche hête prîs.
20 der künec Nöupatrîs
von Oraste Gentesîn
wart mit speren rœrîn
manlîche dâ gerochen.
sô diu sper wârn zebrochen,
25 der trunzûn schilt noch harnasch
meit:
des rôres scherpfe beidiu sneit.
swer solhe tjoste wolde urborn,
der bedorfte wol der sporn,
und daz ûz dem kalopeyz
von rabîn wær sîn puneyz.

363 Des küneges her von Kânach
man sô bî Halzebiere sach,
ir strît tet den getouften wê.
ir hêrre, der künec Galafrê,
5 dem von Vivîanzes hant
sîn werlîch sterben wart erkant,
hôhe fürsten, sîne man,
die gedâhten nu dar an:
ir râche gap dâ sterbens lôn,
10 von Sêres rois Eskalibôn,
dem ouch der junge Vivîanz
sîn leben nam ûf Alitschanz,
der wart mit maneger tjost ge-
klagt,
und ouch mit swerten, sô man sagt.
15 die von Boctâne
wol striten ûf dem plâne
under Halzebieres vanen:
sine dorfte niemen râche manen
umb ir hêrren Thalimônen:
20 sine kunden niemens schônen.
do enphienc des schêtîses her
von den gesten über mer
grôzen kumber schiere:
der sînen soldiere
25 und der massenî yon Tandarnas
wart vil gevellet ûf daz gras.
Halzebier dâ selbe streit:
swaz der getouften im gereit,
die nâmn von sîner hende
ûf den gotes solt ir ende.

362, 1. Ditze *K*, Daz *lnopt.*   4. zetis *K*, Tschettis *t*, tscheytis *l.*   5. 6 *fehlen lt.*
6. der *op.*   9. umbe *Kt.* achsim *n*, assym *lopt.*   11. Geflort *lnt*, gefloriert
Kmo.   13. umbe *K*, Uf *lnopt.*   14. Halzebiere-örsse *K.*   15. 16. gerte-werte
K.   17. dehainen *op*, und da in dem *n.* ê deheiner? strit-zit *lmop.*   18. Anes
t.   Marhcr. *K.*   21. von Norasteientesin *K.*   22. Der wart *lop.*   23. da *Km*,
von in *lnopt.*   25. der trumzun *K*, Der trunzit *l*, Die drumczur *p*, Die drümer
o.   schilte *K.*   27. irborn *n*, verborn *p.*   30. rabine wære *K.* Rabb. *mn.*

363, 4. der künec *fehlt lt.*   Kalavre *K.*   6. sterbn tet erchant *K.*   10. Sers *K.*
der kunech *Klmt*, kunick *nop.*   Eskibon *K*, aschelabon *l*, Eschelabon *t*,
asckalon *op.*   15. Bochdane *K*, Boctange *t*, Potange *l.*   16. stritten *K.*
19. umbe *K.*   Thalamonen *K.*   21. Des *nop.*   enphinch *K.* Scetiss *K*,
Schetiss *m*, schetis *p*, tschetis *l*, Tschettises *t.*   22. gestn *K.*   24. Siner *lpt*,
Seiner werden *o*, Sine menlichen *n.*   scholdiere *K.*   25. massnide *K.*
26. wart *fehlt n.*   daz *fehlt m*, dem *K.*   28. Waz im *l.*   im wider reit
op, wider reit *l.*   29. da namen *K.*

364   Nu kom rois Tîbalt von Cler
     mit wol geflôriertem her,
     unt des sun von Todjerne.
     si kêrten dâ der sterne
5   schein ûz des marcrâven vanen.
     Ehmereiz begunde manen
     künege unde fürsten gar,
     die dâ riten an sîner schar,
     daz si gedæhten an ir prîs,
10   si kêrten an den markîs.
     die stolzén Franzoyse
     fürriten die Arâboyse,
     die zuo srîches vanen wârn geschart.
     der starke junge Rennewart
15   ûf der heiden orsen sach
     von pfellen manec tiwer dach.
     Tybalt und die sîne,
     Ehmereizes Sarrazîne
     fuorten an ir lîben
20   des man danken sol den wîben.
     bî Ehmereizes kursît
     der heide glanz ins meien zît
     mit touwe behenket
     an prîse wære verkrenket:
25   sô clâr was er gemachet,
     daz die bluomen wærn verswachet.
     der pfellel hiez pôfûz.
     al sîniu eier het ein strûz
     derbî wol ûz gebrüetet,
     wærns anders wol behüetet.
365   Gybôez der schahteliur von Cler
     pflac des vanen in Tybaldes her.
     dô der gehôrte unde ersach
     wie man dâ sluoc unde stach,
5   in müete daz sîns hêrren schar
     niht streit vor den andern gar,
     wand er wol strît getorste tuon.

     Trohazzabê von Karkassuon
     Ehmereizes vanen fuorte,
10   des herze nie geruorte
     sölch site dâ von ein man verzagt:
     der wart nie von im gesagt.
     swelhes tages er keinen vîent sach,
     bî vriunden het er ungemach,
15   sô si die vanen geneigten
     unt ze bêder sît erzeigten
     die helde dar unde,
     wer getorste und kunde
     lîp und êre aldâ gewern
20   und ûf sîn selbes verch gezern.
     nu hœrt waz Rennewart nu tuo.
     wackerlîchen greif er zuo,
     er sluoc beidiu ross unt man,
     wand er sich rehte niht versan
25   gein wem erz solte wâgen:
     dô sô tiwer pfellel lâgen
     ûf der heiden râvîten,
     er wânde solde strîten
     mit den orsn als mit den liuten.
     ine mac niht wol bediuten
366 Wie dâ wart gefohten,
     manec poynder geflohten
     hurteclîchen in ein ander.
     daz werc von salamander.
5   ist iht wîzers danne der snê,
     het ich daz gehœret ê,
     sô möht ich wol gelîchen dar
     daz Tybalt an im hête gar.
     salamander was sîns schildes dach,
10   swaz man an im obem îser sach,
     kursît und kovertiure:
     ân der wîbe stiure
     was sîn wâpenkleit mit kost.
     er was selbe ouch gein der tjost

364, 1. rois *fehlt op*, der kunich *Klmtx*, kuning *n.*   5. marhcr. *K.*   8. ritten *K.*
in *lnopt.*   9. gedahten *Ko.*   10. Und *ntx.*   gegen dem *noptx.*   11. An
die *t.*   12. fuor riten *l*, fur ritten *Km*, Vor reiten *o*, Durch riten *p*, Vuor *t*,
Quamen vor an *n.*   Arâboyse *K.*   13. des riches *alle.*   14. Di stolze iunge *n*,
Der vil starche *op.*   15. rossen *K*, ross *m*, örsch *x.*   16. pfellel *ln*, pfell *optx.*
tures *lop.*   19. 20. libn-wibn *K.*   22. inds *K*, in des *t*, an dez *o*, uf *l.*
26. waren *Klnptx.*   27. Pofuoz *Kl*, pohfuz *t*, posus *o*, bosus *z.*   29. dr bi *K.*

365, 1. Gyboez *mn*, Gybocs *opz*, Gyboys *Klt.*   Tschahtelur *t*, burcrave *die übri-
gen.*   3. gesach *mnt*, sach *loz.*   6. anderen *K.*   7. 24. want *K.*   7. ge-
torst getvon *K.*   8. Trahazabe *t*, Trachazabe *z*, Trazahebe *l.*   Charchassuon
Km, karcasun *op*, Karchhazuon *l*, karkatuon *l*, Kaukasun *z.*   11. sölhe *Klt.*
ein *fehlt z*, der *lmopt.*   13. deheinen *Km*, dekeinen *t*, einen *l*, nicht *op*, *fehlt z.*
15. So *mop*, do *Klntxz.*   si *Ktx*, sich *lmnopz.*   21. hœret *K.*   22. Wecker-
lichen *lnp*, Wakerliche *t.* ck *lnopxz*, ch *Km.*   23. ors *lnot.*   uñ *K.*
26. lagn *K.*   28. Er wande er *lmnoptxz.*   29. Rossen *Kmz.*

366, 4. 9. Salamandr *K.*

15 für komen ûf dem plân.
der grâve von Schampân,
der hôch gemuote Schampânoys
kom gein dem milten Arâboys,
Gandalûz der fürste rîche.
20 mir ist gesaget, rîterlîche
wart dâ diu tjost von in getân,
des si bêde prîs müezen hân.
innen des streit Ehmereiz.
Tybaldes grôzer pungeiz
25 was niht volleclîchen komn her
nâch,
die den man rotte jach,
amazûre und eskelîre.
zwischen Wîzsant und Stîre
niht sô manec rîter wâpen tregt,
sô Tybalt het ûf ze orse erwegt,
367 Die von sîu eines ringe
riten ûf den gedinge
daz Gyburc diu künegîn
dannoch ir vrouwe müese sîu,
5 daz si phant dar umbe erwurben
oder bî ir hêrren ersturben.
nâch phande durch êventiur
Gybôez der schahteliur
mit dem vanen punierte:
10 manlîch er kundewierte
die nâch Gyburge striten,
daz si mit hurte kômn geriten.
si wânden daz rois Lôys

dâ wære durch den markîs.
15 dâ wart unverdrozzen
durchriten und umbeslozzen
von Sarrazîn des rîches schar.
sich samelierten dicke dar
aber die Franzoyse widr
20 und valten manegen rîter nidr.
der herzoge Trohazzabê
was an die Franzoyser ê
mit Ehmereizes vanen komn.
dâ wart Ehmereiz genomn
25 in den zoum und dan geleitet ûz.
der tiure phellel pôfûz
gap gein der sunnen sölhez prehen,
daz des küneges kumber muosen
sehen
diu fluot' der Sarrazîne:
doch beschutten in die sîne.
368 Manec unverzaget kristen hant
dâ wurben umbe sölhiu pfant
die Berhtram möhte machen quît
dâ warp ouch Ehmereizes strît
5 nâch phande umb die diu in gebar.
dô kom Synagûn mit schar,
der punjûr und der stanthart.
oug noch ôr nie innen wart
daz sîn herze ie'nphienge wanc,
10 daz er gelernete den gedanc
der sich dem prîse virret.
er was des unverirret,

15. den *n*, die *t*.　plane-Schampane *nopt*, plange-Tschampange *lz*.　17. Tsch.
Kopz.　18. miltem *K*.　19. Gandeluz *n*, Gandalus *l*, Candalus *z*, Tandalus
op, Gandazuz *t*.　20. gesagt *K*.　21. Hie wart *l*, Da (Do *z*) wart *tz*, Dar
worde *n*, Ward *op*.　ein tiost *nop*.　22. muesten *mnopz*.　26. rotten *l*.
28. Witzsant *z*, wizant *l*, Winsant *t*, wissantz *op*.　　　Stier *m*, stüre *z*,
spyre *l*, niere *op*.　30. örse *K*.
367, 2. riter *K*, Stritten *z*, Quamen *n*.　den *mopz*, dem *Kl*, daz *n*.　4. muose
Kz.　6. sturben *lnopt*.　7. dur aventur *K*.　8. Gybohez *n*, Gyboes *opz*,
Kiboez *t*, Gyboeis *l*.　Schahtalur *K*.　12. chomn *K*.　13. rois *fehlt ltz*,
der kunich *Kmop*, kuning *n*.　17. Sarrazinen *K*.　18. dar *Kl*, gar *moptz*.
nach 20 Mit rennwartes helfe die haiden viellen (vieln *p*) als die gwelfe
(welfe *p*) Swo hin sich (sich hin *o*) Rennwart cherte die haiden mit slegen
er rerte Daz si viellen auf daz gras also tet der von Tantarnas *op*.
21. Trohazzabrê *K*, trahazabe *l*, Trahzzebe *t*, drahazabe *z*.　24. ûz ge-
nomn *K*.　26. Pohvuz *t*, posus *oz*.　28. Daz dez kuniges sun *op*, Daz
gein der sunnen *l*.　muoste *loptz*.　iehen *opt*.　29. fluh *t*, flust *o*, verlust
lp.　30. Do *lo*, Des *n*.　beschuten *K*, beschurten *l*, beschuren *n*, beschutzten
o, beschüczten *p*.
368, 1. unverzagt *K*.　2. dâ *fehlt K*, Die *op*.　wrbn *K*, warben da *o*, warp
aldo *p*.　3. dü Berchtramen moht machen *z*, di Perchtramen (Berhtramen *t*,
bertrame *n*) mohten machen *mnt*, die Bernharten machten *op*.　5. umb ie diu
K, umme di *n*.　7. puniur *z*, puniurre *t*, pungiur *l*, punzur *n*, puntschur *op*,
Puntschŵr *K*, punschower *m*.　zarckant *o*, sariant *p*.　8. ouge. noch ore *K*.
nie bevant *op*.　9. ie enph. *K*, enphieng ye *tz*.

sîn hant, sîn swert, sîn lanze
het im die drî schanze
15 dicke ertoppelt sêre,
und anders manec êre.
ein schanze daz was miltekeit,
diu ander ellen swâ er streit,
diu dritte manlîch güete.
20 sus stuont sîn gemüete.
von im seit d'âventiure mier,
sîn ors hiez Passilivrier.
daz was snel und trachenvar,
als im mit fiwers vanken gar
25 gefurriert wæren sîniu mâl:
ez gienc mit sprungen sunder twâl
under im vor sîner schar.
swelh wîp in hête dar
mit ir werschaft gesendet,
ir bote was ungeschendet.
369 Von Bailîe Sînaguon,
der künec getorste wol getuon
daz scharpfer strît ist noch benant:
dâ für sîn manheit was bekant.
5 er kêrte ouch gein der herte,
dâ lîp und êre werte
und Gyburge minne
und des landes gewinne
der marcrâve als er kunde,
10 und Arnalt von Gerunde:
die zwêne heten eine schar.
Synagûn strebte allez dar
da der sterne mit sîm glaste
sô rîlîchen vaste
15 ûzes marcrâven vanen schein.
dâ für habe daz iwer dehein,
daz ez der sterne wære
von dem man sagt daz mære,

der die drî künege leite:
20 dirre stern alhie bereite
vil tjost die Sarrazîne.
Synagûn, der manege pîne
durch wîbe grüezen dolte,
ein tjost ze vorderst holte
25 ûf Passilivrier:
daz ors was sneller denne ein tier.
ein grâve ûz Arnaldes lant
(Gyffleyz was der genant)
die tjost von dem künege nam
als ez in bêden wol gezam.
370 Dô Synagûn kom mit scharn
gein dem markyse gevarn,
bî der zweir schar houbetman
wart sô mit rîterschaft getân,
5 dês got sol danken und diu wîp.
manec hôchgemüetic lîp
und doch niht vor jâmer vrî,
die riten Synagûne bî,
die rehten jâmers tag erkurn
10 dô si hêrrn und mâge verlurn.
daz selbe ouch dise klageten;
dâ von si bejageten
ze bêder sît noch flüste mêr
und aber niwe herzesêr
15 von den diez tuon getorsten.
man hôrt ûz manegen vorsten
den walt dâ sêre krachen.
die sper kunden machen,
die wæren nütze dâ gewesen:
20 si mugen ab sus vil baz genesen
dâ si die schefte schiften drîn:
soltens in dem puneiz sîn,
ir wurde minr von in geworht.
manec rîter unervorht

---

13. sin hant. sin sper. *Km*, Sin hertz sin hand *z*.   14. Heten im *lop.*
17. daz *fehlt lnoptz.*   18. 19. Daz *nt.*   21. diu Aventiure mir *K.*
22. 23. Passilvrir Hiez daz ors daz was dracken var *t.*   22. Örss *K.*   Pas-
silifrir *K*, passilurit *n*, passiliwir *l*, passylire *z*, pazzeluntzier *op.*   23. snel
unde *Km*, hoch starch *l*, starck und *op*, ouch *n.*   dracken *o*, tracken *pz.*
24. funken *lnopz.*   25. gefurriert waren *K.*   26. gie *Kmoz.*   27. undr *K.*
29. werbschaft *p*, wertschaft *nt*, werdikait *o.*

369, 1. Baalye *l*, baaley *o*, Balie *p*, palie *tz.*   3. noch ist *l*, ist *op.*   7. 8 *fehlen*
Km.   9. marhcr. *K*, markis *nz.*   10. Ernalt *Km*, arnolt *lz.*   13. sime
K.   15. Marhcr. *K.*   18. man *fehlt K.*   20. der berait *m*, der breite *K.*
21. tioste *K.*   25. passilevrier *m*, Passilifrier *K*, passilvrier *t*, passilirier *n*,
passiliwier *lz*, passelunczier *p*, pazzeluntzier *o.*   26. örss *K.*   27. Ernaldes
Km, arnoldes *lno.*   28. Gwifleiz *l*, Gyflois *op*, Gefleiz *t.*   29. von Fabors
nam *t.*

370, 3. Von *opz.*   houbt man *K.*   5. Daz is got dankit *n.*   danch han *l.*
6. hochmuetich *mno.*   8. ritten *K.*   9. tage *K.*   10. herren *alle.*
11. chlagetn *K.*   15. die ez *K.*   18. dì *K*, Dü *z.*   kunnen *l.*   20. aber
alle.   21. So *n*, Daz *pt.*   die sorge *l.*   schiftent *m*, schickten *op*, schie-
den *l.*   22. puneize *Kln.*   23. minr *m*, minner *K.*

25 ûz sehs künege landen
sich bewarten dâ vor schanden.
Synagûns geselleschaft
von manegem fürsten hête kraft,
der flust an sîme hêrren kôs
und ouch sich selben nu verlôs.
371 Dâ tet vil scharpfer râche schîn
daz her ûz Naroclîin
umbe ir hêrrn rois Tampastê:
und daz her ûz Falturmîê,
5 daz Turpîûn brâhte dar,
wol streit in Sînagûnes schar.
wol râchen Fausabrên aldâ
die fürstn ûz Alamansurâ,
den Terramêrs swester suon.
10 da getorste ein her wol râche tuon,
des milten Turkandes
und des süezen Arfiklandes:
von Turkânîe wâren die.
des sehsten künec ich nenne hie,
15 des her bî Synagûne ouch reit
und wol gein den getouften streit,
von Ingalîe Poufemeiz,
von dem dise âventiure weiz
daz sîn jugent, die wîle er lebte,
20 ie nâch hôhem prîse strebte.
die getouften muosen kumber doln
und diu zwier slahte lôn erholn.
die ir leben dannen brâhten,
werdiu wîp in lôns gedâhten:
25 die aber dâ nâmn ir ende,

die fuoren gein der hende
diu des soldes hât gewalt,
der für allen solt ist gezalt.
diu selbe hant ein voget ist
unde ein scherm fürs tievels list.
372 Ine mac niht wol benennen gar
an den ruoft der heiden sunder-
schar,
waz si kreiierten
sô si pungierten.
5 Munschoy wart ouch dâ niht ver-
dagt.
nu kom manlîch und unverzagt
Gyburge bruoder alle zehn.
hôhe küneg nâch grôzem lêhn
reit bî Terramêrs kinden vil,
10 und esklîre an der fürsten zil,
und emerâle ungezalt.
alrêrst nu donret der walt
von lanzen krache und der sper.
dâ kom in galopeyze her
15 von den zehen künegen jungen
manec storje umbetwungen
von aller zageheite:
hôchmuot was ir geleite.
Bernart von Brubant,
20 der ie genendic was bekant,
und Buove von Cumarzî,
die riten einem vanen bî.
Fâbors von Meckâ
kom für durch tjostieren dâ:

27. Synagunss *K*.   28. manigen *lnptz*.   29. der die flust *Km*.   30. sih
sembn nu *K*.

371, 1. scharpfe *nop*, starker *t*, starcke *z*.   2. Naroclyn *Kt*, Naroclyein *m*, Na-
roclin *ln*, narrochin *z*, marrochein *op*.   3. herren *K*.   rois *fehlt op*, kuning
n, den kunech *Klmtz*.   4. Valturmie *K*, falturnie *opz*.   6. in *fehlt Kt*.
Synagunss *K*.   7. fansabren *Kn*, fussabeln *z*.   8. fursten *alle*.   11. Cor-
chandes *op*, Turkanden *t*.   12. arfidandes *op*, Erfiklanden *t*, erslykanden *z*.
13. Torkanie *m*, Dorkanîe *K*.   17. Jugalie *op*, Ingulye *ltz*, iugulye *n*.
Paufemeiz *lop*, paufomaysz *z*, Pufemeiz *K*.   18. dise *lmp*, disse *n*, diz *o*, disiu
K, ich dise *t*. Von diser aventür ich waysz *z*.   19. die *fehlt n*.   wile *fehlt*
K.   22. diu *K*, di *m*, die *z*, *fehlt lnopt*.   25. namen *K*.   29 voget *t*,
vogt *lmz*, fogt *K*, scherm *op*, schirm ouch *n*.   30. vogt *nop*.   fur
des *alle*.

372, 1. nich *K*.   wol *fehlt nop*.   2. an *K*, Al *ltz*, Alle *n*, Allen *mop*.
ruof *lmnoptz*.   uz der *n*.   sundr *K*, *fehlt no*.   3. cragîerten *Km*, Kreier-
ten *l*, kreireten *n*, do groyerten *o*, do grogierten *p*, krierten *t*, kryerten *z*.
6. chomn *K*, chomen *mopt*.   und *fehlt optz*.   7. alle *fehlt lntz*.   zehn *m*,
zehene *Kn*, zehen *lopt*.   8. Hoher *l*, Hoh *moz*.   küng *z*, künege *Knt*, chu-
nich *m*, kunig *lop*.   grozzen *lz*.   lehn *m*, lêhene *Kn*, lehen *lop*.
10. eskeliere *K*.   11. und *fehlt K*.   Emmerale *K*.   12. allerste *K*.
donret *lmopt*, donrete *Kn*, dorne *z*.   15. Vor *nop*.   16. stori *mz*, tyostuore
l, tyostierer *op*, iustiere *n*.   17. Vor *loptz*.   18. Hoher muot *lz*, hoch
gemuet *nopt*.   20. erkant *lnoptz*.   21. boufun *n*.   23. meka *op*,
Mecha *Klmntz*.

25 Glorjax, Malarz und Utreiz
kom vor dem grôzen puneiz.
die geflôrten künege viere,
iu enmöhte niemen schiere
ir zimierde benennen:
die muost man tiure erkennen.
373 Der starke grâve Landrîs
bürt den vanen hôh durch sînen
    prîs.
der herzoge Bernart
mit grôzem poynder ungespart
5 kêrte gein den kinden:
er wolte gîsel vinden
für sînen sun Berhtram.
die tjost von Fâbors er nam,
unde greif in in den zoum.
10 daz ors truoc einen werden soum,
daz Bernart zôch an der hant:
in dûhte, er hete gæbez pfant
für sîne mâge und für den suon.
waz mugen die Sarrazîn nu tuon,
15 si beschüten Fâborsen?
allez sîn flôrsen
ûf helme und ûf kursîte
wart von des poynders strîte
mit swerten gar zerhouwen,
20 er kouftz odz gæben vrouwen.
   hurtâ, wie die getouften
borgeten und verkouften
mangen wehsel âne tumbrel.
etslîches wâge was sô snel,
25 daz sin sancte nidr unz in den tôt.
ze bêder sît si dolten nôt,
Sarrazîne und ouch die kristen.

dane kunden niht gevristen
des werden Buoven hende
der heiden hôch gebende.
374 Diu kint sint dâ bestander
von den die ûz banden
gerne lôsten Gybelîn,
Berhtramen und Gaudîn,
5 mit andern ir mâgen,
die dâ gevangen lâgen.
daz wart versuochet sêre.
nu sult ir Terramêre
danken, daz er ê beriet
10 sîniu kint mit wer die niemen
    schiet
von in mit den swerten.
die selben ouch dâ gerten
râche um daz in was getân.
Arofel der Persân
15 was in ûf Alitschanz erslagn.
die sîne begunden in dâ klagn
mit den ekkn und mit dem dône.
ir krîe Samargône
in manegem poynder wart geschrît:
20 Arofels wart in dem strît
von den sînen manlîch gedâht,
der si selbe dicke hête brâht
an die vînde werdeclîche.
ûz Arofels rîche
25 vil fürsten dâ mit kreften sint:
sîn selbes darbten doch diu kint,
wand er ir ander vater was.
weder starp noch genas
getriwer künec nie dehein,
den tages lieht ie überschein.

---

25. Malatz *z*, malax *o*, marlanz *np*, Marlarz *t*, Morlanz *l.*   utereis *oz*, Frereis
t.   **26.** Komen *lnoptz.*   grozem *K.*   **27.** geflorten *pt*, geflorte *o*, geflorier-
ten *Klmnz.*   **30.** muose *K.*   bechennen *K.*

373, **2.** Burte *l*, Vuort *t*, Vurte *nz*, huop *Kmop.*   hohe *Kl, fehlt nop.*   sînen
fehlt nz, hohen *op.*   **6.** Er wanden *g. t.*   **9.** im *lno.*   **10.** örss *K.*
11. Perhtram *Km.*   **12.** gæbiu *tz.*   **14.** Sarrazine *K.*   **15.** beschutten
Klmnt, beschuckten *z*, beschutzten *o*, beschûczten *p.*   **16.** vlorsen *K*, geflorsen
loptz.   **17.** kursit *Kmz.*   **18.** des *fehlt nop*, dem *t*, den *K.*   ponders *lmopz*,
fehlt K.   strit *Kmz.*   **20.** man moht da striten schouwen *Km.*   Ez kosten
op.   oder geben (gæben *t*) *lt*, oder ez gæben *nop*, oder im gabnntz *z.*
23. wechsel *K.*   mit *n.*   tumerel *l*, tumbel *z.*   **25.** daz si in *K*, Daz in *z*,
Dazz in *o*, Daz si *t.*   unz *fehlt opz*, biz (*immer*) *ln*   an *ln.*   **26.** sîte
K.   **27.** ouch *fehlt lnoptz.*   **28.** chundn *K*, kunde *lntz.*   **30.** hochgebende
zusammen nz.

374, **3.** kybalin *ltz.*   **4.** Perhtramen *K*, Berhtram *lptz.*   **9.** ê *Kmt*, ie *l, fehlt n.*
13. um *Kn.*   **14.** Aroffl *K.*   **17.** ekken *K.*   **18.** ir chrie *Km*, Samargone
ln, Sein houptstat *op, fehlt tz.*   Samm. *mtz.*   **20. 24.** Aroffls *K.*   **23.** wer-
liche *lntz.*   **25.** chreftn *K.*   **26.** selbs *K.*   darbeten *ln*, dærbeten *t*, drap-
ten *z*, mangelten *o.*   **27.** want *Kn.*   **28.** wedr *K*, itweder *o*, Weder iz *n.*
29. Getrewerr *o.*   kunege *K.*

375   Dâ wart manec helm versniten
von den die manlîche striten
bî Terramêrs kinden.
sölch suochen unde vinden
5 was dâ ze bêder sît genuoc:
ein poynder stach, der ander sluoc.
turkople wurdens ouch enein,
von in wart manec slehter zein
durch den schuz unz an den phîl
gezogn:
10 da begunden snateren die bogn
sô die storche im neste.
dô der strît scharpf und veste
was ûf dem plâne,
Poydjus von Griffâne
15 dâ kom mit hers flüete
(die getouften got behüete!),
der ouch künec dâ ze Frîende was:
Tasmê, Trîande und Kaukasas
dienden sîner hende gar.
20 sus kom mit krefteclîcher schar
Terramêrs tohter sun.
sînen vanen fuorte Tedalûn,
der burgrâve von Tasmê.
über den walt Lignalôê
25 der selbe ouch forstmeister was:
er hete den slac an Kaukasas,
den zehndn an manger wilden
habe.
swaz dâ goldes wart gezerret abe
von der grîfen füezen,
daz kund im armuot büezen.
376   Dâ wart von Poydjuses schar
daz velt wol überliuhtet gar

von manegem pfellel tiure:
von sunnen noch ûz fiure
5 dorfte grœzer blic niht gên.
man moht an sîme her verstên
daz er dâ heime rîcheit phlac,
wand in grôze kosten ringe wac,
Poydjus. der selbe truoc
10 an sîme lîbe des genuoc,
daz ich der kost niht tar gesagen:
sus kan mîn armuot verzagen.
ob ers geruocht, ein rîcher munt
solt iu diz mære machen kunt,
15 wie sunder was gezieret,
mit kost al überwieret,
daz dach ob sîme harnasch.
ander kost dâ bî derlasch.
von den füezen unz anz houbet,
20 niemen mirz geloubet,
waz er hete an sîme lîbe.
ob im von guotem wîbe
solh zimierde wart gesant,
ob daz gediende niht sîn hant,
25 het er ir minne künde,
dâ mite erwarb er sünde,
tet er durh si niht sölhe tât
die man noch für hôhez ellen hât.
Poydjus der künec unervorht,
sîn helm mit listen was geworht
377 ûz dem steine antraxe.
grôz koste ringe wac se,
sîn volc hôchmüetic unde gogel.
nu seht, ob funde ein antvogel
5 ze trinken in dem Bodemsê,
trünkern gar, daz tæt im wê.

375, 2. manlichen *K*. 4. schol *K*. 7. wordens ouch *n*, wrden ouch des *Kmtz*,
wurden dez *op*, des wurden och *l*. 9. schutz *z*. 11. Sam *mop*, Also *n*,
Als *t*. der *op*. storke *n*, starichen *m*, storgken *z*, storcgen *t*, starch *o*.
ime *K*. 18. 26. koukesas *Km*, kokasas *n*. 21. Der *T. lmoptz*. 22. de-
dalun *n*. 24. lingnaloê *K*, ling Aloe *m*, lignalowe *n*, Ligalve *t*, lignum aloe
op. 25. forstmeistr *K*. 26. slah *K*. 27. zehenden *K*, zehnten *m*.
manger] miner *K*. 28. wart] was *K*. gebrochen *Km*. 29. griffen *Kl*.
30. biⱽzzen *K*.

376, 1. Poydius *Klmtz*, gordiases *p*, grozer ponders *n*. 2. wol *fehlt z*, al *l*.
5. bliche *K*. 6. sinem *K*. 8. wand *m*, want *K*, Und *lnoptz*. grozz *mntz*,
grozzeu *o*. kost *lmnoptz*. 11. 18. choste *K*. tör *m*. 12. armer muot
Km. 13. es *lnptz*, sein *o*. geruochet *K*. 16. mit al uber gewieret *K*.
aluber vieret *ot*. 17. 21. sinem *K*. 18. derlasch *m*, verlasch *Knt*, erlasch *lop*.
19. an daz *tz*, an sin *Km*, uf daz *lop*, uf sin *n*. 20. mir des *lnp*, mir daz *o*.
26. warb *Kl*, so warb *t*.

377, 1. 2. Uz atraxe eime steine Groze coste mag her çleine *n*, Auz dem stein
arage (*erst* araxe) hocher chost vil ringer wage *o*. 1. Antrâxe *K*, Antrax *m*,
andrax *tz*, atraxe *p*. 2. Groz *t*, grozz *m*, groze *Klz*, Hohe *p*. waxe *lp*,
wâxe *K*, wax *t*, wachs *m*, wagsz *z*. 3. hoh gemuetich *Ktz*, hohgemuot *lm*.
5. boddense *n*, bodense *tz*, podemse *lmo*, pondem se *p*. 6. trünchen gar *K*.
gar uz *lo*. ez *opt*.

sus prüeve ich Poydjuses her,
daz dar kom über daz fünfte mer:
soltens alle ir rîcheit
10 hân gelegt an ir wâpenkleit,
sô möhten d'ors si niht getragn.
von Frîende hœr ich sagn,
swaz man in dem lande
der wazzer bekande,
15 die dâ vliezent von Kaukasas,
ieslîchez gefurrieret was
mit edelen steinen maneger slaht:
cteslîcher tagete bî der naht
mit sîme liehte daz er gap.
20 maneger rîcheit urhap
het der künec von Griffâne:
guldîne muntâne
im dienden. stüende sô mîn muot,
ich möht ein loubînen huot
25 wol erwerben inme Spehtshart,
so der meie wære rehte bewart
mit touwe und suezem lufte:
wer jæh mir des ze gufte?
iht mêr daz Poydjusen wac,
swenne er grôzer koste phlac.
378　Ob sich der walt nu swende
von den von Frîende,
von tjost ûf dem plâne,
und von den von Griffâne,
3 des hât ir rîcheit êre.
in truoc wol vor die lêre
grôz her daz zuo zin was ge-
　　schart,
vor aller zageheite bewart.
die Gyburge ze Oransche vride

10 gâbn, die ruorten hie diu lide:
si dûhte, ir strît hête prîs
nu gein der kumft des markîs.
daz was Thesereizes her,
der ie gein schanden was ze wer,
15 unt dem diu minne nam den lîp.
noch solten gerne guotiu wîp
mit triwen âne wenken
sîner werdekeit gedenken,
sît daz sîn herze nie verdrôz,
20 sîn dienest wær gein in sô grôz,
daz vor andern sînn genôzen
was gezilt und gestôzen
sîn hôher prîs sô verre für:
bî sîner zît an lobes kür
25 man jach dem stolzen Latriseten
daz er gewünne nie geweten
der im sô geziehen möhte
dazz gein sînem prîse iht töhte.
er vlôs ouch wîbe hulde
nie mit valschlîcher schulde.
379　Durch rîcheit unde ouch sus durch
　　ruom
ûz mangem wîten herzentuom
und ouch von maneger marke
Poydjus der starke
5 manegen fürsten fuorte,
der her die hende ruorte
dô si kômen in den strît;
des in nu widerwehsel gît
Bertram und Gybert:
10 die sint noch strîtes ungewert.
hurtâ, waz in nu strîtes kumt!
wie ze bêder sît dâ wart gevrumt

7. suss brûft ich *K.*　　poydius *Klmtz.*　　8. dar *nop,* da *Kmtz, fehlt l.*
9. soltns *K.*　　10. habn *Kop,* han *nach* Gelegit *n.*　　geleit *Klmz, nach* wapen-
chlait *op.*　　15. Diu *t.*　　vur *t.*　　koukasas *Kn,* Koukesas *m.*　　17. edelme
lot.　　steine *K,* stein *mt,* gesteine *l.*　　19. sinem *K.*　　21. hete dr *K.*
22. unde guldine *Km.*　　24. ein *mpz,* einen *K.*　　25. wol gewinnen *Km.*
ŏpehtshart *K,* spehshart *lz,* spehthart *p,* spechtishart *n,* spesthart *t.*　　26. maie
K.　　were wol *n,* rehte were *lptz.*　　27. und] unde mit *Klmtz,* mit *nop.*
28. iæhe *K.*　　29. iht mere daz Poideiuse wach (poidius wac *t*) *Kt,* Ich mer
daz podewizen wag *l,* icht mer des Poydiusen wach *m,* Ich wene ez podius cleine
wac *n,* Ich (Icht *p*) poydiusen daz wag *op,* Ich war daz poidius enwak *z.*
378, 2. dem *Klz.*　　3. Mit *t.*　　tyosten *lmtz.*　　4. dem *ltz.*　　7. zuo zim *Kmot.*
10. gaben *alle.*　　21. sein *m,* sinen *K.*　　24. lobs *K.*　　25. stolzem *K.*
27. gedienen *l,* glichen *n.*　　28. daz *Klmoptz,* Und *n.*　　29. Hern *n.*　　vlos *m,*
verlos *Knoptz,* enverlos *l.*　　30. valscher *lnopt.*
379, 1. sus *haben* nur *Km.*　　2. manigem witem *K.*　　hertzogetuom *ln,* herzogen-
tuom *t,* hertzogentueme *op.*　　3. ouch *fehlt t.*　　von *fehlt Km,* uz *p.*　　ma-
neger *fehlt n,* der *o.* unde ûz maneger?　　6. der *Klmopt,* Daz *nz.*　　her *fehlt*
t, hie *l.*　　9. Bernart *Km.*　　kybert *n,* kylbert *lt,* Gilbert *o,* Schilbert *p,*
Tyberg *z.*　　12. wirt *nop.*

trunzûne sprîzen in den luft,
durh wîbe lôn od sus durch guft!
15 daz tâten tjostiure.
weder vert noch hiure,·
wil ich der wârheite jehen,
sone hân ich ninder gesehen
sô manegen gezimierten man
20 sô guote rîterschaft getân.
war umbe solt ich des verzagn?
ich getarz als wol gesagn,
sô si den strît getorsten tuon.
der goldes rîche Tedaluon,
25 von Lignalôê der fôrehtier,
fuorte ecidemôn daz tier,
des Feyrafîz ze wâppen pflac:
in Poydjus vanen daz lac,
mit grôzer koste dar gesniten.
der vane mit hurte kom geriten
380 In des küenen Tedalûnes hant.
der warp nâch Gyburge umbe
        pfant,
diu sînes hêrren muome was.
ze bêder sît wart ûfez gras
5 manec rîter dâ gevellet.
die schar hânt sich gesellet
mit hazze zein ander.
swer daz suocht, daz vander,
ein puneiz slac, der ander stich.
10 nâch Viviânze wart gerich
von dem kristen her erzeiget,
der nimmer sô geveiget
daz sîn lop müg ersterben.
swer sælde welle erwerben,
15 der sol dich êren, Viviânz.
vor got du bist lieht unde glanz.
wie mich dîn tôt erbarmet,

swie doch nimer erwarmet
dîn sêle in hellefiure!
20 sölh kumber ist dir tiure,
du sun sîner swester,
Berhtrams von Berbester,
und des manlîchen Gybert.
des wart erklenget manec swert
25 von ir zweier massenîe.
hêrre und âmîe
sölhes strîtes solten lônen,
op si triwe kunden schônen,
der dâ ze bêder sît geschach,
als uns diz mære wider jach.
381 Dâ lac vil sper zebrochen.
dâ wart ouch wol gerochen
an der selben wîle
der clâre süeze Mîle
5 al nâch der heiden herzesêr,
den der hôhe rîche Terramêr
mit der tjoste sluoc ûf Alyschans:
der was muomen sur. Viviâns.
si begiengen an der liuten,
10 ob si stocke solten riuten,
sine dorften harter houwen niht.
den getouften henden man des giht,
von Frîende ab den gesten
ir tiweren pfellel glesten
15 manec swertes ekke aldâ begôz,
dazz pluot über die blicke flôz:
si wurdn almeistic rôt gevar.
der getouften schûr nu kom mit
        schar,
von Ganfassâsche Aropatîn.
20 swaz junge und alt dâ mohten sîn
durh got und durh der wîbe lôn
und durh des sun von Narbôn,

---

13. drumzune *K*, Drunzun *t*, Drumczunen *p*, Truntzen *z*, Drümer *o*. spreitzen
m, spriessen *z*, splittern *p*, gespalten *o*.   in di *mnop*.   14. oder *K*.
18. chan *op*, mag *l*.   20. Noch so *p*.   22. getör iz *m*.   23. Sam *m*, Als *op*,
Al *t*, Do *l*.   24. dedalun *n*.   25. lingnaloe *K*, ling Aloe *m*, lingaloe *t*, ligna-
lowe *n*, lignum aloe *op*.   forehtier *m*, forhtier *K*, forestyer *op*, vorstier *ntz*,
forster *l*.   26. er furte *K*.   Etzid. *mp*, ez. *ln*, ocid. *o*, szyd. *z*, Heremon *t*.
27. feyrefiz *mp*, ferefis *z*, ferefiez *l*, ferifeiz *n*, Feraviz *t*.   28. poydiuses *op*.
380, 1. Tedaluns *Kltz*, Tedalus *m*, dedalunes *n*, tedalunen *op*.   8. Swes waz *n*,
Wer da *z*, Wer da icht *op*, Daz er *l*.   suochte daz vandr *K*.   18. doch *nach*
nimmer *op*, *fehlt lntz*.   nimmer *K*.   22. Perhtrams *K*.   23. manlich *K*.
kybert *n*, kylbert *lt*, Gilbert *o*, Schilbert *p*, Tybert *z*.   24. erclingt *lopt*.
26. Herren *lop*.
381, 1. Da *lmntz*, Do *Kop*.   2. gestochen *K*.   6. hôhe *fehlt nopz*.   7. tiost
Klmpt.   Alyschanz-Vivianz *lmnopz*.   10. stökke *oz*.   11. herter *lnp*.
12. helden *l*, und haiden *op*.   15. Maniges *lopt*.   16. daz *alle*.   bluot in
uber *lopt*.   ringe *t*, sarwat *op*.   17. wrden *K*.   aller maist *mo*, meistig *n*.
19. Ganfassashe *K*, ganfassage *n*, Gamfassie *op*, kaupfassara *l*, Ganfasei *t*,
Canfassey *z*.   Orop. *l*, Orap. *tz*, *immer*.   20. iung *mnotz*.   mohte *ntz*.

wol hete Aropatîn gestritn
(mit sölher kraft er kom geritn)
25 al des marcrâven helfe.
nu müeze in als Welfe,
dô der Tüwingen ervaht,
gelingen aller sîner maht:
sô scheit er dannen âne sige.
alsus ich sîn mit wunsche phlige.
382 Ich wæne, alsus ergêt ez doch.
in sînem vanen stuont ein roch:
daz bedûte sînen wîten grif,
daz im diu erde unt diu schif
5 volleclîche gâben rîchen zins.
zwischen Gêôn und Poynzaclîns
diu lant wârn dem jungen
dienstlîch gar betwungen;
dar zuo sîn houbet krône
10 vor manegem fürsten schône
von arde in Ganfassâsche truoc:
des het er rîter dâ genuoc.
waz busîn vor im erklanc!
wie man vor im ûf mit künste swanc
15 manec rotumbes mit zunel!
dâ wârn ouch floytierre hel.
sîn schar, des künec Aropatîn,
mit koste geflôret muoste sîn
mit maneger sunderzierde.
20 in selben kondewierde
sîn manlîch herze und des gedanc,
daz er nâch wîbe gruoze ranc:

er fuor ir lône ouch wol gelîch.
nu was der alde Heimrîch
25 mit sîner krefteclîchen schar
strîts dannoch erlâzen gar.
Mit Aropatîne was aldâ
der künec von Scandinâviâ
und der künec von Ascalôn.
die kômn an den von Narbôn,
383 des küenen marcrâven vatr.
die sîne gein dem strîte batr,
als ers ê dicke het ermant.
dâ von wart harnasch zetrant
5 mit tjost von maneger lanzen:
vil schilde der ganzen
wurden dâ zerfüeret,
manec helm alsô gerüeret
daz diu swert derdurch klungen.
10 Aropatîn den jungen
sus enpfiengen die von Narbôn,
und den stolzen künec Gloriôn,
und den stæten Matribleiz,
mit manegem starken puneiz.
15 den von Ganfassâsche
Mahmeten karrâsche
mac lîhte sîn ze verre:
seht ob in daz iht werre.
dâ streich der alte Heimrîch
20 mit swerten den wiserîch,
der im dicke was gewerbet.
der alte hete gerbet

23. Aropatin der hete wol gestritn *Km.*   25. An *lntz*, Gein *op*   marhcr. *K.*
26. muoze im *lt*, muest in *mz*, muezzen *op.*   als die welfe *op.*   27 *nach* 28
lot.   Di *op.*   er *nopt.*   Tuwingen *K*, ze Towingen *l*, zu turingen *n*, ze
Tinwige *z*, ze twingen *mop*, ze Tiwingen *t.*   ervaht *K*, vaht *lmntz*, gein im
pracht *op.*   29. scheit *l*, scheidet *npz*, schiedet *t*, schied *o*, vert *Km.*

382, 2. stet *lnt.*   3. bedeut *m*, bedeutet *op*, dûte *lz.*   4. un diu *K.*   6. Joion
t.   und dem *lmz.*   Poinsaglins *t*, Poynzachins *p*, ponsaklins *n*, poynzebinsz
z, piriachins *o.*   8. dienestlich *K.*   11. Ganpf. *m*, Ganfassashe in *K*, gan-
fassage *n*, Gamfassie *p*, Gampfassie *o*, Ganfaseye *t*, Kanffassy *z*, kaupfassanye *l.*
13. busine *Kz*, pusine *t*, pusune *l*, posoun *m*, bosynen *n*, pusounen *o*, busunen *p.*
14. bi im *K*, vor in (im *pt*) *nach* mit kunste *lpt.*   uf *vor* swanch *lnoptz.*
15. Maninges *n*, Und manick *op.*   mit zunêl *K*, mit zonel *z*, mit zumel *t*, fel
n, schellen *op.*   16. Und floytier (floitierer *p*) die chunden hellen *op.*   ouch
fehlt Kz.   floytiere *l*, floitier *t*, flotiere *n*, flotyer *m*, flöten *z.*   18. geflort *lmtz.*
geflorierit *n.*   20. gonduwierde *K*, gundiwierde *t*, condivierd *m*, conduirte *n*,
condiwierde *o.*   26. strites *K.*   27. Seind mit *o*, Hurta mit *t.*   28. Scan-
denavja *t*, Scandinania *ln.*   30. chomn *K.*

383, 1. des kunech Marhcr. *K.*   3. er si *K.*   gemant *lop.*   9. dr durch *K.*
erclungen *lnopt.*   11. enpfiengn *K.*   13. Matribuleiz *loptz.*   14. starchem
buneýz *K.*   15. Dem *lm.*   Ganfassashe *K*, ganfasasche *n*, Ganpf. *m*, Gan-
phashashe *t*, kanfasatsch *z*, Gampfassie *p*, Ganaffassie *o*, kaupffasse *l.*   16. Ma-
humeten *Kn*, Matymitýer *o*, Matumittier *p.*   karrashe *K*, garrasche *t*, karratse *l*,
von karassie *op.*   17. Mag im *lnt*, Mag in *z*, Mag nu *op.*   18. *fehlt t.*
im *Klm.*   19. streit *l.*   20. den] der *l.*   wise riche *l*, wisereich *m*,
weiserich *n*, wifereich *op*, witen strich *t.*   21. geverbet *op.*

sîne süne mit sölhen urborn:
sît er ze sune het erkorn
25 einen andern denn die sîne,
des gâben unde nâmen pîne
in andern landen sîniu kint.
die von Ganfassâsche sint
in kumber mit der mêrr‚en kraft
von Heimrîches geselleschaft.
384 Seht ob der rîche Aropatîn
strîts gewert müge sîn.
er het ouch dâ besunder
mit der zal der storje ein wundeı.
5 sîn hôhez herze in lêrte
daz er selbe kêrte
immer swâ diu herte was.
blanke bluomen und daz grüene gras
wurden rôt von sîner slâ.
10 daz her ûz Scandinâvîâ
wol streit, und daz von Ascalôn.
man hôrt dâ manegen kraches dôn,
swa der grôze puneiz ergienc.
swem dâ schilt ze halse hienc,
15 der in ze rehte fuorte
durh den stoup unz in die huorte,
schildes ampt er tet sîn reht.
ûf Alischanz dem velde sleht
sölh strît mit swerten geschach,
20 swaz man von Etzeln ie gesprach,
und ouch von Ermenrîche,
ir strît wac ungelîche.
ich hœr von Witegen dicke sagn
daz er eins tages habe durchslagn
25 ahtzehen tûsnt, als einen swamp,

helme. der als manec lamp
gebunden für in trüege,
ob ers eins tages erslüege,
sô wær sîn strît harte snel,
ob halt beschoren wærn ir vel.
385 Man sol dem strîte tuon sîn reht:
dâ von diu mære werdent sleht.
wan urliuge und minne
bedurfen beidiu sinne.
5 einz hât semfte unde leit,
daz ander gar unsemftekeit.
swer wîbe lôn ze reht erholt,
eteswenne er grôzen kumber dolt:
ob denne der minne süeze
10 sölhen kumber büeze,
swâ der site wirt begangen,
dâ ist der minne solt enphangen.
Heimrîch der alde fürste
wol was in der getürste
15 daz er den jungen minne riet.
mit sîme râte nie geschiet
von wîbe gruoze werder man.
von den sînen wartz dâ sô getân,
solt ez ein keiser gelten,
20 sölhe soldier funde er selten,
die sich schüben in sô starke nôt
werlîche an der wîbe gebot.
dâ was gemezzen niht der vride.
die sîne'rswungen wol diu lide
25 gein maneger krî die man dâ schrei.
von Kizzingen ein turnei
het unhôhe aldâ gewegn:
man muoses dort anders pflegn

25. denne *Klp*, dann *oz*, danne *t*.   27. andern *K*, vremeden *n*, manigen *lmopz*. manigem lande *t*.   28. kampfassenie *l*, kanfasassas *z*, Ganphasey *t*.   29. mit chumber *K*.   merren t, merrn *K*, merern *lm*, meren *opz*, grozen *n*.

384, 2. strites *Kn*, Da streits *lmz*. Strites muge *t*, Mug do (dez *o*) streites *op*. 3. doch *lmn*.   4. Von storie manegiu w. *t*.   das *zweite* der *fehlt K*.   ein *fehlt lz*.   8. Blanch *lmz*.   und daz gras *o*, und grunez gras *np*, gruone gras *t*.   10. her] er *K*.   scandynania *ln*.   12. horte *K*.   15. fuorte *Klmotz*.   16. huorte *lmo*.   17. er *Km*, der *nt*, Der *vor* schildes *op*, *fehlt lz*. 19. da *vor* mit *oz*, *vor* geschach *lnpt*.   20. von *fehlt ptz*.   Ezzelen *K*, etzel *t*. 21. Ermnriche *K*, Ermeriche *p*, ernreiche *o*, Ermentriche *z*.   22. was *lmop*. 23. ich hœre *K*, Ich hort *oz*, Wir horen *t*.   witigen *lmopt*, wittychen *z*. dicke *fehlt t*.   24. 28. eines *Klnt*.   25. tusent *alle*.   26. helm *Kmopt*. also *lnopt*, *fehlt m*.   29. harte *loptz*, genuoch *Km*, doch alzu *n*.   30. Ob weren beschorn sine vel *n*.   halt *lopt*, hart *z*, halp *Km*.   wæren *Kl*, wär *m*, wart *t*.   ir] die *z*.

385, 3. wan *haben nur Km*.   5. einez *K*.   8. er *notz*, ᵈer *K*, der *lmp*. 12. scholt *K*.   14. Was wol *lnptz*.   18. wart ez *alle*.   da *haben nur Km*. also *p*, so wol *t*.   20. soldie *K*.   21. schuben *z*, so hu . . . *t*, huoben *l*, gæben *op*, gaben *Km*.   scharpfe *n*, grozze *opz*.   22. daz si liten durch in den tot *Km*.   Bærlich *t*, Varlich *z*, Und etleich *op*.   ane *nt*.   24. reswungen *K*.   25. chrie *K*   dâ *fehlt oz*.   26. Chizzingen *Km*, kitzingen *lnopt*, hitzingen *z*.   27. al *fehlt lnotz*.

mit den ekken bluotvar.
ze bêder sît die helde gar
386 Ane gevaterschaft dâ sint.
nu was Matusaleses kint,
der minne gerende Josweiz,
zorse komn. des puneiz
5 was von maneger storje starc.
beidiu heide unde sarc
wart getrett al gelîche.
Matusales der rîche.
mit kraft ûz sande sînen sun
10 von Hippipotiticûn.
    ein fürste fuorte sînen vanen:
dar inne sah man einen swanen,
gesniten mit kosteclîchem vlîz.
der swan was anderswâ al wîz,
15 wan snabel und füeze rabenvar;
durh daz, Matusales was gar
an velle unde an hâre blanc:
ein Mœrinne ûz Jetakranc
Josweiz bî im gebar.
20 der swan ist zweier slahte gevar:
alsô was ouch Josweizes art:
durch daz die selben hervart
Josweizes dern swanen truoc,
und landes hêrrn mit im genuoc
25 mit dem wâpen was bevangen.
ze halse gehangen
zwelf fürsten sîne schilte
truogen durch sîn milte,
durch rîchtuom und durch edelkeit.
selbe fümfte künege er dâ zuo reit.
387 Josweiz von Amatiste,
mit kostlîchem liste

was sîn schilt, sîn helm, sîn kursît.
diz mære giht daz gein dem strît
5 in twunge hôhiu minne.
het ich nu die sinne,
daz ich sîner clârheit, sîner jugent,
sîner milte und ander sîner tugent
gespræche ir reht, sît âne vâr
10 sô stuonden sîner zîte jâr
daz sîn herze was genendec!
sîne schar ouch wârn unbendec:
ez wart sô sêr von in gestrebt.
ir decheiner doch bî mir nu lebt,
15 dem ichz ze liebe kôse.
der künec von Valpinôse
mit den sînen ûz der schar dâ brach.
nâch dem künege man dô varen sach
von Janfûse Korsant.
20 nâch dem künec fuor al zehant
von Nourîente Rubbûâl.
nâch dem künege fuor dô sunder twâl
der stolze künec Pohereiz
mit krefteclîchem puneiz:
25 der was von Ethnîse
und warp dâ wol nâch prîse.
dar nâch fuor dô Josweizes schar,
al die sîn mit swerten bar:
sît die tjoste wârn von in verlegn,
der sper wolt ir decheiner phlegn.
388 Josweizen müete sêre
daz er Terramêre
gevolget hete, daz sehs schar
vor im gestriten hêten gar.
5 mit zorne er fuor bî sînem vanen:
ob im man sah den tiweren swanen

386, 2. Matussales *K*, Matusales *t*, matuseleizes *l*, Matusalezes *m*, matuseleizis *n*, matusaleises *op*, matusoles *z*.   3. Iosvaiz *m*, iosuweiz *nz*, Josewiez *lop*.
4. zörse *K*.   6. haiden *op*, erde *K*.   7. getret *Kl*, getretet *t*, getreten *n*, gerecket *o*, getrecket *p'*.   8. 16. Matusales *tz*, Matussales *K*, Matuseleiz *l*, Matusalez *m*, Matuseleiz *n*, Matusaleis *op*.   10. hypipot. *m*, Hippypotyticun *t*, hyppypont. *z*, ypopotikon *n*, hypepontytuon *l*, ypoponticun *op*.   13. chostleichem *moptz*, lobelichen *n*.   18. Getachranch *K*, Getecranc *t*, Jeta tranch *op*.
19. Iosweizen *Klmntz*.   20. zweir *K*.   var *op*.   23. Iosweizzes dern *K*, Josweize den *lmopt*, Josuweiz sulche *n*, Iosuwayz den selben *z*. Josweizes vener den?   vanen *lntz*.   24. herren *alle*.   25. den *mno, fehlt t*.   27. sîne *fehlt K*.   28. sine *K*.   30. zuo *fehlt opt*.

387, 1. Ametiste *Km*.   2. kostenlichen *n*, kostelichem *l*.   5. twungen *t*.   hohe alle aufser *K*.   8. andr *Km*, aller *z, fehlt lnop*.   9. Gespræch *moz*, Gesprach *p*, gespreche *Kn*, besprache *l*, Spræche *t*.   11. genendich *alle*.   12. ouch waren *Km*, waren ouch *lot*, was ouch *pz*, waren *n*.   unbendich *Kmntz*, unwendig *lop*.   13. sere *K*.   18. varn *K*.   19. Ianefuse *K*, Ianphuosen *t*. Gorsant *t*.   20. kunege *K, fehlt n*.   al *fehlt lop*, al—22 do *fehlt t*.
21. noriente *nz*, oriente *op*.   Rubual *nopz*, Robuwal *l*.   25. 26 fehlen *t*.
25. emyse *l*, exenise *op*.   26. Er *lnz*.   27. do *haben nur Km*.   29. sine *Klnpt*, seinen *mo*.   29. verphlegn *Km*, gelegen *nop*.

388, 5. bi *Kmnt*, mit *lz*, under *op*.   sinem *Kltz*, sinen *mnp*, sime *l*.   6. ob ieman *Kltz*.

blicken wîz sô den snê.
er kêrte dâ Trohazzabê
ob Ehmereize was verladn.
10 dâ heten ungefüegen schadn
die stolzen Franzoyse
gein Tybalde dem Arâboyse
und gein Ehmereize begangen.
Rennewart mit sîner stangen
15 sich selben het ergetzet,
daz er dicke was geletzet
manger wirde in Francrîche.
er tet wol dem gelîche
daz er der heiden hête haz.
20 swer im dâ zorse vor gesaz,
zeime hûfen er den sluoc.
da beleip der heidenschaft genuoc
tôt von Rennewartes hant.
er warp niht anders umbe phant:
25 Berhtram was im sippe niht.
Rennewarten man dort siht
vor sînen schargenôzen.
mit starken slegen grôzen
Franzoyser wurdn ouch niht ge-
    spart.
si begunden schrîen Rennewart,
389 si wolden fristen gerne ir lebn.
daz herzeichen was in gegebn,
dô si der markîs scharte
und des rîches vanen bewarte.
5   Franzoysen wart dâ kumber kunt.
wærens über Pitît punt
mit gemache heim gevarn,
sone wærn si mit sô manegen
    scharn

sô ungefuoge niht getrett.
10 dâ wart Ehmereiz errett,
und rois Tybalt von Cler,
von des stolzen Josweizes her.
der soltz ouch pillîche tuon:
Josweizes pasen tohter suon
15 was der künec Ehmereiz.
sîns rîchen mâges puneiz
was im dâ ze staten komn.
dâ wart gegeben und genomn
donrs hurte als diu wolken rîz.
20 nu kom von Raabs Poydwîz,
der manlîch und der hôh gemuot:
der fuorte manegen rîter guot.
wir hœren von sîm ellen jehen,
er wart bî vînden nie gesehen,
23 ern schiede ouch dan geprîset.
manec tjost in hete gewîset
dâ sîn volliu hant wart lære.
zeinen forstære
kür ich ungerne sîne hant,
sît der walt sô vor im verswant.
390 Man tuot von sînen tjosten kunt,
der Swarzwalt und Virgunt
müesen dâ von œde lign.
daz liegen solt ich hân verswign,
5 beginnt etslîcher sprechen:
wan lât der selbe brechen
den walt einen andern man?
und habe er verre dort hin dan.
    der künic Poydwîz von Raabs,
10 weder stapfes noch drabs
kom er gevarn in den strît:
er fuor rehte als man dâ gît

8. Trahazabe *lnt.*   14. Rennwart mit sin stangen *K.*   mit der *tx.*   20. zörss
K.   21. zeinem *K.*   24. er *Kmwxz,* Ern *t,* Hern *n,* Der *lop.*   25. Perh-
tram *K.*   26. dort *Km,* da *lnoptz.* men anders gicht *w.*   27. von *K.*
29. wrden *K.*   ouch *Kmtz, fehlt lnopw.*

389, 1. Se *w,* unde *Kn.*   fristn *K.*   3. markis *lnoptwz,* Marhcrave *Km.*
5. Franzoysn *m,* Frantzoysern *opz,* Franzoyser *Ktw.*   6. petit punt *m,* pyti-
punt *loptwz.*   9. 10. getret-erret (beret *w*) *lw*, getreit-erreit *K,* getrettet-
errettet *opt,* getreckit-irreckit *n.*   11. rois] der kunig *lw,* kuning *n,* der werde
kunic *t,* der milte kung *z,* der milde *op,* sin vatr *Km.*   Tybalt *fehlt z.*
13. soltez *K.*   15. der suozze (werde *op*) kunig *loptwz.*   16. sines *Klnp.*
riches *low.*   mags *K,* magen *mopz.*   19. al *m.*   diu *Kz,* di *m,* die *l,* der
nop, eyn *tw.*   ris *p,* reiz *t,* reis *mo,* ritz *z.*   20. Raaps *K,* Rabs *t,* Rabes *z,*
Rabse *op,* Babes *l.*   23. Man horet *lwz.*   sinem *Kmt.*   gehen *K.*
24. vienden *K.*   25. erneschiet ouch dannen *K.*   26. het (hat *w*) in *lnoptwz.*
28. forestere *nw.*   30. also von im *tz,* der vor im *n,* von im so *w,* vor im *o,*
von im *p,* alsus *l.*   swant *z.*

390, 2. der swarze walt *Kn.*   unde *Kw,* und der *lmopt,* und di *n.*   3. muosen
Ktw, Mueste *o.*   5. beginnet *alle.*   6. Wenet er selbe *w,* Wartt [und *o*] læt
er selbe *op.*   7. eyn ander *w.*   8. verre dort *Kmn,* verre *tw,* dort *l,* ouch
aldort *op.*   9. poyduwiz *w,* poydeweis *op,* podewiz *n,* podeweiz *l.*   Raves *o,*
Babes *l.*   10. stapfs *K,* stabfs *t,* staphens *l.*   drabes *l,* draves *o,* draabs *nw.*

den orsen wunden mit den sporn.
in was ûf Terramêren zorn,
15 daz er in nâch siben scharn
alrêrst nâch rîterschaft hiez varn.
er sprach 'het ich nie strît getân,
ich füer sô manegen werden man
ûz anderr künege rîchen,
20 daz ich pillîchen
den buhurt solte hân erhabn.
man darf mich harte wênic labn
nâch maneger quatschiure,
die 'ich durh âventiure
25 in dem puheiz solte hân genomn.
ich bin ze disem strîte komn
sô der schûr an die halme.'
von pusînen galme
was vor im grôz gesnarren.
dane kunde niht geharren
391 Sîn vane mit grôzem kundewiers
kom gevarn ze triviers
mit ungefüeger hers kraft
beneben an die rîterschaft,
5 dâ mit strîte ê sêre was gekrîet
und noch enwederthalp geswîet.
dâ was versperret niht diu biunt:
dâ wart der vîent und der vriunt
mit volleclîcher huorte,
10 dâ Poydwîz in ruorte,
vast ûf ein ander geschobn
und manec puneiz enzwei geklobn.
dâ nam von Poydwîzes druc
al daz her sô grôzen ruc,

15 daz die kristen und die heiden gar
gedigen alle zeiner schar,
swaz ir dâ was ze bêder sît,
die wâppen truogen ime strît,
swaz man der dâ wesse,
20 als obs in einer presse
zesamne wærn getwungen,
die alte mit den jungen,
rîch und arme über al.
daz was ein wîter nôtstal,
25 mit swerten verrigelet,
manec lebn [wart dâ] übersigelet
mit des tôdes hantveste.
von strîtes überleste
dâ mohte maneger sprechen.
dâ was slahen und stechen
392 Und hurteclîchez dringen.
si kunden sich baz bringen
zein ander denne ichz künne sagn:
decheinen haz wil ich dem tragn,
5 swerz iu baz nu künde.
seht wie des meres ünde
walgen ûf und ze tal:
sus fuor der strît über al,
hie ûf slihte, dort ûf lê.
10 si dolten ach unde wê,
die mit Poydwîz kômen in den strît,
driu her den man vil prîses gît.
daz eine der künec Tenabruns
brâhte ûz Liwes Nugruns:
15 des küneges her von Rankulat
mit swerten hiew dâ manegen phat:

13. orsen *fehlt K.*   15. sibn *K.*   16. alreste *K, fehlt op.*   nach *nop,*
gein *lmw,* nach gein *K,* in *t.*   18. fuere *K.*   19. Uz andern kunicrichen *lnopw,*
Und viunf . . . . . . *t.*   20. billiche *t.*   21. puhurt *Kp,* puhuert *m,* bihurt *t.*
23. quaschewr *m,* quasschewer *o.*   25. in dem puneize *Kn,* Inme pungeize *t.*

391, 1. Sîn vane] Kiun *op.*   gundewiers *Kt,* kandeweiz *l,* condiwiern *o.*   2. tre-
viers *pt,* trivieiz *l,* teniern *o.*   5. Da mit streit er. und wart gekrîget *t.*   sêre
fehlt lop.   gechriet *K,* gekriget *l,* gechriget *m,* gekrigt *p,* gechriegt *o,* gekri-
gen *n.*   6-8. Si mochten hi noch dar gesigen In ein ander waren si geworren
Also daz wirz niht sagen torren Wi manlichis uzvart Mit swerten da besperrit
wart *n.*   6. Und dannoch werthalp *l,* Und enw. *t.*   geswiet *K,* gesiget *lmopt.*
7. buent *Kp,* beunt *t,* peunt *mo,* bunt *t.*   8. freunt-veint *m.*   vruent *Kp,*
freunt *ot,* frunt *l.*   9. 10. hurte-rûrte *K.*   11. vaste-andr *K.*   12. entzwei *K.*
13. 14. Da poydeweis fur mitten durch so ungefueg ein grozze furch *op.*
13. nam *Kmt,* man *l, fehlt n.*   17 *nach* 18 *t.*   20. ob si *Klmn.*   21. ze-
sæmne wæren getwngen *K.*   22. alten *lmnpt.*   25. verrigelt *Klnopt,* verriglt
m.   26. wart da *Klm,* ward *opt, fehlt n.*   uber sigelt *Kt,* uber siglt *m,*
versigelt *lop,* verrigelt *n.*   30. unde *K.*

392, 3. ich ez *K,* ich *lot.*   kan *t.*   gesagen *lopt.*   4. dem *fehlt l.*   5. Derz
nopt, Deme der es *l.*   nu chunde *Km,* kunde *t,* tuot [in *n*] kunde *ln,* gesagen
künde *op.*   6. mers *K.*   7. chan walgn *K.*   9. wasen *op.*   cle *lop.*
11. die *Kn, fehlt lmopt.*   chômn *K,* kom *lot.*   13. daz eine *Km,* Einez *nopt,*
Eins daz *l.*   14. leuns *lopt.*   nigruns *lnop.*   15. Rakulât *K.*   16. Erhiu
mit swerten manegez phat *t.*   hiewe *K,* hiw *ln,* how *m,* howen *o,* hiben *p.*
die *op.*   manegn *K.*

und diu rîterschaft von Azagouc,
daz dritte her, niht râche louc
umb ir hêrrn den künec Rubîuon.
20 waz mugen die kristen liute tuon,
sine weren sich al die wîl si lebn?
got selbe mac in trôst wol gebn.
Poydwîz kom in alze vruo:
ir her nam ab und ninder zuo.
25 diu kristenheit sich rêrte,
diu heidenschaft sich mêrte
ûf Alitschanz dem anger.
ob ie her wart swanger,
des möht man jehen der heiden
　　　schar:
ob einiu de andern niht gebar,
393 So ist wunder wanne in kœm diu
　　　fluot,
diu sô grôze rîterschaft dâ tuot.
der strît begunde vellen
etslîchem sînen gesellen,
5 disem den hêrren, dem den mâc.
waz hers ze bêder sît dâ lac,
die von dem strîte töuten!
wie si den orsen ströuten
mit manegem gezimiertem man!
10 diu wærns dâ heime wol erlân:
dâ sint diu müeden ors vil vrô,
der wirfet undrs ein trucken strô.
waz wunder ors dâ nidr sign!
etslîchez wolde ûf fürsten lign,
15 etslîchez ûf dem amazûr.
Poydwîz was nâchgebûr
dâ worden der kristenheit;
mit den man ê doch vaste streit:
sîn strît si dorfte lützel müen.

20 nu alrêrst sah manz velt erblüen
mit rîterschaft der werden,
als ob gâhes ûz der erden
wüehs ein krefteclîcher walt,
dar ûf touwec manecvalt
25 sunder clâre blicke.
breit lang und dicke
kom diu schar des künec Marlanz
von Jericop mit zierde glanz
und mit maneger sunderrotte.
dô der keiser Otte
394 Ze Rôme truoc die krône,
kom er alsô schône
gevarn nâch sîner wîhe,
mîne volge ich dar zuo lîhe
5 daz ich im gihe des wære genuoc.
âvoy wie manegn rîter kluoc
der künec Marlanz brâhte!
niht ze sêre er gâhte:
in dûhte, er hete wol erbiten
10 der die vaste vor im striten:
wie siz heten überhouwen,
daz wolt er gerne schouwen.
der zimmerman muoz warten
wie er mit der barten
15 nâch der ackes müeze snîden:
daz wolt ouch er niht vermîden.
Poydwîz al anders fuor:
er kunde wênic nâch der snuor
houwen nâch ir marke.
20 ob der getouften sarke
nu mit starken huofslegn
iht wol getretet werden megn?
jâ für wâr, ê daz diu schar
mit ir poynder voldrucke gar,

---

17. Der riterschaft *t.*　　18. di daz *op*, Den *n.*　　dritte *Km*, cristen *lnopt.*
her] hi *n*　　der rache nicht *p*, ir rache nie *t.*　　louch *Km*, trouch *opt*, frowe
(*und azagove*) *l*, intfloch *n.*　　19. herren *alle.*　　21. wile *K.*　　23. al *fehlt lopt.*
29. möhte *K*, mag *lt.*　　man *Klt*, ich *mnop.*　　30. ain *op.*　　die *K.*
393, 1. wndr wannen *K.*　　in *fehlt lno.*　　chœme *K.*　　4. eteslichen *Klmo.*
5. disem dem-dem der *K.*　　7. tœten *K*, töuten *m*, douten *l*, deuten *t*, beto-
weten *n*, sich dæuten *op.*　　8. rossen streuten *Km.*　　10. warens *K.*　　11. Des
nop.　　nu muode *t.*　　vil *fehlt opt*, dez *l.*　　12. wirfet undr si ein *Klm*, un-
der si wirffet (worfe *n*) *nopt.*　　13. waz *Kop*, Swaz *mnt*, Daz *l.*　　wndr orsse *K.*
16. was ubel nachg. *t.*　　19. lucel mueien *K.*　　20. nu *fehlt op*, Du *n.*
alreste *K*, alrest *m*, erst *n.*　　erblueien *K.*　　21. 22. werdn-erdn *K.*　　22. ob
fehlt lt.　　gahens *lno.*　　23. creftiger *lop.*　　24. towet *op*, touwech rosen *K.*
26. lange *K.*　　27. Morlanz *l immer.*　　28. Gericop *K*, Jerichob *m*, ierychop *n*,
Jerichoph *t*, Jericho *lop.*
394, 4. miner *lmpt*, in seiner *o.*　　5. Daz im des w. g. *t*, Die manich spæhe ziere
(czierde *p*) trueck *op.*　　gihe *lm*, iehe *K*, di gebe *n.*　　6. Eya *l*, Owi *t.*
8. er selbe *lop.*　　9. 10. erbitten-stritten *K.*　　10. den. *Km*, Da *op.*　　13. zim-
ber man *mt*, cimier man *n.*　　14. parten *Kmop.*　　15. ackis *n*, aches *K*, ackes
t, axe *lp* und erst *o*, hacke *o*, hakchen *m.*　　16. miden *lm.*　　19. ir] der *nt.*
22. getret *Kl*, getrett *m.*　　24. vol druckte *nop*, vol drucket *t.*

25 des künec Marlanz von Jericop.
sîn manheit dâ gediente lop.
unsamfte ich mac der sunnen
sô liehtes plickes gunnen,
alsô dâ heten die sîne
von ir zimierde schîne
395 Ab ir tiuren pfellelmâlen.
niht langer wolde twâlen
der künec von Orkeise:
der bezzerte die reise.
5   daz was Margot von Pozzidant,
den man gezimieret vant
ein jumenten rîten,
dar ûf er wolde strîten,
mit îserkovertiur verdact.
10 ûf daz îsern was gestract
ein phellel, des ir was ze vil.
der orse muoter man niht wil
sô hie ze lande zieren:
wir kunnen de ors punieren.
15 Margot ein künec dar brâhte,
dem daz niht versmâhte.
al des her âne ors dâ was:
der hiez Gorhant von Ganjas:
si wârn ab sneller sus ze fuoz.
20 die tâten inme strîte buoz
des lebens manegen kristen man.
niht ander wâpn si mohten hân:
ir vel was horn in grüenem schîn:
die truogen kolben stähelîn.
25 bî dem künege Margotte

fuor diu hürnîn grôziu rotte:
der was geschart zuo Marlanz.
diu schar beleip niht langer ganz.
Margot der verre komende dar,
er unt die sîn punierten gar,
396 E si den puneiz vollen tribn,
dâ von daz velt begunde erbibn.
    nu kumt dem zwickel hie sîn schop,
da der künec Marlanz von Jericop
5 mit hurteclîches poynders kraft
sich stacte in die rîterschaft,
dâ von diu swert erklungen.
was ê dâ vil gedrungen,
doch niwes gedranges phlâgen sie,
10 beide dise unde die.
    bî rois Margot von Pozidant
streit daz her des künec Gorhant
mit den stähelînen kolben.
die virste und die wolben
15 begundens ûf die helme legn
mit starken ungefüegen slegn.
ich hete ungerne hiute
sölhe zimmerliute:
ine möht in niht gelônen.
20 vil krîe ûz manegen dônen
si schrîren ûz maneger sprâche.
nu mac die vart hinz Ache
mit êren mîden Terramêr.
al meist die rœmschen fürsten hêr
25 sint gein im komn ûf Alitschanz.
si woldn im künden, Vivîanz

---

25. Der *mopt.*   Morlan *l*, marlant *o*.   Jerikop *K*,' Jerichop *ln*, Jerichob *mop*,
Jericoph *t*.   26. gedient *m*, gedienet *K*, verdiente *np*, verdienet *o*.
395, 1. Ob *lnop*.   3. torckeise *o*, Terkeise *p*.   5. bozidant *mnt*.   7. eine *Kn*.
iumentum *op*.   9. mit ysere kofertiur verdachet *K*.   10. yser *lnt*, eisen *mop*.
gestacht *l*, getrachet *K*.   15. einen *Kmnopt*.   18. Corhant *Kmn*, korkant *o*,
Korchant *p*.   Ganyaz *l*, Gannias *t*, banyas *n*, Gamas *op*.   19. waren aber *K*.
21. lebns *Km*, libes *t*.   maningen *n*, manchem *p*.   22. andr wappen *K*, an-
derre wer *t*.   si mohtn *K*.   25. 26. margote-rote *nps*.   26. hurnine *Klnt*.
groziu *fehlt t*.   28. länger *K*.   29. 30. *fehlen t*.   30. sine *Klo*, sinen *mnps*.
pungierten *lp*, punschierten *Km*.
396, 1. pungeiz *ls*.   envollen *m*, vol *lst*.   2. erpiben *m*, biben *nt*, piben *p*, bidem
s, pidben *o*.   3. Des quam den cristen ein zvivelschap *n*.   Hie *opst*.
dem *fehlt o*.   zwichel *Kms*.   hie *Km*, dort *o*, *fehlt lpst*.   sine *l*, der *op*.
schop *m*, scop *K*, chlob *opt*, clobe *ls*.   4. Jericop *Kt*, Ierichop *m*, ierichap *n*,
ierikob *p*, ierichob *o*, Ierichobe *ls*.   10. unt *K*.   11. bi dem kunege *alle*.
Margot *mopt*, Margotte *K*, Margote *s*, *fehlt ln*.   Bozz. *mn*, Boz. *t*.   12. Corhant
mn, von Korkant (Korchant *p*) *op*.   13. den *fehlt s*.   cholbn *K*.   14 *fehlt s*,
Sa grozen grun van wolven Mannes ouge ni gesach So daz hornine volc da
pflag *n*.   vierste *t*, vierst *mop*, wirste *K*, virsten *l*.   wolbn *K*.   15 nach 16 *n*.
18. zimberliute *mst*, zimier liute *Kl*, ammitlüte *n*.   20. krîe] schiere *K*.   in *op*.
uz niuwen d. *t*.   21. schriren *l*, schrieren *o*, schrieten *Kns*, schreiten *m*, rie-
fen *p*, ... *t*.   24. Almeist *p*, al meiste *K*, Almeistig *lst*, Aller maist *mo*,
Ein teil *n*.   25. sin *K*.   26. wolden im *Kmop*, wolden *lnst*.   rechen *n*.
daz V. *Kmnp*, daz in v. *o*.

Wolfram von Eschenbach. Sechste Ausgabe.   **39**

und der edele Mîle wærn erslagn:
wolt er ze Rôme krône tragn,
sô solt er in daz rihten,
wolt er zir dienste phlihten.
397 Von den hürnînen schalken
    wart mit kolben dâ gewalken
    vil manec werlîch rîter guot.
    wie möht ein Bernhartshûser huot
5 harter ûf ein ander komn?
    des twanc si nôt: nu wart vernomn
    von den kristen liuten über al
    sehs herzeichen lût erschal.
    ein ir ruof was Narbôn:
10 sus hal dâ der ander dôn
    durch koverunge, Brubant:
    der dritte ruof was benant
    den Franzoysen, Rennewart
    (harte kleine was der zart
15 der gein in dâ begangen was):
    der vierde ruof was Tandarnas,
    Berbester was der fümfte
    gein Marlanzes kümfte:
    done moht diu schar des markîs
20 vermîden niht decheinen wîs,
    sine schrîten Muntschoye,
    in gedrange als ein boye
    von îser wære umb si gesmit.
    dâ wart mit swerten wol gewit.
25 die getouften kômen kûme
    mit den ekken sô ze rûme,
    daz si sich samelierten:
    die wol gezimierten

ir brücke wârn übr bluotes furt,
etslîchr ûz Terramêrs geburt.
398 Die kristen sint zein ander komn.
    was denne, hânt si schaden genomn?
    si suln ouch schaden erzeigen nuo.
    dâ greif mit sîner stangen zuo
5 mit grôzen slegen Rennewart.
    die ê sunder wârn geschart,
    nu bî ein ander vâhten:
    die krî zesamen si brâhten,
    und der druc den in brâht Poydwîz.
10 maneger slahte sunderglîz
    die kristen müete dicke:
    der heiden pfellel blicke
    gein sunnen kunde vlokzen.
    der strît begunde tokzen,
15 als ûf dem wâge tuot diu gans.
    dâ muose daz velt Alitschans
    mit bluote betouwen.
    den hêrren und den vrouwen
    wart dâ wol gedienet beiden.
20 der houbtman al der heiden
    nu saz ûf Brahâne.
    gein der funtâne,
    dâ bî Viviânz lac tôt,
    des endes sich der strît erbôt.
25 nu was diu schar ûz manegem lant
    über daz wazzer Larkant,
    und die karrâschen mit den goten.
    nu hete bî der wide geboten
    des küenen Kanabêus barn,
    si solden bî den goten varn,

---

27. wær *opt*, waren *n*, in wär *m*, im wære *K*, were in *l*, *fehlt s*.

397, 3. vil *fehlt lnpt*.   4. ein *fehlt op*.   Bernharthuser *l*, Perharis huser *K*, per
harts huoser *m*, berhartschyser *t*, perhartes *n*, wernhartes (Bernhartes *p*) eysen
op.   5. hartr-andr *K*.   8. lauter schal *mp*.   erhal *lot*.   9. ir *fehlt nos*. Einer
ruf *p*.   10. Ouch hal alsus der *n*.   da *Km*, aver *op*, *fehlt lst*.   12. do was
der dritte ruof benant *Km*.   15. in *fehlt m*, im *K*.   16. Tandernas *lmt*, dan-
dernas *s*.   17. Berbestr *K*.   19. mohte *K*.   20. dehainen *m*, chainen *ops*,
keine *n*, dekein *l*, dekeine *t*.   pris *op*.   21. schriten *t*, schrieten *Kn*, schrei-
ten *mop*, schriren *s*, schrire *l*.   Myntschoye *K*.   22. gedrenge *ln*.   als ob
mopst.   23. gesmit *Klm*, gesmidet *nopt*.   24. kolben *t*.   gewit *Klm*, ge-
witet *t*, gewidit *n*, zerlidet *op*.   25. chomn *K*.   29. waren uber bluots *K*.
30. etslicher *alle*.

398, 1. zein ander *m*, zuo ein andr *K*.   2. denne *ps*, danne *t*, dan *ln*, dann *ox*,
denne unde *Km*.   5. Der starcke suoze *R. tx.*   8. chrie *Km*, krie *nps*,
krye *l*, krey *o*, die krŷe *t*.   ze samen *mst*, zesameni *K*, zuo samne *lp*, ze-
samm *o*, zu ein ander *n*.   si *fehlt t*.   9. und der *mn*, von der *K*, Und
den *lopst*. wider? *vergl*. 391, 13.   druch *Kmt*, druck *op*, duk *n*, durh *ls*.
den in praht *m*, die in brahte *K*, den brahte *lt*, pracht in *op*, brach *s*,
van *n*.   10. sundr *K*, ponder *op*.   gleiz *ln*, geleis *o*.   12. pfellen *K*,
pfelle *opt*, phell *m*.   13. Gein sun *m*, Gein der sunne *op*.   kunden *l*,
begunden *t*.   flokitzen *m*, glotzen *op*.   14. Die christen begunden totzen
op.   tokitzen *m*, kotzen *n*.   21. prahange *ls*, prahanie *t*.   25. von
Km.   manegm *K*.   27. karroschen *Km*, karratschen *t*, karrotschen *l*,
kartaisen *s*, garren *o*.   29. kuning *n*, kuniges *opt*.   30. die solden *K*.

399 Die dar zuo wârn geschaffet.
　si wurden des dâ gaffet:
　Mahumet und Kâhuon
　in mohten kranke helfe tuon,
5 oder swaz man anderr gote dâ vant,
　ez wære Apolle od Tervigant.
　　ôwê daz er nu komen sol,
　durch den diu sorclîchiu dol
　und daz angestlîche lîden
10 die getouften niht wil mîden!
　nu mein ich Terramêren,
　der wol nâch herzesêren
　den getouften kunde werben.
　lât sîn: ê daz si ersterben,
15 er beginnt ouch schaden von in nemn,
　des jâmert und dar zuo muoz schemn
　sîn herze unde des gemüete.
　von sîner zehenden schar flüete
　möht ich prüevens wol gedagn.
20 doch müese er manegen zaphen tragn,
　der des regens zaher besunder
　verschübe: daz wære ein wunder.
　sus aht ich den von Suntîn.
　man mohte ietwederhalben sîn,
25 dar zuo vor im und hinden,
　vil grôzer storje vinden,
　mit der sprâche ein ander gar unkunt.
　dâ fuor manec sundermunt,
　der niht wesse waz der ander sprach,
　ob er erge od güete jach.
400　Owê kristen liute,
　guoter wîbe getriute,
　und ir gruoz unde ir minne,

　und die hœhern gewinne
5 (ich mein die ruowe âne ende),
　wirt nu von maneger hende
　ûf iuch gestochen und geslagen!
　swer triwe hât, der solt iuch klagen.
　ir sît durh triwe in dirre nôt.
10 sît man von êrste iu strîten bôt,
　daz was gar um sus gestritn:
　ir habt nu rehtes strîts erbitn.
　　hie kumt der von Tenabrî
　sînen goten nâhen bî.
15 dâ wart geworfen und geslagn,
　als ir mich ê hôrtet sagn,
　tûsent rottumbes
　sleht, ir keiniu krumbes:
　und aht hundert pusînen snar
20 man hôrte dâ mit krache gar.
　von dem bibn und von dem schallen
　möht daz tiefe mer erwallen.
　ich mac wol sprechen swenn ich wil,
　von grôzer kost zimierde vil
25 dâ fuor in Terramêres schar:
　sô unde sus gevar
　maneger slahte kunder
　nâch al dem merwunder
　hetens ûf gemachet,
　an koste niht verswachet,
401 Nâch vogelen und nâch tieren,
　maneger slaht creigieren
　si brâhten mit in in den sturm.
　der truoc den visch, der den wurm,
5 ûf ir wâppenkleit gesnitn.
　diu schar mit kreften kom geritn

399, 1. die dr zuo waren geschaffen *K.*　　2. des da *lm*, des *Knt.*　　3. Mahumet *Kmn.*　　gahun *m*, kaun *lst.*　　6. Apolle *t*, Apollo *Kns*, appollo *lmop.*　　oder alle, uñ *t.*　Tervagant *K.*　　8. diu *Kst*, di *mn*, *fehlt l*, ich *op.*　sorcliche *lnopt*, sorchlichen *ms.*　Und ængstleich not muez leiden *op.*　　13. werbn *Km.*　　14. ersterbn *Kmt*, gesterben *n*, sterben *ls*, verderben *op.*　　15. beginnet *K*, mag *nop.*　genemn *Km.*　　16. Des sich mag ummer schemen *n.*　Des sich *p.*　iamert *lmpst*, iamer *Ko.*　und beginnet schemen *op*, und muoz ouch schemen *l.*　　17. unt *K.*　sin *nopt.*　　18. Van sein zehende *s.*　zehen *lop.*　scharn *o.*　　21. zeher *ops.*　　24. iewedernthalbn *K*, ie wederhalb *t.*　　25. im *fehlt lop.*　　28. sunder manich munt *lopt.*　　29. Dern wesse waz *t.*　　30. arge *ps*, arges *l*, pœs *o*, ubels *t.*　oder alle.　guotes *l*, guet *mo.*

400, 1. Owe der *Kl*, Owe nu *n.*　　4. unde hœherem gewinne *.*　　5. meine *K.*　　6. nu wirt *Km.*　　8. solt *Kmst*, sol *lnop.*　　11. um suss *K.*　　12. strites *K.*　　17. rotumbes *mst*, Rotumbs *K*, rotumbumbes *op*, rotumbes hel *n.*　　18. Der pflag der kuning amrafel *n.*　Alle sleht *t.*　ir *fehlt lst.*　necheiniu *K*, dekeiniu *t*, dehaine *m*, dekein *l*, chainer *ps*, debainer nicht *o.*　chrumbs *K.*　　19. und *fehlt lopst.*　　21. pibn *K*, pitben *m*, bidem *st*, schriene *n.* Von pfeiffen *op.*　dem *fehlt nop*, der *t.*　　22. mohte *K.*　　24. choste *K.*　　28. al den *Klop*, aller *st.*

401, 1. vogel *t.*　　2. manegerslahte *K.*　criegiern *m*, kreyeren *l*, kreiren *n*, krieren *t*, kroigieren *p*, groyern *o*, briete *s.*　zimiere (1 vogel-tiere)?　　3. an *np.*　dem *Kl.*

ûf Alitschanz dem plâne.
al die stein gâmâne
sint niht sô manegen wîs gesehen,
10 sô man zimierde muose jehen,
die de minne gernden truogen.
die getouftens vil durchsluogen,
swâ nâch ez gemachet was.
nune dorfte der künec von Tandarnas
15 und der pôver schêtîs
niht für gâhen durch ir prîs:
swen ie sîn herze in strît getruoc,
der fund dâ strîtes noch genuoc.
    von Salenîe Ektor
20 fuorte den vanen hôhe enbor;
obs die getouften gerten,
daz sin doch mit den swerten
mohten niht erlangen.
mit stählînen spangen
25 was der schaft vast umbeworht.
Ektor was unervorht,
der künec von Salenîe.
Terramêrs krîe
begunden rüefen Cordes.
ôwê nu des mordes,
402 Der dâ geschach ze bêder sît,
dô der vane kom in den strît,
der brâhte den grôzen swertklanc.

dâ was von storjen manec gedranc
5 gein dem strît durch für komn;
die doch heten wol vernomn,
swer die schar dâ bræche,
mit der wide daz ræche
Terramêrs gerihte.
10 dâ wart des tôdes phlihte
in dem strîte wol bekant.
ze bêder sît si sazten phant
diu nimmer werden quît
vor der urteillîchen zît,
15 dâ al der werlde wirt ir lebn
wider anderstunt gegebn.
    dâ was manc sunder grâzen.
swer si kan an gelâzen
als ez der rîterschefte gezem,
20 mit mînem urloube er nem
diz mære an sich mit worten,
ime gedrenge und an den orten
oder swâ die muotes rîchen riten,
wie wurde aldâ von den gestriten
25 nâch wîbe lôn und umb ir gruoz,
und wie ein puneiz den andern muoz
nâch koverunge werben.
swer nu lieze niht verderben
dirre âventiure mære,
deste holder ich dem wære.

---

7. den plan *t.*   8. steine *Knt*, stern *op.*   gemane *op*, gemange *l*, gaman *t.*
9. manige *l*, maninger *n.*   11. gerendn *K*, gernde *lop.*   12. Der *l.*   getouftn si *Kl*, getouftn iz *m*, getouften des *t*, cristenen is *nop.*   15. bover *l*, pouver *n*, bower *op.*   17. swer *K.*   strite *Kl.*   18. funde *Klt*, hett *nop.* da noch strites *l*, noch da strites *t*, da vunden strites *n*, sein funden da *op.* 19. 27. Salemye *K*, salanye *l*, Salonie *op*, Galanie (27 Salanie) *t.*   19. Hector *lmnop.*   22. si in *K.*   doch *fehlt nop.*   25. vaste *Kt*, al' *l*, wol *o*, *fehlt p.* 26. Hector *op.*   29. begund *m*, Begunde *ot*, Begund er *p*, Si begunden *n.* 30. mords *K.*

402, 3. den kehken *t.*   swertes clanc *lnopt.*   4. manich *lnot*, groz *Kmp.*   5. gein den strite *K.* Zu gegen streit *op.*   für] vare *op.*   14. urtellichen *Kt*, ürtaillaicher *m.*   15. werelde *K.*   17. manich sundr *K.*   21. daz *K.*   26. unde *Kmt*, gazzen *op*, strazzen *m.*   20. der *Kmn.*   21. daz *K.*   26. unde *Kmt*, fehlt *lnop.*   dem *opt.*   anderen *K.*   30. dester *mp*, dest *o*, Des *n.* holde *K.*

IX.

403 Ei Gîburc, heilic vrouwe,
dîn sælde mir die schouwe
noch füege, daz ich dich gesehe
aldâ mîn sêle ruowe jehe.
5 durh dînen prîs den süezen
wil ich noch fürbaz grüezen
dich selbn und die dich werten
sô daz si wol ernerten
ir sêl vors tiuvels banden
10 mit ellenthaften handen.
waz half nu Heimrîches kint
daz die sibene unde ir vater sint
bî ein ander und diu kristen diet?
der grôze puneiz si doch schiet,
15 und der starke krach der pusîn:
und daz der tûsent muosen sîn,
rotumbes, die man dâ sluoc,
dâ von erwagete genuoc
Larkant daz wazzer und der plân,
20 als dâ der werde Gâwân
an Lît marveile lac:
sölhes bibens Alitschanz nu pflac.
man sah dâ wunder gogelen
von tieren und von vogelen
25 ûf manegem helme veste,
boum, zwî, unde ir este
mit koste geflôrieret.
dâ kom gezimieret
manec Sarrazîn durh wîbe lôn
gein des sune von Narbôn

404 (die was sneller, die was lazzer)
über Larkant daz wazzer.
Hurtâ hurtâ hurte!
wie dâ ûz manegem furte
5 manec sunderstorje strebete,
diu niht vollĕclîchen lebete
unz ir der tac bræht die naht!
dâ kom diu ellenthaftiu maht.
dô kêrte diu schar grôze
10 gein manegem anebôze
den der touf het überdecket.
der puneiz wart volrecket,
von rabbîn mit den sporn getribn,
daz die karrâschen eine belibn
15 und dar ûf die gote hêre.
dâ fuor mit Terramêre
der künec von Lanzesardîn:
der liez die gote ouch eine sîn.
daz was der werde Kanlîûn:
20 dem vater volgete dâ der sun
michel gerner dan den goten.
der den Rîn und den Roten
vierzehen naht verswalte
und den tam dervon schalte,
25 dîne gæbn sô grôzer güsse niht
alsô man Terramêre giht:
er umbefluot ot al daz her.
noch was diu kristenheit ze wer
sô daz man von ir tât
den endes tac ze sprechen hât,

403, 1. heilige *lnop*. 7. selben *Klmnt*, selb *op*. die dich *nopt*, die *l*, dich *Km*.
9. sele *K*. 11. Heimriche (haimreich *m*) unde siniu chint *Km*. 12. sibne
K, sibn *n*. 14. sich *nopw*. do *lnopw*, so *t*. 17. Rotumbes *lmn*, Rotumbs
K, Rottumbel *t*, Rotumbumbes *op*. 18. erwegete *K*, ir wancte *t*, ir wagten *t*.
21. Litmarveile *l*, lit marvale *Km*. 26. Poume zwie *K*, Poumzwic *t*.

404, 1. die-die *m*, diu-diu *Kt*, Di-di *n*, Der-der *lopw*. 7. bræhte *Kl*, braht
mnopt. 8. elenthaftiu *K*. 10. amboze *K*. 13. rabine *Klt*. den *fehlt*
nopw. 14. karratschen *t*, karrotschen *lo*, karoschen *m*, garrotschen *K*. al
eine *Km*. 17. lanzys. *l*, Lantsis. *t*. 19. Kalyun *lm*, kahun *w*, Sandilun *t*,
got kaliun *o*, got Kahun *p*. 21. danne *K*, denn *m*, denne *pt*. 25. Din *m*,
Diene *t*, de ne *w*, Die *l*, Si *n*, Der *op*. gäbn *m*, gæben *K*, gæb *op*. so
groze *lnw*, selhe *t*. guzze *lnow*. 27. Der *w*, Dar *op*. umbe fluet ot *Km*,
umbe vluote *tw*, umbe fluet *l*, umme vluete *n*, umb fliuhet *op*. 30. des
endes tach *optw*, [Biz *l*] an den iungesten tag *ln*.

405 und dâ zwischen al der jâre zal:
     sô grôz wart dâ der heiden val.
     Doch von ir überlaste
     wart der puneiz sô vaste
5 ûf manegem schœnen kastelân
     alsô hurteclîch getân,
     daz die sehs vanen der kristenheit
     ieslîcher dâ besunder reit:
     eteslîcher kleine gezoc behielt.
10 harte unglîche man si spielt
     von ein ander mit gedrange.
     sus si fuoren lange,
     daz dâ manec getoufter man
     ander warte muose hân,
15 dan des vanen der im was benant.
     wol werte ieslîch kristen hant,
     swâ der sehs vanen dechein
     ob im ime strîte erschein:
     ir krîe ouch wârn gemeine.
20 Heimrîch al eine
     mich nu erbarmet sêre,
     daz die endelôsen êre
     sô tiwer sîn alter koufte
     und anderstunt sich toufte
25 sîn geslähte dâ in bluote.
     wie was im dô ze muote,
     dâ sîniu kint und kinde kint
     und er selbe in sölhen nœten sint,
     dar zuo mâge unde man?
     sîn herze muose jâmer hân:
406 Bî dem jâmer was doch ellen.
     in selbn und sîne gesellen
     die sîne schilde truogen,
     diene kunde niht genuogen,
5 swaz si der heiden valten.
     an Heimrîch dem alten
     was von samît ein casagân:

     ein pfellel drunde was getân,
     îser unde palmât
10 dâ zwischn gesteppet und genât,
     zwên hantschuoh des selben dran.
     ez muose ein kollier ouch hân,
     daz sich gein der kel zesamene
        vienc.
     der slitz unz ûf den gêren gienc.
15 smârât und rubîn
     daz wâren dran diu knöpfelîn,
     vor und hinden drûf sîn segn
     (des wolt er im strîte phlegn),
     gesniten ûz einem borten
20 ein kriuce mit drîn orten,
     geschaffen sô der buochstap
     den got den Israhêlen gap
     mit dem lambe bluote
     ze schrîben durch die huote
25 an bîstal unde an übertür.
     dâ muost diu râche kêren für,
     swâ man den selben buochstap vant,
     diu den schuldehaften was benant.
     wir hân mit wârheit daz ver-
        numn,
     daz kriuce was mit drîen drumn,
407 Swie mangz dernâch gevieret sî,
     da der meide sun unsanfte bî
     was unz daz sîn mennischeit
     durch uns den tôt dar an erleit:
5 dem selben kriuce Heimrîch
     ame kasagân ouch truoc gelîch
     ûf einem brûnen samît,
     do den überlästeclîchen strît
     im brâhte sînes sunes sweher.
10 iwer iegeslîchen hât diu heher
     an geschrîet ime walde:
     alsô wart ouch dort der alde

405, 3. 4. uober leste-veste *w.*   7. vanen der *K,* von der *lt.*   9. zog *n,* schar *opw.*   10. ungeliche *K.*   14. ander *tw,* an der *Klmnop.*   stan *o,* lazen stan *p.*   15. den des *m,* an des *K,* Den *op.* im *lnopt,* in *Km.*   16. Wielt iesliches *t.*   28. solhem kumber *lnop,* in kumber *t.*

406, 7. Chasagan *Km,* kassagan *op,* casegan *n,* casygan *l,* kassigan *t.*   10. zwischen *K,* . . . . nder *t,* Dar in *op.*   11. zwene hantschuohe *K.*   hantzken *op,* hantschen *n.*   12. Er *nop.*   Coller *l,* gollier *opt.*   13. keln *lnt.*   14. die gerene *l,* die erden *op.*   15. Smareit *K,* Smaragd *mo,* Smaragde *lnt,* Smaragden *p.*   16. chnephelin *K,* chnoufelein *m.*   17. Vorn *lop.*   18. im *mt,* mit *K.*   19. eime *lm.*   porten *Kmopt.*   20. drien *K.*   22. islaheln *m,* israhelischen *n,* israhelichen *l,* israheliten *op.*   23. lambes *lmnopt.*   24. Geschriben *nop.*   25. peistal *mo,* pistal *t,* bistan *K.*   26. muose *K.*   27. den selben] tau den *n.*   28. vor 27 *nop.*

407, 1. maneges *Kmop,* manigez *t,* maningiz *n,* maniger *l.*   gevîert *Klm.*   3. unze *K.*   5. selbem chruce *K.*   6. wie 406, 7.   ouch *fehlt lnopt.*   7. gruenem *K.*   9. suns *Klmt.*   11. geschriet *Knp,* geschrit *lmt,* geschriern *o.*   12. Als *lt,* ob so *K.*   ouch dort *Klmt,* ouch *n,* haimreich *op.*

durch sînen strît beruofen.
er und die sîne schuofen
15 sölhen rûm mit den swerten,
daz dâ manc storje gerten
balder von in ze kêren
denne ir schaden dâ ze mêren.
mit hurt dô brâhte ein tropel
20 Cernubilê von Ammirafel.
der selbe künec krône
von rotumbes dône
truoc in wîtem rîche.
der kom gein Heimrîche.
25 sô guoter rîterschaft er phlac:
in dûhte, er hete in einen sac
al die kristen wol verstricket.
mit den ekken wart verzwicket
des selben küneges zuo komn.
dâ wart grôz swerte klanc vernomn.
408 Dô kêrte der künec Cernubilê
gein dem der wîz sô den snê
ime strîte truoc den bart,
mit der finteilen niht bewart.
5 Heimrîch was undern ougen blôz:
diu barbier ez niht umbeslôz:
sîn helm et hete ein nasebant.
Cernubilê manc kriuce vant
gesniten ûf ir wæte,
10 die mit rîterlîcher tæte
sînem puneiz vor gehielten
und dâ manc houbet spielten,
daz die zungen in den munden
deheine krîe enkunden.
15 Mahumeten liez ers walten:
dô kêrte gein dem alten
mit sporen getribener huorte

Cernubilê. der fuorte
ûf helme unde ûf kursît
20 vil des durch minne gît
ir vriunt diu werde vriundin.
holt er an prîse dâ gewin,
daz geschah im nimêr dâ nâch.
sîner tohter sun dâ rach,
25 den clâren Vivîanzen,
Heimrîch an dem glanzen
der sô manec zimierde truoc.
der von Narbôn den künec sluoc
durch den helm unz ûf die zene.
ob ich mich nu dar umbe sene,
409 Daz ist ein verre sippez klagn.
die ir leben dannen solten tragn,
ob si nimer strîts gegerten
mit lanzen noch mit swerten,
5 die ze bêder sît dâ dolten nôt,
si wærn doch alle sider tôt.
dô der künc Cernubilê
was tôt gevellet ûf den klê,
daz wart mit schaden gerochen:
10 verhouwen und durchstochen
wart von den sîn manc kristen lîp,
die dâ heime klageten werdiu wîp.
Bernarten von Brubant
man noch bî Heimrîche vant:
15 bî sînem vater der beleip,
do der grôze puneiz d'andern treip
von im mit hurte krache.
nu kom vlokzende als ein trache
Cliboris von Tananarke.
20 ûf des helme was ein barke:
manc ander zimierde sîn
gap kostebæren sunderschîn:

14. unde er die K.　　16. manech K.　　17. im no.　　18. schadn K.
19. hurte K.　　20. Cernubil m, Cernuble nt, Gernuble l, Cornubile o.
amir. lnt, amrafel p, amrapel o.　　22. rotumbes lmnt, Rotumbs K, rotum-
bumbes op.　　25. guotr K.　　30. groz swertes lt, von swerten [grozz
op] nop.

408, 1. chunich K.　　cernuble nt, Gernuble l, immer.　　2. so den K, sam der
lmt, als ein np, alsam ein o.　　4. fintalen Km, fantasien op.　　6. barberei o,
barbane p.　　7. et nur K.　　hete ouch l, het doch op.　　naspant mo.
8. manech chruce K.　　11. Sime l, sinen Kmnop.　　gehielten K, enthielten op,
behielten t.　　12. da vor spielten lop, fehlt n.　　spieltn K.　　15. Mahmeten
lop, Machmete t.　　17. sporn getriben ein l, chreftichlicher op.　　hurte Klnopt.
vriuntin K.　　23. nimmer me lnt, nie seit op.　　25. werden Km.　　26. an
Cernubile (Corubel m) dem glanzen Km.　　27. manege K.　　30. nu darumb
icht p, dar umbe nu l, dar umb ich o.

409, 3. strites K.　　gegertn K, gerten lnop.　　6. sider alle nop, sint alle l.
9. Der nop, Manliche er wart gerochen lt.　　11. wart von den (fehlt m) sinen
manech Km, Von den sinen wart manig lnopt.　　12. Den lt.　　16. die K.
18. gloczende p, glosund o, volkch inzund m.　　19. 20 fehlen t.　　19. Gly-
boris K, Cleboris l.　　20. brache Kn.　　21. manech andr K.

durchliuhtic edele steine,
etslîcher niht ze kleine,
25 an gespunnenem golde hiengen,
die gein sunnen blic begiengen,
swenne imz houbt wolde wanken,
als ob im fiwers vanken
flügen ûz dem munde
glüendic ob und unde.
410 Sus kom mit hurte Clyboris.
Bernart von Brubant was gewis,
er bræhte im sînen endes tac.
der getouften sô vil vor im lac
5 beide erslagen unde wunt,
solt ich se iu alle machen kunt,
wer dâ tôt wart gevalt,
wie der ander sînen mâc dâ galt,
wie der mit rotte kom gevarn,
10 wie der ander kunde niht gesparn
weder ors noch den man,
und wer dâ hôhen prîs gewan
ime her an allen sîten,
solt ich ir sunder strîten
15 bescheidenlîchen nennen,
sô müese i'r vil bekennen.
der künec von Tananarke dranc
an den von Brubant: hin er swanc
ims helmes breiter danne ein hant,
20 daz ez ûfem hersenier erwant.
wær der halsperc niht dublîn,
ez müese aldâ sîn ende sîn.
Bernart zôch ûf ein swert
(dem wârn sîn ekke bêde wert),
25 Precîôsen, daz der künic truoc,
den der keiser Karl sluoc.

daz wart genomen ze Runzevâl:
dannen kom ez alsô lieht gemâl
mit den Franzoysen widr:
Bernharte wart ez sidr,
411 Der manheit wol getorste tuon.
des wart des Haropînes suon
durch parken und durch helm er-
slagn.
wîbe lôns enphâher solten klagn
5 sîner zimierde liehten glast.
der clâre junge starke gast
underm orse tôt belac.
in die barken gienc der bluotes wâc:
swer marnær drinne wære gewesen,
10 der möhte unsanfte sîn genesen.
der sun des künec Oukîn
Poydwîz tet ouch wol schîn
daz er hête bejagt
hôhen prîs dick unverzagt
15 gein maneger tjoste mit den spern.
der kunde ouch mit dem swerte
wern
des tôds Kîûn von Bêâveis
und fünf rîter kurteis
Franzoyse sîner gesellen.
20 die begunder tôt dâ vellen
under d'ors ûfez gras,
dâ Heimrîch der junge was.
mit zorn der an in ruorte:
er nam in für mit huorte,
25 und kêrt in umbe schiere
gein dem künec Grôhiere,
durch des rinc für sîn gezelt:
dâ gab er mit dem tôde gelt

23. edel gesteine *lopt.*   24. Etsliche *lno*, Etslich *t.*   25.. gespunnem *lpt*, gespunnen *mn*, gezaintem *o*.   30. Gluonde *lnpt*, glosunde *o*.

410, 1. Gleboris *t*.   10. 12 *fehlen n*.   10. Und wie *op*.   da maniger *ltx*. chunde niht *Kmtx*, niht kunde *lop*.   sparn *opx*.   16. ich ir *lnopx*, ich *Kmt*. erkennen *opx*.   19. Des *ln*. und tet im einen swanch In den helm *op*. 20. hersniere *K*.   21. Daz harnasch *lt*.   dublin *Kt*, dublein *m*, gewesen duplin *op*, tublin *l*, tubelin *n*.   23. zo^ch *K*, want *l*, der warf *n*, swanch *op*. sein *mop*.   24. waren sine *K*, warn di *m*.   ecken *ln*.   25. der chunich *m*, der keiser *K*, der Palygan *l*, der Baligan *t*, [der *op*] chunik Baligan *nop*.

411, 2. der *fehlt op*, kuning *n*.   haropins *m*, haropius *K*, harapins *l*, Harapines *t*, harabines *nop*.   3. durh den *l, fehlt no*.   4. lone *l*, lon *op*.   enpfehet solhes clagen *l*, enpfiel im wer sol tragen *op*.   6. chlare iunge werde *op*, Junge clarer suozzer *l*, . . . iungen claren suozzen *t*.   8. gie *Kmopt*.   des *lnop*. 9. marnære *Kt*, mernere *n*, morner *l*.   10. der] da *K*.   11. Ouchin *K*, okin *n*, bukin *l*, Haraphin *t*.·   12. tet ouch *Km*, tet da *nop*, da tet *lt*.   14. diche *K*.   17. todes *Klmnt*, tott er *op*.   kyun *t*, kyon *l*, kiunen *Km*, kywonen *n*, kybanen *op*.   Beavois *Kmn*, Beavis *t*, Roanis *op*.   18. kurtoys *Kmnop*. 19. Franzoyser *lmnot*.   21. undr drôs *K*.   23. zorne *K*.   24. hurte *Klnop*. 26. kunege *K*.   Groiere *l*, Crohiere *Km*, Goygiere *o*, Roygiere *p*.

umbe den burcgrâven Kîûn.
den rach Heimrîches sun
412 Billîch: er was sîn mâc.
Poydwîz ouch tôt belac,
der manlîche tiostiur.
durch hôhe minne ûf âventiur
5 brâhte er dicke sînen lîp.
sîne mâge und grôz gemuotiu wîp
mohten bî den zîten
in manegen landen wîten
sînes tôdes riwic sîn.
10 von Raabs rois Oukîn
moht ouch Poydwîzen klagn,
sînen werden sun, von dem man
sagn
muoz durch guote rîterschaft.
waz half sîn grôziu hers kraft,
15 die im sîn vater schuof ze wer,
mange sunderrotte, über mer?
ûz den het er sich erstriten,
daz er in ze verre was entriten.
swer die sînen ie verkôs,
20 der wart ouch etswenn sigelôs.
daz in der schêtîs eine sluoc,
daz kom dâ von. daz ors in truoc
durch den rinc des künec Grôhier.
dâ was im durch daz tehtier
25 dez houbetstiudel ab geslagn:
ez mohte des zoumes niht getragn.
des wart er umbe gewant
von des schêtîses hant,
daz er den rücke kêrte
dem der in sterben lêrte.
413 Lâzâ klingen! waz dô swerte
erklanc,

und waz dâ fiwers ûz helmen
spranc,
dâ der vogt von Baldac
selbe strîtes sich bewac!
5 der getorste unde mohte.
lützel iemen daz getohte,
daz er im gæbe gegenstrît.
iedoch an der selben zît
ein rîter unders rîches vanen
10 begunde die Franzoyse manen,
und sînen friunt Rennewart.
er nam daz ors ungespart
mit den sporen sêre,
er rief gein Terramêre
15 ‘her an mich, alt grîser man!
du hâst uns schaden vil getân:
ich gib dir strît, sît du des
gers.’
grâve Milôn von Nivers
was der manlîche man genant.
20 des rîchen Terramêres hant
imz leben ûzem verhe sneit.
diu tât was Rennewarte leit:
den dûhte der sehade alze grôz
umb sînen werden schargenôz.
25 den rach er alsus schiere.
er sluoc werder künege viere,
Fabûren unde Samirant,
Samuêln unde Oukidant.
winsterhalp an sîns vater schar
nam er des fünften küneges war:
414 Der hiez Môrende:
von Rennewartes hende
wart der selbe ouch tôt gevalt.
alsus er Milônen galt.

5 von sînem ungefüegen glâz
huop sich vor im ein fîâz.
des heres ûz Valfundê
kêrt ein teil geime sê:
si mohten langer strîten niht.
10 ir hêrren Halzebier man giht
daz er des tages mit sîner schar
alrêrst der vînde næme war,
daz er des sturmes begunde.
hie der müede, dort der wunde,
15 entwichen schône idoch mit wer
hinz ir schiffen gein dem mer.
    nâch den was Rennewarte gâch:
des markîs volc im zogete nâch
mit swertslegen unz an den stat,
20 des er doch ir decheinen bat,
die Monschoye schrîten.
an deu selben zîten
der pfallenzgrâve Bertram
daz herzeichen wol vernam
25 in einer sentîne,
und siben der mâge sîne,
dâ si gevangen lâgen
und grôzes kumbers pflâgen.
Munschoye wart von in bekant.
ir hüetær wârn von Nubîant.
415 Munschoye ouch si dort unden
schrîten, die gebunden.
dô Rennewart der starke
kom dâ diu barke
5 vome kiele unz an den stat
reichte, und er dar în getrat,
er schufft dâ manegen über bort.
si vluhen unz an des kieles ort,
etslîche unz in die sentîn:
10 dâ wolten si genesen sîn.
er brach die dillen nâch in dan,

unz er si gar her für gewan.
    Munschoye schriren dise ehte:
er marcte ir stimme rehte,
15 daz si schrîten nâch der franze.
manec unsüeze schanze
wart getoppelt dâ der heidenschaft.
er warf ir vil mit sîner kraft
al gewâpent in daz mer.
20 harte kleine half ir wer.
dô twanger die von Nubîant,
daz si sluzzen ûf diu bant,
armîsen, îsenhalten.
sus kund er zühte walten,
25 daz er der hüetær keinen sluoc:
die heten angest doch genuoc.
    aldâ wart ledic Gibelîn,
Bertram und Gaudîn,
Hûnas und Samsôn.
ir hüetære enpfiengen lôn
416 Dâ mit daz er den lîp in liez:
von arde ein zuht in daz hiez,
sît si âne wer dâ lâgen
und swert noch pogen pflâgen.
5 dâ bliben die von Nubîant:
ûz durch die barken ûfez lant
dise ahte fürsten kêrten,
die der heiden schaden mêrten,
Bertram und Gêrart,
10 Hûwes unde Witschart,
Sansôn unde Gaudîn,
Hûnas [von Sanctes] und Gibelîn.
    ê die gewunnen harnasch,
bî liehter sunnen dâ verlasch
15 manegem Sarrazîn sîn lieht.
dise ähte mohten strîten nieht
ê daz in gap strîtes kleit
der mit der stangen vor in streit.

---

5. sîner *l.*   gelaz *lmnpt*, laz *o.*   6. phyaz *n*, friaz *t*, fugiaz *l*, grozzer
was *op.*   7. hers *K.*   12. alrest *Kmt.*   viende *K.*   13. Wand er *mn*,
Und *op.*   strites *lopt.*   15. schone doch *t*, schön und doch *x*, ie doch
schon mit *op*, schone mit der *l.*   18. markis *o*, marhcraven *Klmnptx.*
19. swertes slegen (slege *t*) *lmnopt.*   26. sibne *K.*   30. huetære warn *K.*
Nubilant *p*, Nybilant *o.*

415, 1. si ouch *nop*, sie *l*, si *t.*   2. Schriren *l.* Schreyen do begunden *op.*
7. schuffte *Kn*, schupfte *lopt*, warf *m.*   11. dille *l*, tillen *n.*   13. schrieten
n, schreiten *m*, schrite *t*, rieffen *op.*   14. merckte *lop*, merkete *n.*   15. schrie-
ren *l*, rieffen *op.*   17. getopelt *mnoptx.*   19. indz *K*, inz *m.*   21. Nubilant
op, auch 416, 5.   25. huetære *K.*   27. gebelyn *n*, kybalin *lt*, Chybalin *x.*
29. Hunâs *K.*   Sampson *lmnop.*

416, 1. er die lebn liez *K.*   5. Alda *lot.*   belibn *Km.*   6. Us [in *op*] der
barken *lopt*, Van demc kiele *n.*   7. aht *Kmop*, ácht *x*, æhte *t.*   8. schar *mx*,
schar da *op.*   rerten *op.*   9—12 *fehlen mx.*   10. Hunas *l*, Hynas *op.*
wischart *K.*   11. Sampson *lnop.*   12. Hynas santtes *o*, Hues *lp.*   Gybalin
op, kybalin *lt.*   15. sarrazine *K.*   17. gebe *l*, gæbe *t.*

der sluoc der heiden dâ genuoc,
20 manegen der sölh harnasch truoc,
sich möhte ein keiser wâpen drîn,
swâ der im sturme solte sîn.
dise ähte fürsten wol geborn,
îsenhosen unde sporn,
25 halsperge, helme unde swert,
der heten wel die helde wert.
niht wan orse in gebrast.
Rennwart wol schutte sînen ast:
ich meine sîner stangen swanc,
der ûf helmen unde ûf schilden klanc,
417 Daz man und ors dar under starp.
do der orse dâ sô vil verdarp,
daz widerriet im Bertram:
des fürsten rât er sus vernam.
5 'du solt die rîter stôzen,
die gewâpendn und die blôzen,
mit der stangen ûf die erden:
lâz uns der orse werden
sô vil daz wir gerîten:
10 sô helfe wir dir strîten
ze orse baz dan ze fuoz.'
'des râtes ich dir volgen muoz,'
sprach der junge Rennewart.
mit stôzen was dô ungespart
15 vil der Sarrazîne.
er dâhte 'ob ich die mîne
ze orse möhte bringen,
die liezen swert erklingen.'
swaz er dô rîter nider stiez,
20 der guoten orse er dâ niht liez,
er zôh se disen ähten dan.
lantgrâf von Dürngen Herman
het in ouch lîhte ein ors gegebn.
daz kunder wol al sîn lebn

25 halt an sô grôzem strîte,
swa der gernde kom bezîte.
der rede sî nu hie ein ort:
nu hœrt ouch wie si strîten dort.
Esserê der emerâl
mit zimierde lieht gemâl,
418 Ein fürste ûz Halzebieres her,
der hielt mit rotte aldâ ze wer
dennoch unbetwungen.
Rennewart kom gedrungen,
5 daz er in möht erlangen.
er stiez in mit der stangen
durch den lîp der wâpen truoc,
wol klâftern lanc: des was genuoc.
des ors wart dô Gibelîn,
10 dar ûf er manegen Sarrazîn
verschriet. nu sint dise ähte
ûz Willehalms geslähte
ze orse und wol bereite:
in den strît gap in geleite
15 ir niftl Alîzen soldier.
nu ersähen si daz Halzebier
vor in als ein eber vaht:
doch was sîn ellenthaftiu maht
müede, wand er al den tac
20 zors und ze fuoz der strîte pflac,
des noch sîn prîs hât lobes lôn.
nu bekant in Sansôn
bî dem schilt (des was doch wênic ganz):
dâ wart gerochen Vivîanz
25 mit den swerten sêre,
und daz er Terramêre
dise ähte gevangen gap.
wan daz des sturmes urhap
des tages von sîner hant geschach,
si heten grœzer ungemach,

---

20. maniger solhe zimierde *lt.*
Israine h. *p*, eysnein h. *o.*
26. wel *K*, wele *n*, weln *m*, wal *lt*, chur *op.*
(*ohne* und) *n.* schildn *K*, schilte *t*, schilt *lop*, helme *n.*
417, 6. gewapenden *K*, gewappent *m*, gewapente *p*, gewapeten *t.*
Knp. 10. helfen *Kt.* 11. örse *K.* 14. wart *mnop.*
22. Von duringen lantgraf *mn.* Lantgrave *K.*
Düringen *K.* 25. so grozz *m*, groze *l*, grozzem *op*, grozen *t*, sulcheme *n.*
27. 28 *fehlen n.* 27. nu hie *lmt*, hie nu *K*, mit hie *o*, hiemit *p.*
fehlt lop. 29. eszere *K*, Eszereiz *l*, Esser *m*, Ezzere *n*, Esckelier *opt.*
der] und *opt.*
418, 4. Rennew. *K.* 8. clafter *lmopt.* 9. kybalin *lt.* 10. manegn *K.* 12. Willehlms *K.* 13. Zuo orse kumen (quamen *p*, kom *t*) *lopt.* und *fehlt pt.*
bereit-geleit *lmop.* 15. niftel *mp*, nifteln *Klnot.* 20. zörse *K.* des strites
lnt, streitez *op.* 21. don *p.* 22. Sanson (*das erste* n *in* m *verändert K*)
Kt, Sampson *lmnop.* 23. schilte *K.* 25. mit den ecken *lt*, Mit swertes
ecken *p.* 28. strites *lop.* 30. So *mn.* grozzen *op*, groz *lt.*
24. Yserhosen *t*, Ysern hosen *l*, Yserne h. *n*,
25. Halsperch *lmop*, Halsperge blaten *t.*
30. helme *lmopt*, schilde
erchlanch *lopt.*
8. der] diu
nicht gespart *m.*
Durngen *t*, duorngen *l*,

419 Dise äht, von im gewunnen.
　des strîtes wart begunnen
　an den künec von Falfundê:
　si tâten im, er tet in wê.
5　ey got daz dus verhanctes!
　Hûnas von Sanctes
　lac vor sîncr hende tôt.
　von wunden harte grôze nôt
　die sibene enpfiengen, swaz der was,
10　ê daz si tôt ûfez gras
　den starken künec gevalten.
　ime sweize muose erkalten
　sîn werder lîp, ê der erstarp,
　der ie nâch sölhem prîse warp
15　des andern künegen was ze vil.
　er stiez sô kostebæriu zil
　mit manheit und mit milte,
　daz er durch nôt bevilte
　ander künege sîne genôze.
20　sus starp der schanden blôze
　ân alle missewende.
　man giht daz sîne hende
　wol getorsten strîten unde geben,
　zuht mit triwen, al sîn leben
25　al dise werdeclîchen site
　unz an den tôt im wonten mite.
　ûz sehs hern der er pflac
　manec fürstc umb in gestreut lac,
　die smorgens zuo zim wârn ge-
　　　schart.
　gernc het in Terramêr bewart.
420　Man hôrt dâ manege krîe.
　da ergienc ein temperîe,
　als wir gemischet nennen.
　man moht unsamft erkennen
5　den getouften bî dem Sarrazîn.
　Alitschanz muoz immer sælic sîn,
　sît ez sô manec bluot begôz,

　daz ûz ir reinem verhe flôz,
　die vor gote sint genesen.
10　nu müez wir teilnüftic wesen
　ir marter unde ir heilekeit!
　wol im der dâ sô gestreit,
　daz sîn sêle signunft enpfienc!
　sæleclîche ez dem ergienc.
15　hurtâ, wie der markîs
　den bêden leben warp dâ prîs,
　dises kurzen lebens lobe,
　und dem daz uns hôh ist obe!
　swâ die gezimierten
20　ûf in punierten,
　ungezalt valt er se nider.
　ez wart ouch Rennewarte sider
　ein ors, hiez Lignmaredî.
　daz lief mit lærem satel bî
25　dem künege Oukîne.
　der mante al die sîne,
　er sprach 'ôwê wa ist Poydwîz,
　an dem lac mîner vreuden vlîz?
　hie kumt sîn ors, daz er reit,
　daz er mit sîner hant erstreit
421　vor dem berge ze Agremuntîn.
　ouwê,' sprach er, 'sun mîn,
　Sol ich dich immer gesehen?
　dîn vriunt dîn vînde müezen jehen
5　daz dîn hant manegen sig er-
　　　vaht.
　dir was der sig ouch wol geslaht
　von mir: ich wart nie sigelôs,
　wan hiute, ob ich dich verlôs
　gein dem Rômære Lôys.
10　ob die getouften dînen prîs
　bekanten, in wære leit
　dîn sterben, ob si sicherheit
　kunnen nemen, unde op sie
　dîn tugent wisten. ich friesch nie

419, 1. Dise æhte *K*, Des tages *lt.*　　10. sie toten *lmop*, sin tot *t.*　　13. E [das *p*] sein werder leip erstarb *op.*　　.e. daz er starp *l*, .e. daz der erstarb *t.*
19. gnoze *K.*　　25. al dise *Km*, Dise manige *lt*, Die zwene *nop.*　　28. umbe *K.*
420, 2. ergiech *K.*　　3. wir] wil *K.*　　9. got *K.*　　10. muese *K.*　　teilnuf-
tich *Kmt*, teilheftig *lo*, teilhaftig *np.*　　11. martr *K.*　　17. Disses *lt*, diss
K, Ditz *o*, Hie ditz *p*, Deme *n.*　　lebns *K.*　　18. hoh uns *K*, ob uns
hoch *op.*　　22. doch *lnot*, do *p.*　　Rennewart *K.*　　23. Lignmardei *m*, lin-
gemardi *op*, Ligmardi *lt*, lingemgredi *n.*　　26. er *Km.*　　nante *l*, nam *K.*
28. vrouwen *K.*
421, 3. immer *K*, immer mer *mn*, iemer mer *l*, iemer mere *t*, nimmer mer *op.*
4. dine vriunt dine viende *K.*　　9. romære *t*, Romere *l*, Ræmere *op*, kunige *n*,
Ræmischem kunege *K*, Romischen chunich *m.*　　13. nemn *K.*　　ob sie *lnopt*,
ob si dine tugent *K*, dein tugent weisten *m.*　　14. wistn. ich friesch nie in●
diner iugent *K*, ob si iht vreischten *m.*　　ichn *n.*　　gefriesch *lt*, gefriesche *p*,
horte *o.*

15 dînen glîchen ûf der erden.
ich muoz ertœtet werden,
ichn versuoche war du sîst getân.'
sus kom der klagende grîse man
ûf den marcrâven gevarn.
20 der kunde in dâ vor wol bewarn,
daz er dar nâch iht dorfte klagn.
doch wart sîn helm alsô durch-
　　　slagn
von der Oukînes hant,
daz man in bluotic dürkel vant,
25 swer in dar nâch wolte sehen.
der marcrâve muose jehen
daz in ein helt dâ bestuont,
dem elliu wâfen wærn unkuont
sînem verhe schadehaft.
mit guoter kunst, mit starker kraft
422 was al sîn harnasch geworht.
er was ouch selbe ie unervorht
In manegem sturme erkennet:
sîn prîs was hôch genennet.
5 ûz der jugent in sîns alters tage
ranc sîn hant nâch dem bejage,
mit milte, mit manlîcher tât,
dâ von man lop ze reden hât:
sîn lîp nie zageheit erschrac.
10 manegen ellenthaften slac
enphienc von sîner werden hant
der fürste ûz Provenzâlen lant.
　　Willehalm sich muose wern,
ob er den lîp dâ wolte ernern.
15 Schoyûse wart geswenket,
dâ der schilt was gehenket
bî des helmes snüere stricke.
si wâren bêdiu dicke,
von palmât ein collier,
20 von stahel ein veste hersenier.
daz half niht al sîn herte:

rehte als ein swankel gerte
wart ez hin ab gehouwen.
den lîp man mohte schouwen
25 âne houbt im satel sîn.
dâ viel dem künege Oukîn
dez houbet und der schilt ze tal,
dar nâch der lîp über al
underz ors ûf die molten.
sus starp der umbescholten.
423 Der künec Arestemeiz
und der künic von Belestigweiz
und der starke künec Haropîn
(die getorsten wol in sturme sîn)
5 dô kômn mit rotte sunder.
er moht dâ kiesen wunder,
swerz müezic was ze schouwen.
ir her almeistic frouwen
mit zimierde santen dar.
10 der drîer künege, ir keines schar
was dennoch an die rîter komn:
dâ hete si Larkant von genomn,
manec enger furt, den si ritn:
si kômn alrêrst nu dâ si stritn.
15 innen des ruowte ouch Renne-
　　　wart.
ob sîn besenget junger bart
mit sweize iht wære behangen,
und ob in sîne stangen
wær inder swertes slac geschehen?
20 jâ, man mohte an ir wol sehen
daz dran diu stähelîniu bant
vonme drume unz an die hant
vaste wârn verschrôten.
man mohte se für die tôten
25 wol zeln, die daz tâten.
nu was der strît gerâten
zeime alsô verrem rucke
von der drîer künege drucke,

15. gelichen *K*, gelich *l*.　　17. ich env. *K*, Ich ersuech *m*.　　19. 26. Marhcr.
K.　　20. da von *K*.　　23. der *m*, d'es *Kl*, des kuniges *nop*, *fehlt t*.　　Oukins
Km, okines *n*, Orkeisen *l*, Wilhalmes *t*.　　28. elliu *fehlt l*.　　wappen *lnt*,
zaghait *op*.　　waren *Klmt*, waz *op*.　　29. unschadehaft *K*.

422, 2. ouch selbe ie *Km*, ouch selber *nop*, ie selber (selbe *t*) *lt*.　　3. In vil - er-
chant *m*.　　4. hohe *l*, ouch *K*, ouch hoch *m*.　　benennet *npt*, benant *m*.
8. redene *Kln*, rende *t*.　　13. Willelm sih *K*.　　14. dâ *fehlt lnopt*.　　wolte
den lip *nop*.　　17. des *Kmp*, der *lnot*.　　helms *K*, helme *lno*, helm *t*.
19. balmat *K*.　　21. Es enhalf *lt*, Doch half *op*.　　22. swanehet *K*.
25. houbet ime *K*.　　27. dz *K*, des *m*.

423, 1. aristemez *n*, aristemeis *o*, arestimeis *p*, von palestiguweiz *l*, von Pale-
stigeweiz *t*.　　2. von *fehlt Klm*.　　palestigeweiz *p*, bolestegweis *o*,
delechsegweis *n*, Aristimeiz *l*, Arestimeiz *t*.　　3. künec *fehlt n*.　　harapin
l, Arapin *t*, aropatin *op*.　　5. do *Ko*, Da *t*, Die *lp*, Si *m*, *fehlt n*.　　chom *K*,
kom *t*.　　13. fürte *Kp*, fürt *lm*, furte *o*, fur *t*.　　14. alreste *K*.
15. rŵete *K*, schowte *op*.　　23. Sere *lopt*.　　24. si *K*.　　27. żeinem *Km*.
alse *K*.　　verrem *Km*, verren *lnpt*.

daz sêre entweich diu kristenheit.
diu tât was Rennewarte leit.
424 Der sah den wehsel an der
　　　diet:
swâ müediu schar ûz sturme schiet,
sô kom manc ander mit kraft.
sô vil was der heidenschaft,
5 daz nie geprüevet wart ir zal.
manec hurte dâ sô lûte erhal,
dâ von daz kristenlîche her
begunde müeden an der wer.
　　ze helfe kom in' Rennewart.
10 er kêrte hin dâ Gêrhart
wol vaht und die mâge sîn
gein dem starken künege Ha-
　　ropîn,
dem alten Tananarkeys.
zuo des burcrâven von Beâveys
15 rotte wâren si dâ komn.
die heten schaden ê genomn
an ir hêrrn, der was erslagn:
si getorsten werdeclîche tragn
noch sîne baniere.
20 Rennewart si schiere
bekande, und daz des rîches vane
von in was entwichen dane
durch dise geruoweten schar drî.
Iwân von Roems ûz Normandî
25 was ders rîches vanen truoc.
starc und manlîch genuoc
was des herze und al sîn lide.
er hete des tages âne vride
durch manege schar gedrungen,

dâ swert ûf im erklungen.
425 Dô der Rennewarten sach,
in dûht daz er nie ungemach
des tages in sturme enpfienge,
swie ez dar nâch ergienge.
5 sich koberten die getouften gar,
und nâmen niwes schaden war.
dô kom der künec von Nu-
　　bîant,
sîner süne vierzehen erkant
ze küngn in sundern landen.
10 die getouften rîter wânden
daz dâ snîten rîter ûzem luft.
sîn bart was grâwer dan der tuft,
des alten künec Purrel.
gezimiert manc rîter snel
15 geschart mit sînen sünen zuo riten.
si hânt noch umben wurf gestriten,
alle die getouften dâ.
was ir iht mêr anderswâ,
diene sâhen sölhes kumbers niht,
20 als uns diz mære dannen giht.
des küneges schar von Nubîant
was diu hinderst über Larkant.
nu ist der schûr gar her für:
got waldes an der siges kür.
25 Purrel der künec rîche
was gewâpent wunderlîche.
sîn halsperc einer hiute was,
der hâr schein grüener dan daz
　　gras
daz stêt bî der wisen zûn.
der wurm hiez neitûn,

424, 1. wechsel *K.*　　2. von *lop.*　　striten *K,* strite *n.*　　3. manech enderiu *K.*
9. im *K.*　　12. starken *fehlt nop.*　　Harapin *t.* karapyn *l,* aropatein *op.*
13. Tananarchoʃs *Kmp,* Tananarkoise *t,* Tananarboys *lo,* tanarnarschoys *n.*
14. Zuo sime sune den kurtoys *l.* Des Purgrave *t.* von *fehlt op.* Beavoys *K,*
beavoise *t,* Beaſoys *m,* beanoys *np,* Beamois *o.*　　15. Zuo rotte *l.*　　sí *fehlt K.*
dâ *fehlt m,* daɪ *oρ.*　　gechomen *m.*　　17. herren *alle.*　　18. werdechlichen *Kp,*
werliche *nt.*　　20. si] so *op,* wart *lt.*　　21. Bekant *lt.*　　und *fehlt lopt.*
daz *fehlt l.*　　24. Yban *m,* iewan *op,* Ich weine *t,* Wilhelme *l.*　　uz *t.*
Rœms *Km,* roms *n,* remis *l,* Rœmsch *t,* Rome *op.*　　ûz] unde von *K,* von *l,*
In *t.*　　27. al sine *l,* all die *m.* sîne?
425, 1. Do daz Rennewart *K.*　　ersacħ *Kopt.*　　2. duohte *K,* dunckt *m.*
5. bekoberten *lot.*　　7. Nu *lnopt.*　　8. sine *K,* Und siner *np.*　　sune waren
virzehen *lt.*　　9. chunegen *K.*　　sunder landen *lmt.*　　10. 11. Die kron
truegen ane schanden Die christen wanten weiten Daz da sniter (riter *p*) sneib-
ten (sniten *p*) Snelleich durch di lufte *op.*　　10. ritr *K.*　　11. da *Kmt,* die
l, iz *n.*　　snîuten riter *K,* ritter sniten (sneibten *m*) *lmt,* sniete ritter *n.*
uz der *n.*　　12. danne ein *lp,* dann *o.*　　tufte *op.*　　13. porhel *nop,* immer.
14. manech *K..*　　15. sinen sunen *Kmnt,* sinen rittern *l,* sinnen si *op.*
16. umbn *K.*　　21. des kunech schar *K.*　　24. walds *K.*　　28. danne ein
lnop.　　19. daz *fehlt lmt,* Daz da *op.*　　zûne *Klopt,* schone *n.*　　30. heiz-
zet *op.*　　Neitûne *Kt,* Nytune *l,* veidune *op,* vridone *n.*

426 Dâ diu hût was ab geschunden:
　　diu was sô hert erfunden
　　in glîcher art dem adamas.
　　ein schilt ouch drûz gemachet
　　　　was,
5　an allen orten veste,
　　immer ein der beste
　　der ûz der schar kom vînden bî.
　　smârât und achmardî,
　　der beider grüene was ein niht
10　gein der grüene als man dem schilde
　　　giht.
　　　ein ander wurm hiez muntunzel,
　　dar ûz dem künec Purrel
　　ein helm was erziuget.
　　diz mære uns niht betriuget:
15　daz sult ir hân für ungelogn,
　　reht alsô die regenbogen
　　in vier slahte blicke gevar
　　was des selben wurmes hâr.
　　als was sîn swarte ouch innen.
20　dine kunde niht gewinnen
　　weder schuz noch slac noch stich:
　　der künec mohte trœsten sich
　　daz er âne wunden
　　belibe zallen stunden
25　swenn er dar under wære.
　　niht ze dicke, niht ze swære
　　wârn die selben wurmes hiute.
　　ez wâren spæhe liute,
　　die worhten sölhe sarwât,
　　der man ûf dem Sande wênic hât.
427　Sus kom der künec Purrel
　　mit maneger pusînen hel:
　　über al daz her der schal derdôz:
　　die getouften durch nôt verdrôz
5　sô maneger niwen starken schar.
　　sich samelierten aber gar

ir sehs vanen zein ander.
Purrels sun Alexander
und ein sîn sun Bargîs
10　und Purrel selbe wârn gewis,
in wære der sig behalten.
die jungen vor dem alten
alle vierzehene sprancten.
ob werdiu wîp des dancten
15　den die ir leben dan
brâhten, daz was guot getân,
dienten si nâch minne:
sô het ich zir gewinne
unsanfte dâ gepflihtet.
20　si wurden des berihtet,
wie man in stürmen dienen muoz
hôhe minne und den werden gruoz.
　　Purrel dâ mohte schouwen
sîniu kint verhouwen,
25　und ander sînes heres vil.
diu gebot an sölhem topelspil
kund er wol strîchen unde legn:
er was mit stichen und mit slegn
ûz der jugende unz in sîn alter
　　komn:
sperkraches het er vil vernomn.
428 Gein der rehten manheite
sîn herze im gap geleite.
swâ man des vil von künegen
　　sagt,
dâ wirt armmannes tât verdagt.
5　arme rîter solten strîten:
ein künec wol·möhte bîten,
unz er vernæm diu mære,
wie der furt versichert wære.
der Baligânes tohter man
10　Purrel ie hôhen prîs gewan,
swenn er mit dem swerte
strît enpfienc und strîtes werte.

426, 1. hûnt *K.*　　　　2. funden *l*, irwunden *n*, gewunden *op.*　　　3. gelicher *K.*
7. vienden *K.*　　8. Smarait *K*, Smaragd *m*, Smaragde *lnot*, Smaragden *p.*
ackmardi *p.*　　11. haizzt *op.*　　Monzel *l*, münczel *p*, oumuntzel *o*, mumulzel *n*,
munerzel *t.*　　16. alsam *lopt.*　　der *op.*　　17. slaht *Km.*　　18. Als was *l,*
Also was *t*, So was *nop.*　　var *op.*　　19. also *Klmnt*, Sust *p*, So *o.*　　21. noch
vor slac *fehlt lopt.*　　24. Bleib *lop.*　　30. uf dem sande (sant *m*) *Klmnt,*
uf dem wande *n*, zeland hie *op.*　　luzel *l.*

427, 3. über daz *lt*, Daz uber al daz *m.*　　erschal (schal *Kt*) der doz *Klt*, der
schal erdoz *mnop.*　　8. alezandr *K.*　　9. bragwis *n*, parchys *l*, Parkis *t*,
Rargois *op.*　　21. sturmn *K*, strite *n.*　　22. den *fehlt nop.*　　25. andr *K*,
anders *lmn.*　　hers *Km.*　　26. gebott *K.*　　27. strîchen *K*, streichen *m*,
streihen *o*, stricken *lt.*　　29. unz *fehlt lopt.*

428, 2. Sin herce gap ime *n*, sime hercen gap *Km*, Gab im seines hers *o*, Gab
er seinem here *p.*　　4. wirt] wir *K*, wær *op.*　　arem mannes *K*, armes
mannes *lnt*, eins armen mannes (ritters *p*) *op.*　　7. varnæme *K.*　　8. fuort
lp, fürt *m*, fuert *o*, vor *n.*　　9. Baliganis *t*, Baligans *Km*, Palygans *l.*
12. enpfie *Km.*

nu wart er wol innen des,
daz ein sîn sun Palprimes
15 gein des rîches vanen kumber leit:
der fuort sô tiweriu wâpenkleit,
daz man ûz maneger schar
nam sîner zimierde war.
Purrels ors mit hurt in truoc
20 dem sune ze helfe, dâ er sluoc
Kîûnen von Munsurel,
und Remôn, des lop was hel,
ûz Daniu den barûn.
sus beschutter sînen sun.
25 dâ lag ouch tôt von sîner hant
der werde ûz Purdel Girant.
von Poytowe Anshelm lac dâ tôt.
des vater leit die selben nôt:
der hiez Hûc von Lunzel.
die fünve sluoc dâ Purrel.
429 Noch grœzer schade von im ge-
　　　schach.
den künec von Nubîant man sach
eine strâze houwen durch daz wal.
der getouften viel sô vil ze tal,
5 daz wîter rûm umb in wart.
in den rinc spranc Rennewart,
daz er die stangen möht erbürn:
·man begunde ouch sîne slâ dâ
　　　spürn.
dô reit der künec Purrel
10 starc küene unde snel
ein ors, gewâpent ûf den huof,
daz dicke hurteclîchen schuof
sînen willen swenners gerte.
Rennewart in werte
15 noch mêr denn er im schuldic
was.

gein dem schilte grüener dann ein
　　　gras
diu stange hôhe wart erzogn:
der helm gelîchte dem regenbogn:
dâ wart ungesmeichet
20 helm und schilt erreichet
mit eime alsô starken swanc,
daz diu stange gar zerspranc.
ob der trunzûn swære
ûf in den luft îht wære?
25 jâ: duo der sich nider liez,
durch den helm er einen rîter
　　　stiez.
　　Purrelle erkracheten gar diu lit.
Kîûn von Munlêûn der smit
mit vlîze worht die stangen:
doch zebrâsten gar ir spangen.
430 Wan daz harnasch würmîn,
der künec Purrel müeste sîn
von dem slage gâr zerstobn:
sîne frinnt diu wâppen mohten
　　　lobn.
5 seht ob er drûf îht dolte nôt:
des einen slags daz ors lac tôt,
und der künec lac unversunnen.
schiere kom gerunnen
ûz munde ûz ôren unde ûz nasen
10 daz macht al rôt den grüenen
　　　wasen.
　　mit der fiuste Rennewart dô
　　　streit,
swaz Purrels hers im gereit.
mit der fiuste vaht er fürbaz:
sîns edelen swertes er vergaz
15 in der scheiden an der sîten.
irn gesâht nie fiuste strîten

---

13. er *fehlt K.*　　　14. Malprimes *m*, Malbries *t*, pulprimez *l*, pahorimes *o*.
16. Er *lopt.*　fuorte *K.*　21. Kyonen *K*, Kyun *t*, Kym *l*, Geonem *o.*　Munt
surel *t*, Muontsurel *l*, Mansurel *m*, munsarel *n*, muntsarel *op.*　　22. Re-
monen *Kmp*, rennonen *n*, remmonen *o*, Rimmun *t*, kȳmmuom *l.*　23. Daniu
Km, tanyu *n*, tanyun *l*, Tanu *op*, hin zuo *t.*　dem *t.*　26. pordel *n*, prudel
m, Burhel *t.*　getant *n*, genant *lop*, Goriant *t.*　27. Poyzouwe *K*, poygawe
t, pontow *o*, ponte *p*, poytirs *n.*　anshalm *p*, Ansalm *t*, Anihelm *K*,
alshelm *n.*　29. Huch *Kt*, Houch *m*, hug *ln*, hutt *o*, huot *p.*　Lunzêl *K*,
lunatel *n.*　30. Der *l.*　funie *K*, funfte *lop.*
429, 17 *nach* 18 *op.*　geliche *l*, glich *nopt.*　19. Daz da nicht ward gesmai-
chet *op.*　under smeichet *l.*　21. einem-starchem *K.*　23. drunzun *K*,
drunzen *l*, trunzunne *t.*　25. du *Kn*, do *lmopt.*　27. Purrele *K.* 28. Egiun *t*,
liun *l.*　29. worhte *K.*　30. zuo brachen *l*, zeprachen *o*, zerbrachen *t*,
brachen *p.*　gar ir *Km*, ir gar die *op*, ir di *n*, ir *t*, die *l.*
430, 9. unde ûz oren *K.*　10. Daz iz *n*, Dez *op.*　machet *Km.*　al *Km, fehlt*
lnt, er *op.*　11. Rennw. *K.*　12. her *mn*, volk *p.*　gereit *Kmt*, wider reit
lop, kegen reit *n.*　16. ir engesahet *K.*　foust *m*, mit fusten *n*, fuorsten *l*,
vaster *op.*

manlîcher dan daz sîn.
zuo zim hurte Gibelîn
ûf dem ors daz Esserê
20 ime sturme was genomen ê:
der bat in zucken daz swert.
der bet er schiere was gewert.
  hurtâ, wie daz versuochet wart!
vor sînen ekken ungespart
25 beleip dô harnasch unde man.
swelher im dâ niht entran,
des leben muoste sîn ein pfant.
er warf ez umbe in der hant,
er lobt im valze und ekken sîn,
er sprach 'diu starke stange mîn
431 Was mir ein teil ze swære:
du bist lîht und doch strîtpære.'
  obem künege Purrel geschach
ze bêder sît grôz ungemach,
5 den kristen und den heiden.
da ergienc von in beiden
hurteclîchez kriegen.
si liezen gêre vliegen
mit anderem ir geschôze.
10 von getouften bluotes flôze
und von den werden tôten
daz velt begunde rôten.
Purrels her reit âne sper,
wan die durch der minne ger
15 dâ wol getubieret riten.
etslîcher hât noch dâ gebiten,
wie sîn vrouwe künne lônen:
irne kunde niht geschônen
Rennewart, dem ouch nâch minne
20 stuonden sîner freuden sinne.
  Purrel der grîse künec alt

wart dan getragen mit gewalt
ze fuoze von den sînen.
si liezen dâ wol schînen
25 daz si wâren unverzagt.
ûf sîme schilte, ist uns gesagt,
truog in manec rîter wunt
anz mer ûf einen tragmunt
verre über ein heide.
si sâhen an im leide.
432 Der rîche ellende
hete dâ mit sîner hende
sînem alter prîs errungen.
die vierzehen jungen,
5 des künegs süne von Nubîant,
ir neve Sînagûn dô vant
vil nâch si umbe gekêret.
si wârn alsô versêret:
wær er mit sîner müeden schar
10 ûf sînem orse trachenvar
in niht ze helfe zuo geriten,
si heten Franzoyse überstriten.
dô sah der rîche Terramêr
an sînen mâgen herzesêr.
15 der begunde al die sîne manen.
wol truoc des admirâtes vanen
von Salenîe Ektor.
Poydjus sah ê dâ vor
daz Halzebier was erslagn:
20 daz begunder Terramêre sagn,
der mêr noch schaden dâ vernam.
Rennewart sluoc Gollîam
den künec von Belestigweiz.
mangem hurteclîchen puneiz
25 Rennewart dâ vor gestuont.
von im wart Gybôez ouch wuont,

17. denne *K.*   daz *Kop,* daz striten *n,* die *lmt.*   18. Gybalin *np,* kybaline *l,* Kybalin *t.*   19. 20 *fehlen n.*   19. uf eime *l,* Uf einem *t.*   orse *K.*   daz er *l,* daz hiez *op.*   Eszere *m.*   20. In dem strite hete (sturm het *t*) *lt,* Ez waz im streit *op.*   21. Er *lop,* . . . . *t.*   22. wart *lnopt.*   24. Von *lnop.* 28. warfez *K,* warfz *m.*   29. valz *mno,* die valczen *p.*   ecke *l,* egge *t,* ek *m,* die ekke *op.*

431, 2. leiht *K,* ring *mop.*   7. hertechlichez *K.*   8. geren *nt,* gerne *l,* gar *m,* vaste *op.*   14. Wand ie *n,* Wan sie ie *lt,* wie alhie *op.*   der *fehlt lop.* minnen *lmn.*   15. Wol da *lt,* Die wol *nop.*   getört *K,* gezimiert *lm,* geziemierte *t,* gezimierten *nop.*   16. Ettelich *l.*   noch hat da *n,* hate dannoch *t,* hant da noch *l,* nicht het da *o,* het do nicht *p.*   gebitten *K.*   18. Er kunde *op,* Hie (Irn *t*) kunde ouch *lt.*   19. Rennw. *K.*   ouch *fehlt lopt.* 22. niht gevalt *l,* und gevalt *o,* also gevalt *p.*   29. eine *Kn,* iene *t.*

432, 6. Smagun *K.*   dô] si *m.*   7. sî *K, fehlt lmopt.*   umbe keret *lot,* oberkeret *n.*   11. in *nach* niht *K, nach* helfe *m.*   16. Admirats *K,* ammirates *n,* atmerates *lopt.*   17. Salanie *lt,* salonie *op.*   hector *mp.*   20. begunde Terramer *Kn.*   22. 25. Rennw. *K.*   colliam *n,* Golyam *lop,* kolyam *t.* 23. Balestigwaiz *m,* Palestigweiz *t,* palestiguweiz *l,* delesteweis *op.*   24. manegen *Klt,* manick *op.*   hurtleicher *op.*   buneiz *K.*   25. Da Rennewarten *op.* 26. goboez *n,* Gybueiz *l,* kybueiz *t,* Giboyz *K,* kyboleis *op.*   wnt *K.*

der werde burcrâve ûz Cler.
da entweich Tybalt und al des her.
von Karkassûn Trohazzabê
geflohen hete wênec ê,
433 Der Ehmereizes vanen truoc,
unz er resach daz dâ sluoc
der herzoge Bernart
Ektor, der ie bewart
5 was vor aller zageheit.
des wart diu schumpfentiure breit,
dô der vane dernider lac,
den der vogt von Baldac
bevalh dem künege Ektor.
10 des rîches vane swebt enbor:
als tet der vane von Brubant.
den Landrîs fuorte an der hant:
hôh was der Provenzâle vane,
dâ der stern von golde ane
15 lac der rîcheit gelîch:
sînem vann, des alten Heimrîch,
und dem vanen von Tandarnas,
dâ der schêtîs under was,
den fünf vanen wol gelanc
20 gein mangem kumber der si twanc.
Bertram und Gybert,
der zweier vanen manec swert
volgete nâch bluotvar:
Terramêrs kinde schar
25 wart von in umbe gewant.
waz half sîn her ûz manegem lant?
die muosen mit im lîden nôt.
der heiden strîtes herte tôt
was, Poydwîz und Halzebier.
dâ flôch manc edel soldier.
434   Swer den keiserlîchen namen hât,
den die heiden nennent admirât,
derst ouch vogt ze Baldac.
Terramêr der beider pflac,

5 er was vogt und admirât.
seht waz man rœmschem keiser lât
ze Rôme an rœmscher phahte.
hôch mit hôher ahte
hât rœmisch krôn vor ûz den
strît,
10 daz ir niht ebenhiuze gît:
sô scharpf ist rœmisch krône er-
vorht.
swaz anderr krône sint geworht,
die ûf getouften houbten sint,
ir aller kraft gein dirre ein wint
15 ist: sine mugens et niht getuon.
als het der Kanabêus suon
hœhe übr alle dheidenschaft
beidiu von arde und ouch von
kraft,
und diu erbeschaft von Baligân
20 het im gemachet undertân
vil künege dienstlîche.
wær er noch als rîche,
dennoch hât mêr Altissimus.
der schuof iz in dem strîte alsus:
25 swaz amazûre und eskelîr
dâ wârn mit dem von Munt-
espîr,
al sîne künege und emerâl
mit schumpfentiure vonme wal
muosen flühtic rîten
mit flust an allen sîten.
435   Ir sælekeit si mêrten,
mit den swerten umbe kêrten
die kristen al die heidenschaft.
der verren und der nâhen kraft,
5 dâ für wil ichz hân erkant,
mit der wârheit diu gotes hant
des gap die besten stiure.
manlîcher schumpfentiure

27. von *lnpt, fehlt o.*   28. des *K,* daz *ln,* sein *mopt.*   29. karchassun *Kmn,*
karkasun *l,* karkasim *o,* karsasun *t.*   Trahazabe *lno,* Terkazabe *t.*   30. we-
nich *K.*

433, 1. Ehmereizs *K.*   4. ecktorn *o,* Hectoren *np.*   7. nider *K.*   11. tet
fehlt K.   12. in *lnop.*   13. des *t.*   pruvenzalen *lopt.*   21. kybert *nst,*
Gilbert *o,* kylbert *l,* Schilbert *p.*   22. zweir vane manch *K.*   26. sin *Ks,*
seu *m,* ir *lnop,* in *t.*   28. strits *Km.*   herter *Klmst,* herre *nop.*   29. Poy-
dius *op.*   Halzbier *K.*   30. manech *K.*

434, 2. heizzent *ls.*   2. 5. atmerat *lopst.*   6. man *fehlt K,* der *op.*   Romi-
schem *m,* Rœmischen *Klns,* Romisch *op,* romischer (*ohne keiser*) *t.*   hat *op.*
7. Rœmischer *Klmnops,* Romische *t.*   phaht-aht *Km.*   9. Rœmisch *mop,*
Romischiu *st,* Rœmische *Kln.*   chrone *K.*   10. ir *fehlt s.*   ebenhuzes *l,*
ebenheuzes *n,* enbenhiuzes *t,* eben grozzes *s,* ebens uf erden *n.*   12. cronen *ln.*
sit *Kl,* ist *n.*   14. 15. ist *vor* gein *lop.*   15. ot *ms,* ouch *l,* aber *op, fehlt*
nt.   17. hohe (Hoch *lop*) uber *alle.*   die heid. *lnp,* haid. *mot.*   29. muesen
flustech *K.*

435, 3. an die *K.*

nie geschah in manegen jâren.
10 sus wurben die dâ wâren
verdecket mit der toufe,
so der edele vorloufe,
der sîner verte niht verzagt
und ungeschütet nâch jagt,
15 swenn er geswimmet durch den wâc.
dennoch manc koberunge lac
an der rîterschaft der Sarrazîn.
dâ tet wol ûf der flühte schîn
Fâbors und Kanlîûn
20 und Ehmereiz Tybaldes sun,
daz si wol kobern kunden.
swâ si bekumbert funden
bêde ir mâge unde ir man,
alsô hulfen si den dan,
25 dês ir rîterschaft hât êre.
dannoch hardierten sêre
die getouften et mit kalopeiz.
möht ir volleclîcher puneiz
ûf den wunden orsen sîn getân,
sô wær dâ pfandes mêr verlân.
436 Hin flôch der admirât
(des was et dô kein ander rât)
ûf sînem ors Brahâne.
gein der muntâne
5 kêrte sînes hers genuoc,
des man sît dâ vil ersluoc;
etlîche ouch gein des meres stade.
al gewâpent hin zem bade
man manegen fürsten kêren sach,
10 des hant nie questen gebrach.
etlîche fluhen ouch in daz muor.
manc sîdîn gezeltsnuor
wart ûf der slâ enzwei getrett.
dâ wart man und ors gewett

15 in dem wazzer Larkant.
dennoch dâ manc getouftiu hant
vant vil werlîchen strît:
wan swâ die lücken wâren wît,
daz si durch mohten brechen,
20 slahen unde stechen
was under Josweizes vanen,
des hôh gemuoten, der den swanen
truoc in vanen unde ûf schilte.
der werde künec milte
25 muose abem furte entwîchen,
doch unlasterlîchen.
werlîche er dicke kêrte,
sînen prîs er hôch gemêrte:
er beschutte manegen Sarrazîn,
der dâ beliben müeste sîn.
437 Der sehs herzeichen ruof,
die man smorgens den getouften
schuof,
wart etswâ nu vergezzen,
dô mit swerten was gemezzen
5 diu schumpfentiur sô wît, sô grôz.
man hôrt dâ mangen niwen dôz:
swannen ie der man was be-
nant,
alsô schrei er al zehant
in fürten unde ûf plâne.
10 Gandalûz von Schampâne
und die sîne schrîten Provîs.
Jofreit von Sâlîs
ouch sîner krîe niht vergaz.
Iper unde Arraz
15 schrîten Flæminge:
manges swertes klinge
erklanc sô man die krîe schrei.
vaste ûf der slâ Nanzei

---

11. der *K*, dem *lmopst.*   14. ungeschutet *Km*, ungesuochet *l*, unververit *n*, un-
geschuecht *o*, ungeschuhet *p*, ungeschiuhet *s*, schriende *t*.   15. geswemmet *K*.
bach *n*.   16. manech chob. iach *K*.   19. kalyun *op*.   20. Tybalds *K*.
25. het *lnopst.*   26. hærdierten *Km*, hard. *l*, hurd. *op*.   27. ot *ms*, och *l*,
zu *n*, *fehlt op.*   mit dem *K*, mit ze *op*.

436, 2. ot *m, fehlt lnopt.*   do *opt*, da *mn*, doch *K, fehlt l.*   dehein *Klt*.
3. orse *K*.   6. da sit vil *lnt*, seid vil *m*, seint so vil *o*, ouch vil aldo *p*.
10. questen *nop*, chosten *Kms*, kosten *lt*.   brach *K*, zuo brach *l*, da zebrach
st.   11. inz *Kmn*.   12. manch sîdin gzelt. sîdin snuor. *K*.   zelt snuor
lmst, celdes snour *n*.   13. 14. getret-gewet *Klns*, -ettet *op*, -eten *t*.
18. so wit *lmnpt*, da weit *s*.   21. undr Josweizs *K*.   25. ab emfurte *K*.
26. Und doch *op*, Aber *n*.   unlesterlichen *lmnops*.   28. Sinen hohen *l*.
er hoch *Kms*, ydoch er *op*, er wol *t*, er *ln*.   merte *lnop*.

437, 4. wart *nopst*.   5. schunpfentiure *K*.   7. genant *lop*.   8. schrit er *l*,
schrier *t*.   9. ûf] in *K*.   10. Gandalus *Klm*, Gandeluz *t*, tandalus *op*.
11. sinen *Kp*.   schriren *lo*.   pruvis *m*.   14. Yper *o*, Ypper *lt*, Ypere *n*.
17. chrien *K*.   18. slahe *s*, strazze *op*.   mancei *n*, Nunzei *l*, namizei *o*,
Nænsei *t*.

schrîten Lohreine.
20 al über die sarcsteine,
dâ die gehêrten lâgen,
die ze himele ruowe pflâgen,
mit swerten an den furt gement
wart manc esklîr, der ungewent
25 was daz er fliehen solte.
der admirât nu dolte
von den rœmschen fürsten schande.
sîne künege ûz mangem lande,
man swuor dâ bî ir hulde niht,
als uns diz mære dannen giht.
438 Von hêrren von mâgen beiden
schiet ân urloup manec heiden
von strîtes überlaste.
volleclîche lanc drî raste
5 ein kiel am andern stuont,
urssier, kocken, tragamuont,
die kleinen und die grôzen,
mit baniern überstôzen.
swa der rotte anker hêten grunt,
10 daz tet ir banier schône kunt.
etslîche nâmn unkunden rûm,
swenn si durh den frischen pflûm
fluhen unz an den salzsê.
swer begreif die barken ê,
15 der beite sînes bruoder niht.
etslîchem esklîr man noch giht,
er vrâgte wênic mære
umb sînen marnære.
dâ muosen künege selbe varn,
20 wolten si den lîp bewarn,
etslîche ân segel ûf gezogn.
sîner manheit was umbetrogn
al der heiden admirât,

der werlîche genkert hât
25 vor sîner schiffunge an dem mer.
ich sag iu wer dâ hielt ze wer.
Synagûn und Ehmereiz,
Prûanz und Utreiz,
Iseret und Malatons,
Marjadox und Malacrons.
439 E truogen vörhen rôtiu mâl:
rôt wurden vische über al
von dem strîte in Larkant.
ouch wart der Provenzâlen lant
5 von manger flühteclîchen schar
ûf der slâ al rôt gevar
alsô der berc Tahenmunt.
dâ vlôch manc rîter sêre wunt,
verhouwen durch sîn harnasch.
10 Rennewart kom durch den pfasch
ze fuoz geheistiert her nâch,
dâ er mit manger rotte sach
sînen vater den alten
der jugent gelîche halten
15 mit unverzagetem muote.
meister Hildebrands vrou Uote
mit triwen nie gebeite baz,
denn er tet maneger storje naz
mit bluote begozzen.
20 werlîch und unverdrozzen
hielt der vogt von Baldac.
hie der stich, dort der slac,
swenne ie der niwen storje stôz
sich hurteclîchen în geslôz,
25 sus kom daz kristenlîche kumn.
ich mags wol jehen ûf die frumn:
ine mag iu von den zagen
an dirre unmuoze niht gesagen.

19. lohreine *st*, Lochereine *l*, iohereine *op*, Lahreine *Km*, larchreine *n*.   20. sarches steine *K*.   24. eskelir *K*.   29. hulden *lmopst*.   30. daz *lops*. danne *lost*.

438, 1. *das zweite* von *fehlt p*.   2. manch *K*.   5. anem *K*.   6. ürsier *m*, ursier *s*, Usser *n*, Uzier *lop*.   tragemunt *mnt*, tragmunt *los*.   8. banieren *K*.   9. der rotten *l*, die grozzen *op*.   heten *Ko*, hete den *lmst*, hette di *n*, heten den *p*.   11. namen *alle*.   12. swenne *K*.   15. baite sins *K*. bruders *ops*.   16. esklire *K*.   17. lutzel *op*.   18. umbe *K*.   21. ane *K*. 24. genkert] gechert *K*, gekert *l*, gecheret *mo*, gekeret *npt*.   25. Zu (Von *t*) -an daz *opt*.   28. Bruanz *Km*, Pruvanz *n*, Prowans *l*, pruans *o*, Pruatis *p*, Prunans *t*.   utereis *op*.   29. Eseret *t*, Hezeret *o*, Heseret *p*, Essese *n*. Maladuns *lt*, malagruns *n*, Malatruns *op*.   30. Mariadochs *t*, Moriadochs *l*, Meliadres *op*, Hereze *n*.   Malatrons *m*, Malagruns *lt*, Malatuns *nop*.

439, 1. Die tr. *op*, Truogen *t*.   vörhen *K*, vörichen *m*, forhen *t*, vor in *l*, di vurnen *n*, vorn *op*.   7. Tahen munt *K*, tachmunt *l*, Tanamunt *t*, rahemunt *n*, Rahamunt *op*.   10. Rennw. *K*.   durch] uf *l*.   pfnasch *p*.   11. geheistieret *Klnt*, geleisieret *p*, gelaizieret *o*.   14. gelich *K*.   16. vrŏ Wte *K*, fruote *l*.

ich sage et von getürste,
wie der Provenzâle fürste,
440 Willehalm der markîs,
und sîne helfær wurben prîs:
der kom mit manegem Franzoys.
der herzoge ûz Vermendoys
5 und der herzoge Bernart,
sîn bruoder, kom ûf der vart
mit heller stimme nâch gejagt,
und Buove der unverzagt,
der lantgrâve ûz Comarzî.
10 dem jaget dô aller næhste bî
des alten Heimrîches vane.
nu was der heidenschefte bane
von huofslegen sô wît erkant,
daz man si kuntlîche vant.
15 des küneges vane von Tandarnas
alrêrst ûz den getouften was
durch den furt nâch den Sarrazîn.
Bertram und Gibelîn
erhiewen d'êrsten lücken.
20 lâzâ nâher tücken!
waz man baniere und vanen sach
ûf der slâ zogen nâch!
die sehs vanen der kristenheit,
etswâ gezart, etswâ niht breit,
25 nu gar durch fürte wâren.
ir gefriescht in manegen jâren
sô hert enpfâhn, sô sûrez komn,
als ze bêder sît dâ wart vernomn
von Terramêrs tragamunt.
des wart manc rîter ungesunt.
441 Der marcrâve nu niht des lât,
ern dringe et gein dem admirât:
daz riet sîns herzen gebot.

nu sah er Kâhûn den got
5 ûf eime grîfen gemâl
als in Baligân ze Runzevâl
gein dem keiser Karle truoc:
Terramêres schilt genuoc
was dennoch mêr gehêret.
10 des wart manc helt versêret,
do der marcrâve diu wâpen kôs,
dar under Baligân verlôs
den lîp, und Palprimes sîn sun.
ir werder got Kâhûn
15 ûf ir schilte den grîfen reit,
dar unde ouch Terramêr hie streit.
im wârn diu wâpen wol geslaht:
er erbt ir rîcheit unde ir maht.
Volatîn mit sporn betwungen
20 wart dâ vil swerte erklungen.
vil künege ûz der heiden her
wârn vor ir admirât ze wer,
etslîch sîn kint unt manec sîn mâc.
hie vome stich, dort vonme slac
25 geschach dâ vil der wunden:
siech wurden die gesunden.
dâ was diu ruowe strenge:
von maneger hurte enge
wart ûf dem wîten plâne.
Terramêr ûf Brahâne
442 Mit volleclîcher huorte
an den marcrâven ruorte:
er sluog in durch den helm sîn
noch sêrre denne in Oukîn
5 dâ vor hete verhouwen.
man moht ouch dâ nâch schouwen
daz dâ sêre wart zetrant
der halsperc ûz Jaszerant.

29. ot *mp,* och *l,* uch *n,* nur *o, fehlt t.*　　30. provenzalen *lnopt.*

440, 1. Willelm *K.*　　2. helfære *K.*　　erwurben *lno,* erwarben *p.*　　4. verman-
doys *m.* firmendoys *l,* firmentoys *n,* firmidoys *op,* Firmendeis *t.*　　6. kumen *l,*
chom ouch *op.*　　10. iagete *K.*　-　dô *fehlt lop.*　　næheste *K,* nahest *l.*
16. alrest *Km.*　　18. Kybelin *p,* kybalin *lt.*　　19. Erhiuwen *t,* Er hiwen *ln,*
Erhieben *p,* Erhueben *o,* Erhouten *m.*　　die *alle.*　　20. tuchen *Km,* rucken
np, drucken *lot.*　　24. gezerret *Kmnt,* geziert *op.*　　25. durch fuoret *l,* durch
(die *p*) fursten *op,* van strite *n.*　　26. Irn *n,* Ihn *t.*　　gefriescht *K,* gevrai-
schet *m,* friesch *t,* gesaht *n,* werdichait *op.*　　27. enpfahen *Klmnt,* enpfangen
op.　　swæres *K,* suezze *op.*　　29. Vor *lm.*　　30. manech *K.*

441, 1. markis *nop.*　　nu niht des *K,* nu des nicht *mnop,* des nu niht *t,* nu niht *l.*
enlat *mn.*　　2. ot *m, fehlt lnopt.*　　4. kaun *lt,* kahunen *Kmp,* kahune *n,* kau-
nen *o.*　　7. karel *K.*　　10. manech *K.*　　13. Malprimes *mop,* Malbriens *t.*
14. kaun *lot.*　　15. schilten *lopt.*　　den *fehlt lt.*　　18. erbet *lmnt,* erbete *K.*
19. getwungen *lnpt.*　　21. 22. Waren. da fuor ir admerat ze wer Des stolzen
kandulenes her *l.*　　21. Manich furst *opt,* Maning *n.*　　22. bi ir Atmerat *t,*
pei terramern *op.*　　23. etslicher *K.*　　24. stiche *K.*　　26. wrdn *K.*
27. rv̊e *K.*

442, 3. sluogn *m,* sluoch (*ohne* in) *K.*　　8. schazerant *n,* Ioserant *l,* Jozzerant *t,*
lorezant *op.*

durch den grîfen und durch Kâhûn
10 wunt wart Kanabêus sun,
der edele hôhe recke.
diu Schoyjûsen ecke
in durch al sîn harnasch sneit.
den strît mit hurte underreit
15 der künec von Lanzesardîn:
Canlîûn tet dâ wol schîn
daz er sînen vater sach
ungern in sölhem ungemach.
    an den kom dô Rennewart:
20 des was der bruoder ungespart:
von dem wart Canlîûn erslagn.
sine kunden niht ein ander sagn
von deheiner künde ê.
Rennwart den künec Gibûê
25 unz ûf den swertvezzel schriet.
durch al der sarringe niet
er sluoc den künec Malakîn.
Câdor muose der vierde sîn:
und dem **jungen** künec Tampastê
tet er ouch mit dem tôde wê.
443 des vater sluoc ouch Viviânz
in dem êrsten sturme ûf Alischanz.
    Wie diu fluht dô geriet!
wie daz kint von sîme vater schiet!
5 wie schiet der vater vonme kint!
seht wie den stoup der starke wint
her und dar zetrîbe.
wer dâ schiet von dem lîbe,
wer dâ ze ors ze scheffe entran,
10 über al ich des niht kan
iuch zeim ende bringen
und die nennen sunderlingeu.
wan der admirât wart sêre wunt
geleit ûf sînen tragamunt,

15 der nie mêr schumphentiur enphienc.
hœrt wer mit im ûz sturme gienc.
    von Bailîe Sînagûn
und Bargis Purelles sun,
und des bruoder Tenebreiz.
20 gefurriert was ir sweiz.
an diu schef truoc manc rîter guot
geparriert sweiz unde bluot:
diu kleider wurden dâ gesniten.
dâ wart niht langer dô gebiten,
25 mit fluht ein ende nam der strît.
daz klagete al sîne kumenden zît
Terramêr der werde.
sus schiet von rœmscher erde
der dâ vor dicke ûf Rôme sprach
ê daz diu schumpfentiure geschach.
444   Der goldes rîche Tedalûn
und Terramêrs tohter sun
Poydjus von Frîende,
ieweder sîne hende
5 ûf der fluht geruorten sô wol,
von ir verhe enphienc den zol
dennoch manec getoufter soldier.
ecidemôn daz tier
in Poydjuses vanen lac:
10 dô Tedalûn der flühte pflac,
er wolte des vanen niht langer pflegn
ûf sînen flühteclîchen wegn:
der tiure pfellel von Trîant,
den Tedalûn fuort an der hant,
15 und der schaft lign alôê,
und daz sper geworht in Thasmê,
dâ mit enpfienc Gandalûz
eine sölhe tjost, sîns pluotes fluz
den tiuren pfellel gar begôz.
20 diu tjost wart hurteclîch sô grôz,

---

10. Wunt wart *lnt*, ward wunt *m*, uñ wart *K*, so ward *op*.   11. 12. reche-
ekke *K*.   15. Lazezardin *t*.   16. Kalliun *l*, Kanleun *nopt*.   19. Rennw.
K.   20. wart *lopt*.   21. won dem *K*.   kalyun *l*, kanleun *nopt*.   22. nicht
under einander sagen *n*, nicht ander sagn *m*, [an *o*] ein ander niht gesagen *lopt*.
24. Gibuê *Km*, Gyboe *ln*, kybue *opt*.   25. den swert vezze *K*, den (des *t*)
swertes vezzel *lt*, den vezzel *op*.   26. der sarrwate *o*, der Sarrazine *l*, des
harnasches *n*.   27. Malokin *Km*.   28. kator *opt*, Heldor *n*.   29. den *Kn*.
Tampastre *o*, Tampestre *p*.

443, 1. 2 *fehlen Km*.   9. ze örs *K*.   zuo *l*, und ze *Kmt*, und *o*, oder czuo *p*.
15. nie mer *l*, nie mere *t*, niemer *m*, nimmer *K*, ni me *n*, nie *o*, mit *p*. schun-
phentiur *K*.   16. hœret *K*.   uz dem *op*, ze *ln*.   17. Beilie *t*, Baalye *l*,
baley *o*, Balie *p*.   18. Bargis *m*, Barscis *K*, parschis *n*, partschys *l*, Parkis *opt*.
purrels *Klmt*, porhelles *n*, porheles *op*.   20. gefürriert *K*.   wart *lopt*.
22. geparriet *K*, Gebarrit *l*.   24. Es *lopt*.

444, 1. 10. Dedalun *Kn*.   4. siner *lmopt*.   5. gerurete *n*, getrweten *Klm*, ge-
triuwet *t*, getrowte *op*.   so *Km*, also *n*, als *lt*, *fehlt op*.   9. poydius *K*.
13. Den tiuren *l*, Er (Der *p*) trueg *op*.   14. dedalun *n*.   fuorte *K*.
15. 16 *fehlen n*.   lignum *op*.   17. Gandeluz *t*, Tandalus *o*, Tedalus *p*.
20. wart *fehlt K*.   hurtechliche *K*.

dâ von der Schampôneys lac tôt.
daz selbe gelt hin wider bôt
Rennwart der unverzagete
ze fuoz snellîchen jagete,
25 Tedalûnen er resluoc,
der ime sturm manlîche truoc
sînes swestersunes vanen.
do ˙begund er Poydjusen manen
daz er wider kêrte an in.
·des tet er niht: daz lêrt in sin.
445 Rennwart den grôzen schaden sach,
der an dem fürsten dâ geschach,
ûz Schampân dem gêrten,
und wie die sînen mêrten
5 ob im den jâmer alsô grôz.
wart ie jâmer des genôz,
daz muost vil ougen arnen,
und ir herzen sich des warnen,
vil wazzers dar ze lîhen.
10 und der vreuden sich verzîhen.
swâ sô werder tôte læge,
wer dâ lachens pflæge?
ungern ich iemen des dâ zige.
der marcrâve hete den sige
15 mit grôzem schaden errungen
und jâmers dâ betwungen
manec getouftez herze.
der kristenlîche smerze
was in sîn her geteilet.
20 vil wundn noch ungeheilet
die sînen fuorten ûfez wal.
dâ heten siuftebæren schal
die minren und die mêrren.
het ich einen hêrren,
25 vor sîme hazze selten vrî,
ob ich im sturme wær dâ bî
dâ der sînen lîp verlüre,
ob man mich sæhe in jâmers küre,
des müese ich trüglîche jehen:

daz moht aldâ niht geschehen.
446 Dâ was gewunnen und verlorn.
etslîche heten vreude erkorn:
sô heten die andern jâmers hort.
daz was der site hie unt dort
5 an den selben zîten
ime her an allen sîten.
swen dâ leben liez der tôt,
swie grôz wart anders dâ des nôt,
der hete sich selben funden.
10 ieslîcher sînen kunden
suochte ûf dem wal und ûf der slâ.
sô vant er sînen vater dâ,
sô vant der sînen bruoder hie :
des pflâgen dise unde die :
15 sô vant der hêrre sînen man.
mêr vindet der wol suochen kan,
denn der suochens sich bewigt
und durch sîn trâcheit stille ligt.
ob nu gar mîne sinne
20 solten sprechen von gewinne,
waz manger rîcheit dâ bestuont,
mir wær diu zal dannoch unkuont.
dâ wurden de armen rîche,
die dâ tâten dem gelîche
25 daz si nemen wolten
als si billîche solten.
der rîche, der arme, dirre unt der
vant mêr dan nâch sîns herzen ger.
ine bin niht derz iu sunder zelt,
waz ieslîch hant dâ hât gewelt.
447 Bernhart von Brubant
blies ein horn, daz Olifant
an Ruolandes munde
nie ze keiner stunde
5 an decheiner stat sô lûte erhal.
daz kristen her het ûf dem wal
beide freude unde klage.
nu was diu sunne an dem tage

21. schampenoys n, Tschampeneis t.　　23—30 fehlen n.　　24. snelliche t,
snellichliche lm, er snellich p, er snellichleich v.　　25. Tedalunn K.　　26. sturme
K.　　27. Siner lmopt.　　swester suns Klmo.　　30. in sin sin lmo.

445, 3. Scampane K.　　7. muose K, muez op, muoste l, musten nt.　　10. freude
lmnt.　　sich ze K.　　11. tot lmop.　　gelæge op.　　12. Swer lnt.
14. hiet K, gewan x.　　17. getouft Km.　　20. wnden K.　　noch fehlt n.
23. minrrn-merrn K.　　24. 25. Ich han noch einen herern (herren p) Wie
ungenædick er mir sey op.　　26. ime K, in lmopt, an n.　　sturmen t,
streit op.　　28—30. Man muoste (muz n) ouch mich in iamers kur Ob ich
daz (ichiz nopt) gelebte ob ime gesehen (sehen op) Mir ist lieb [und p] sol
des (es p, daz t) niht geschehen lnopt.

446, 4. 27. uñ K.　　8. anderes wart da des n, anders wart des l, wart da des
andern t, wære anders da die op.　　17. denne K.　　18. sin t, sine K, fehlt
lmnop.　　23. die alle.　　26. pillichen K.　　28. danne K.　　nâch fehlt lnop.

447, 2. plies sin horn K.　　Olivant t, olyvant ln,　　3. Ruolands K.

harte sêr ze tal gesigen,
10 manc getouftiu sêl hin ûf gestigen:
ez begunde et nâhen der naht.
wer in die spîse hête brâht
an manegem ringe schône?
die von Samargône:
15 ûz Indyâ, von Trîant
man wunder dâ von spîse vant,
vil spîse ûz Alamansurâ:
vil spîse ûz Kânach vant man dâ,
vil spîse brâht ûz Suntîn:
20 dâ muose ouch mêr der spîse sîn
von Todjerne und von Arâbî.
ob rœmscher keiser wæren drî,
ieslîcher mit sunderher,
die heten volleclîche zer
25 dâ funden ûf ir reise.
vil spîse ûz Orkeise,
vil spîse ûz Adramahût.
dâ wart manec verhouwen hût
mit unkunder spîse erschobn.
sölhe herberge kunde ich lobn,
448 Swenn ichz gerne tæte,
da ich funde alsölh geræte.
    ine mac niht geben sundernamn
ir spîse, dem wilden und dem zamn,
5 und ir trinken maneger slahte
von kostenlîcher ahte,
môraz, wîn, sinôpel.
Kipper und Vinepôpel
hânt sô guoter trinken niht gewalt
10 als si dâ funden manecvalt.
geleschet nâch der hitze
wart dâ maneger, daz sîn witze
niht gein Salomône wac.
dâ was ir naht unde ir tac
15 unglîch an der arbeit.
etslîcher tranc daz gar sîn leit

mit liebe nam ein ende.
swaz al der heiden hende
ime sturme heten im getân,
20 diu klage muost ein ende hân:
in dûhte er hete si alle erslagn,
und daz alle helde zagn
wæren, wan sîn eines herze.
sîn selbes wunden smerze
25 was im reht ein meien tou.
weder der noch dirre in rou,
ez wær sîn vater oder sîn mâc:
ern ruochte wer dâ tôt belac,
ern ruochte ouch wer dâ lebte.
sus der nâch prîse strebte.
449 Die de wirtschaft dâ besâzen,
den was almeistic lâzen
zer âdr od sus zem verhe.
vant man dâ rede twerhe,
5 diu wart smorgens lîhte sleht.
dâ hete der hêrre und der kneht
so genuoc daz in niht gebrach.
daz was en tiuschen guot gemach:
en franzoys hetens eise.
10 hie der kurteise
und dort der ungehofte man,
ieslîcher dâ genuoc gewan
von rîcheit die si funden.
etslîcher grôze wunden
15 ahte als einer brâmen kraz.
die heiden von ir koufschaz
heten vil gegebn ze zolle.
ir werder got Apolle,
wolt er zürnen, unde ir admirât,
20 des heten dise guoten rât,
swenne si ir hulde enbæren,
ob si in ir hazze wæren.
Mahumet und Tervigant,
Kâhûn, swie si wârn genant,

9. sere *Klopt.*   11. Und b. *op.*   ot *m,* ouch *l,* sere *n, fehlt opt.*   nahn *n.*
die *op.*   14. Sammargone *lt.*   20. der *fehlt mnop.*   21. uñ von *Klmt,*
von *op,* und *n.*   24. vollechlichen *K,* volliklichen *np,* vollichicher *l.*   30. ih
(*aus* in *gemacht*) *K.*

448, 4. Der *n,* der ir *K.*   6. kostel. *l,* kostl. *ot,* köstl. *p.*   7. Maraz *m.*
Sinopel *Kn,* Syropel *lmopt.*   8. Kyper *opt.*   Vinepoppel *K,* vina (wina *p)*
popel *op,* Synepopel *l,* Sinepopil *n.*   9. so gutes trinchens (trau
kes *n) nop,* solher trinken *lt.*   15. ungelich *K.*   28. ruochte ouch *Km.*

449, 2. gelazen *lnop.*   3. zuo *lo.*   ader *lmt,* adern *Knp,* andern *o.*   oder
sus *Klmnot,* und *p.*   ze *lmnt.*   4. entwerche *no.*   6. der here *K.*   8. den
Tuschen *lnt,* den deutschen *op.*   9. Die Franzoyse heten eyse *lopt,* Franzoys
heten granteys *m.*   11. uñ da *K,* da pei *m.*   14. grozzer *ln,* seiner *op.*
15. einen *m,* eines *l.*   bremen *npt.*   16. houptschatz *op.*   18. App. *Klmop.*
23. Mahomet *m,* Appolle *l,* Apollo *t,* Apollen *n,* Machmet appoll (appollo *p)*
op.   Tervagant *K.*   24. Gahun *m,* kaun *lot.*   und swie *lopt,* oder swie
m.   wæarn *lo.*

25 al der heidenschefte gote,
ûf dem wal die naht wart zir gebote
lützel dâ gestanden.
in toufpæren landen
hânt si halt noch vil kleinen prîs:
in diende ouch wênc der markîs.
450 Jêsus mit der hœhsten hant
die clâren Gyburc und daz lant
im des tages im sturme gap:
er brâht den prîs unz in sîn grap,
5 daz er nimmer mêr wart sigelôs,
sît er ûf Alitschanz verlôs
Vivîanzen sîner swester kint,
und der mêr die noch vor gote sint
die endelôsen wîle.
10 sîner swester sun Mîle
wart wol gerochen an dem tage.
maneger zunge sprâche klage
da'rwurben vil ze klagenne
und dâ heime nôt ze sagenne.
15 die nie toufes künde
enpfiengen, ist daz sünde,
daz man die sluoc alsam ein vihe?
grôzer sünde ich drumbe gihe:
ez ist gar gotes hantgetât,
20 zwuo und sibenzec sprâche, die er hât.
der admirât Terramêr
mit manegem rîchem künege hêr
wolte bringen al die sprâche
ûf den stuol hinz Ache
25 und dane ze Rôme füeren.
si kundenz anders rüeren

mit den ecken, die daz werten
und ûf ir verch sô zerten
dês nu ir sêle sint vil lieht:
sine ahtent ûf kumber niht.
451 Smorgens do ez begunde tagen,
an manegen hûfen getragen
wart diu reine kristenlîche diet,
den ir sælde daz geriet
5 daz si ime sturme ir lîp verlurn.
die hôhen sie sunder kurn.
der fürste, der grâve, der barûn,
swer durch Heimrîches sun
dâ was belegen ame rê,
10 ir necheines sêl wirt nimmer wê.
die armen wurden dâ begrabn,
und die edelen ûf pâre gehabn,
die si ze lande wolten
füeren. waz si dolten
15 jâmers, dô man schouwen
si muose alsô verhouwen!
swâ man sach ir wunden,
die wurden an den stunden
mit balsem gestiuret:
20 rîchiu pflaster wol getiuret,
müzzel und zerbenzerî,
arômât und amber was derbî.
swâ der pflaster keinez lac,
dâ was immer süezer smac.
25 der balsem lât si fûlen niht:
swelhe lîch man sô besiht,
gebalsemt fleisch hût unde bein,
den sint tûsent jâr al ein,

---

26. Uf dem wale zu irme gebote *nop*, di naht ward da zu ier gepot *m*.
wart die naht *l*.   27. Des nachtis (Hart *op*) cleine wart gestanden *nop*,
Aufm wal lutzel gestanden *m*.   29. halt *fehlt lnop*.   30. dende *K*.
wenich *Klmt*, cleine *nop*.

450, 1. hœhesten *K*.   3. im des tages (morgens *lt*) in dem sturme gap *Klt*, Im in
stürm des tages gab *m*, Des morgens ime in dem sturme gap *n*, Dez tages in
dem streit im gabe *op*.   5. siglos *K*.   8. got *K*.   11. Wart an deme tage
wol gerochen *n*.   12. Mit maniger zungen sprach (sprache *t*) clage *lt*, Noch
pin ich in seinder (sender *p*) chlage *op*, lameres wart da vil gesprochen *n*.
13. da rewrben *K*, Und erworben *n*.   chlagene-sagene *Knp*, clagen-sagen *lmt*.
18. grœzer *K*.   20. zẘ *K*.   sibenzk *m*.   25. dannen *Klt*, dann *mo*, von danne *p*,
dannoch *n*.   26. chunden *K*.   28. perten *op*.   30. Sie achten *lnopt*.   uf ir *np*.
451, 3. kristenlichiu *K*, christen *mnop*.   6. si *Knt*, edeln si *op*, di do *m*.
7. Fursten graven [und *op*] den baruon *nop*.   9. dâ *fehlt lopt*.   gelegen *op*,
bliben *lt*.   10. necheins sele *K*.   12. baren *t*, paren *o*, barn *lp*.   getragen *l*.
15. do si *t*.   16. Begunde (Begunden *t*) di verhowen *opt*.   so *l*.   19. ge-
stiuwert *K*, gefiuret *lmnt*, gepeuret *o*, gepleuret *p*. gepiuret? *20.* getiuwert *K*.
21. Mv̊zzel *K*, Muzzel *m*, Mussel *l*, Muskel *t*, In mussel *n*, Monzari *o*, Mozari
p.   mit *op*, biz *n*.   zer benzerî *K*, zerpenzeri *t*, ze penzerei *m*, zerabanzari *n*,
zerepansari *l*, arrabazarei *op*.   22. aromate unde *K*, ammazaruch *o*, Ammara-
such *p*.   ammer *t*, amer *p*, ambra *o*.   dr bî *K*.   23. decheinez *K*.
26. liche *Kl*.   27. hut fleisch *lop*, hut und fleisch *t*, hut *n*.

als ob si læge d'êrsten naht.
sölh art hât balsemlîchiu maht.
452 Die fürsten und ir hôhen man
　sich bereiten umb ein kêren dan
　mit gemeinem râte.
　si zogten niht ze drâte:
5 ir tagereise was niht lanc.
　etslîchen manec wunde twanc
　samfte dan ze rîten.
　wer solt dâ langer bîten?
　si muosen dannen scheiden.
10 jâ lac sô vil der heiden
　dâ der sturm was geschehen:
　si muosen anderswâ besehen
　herberge ein lützel dannen baz,
　dâ wær von bluote niht sô naz.
15 der fürste ûz Provenzâlen lant
　klagete sêr daz er niht vant
　sînen vriunt Rennewart:
　im was leit diu dannenvart.
　er sprach 'in hân noch niht ver-
　　numn
20 war mîn zeswiu hant sî kumn.
　ich mein in der ze bêder sît
　den prîs behielt, dô diu zît
　kom und der urteillîche tac,
　daz ich von im des siges pflac,
25 und von der hœhsten hende.
　alrêrst mîn ellende
　ist grœzer denne ich wære aldâ
　in der stat ze Siglimessâ
　und dan verkouft ze Thasmê.
　mirst hie vor jâmer als wê.
453 Ey starker lîp, clâriu jugent,
　wil mich dîn manlîchiu tugent
　und dîn süez einvaltekeit
　und dîn prîs hôh unde breit
5 dir niht dienen lâzen,
　sô bin ich der verwâzen.
　hât dich der tôt von mir getân?

soltu nu niht mîn dienest hân,
　und al daz teilen mac mîn hant?
10 wan du'rvæhte mir diz lant,
　du behabtes hie mîn selbes lîp
　und Gyburge daz clâre wîp.
　wan dîn ellen ûz erkorn,
　mîn alter vater wære verlorn:
15 ieslîch mîn helfære,
　wan du, verloren wære,
　al mîne mâge und mîne bruoder.
　du wære mînes kieles ruoder
　und der rehte segelwint,
20 dâ von al Heimrîches kint
　hânt gankert rœmische erde.
　in alsô hôhem werde
　kom nie mannes prîs geswebt
　bî der diet diu hiute lebt.
25 du machtes mîne mâge quît.
　du væhte an der selben zît
　ûf dem mere und ûf dem lande.
　mîn triwe het des schande,
　ob niht mîn herze kunde klagn
　und der munt nâch dir von flüste
　　sagn.
454 Du bræht der Franzoyser her
　mir ze helfe um die gotes wer,
　die ûf der fluht wârn gesehen.
　ich mac wol dînem ellen jehen
5 daz alle getouften liute
　dich solten klagen hiute
　und dich fürbaz klagen al die zît
　die got der werlt ze lebenne gît.
　du hâst dem toufe prîs bejagt.
10 vil manegiu jâr man noch sagt
　wie du væhte ûf Alitschanz.
　Mîle unde Vîvîanz,
　duo ich iuch und al mîn her verlôs,
　sô grôze flust ich dâ niht kôs.
15 got, hât dîn erbärme kraft,
　al d'engele in ir geselleschaft

29. die *alle.*

452, 2. chêrn *K.*　　3. gemeime *l.*　　5. niht zuo *lopt.*　　10. Za *n,* Io *l,* da *mop.*
11. Alda *lnt,* Tot. da *op.*　　sturme *K.*　　13. ein wenig *nop.*　　dannen *Kn,*
danne *t,* her dan *m,* dannoch *l,* fur *op.*　　15. pruvenzalen *l,* provinzalen *n,* pro-
venzale *t,* proventzen *o,* proventzer *x.*　　16. sere *K.*　　19. ine *K.*　　20. ze-
siwiu *t,* zesbeu *m,* zeswen *l,* zesem *o,* rechte *p.*　　26. al reste *K.*　　27. ich]
ez *nop.*　　29. dannen verchoufet *K.*　　30. mir ist *alle.*　　also *nop, fehlt l.*
453, 1. starch *K.*　　2. wie *K.*　　10. du revæhte mir ditze *K.*　　15. und isleich
m, Alle *l,* Und all *op.*　　18. mins kyels *K.*　　20. Heimrichs *K.*　　24. pî der
diete *K.*　　26. vehte (væht *t*) ouch *lt,* ervæchte si *op,* reche mich *n.*
454, 1. brachtest *op.*　　2. um *K,* und *ln,* und in *mt,* in (*ohne* die) *op.*　　3. fluhte
lopt.　　8. werelt *K.*　　lebene *K,* lebende *n,* leben *lopt,* lobn *m.*　　10. Uber
m. op.　　manig *lnop.*　　13. Du *n,* Do *opt,* Da *lm.*　　15. hât *fehlt l,* hab *op.*
diner *Kln,* die *op.*　　erbærme *K,* erbermde *l,* erbarmen *m,* barme *n,* erparmde
op, erbarmede *t,*　　16. all engel *op.*　　ir] diner *l,*

müezeu mîne flust erkennen.
diz sî mîn hellebrennen,
daz diu sêle mîn decheine nôt
20 fürbaz enpfâhe, sît mir tôt
des lîbes vreude ist immer mêr.
Altissimus, sît sölhiu sêr
mir hânt gegebn die heiden,
nu bewar mich vor dem scheiden
25 von dir am urteillîchen tage,
und vor der endelôsen klage
der du niht pfligest ze wenden.
dîn erbarme müeze senden
mir sô trôstlîchen trôst,
des diu sêle ûz banden werde erlôst.
455 Man mag an mîme helme sehen
daz ime sturme ist geschehen
ûf mich manc ellenthafter slac:
ouwê daz ich niht tôt belac
5 von des admirâtes handen!
do der keiser Ruolanden
verlôs von Marssiljen her,
und Oliviern der wol ze wer
was, und [der] bischof Turpîn,
10 noch ist diu flust græzer mîn.
ist mich von Karle ûf erborn
daz ich sus vil hân verlorn?
der was mîn hêrre und niht mîn
         mâc,
dechein sîn sippe an mir lac:
15 von wem ist mich ûf gerbet
daz ich bin sus verderbet?
waz touc mir nu fürsten name?
mîn tôtiu vreude, niht diu lame,
ime herzen ist verswunden.
20 die vremden und die kunden,
von den bin ich gunêret,
sît mir sus ist verkêret
al mîns hôhen muotes kraft.
manec trûrec man kumberhaft
25 hie vreude enpfienc von mîner hant,

dô ich der Provenzâlen lant
mit grôzen vreuden hie besaz:
jâ dorfte ninder fürbaz
der kumberhafte ellende,
niht wan gein mîner hende.
456 Mîner flust maht du dich schamn,
der meide kint. in dîme namn
was·mîn verch, mîn habe ge-
         veilet.
diu lücke ist ungeheilet,
5 die mir jâmer durchez herze schôz.
stêt dîn tugent vor wanke blôz,
du solt an mir niht wenken
und mîne flust bedenken,
sît entwarf dîn selbes hant
10 daz der vriunt vriundinne vant
an dem arme sîn durch minne.
reht manlîche sinne
dienent ûf wîplîchen lôn.
manegen sperkraches dôn
15 hân ich gehôrt umb ein wîp,
diu nu leider mînen lîp
mac dirre flust ergetzen niht:
mîn herze iedoch ir minne giht.
wan dîn helfe unde ir trôst,
20 ich wære immer unrelôst
vor jâmers gebende:
aller künege hende
möhten mit ir rîcheit
niht erwenden mir mîn leit.'
25 dô der fluz sînr ougen regen
het der zäher sô vil gephlegen
daz ir zal was umbekant,
dô kom Bernart von Brubant:
der strâfte in unde nam in abe
von sîner grôzen ungehabe.
457 Do der herzoge in trûrec sach,
zem marcrâven er dô sprach
'du bist niht Heimrîches suon,
wiltu nâch wîbes siten tuon.

20. mir [sei op] der tot lop.   21. ist fehlt op.   25. am urtellichem K, am
urtaillaichen m, an dem urteillichen t, an dem iungesten (iüngsten p) lnop.
28. erbermde l, erbarmede t, parmkeit o, barmhercikeit np, genad m.

455, 4. gelach mop, inlag n.   5. Vor lmt.   terrameres nop.   7. vor lmn.
Marzisen t.   8. olivieren Klt, olifiern o, olifieren np.   die l.   9. der fehlt
lop.   Biscof Kn, pischolf mo.   11. Ist fehlt Km.   kareln K, Karlen p.
an p; die an o.   geborn lop.   15. geerbet alle.   22. ist sus mnop.   25. hie
Klmnt, Ye op.   26. provenzaler op.   30. niht fehlt lt, Neigen op.

456, 2. dîme] deme K.   3. min verch habe l, mein verhat p, mein leben hat o.
10. vriwent vriwendine K.   13. Dient lt, Diente n, dienten m.   Die nimt auf
weip weiplichen lon op.   14. Maniger m, Maniges lop.   spers lot.   chrache
o.   21. Von lnopt.   25. siner alle.   29. das erste in und nam fehlen K.
ab-ungehab K.

457, 2. zem Marcrave K, Zuo dem ersten l, Zu dem markyse n.   4. sitten K.

5 grôz schade bedarf genendekeit.
über al diz her wirt ze breit
der jâmer durch dich einen,
wiltu hie selbe weinen,
reht als ein kint nâch der brust.
10 süeze vinden, manege sûre flust,
niht anders erbes muge wir hân.
du selp sibende starker man,
an den sô hôher art ist schîn,
wir müezen landes hêrren sîn:
15 wer liez uns lant und lande hort
âne bluot und swertes ort?
Tybaldes lant und des wîp
du hâst; dar umbe manegen lîp
noch gein uns wâgen sol sîn vâr.
20 du weist wol, über sehs jâr
sprach al der heiden admirât
şîn samenunge, diu nu hât
unser verch hie niht gespart.
um dînen vriwent Rennewart
25 mirz herze und d'ougen jâmerc sint:
wand errlôste ouch mir mîn kint,
den pfallenzgrâven Bertram,
und siben fürsten er dâ nam
in prîsûn ûz îsernbant,
aldâ er si beslozzen vant.
458 Der rîche, der arme, ietweder giht,
unser leger sî hie enwiht.
wol ûf, herbergen von dem wal.
wir sulen an bergen unde an tal
5 Rennwarten suochen heizen,
und ûf schœnem velde erbeizen,
dâ niht sô vil der tôten lige.
wir hân mit schaden disen sige

errungen gein der überkraft
10 an stolzer werden heidenschaft.
nu haben manlîchen muot!
nâch dem gelîch denn maneger tuot,
den hie vil kumbers twinget
und ouch mit jâmer ringet.
15　wa ervaht ie fürste dîn genôz
schumpfentiure alsô grôz?
diu ist sît Adâmes zît
alsô breit und alsô wît
an decheiner stat vor uns geschehen.
20 wir muosen halt die heiden sehen
ûf ir fluht gar unverzagt:
waz ob uns ûf dem nâhjagt
Rennwart ist ab gevangen?
ist ez im sus ergangen,
25 da engegen hab wir gæbez pfant.
gevangen ist in Larkant
der künec von Scandinâvîâ,
der wol ze wer hielt aldâ.
wir hân zweinzic ode mêr
hôher künege und fürsten hêr,
459 Der etslîcher ist sô wert,
des Terramêr hin wider gert:
gein den wirt Rennewart wol quît.
nu soltu werben (des ist zît)
5 daz man dir antwurte
die ûf velde unde in furte,
ûf dem mer in al den schiffen,
der heiden sî begriffen.
ze scherme dîme lande
10 soltu gern alsölher pfande
gich, dun wellst ir schatzes niht.
ieslîch fürste hie wol siht

---

9. reht *fehlt lnopt.*　　12. selbe *lnt.*　　sibender *Km.*　　14. lantherren *mop.*
15. landes *lmnopt.*　　16. bluotiges (blutigen *ln*, bluotige *t*) sw. *lnopt.*　　18. ma-
ning *n.*　　19. Gewaget. und noch gegen uns ruechet sere sein (dein *p*) unguns
Noch gein uns wag sein uber var *op*, Noch leben muz in varen *n.*　　wagen
sie als ein har *l.*　　20. vor ses iaren *n.*　　22. sine samnunge *K.*　　25. Mirz
t, Mir daz *l*, mins *K*, Mir *n*, Mein *mop.*　　hercen *K.*　　uñ die tougen *K*,
und die ougen *lm*, und ougen *nop*, ougen *t.*　　iamrich *lm*, iamerig *np*,
iæmrig *o.*　　26. er loste *Km*, erlost *t*, er erl. *lnop.*　　ouch *fehlt nop.*
29. yser bant *lt*, eisen pant *mop.*

458, 1. iweder *K.*　　2. lêger *K.*　　ein wicht *npt*, ze niht *m.*　　4. in tal *lop.*
5. Rennwartn *K.*　　8. haben *Kmop.*　　9. an *lnopt.*　　10. an *Km*, Mit *n*,
Gein [vil *o*] *lot.* Der vil starcken h. *p.*　　werder *lt, fehlt op.*　　ritterschaft *m.*
11. habe *lnopt.*　　12. den *K*, dir *lmt*, der *n.* nach geleich als (Und tu also *p*)
maniger tuet *op.*　　geliche *K.*　　denn *m*, denne *K*, dan *l, fehlt n.*
16. schunfentiure *K.*　　20. muozen *lmnopt.*　　22. dem *Kmt*, der *lnop.*
25. gæbiu *t*, gebe *l*, guteu *op*, riche *n.*　　29. od *K.*　　30. fursten unde
kunege *Km.*

459, 1. 2 *fehlen lt.*　　2. der admirat *nop.*　　3. dem *mno.*　　Rennw. *K.*　　6. in
velde *ln.*　　7. in allen *n*, unde al den *Km*, in den *lp*, und in den *o*, und uf
dem *t.*　　11. gihe *K*, Sprich *op.*　　du newellest *K.*

welch nôt dich darzuo dwinge.
nu rît an alle ir ringe.
15 dîn vater und die bruoder dîn
sulen mit dir an der rede sîn:
wir hân ir doch daz mêrre teil.
nu wis mit andæhte geil:
got hât dich hie wol gêret
20 und dînen prîs gemêret.'
   Willalm an Bernarten sach:
zem herzogen er dô sprach
'got weiz wol waz er hât getân.
nu geloube, manlîch wîser man,
25 ob du sîst sô gehiure,
dirre sige mir schumpfentiure
hât ervohten in dem herzen mîn,
sît ich guoter vriunt muoz âne sîn,
an den al mîn vreude lac.
ôwê tag, und ander tac!
460 Ein tac, dô mir Viviâns
wart erslagen ûf Alischans,
selbe sibende fürste, und al mîn her,
wan daz ich selbe entreit mit wer.
5 mîn bestiu helfe aldâ beleip.
diu grôze flust mich dar zuo treip
daz ich dîne genâde suochte,
und maneges der des ruochte
daz er sîn triwe erkante
10 und in mîn helfe ernante.
gestern was mîn ander tac.
von den heiden ich wol sprechen
      mac,
daz mîn vreude ist verzinset dran,
swaz der mîn herze ie gewan.
15 iedoch stêt ez mir alsô:
ich muoz gebâren als ich vrô
sî, des ich leider niht enbin.
ez ist des houbtmannes sin,
daz er genendeclîche lebe
20 und sîme volke trœsten gebe.

du solt mit mir rîten
inz her an allen sîten.
sô nu geherberget wirt,
ich getrûwe im wol daz niht verbirt
25 keins ringes hêrre, erne gebe
mir swaz heidenschaft dran lebe.'
   si riten unde erwurben gar
swaz ûz al der heiden schar
der hôhen dâ gevangen was,
daz mans im brâhte ûf bluomen
      gras
461 Für Heimrîches preimerûn:
der behielt se sîme sun.
   Willehalm der markîs
moht des jehen für hôhen prîs:
5 er het ze sînen handen
swaz ûz al der heiden landen
der hôhen was gevaṅgen dâ.
der künec von Scandinâvîâ
was wol von sîner tugende erkant.
10 al der heiden sunderlant
behalten heten ninder wîp,
diu ie sô kürlîchen lîp
sît Even zît gebære.
daz wârn von dem diu mære.
15 der marcrâf nam des sicherheit:
die andern wurden al bereit
beslozzen în îsernbant.
ze landes hêrren ir bekant
warn fünf und zweinzec mit der zal.
20 dô si entwichen von dem wal,.
si wârn ergriffen an dem mer
bî ir admirâtes wer.
   mit zuht des marcrâven munt
sprach 'mir ist ein dinc wol kunt
25 an iu, künec Matribleiz,
daz ich die wâren sippe weiz
zwischen iu und dem wîbe mîn:
durch si sult ir hie gêret sîn

13. dwinget *K*, dringe *l*, tvinge *o*.   14. rîte *K*.   15. Min *lnopt*.   min *l*.
19. geeret *alle aufser t*.   21. Willelm *K*.   Berhtramen *lm*.   26. dirre]
durch *K*.   scunfentiure *K*.   28. friwende *K*, freud *m*, froude *t*.

460, 2. ûf leschans *K*.   3. Und siben *n*.   fursten *lnopt*.   4. wan *fehlt K*. Ich
selb choum *m*.   9. sine *K*.   10. mine *K*.   20. trost *lmnopt*.   24. im
fehlt nop, in *t*.   vol *K*.   25. deheins *K*.   ern gebe *K*.

461, 1. premerun *opt*, primerun *l*, poweloune *n*.   3. Willelm *K*.   11. hete *lpt*.
nider *K*, indert *o*, dexein *l*.   12. ie *lmnt*, al *op*, *fehlt K*.   14. Niht wan
von deme mere *l*.   von dem diu *Kmn*, wunderleiche *op*.   15. Marcrave *K*,
markis *nop*.   16. werden *K*.   17. wol in *op*.   yserne bant *n*, eisnpant
mop, yser bant *t*.   18. ir *fehlt lt*, warn *nop*.   genant *op*, irkant *n*.   19. warn
Km, Ir waren *ltv*, Ir *nop*.   21. Die *loptv*.   begriffen *lnv*, gevangen *op*.
22. Vor terramer mit schoner wer *n*.   Bi irm atmerat *ltv*, pey dem von
Tenebri *op*.   wer *m*, her *K*, ze were *loptv*.   23. Marcven *K*.   25. an
eu *K*.   28. Durch die *lopv*.   hie *fehlt nop*.   gert *K*.

von allen den diechs mag erbiten.
ir habt mit werdeclîchen siten
462 Iwer zît gelebt sô schône,
daz nie houbt under krône
ob küneges herzen wart erkant,
den beiden vor ûz wære benant
5 sô manec hôhlîcher prîs.
ich mag iuch lobn in allen wîs,
zer manheit und zer triuwe,
und zer milte ân riuwe,
und zer stæte diu niht wenken kan.
10 ich künd iu, wol gelobter man,
mînen willen, des ich bite:
ich getrûwe iu wol, ir sît dermite.
nemt dirre gevangen liute ein teil,
die ûf ir eit und ûf ir heil
15 niht wan die rehten wârheit sagen,
swaz hie künege lige erslagen,
daz ir die suochet ûz dem wal
und rehte nennet über al
beide ir namen unde ir lant.
20 die sol man heben al zehant
schône von der erden,
daz se iht ze teile werden
decheime wolf, decheime rabn.
wir sulen si werdeclîcher habn.
25 durch die diu von in ist erborn:
swaz Gyburg mâge ist hie verlorn,
die sol man arômâten,
mit balsem wol berâten,
und bâren küneclîche,
als ob in sîme rîche
463 Dâ heime ieslîcher wære tôt.'
Matribleiz zehant sich bôt
ze tal gein sînen fuozen nider.
der wart schier ûf gehaben sider.
5 dô danct er dem markîs,
und sprach alsô, daz al sîn prîs
mit der tât wære beslozzen,

und sîn triwe mit lobe begozzen,
des sîn sælde immer blüete
10 und sîn unverswigeniu güete.
Matribleiz sprach aber mêr
'unser wer und unser gote hêr
half niht, wirn müesen unverholen
die wâren schumpfentiure dolen.
15 daz unser fluht ie wart gesehen,
des mac mîn herze unsanfte jehen.
mîn werder got Kâhûn wol weiz,
sîn dienstman Matribleiz
wart zer fluht nie geborn:
20 ich was ie wol zer wer erkorn,
giht es daz getoufte her.
ich wart ergriffen an der wer
und in Larkant gedrungen,
der fluht gar unbetwungen.
25 mîn eines rüemen hilfet niht,
sît man mich hie gevangen siht.
het wir uns alle baz gewert,
des wære der heiden mêr ernert,
und der admirât sô hinnen kumn,
daz im niht prîses wære genumn.'
464 Der marcrâve tet im kunt
um einen senlîchen funt,
den er hete funden
'dô was überwunden
5 an dem mer der Kanabêus suon.
swer dô mit nemen iht wolde tuon,
daz tet wol ieslîch kristen hant.
an sîme ringe ich stênde vant
ein preimerûn hôh unde wît
10 gar von blankem samît.
ûz der heiden ê ein priester grâ
was dar under meister dâ.
ich was durch mînen helm versnitn:
al tewende ich drunder kom geritn,
15 niht durh nemens vâre.
ich vant drî und zweinzec bâre,

---

29. den *fehlt* n.　die iehs *Klmnv*, die ich *op*, die des *t*.

462, 6. euch *K*.　alle *lnpv*, allem *o*.　8. ane *K*.　11. bitt *K*.　12. dr mitt *K*.　16. Waz *lnopv*.　17. uf *lnoptv*.　22. si *K*.　24. werdeclichen *lopv*, werdecliche *t*. werdiklîche irhaben *n*.　25. geborn *lmnopv*.　26. Gyburbe *K*. hie ist *lntv*, sint hie *op*.　30. Als ob sie in ir riche *lopv*.

463, 4. schiere *K*.　8. mit liebe *K*.　10. endelose *lnoptv*.　13. wir enmuesen *K*.　14. schunf. *K*.　18. daz sein *mn*, Mein *op*. dinst vor *ltv*, dienst und daz *op*.　19. fluhte *lop*, fluch *v*.　21. Giht des *mopt*, Iehis *n*, giht *K*.　25. eins *K*.　26. bi gevangenn *K*, gevangen (*ohne* hie) *lov*.　29. 30 *fehlen* *lnv*.　30. niht priss *K*, niht pris *t*, iht preis *m*; der preis nicht *op*. benomen *ôpt*.

464, 2. ez wær ein *op*.　sendleichen *m*, snellichen *Kt*, sæliger *op*.　4. Do man vant *m*.　5. der *Kt*, des *lnv*, den *m*, *fehlt op*.　9. premerun *lopv*, primerun *t*, poweline *n*.　und *K*.　11. 12. gra-da *loptv*, *fehlt Kmn*.　14. tewende *K und (das erste e aus o gemacht) t*, towend *m*, wunt *lv*, blutende *n*, tougen *op*.　16. zweizech *K*.

als manegen tôten künec dâ ligen,
gekrœnt. ir namen sint unver-
    swigen :
ze ende ieslîcher bâre drum
20 hât ir epitaffium
an breiten tavelen, die sint golt.
ich gelœube im wol, er wære in holt,
swer die koste durch si gap.
dar an was ieslîch buochstap
25 mit edelen steinen verwiert,
al die bâre wol geziert.
man list dâ kuntlîche
ir namen unde ir rîche,
wannen ieslîcher was erborn,
und wie er hât den lîp verlorn.
465 Mich gerou daz ich dar under
    was.
idoch ein teil ich dâ las,
und vrâgte den priester mære,
von wem diu koste wære.
5 des jah er ûf den admirât.
mîn van ez dâ beschirmet hât:
den hiez ich stôzen derfür,
und bat sîn pflegen, daz iht verlür
der priester dar unde.
10 sölh vinden schuof mîn wunde.
ich sach dâ manec balsemvaz.
hêr künec, ich sagez iu umbe daz:
ob wir balsem sulen hân,
den sol iu der priester lân,
15 und dar zuo swaz dar under sî:
daz sî der pflege vor mir nu vrî.
    nu füert die tôten werden
von der toufpæren erden,
dâ man si schône nâch ir ê

20 bestate. ich sol iu schaffen ê
starke mûle die si tragen,
künege die hie sint erslagen;
und liute die der bâre pflegn,
ûf brükke, in furte, und an den
    wegn.
25 ob irs geruochet unde gert,
sô sît noch mêr von mir gewert.
ir sult hie unbetwungen sîn.
sprechet selbe: swaz ist mîn,
daz sult ir nemen al bereit.
sît ledec iwer sicherheit.
466 Hêr künec, als ich iuch ê bat,
nu rîtet ûf die walstat
und ûf die bluotvarwen slâ.
swaz ir künege vindet dâ,
5 die bringet Terramêre,
der die grôzen überkêre
tet âne mîne schulde,
des genâde und des hulde
ich gerne gediende, torst ichs biten,
10 swie er gebüte, wan mit den siten
daz ich den hœhsten got verküre
und daz ich mînen touf verlüre
und wider gæb mîn clârez wîp.
für wâr ich liez ê manegen lîp
15 verhouwen als ist hie gesehen.
hêr künec, ir muget im dort wol
    jehen,
ich ensendes im durch forhte niht,
swaz man hie tôter künege siht:
ich êre dermit et sînen art,
20 dés mir ze kürzwîle wart
an mînem arme ein süezez teil,
dâ von ich trûric unde geil

17. also *K.*   18. unverswigt *K.*   20. Hete *loptv,* Geschribn *m.*   Eppita-
fium *K.*   21. richen. *loptv.*   daz was *n,* die warn *op.*   24. ist *loptv.*
25. verwieret *Km,* gewieret *lptv,* gevieret *o,* geciret *n.*   26. Alle bar *t,* Und
di bare wol *n,* Alle harte *lv,* die paren vand ich so *op.*   gezieret *Klmoptv,*
gefurriret *n.*   27. Mit pfellele man las da *n.*   kunstliche *lv,* kunichleiche *ot.*
29. Wanen *t,* Wanne *lv,* von wann *m,* Und von wan *p,* Und von wannen *o.*
geborn *lnopv.*   30. het *nopt.*

465, 2. vragete *K.*   7. dr für *K.*   9. dar under *lnoptv.*   10. Dez fundes nam
mich wunder *op.*   wunder *lv.*   13. Ob ir sullet palsem han *op,* Ob ir bal-
sem muozent han *t.*   muozzen *lv.*   16. von mier (mir *nt*) nu mnt, nu von mir
lv, gar von mir *op.*   nach 16 *stehen* 25. 26 in *t.*   17. Si fuorten *t.*
20. bestatte *K.*   21. moulen *o.*   22. ligen *lnoptv.*   23—26 *fehlen lnv.*
Ich sol euch wol belaitten (bereiten *p*) und ous meinem land beraitten (belei-
ten *p*) Fridleichen untz aldar da ewer die heiden nemen war *op.*   24. und ouf
wegen *mt.*   26. So west *t.*   an mir *t.*   28. swaz *Kmnt,* waz *v,* daz *lop.*

466, 9. getorst *Kopt,* getorste *v.*   13. gæbe *K.*   15. hie ist *lv,* ist *n,* hie nu ist
o, nu hie ist *p.*   geschehen *mt,* getan *op.*   18. ime dort veriehen (niht
iehen *m*) *lmtv,* in wizzen lan *op.*   19. dr mit et *K,* dermit *t,* damit [ot *m*]
mn, ouch (ot nur *p*) da mit *lp,* oc dar mide *v.*   sine *l,* sein *op,* siner *t,* sin
reinen *n.*   20. Der *n,* Die *p.*   21. meinen arm (arme *ot*) *mnopt.*

sît dicke wart, sô kom der tac
daz Tybalt gein mir strîtes pflac.
25 vor dem möht ich hie wol genesen,
swenn ze Baldac wolte wesen
bî dem bâruc der admirât,
der mich nu hie gesuochet hât.
    ich bevilh iuch, künec Matribleiz,
dem der der sterne zal weiz

467 Unt der uns gap des mânen schîn.
dem müezet ir bevolhen sîn,
daz er iuch bring ze Gaheviez.
iwer herze tugende nie verliez.'
5   der marcrâf guot geleite dan
gap dem hôch gelopten man,
und swaz man tôter künege vant.
sus rûmt er Provenzâlen lant.

26. swenne *K*, Swan *n*.   28. gesv̇chet *K*.   30. der dr *K*.
467, 3. 4 *fehlen p*.   3. bringe *K*.   zu gahewiz *n*, ze kaheviez *lv*, ze Kaha-
wiez *t*, in gaher weis *o*.   5. marcrave *K*, markis *nop*.   7. unde den
toten kunegen die man vant *Km*.   man *lntv*, er *op*.   kunig da *ltv*.
8. pruvenzalen *lv*, provinzalen *no*, Provenzal *t*.